(1896~2050)

南半球萬歲曆

도원만세력 下

박경호 著

導元學堂

들어가는 말

천지를 움직이고 변화시키는 조화의 원동력을 운기(運氣)라고 한다. 하늘을 움직이는 것은 천기(天氣)요 땅을 다스리는 것은 지기(地氣)인데, 이 천기와 지기가 오르고 내리는 천지의 교류가 곧 음양(陰陽)의 배합이요, 그 배합에서 이루어지는 만물의 창조와 변화가 바로 천지운기의 조화다. 인간은 하늘과 땅 사이에 서 있는 중간체다. 천기와 지기는 하늘과 땅을 오르고 내리면서 인체를 통과하게 되는데, 이때의 운기 상태는 인간의 정신적, 육체적 모든 부분에 영향을 미치게 된다. 사지오체의 운동이나 오장육부의 왕 · 쇠 · 강 · 약(旺 · 衰 · 强 · 弱)이 달라지며, 성격 형성이나 운명(運命)의 길흉(吉凶)에도 결정적 영향을 주게 된다.

천기는 오행의 줄기인 천간(天干)을 통해서 조화를 부리고, 지기는 오행의 뿌리인 지지(地支)를 통해서 나타난다. 따라서 인간의 運과 命은 천기와 지기가 간지(干支)로 표시된 사주(四柱)의 네 기둥과 대운(大運)으로 표현할 수 있다. 명리학(命理學)은 인간을 대상으로 하는 운명철학으로서 인간이 태어난 시점에 해당하는 간지의 배합을 보고 그 사람의 그릇(격; 格)과 운명을 판단하는 학문이다. 만세력(萬歲曆)은 세월 따라 변화하는 위 간지의 조합을 년, 월, 일별로 기록한 책이다. 따라서 정확한 만세력이야말로 인간의 운명을 판단하는데 있어 필수불가결한 요소인 것이다.

저자는 생의 대부분을 길에서 보냈는데, 많은 나라를 여행하면서 다양한 인종의 운명을 감정할 기회를 가졌다. 그런데 북반구에서 태어나 북반구에 살고 있는 사람들은 현존하는 만세력으로 자연스럽게 감정이 가능했지만, 남반구의 경우에는 자신이 없었다. 그 이유는 명리학의 대상이 북반구이기 때문인 것이고, 만세력 또한 당연히 북반구만을 대상으로 하여 쓰여 졌기 때문이다. 남반구에서는 年 · 月 · 日 · 時의 干支가 북반구와 다를 뿐만 아니라 오행의 순환에 있어서도 土의 위치가 북반구와 다르기 때문에 생 · 극 · 제 · 화(生 · 剋 · 制 · 化) 및 육친(六親)이 북반구와 다르게 되며 戊 · 己土의 字意 또한 달라지 게 된다.

따라서 오늘날처럼 북반구와 남반구의 인구이동이 활발한 시대에 북반구만세력만으로 세계인의 운명을 감정한다는 것은 그 자체가 모순이다. 남반구용 만세력이 진즉 만들어졌어야 했다. 북반구에서 태어났다 하더라도 남반구에 거주하면 대운(大運), 세운(歲運), 월운(月運), 일진(日辰) 등 모든 運이 바뀌는 것이고, 남반구 태생이 북반구에 거주하더라도 운이 바뀌는 것이다. 구성기학(九星氣學) 또한 정위반(正位盤)이 바뀌게 되어 북반구와 남반구의 자백(紫白)이 바뀌게 된다.

만세지탄이지만, 저자는 사주명리학이 기후와 계절학이라는 논리에 근거하여 남반구에 적용될 수 있는 만세력을 사상 최초로 제작하여 年, 月, 日, 時에 따라 달라지는 천간과 지지를 기록하였으며, 더불어 구성기학이 방위학(方位學)이라는 논거로써 달라진 정위반의 자백을 적용하여 남반구에 적용될 수 있는 년백(年白), 월백(月白), 일백(日白)을 첨가하였다.

이제까지 우리는 반쪽 지구인의 시각으로만, 다시 말해서 한쪽 눈으로만 세상을 보아왔고 또 그 결과를 일반화 시켜왔다. 이제 남반구만세력의 탄생으로 인해 우리는 양쪽 눈을 모두 갖게 되었다. 이제까지 한쪽 눈으로만 해석되어온 천간과 지지의 의미도 이제는 재해석 되어야 할 것이다. 아무쪼록 본 남반구만세력이 陰陽五行理論의 벼리가 되어 향후 남반구명리학, 우주음양오행학 등 많은 이론들이 탄생하기를 기대해본다. 저자의 천학비재(淺學菲才)로 인한 오랜 망설임 끝에 늦게나마 용기를 내어 "도원 만세력(渡元 萬歲曆)"이라는 제목 하에 上卷은 북반구용으로, 下卷은 남반구용으로 出刊하게 되었다. 제현들의 많은 질책 부탁드리면서 부디 본 만세력이 온 지구인을 위한 길잡이가 되었으면 하는 마음 간절하다.

그동안 남반구만세력의 이론적 기반을 갖게 해주신 동방대학원대학교 교수님 및 동문님들의 도움에 감사드리며, 또한 서울시립청소년복지관과 도원학당에서 2년 이상의 긴 시간동안 저의 부족한 강의를 들어주신 많은 도반님들의 격려와 질책에 감사드린다. 그리고 대도문화사 김홍근 회장의 적극적인 협조와 서영식 실장의 인쇄 전반에 걸친 수고, 이정민 과장의 예쁜 표지 디자인 및 레이아웃에 감사드린다. 끝으로 오랜 세월 말없이 미소로 지켜봐주고 한없는 사랑을 보내준 사랑하는 가족에게 감사드린다.

2015년　2월

乙未年 孟春之節

落山기숡에서

編著者　**渡元　朴景浩**　拜

도원만세력을 읽기 전에

북반구란 적도를 중심으로 북쪽에 해당하는 지역을 말하고 남반구란 적도를 중심으로 남쪽에 해당하는 지역을 말하는데 북반구와 남반구의 命理學은 근본적으로 다르다. 그 차이점을 분석해보면 먼저 五行의 구조가 다르다. 북반구에서는 북극성의 근원인 水의 기운이 강하여 水剋火가 되는데 반하여 남반구에서는 火에 비해 상대적으로 水가 약해져 火剋水가 된다는 것이다. 이론을 펼쳐보면 북반구에서는 水剋火, 金剋木이 되며 남반구에서는 火剋水, 木剋金이 된다. 그 근거는 위의 水와 火의 기운차이도 있지만, 五行 중 土의 위치 때문이다. 북반구에서의 오행순환은 목에서 시작하여 화에 이른 후 토를 거쳐 금, 수로 하강하는데 반해서 남반구에서는 금에서 시작하여 수에 이른 후 토를 거쳐 목, 화로 상행한다. 그러므로 북반구에서는 土가 火와 金 사이에 위치하게 되며, 남반구에서는 水와 木 사이에 위치하게 된다. 따라서 生·剋·制·化가 달라지 게 되고, 이어서 六親관계 또한 달라지 게 된다(부록 참조). 10天干의 合·沖관계에 있어서는 먼저, 沖의 경우 土에는 沖이 없기 때문에 북반구와 남반구가 水火相沖, 金木相沖으로 서로 같다. 그러나 合의 경우에는 달라진 土의 위치 때문에 완전히 바뀌게 되어 북반구는 甲己, 乙庚, 丙辛, 丁壬, 戊癸合인데 반해 남반구는 庚己, 辛甲, 壬乙, 癸丙, 戊丁合이 된다. 단, 地支의 合·刑·沖·破·害는 서로 같다(일러두기 참조).

현재까지는 남반구태생의 사주를 해석할 수 있는 방법이 없었다. 뿐만 아니라 여행이나 유학 또는 사업 등의 목적으로 북반구태생이 남반구에, 또는 남반구태생이 북반구에 거주하는 경우 그 사람의 운세를 해석할 수 있는 만세력이나 이론이 없었다. 기존의 만세력은 북반구태생이 북반구에 거주하는 경우에만 사용할 수 있는 운기(運氣)사전이었다. 그러나 북반구와 남반구 인들의 이동이 활발해진 오늘날에 이르러서는 온 지구를 관통할 수 있는 명리이론과 만세력이 절실히 필요하게 되었다. 이에 저자는 사상최초로 북반구와 남반구에서 다르게 펼쳐지는 운기와 구성학의 자백을 연, 월, 일별로 기록하여 북반구만세력과 남반구만세력으로 정리하였고, 더불어 달라진 운기에 따라 변화되는 명리이론을 「일러두기」와 「부록」을 통하여 북반구와 남반구를 비교하며 설명했다. 이제부터 음양오행학과 구성학 등 동양철학을 근거로 운세상담을 하고 계시는 제현님들이나, 수학하시는 도반님들은 어느 지역에서나 어떠한 사람들에게나 상담 가능한 천문학적 근거를 갖게 된 것이다.

예를 들어 성격분석의 경우를 살펴보자. 북반구 에서는 金水가 木火를 剋하는 구조로 되어있고 남반구에서는 木火가 金水를 剋하는 구조로 되어있기 때문에 북반구 태생 또는 거주자는 성격적으로 좀 움츠려드는 기질이 있게 되고, 남반구의 경우는 좀 활달한 기질이 있게 된다. 따라서 生年 · 月 · 日 · 時가 같더라도 북반구와 남반구 태생은 성격이나 적성이 다르게 되고, 북반구 태생이 남반구에 거주하게 되면 좀 더 활달한 성격이 될 것이고, 남반구 태생이 북반구에 거주하게 되면 좀 더 움츠려들게 될 것이다. 이를 응용하면, 성격이 내성적이고 움츠려드는 성격의 사람은 남반구에서 살면 좋을 것이고, 외향적이고 너무 활달한 성격의 사람은 북반구에서 거주하는 것이 중화를 목표로 하는 命理理論 상 좋다고 볼 수 있을 것이다.

運勢분석의 경우에 있어서도 用神에 따라 자신에게 유리한 지역으로 거주지를 옮김으로써 최상의 컨디션을 유지할 수 있을 것이다. 運勢分析의 방법은 먼저, 타고난 四柱八字를 기록한다. 자신이 태어난 구역의 만세력을 기준으로 사주팔자를 기록하면 된다. 이 팔자는 어느 구역에서나 변하지 않는다. 그러나 大運, 歲運, 月運, 日辰 등 모든 운세는 구역에 따라 변하는데 현 거주지 또는 여행지가 북반구인가 남반구인가를 먼저 구분한 후 그 구역에 해당하는 만세력을 참조하면 된다. 단, 大運의 경우 쉽게 찾는 방법은 현재 자신이 위치한 대운의 干支와 沖 되는 干支를 취하면 된다. 그러나 天干 戊 · 己土는 沖이 없기 때문에 북반구에서나 남반구에서나 戊 · 己土 그대로 취하고 해당 地支만 沖 되는 因子를 취하면 된다. 그리고 운세분석과정에서 중요한 것은 북반구태생은 남반구에 거주하더라도 북반구의 명리이론을 따르고, 남반구태생은 북반구에 거주하더라도 남반구의 명리이론을 따른다는 것이다. 여기서 명리이론이란 천간합, 생극제화, 육친, 공망 등 부록에 명시된 서로 다른 이론들을 말한다.

이상의 내용을 잘 인지하고 부록을 숙지한 후 북반구만세력과 남반구만세력을 잘 적용하여 사주를 분석하면 좀 더 완벽한 운세풀이가 될 것으로 확신한다. 뿐만 아니라 명리학의 목적인 피흉취길의 수단으로써 이제까지는 부적이나 굿 또는 기도 등이 전부였다면 이제부터는 자신의 용신과 맞는 지역으로의 여행이나 이사 등 보다 적극적인 방식을 택할 수 있게 된 것이다.

일러두기

도원만세력은 먼저, 눈의 피로감을 덜어드리기 위해 만세력의 글자배열을 가로쓰기로 했을 뿐만아니라 북반구만세력과 남반구만세력에서 동일 쪽수에 동일 년도가 위치하게 편집되어 두 구역의 운기를 비교하여 살펴보기 편리하게 편집되었다. 다음은, 북반구와 남반구의 만세력 내용이 달라진다는 점인데 본 만세력의 가장 중요한 특징이다. 上卷인 「북반구만세력」에 대해서는 따로 설명 드리지 않아도 되겠으나, 下卷인 「남반구만세력」에 대해서는 아래의 내용을 읽어보시면 참고가 되실 것이라 생각된다.

1. 천간(天干)의 배열순서가 북반구와 남반구가 달라진다.

북반구와 남반구는 계절과 기후가 정반대이다. 그것은 황도와 23.5도 기울어진 지구의 공전에 따른 지구표면에서의 일사량에 의해 계절과 기후가 변화하기 때문이다. 따라서 기후와 계절의 학문인 명리학에서 북반구와 남반구의 天氣(天干)와 地氣(地支), 節氣 또한 정반대로 달라지 게 되는데 이는 지구의 공전과 관계하는 년 · 월 · 일에 한 한다. 단, 시간의 경우 天氣(天干)는 달라지지만, 12地支는 오로지 지구의 자전과만 관계하기 때문에 북반구와 남반구가 같다. 즉, 경도가 같으면 시간도 같다는 것이다.

그리고 천간과 지지의 배열순서는 서로 같다. 그것은 계절이 순행순환 되기 때문이다. 단, 천간의 경우 다음과 같은 이유로 인해 土(戊 · 己)의 위치가 달라진다.

土는 陽의 영역인 木 · 火와 陰의 영역인 金 · 水 사이에서 조절자 역할을 함으로서 陽과 陰이 극한으로 치닫는 것을 저지해 주는 역할을 한다. 즉, 북반구에서는 火(丙 · 丁)가 우주공간으로 한없이 발산되는 것을 억제해서 水로 수렴 될 수 있는 바탕을 마련해주며(土 : 하늘), 남반구에서는 水(壬 · 癸)가 끝없이 응축되는 것을 저지하여 火로 발산될 수 있는 기반을 마련해주는 역할을 하는 것이다(土; 땅). 따라서 북반구에서 土가 陽의 영역 끝자락에 위치한다면 남반구에서는 반대로 陰의 영역 끝자락에 자리해야 타당하다.

따라서 五行과 10천간의 진행 순서가 북반구에서는 木→火→土→金→水와 甲→乙→丙→丁→戊→己→庚→辛→壬→癸의 순서로, 남반구에서는 金→水→土→木→火와 庚→辛→壬→癸→戊→己→甲→乙→丙→丁의 순서로 순행되게 된다.

(1) 年 · 月 · 日 · 時의 아라비아 숫자 란은 북반구와 남반구가 같다. 그 이유는 다음과 같다. 1年은 지구가 태양을 한 바퀴 공전하는 기간을 의미하며, 1個月은 지구가 태양을 1/12바퀴 공전하는 기간, 또는 달이 지구를 한 바퀴 공전하는 기간을, 그리고 1日은 지구가 한 바퀴 자전하는 기간, 또는 지구가 태양을 1/365바퀴 공전하는 기간을, 1時間은 지구가 지구경도 상 15도를 자전하는 기간을 의미한다.

예를 들어 2015年 3月 23日 13時라는 의미는 카렌다 탄생의 기준 싯점(西紀 1年 1月 1日 0時)으로부터 지구는 태양을 2015바퀴 돌았다는 의미(2015年)이고, 달은 2015年의 시작 싯점(1月 1日 0時)으로부터 지구를 3바퀴(3月)를 돌았으며, 日은 2015年 3月 시작 싯점(1日 0時)으로부터 지구가 자전을 23번 했다는 것이고, 時는 2015年 3月 23日 시작 싯점(0時)으로부터 지구경도 상 195도만큼 자전을 했다는 뜻이다. 즉, 年 · 月 · 日 · 時의 아라비아 숫자 부분은 단순한 서수(序數)에 불과하다는 것이다. 그러나 카렌다 상의 천간(天干)과 지지(地支)의 의미는 해당 아라비아 숫자들 각각이 가지고 있는 고유한 오행(五行)의 기운을 의미한다. 따라서 북반구와 남반구의 오행 기운은 정반대로 형성되는 것이다.

(2) 방위와 大運의 數는 북반구와 남반구가 서로 같다. 그 근거는 방위의 경우 북극성의 방향이 북쪽이고, 해가 뜨는 쪽이 동쪽이기 때문이며, 大運의 數는 생년 간지의 陰 · 陽에따라 生日로부터 앞 절기 혹은 다음 절기까지의 日數가 결정하기 때문이다. 즉, 북반구의 천간이 陽이면 남반구도 陽이고, 陰이면 陰이기 때문이며, 절기의 기간은 북반구와 남반구가 서로 같기 때문이다.

(3) 대운의 배열순서(순행/역행)는 북반구와 남반구가 천간과 지지의 인자만 바

뀔 뿐 순서는 같다. 예) 북반구의 대운 배열순서가 木(寅卯辰)→火(巳午未)→金(申酉戌)→水(亥子丑) 순서로 된다면, 남반구는 金(申酉戌)→水(亥子丑)→木(寅卯辰)→火(巳午未)의 순서로 배열된다. 다만, 천간의 배열순서는 戊·己土의 위치 때문에 달라진다.

(4) 戊·己土의 위치 때문에 天干과 地支의 相生相剋, 天干의 合 그리고 戊·己土의 12運星이 북반구와 남반구에서 서로 달라지 게 되며, 六十甲子, 年·月·日·時干支, 命宮干支, 공망(空亡), 육친(六親) 또한 달라지 게 된다.
* 부록 참조.

2. 자백(紫白)의 배열순서가 북반구와 남반구가 달라진다.

구성학(九星學)은 방위학(方位學)이다. 따라서 북반구와 남반구의 구성 정위반(正位盤)은 지축(地軸)에 해당하는 자백(紫白)인 5황토(黃土) 를 중심으로 上下左右가 바뀌어 배열된다. 즉, 북반구 1백수(白水)는 남반구 에서 9자화(紫火), 2흑토(黑土)는 8백토(白土), 3벽목(碧木)은 7적금(赤金), 4록목(綠木)은 6백금(白金), 6백금(白金)은 4록목(綠木), 7적금(赤金)은 3벽목(碧木), 8백토는 2흑토, 9자화는 1백수로 바뀐다.

따라서 북반구와 남반구의 정위반(正位盤)은 다음과 같다.

4	9	2
3	5	7
8	1	6

북반구 정위반

6	1	8
7	5	3
2	9	4

남반구 정위반

그리고 년명성(年命星), 월명성(月命星), 일명성(日命星)을 모두 표기해 놓았는데, 년명성은 해당 년간지 곁 괄호 안에, 월명성은 해당 월간지 곁 괄호 안에 표기했다. 그리고 일명성의 경우는 해당 양력 아라비아숫자 월 곁 괄호 안에 월 첫날에 해당하는 자백과 상원과 하원이 바뀌는 날에 해당하는 자백만 표기했는데, 자백의 배열이 순행으로 될 경우는 해당 자백 다음에 '+'를(예; 九紫+), 역행으로 될 경우에는 자백 다음에 '–'를(예; 二黑–) 표기했고, 상하원이 바뀌는 날의 경우는 월 첫날의 자백과 함께(예; 1일 二黑– 30일 一백+) 표기했다.

차 례

南半球 萬歲曆

(1896년~2050년) (下卷)

서기1896년

壬寅年 (五黃土星)

1月 (1일 八白 + 12일 九紫 -) **己未 (七赤)** 절기: 小暑 (6일 03:55) 大暑 (20일 21:25)

양력		1	2	3	4	5	6	7	8	9	10	11	12	13	14	15	16	17	18	19	20	21	22	23	24	25	26	27	28	29	30	31
요일		水	木	金	土	日	月	火	水	木	金	土	日	月	火	水	木	金	土	日	月	火	水	木	金	土	日	月	火	水	木	金
음력	월	17	18	19	20	21	22	23	24	25	26	27	28	29	30	十二	2	3	4	5	6	7	8	9	10	11	12	13	14	15	16	17
일진		丁未	庚申	辛酉	壬戌	癸亥	戊子	己丑	甲寅	乙卯	丙辰	丁巳	庚午	辛未	壬申	癸酉	戊戌	己亥	甲子	乙丑	丙寅	丁卯	庚辰	辛巳	壬午	癸未	戊申	己酉	甲戌	乙亥	丙子	丁丑
대운	男	8	9	9	9	10	小	1	1	1	1	2	2	2	3	3	3	4	4	4	5	5	5	6	6	6	7	7	7	8	8	8
	女	2	1	1	1	1	暑	9	9	9	8	8	8	7	7	7	6	6	6	5	5	5	4	4	4	3	3	3	2	2	2	1

2月 閏 (1일 七赤 -) **甲申 (八白)** 절기: 立秋 (4일 15:43) 處暑 (19일 11:47)

양력		1	2	3	4	5	6	7	8	9	10	11	12	13	14	15	16	17	18	19	20	21	22	23	24	25	26	27	28	29		
요일		土	日	月	火	水	木	金	土	日	月	火	水	木	金	土	日	月	火	水	木	金	土	日	月	火	水	木	金	土		
음력	월	18	19	20	21	22	23	24	25	26	27	28	29	一	2	3	4	5	6	7	8	9	10	11	12	13	14	15	16	17		
일진		庚寅	辛卯	壬辰	癸巳	戊午	己未	甲申	乙酉	丙戌	丁亥	庚子	辛丑	壬寅	癸卯	戊辰	己巳	甲午	乙未	丙申	丁酉	庚戌	辛亥	壬子	癸丑	戊寅	己卯	甲辰	乙巳	丙午		
대운	男	9	9	9	立	10	9	9	9	8	8	8	7	7	7	6	6	6	5	5	5	4	4	4	3	3	3	2	2	2		
	女	1	1	1	秋	1	1	1	1	2	2	2	3	3	3	4	4	4	5	5	5	6	6	6	7	7	7	8	8	8		

3月 (1일 五黃 -) **乙酉 (九紫)** 절기: 白露 (5일 10:15) 秋分 (20일 11:24)

양력		1	2	3	4	5	6	7	8	9	10	11	12	13	14	15	16	17	18	19	20	21	22	23	24	25	26	27	28	29	30	31
요일		日	月	火	水	木	金	土	日	月	火	水	木	金	土	日	月	火	水	木	金	土	日	月	火	水	木	金	土	日	月	火
음력	월	18	19	20	21	22	23	24	25	26	27	28	29	30	二	2	3	4	5	6	7	8	9	10	11	12	13	14	15	16	17	18
일진		丁未	庚申	辛酉	壬戌	癸亥	戊子	己丑	甲寅	乙卯	丙辰	丁巳	庚午	辛未	壬申	癸酉	戊戌	己亥	甲子	乙丑	丙寅	丁卯	庚辰	辛巳	壬午	癸未	戊申	己酉	甲戌	乙亥	丙子	丁丑
대운	男	1	1	1	1	白	10	9	9	9	8	8	8	7	7	7	6	6	6	5	5	5	4	4	4	3	3	3	2	2	2	1
	女	9	9	9	10	露	1	1	1	1	2	2	2	3	3	3	4	4	4	5	5	5	6	6	6	7	7	7	8	8	8	9

4月 (1일 一白 -) **丙戌 (一白)** 절기: 寒露 (4일 15:47) 霜降 (19일 23:12)

양력		1	2	3	4	5	6	7	8	9	10	11	12	13	14	15	16	17	18	19	20	21	22	23	24	25	26	27	28	29	30	
요일		水	木	金	土	日	月	火	水	木	金	土	日	月	火	水	木	金	土	日	月	火	水	木	金	土	日	月	火	水	木	
음력	월	19	20	21	22	23	24	25	26	27	28	29	30	三	2	3	4	5	6	7	8	9	10	11	12	13	14	15	16	17	18	
일진		庚寅	辛卯	壬辰	癸巳	戊午	己未	甲申	乙酉	丙戌	丁亥	庚子	辛丑	壬寅	癸卯	戊辰	己巳	甲午	乙未	丙申	丁酉	庚戌	辛亥	壬子	癸丑	戊寅	己卯	甲辰	乙巳	丙午	丁未	
대운	男	1	1	1	寒	10	10	9	9	9	8	8	8	7	7	7	6	6	6	5	5	5	4	4	4	3	3	3	2	2	2	
	女	9	9	10	露	1	1	1	1	2	2	2	3	3	3	4	4	4	5	5	5	6	6	6	7	7	7	8	8	8	9	

5月 (1일 七赤 -) **丁亥 (二黑)** 절기: 立冬 (5일 09:52) 小雪 (20일 23:05)

양력		1	2	3	4	5	6	7	8	9	10	11	12	13	14	15	16	17	18	19	20	21	22	23	24	25	26	27	28	29	30	31
요일		金	土	日	月	火	水	木	金	土	日	月	火	水	木	金	土	日	月	火	水	木	金	土	日	月	火	水	木	金	土	日
음력	월	19	20	21	22	23	24	25	26	27	28	29	30	四	2	3	4	5	6	7	8	9	10	11	12	13	14	15	16	17	18	19
일진		庚申	辛酉	壬戌	癸亥	戊子	己丑	甲寅	乙卯	丙辰	丁巳	庚午	辛未	壬申	癸酉	戊戌	己亥	甲子	乙丑	丙寅	丁卯	庚辰	辛巳	壬午	癸未	戊申	己酉	甲戌	乙亥	丙子	丁丑	庚寅
대운	男	1	1	1	1	立	10	10	9	9	9	8	8	8	7	7	7	6	6	6	5	5	5	4	4	4	3	3	3	2	2	2
	女	9	9	10	10	冬	1	1	1	1	2	2	2	3	3	3	4	4	4	5	5	5	6	6	6	7	7	7	8	8	8	9

6月 (1일 三碧 -) **庚子 (三碧)** 절기: 大雪 (5일 14:37) 冬至 (21일 07:30)

양력		1	2	3	4	5	6	7	8	9	10	11	12	13	14	15	16	17	18	19	20	21	22	23	24	25	26	27	28	29	30	
요일		月	火	水	木	金	土	日	月	火	水	木	金	土	日	月	火	水	木	金	土	日	月	火	水	木	金	土	日	月	火	
음력	월	20	21	22	23	24	25	26	27	28	29	五	2	3	4	5	6	7	8	9	10	11	12	13	14	15	16	17	18	19	20	
일진		辛卯	壬辰	癸巳	戊午	己未	甲申	乙酉	丙戌	丁亥	庚子	辛丑	壬寅	癸卯	戊辰	己巳	甲午	乙未	丙申	丁酉	庚戌	辛亥	壬子	癸丑	戊寅	己卯	甲辰	乙巳	丙午	丁未	庚申	
대운	男	1	1	1	1	大	10	10	10	9	9	9	8	8	8	7	7	7	6	6	6	5	5	5	4	4	4	3	3	3	2	
	女	9	9	10	10	雪	1	1	1	1	2	2	2	3	3	3	4	4	4	5	5	5	6	6	6	7	7	7	8	8	8	

7月 (1일 九紫 - 10일 一白 +) **辛丑 (四綠)** 절기: 小寒(7일 01:05) 大寒(22일 18:27)

양력		1	2	3	4	5	6	7	8	9	10	11	12	13	14	15	16	17	18	19	20	21	22	23	24	25	26	27	28	29	30	31
요일		水	木	金	土	日	月	火	水	木	金	土	日	月	火	水	木	金	土	日	月	火	水	木	金	土	日	月	火	水	木	金
음력	월	21	22	23	24	25	26	27	28	29	30	六	2	3	4	5	6	7	8	9	10	11	12	13	14	15	16	17	18	19	20	21
일진		辛酉	壬戌	癸亥	戊子	己丑	甲寅	乙卯	丙辰	丁巳	庚午	辛未	壬申	癸酉	戊戌	己亥	甲子	乙丑	丙寅	丁卯	庚辰	辛巳	壬午	癸未	戊申	己酉	甲戌	乙亥	丙子	丁丑	庚寅	辛卯
대운	男	2	2	1	1	1	1	小	10	10	9	9	9	8	8	8	7	7	7	6	6	6	5	5	5	4	4	4	3	3	3	2
	女	9	9	9	10	10	10	寒	1	1	1	1	2	2	2	3	3	3	4	4	4	5	5	5	6	6	6	7	7	7	8	8

8月 (1일 五黃 +) **壬寅 (五黃)** 절기: 立春(7일 10:41) 雨水(23일 01:12)

양력		1	2	3	4	5	6	7	8	9	10	11	12	13	14	15	16	17	18	19	20	21	22	23	24	25	26	27	28	29	30	31
요일		土	日	月	火	水	木	金	土	日	月	火	水	木	金	土	日	月	火	水	木	金	土	日	月	火	水	木	金	土	日	月
음력	월	22	23	24	25	26	27	28	29	七	2	3	4	5	6	7	8	9	10	11	12	13	14	15	16	17	18	19	20	21	22	23
일진		壬辰	癸巳	戊午	己未	甲申	乙酉	丙戌	丁亥	庚子	辛丑	壬寅	癸卯	戊辰	己巳	甲午	乙未	丙申	丁酉	庚戌	辛亥	壬子	癸丑	戊寅	己卯	甲辰	乙巳	丙午	丁未	庚申	辛酉	壬戌
대운	男	2	2	1	1	1	1	立	10	10	9	9	9	8	8	8	7	7	7	6	6	6	5	5	5	4	4	4	3	3	3	2
	女	8	9	9	9	10	10	春	1	1	1	1	2	2	2	3	3	3	4	4	4	5	5	5	6	6	6	7	7	7	8	8

9月 (1일 九紫 +) **癸卯 (六白)** 절기: 驚蟄(7일 13:02) 春分 (22일 22:10)

양력		1	2	3	4	5	6	7	8	9	10	11	12	13	14	15	16	17	18	19	20	21	22	23	24	25	26	27	28	29	30	
요일		火	水	木	金	土	日	月	火	水	木	金	土	日	月	火	水	木	金	土	日	月	火	水	木	金	土	日	月	火	水	
음력	월	24	25	26	27	28	29	八	2	3	4	5	6	7	8	9	10	11	12	13	14	15	16	17	18	19	20	21	22	23	24	
일진		癸亥	戊子	己丑	甲寅	乙卯	丙辰	丁巳	庚午	辛未	壬申	癸酉	戊戌	己亥	甲子	乙丑	丙寅	丁卯	庚辰	辛巳	壬午	癸未	戊申	己酉	甲戌	乙亥	丙子	丁丑	庚寅	辛卯	壬辰	
대운	男	2	2	1	1	1	1	驚	10	10	9	9	9	8	8	8	7	7	7	6	6	6	5	5	5	4	4	4	3	3	3	
	女	8	9	9	9	10	10	蟄	1	1	1	1	2	2	2	3	3	3	4	4	4	5	5	5	6	6	6	7	7	7	8	

10月 (1일 三碧 +) **戊辰 (七赤)** 절기: 清明(8일 03:54) 穀雨(23일 06:43)

양력		1	2	3	4	5	6	7	8	9	10	11	12	13	14	15	16	17	18	19	20	21	22	23	24	25	26	27	28	29	30	31
요일		木	金	土	日	月	火	水	木	金	土	日	月	火	水	木	金	土	日	月	火	水	木	金	土	日	月	火	水	木	金	土
음력	월	25	26	27	28	29	30	九	2	3	4	5	6	7	8	9	10	11	12	13	14	15	16	17	18	19	20	21	22	23	24	25
일진		癸巳	戊午	己未	甲申	乙酉	丙戌	丁亥	庚子	辛丑	壬寅	癸卯	戊辰	己巳	甲午	乙未	丙申	丁酉	庚戌	辛亥	壬子	癸丑	戊寅	己卯	甲辰	乙巳	丙午	丁未	庚申	辛酉	壬戌	癸亥
대운	男	2	2	2	1	1	1	1	清	10	9	9	9	8	8	8	7	7	7	6	6	6	5	5	5	4	4	4	3	3	3	2
	女	8	8	9	9	9	10	10	明	1	1	1	1	2	2	2	3	3	3	4	4	4	5	5	5	6	6	6	7	7	7	8

11月 (1일 七赤 +) **己巳 (八白)** 절기: 立夏(7일 06:21) 小滿 (22일 03:36)

양력		1	2	3	4	5	6	7	8	9	10	11	12	13	14	15	16	17	18	19	20	21	22	23	24	25	26	27	28	29	30	
요일		日	月	火	水	木	金	土	日	月	火	水	木	金	土	日	月	火	水	木	金	土	日	月	火	水	木	金	土	日	月	
음력	월	26	27	28	29	十	2	3	4	5	6	7	8	9	10	11	12	13	14	15	16	17	18	19	20	21	22	23	24	25	26	
일진		戊子	己丑	甲寅	乙卯	丙辰	丁巳	庚午	辛未	壬申	癸酉	戊戌	己亥	甲子	乙丑	丙寅	丁卯	庚辰	辛巳	壬午	癸未	戊申	己酉	甲戌	乙亥	丙子	丁丑	庚寅	辛卯	壬辰	癸巳	
대운	男	2	2	1	1	1	1	立	9	9	9	8	8	8	7	7	7	6	6	6	5	5	5	4	4	4	3	3	3	2	2	
	女	8	8	9	9	9	10	夏	1	1	1	1	2	2	2	3	3	3	4	4	4	5	5	5	6	6	6	7	7	7	8	

12月 (1일 一白 +) **甲午 (九紫)** 절기: 芒種(6일 22:39) 夏至(21일 16:26)

양력		1	2	3	4	5	6	7	8	9	10	11	12	13	14	15	16	17	18	19	20	21	22	23	24	25	26	27	28	29	30	31
요일		火	水	木	金	土	日	月	火	水	木	金	土	日	月	火	水	木	金	土	日	月	火	水	木	金	土	日	月	火	水	木
음력	월	27	28	29	30	十一	2	3	4	5	6	7	8	9	10	11	12	13	14	15	16	17	18	19	20	21	22	23	24	25	26	27
일진		戊午	己未	甲申	乙酉	丙戌	丁亥	庚子	辛丑	壬寅	癸卯	戊辰	己巳	甲午	乙未	丙申	丁酉	庚戌	辛亥	壬子	癸丑	戊寅	己卯	甲辰	乙巳	丙午	丁未	庚申	辛酉	壬戌	癸亥	戊子
대운	男	2	1	1	1	1	芒	10	9	9	9	8	8	8	7	7	7	6	6	6	5	5	5	4	4	4	3	3	3	2	2	2
	女	8	8	9	9	9	種	1	1	1	1	2	2	2	3	3	3	4	4	4	5	5	5	6	6	6	7	7	7	8	8	8

서기1897년

癸卯年 (六白金星)

1月 (1일 五黃 + 6일 九紫 -) 乙未 (一白) 절기: 小暑 (5일 09:40) 大暑 (20일 03:12)

양력		1	2	3	4	5	6	7	8	9	10	11	12	13	14	15	16	17	18	19	20	21	22	23	24	25	26	27	28	29	30	31
요일		金	土	日	月	火	水	木	金	土	日	月	火	水	木	金	土	日	月	火	水	木	金	土	日	月	火	水	木	金	土	日
음력	월	28	29	十二	2	3	4	5	6	7	8	9	10	11	12	13	14	15	16	17	18	19	20	21	22	23	24	25	26	27	28	29
일진		己丑	甲寅	乙卯	丙辰	丁巳	庚午	辛未	壬申	癸酉	戊戌	己亥	甲子	乙丑	丙寅	丁卯	庚辰	辛巳	壬午	癸未	戊申	己酉	甲戌	乙亥	丙子	丁丑	庚寅	辛卯	壬辰	癸巳	戊午	己未
대운	男	1	1	1	1	小	9	9	9	8	8	8	7	7	7	6	6	6	5	5	5	4	4	4	3	3	3	2	2	2	1	1
	女	9	9	9	10	暑	1	1	1	1	2	2	2	3	3	3	4	4	4	5	5	5	6	6	6	7	7	7	8	8	8	9

2月 (1일 一白 -) 丙申 (二黑) 절기: 立秋 (3일 21:29) 處暑 (18일 17:34)

양력		1	2	3	4	5	6	7	8	9	10	11	12	13	14	15	16	17	18	19	20	21	22	23	24	25	26	27	28			
요일		月	火	水	木	金	土	日	月	火	水	木	金	土	日	月	火	水	木	金	土	日	月	火	水	木	金	土	日			
음력	월	30	一	2	3	4	5	6	7	8	9	10	11	12	13	14	15	16	17	18	19	20	21	22	23	24	25	26	27			
일진		甲申	乙酉	丙戌	丁亥	庚子	辛丑	壬寅	癸卯	戊辰	己巳	甲午	乙未	丙申	丁酉	庚戌	辛亥	壬子	癸丑	戊寅	己卯	甲辰	乙巳	丙午	丁未	庚申	辛酉	壬戌	癸亥			
대운	男	1	1	立	1	1	1	1	2	2	2	3	3	3	4	4	4	5	5	5	6	6	6	7	7	7	8	8	8			
	女	9	9	秋	10	9	9	9	8	8	8	7	7	7	6	6	6	5	5	5	4	4	4	3	3	3	2	2	2			

3月 (1일 九紫 -) 丁酉 (三碧) 절기: 白露 (5일 16:01) 秋分 (20일 17:10)

양력		1	2	3	4	5	6	7	8	9	10	11	12	13	14	15	16	17	18	19	20	21	22	23	24	25	26	27	28	29	30	31
요일		月	火	水	木	金	土	日	月	火	水	木	金	土	日	月	火	水	木	金	土	日	月	火	水	木	金	土	日	月	火	水
음력	월	28	29	二	2	3	4	5	6	7	8	9	10	11	12	13	14	15	16	17	18	19	20	21	22	23	24	25	26	27	28	29
일진		戊子	己丑	甲寅	乙卯	丙辰	丁巳	庚午	辛未	壬申	癸酉	戊戌	己亥	甲子	乙丑	丙寅	丁卯	庚辰	辛巳	壬午	癸未	戊申	己酉	甲戌	乙亥	丙子	丁丑	庚寅	辛卯	壬辰	癸巳	戊午
대운	男	9	9	9	10	白	1	1	1	1	2	2	2	3	3	3	4	4	4	5	5	5	6	6	6	7	7	7	8	8	8	9
	女	1	1	1	1	露	10	9	9	9	8	8	8	7	7	7	6	6	6	5	5	5	4	4	4	3	3	3	2	2	2	1

4月 (1일 五黃 -) 庚戌 (四綠) 절기: 寒露 (4일 21:33) 霜降 (20일 04:58)

양력		1	2	3	4	5	6	7	8	9	10	11	12	13	14	15	16	17	18	19	20	21	22	23	24	25	26	27	28	29	30	
요일		木	金	土	日	月	火	水	木	金	土	日	月	火	水	木	金	土	日	月	火	水	木	金	土	日	月	火	水	木	金	
음력	월	30	三	2	3	4	5	6	7	8	9	10	11	12	13	14	15	16	17	18	19	20	21	22	23	24	25	26	27	28	29	
일진		己未	甲申	乙酉	丙戌	丁亥	庚子	辛丑	壬寅	癸卯	戊辰	己巳	甲午	乙未	丙申	丁酉	庚戌	辛亥	壬子	癸丑	戊寅	己卯	甲辰	乙巳	丙午	丁未	庚申	辛酉	壬戌	癸亥	戊子	
대운	男	9	9	10	寒	1	1	1	1	2	2	2	3	3	3	4	4	4	5	5	5	6	6	6	7	7	7	8	8	8	9	
	女	1	1	1	露	10	10	9	9	9	8	8	8	7	7	7	6	6	6	5	5	5	4	4	4	3	3	3	2	2	2	

5月 (1일 二黑 -) 辛亥 (五黃) 절기: 立冬 (5일 15:39) 小雪 (21일 04:52)

양력		1	2	3	4	5	6	7	8	9	10	11	12	13	14	15	16	17	18	19	20	21	22	23	24	25	26	27	28	29	30	31
요일		土	日	月	火	水	木	金	土	日	月	火	水	木	金	土	日	月	火	水	木	金	土	日	月	火	水	木	金	土	日	月
음력	월	30	四	2	3	4	5	6	7	8	9	10	11	12	13	14	15	16	17	18	19	20	21	22	23	24	25	26	27	28	29	五
일진		己丑	甲寅	乙卯	丙辰	丁巳	庚午	辛未	壬申	癸酉	戊戌	己亥	甲子	乙丑	丙寅	丁卯	庚辰	辛巳	壬午	癸未	戊申	己酉	甲戌	乙亥	丙子	丁丑	庚寅	辛卯	壬辰	癸巳	戊午	己未
대운	男	9	9	10	10	立	1	1	1	1	2	2	2	3	3	3	4	4	4	5	5	5	6	6	6	7	7	7	8	8	8	9
	女	1	1	1	1	冬	10	10	9	9	9	8	8	8	7	7	7	6	6	6	5	5	5	4	4	4	3	3	3	2	2	2

6月 (1일 七赤 -) 壬子 (六白) 절기: 大雪 (5일 20:23) 冬至 (21일 13:16)

양력		1	2	3	4	5	6	7	8	9	10	11	12	13	14	15	16	17	18	19	20	21	22	23	24	25	26	27	28	29	30	
요일		火	水	木	金	土	日	月	火	水	木	金	土	日	月	火	水	木	金	土	日	月	火	水	木	金	土	日	月	火	水	
음력	월	2	3	4	5	6	7	8	9	10	11	12	13	14	15	16	17	18	19	20	21	22	23	24	25	26	27	28	29	30	六	
일진		甲申	乙酉	丙戌	丁亥	庚子	辛丑	壬寅	癸卯	戊辰	己巳	甲午	乙未	丙申	丁酉	庚戌	辛亥	壬子	癸丑	戊寅	己卯	甲辰	乙巳	丙午	丁未	庚申	辛酉	壬戌	癸亥	戊子	己丑	
대운	男	9	9	10	10	大	1	1	1	1	2	2	2	3	3	3	4	4	4	5	5	5	6	6	6	7	7	7	8	8	8	
	女	1	1	1	1	雪	10	10	10	9	9	9	8	8	8	7	7	7	6	6	6	5	5	5	4	4	4	3	3	3	2	

7月 (1일 四綠 - 5일 一白 +) **癸丑 (七赤)** 절기: 小寒(7일 05:51) 大寒(22일 23:14)

양력		1	2	3	4	5	6	7	8	9	10	11	12	13	14	15	16	17	18	19	20	21	22	23	24	25	26	27	28	29	30	31
요일		木	金	土	日	月	火	水	木	金	土	日	月	火	水	木	金	土	日	月	火	水	木	金	土	日	月	火	水	木	金	土
음력	월	2	3	4	5	6	7	8	9	10	11	12	13	14	15	16	17	18	19	20	21	22	23	24	25	26	27	28	29	七	2	3
일진		甲寅	乙卯	丙辰	丁巳	庚午	辛未	壬申	癸酉	戊戌	己亥	甲子	乙丑	丙寅	丁卯	庚辰	辛巳	壬午	癸未	戊申	己酉	甲戌	乙亥	丙子	丁丑	庚寅	辛卯	壬辰	癸巳	戊午	己未	甲申
대운	男	9	9	9	10	10	10	小	1	1	1	1	2	2	2	3	3	3	4	4	4	5	5	5	6	6	6	7	7	7	8	8
	女	2	2	1	1	1	1	寒	10	10	9	9	9	8	8	8	7	7	7	6	6	6	5	5	5	4	4	4	3	3	3	2

8月 (1일 一白 +) **戊寅 (八白)** 절기: 立春(7일 16:26) 雨水(23일 06:57)

양력		1	2	3	4	5	6	7	8	9	10	11	12	13	14	15	16	17	18	19	20	21	22	23	24	25	26	27	28	29	30	31
요일		日	月	火	水	木	金	土	日	月	火	水	木	金	土	日	月	火	水	木	金	土	日	月	火	水	木	金	土	日	月	火
음력	월	4	5	6	7	8	9	10	11	12	13	14	15	16	17	18	19	20	21	22	23	24	25	26	27	28	29	30	八	2	3	4
일진		乙酉	丙戌	丁亥	庚子	辛丑	壬寅	癸卯	戊辰	己巳	甲午	乙未	丙申	丁酉	庚戌	辛亥	壬子	癸丑	戊寅	己卯	甲辰	乙巳	丙午	丁未	庚申	辛酉	壬戌	癸亥	戊子	己丑	甲寅	乙卯
대운	男	8	9	9	9	10	10	立	1	1	1	1	2	2	2	3	3	3	4	4	4	5	5	5	6	6	6	7	7	7	8	8
	女	2	2	1	1	1	1	春	10	10	9	9	9	8	8	8	7	7	7	6	6	6	5	5	5	4	4	4	3	3	3	2

9月 (1일 五黃 +) **己卯 (九紫)** 절기: 驚蟄(7일 18:45) 春分 (23일 03:53)

양력		1	2	3	4	5	6	7	8	9	10	11	12	13	14	15	16	17	18	19	20	21	22	23	24	25	26	27	28	29	30	
요일		水	木	金	土	日	月	火	水	木	金	土	日	月	火	水	木	金	土	日	月	火	水	木	金	土	日	月	火	水	木	
음력	월	5	6	7	8	9	10	11	12	13	14	15	16	17	18	19	20	21	22	23	24	25	26	27	28	29	九	2	3	4	5	
일진		丙辰	丁巳	庚午	辛未	壬申	癸酉	戊戌	己亥	甲子	乙丑	丙寅	丁卯	庚辰	辛巳	壬午	癸未	戊申	己酉	甲戌	乙亥	丙子	丁丑	庚寅	辛卯	壬辰	癸巳	戊午	己未	甲申	乙酉	
대운	男	8	9	9	9	10	10	驚	1	1	1	1	2	2	2	3	3	3	4	4	4	5	5	5	6	6	6	7	7	7	8	
	女	2	2	1	1	1	1	蟄	10	10	9	9	9	8	8	8	7	7	7	6	6	6	5	5	5	4	4	4	3	3	3	

10月 (1일 八白 +) **甲辰 (一白)** 절기: 清明(8일 09:36) 穀雨(23일 12:25)

양력		1	2	3	4	5	6	7	8	9	10	11	12	13	14	15	16	17	18	19	20	21	22	23	24	25	26	27	28	29	30	31
요일		金	土	日	月	火	水	木	金	土	日	月	火	水	木	金	土	日	月	火	水	木	金	土	日	月	火	水	木	金	土	日
음력	월	6	7	8	9	10	11	12	13	14	15	16	17	18	19	20	21	22	23	24	25	26	27	28	29	30	十	2	3	4	5	6
일진		丙戌	丁亥	庚子	辛丑	壬寅	癸卯	戊辰	己巳	甲午	乙未	丙申	丁酉	庚戌	辛亥	壬子	癸丑	戊寅	己卯	甲辰	乙巳	丙午	丁未	庚申	辛酉	壬戌	癸亥	戊子	己丑	甲寅	乙卯	丙辰
대운	男	8	8	9	9	9	10	10	清	1	1	1	1	2	2	2	3	3	3	4	4	4	5	5	5	6	6	6	7	7	7	8
	女	2	2	2	1	1	1	1	明	10	9	9	9	8	8	8	7	7	7	6	6	6	5	5	5	4	4	4	3	3	3	2

11月 (1일 三碧 +) **乙巳 (二黑)** 절기: 立夏(7일 12:02) 小滿 (22일 09:15)

양력		1	2	3	4	5	6	7	8	9	10	11	12	13	14	15	16	17	18	19	20	21	22	23	24	25	26	27	28	29	30	
요일		月	火	水	木	金	土	日	月	火	水	木	金	土	日	月	火	水	木	金	土	日	月	火	水	木	金	土	日	月	火	
음력	월	7	8	9	10	11	12	13	14	15	16	17	18	19	20	21	22	23	24	25	26	27	28	29	十一	2	3	4	5	6	7	
일진		丁巳	庚午	辛未	壬申	癸酉	戊戌	己亥	甲子	乙丑	丙寅	丁卯	庚辰	辛巳	壬午	癸未	戊申	己酉	甲戌	乙亥	丙子	丁丑	庚寅	辛卯	壬辰	癸巳	戊午	己未	甲申	乙酉	丙戌	
대운	男	8	8	9	9	9	10	立	1	1	1	1	2	2	2	3	3	3	4	4	4	5	5	5	6	6	6	7	7	7	8	
	女	2	2	1	1	1	1	夏	10	9	9	9	8	8	8	7	7	7	6	6	6	5	5	5	4	4	4	3	3	3	2	

12月 (1일 六白 +) **丙午 (三碧)** 절기: 芒種(7일 04:21) 夏至(21일 22:09)

양력		1	2	3	4	5	6	7	8	9	10	11	12	13	14	15	16	17	18	19	20	21	22	23	24	25	26	27	28	29	30	31
요일		水	木	金	土	日	月	火	水	木	金	土	日	月	火	水	木	金	土	日	月	火	水	木	金	土	日	月	火	水	木	金
음력	월	8	9	10	11	12	13	14	15	16	17	18	19	20	21	22	23	24	25	26	27	28	29	30	十二	2	3	4	5	6	7	8
일진		丁亥	庚子	辛丑	壬寅	癸卯	戊辰	己巳	甲午	乙未	丙申	丁酉	庚戌	辛亥	壬子	癸丑	戊寅	己卯	甲辰	乙巳	丙午	丁未	庚申	辛酉	壬戌	癸亥	戊子	己丑	甲寅	乙卯	丙辰	丁巳
대운	男	8	8	9	9	9	10	芒	1	1	1	1	2	2	2	3	3	3	4	4	4	5	5	5	6	6	6	7	7	7	8	8
	女	2	2	1	1	1	1	種	9	9	9	8	8	8	7	7	7	6	6	6	5	5	5	4	4	4	3	3	3	2	2	2

서기1898년

戊辰年 (七赤金星) 閏三月

1月 (1일 九紫 -) **丁未 (四綠)** 절기: 小暑 (5일 15:24) 大暑 (20일 08:54)

양력		1	2	3	4	5	6	7	8	9	10	11	12	13	14	15	16	17	18	19	20	21	22	23	24	25	26	27	28	29	30	31
요일		土	日	月	火	水	木	金	土	日	月	火	水	木	金	土	日	月	火	水	木	金	土	日	月	火	水	木	金	土	日	月
음력	월	9	10	11	12	13	14	15	16	17	18	19	20	21	22	23	24	25	26	27	28	29	一	2	3	4	5	6	7	8	9	10
일진		庚午	辛未	壬申	癸酉	戊戌	己亥	甲子	乙丑	丙寅	丁卯	庚辰	辛巳	壬午	癸未	戊申	己酉	甲戌	乙亥	丙子	丁丑	庚寅	辛卯	壬辰	癸巳	戊午	己未	甲申	乙酉	丙戌	丁亥	庚子
대운	男	8	9	9	9	小	1	1	1	1	2	2	2	3	3	3	4	4	4	5	5	5	6	6	6	7	7	7	8	8	8	9
	女	1	1	1	1	暑	10	9	9	9	8	8	8	7	7	7	6	6	6	5	5	5	4	4	4	3	3	3	2	2	2	1

2月 (1일 五黃 -) **庚申 (五黃)** 절기: 立秋 (4일 03:15) 處暑 (18일 23:20)

양력		1	2	3	4	5	6	7	8	9	10	11	12	13	14	15	16	17	18	19	20	21	22	23	24	25	26	27	28			
요일		火	水	木	金	土	日	月	火	水	木	金	土	日	月	火	水	木	金	土	日	月	火	水	木	金	土	日	月			
음력	월	11	12	13	14	15	16	17	18	19	20	21	22	23	24	25	26	27	28	29	30	二	2	3	4	5	6	7	8			
일진		辛丑	壬寅	癸卯	戊辰	己巳	甲午	乙未	丙申	丁酉	庚戌	辛亥	壬子	癸丑	戊寅	己卯	甲辰	乙巳	丙午	丁未	庚申	辛酉	壬戌	癸亥	戊子	己丑	甲寅	乙卯	丙辰			
대운	男	9	9	10	立	9	9	9	8	8	8	7	7	7	6	6	6	5	5	5	4	4	4	3	3	3	2	2	2			
	女	1	1	1	秋	1	1	1	1	2	2	2	3	3	3	4	4	4	5	5	5	6	6	6	7	7	7	8	8			

3月 (1일 四綠 -) **辛酉 (六白)** 절기: 白露 (5일 21:50) 秋分 (20일 22:58)

양력		1	2	3	4	5	6	7	8	9	10	11	12	13	14	15	16	17	18	19	20	21	22	23	24	25	26	27	28	29	30	31
요일		火	水	木	金	土	日	月	火	水	木	金	土	日	月	火	水	木	金	土	日	月	火	水	木	金	土	日	月	火	水	木
음력	월	9	10	11	12	13	14	15	16	17	18	19	20	21	22	23	24	25	26	27	28	29	三	2	3	4	5	6	7	8	9	10
일진		丁巳	庚午	辛未	壬申	癸酉	戊戌	己亥	甲子	乙丑	丙寅	丁卯	庚辰	辛巳	壬午	癸未	戊申	己酉	甲戌	乙亥	丙子	丁丑	庚寅	辛卯	壬辰	癸巳	戊午	己未	甲申	乙酉	丙戌	丁亥
대운	男	1	1	1	1	白	10	10	9	9	9	8	8	8	7	7	7	6	6	6	5	5	5	4	4	4	3	3	3	2	2	2
	女	8	9	9	9	露	1	1	1	1	2	2	2	3	3	3	4	4	4	5	5	5	6	6	6	7	7	7	8	8	8	9

4月 (1일 九紫 -) **壬戌 (七赤)** 절기: 寒露 (5일 03:24) 霜降 (20일 10:49)

양력		1	2	3	4	5	6	7	8	9	10	11	12	13	14	15	16	17	18	19	20	21	22	23	24	25	26	27	28	29	30	
요일		金	土	日	月	火	水	木	金	土	日	月	火	水	木	金	土	日	月	火	水	木	金	土	日	月	火	水	木	金	土	
음력	월	11	12	13	14	15	16	17	18	19	20	21	22	23	24	25	26	27	28	29	30	閏三		3	4	5	6	7	8	9	10	
일진		庚子	辛丑	壬寅	癸卯	戊辰	己巳	甲午	乙未	丙申	丁酉	庚戌	辛亥	壬子	癸丑	戊寅	己卯	甲辰	乙巳	丙午	丁未	庚申	辛酉	壬戌	癸亥	戊子	己丑	甲寅	乙卯	丙辰	丁巳	
대운	男	1	1	1	1	寒	10	9	9	9	8	8	8	7	7	7	6	6	6	5	5	5	4	4	4	3	3	3	2	2	2	
	女	9	9	10	10	露	1	1	1	1	2	2	2	3	3	3	4	4	4	5	5	5	6	6	6	7	7	7	8	8	8	

5月 (1일 六白 -) **癸亥 (八白)** 절기: 立冬 (5일 21:29) 小雪 (21일 10:42)

양력		1	2	3	4	5	6	7	8	9	10	11	12	13	14	15	16	17	18	19	20	21	22	23	24	25	26	27	28	29	30	31
요일		日	月	火	水	木	金	土	日	月	火	水	木	金	土	日	月	火	水	木	金	土	日	月	火	水	木	金	土	日	月	火
음력	월	11	12	13	14	15	16	17	18	19	20	21	22	23	24	25	26	27	28	29	四	2	3	4	5	6	7	8	9	10	11	12
일진		庚午	辛未	壬申	癸酉	戊戌	己亥	甲子	乙丑	丙寅	丁卯	庚辰	辛巳	壬午	癸未	戊申	己酉	甲戌	乙亥	丙子	丁丑	庚寅	辛卯	壬辰	癸巳	戊午	己未	甲申	乙酉	丙戌	丁亥	庚子
대운	男	1	1	1	1	立	10	10	10	9	9	9	8	8	8	7	7	7	6	6	6	5	5	5	4	4	4	3	3	3	2	2
	女	9	9	9	10	冬	1	1	1	1	2	2	2	3	3	3	4	4	4	5	5	5	6	6	6	7	7	7	8	8	8	9

6月 (1일 二黑 - 30일 一白 +) **戊子 (九紫)** 절기: 大雪 (6일 02:14) 冬至 (21일 19:07)

양력		1	2	3	4	5	6	7	8	9	10	11	12	13	14	15	16	17	18	19	20	21	22	23	24	25	26	27	28	29	30	
요일		水	木	金	土	日	月	火	水	木	金	土	日	月	火	水	木	金	土	日	月	火	水	木	金	土	日	月	火	水	木	
음력	월	13	14	15	16	17	18	19	20	21	22	23	24	25	26	27	28	29	30	五	2	3	4	5	6	7	8	9	10	11	12	
일진		辛丑	壬寅	癸卯	戊辰	己巳	甲午	乙未	丙申	丁酉	庚戌	辛亥	壬子	癸丑	戊寅	己卯	甲辰	乙巳	丙午	丁未	庚申	辛酉	壬戌	癸亥	戊子	己丑	甲寅	乙卯	丙辰	丁巳	庚午	
대운	男	2	1	1	1	1	大	10	10	9	9	9	8	8	8	7	7	7	6	6	6	5	5	5	4	4	4	3	3	3	2	
	女	9	9	10	10	10	雪	1	1	1	1	2	2	2	3	3	3	4	4	4	5	5	5	6	6	6	7	7	7	8	8	

7月 (1일 二黑 +) **己丑 (一白)** 절기: 小寒(7일 12:43) 大寒(23일 06:06)

양력		1	2	3	4	5	6	7	8	9	10	11	12	13	14	15	16	17	18	19	20	21	22	23	24	25	26	27	28	29	30	31
요일		金	土	日	月	火	水	木	金	土	日	月	火	水	木	金	土	日	月	火	水	木	金	土	日	月	火	水	木	金	土	日
음력	월	13	14	15	16	17	18	19	20	21	22	23	24	25	26	27	28	29	30	六	2	3	4	5	6	7	8	9	10	11	12	13
일진		辛未	壬申	癸酉	戊戌	己亥	甲子	乙丑	丙寅	丁卯	庚辰	辛巳	壬午	癸未	戊申	己酉	甲戌	乙亥	丙子	丁丑	庚寅	辛卯	壬辰	癸巳	戊午	己未	甲申	乙酉	丙戌	丁亥	庚子	辛丑
대운	男	2	2	1	1	1	1	小	10	10	9	9	9	8	8	8	7	7	7	6	6	6	5	5	5	4	4	4	3	3	3	2
	女	8	9	9	9	10	10	寒	1	1	1	1	2	2	2	3	3	3	4	4	4	5	5	5	6	6	6	7	7	7	8	8

8月 (1일 六白 +) **甲寅 (二黑)** 절기: 立春(7일 22:19) 雨水(23일 12:55)

양력		1	2	3	4	5	6	7	8	9	10	11	12	13	14	15	16	17	18	19	20	21	22	23	24	25	26	27	28	29	30	31
요일		月	火	水	木	金	土	日	月	火	水	木	金	土	日	月	火	水	木	金	土	日	月	火	水	木	金	土	日	月	火	水
음력	월	14	15	16	17	18	19	20	21	22	23	24	25	26	27	28	29	七	2	3	4	5	6	7	8	9	10	11	12	13	14	15
일진		壬寅	癸卯	戊辰	己巳	甲午	乙未	丙申	丁酉	庚戌	辛亥	壬子	癸丑	戊寅	己卯	甲辰	乙巳	丙午	丁未	庚申	辛酉	壬戌	癸亥	戊子	己丑	甲寅	乙卯	丙辰	丁巳	庚午	辛未	壬申
대운	男	2	2	1	1	1	1	立	10	10	10	9	9	9	8	8	8	7	7	7	6	6	6	5	5	5	4	4	4	3	3	3
	女	8	9	9	9	10	10	春	1	1	1	1	2	2	2	3	3	3	4	4	4	5	5	5	6	6	6	7	7	7	8	8

9月 (1일 一白 +) **乙卯 (三碧)** 절기: 驚蟄(8일 00:39) 春分 (23일 09:47)

양력		1	2	3	4	5	6	7	8	9	10	11	12	13	14	15	16	17	18	19	20	21	22	23	24	25	26	27	28	29	30	
요일		木	金	土	日	月	火	水	木	金	土	日	月	火	水	木	金	土	日	月	火	水	木	金	土	日	月	火	水	木	金	
음력	월	16	17	18	19	20	21	22	23	24	25	26	27	28	29	30	八	2	3	4	5	6	7	8	9	10	11	12	13	14	15	
일진		癸酉	戊戌	己亥	甲子	乙丑	丙寅	丁卯	庚辰	辛巳	壬午	癸未	戊申	己酉	甲戌	乙亥	丙子	丁丑	庚寅	辛卯	壬辰	癸巳	戊午	己未	甲申	乙酉	丙戌	丁亥	庚子	辛丑	壬寅	
대운	男	2	2	2	1	1	1	1	驚	10	9	9	9	8	8	8	7	7	7	6	6	6	5	5	5	4	4	4	3	3	3	
	女	8	9	9	9	10	10	10	蟄	1	1	1	1	2	2	2	3	3	3	4	4	4	5	5	5	6	6	6	7	7	7	

10月 (1일 四綠 +) **丙辰 (四綠)** 절기: 清明(8일 15:31) 穀雨(23일 18:20)

양력		1	2	3	4	5	6	7	8	9	10	11	12	13	14	15	16	17	18	19	20	21	22	23	24	25	26	27	28	29	30	31
요일		土	日	月	火	水	木	金	土	日	月	火	水	木	金	土	日	月	火	水	木	金	土	日	月	火	水	木	金	土	日	月
음력	월	16	17	18	19	20	21	22	23	24	25	26	27	28	29	九	2	3	4	5	6	7	8	9	10	11	12	13	14	15	16	17
일진		癸卯	戊辰	己巳	甲午	乙未	丙申	丁酉	庚戌	辛亥	壬子	癸丑	戊寅	己卯	甲辰	乙巳	丙午	丁未	庚申	辛酉	壬戌	癸亥	戊子	己丑	甲寅	乙卯	丙辰	丁巳	庚午	辛未	壬申	癸酉
대운	男	2	2	2	1	1	1	1	清	10	9	9	9	8	8	8	7	7	7	6	6	6	5	5	5	4	4	4	3	3	3	2
	女	8	8	8	9	9	9	10	明	1	1	1	1	2	2	2	3	3	3	4	4	4	5	5	5	6	6	6	7	7	7	8

11月 (1일 八白 +) **丁巳 (五黃)** 절기: 立夏(7일 17:56) 小滿 (22일 15:08)

양력		1	2	3	4	5	6	7	8	9	10	11	12	13	14	15	16	17	18	19	20	21	22	23	24	25	26	27	28	29	30	
요일		火	水	木	金	土	日	月	火	水	木	金	土	日	月	火	水	木	金	土	日	月	火	水	木	金	土	日	月	火	水	
음력	월	18	19	20	21	22	23	24	25	26	27	28	29	30	十	2	3	4	5	6	7	8	9	10	11	12	13	14	15	16	17	
일진		戊戌	己亥	甲子	乙丑	丙寅	丁卯	庚辰	辛巳	壬午	癸未	戊申	己酉	甲戌	乙亥	丙子	丁丑	庚寅	辛卯	壬辰	癸巳	戊午	己未	甲申	乙酉	丙戌	丁亥	庚子	辛丑	壬寅	癸卯	
대운	男	2	2	1	1	1	1	立	10	9	9	9	8	8	8	7	7	7	6	6	6	5	5	5	4	4	4	3	3	3	2	
	女	8	8	9	9	9	10	夏	1	1	1	1	2	2	2	3	3	3	4	4	4	5	5	5	6	6	6	7	7	7	8	

12月 (1일 二黑 + 27일 九紫 -) **庚午 (六白)** 절기: 芒種(7일 10:15) 夏至(22일 04:03)

양력		1	2	3	4	5	6	7	8	9	10	11	12	13	14	15	16	17	18	19	20	21	22	23	24	25	26	27	28	29	30	31
요일		木	金	土	日	月	火	水	木	金	土	日	月	火	水	木	金	土	日	月	火	水	木	金	土	日	月	火	水	木	金	土
음력	월	18	19	20	21	22	23	24	25	26	27	28	29	十一	2	3	4	5	6	7	8	9	10	11	12	13	14	15	16	17	18	19
일진		戊辰	己巳	甲午	乙未	丙申	丁酉	庚戌	辛亥	壬子	癸丑	戊寅	己卯	甲辰	乙巳	丙午	丁未	庚申	辛酉	壬戌	癸亥	戊子	己丑	甲寅	乙卯	丙辰	丁巳	庚午	辛未	壬申	癸酉	戊戌
대운	男	2	2	1	1	1	1	芒	9	9	9	8	8	8	7	7	7	6	6	6	5	5	5	4	4	4	3	3	3	2	2	2
	女	8	8	9	9	9	10	種	1	1	1	1	2	2	2	3	3	3	4	4	4	5	5	5	6	6	6	7	7	7	8	8

서기1899년

己巳年 (八白土星)

1月 (1일 四綠 -) **辛未 (七赤)** 절기: 小暑 (5일 21:17) 大暑 (20일 14:49)

양력		1	2	3	4	5	6	7	8	9	10	11	12	13	14	15	16	17	18	19	20	21	22	23	24	25	26	27	28	29	30	31
요일		日	月	火	水	木	金	土	日	月	火	水	木	金	土	日	月	火	水	木	金	土	日	月	火	水	木	金	土	日	月	火
음력	월	20	21	22	23	24	25	26	27	28	29	30	十二	2	3	4	5	6	7	8	9	10	11	12	13	14	15	16	17	18	19	20
일진		己亥	甲子	乙丑	丙寅	丁卯	庚辰	辛巳	壬午	癸未	戊申	己酉	甲戌	乙亥	丙子	丁丑	庚寅	辛卯	壬辰	癸巳	戊午	己未	甲申	乙酉	丙戌	丁亥	庚子	辛丑	壬寅	癸卯	戊辰	己巳
대운	男	1	1	1	1	小	10	9	9	9	8	8	8	7	7	7	6	6	6	5	5	5	4	4	4	3	3	3	2	2	2	1
	女	8	9	9	9	暑	1	1	1	1	2	2	2	3	3	3	4	4	4	5	5	5	6	6	6	7	7	7	8	8	8	9

2月 (1일 九紫 -) **壬申 (八白)** 절기: 立秋 (4일 09:07) 處暑 (19일 05:11)

양력		1	2	3	4	5	6	7	8	9	10	11	12	13	14	15	16	17	18	19	20	21	22	23	24	25	26	27	28			
요일		水	木	金	土	日	月	火	水	木	金	土	日	月	火	水	木	金	土	日	月	火	水	木	金	土	日	月	火			
음력	월	21	22	23	24	25	26	27	28	29	一	2	3	4	5	6	7	8	9	10	11	12	13	14	15	16	17	18	19			
일진		甲午	乙未	丙申	丁酉	庚戌	辛亥	壬子	癸丑	戊寅	己卯	甲辰	乙巳	丙午	丁未	庚申	辛酉	壬戌	癸亥	戊子	己丑	甲寅	乙卯	丙辰	丁巳	庚午	辛未	壬申	癸酉			
대운	男	1	1	1	立	1	1	1	1	2	2	2	3	3	3	4	4	4	5	5	5	6	6	6	7	7	7	8	8			
	女	9	9	10	秋	10	9	9	9	8	8	8	7	7	7	6	6	6	5	5	5	4	4	4	3	3	3	2	2			

3月 (1일 八白 -) **癸酉 (九紫)** 절기: 白露 (6일 03:38) 秋分 (21일 04:47)

양력		1	2	3	4	5	6	7	8	9	10	11	12	13	14	15	16	17	18	19	20	21	22	23	24	25	26	27	28	29	30	31
요일		水	木	金	土	日	月	火	水	木	金	土	日	月	火	水	木	金	土	日	月	火	水	木	金	土	日	月	火	水	木	金
음력	월	20	21	22	23	24	25	26	27	28	29	30	二	2	3	4	5	6	7	8	9	10	11	12	13	14	15	16	17	18	19	20
일진		戊戌	己亥	甲子	乙丑	丙寅	丁卯	庚辰	辛巳	壬午	癸未	戊申	己酉	甲戌	乙亥	丙子	丁丑	庚寅	辛卯	壬辰	癸巳	戊午	己未	甲申	乙酉	丙戌	丁亥	庚子	辛丑	壬寅	癸卯	戊辰
대운	男	8	9	9	9	10	白	1	1	1	1	2	2	2	3	3	3	4	4	4	5	5	5	6	6	6	7	7	7	8	8	8
	女	2	1	1	1	1	露	10	9	9	9	8	8	8	7	7	7	6	6	6	5	5	5	4	4	4	3	3	3	2	2	2

4月 (1일 四綠 -) **戊戌 (一白)** 절기: 寒露 (5일 09:09) 霜降 (20일 16:34)

양력		1	2	3	4	5	6	7	8	9	10	11	12	13	14	15	16	17	18	19	20	21	22	23	24	25	26	27	28	29	30	
요일		土	日	月	火	水	木	金	土	日	月	火	水	木	金	土	日	月	火	水	木	金	土	日	月	火	水	木	金	土	日	
음력	월	21	22	23	24	25	26	27	28	29	三	2	3	4	5	6	7	8	9	10	11	12	13	14	15	16	17	18	19	20	21	
일진		己巳	甲午	乙未	丙申	丁酉	庚戌	辛亥	壬子	癸丑	戊寅	己卯	甲辰	乙巳	丙午	丁未	庚申	辛酉	壬戌	癸亥	戊子	己丑	甲寅	乙卯	丙辰	丁巳	庚午	辛未	壬申	癸酉	戊戌	
대운	男	9	9	9	10	寒	1	1	1	1	2	2	2	3	3	3	4	4	4	5	5	5	6	6	6	7	7	7	8	8	8	
	女	1	1	1	1	露	10	10	9	9	9	8	8	8	7	7	7	6	6	6	5	5	5	4	4	4	3	3	3	2	2	

5月 (1일 一白 -) **己亥 (二黑)** 절기: 立冬 (6일 03:10) 小雪 (21일 16:27)

양력		1	2	3	4	5	6	7	8	9	10	11	12	13	14	15	16	17	18	19	20	21	22	23	24	25	26	27	28	29	30	31
요일		月	火	水	木	金	土	日	月	火	水	木	金	土	日	月	火	水	木	金	土	日	月	火	水	木	金	土	日	月	火	水
음력	월	22	23	24	25	26	27	28	29	30	四	2	3	4	5	6	7	8	9	10	11	12	13	14	15	16	17	18	19	20	21	22
일진		己亥	甲子	乙丑	丙寅	丁卯	庚辰	辛巳	壬午	癸未	戊申	己酉	甲戌	乙亥	丙子	丁丑	庚寅	辛卯	壬辰	癸巳	戊午	己未	甲申	乙酉	丙戌	丁亥	庚子	辛丑	壬寅	癸卯	戊辰	己巳
대운	男	9	9	9	10	10	立	1	1	1	1	2	2	2	3	3	3	4	4	4	5	5	5	6	6	6	7	7	7	8	8	8
	女	2	1	1	1	1	冬	10	10	9	9	9	8	8	8	7	7	7	6	6	6	5	5	5	4	4	4	3	3	3	2	2

6月 (1일 六白 - 25일 一白 +) **甲子 (三碧)** 절기: 大雪 (6일 07:52) 冬至 (22일 00:45)

양력		1	2	3	4	5	6	7	8	9	10	11	12	13	14	15	16	17	18	19	20	21	22	23	24	25	26	27	28	29	30	
요일		木	金	土	日	月	火	水	木	金	土	日	月	火	水	木	金	土	日	月	火	水	木	金	土	日	月	火	水	木	金	
음력	월	23	24	25	26	27	28	29	五	2	3	4	5	6	7	8	9	10	11	12	13	14	15	16	17	18	19	20	21	22	23	
일진		甲午	乙未	丙申	丁酉	庚戌	辛亥	壬子	癸丑	戊寅	己卯	甲辰	乙巳	丙午	丁未	庚申	辛酉	壬戌	癸亥	戊子	己丑	甲寅	乙卯	丙辰	丁巳	庚午	辛未	壬申	癸酉	戊戌	己亥	
대운	男	9	9	9	10	10	大	1	1	1	1	2	2	2	3	3	3	4	4	4	5	5	5	6	6	6	7	7	7	8	8	
	女	2	1	1	1	1	雪	10	10	9	9	9	8	8	8	7	7	7	6	6	6	5	5	5	4	4	4	3	3	3	2	

7月 (1일 七赤 +) **乙丑 (四綠)** 절기: 小寒(7일 18:21) 大寒(23일 11:45)

양력	1	2	3	4	5	6	7	8	9	10	11	12	13	14	15	16	17	18	19	20	21	22	23	24	25	26	27	28	29	30	31
요일	土	日	月	火	水	木	金	土	日	月	火	水	木	金	土	日	月	火	水	木	金	土	日	月	火	水	木	金	土	日	月
음력 월	24	25	26	27	28	29	30	六	2	3	4	5	6	7	8	9	10	11	12	13	14	15	16	17	18	19	20	21	22	23	24
일진	甲子	乙丑	丙寅	丁卯	庚辰	辛巳	壬午	癸未	戊申	己酉	甲戌	乙亥	丙子	丁丑	庚寅	辛卯	壬辰	癸巳	戊午	己未	甲申	乙酉	丙戌	丁亥	庚子	辛丑	壬寅	癸卯	戊辰	己巳	甲午
대운 男	8	9	9	9	10	10	小	1	1	1	1	2	2	2	3	3	3	4	4	4	5	5	5	6	6	6	7	7	7	8	8
대운 女	2	2	1	1	1	1	寒	10	10	10	9	9	9	8	8	8	7	7	7	6	6	6	5	5	5	4	4	4	3	3	3

8月 (1일 二黑 +) **丙寅 (五黃)** 절기: 立春(8일 03:59) 雨水(23일 18:30)

양력	1	2	3	4	5	6	7	8	9	10	11	12	13	14	15	16	17	18	19	20	21	22	23	24	25	26	27	28	29	30	31
요일	火	水	木	金	土	日	月	火	水	木	金	土	日	月	火	水	木	金	土	日	月	火	水	木	金	土	日	月	火	水	木
음력 월	25	26	27	28	29	七	2	3	4	5	6	7	8	9	10	11	12	13	14	15	16	17	18	19	20	21	22	23	24	25	26
일진	乙未	丙申	丁酉	庚戌	辛亥	壬子	癸丑	戊寅	己卯	甲辰	乙巳	丙午	丁未	庚申	辛酉	壬戌	癸亥	戊子	己丑	甲寅	乙卯	丙辰	丁巳	庚午	辛未	壬申	癸酉	戊戌	己亥	甲子	乙丑
대운 男	8	9	9	9	10	10	10	立	1	1	1	1	2	2	2	3	3	3	4	4	4	5	5	5	6	6	6	7	7	7	8
대운 女	2	2	2	1	1	1	1	春	10	10	9	9	9	8	8	8	7	7	7	6	6	6	5	5	5	4	4	4	3	3	3

9月 (1일 六白 +) **丁卯 (六白)** 절기: 驚蟄(8일 06:23) 春分 (23일 15:32)

양력	1	2	3	4	5	6	7	8	9	10	11	12	13	14	15	16	17	18	19	20	21	22	23	24	25	26	27	28	29	30	
요일	金	土	日	月	火	水	木	金	土	日	月	火	水	木	金	土	日	月	火	水	木	金	土	日	月	火	水	木	金	土	
음력 월	27	28	29	30	八	2	3	4	5	6	7	8	9	10	11	12	13	14	15	16	17	18	19	20	21	22	23	24	25	26	
일진	丙寅	丁卯	庚辰	辛巳	壬午	癸未	戊申	己酉	甲戌	乙亥	丙子	丁丑	庚寅	辛卯	壬辰	癸巳	戊午	己未	甲申	乙酉	丙戌	丁亥	庚子	辛丑	壬寅	癸卯	戊辰	己巳	甲午	乙未	
대운 男	8	8	9	9	9	10	10	驚	1	1	1	1	2	2	2	3	3	3	4	4	4	5	5	5	6	6	6	7	7	7	
대운 女	2	2	2	1	1	1	1	蟄	10	9	9	9	8	8	8	7	7	7	6	6	6	5	5	5	4	4	4	3	3	3	

10月 (1일 九紫 +) **庚辰 (七赤)** 절기: 淸明(8일 21:19) 穀雨(23일 23:59)

양력	1	2	3	4	5	6	7	8	9	10	11	12	13	14	15	16	17	18	19	20	21	22	23	24	25	26	27	28	29	30	31
요일	日	月	火	水	木	金	土	日	月	火	水	木	金	土	日	月	火	水	木	金	土	日	月	火	水	木	金	土	日	月	火
음력 월	27	28	29	30	九	2	3	4	5	6	7	8	9	10	11	12	13	14	15	16	17	18	19	20	21	22	23	24	25	26	27
일진	丙申	丁酉	庚戌	辛亥	壬子	癸丑	戊寅	己卯	甲辰	乙巳	丙午	丁未	庚申	辛酉	壬戌	癸亥	戊子	己丑	甲寅	乙卯	丙辰	丁巳	庚午	辛未	壬申	癸酉	戊戌	己亥	甲子	乙丑	丙寅
대운 男	8	8	8	9	9	9	10	淸	1	1	1	1	2	2	2	3	3	3	4	4	4	5	5	5	6	6	6	7	7	7	8
대운 女	2	2	2	1	1	1	1	明	10	9	9	9	8	8	8	7	7	7	6	6	6	5	5	5	4	4	4	3	3	3	2

11月 (1일 四綠 +) **辛巳 (八白)** 절기: 立夏(7일 23:46) 小滿 (22일 20:59)

양력	1	2	3	4	5	6	7	8	9	10	11	12	13	14	15	16	17	18	19	20	21	22	23	24	25	26	27	28	29	30	
요일	水	木	金	土	日	月	火	水	木	金	土	日	月	火	水	木	金	土	日	月	火	水	木	金	土	日	月	火	水	木	
음력 월	28	29	十	2	3	4	5	6	7	8	9	10	11	12	13	14	15	16	17	18	19	20	21	22	23	24	25	26	27	28	
일진	丁卯	庚辰	辛巳	壬午	癸未	戊申	己酉	甲戌	乙亥	丙子	丁丑	庚寅	辛卯	壬辰	癸巳	戊午	己未	甲申	乙酉	丙戌	丁亥	庚子	辛丑	壬寅	癸卯	戊辰	己巳	甲午	乙未	丙申	
대운 男	8	8	9	9	9	10	立	1	1	1	1	2	2	2	3	3	3	4	4	4	5	5	5	6	6	6	7	7	7	8	
대운 女	2	2	1	1	1	1	夏	10	9	9	9	8	8	8	7	7	7	6	6	6	5	5	5	4	4	4	3	3	3	2	

12月 (1일 七赤 + 22일 九紫 -) **壬午 (九紫)** 절기: 芒種(7일 16:04) 夏至(22일 09:52)

양력	1	2	3	4	5	6	7	8	9	10	11	12	13	14	15	16	17	18	19	20	21	22	23	24	25	26	27	28	29	30	31
요일	金	土	日	月	火	水	木	金	土	日	月	火	水	木	金	土	日	月	火	水	木	金	土	日	月	火	水	木	金	土	日
음력 월	29	30	十一	2	3	4	5	6	7	8	9	10	11	12	13	14	15	16	17	18	19	20	21	22	23	24	25	26	27	28	29
일진	丁酉	庚戌	辛亥	壬子	癸丑	戊寅	己卯	甲辰	乙巳	丙午	丁未	庚申	辛酉	壬戌	癸亥	戊子	己丑	甲寅	乙卯	丙辰	丁巳	庚午	辛未	壬申	癸酉	戊戌	己亥	甲子	乙丑	丙寅	丁卯
대운 男	8	8	9	9	9	10	芒	1	1	1	1	2	2	2	3	3	3	4	4	4	5	5	5	6	6	6	7	7	7	8	8
대운 女	2	2	1	1	1	1	種	10	9	9	9	8	8	8	7	7	7	6	6	6	5	5	5	4	4	4	3	3	3	2	2

서기1900년

甲午年 (九紫火星) 閏八月

1月 (1일 八白 -) **癸未 (一白)** 절기: 小暑 (6일 03:04) 大暑 (20일 20:33)

양력		1	2	3	4	5	6	7	8	9	10	11	12	13	14	15	16	17	18	19	20	21	22	23	24	25	26	27	28	29	30	31
요일		月	火	水	木	金	土	日	月	火	水	木	金	土	日	月	火	水	木	金	土	日	月	火	水	木	金	土	日	月	火	水
음력	월	十二	2	3	4	5	6	7	8	9	10	11	12	13	14	15	16	17	18	19	20	21	22	23	24	25	26	27	28	29	30	一
일진		庚辰	辛巳	壬午	癸未	戊申	己酉	甲戌	乙亥	丙子	丁丑	庚寅	辛卯	壬辰	癸巳	戊午	己未	甲申	乙酉	丙戌	丁亥	庚子	辛丑	壬寅	癸卯	戊辰	己巳	甲午	乙未	丙申	丁酉	庚戌
대운	男	8	9	9	9	10	小	1	1	1	1	2	2	2	3	3	3	4	4	4	5	5	5	6	6	6	7	7	7	8	8	8
	女	2	1	1	1	1	暑	9	9	9	8	8	8	7	7	7	6	6	6	5	5	5	4	4	4	3	3	3	2	2	2	1

2月 (1일 四綠 -) **戊申 (二黑)** 절기: 立秋 (4일 14:52) 處暑 (19일 11:01)

양력		1	2	3	4	5	6	7	8	9	10	11	12	13	14	15	16	17	18	19	20	21	22	23	24	25	26	27	28			
요일		木	金	土	日	月	火	水	木	金	土	日	月	火	水	木	金	土	日	月	火	水	木	金	土	日	月	火	水			
음력	월	2	3	4	5	6	7	8	9	10	11	12	13	14	15	16	17	18	19	20	21	22	23	24	25	26	27	28	29			
일진		辛亥	壬子	癸丑	戊寅	己卯	甲辰	乙巳	丙午	丁未	庚申	辛酉	壬戌	癸亥	戊子	己丑	甲寅	乙卯	丙辰	丁巳	庚午	辛未	壬申	癸酉	戊戌	己亥	甲子	乙丑	丙寅			
대운	男	9	9	9	立	10	9	9	9	8	8	8	7	7	7	6	6	6	5	5	5	4	4	4	3	3	3	2	2			
	女	1	1	1	秋	1	1	1	1	2	2	2	3	3	3	4	4	4	5	5	5	6	6	6	7	7	7	8	8			

3月 (1일 三碧 -) **己酉 (三碧)** 절기: 白露 (6일 09:22) 秋分 (21일 10:39)

양력		1	2	3	4	5	6	7	8	9	10	11	12	13	14	15	16	17	18	19	20	21	22	23	24	25	26	27	28	29	30	31
요일		木	金	土	日	月	火	水	木	金	土	日	月	火	水	木	金	土	日	月	火	水	木	金	土	日	月	火	水	木	金	土
음력	월	二	2	3	4	5	6	7	8	9	10	11	12	13	14	15	16	17	18	19	20	21	22	23	24	25	26	27	28	29	30	三
일진		丁卯	庚辰	辛巳	壬午	癸未	戊申	己酉	甲戌	乙亥	丙子	丁丑	庚寅	辛卯	壬辰	癸巳	戊午	己未	甲申	乙酉	丙戌	丁亥	庚子	辛丑	壬寅	癸卯	戊辰	己巳	甲午	乙未	丙申	丁酉
대운	男	2	1	1	1	1	白	10	9	9	9	8	8	8	7	7	7	6	6	6	5	5	5	4	4	4	3	3	3	2	2	2
	女	8	9	9	9	10	露	1	1	1	1	2	2	2	3	3	3	4	4	4	5	5	5	6	6	6	7	7	7	8	8	8

4月 (1일 八白 -) **甲戌 (四綠)** 절기: 寒露 (5일 14:53) 霜降 (20일 22:27)

양력		1	2	3	4	5	6	7	8	9	10	11	12	13	14	15	16	17	18	19	20	21	22	23	24	25	26	27	28	29	30	
요일		日	月	火	水	木	金	土	日	月	火	水	木	金	土	日	月	火	水	木	金	土	日	月	火	水	木	金	土	日	月	
음력	월	2	3	4	5	6	7	8	9	10	11	12	13	14	15	16	17	18	19	20	21	22	23	24	25	26	27	28	29	四	2	
일진		庚戌	辛亥	壬子	癸丑	戊寅	己卯	甲辰	乙巳	丙午	丁未	庚申	辛酉	壬戌	癸亥	戊子	己丑	甲寅	乙卯	丙辰	丁巳	庚午	辛未	壬申	癸酉	戊戌	己亥	甲子	乙丑	丙寅	丁卯	
대운	男	1	1	1	1	寒	10	10	9	9	9	8	8	8	7	7	7	6	6	6	5	5	5	4	4	4	3	3	3	2	2	
	女	9	9	9	10	露	1	1	1	1	2	2	2	3	3	3	4	4	4	5	5	5	6	6	6	7	7	7	8	8	8	

5月 (1일 五黃 -) **乙亥 (五黃)** 절기: 立冬 (6일 08:55) 小雪 (20일 22:27)

양력		1	2	3	4	5	6	7	8	9	10	11	12	13	14	15	16	17	18	19	20	21	22	23	24	25	26	27	28	29	30	31
요일		火	水	木	金	土	日	月	火	水	木	金	土	日	月	火	水	木	金	土	日	月	火	水	木	金	土	日	月	火	水	木
음력	월	3	4	5	6	7	8	9	10	11	12	13	14	15	16	17	18	19	20	21	22	23	24	25	26	27	28	29	五	2	3	4
일진		庚辰	辛巳	壬午	癸未	戊申	己酉	甲戌	乙亥	丙子	丁丑	庚寅	辛卯	壬辰	癸巳	戊午	己未	甲申	乙酉	丙戌	丁亥	庚子	辛丑	壬寅	癸卯	戊辰	己巳	甲午	乙未	丙申	丁酉	庚戌
대운	男	2	1	1	1	1	立	10	10	9	9	9	8	8	8	7	7	7	6	6	6	5	5	5	4	4	4	3	3	3	2	2
	女	9	9	9	10	10	冬	1	1	1	1	2	2	2	3	3	3	4	4	4	5	5	5	6	6	6	7	7	7	8	8	8

6月 (1일 一白 - 20일 一白 +) **丙子 (六白)** 절기: 大雪 (6일 13:39) 冬至 (22일 06:40)

양력		1	2	3	4	5	6	7	8	9	10	11	12	13	14	15	16	17	18	19	20	21	22	23	24	25	26	27	28	29	30	
요일		金	土	日	月	火	水	木	金	土	日	月	火	水	木	金	土	日	月	火	水	木	金	土	日	月	火	水	木	金	土	
음력	월	5	6	7	8	9	10	11	12	13	14	15	16	17	18	19	20	21	22	23	24	25	26	27	28	29	30	六	2	3	4	
일진		辛亥	壬子	癸丑	戊寅	己卯	甲辰	乙巳	丙午	丁未	庚申	辛酉	壬戌	癸亥	戊子	己丑	甲寅	乙卯	丙辰	丁巳	庚午	辛未	壬申	癸酉	戊戌	己亥	甲子	乙丑	丙寅	丁卯	庚辰	
대운	男	2	1	1	1	1	大	10	10	10	9	9	9	8	8	8	7	7	7	6	6	6	5	5	5	4	4	4	3	3	3	
	女	9	9	9	10	10	雪	1	1	1	1	2	2	2	3	3	3	4	4	4	5	5	5	6	6	6	7	7	7	8	8	

7月 (1일 三碧 +) **丁丑 (七赤)** 절기: 小寒(8일 00:10) 大寒(23일 17:36)

양력	1	2	3	4	5	6	7	8	9	10	11	12	13	14	15	16	17	18	19	20	21	22	23	24	25	26	27	28	29	30	31
요일	日	月	火	水	木	金	土	日	月	火	水	木	金	土	日	月	火	水	木	金	土	日	月	火	水	木	金	土	日	月	火
음력 월	5	6	7	8	9	10	11	12	13	14	15	16	17	18	19	20	21	22	23	24	25	26	27	28	29	七	2	3	4	5	6
일진	辛巳	壬午	癸未	戊申	己酉	甲戌	乙亥	丙子	丁丑	庚寅	辛卯	壬辰	癸巳	戊午	己未	甲申	乙酉	丙戌	丁亥	庚子	辛丑	壬寅	癸卯	戊辰	己巳	甲午	乙未	丙申	丁酉	庚戌	辛亥
대운 男	2	2	2	1	1	1	1	小	10	10	9	9	9	8	8	8	7	7	7	6	6	6	5	5	5	4	4	4	3	3	3
대운 女	8	9	9	9	10	10	10	寒	1	1	1	1	2	2	2	3	3	3	4	4	4	5	5	5	6	6	6	7	7	7	8

8月 (1일 七赤 +) **庚寅 (八白)** 절기: 立春(8일 09:51) 雨水(24일 00:20)

양력	1	2	3	4	5	6	7	8	9	10	11	12	13	14	15	16	17	18	19	20	21	22	23	24	25	26	27	28	29	30	31
요일	水	木	金	土	日	月	火	水	木	金	土	日	月	火	水	木	金	土	日	月	火	水	木	金	土	日	月	火	水	木	金
음력 월	7	8	9	10	11	12	13	14	15	16	17	18	19	20	21	22	23	24	25	26	27	28	29	30	八	2	3	4	5	6	7
일진	壬子	癸丑	戊寅	己卯	甲辰	乙巳	丙午	丁未	庚申	辛酉	壬戌	癸亥	戊子	己丑	甲寅	乙卯	丙辰	丁巳	庚午	辛未	壬申	癸酉	戊戌	己亥	甲子	乙丑	丙寅	丁卯	庚辰	辛巳	壬午
대운 男	2	2	2	1	1	1	1	立	10	10	9	9	9	8	8	8	7	7	7	6	6	6	5	5	5	4	4	4	3	3	3
대운 女	8	8	9	9	9	10	10	春	1	1	1	1	2	2	2	3	3	3	4	4	4	5	5	5	6	6	6	7	7	7	8

9月 (1일 二黑 +) **辛卯 (九紫)** 절기: 驚蟄(8일 12:17) 春分 (23일 21:20)

양력	1	2	3	4	5	6	7	8	9	10	11	12	13	14	15	16	17	18	19	20	21	22	23	24	25	26	27	28	29	30	
요일	土	日	月	火	水	木	金	土	日	月	火	水	木	金	土	日	月	火	水	木	金	土	日	月	火	水	木	金	土	日	
음력 월	8	9	10	11	12	13	14	15	16	17	18	19	20	21	22	23	24	25	26	27	28	29	30	閏八		3	4	5	6	7	
일진	癸未	戊申	己酉	甲戌	乙亥	丙子	丁丑	庚寅	辛卯	壬辰	癸巳	戊午	己未	甲申	乙酉	丙戌	丁亥	庚子	辛丑	壬寅	癸卯	戊辰	己巳	甲午	乙未	丙申	丁酉	庚戌	辛亥	壬子	
대운 男	2	2	2	1	1	1	1	驚	10	10	9	9	9	8	8	8	7	7	7	6	6	6	5	5	5	4	4	4	3	3	
대운 女	8	8	9	9	9	10	10	蟄	1	1	1	1	2	2	2	3	3	3	4	4	4	5	5	5	6	6	6	7	7	7	

10月 (1일 五黃 +) **壬辰 (一白)** 절기: 淸明(9일 03:13) 穀雨(24일 05:55)

양력	1	2	3	4	5	6	7	8	9	10	11	12	13	14	15	16	17	18	19	20	21	22	23	24	25	26	27	28	29	30	31
요일	月	火	水	木	金	土	日	月	火	水	木	金	土	日	月	火	水	木	金	土	日	月	火	水	木	金	土	日	月	火	水
음력 월	8	9	10	11	12	13	14	15	16	17	18	19	20	21	22	23	24	25	26	27	28	29	九	2	3	4	5	6	7	8	9
일진	癸丑	戊寅	己卯	甲辰	乙巳	丙午	丁未	庚申	辛酉	壬戌	癸亥	戊子	己丑	甲寅	乙卯	丙辰	丁巳	庚午	辛未	壬申	癸酉	戊戌	己亥	甲子	乙丑	丙寅	丁卯	庚辰	辛巳	壬午	癸未
대운 男	3	2	2	2	1	1	1	1	淸	10	9	9	9	8	8	8	7	7	7	6	6	6	5	5	5	4	4	4	3	3	3
대운 女	8	8	8	9	9	9	10	10	明	1	1	1	1	2	2	2	3	3	3	4	4	4	5	5	5	6	6	6	7	7	7

11月 (1일 九紫 +) **癸巳 (二黑)** 절기: 立夏(8일 05:40) 小滿 (23일 02:48)

양력	1	2	3	4	5	6	7	8	9	10	11	12	13	14	15	16	17	18	19	20	21	22	23	24	25	26	27	28	29	30	
요일	木	金	土	日	月	火	水	木	金	土	日	月	火	水	木	金	土	日	月	火	水	木	金	土	日	月	火	水	木	金	
음력 월	10	11	12	13	14	15	16	17	18	19	20	21	22	23	24	25	26	27	28	29	30	十	2	3	4	5	6	7	8	9	
일진	戊申	己酉	甲戌	乙亥	丙子	丁丑	庚寅	辛卯	壬辰	癸巳	戊午	己未	甲申	乙酉	丙戌	丁亥	庚子	辛丑	壬寅	癸卯	戊辰	己巳	甲午	乙未	丙申	丁酉	庚戌	辛亥	壬子	癸丑	
대운 男	2	2	2	1	1	1	1	立	9	9	9	8	8	8	7	7	7	6	6	6	5	5	5	4	4	4	3	3	3	2	
대운 女	8	8	8	9	9	9	10	夏	1	1	1	1	2	2	2	3	3	3	4	4	4	5	5	5	6	6	6	7	7	7	

12月 (1일 三碧 + 17일 九紫 -) **戊午 (三碧)** 절기: 芒種(7일 21:56) 夏至(22일 15:42)

양력	1	2	3	4	5	6	7	8	9	10	11	12	13	14	15	16	17	18	19	20	21	22	23	24	25	26	27	28	29	30	31
요일	土	日	月	火	水	木	金	土	日	月	火	水	木	金	土	日	月	火	水	木	金	土	日	月	火	水	木	金	土	日	月
음력 월	10	11	12	13	14	15	16	17	18	19	20	21	22	23	24	25	26	27	28	29	30	十一	2	3	4	5	6	7	8	9	10
일진	戊寅	己卯	甲辰	乙巳	丙午	丁未	庚申	辛酉	壬戌	癸亥	戊子	己丑	甲寅	乙卯	丙辰	丁巳	庚午	辛未	壬申	癸酉	戊戌	己亥	甲子	乙丑	丙寅	丁卯	庚辰	辛巳	壬午	癸未	戊申
대운 男	2	2	1	1	1	1	芒	10	9	9	9	8	8	8	7	7	7	6	6	6	5	5	5	4	4	4	3	3	3	2	2
대운 女	8	8	8	9	9	9	種	1	1	1	1	2	2	2	3	3	3	4	4	4	5	5	5	6	6	6	7	7	7	8	8

서기1901년

乙未年 (一白水星)

1月 (1일 三碧 -) **己未 (四綠)** 절기: 小暑 (6일 08:53) 大暑 (21일 02:17)

양력		1	2	3	4	5	6	7	8	9	10	11	12	13	14	15	16	17	18	19	20	21	22	23	24	25	26	27	28	29	30	31
요일		火	水	木	金	土	日	月	火	水	木	金	土	日	月	火	水	木	金	土	日	月	火	水	木	金	土	日	月	火	水	木
음력	월	11	12	13	14	15	16	17	18	19	20	21	22	23	24	25	26	27	28	29	十二	2	3	4	5	6	7	8	9	10	11	12
일진		己酉	甲戌	乙亥	丙子	丁丑	庚寅	辛卯	壬辰	癸巳	戊午	己未	甲申	乙酉	丙戌	丁亥	庚子	辛丑	壬寅	癸卯	戊辰	己巳	甲午	乙未	丙申	丁酉	庚戌	辛亥	壬子	癸丑	戊寅	己卯
대운	男	2	1	1	1	1	小	9	9	9	8	8	8	7	7	7	6	6	6	5	5	5	4	4	4	3	3	3	2	2	2	1
	女	8	9	9	9	10	暑	1	1	1	1	2	2	2	3	3	3	4	4	4	5	5	5	6	6	6	7	7	7	8	8	8

2月 (1일 八白 -) **甲申 (五黃)** 절기: 立秋 (4일 20:40) 處暑 (19일 16:45)

양력		1	2	3	4	5	6	7	8	9	10	11	12	13	14	15	16	17	18	19	20	21	22	23	24	25	26	27	28			
요일		金	土	日	月	火	水	木	金	土	日	月	火	水	木	金	土	日	月	火	水	木	金	土	日	月	火	水	木			
음력	월	13	14	15	16	17	18	19	20	21	22	23	24	25	26	27	28	29	30	一	2	3	4	5	6	7	8	9	10			
일진		甲辰	乙巳	丙午	丁未	庚申	辛酉	壬戌	癸亥	戊子	己丑	甲寅	乙卯	丙辰	丁巳	庚午	辛未	壬申	癸酉	戊戌	己亥	甲子	乙丑	丙寅	丁卯	庚辰	辛巳	壬午	癸未			
대운	男	1	1	1	立	1	1	1	1	2	2	2	3	3	3	4	4	4	5	5	5	6	6	6	7	7	7	8	8			
	女	9	9	9	秋	10	9	9	9	8	8	8	7	7	7	6	6	6	5	5	5	4	4	4	3	3	3	2	2			

3月 (1일 七赤 -) **乙酉 (六白)** 절기: 白露 (6일 15:11) 秋分 (21일 16:24)

양력		1	2	3	4	5	6	7	8	9	10	11	12	13	14	15	16	17	18	19	20	21	22	23	24	25	26	27	28	29	30	31
요일		金	土	日	月	火	水	木	金	土	日	月	火	水	木	金	土	日	月	火	水	木	金	土	日	月	火	水	木	金	土	日
음력	월	11	12	13	14	15	16	17	18	19	20	21	22	23	24	25	26	27	28	29	二	2	3	4	5	6	7	8	9	10	11	12
일진		戊申	己酉	甲戌	乙亥	丙子	丁丑	庚寅	辛卯	壬辰	癸巳	戊午	己未	甲申	乙酉	丙戌	丁亥	庚子	辛丑	壬寅	癸卯	戊辰	己巳	甲午	乙未	丙申	丁酉	庚戌	辛亥	壬子	癸丑	戊寅
대운	男	8	9	9	9	10	白	1	1	1	1	2	2	2	3	3	3	4	4	4	5	5	5	6	6	6	7	7	7	8	8	8
	女	2	1	1	1	1	露	10	9	9	9	8	8	8	7	7	7	6	6	6	5	5	5	4	4	4	3	3	3	2	2	2

4月 (1일 三碧 -) **丙戌 (七赤)** 절기: 寒露 (5일 20:44) 霜降 (21일 04:14)

양력		1	2	3	4	5	6	7	8	9	10	11	12	13	14	15	16	17	18	19	20	21	22	23	24	25	26	27	28	29	30	
요일		月	火	水	木	金	土	日	月	火	水	木	金	土	日	月	火	水	木	金	土	日	月	火	水	木	金	土	日	月	火	
음력	월	13	14	15	16	17	18	19	20	21	22	23	24	25	26	27	28	29	30	三	2	3	4	5	6	7	8	9	10	11	12	
일진		己卯	甲辰	乙巳	丙午	丁未	庚申	辛酉	壬戌	癸亥	戊子	己丑	甲寅	乙卯	丙辰	丁巳	庚午	辛未	壬申	癸酉	戊戌	己亥	甲子	乙丑	丙寅	丁卯	庚辰	辛巳	壬午	癸未	戊申	
대운	男	9	9	9	10	寒	1	1	1	1	2	2	2	3	3	3	4	4	4	5	5	5	6	6	6	7	7	7	8	8	8	
	女	1	1	1	1	露	10	10	9	9	9	8	8	8	7	7	7	6	6	6	5	5	5	4	4	4	3	3	3	2	2	

5月 (1일 九紫 -) **丁亥 (八白)** 절기: 立冬 (6일 14:50) 小雪 (22일 04:05)

양력		1	2	3	4	5	6	7	8	9	10	11	12	13	14	15	16	17	18	19	20	21	22	23	24	25	26	27	28	29	30	31
요일		水	木	金	土	日	月	火	水	木	金	土	日	月	火	水	木	金	土	日	月	火	水	木	金	土	日	月	火	水	木	金
음력	월	13	14	15	16	17	18	19	20	21	22	23	24	25	26	27	28	29	四	2	3	4	5	6	7	8	9	10	11	12	13	14
일진		己酉	甲戌	乙亥	丙子	丁丑	庚寅	辛卯	壬辰	癸巳	戊午	己未	甲申	乙酉	丙戌	丁亥	庚子	辛丑	壬寅	癸卯	戊辰	己巳	甲午	乙未	丙申	丁酉	庚戌	辛亥	壬子	癸丑	戊寅	己卯
대운	男	9	9	9	10	10	立	1	1	1	1	2	2	2	3	3	3	4	4	4	5	5	5	6	6	6	7	7	7	8	8	8
	女	2	1	1	1	1	冬	10	10	9	9	9	8	8	8	7	7	7	6	6	6	5	5	5	4	4	4	3	3	3	2	2

6月 (1일 五黃 - 15일 一白 +) **庚子 (九紫)** 절기: 大雪 (6일 19:37) 冬至 (22일 12:28)

양력		1	2	3	4	5	6	7	8	9	10	11	12	13	14	15	16	17	18	19	20	21	22	23	24	25	26	27	28	29	30	
요일		土	日	月	火	水	木	金	土	日	月	火	水	木	金	土	日	月	火	水	木	金	土	日	月	火	水	木	金	土	日	
음력	월	15	16	17	18	19	20	21	22	23	24	25	26	27	28	29	五	2	3	4	5	6	7	8	9	10	11	12	13	14	15	
일진		甲辰	乙巳	丙午	丁未	庚申	辛酉	壬戌	癸亥	戊子	己丑	甲寅	乙卯	丙辰	丁巳	庚午	辛未	壬申	癸酉	戊戌	己亥	甲子	乙丑	丙寅	丁卯	庚辰	辛巳	壬午	癸未	戊申	己酉	
대운	男	9	9	9	10	10	大	1	1	1	1	2	2	2	3	3	3	4	4	4	5	5	5	6	6	6	7	7	7	8	8	
	女	2	1	1	1	1	雪	10	10	10	9	9	9	8	8	8	7	7	7	6	6	6	5	5	5	4	4	4	3	3	3	

7月 (1일 八白 +) **辛丑 (一白)** 절기: 小寒(8일 06:08) 大寒(23일 23:24)

양력		1	2	3	4	5	6	7	8	9	10	11	12	13	14	15	16	17	18	19	20	21	22	23	24	25	26	27	28	29	30	31
요일		月	火	水	木	金	土	日	月	火	水	木	金	土	日	月	火	水	木	金	土	日	月	火	水	木	金	土	日	月	火	水
음력	월	16	17	18	19	20	21	22	23	24	25	26	27	28	29	30	六	2	3	4	5	6	7	8	9	10	11	12	13	14	15	16
일진		甲戌	乙亥	丙子	丁丑	庚寅	辛卯	壬辰	癸巳	戊午	己未	甲申	乙酉	丙戌	丁亥	庚子	辛丑	壬寅	癸卯	戊辰	己巳	甲午	乙未	丙申	丁酉	庚戌	辛亥	壬子	癸丑	戊寅	己卯	甲辰
대운	男	8	9	9	9	10	10	10	小	1	1	1	1	2	2	2	3	3	3	4	4	4	5	5	5	6	6	6	7	7	7	8
	女	2	2	2	1	1	1	1	寒	10	10	9	9	9	8	8	8	7	7	7	6	6	6	5	5	5	4	4	4	3	3	3

8月 (1일 三碧 +) **壬寅 (二黑)** 절기: 立春(8일 15:46) 雨水(24일 06:08)

양력		1	2	3	4	5	6	7	8	9	10	11	12	13	14	15	16	17	18	19	20	21	22	23	24	25	26	27	28	29	30	31
요일		木	金	土	日	月	火	水	木	金	土	日	月	火	水	木	金	土	日	月	火	水	木	金	土	日	月	火	水	木	金	土
음력	월	17	18	19	20	21	22	23	24	25	26	27	28	29	七	2	3	4	5	6	7	8	9	10	11	12	13	14	15	16	17	18
일진		乙巳	丙午	丁未	庚申	辛酉	壬戌	癸亥	戊子	己丑	甲寅	乙卯	丙辰	丁巳	庚午	辛未	壬申	癸酉	戊戌	己亥	甲子	乙丑	丙寅	丁卯	庚辰	辛巳	壬午	癸未	戊申	己酉	甲戌	乙亥
대운	男	8	8	9	9	9	10	10	立	1	1	1	1	2	2	2	3	3	3	4	4	4	5	5	5	6	6	6	7	7	7	8
	女	2	2	2	1	1	1	1	春	10	10	9	9	9	8	8	8	7	7	7	6	6	6	5	5	5	4	4	4	3	3	3

9月 (1일 七赤 +) **癸卯 (三碧)** 절기: 驚蟄(8일 18:10) 春分 (24일 03:09)

양력		1	2	3	4	5	6	7	8	9	10	11	12	13	14	15	16	17	18	19	20	21	22	23	24	25	26	27	28	29	30	
요일		日	月	火	水	木	金	土	日	月	火	水	木	金	土	日	月	火	水	木	金	土	日	月	火	水	木	金	土	日	月	
음력	월	19	20	21	22	23	24	25	26	27	28	29	30	八	2	3	4	5	6	7	8	9	10	11	12	13	14	15	16	17	18	
일진		丙子	丁丑	庚寅	辛卯	壬辰	癸巳	戊午	己未	甲申	乙酉	丙戌	丁亥	庚子	辛丑	壬寅	癸卯	戊辰	己巳	甲午	乙未	丙申	丁酉	庚戌	辛亥	壬子	癸丑	戊寅	己卯	甲辰	乙巳	
대운	男	8	8	9	9	9	10	10	驚	1	1	1	1	2	2	2	3	3	3	4	4	4	5	5	5	6	6	6	7	7	7	
	女	2	2	2	1	1	1	1	蟄	10	10	9	9	9	8	8	8	7	7	7	6	6	6	5	5	5	4	4	4	3	3	

10月 (1일 一白 +) **戊辰 (四綠)** 절기: 清明(9일 09:07) 穀雨(24일 11:46)

양력		1	2	3	4	5	6	7	8	9	10	11	12	13	14	15	16	17	18	19	20	21	22	23	24	25	26	27	28	29	30	31
요일		火	水	木	金	土	日	月	火	水	木	金	土	日	月	火	水	木	金	土	日	月	火	水	木	金	土	日	月	火	水	木
음력	월	19	20	21	22	23	24	25	26	27	28	29	九	2	3	4	5	6	7	8	9	10	11	12	13	14	15	16	17	18	19	20
일진		丙午	丁未	庚申	辛酉	壬戌	癸亥	戊子	己丑	甲寅	乙卯	丙辰	丁巳	庚午	辛未	壬申	癸酉	戊戌	己亥	甲子	乙丑	丙寅	丁卯	庚辰	辛巳	壬午	癸未	戊申	己酉	甲戌	乙亥	丙子
대운	男	8	8	8	9	9	9	10	10	清	1	1	1	1	2	2	2	3	3	3	4	4	4	5	5	5	6	6	6	7	7	7
	女	3	2	2	2	1	1	1	1	明	10	9	9	9	8	8	8	7	7	7	6	6	6	5	5	5	4	4	4	3	3	3

11月 (1일 五黃 +) **己巳 (五黃)** 절기: 立夏(8일 11:35) 小滿 (23일 08:41)

양력		1	2	3	4	5	6	7	8	9	10	11	12	13	14	15	16	17	18	19	20	21	22	23	24	25	26	27	28	29	30	
요일		金	土	日	月	火	水	木	金	土	日	月	火	水	木	金	土	日	月	火	水	木	金	土	日	月	火	水	木	金	土	
음력	월	21	22	23	24	25	26	27	28	29	30	十	2	3	4	5	6	7	8	9	10	11	12	13	14	15	16	17	18	19	20	
일진		丁丑	庚寅	辛卯	壬辰	癸巳	戊午	己未	甲申	乙酉	丙戌	丁亥	庚子	辛丑	壬寅	癸卯	戊辰	己巳	甲午	乙未	丙申	丁酉	庚戌	辛亥	壬子	癸丑	戊寅	己卯	甲辰	乙巳	丙午	
대운	男	8	8	8	9	9	9	10	立	1	1	1	1	2	2	2	3	3	3	4	4	4	5	5	5	6	6	6	7	7	7	
	女	2	2	2	1	1	1	1	夏	10	9	9	9	8	8	8	7	7	7	6	6	6	5	5	5	4	4	4	3	3	3	

12月 (1일 八白 + 12일 九紫 -) **甲午 (六白)** 절기: 芒種(8일 03:53) 夏至(22일 21:37)

양력		1	2	3	4	5	6	7	8	9	10	11	12	13	14	15	16	17	18	19	20	21	22	23	24	25	26	27	28	29	30	31
요일		日	月	火	水	木	金	土	日	月	火	水	木	金	土	日	月	火	水	木	金	土	日	月	火	水	木	金	土	日	月	火
음력	월	21	22	23	24	25	26	27	28	29	30	十一	2	3	4	5	6	7	8	9	10	11	12	13	14	15	16	17	18	19	20	21
일진		丁未	庚申	辛酉	壬戌	癸亥	戊子	己丑	甲寅	乙卯	丙辰	丁巳	庚午	辛未	壬申	癸酉	戊戌	己亥	甲子	乙丑	丙寅	丁卯	庚辰	辛巳	壬午	癸未	戊申	己酉	甲戌	乙亥	丙子	丁丑
대운	男	8	8	8	9	9	9	10	芒	1	1	1	1	2	2	2	3	3	3	4	4	4	5	5	5	6	6	6	7	7	7	8
	女	2	2	2	1	1	1	1	種	9	9	9	8	8	8	7	7	7	6	6	6	5	5	5	4	4	4	3	3	3	2	2

서기1902년

丙申年 (二黑土星)

1月 (1일 七赤 -) **乙未 (七赤)** 절기: 小暑 (6일 14:52) 大暑 (21일 08:12)

양력		1	2	3	4	5	6	7	8	9	10	11	12	13	14	15	16	17	18	19	20	21	22	23	24	25	26	27	28	29	30	31
요일		水	木	金	土	日	月	火	水	木	金	土	日	月	火	水	木	金	土	日	月	火	水	木	金	土	日	月	火	水	木	金
음력	월	22	23	24	25	26	27	28	29	30	十二	2	3	4	5	6	7	8	9	10	11	12	13	14	15	16	17	18	19	20	21	22
일진		庚寅	辛卯	壬辰	癸巳	戊午	己未	甲申	乙酉	丙戌	丁亥	庚子	辛丑	壬寅	癸卯	戊辰	己巳	甲午	乙未	丙申	丁酉	庚戌	辛亥	壬子	癸丑	戊寅	己卯	甲辰	乙巳	丙午	丁未	庚申
대운	男	8	8	9	9	9	小	1	1	1	1	2	2	2	3	3	3	4	4	4	5	5	5	6	6	6	7	7	7	8	8	8
	女	2	1	1	1	1	暑	10	9	9	9	8	8	8	7	7	7	6	6	6	5	5	5	4	4	4	3	3	3	2	2	2

2月 (1일 三碧 -) **丙申 (八白)** 절기: 立秋 (5일 02:38) 處暑 (19일 22:40)

양력		1	2	3	4	5	6	7	8	9	10	11	12	13	14	15	16	17	18	19	20	21	22	23	24	25	26	27	28			
요일		土	日	月	火	水	木	金	土	日	月	火	水	木	金	土	日	月	火	水	木	金	土	日	月	火	水	木	金			
음력	월	23	24	25	26	27	28	29	一	2	3	4	5	6	7	8	9	10	11	12	13	14	15	16	17	18	19	20	21			
일진		辛酉	壬戌	癸亥	戊子	己丑	甲寅	乙卯	丙辰	丁巳	庚午	辛未	壬申	癸酉	戊戌	己亥	甲子	乙丑	丙寅	丁卯	庚辰	辛巳	壬午	癸未	戊申	己酉	甲戌	乙亥	丙子			
대운	男	9	9	9	10	立	9	9	9	8	8	8	7	7	7	6	6	6	5	5	5	4	4	4	3	3	3	2	2			
	女	1	1	1	1	秋	1	1	1	1	2	2	2	3	3	3	4	4	4	5	5	5	6	6	6	7	7	7	8			

3月 (1일 二黑 -) **丁酉 (九紫)** 절기: 白露 (6일 21:08) 秋分 (21일 22:17)

양력		1	2	3	4	5	6	7	8	9	10	11	12	13	14	15	16	17	18	19	20	21	22	23	24	25	26	27	28	29	30	31
요일		土	日	月	火	水	木	金	土	日	月	火	水	木	金	土	日	月	火	水	木	金	土	日	月	火	水	木	金	土	日	月
음력	월	22	23	24	25	26	27	28	29	30	二	2	3	4	5	6	7	8	9	10	11	12	13	14	15	16	17	18	19	20	21	22
일진		丁丑	庚寅	辛卯	壬辰	癸巳	戊午	己未	甲申	乙酉	丙戌	丁亥	庚子	辛丑	壬寅	癸卯	戊辰	己巳	甲午	乙未	丙申	丁酉	庚戌	辛亥	壬子	癸丑	戊寅	己卯	甲辰	乙巳	丙午	丁未
대운	男	2	1	1	1	1	白	10	10	9	9	8	8	8	7	7	7	6	6	6	5	5	5	5	4	4	4	3	3	3	2	2
	女	8	8	9	9	9	露	1	1	1	1	2	2	2	3	3	3	4	4	4	5	5	5	6	6	6	7	7	7	8	8	8

4月 (1일 七赤 -) **庚戌 (一白)** 절기: 寒露 (6일 02:38) 霜降 (21일 10:04)

양력		1	2	3	4	5	6	7	8	9	10	11	12	13	14	15	16	17	18	19	20	21	22	23	24	25	26	27	28	29	30	
요일		火	水	木	金	土	日	月	火	水	木	金	土	日	月	火	水	木	金	土	日	月	火	水	木	金	土	日	月	火	水	
음력	월	23	24	25	26	27	28	29	三	2	3	4	5	6	7	8	9	10	11	12	13	14	15	16	17	18	19	20	21	22	23	
일진		庚申	辛酉	壬戌	癸亥	戊子	己丑	甲寅	乙卯	丙辰	丁巳	庚午	辛未	壬申	癸酉	戊戌	己亥	甲子	乙丑	丙寅	丁卯	庚辰	辛巳	壬午	癸未	戊申	己酉	甲戌	乙亥	丙子	丁丑	
대운	男	2	1	1	1	1	寒	10	9	9	9	8	8	8	7	7	7	6	6	6	5	5	5	4	4	4	3	3	3	2	2	
	女	9	9	9	10	10	露	1	1	1	1	2	2	2	3	3	3	4	4	4	5	5	5	6	6	6	7	7	7	8	8	

5月 (1일 四綠 -) **辛亥 (二黑)** 절기: 立冬 (6일 20:39) 小雪 (22일 09:54)

양력		1	2	3	4	5	6	7	8	9	10	11	12	13	14	15	16	17	18	19	20	21	22	23	24	25	26	27	28	29	30	31
요일		木	金	土	日	月	火	水	木	金	土	日	月	火	水	木	金	土	日	月	火	水	木	金	土	日	月	火	水	木	金	土
음력	월	24	25	26	27	28	29	30	四	2	3	4	5	6	7	8	9	10	11	12	13	14	15	16	17	18	19	20	21	22	23	24
일진		庚寅	辛卯	壬辰	癸巳	戊午	己未	甲申	乙酉	丙戌	丁亥	庚子	辛丑	壬寅	癸卯	戊辰	己巳	甲午	乙未	丙申	丁酉	庚戌	辛亥	壬子	癸丑	戊寅	己卯	甲辰	乙巳	丙午	丁未	庚申
대운	男	2	1	1	1	1	立	10	10	10	9	9	9	8	8	8	7	7	7	6	6	6	5	5	5	4	4	4	3	3	3	2
	女	8	9	9	9	10	冬	1	1	1	1	2	2	2	3	3	3	4	4	4	5	5	5	6	6	6	7	7	7	8	8	8

6月 (1일 九紫 - 10일 一白 +) **壬子 (三碧)** 절기: 大雪 (7일 01:20) 冬至 (22일 18:15)

양력		1	2	3	4	5	6	7	8	9	10	11	12	13	14	15	16	17	18	19	20	21	22	23	24	25	26	27	28	29	30	
요일		日	月	火	水	木	金	土	日	月	火	水	木	金	土	日	月	火	水	木	金	土	日	月	火	水	木	金	土	日	月	
음력	월	25	26	27	28	29	五	2	3	4	5	6	7	8	9	10	11	12	13	14	15	16	17	18	19	20	21	22	23	24	25	
일진		辛酉	壬戌	癸亥	戊子	己丑	甲寅	乙卯	丙辰	丁巳	庚午	辛未	壬申	癸酉	戊戌	己亥	甲子	乙丑	丙寅	丁卯	庚辰	辛巳	壬午	癸未	戊申	己酉	甲戌	乙亥	丙子	丁丑	庚寅	
대운	男	2	2	1	1	1	1	大	10	10	9	9	9	8	8	8	7	7	7	6	6	6	5	5	5	4	4	4	3	3	3	
	女	9	9	9	10	10	10	雪	1	1	1	1	2	2	2	3	3	3	4	4	4	5	5	5	6	6	6	7	7	7	8	

7月 (1일 四綠 +) **癸丑 (四綠)** 절기: 小寒(8일 11:46) 大寒(24일 05:10)

양력		1	2	3	4	5	6	7	8	9	10	11	12	13	14	15	16	17	18	19	20	21	22	23	24	25	26	27	28	29	30	31
요일		火	水	木	金	土	日	月	火	水	木	金	土	日	月	火	水	木	金	土	日	月	火	水	木	金	土	日	月	火	水	木
음력	월	26	27	28	29	六	2	3	4	5	6	7	8	9	10	11	12	13	14	15	16	17	18	19	20	21	22	23	24	25	26	27
일진		辛卯	壬辰	癸巳	戊午	己未	甲申	乙酉	丙戌	丁亥	庚子	辛丑	壬寅	癸卯	戊辰	己巳	甲午	乙未	丙申	丁酉	庚戌	辛亥	壬子	癸丑	戊寅	己卯	甲辰	乙巳	丙午	丁未	庚申	辛酉
대운	男	2	2	2	1	1	1	1	小	10	10	9	9	9	8	8	8	7	7	7	6	6	6	5	5	5	4	4	4	3	3	3
	女	8	8	9	9	9	10	10	寒	1	1	1	1	2	2	2	3	3	3	4	4	4	5	5	5	6	6	6	7	7	7	8

8月 (1일 八白 +) **戊寅 (五黃)** 절기: 立春(8일 21:22) 雨水(24일 11:53)

양력		1	2	3	4	5	6	7	8	9	10	11	12	13	14	15	16	17	18	19	20	21	22	23	24	25	26	27	28	29	30	31
요일		金	土	日	月	火	水	木	金	土	日	月	火	水	木	金	土	日	月	火	水	木	金	土	日	月	火	水	木	金	土	日
음력	월	28	29	30	七	2	3	4	5	6	7	8	9	10	11	12	13	14	15	16	17	18	19	20	21	22	23	24	25	26	27	28
일진		壬戌	癸亥	戊子	己丑	甲寅	乙卯	丙辰	丁巳	庚午	辛未	壬申	癸酉	戊戌	己亥	甲子	乙丑	丙寅	丁卯	庚辰	辛巳	壬午	癸未	戊申	己酉	甲戌	乙亥	丙子	丁丑	庚寅	辛卯	壬辰
대운	男	2	2	2	1	1	1	1	立	10	10	9	9	9	8	8	8	7	7	7	6	6	6	5	5	5	4	4	4	3	3	3
	女	8	8	9	9	9	10	10	春	1	1	1	1	2	2	2	3	3	3	4	4	4	5	5	5	6	6	6	7	7	7	8

9月 (1일 三碧 +) **己卯 (六白)** 절기: 驚蟄(8일 23:47) 春分 (24일 08:55)

양력		1	2	3	4	5	6	7	8	9	10	11	12	13	14	15	16	17	18	19	20	21	22	23	24	25	26	27	28	29	30	
요일		月	火	水	木	金	土	日	月	火	水	木	金	土	日	月	火	水	木	金	土	日	月	火	水	木	金	土	日	月	火	
음력	월	29	八	2	3	4	5	6	7	8	9	10	11	12	13	14	15	16	17	18	19	20	21	22	23	24	25	26	27	28	29	
일진		癸巳	戊午	己未	甲申	乙酉	丙戌	丁亥	庚子	辛丑	壬寅	癸卯	戊辰	己巳	甲午	乙未	丙申	丁酉	庚戌	辛亥	壬子	癸丑	戊寅	己卯	甲辰	乙巳	丙午	丁未	庚申	辛酉	壬戌	
대운	男	2	2	2	1	1	1	1	驚	10	10	9	9	9	8	8	8	7	7	7	6	6	6	5	5	5	4	4	4	3	3	
	女	8	8	9	9	9	10	10	蟄	1	1	1	1	2	2	2	3	3	3	4	4	4	5	5	5	6	6	6	7	7	7	

10月 (1일 六白 +) **甲辰 (七赤)** 절기: 清明(9일 14:45) 穀雨(24일 17:36)

양력		1	2	3	4	5	6	7	8	9	10	11	12	13	14	15	16	17	18	19	20	21	22	23	24	25	26	27	28	29	30	31
요일		水	木	金	土	日	月	火	水	木	金	土	日	月	火	水	木	金	土	日	月	火	水	木	金	土	日	月	火	水	木	金
음력	월	30	九	2	3	4	5	6	7	8	9	10	11	12	13	14	15	16	17	18	19	20	21	22	23	24	25	26	27	28	29	十
일진		癸亥	戊子	己丑	甲寅	乙卯	丙辰	丁巳	庚午	辛未	壬申	癸酉	戊戌	己亥	甲子	乙丑	丙寅	丁卯	庚辰	辛巳	壬午	癸未	戊申	己酉	甲戌	乙亥	丙子	丁丑	庚寅	辛卯	壬辰	癸巳
대운	男	3	2	2	2	1	1	1	1	清	10	9	9	9	8	8	8	7	7	7	6	6	6	5	5	5	4	4	4	3	3	3
	女	8	8	8	9	9	9	10	10	明	1	1	1	1	2	2	2	3	3	3	4	4	4	5	5	5	6	6	6	7	7	7

11月 (1일 一白 +) **乙巳 (八白)** 절기: 立夏(8일 17:18) 小滿 (23일 14:36)

양력		1	2	3	4	5	6	7	8	9	10	11	12	13	14	15	16	17	18	19	20	21	22	23	24	25	26	27	28	29	30	
요일		土	日	月	火	水	木	金	土	日	月	火	水	木	金	土	日	月	火	水	木	金	土	日	月	火	水	木	金	土	日	
음력	월	2	3	4	5	6	7	8	9	10	11	12	13	14	15	16	17	18	19	20	21	22	23	24	25	26	27	28	29	30	十一	
일진		戊午	己未	甲申	乙酉	丙戌	丁亥	庚子	辛丑	壬寅	癸卯	戊辰	己巳	甲午	乙未	丙申	丁酉	庚戌	辛亥	壬子	癸丑	戊寅	己卯	甲辰	乙巳	丙午	丁未	庚申	辛酉	壬戌	癸亥	
대운	男	2	2	2	1	1	1	1	立	10	9	9	9	8	8	8	7	7	7	6	6	6	5	5	5	4	4	4	3	3	3	
	女	8	8	8	9	9	9	10	夏	1	1	1	1	2	2	2	3	3	3	4	4	4	5	5	5	6	6	6	7	7	7	

12月 (1일 四綠 + 7일 九紫 -) **丙午 (九紫)** 절기: 芒種(8일 09:41) 夏至(23일 03:36)

양력		1	2	3	4	5	6	7	8	9	10	11	12	13	14	15	16	17	18	19	20	21	22	23	24	25	26	27	28	29	30	31
요일		月	火	水	木	金	土	日	月	火	水	木	金	土	日	月	火	水	木	金	土	日	月	火	水	木	金	土	日	月	火	水
음력	월	2	3	4	5	6	7	8	9	10	11	12	13	14	15	16	17	18	19	20	21	22	23	24	25	26	27	28	29	30	十二	2
일진		戊子	己丑	甲寅	乙卯	丙辰	丁巳	庚午	辛未	壬申	癸酉	戊戌	己亥	甲子	乙丑	丙寅	丁卯	庚辰	辛巳	壬午	癸未	戊申	己酉	甲戌	乙亥	丙子	丁丑	庚寅	辛卯	壬辰	癸巳	戊午
대운	男	2	2	2	1	1	1	1	芒	9	9	9	8	8	8	7	7	7	6	6	6	5	5	5	4	4	4	3	3	3	2	2
	女	8	8	8	9	9	9	10	種	1	1	1	1	2	2	2	3	3	3	4	4	4	5	5	5	6	6	6	7	7	7	8

丁酉年 (三碧木星) 閏五月

1月 (1일 二黑 -) **丁未 (一白)** 절기: 小暑 (6일 20:44) 大暑 (21일 14:14)

양력		1	2	3	4	5	6	7	8	9	10	11	12	13	14	15	16	17	18	19	20	21	22	23	24	25	26	27	28	29	30	31
요일		木	金	土	日	月	火	水	木	金	土	日	月	火	水	木	金	土	日	月	火	水	木	金	土	日	月	火	水	木	金	土
음력	월	3	4	5	6	7	8	9	10	11	12	13	14	15	16	17	18	19	20	21	22	23	24	25	26	27	28	29	30	一	2	3
일진		己未	甲申	乙酉	丙戌	丁亥	庚子	辛丑	壬寅	癸卯	戊辰	己巳	甲午	乙未	丙申	丁酉	庚戌	辛亥	壬子	癸丑	戊寅	己卯	甲辰	乙巳	丙午	丁未	庚申	辛酉	壬戌	癸亥	戊子	己丑
대운	男	2	1	1	1	1	小	10	9	9	9	8	8	8	7	7	7	6	6	6	5	5	5	4	4	4	3	3	3	2	2	2
	女	8	8	9	9	9	暑	1	1	1	1	2	2	2	3	3	3	4	4	4	5	5	5	6	6	6	7	7	7	8	8	8

2月 (1일 七赤 -) **庚申 (二黑)** 절기: 立秋 (5일 08:31) 處暑 (20일 04:41)

양력		1	2	3	4	5	6	7	8	9	10	11	12	13	14	15	16	17	18	19	20	21	22	23	24	25	26	27	28			
요일		日	月	火	水	木	金	土	日	月	火	水	木	金	土	日	月	火	水	木	金	土	日	月	火	水	木	金	土			
음력	월	4	5	6	7	8	9	10	11	12	13	14	15	16	17	18	19	20	21	22	23	24	25	26	27	28	29	二	2			
일진		甲寅	乙卯	丙辰	丁巳	庚午	辛未	壬申	癸酉	戊戌	己亥	甲子	乙丑	丙寅	丁卯	庚辰	辛巳	壬午	癸未	戊申	己酉	甲戌	乙亥	丙子	丁丑	庚寅	辛卯	壬辰	癸巳			
대운	男	1	1	1	1	立	1	1	1	1	2	2	2	3	3	3	4	4	4	5	5	5	6	6	6	7	7	7	8			
	女	9	9	9	10	秋	10	9	9	9	8	8	8	7	7	7	6	6	6	5	5	5	4	4	4	3	3	3	2			

3月 (1일 六白 -) **辛酉 (三碧)** 절기: 白露 (7일 02:59) 秋分 (22일 04:15)

양력		1	2	3	4	5	6	7	8	9	10	11	12	13	14	15	16	17	18	19	20	21	22	23	24	25	26	27	28	29	30	31
요일		日	月	火	水	木	金	土	日	月	火	水	木	金	土	日	月	火	水	木	金	土	日	月	火	水	木	金	土	日	月	火
음력	월	3	4	5	6	7	8	9	10	11	12	13	14	15	16	17	18	19	20	21	22	23	24	25	26	27	28	29	30	三	2	3
일진		戊午	己未	甲申	乙酉	丙戌	丁亥	庚子	辛丑	壬寅	癸卯	戊辰	己巳	甲午	乙未	丙申	丁酉	庚戌	辛亥	壬子	癸丑	戊寅	己卯	甲辰	乙巳	丙午	丁未	庚申	辛酉	壬戌	癸亥	戊子
대운	男	8	8	9	9	9	10	白	1	1	1	1	2	2	2	3	3	3	4	4	4	5	5	5	6	6	6	7	7	7	8	8
	女	2	2	1	1	1	1	露	10	9	9	9	8	8	8	7	7	7	6	6	6	5	5	5	4	4	4	3	3	3	2	2

4月 (1일 二黑 -) **壬戌 (四綠)** 절기: 寒露 (6일 08:26) 霜降 (21일 15:59)

양력		1	2	3	4	5	6	7	8	9	10	11	12	13	14	15	16	17	18	19	20	21	22	23	24	25	26	27	28	29	30	
요일		水	木	金	土	日	月	火	水	木	金	土	日	月	火	水	木	金	土	日	月	火	水	木	金	土	日	月	火	水	木	
음력	월	4	5	6	7	8	9	10	11	12	13	14	15	16	17	18	19	20	21	22	23	24	25	26	27	28	29	四	2	3	4	
일진		己丑	甲寅	乙卯	丙辰	丁巳	庚午	辛未	壬申	癸酉	戊戌	己亥	甲子	乙丑	丙寅	丁卯	庚辰	辛巳	壬午	癸未	戊申	己酉	甲戌	乙亥	丙子	丁丑	庚寅	辛卯	壬辰	癸巳	戊午	
대운	男	8	9	9	9	10	寒	1	1	1	1	2	2	2	3	3	3	4	4	4	5	5	5	6	6	6	7	7	7	8	8	
	女	2	1	1	1	1	露	10	10	9	9	9	8	8	8	7	7	7	6	6	6	5	5	5	4	4	4	3	3	3	2	

5月 (1일 八白 -) **癸亥 (五黃)** 절기: 立冬 (7일 02:25) 小雪 (22일 15:45)

양력		1	2	3	4	5	6	7	8	9	10	11	12	13	14	15	16	17	18	19	20	21	22	23	24	25	26	27	28	29	30	31
요일		金	土	日	月	火	水	木	金	土	日	月	火	水	木	金	土	日	月	火	水	木	金	土	日	月	火	水	木	金	土	日
음력	월	5	6	7	8	9	10	11	12	13	14	15	16	17	18	19	20	21	22	23	24	25	26	27	28	29	30	五	2	3	4	5
일진		己未	甲申	乙酉	丙戌	丁亥	庚子	辛丑	壬寅	癸卯	戊辰	己巳	甲午	乙未	丙申	丁酉	庚戌	辛亥	壬子	癸丑	戊寅	己卯	甲辰	乙巳	丙午	丁未	庚申	辛酉	壬戌	癸亥	戊子	己丑
대운	男	8	9	9	9	10	10	立	1	1	1	1	2	2	2	3	3	3	4	4	4	5	5	5	6	6	6	7	7	7	8	8
	女	2	2	1	1	1	1	冬	10	10	9	9	9	8	8	8	7	7	7	6	6	6	5	5	5	4	4	4	3	3	3	2

6月 (1일 四綠 - 5일 一白 +) **戊子 (六白)** 절기: 大雪 (7일 07:07) 冬至 (23일 00:05)

양력		1	2	3	4	5	6	7	8	9	10	11	12	13	14	15	16	17	18	19	20	21	22	23	24	25	26	27	28	29	30	
요일		月	火	水	木	金	土	日	月	火	水	木	金	土	日	月	火	水	木	金	土	日	月	火	水	木	金	土	日	月	火	
음력	월	6	7	8	9	10	11	12	13	14	15	16	17	18	19	20	21	22	23	24	25	26	27	28	29	閏五		3	4	5	6	
일진		甲寅	乙卯	丙辰	丁巳	庚午	辛未	壬申	癸酉	戊戌	己亥	甲子	乙丑	丙寅	丁卯	庚辰	辛巳	壬午	癸未	戊申	己酉	甲戌	乙亥	丙子	丁丑	庚寅	辛卯	壬辰	癸巳	戊午	己未	
대운	男	8	9	9	9	10	10	大	1	1	1	1	2	2	2	3	3	3	4	4	4	5	5	5	6	6	6	7	7	7	8	
	女	2	2	1	1	1	1	雪	10	10	9	9	9	8	8	8	7	7	7	6	6	6	5	5	5	4	4	4	3	3	3	

7月 (1일 九紫 +) **己丑 (七赤)** 절기: 小寒(8일 17:37) 大寒(24일 10:59)

양력		1	2	3	4	5	6	7	8	9	10	11	12	13	14	15	16	17	18	19	20	21	22	23	24	25	26	27	28	29	30	31
요일		水	木	金	土	日	月	火	水	木	金	土	日	月	火	水	木	金	土	日	月	火	水	木	金	土	日	月	火	水	木	金
음력	월	7	8	9	10	11	12	13	14	15	16	17	18	19	20	21	22	23	24	25	26	27	28	29	六	2	3	4	5	6	7	8
일진		甲申	乙酉	丙戌	丁亥	庚子	辛丑	壬寅	癸卯	戊辰	己巳	甲午	乙未	丙申	丁酉	庚戌	辛亥	壬子	癸丑	戊寅	己卯	甲辰	乙巳	丙午	丁未	庚申	辛酉	壬戌	癸亥	戊子	己丑	甲寅
대운	男	8	8	9	9	9	10	10	小	1	1	1	1	2	2	2	3	3	3	4	4	4	5	5	5	6	6	6	7	7	7	8
	女	2	2	2	1	1	1	1	寒	10	10	10	9	9	9	8	8	8	7	7	7	6	6	6	5	5	5	4	4	4	3	3

8月 (1일 四綠 +) **甲寅 (八白)** 절기: 立春(9일 03:16) 雨水(24일 17:42)

양력		1	2	3	4	5	6	7	8	9	10	11	12	13	14	15	16	17	18	19	20	21	22	23	24	25	26	27	28	29	30	31
요일		土	日	月	火	水	木	金	土	日	月	火	水	木	金	土	日	月	火	水	木	金	土	日	月	火	水	木	金	土	日	月
음력	월	9	10	11	12	13	14	15	16	17	18	19	20	21	22	23	24	25	26	27	28	29	30	七	2	3	4	5	6	7	8	9
일진		乙卯	丙辰	丁巳	庚午	辛未	壬申	癸酉	戊戌	己亥	甲子	乙丑	丙寅	丁卯	庚辰	辛巳	壬午	癸未	戊申	己酉	甲戌	乙亥	丙子	丁丑	庚寅	辛卯	壬辰	癸巳	戊午	己未	甲申	乙酉
대운	男	8	8	9	9	9	10	10	10	立	1	1	1	1	2	2	2	3	3	3	4	4	4	5	5	5	6	6	6	7	7	7
	女	3	2	2	2	1	1	1	1	春	10	10	9	9	9	8	8	8	7	7	7	6	6	6	5	5	5	4	4	4	3	3

9月 (1일 八白 +) **乙卯 (九紫)** 절기: 驚蟄(9일 05:42) 春分 (24일 14:44)

양력		1	2	3	4	5	6	7	8	9	10	11	12	13	14	15	16	17	18	19	20	21	22	23	24	25	26	27	28	29	30	
요일		火	水	木	金	土	日	月	火	水	木	金	土	日	月	火	水	木	金	土	日	月	火	水	木	金	土	日	月	火	水	
음력	월	10	11	12	13	14	15	16	17	18	19	20	21	22	23	24	25	26	27	28	29	八	2	3	4	5	6	7	8	9	10	
일진		丙戌	丁亥	庚子	辛丑	壬寅	癸卯	戊辰	己巳	甲午	乙未	丙申	丁酉	庚戌	辛亥	壬子	癸丑	戊寅	己卯	甲辰	乙巳	丙午	丁未	庚申	辛酉	壬戌	癸亥	戊子	己丑	甲寅	乙卯	
대운	男	8	8	8	9	9	9	10	10	驚	1	1	1	1	2	2	2	3	3	3	4	4	4	5	5	5	6	6	6	7	7	
	女	3	2	2	2	1	1	1	1	蟄	10	9	9	9	8	8	8	7	7	7	6	6	6	5	5	5	4	4	4	3	3	

10月 (1일 二黑 +) **丙辰 (一白)** 절기: 淸明(9일 20:42) 穀雨(24일 23:23)

양력		1	2	3	4	5	6	7	8	9	10	11	12	13	14	15	16	17	18	19	20	21	22	23	24	25	26	27	28	29	30	31
요일		木	金	土	日	月	火	水	木	金	土	日	月	火	水	木	金	土	日	月	火	水	木	金	土	日	月	火	水	木	金	土
음력	월	11	12	13	14	15	16	17	18	19	20	21	22	23	24	25	26	27	28	29	九	2	3	4	5	6	7	8	9	10	11	12
일진		丙辰	丁巳	庚午	辛未	壬申	癸酉	戊戌	己亥	甲子	乙丑	丙寅	丁卯	庚辰	辛巳	壬午	癸未	戊申	己酉	甲戌	乙亥	丙子	丁丑	庚寅	辛卯	壬辰	癸巳	戊午	己未	甲申	乙酉	丙戌
대운	男	7	8	8	8	9	9	9	10	淸	1	1	1	1	2	2	2	3	3	3	4	4	4	5	5	5	6	6	6	7	7	7
	女	3	2	2	2	1	1	1	1	明	10	9	9	9	8	8	8	7	7	7	6	6	6	5	5	5	4	4	4	3	3	3

11月 (1일 六白 +) **丁巳 (二黑)** 절기: 立夏(8일 23:13) 小滿 (23일 20:22)

양력		1	2	3	4	5	6	7	8	9	10	11	12	13	14	15	16	17	18	19	20	21	22	23	24	25	26	27	28	29	30	
요일		日	月	火	水	木	金	土	日	月	火	水	木	金	土	日	月	火	水	木	金	土	日	月	火	水	木	金	土	日	月	
음력	월	13	14	15	16	17	18	19	20	21	22	23	24	25	26	27	28	29	30	十	2	3	4	5	6	7	8	9	10	11	12	
일진		丁亥	庚子	辛丑	壬寅	癸卯	戊辰	己巳	甲午	乙未	丙申	丁酉	庚戌	辛亥	壬子	癸丑	戊寅	己卯	甲辰	乙巳	丙午	丁未	庚申	辛酉	壬戌	癸亥	戊子	己丑	甲寅	乙卯	丙辰	
대운	男	8	8	8	9	9	9	10	立	1	1	1	1	2	2	2	3	3	3	4	4	4	5	5	5	6	6	6	7	7	7	
	女	2	2	2	1	1	1	1	夏	10	9	9	9	8	8	8	7	7	7	6	6	6	5	5	5	4	4	4	3	3	3	

12月 (1일 九紫 + 2일 九紫 -) **庚午 (三碧)** 절기: 芒種(8일 15:35) 夏至(23일 09:21)

양력		1	2	3	4	5	6	7	8	9	10	11	12	13	14	15	16	17	18	19	20	21	22	23	24	25	26	27	28	29	30	31
요일		火	水	木	金	土	日	月	火	水	木	金	土	日	月	火	水	木	金	土	日	月	火	水	木	金	土	日	月	火	水	木
음력	월	13	14	15	16	17	18	19	20	21	22	23	24	25	26	27	28	29	30	十一	2	3	4	5	6	7	8	9	10	11	12	13
일진		丁巳	庚午	辛未	壬申	癸酉	戊戌	己亥	甲子	乙丑	丙寅	丁卯	庚辰	辛巳	壬午	癸未	戊申	己酉	甲戌	乙亥	丙子	丁丑	庚寅	辛卯	壬辰	癸巳	戊午	己未	甲申	乙酉	丙戌	丁亥
대운	男	8	8	8	9	9	9	10	芒	1	1	1	1	2	2	2	3	3	3	4	4	4	5	5	5	6	6	6	7	7	7	8
	女	2	2	2	1	1	1	1	種	10	9	9	9	8	8	8	7	7	7	6	6	6	5	5	5	4	4	4	3	3	3	2

서기1904년

庚戌年 (四綠木星)

1月 (1일 六白 -) 辛未 (四綠) 절기: 小暑 (7일 02:37) 大暑 (21일 19:58)

양력	1	2	3	4	5	6	7	8	9	10	11	12	13	14	15	16	17	18	19	20	21	22	23	24	25	26	27	28	29	30	31
요일	金	土	日	月	火	水	木	金	土	日	月	火	水	木	金	土	日	月	火	水	木	金	土	日	月	火	水	木	金	土	日
음력 월	14	15	16	17	18	19	20	21	22	23	24	25	26	27	28	29	十二	2	3	4	5	6	7	8	9	10	11	12	13	14	15
일진	庚子	辛丑	壬寅	癸卯	戊辰	己巳	甲午	乙未	丙申	丁酉	庚戌	辛亥	壬子	癸丑	戊寅	己卯	甲辰	乙巳	丙午	丁未	庚申	辛酉	壬戌	癸亥	戊子	己丑	甲寅	乙卯	丙辰	丁巳	庚午
대운 男	8	8	9	9	9	10	小	1	1	1	1	2	2	2	3	3	3	4	4	4	5	5	5	6	6	6	7	7	7	8	8
대운 女	2	2	1	1	1	1	暑	9	9	9	8	8	8	7	7	7	6	6	6	5	5	5	4	4	4	3	3	3	2	2	2

2月 閏 (1일 二黑 -) 壬申 (五黃) 절기: 立秋 (5일 14:24) 處暑 (20일 10:25)

양력	1	2	3	4	5	6	7	8	9	10	11	12	13	14	15	16	17	18	19	20	21	22	23	24	25	26	27	28	29		
요일	月	火	水	木	金	土	日	月	火	水	木	金	土	日	月	火	水	木	金	土	日	月	火	水	木	金	土	日	月		
음력 월	16	17	18	19	20	21	22	23	24	25	26	27	28	29	30	一	2	3	4	5	6	7	8	9	10	11	12	13	14		
일진	辛未	壬申	癸酉	戊戌	己亥	甲子	乙丑	丙寅	丁卯	庚辰	辛巳	壬午	癸未	戊申	己酉	甲戌	乙亥	丙子	丁丑	庚寅	辛卯	壬辰	癸巳	戊午	己未	甲申	乙酉	丙戌	丁亥		
대운 男	8	9	9	9	立	10	9	9	9	8	8	8	7	7	7	6	6	6	5	5	5	4	4	4	3	3	3	2	2		
대운 女	1	1	1	1	秋	1	1	1	1	2	2	2	3	3	3	4	4	4	5	5	5	6	6	6	7	7	7	8	8		

3月 (1일 九紫 -) 癸酉 (六白) 절기: 白露 (6일 08:52) 秋分 (21일 09:59)

양력	1	2	3	4	5	6	7	8	9	10	11	12	13	14	15	16	17	18	19	20	21	22	23	24	25	26	27	28	29	30	31
요일	火	水	木	金	土	日	月	火	水	木	金	土	日	月	火	水	木	金	土	日	月	火	水	木	金	土	日	月	火	水	木
음력 월	15	16	17	18	19	20	21	22	23	24	25	26	27	28	29	30	二	2	3	4	5	6	7	8	9	10	11	12	13	14	15
일진	庚子	辛丑	壬寅	癸卯	戊辰	己巳	甲午	乙未	丙申	丁酉	庚戌	辛亥	壬子	癸丑	戊寅	己卯	甲辰	乙巳	丙午	丁未	庚申	辛酉	壬戌	癸亥	戊子	己丑	甲寅	乙卯	丙辰	丁巳	庚午
대운 男	2	1	1	1	1	白	10	9	9	9	8	8	8	7	7	7	6	6	6	5	5	5	4	4	4	3	3	3	2	2	2
대운 女	8	9	9	9	10	露	1	1	1	1	2	2	2	3	3	3	4	4	4	5	5	5	6	6	6	7	7	7	8	8	8

4月 (1일 五黃 -) 戊戌 (七赤) 절기: 寒露 (5일 14:19) 霜降 (20일 21:42)

양력	1	2	3	4	5	6	7	8	9	10	11	12	13	14	15	16	17	18	19	20	21	22	23	24	25	26	27	28	29	30	
요일	金	土	日	月	火	水	木	金	土	日	月	火	水	木	金	土	日	月	火	水	木	金	土	日	月	火	水	木	金	土	
음력 월	16	17	18	19	20	21	22	23	24	25	26	27	28	29	30	三	2	3	4	5	6	7	8	9	10	11	12	13	14	15	
일진	辛未	壬申	癸酉	戊戌	己亥	甲子	乙丑	丙寅	丁卯	庚辰	辛巳	壬午	癸未	戊申	己酉	甲戌	乙亥	丙子	丁丑	庚寅	辛卯	壬辰	癸巳	戊午	己未	甲申	乙酉	丙戌	丁亥	庚子	
대운 男	1	1	1	1	寒	10	10	9	9	9	8	8	8	7	7	7	6	6	6	5	5	5	4	4	4	3	3	3	2	2	
대운 女	9	9	9	10	露	1	1	1	1	2	2	2	3	3	3	4	4	4	5	5	5	6	6	6	7	7	7	8	8	8	

5月 (1일 二黑 - 30일 一白 +) 己亥 (八白) 절기: 立冬 (6일 08:19) 小雪 (21일 21:29)

양력	1	2	3	4	5	6	7	8	9	10	11	12	13	14	15	16	17	18	19	20	21	22	23	24	25	26	27	28	29	30	31
요일	日	月	火	水	木	金	土	日	月	火	水	木	金	土	日	月	火	水	木	金	土	日	月	火	水	木	金	土	日	月	火
음력 월	16	17	18	19	20	21	22	23	24	25	26	27	28	29	四	2	3	4	5	6	7	8	9	10	11	12	13	14	15	16	17
일진	辛丑	壬寅	癸卯	戊辰	己巳	甲午	乙未	丙申	丁酉	庚戌	辛亥	壬子	癸丑	戊寅	己卯	甲辰	乙巳	丙午	丁未	庚申	辛酉	壬戌	癸亥	戊子	己丑	甲寅	乙卯	丙辰	丁巳	庚午	辛未
대운 男	2	1	1	1	1	立	10	10	9	9	9	8	8	8	7	7	7	6	6	6	5	5	5	4	4	4	3	3	3	2	2
대운 女	9	9	9	10	10	冬	1	1	1	1	2	2	2	3	3	3	4	4	4	5	5	5	6	6	6	7	7	7	8	8	8

6月 (1일 三碧 +) 甲子 (九紫) 절기: 大雪 (6일 13:01) 冬至 (22일 05:51)

양력	1	2	3	4	5	6	7	8	9	10	11	12	13	14	15	16	17	18	19	20	21	22	23	24	25	26	27	28	29	30	
요일	水	木	金	土	日	月	火	水	木	金	土	日	月	火	水	木	金	土	日	月	火	水	木	金	土	日	月	火	水	木	
음력 월	18	19	20	21	22	23	24	25	26	27	28	29	30	五	2	3	4	5	6	7	8	9	10	11	12	13	14	15	16	17	
일진	壬申	癸酉	戊戌	己亥	甲子	乙丑	丙寅	丁卯	庚辰	辛巳	壬午	癸未	戊申	己酉	甲戌	乙亥	丙子	丁丑	庚寅	辛卯	壬辰	癸巳	戊午	己未	甲申	乙酉	丙戌	丁亥	庚子	辛丑	
대운 男	2	1	1	1	1	大	10	10	9	9	9	8	8	8	7	7	7	6	6	6	5	5	5	4	4	4	3	3	3	2	
대운 女	9	9	9	10	10	雪	1	1	1	1	2	2	2	3	3	3	4	4	4	5	5	5	6	6	6	7	7	7	8	8	

7月 (1일 六白 +) **乙丑 (一白)** 절기: 小寒(7일 23:32) 大寒(23일 16:50)

양력		1	2	3	4	5	6	7	8	9	10	11	12	13	14	15	16	17	18	19	20	21	22	23	24	25	26	27	28	29	30	31
요일		金	土	日	月	火	水	木	金	土	日	月	火	水	木	金	土	日	月	火	水	木	金	土	日	月	火	水	木	金	土	日
음력	월	18	19	20	21	22	23	24	25	26	27	28	29	六	2	3	4	5	6	7	8	9	10	11	12	13	14	15	16	17	18	19
일진		壬寅	癸卯	戊辰	己巳	甲午	乙未	丙申	丁酉	庚戌	辛亥	壬子	癸丑	戊寅	己卯	甲辰	乙巳	丙午	丁未	庚申	辛酉	壬戌	癸亥	戊子	己丑	甲寅	乙卯	丙辰	丁巳	庚午	辛未	壬申
대운	男	2	2	1	1	1	1	小	10	10	10	9	9	9	8	8	8	7	7	7	6	6	6	5	5	5	4	4	4	3	3	3
	女	8	9	9	9	10	10	寒	1	1	1	1	2	2	2	3	3	3	4	4	4	5	5	5	6	6	6	7	7	7	8	8

8月 (1일 一白 +) **丙寅 (二黑)** 절기: 立春(8일 09:12) 雨水(23일 23:36)

양력		1	2	3	4	5	6	7	8	9	10	11	12	13	14	15	16	17	18	19	20	21	22	23	24	25	26	27	28	29	30	31
요일		月	火	水	木	金	土	日	月	火	水	木	金	土	日	月	火	水	木	金	土	日	月	火	水	木	金	土	日	月	火	水
음력	월	20	21	22	23	24	25	26	27	28	29	七	2	3	4	5	6	7	8	9	10	11	12	13	14	15	16	17	18	19	20	21
일진		癸酉	戊戌	己亥	甲子	乙丑	丙寅	丁卯	庚辰	辛巳	壬午	癸未	戊申	己酉	甲戌	乙亥	丙子	丁丑	庚寅	辛卯	壬辰	癸巳	戊午	己未	甲申	乙酉	丙戌	丁亥	庚子	辛丑	壬寅	癸卯
대운	男	2	2	2	1	1	1	1	立	10	10	9	9	9	8	8	8	7	7	7	6	6	6	5	5	5	4	4	4	3	3	3
	女	8	9	9	9	10	10	10	春	1	1	1	1	2	2	2	3	3	3	4	4	4	5	5	5	6	6	6	7	7	7	8

9月 (1일 五黃 +) **丁卯 (三碧)** 절기: 驚蟄(8일 11:38) 春分 (23일 20:40)

양력		1	2	3	4	5	6	7	8	9	10	11	12	13	14	15	16	17	18	19	20	21	22	23	24	25	26	27	28	29	30	
요일		木	金	土	日	月	火	水	木	金	土	日	月	火	水	木	金	土	日	月	火	水	木	金	土	日	月	火	水	木	金	
음력	월	22	23	24	25	26	27	28	29	30	八	2	3	4	5	6	7	8	9	10	11	12	13	14	15	16	17	18	19	20	21	
일진		戊辰	己巳	甲午	乙未	丙申	丁酉	庚戌	辛亥	壬子	癸丑	戊寅	己卯	甲辰	乙巳	丙午	丁未	庚申	辛酉	壬戌	癸亥	戊子	己丑	甲寅	乙卯	丙辰	丁巳	庚午	辛未	壬申	癸酉	
대운	男	2	2	2	1	1	1	1	驚	10	10	9	9	9	8	8	8	7	7	7	6	6	6	5	5	5	4	4	4	3	3	
	女	8	8	9	9	9	10	10	蟄	1	1	1	1	2	2	2	3	3	3	4	4	4	5	5	5	6	6	6	7	7	7	

10月 (1일 八白 +) **庚辰 (四綠)** 절기: 清明(9일 02:36) 穀雨(24일 05:19)

양력		1	2	3	4	5	6	7	8	9	10	11	12	13	14	15	16	17	18	19	20	21	22	23	24	25	26	27	28	29	30	31
요일		土	日	月	火	水	木	金	土	日	月	火	水	木	金	土	日	月	火	水	木	金	土	日	月	火	水	木	金	土	日	月
음력	월	22	23	24	25	26	27	28	29	九	2	3	4	5	6	7	8	9	10	11	12	13	14	15	16	17	18	19	20	21	22	23
일진		戊戌	己亥	甲子	乙丑	丙寅	丁卯	庚辰	辛巳	壬午	癸未	戊申	己酉	甲戌	乙亥	丙子	丁丑	庚寅	辛卯	壬辰	癸巳	戊午	己未	甲申	乙酉	丙戌	丁亥	庚子	辛丑	壬寅	癸卯	戊辰
대운	男	3	2	2	2	1	1	1	1	清	10	9	9	9	8	8	8	7	7	7	6	6	6	5	5	5	4	4	4	3	3	3
	女	8	8	8	9	9	9	10	10	明	1	1	1	1	2	2	2	3	3	3	4	4	4	5	5	5	6	6	6	7	7	7

11月 (1일 三碧 + 26일 九紫 -) **辛巳 (五黃)** 절기: 立夏(8일 05:05) 小滿 (23일 02:16)

양력		1	2	3	4	5	6	7	8	9	10	11	12	13	14	15	16	17	18	19	20	21	22	23	24	25	26	27	28	29	30	
요일		火	水	木	金	土	日	月	火	水	木	金	土	日	月	火	水	木	金	土	日	月	火	水	木	金	土	日	月	火	水	
음력	월	24	25	26	27	28	29	十	2	3	4	5	6	7	8	9	10	11	12	13	14	15	16	17	18	19	20	21	22	23	24	
일진		己巳	甲午	乙未	丙申	丁酉	庚戌	辛亥	壬子	癸丑	戊寅	己卯	甲辰	乙巳	丙午	丁未	庚申	辛酉	壬戌	癸亥	戊子	己丑	甲寅	乙卯	丙辰	丁巳	庚午	辛未	壬申	癸酉	戊戌	
대운	男	2	2	2	1	1	1	1	立	9	9	9	8	8	8	7	7	7	6	6	6	5	5	5	4	4	4	3	3	3	2	
	女	8	8	8	9	9	9	10	夏	1	1	1	1	2	2	2	3	3	3	4	4	4	5	5	5	6	6	6	7	7	7	

12月 (1일 四綠 -) **壬午 (六白)** 절기: 芒種(7일 21:25) 夏至(22일 15:14)

양력		1	2	3	4	5	6	7	8	9	10	11	12	13	14	15	16	17	18	19	20	21	22	23	24	25	26	27	28	29	30	31
요일		木	金	土	日	月	火	水	木	金	土	日	月	火	水	木	金	土	日	月	火	水	木	金	土	日	月	火	水	木	金	土
음력	월	25	26	27	28	29	30	十一	2	3	4	5	6	7	8	9	10	11	12	13	14	15	16	17	18	19	20	21	22	23	24	25
일진		己亥	甲子	乙丑	丙寅	丁卯	庚辰	辛巳	壬午	癸未	戊申	己酉	甲戌	乙亥	丙子	丁丑	庚寅	辛卯	壬辰	癸巳	戊午	己未	甲申	乙酉	丙戌	丁亥	庚子	辛丑	壬寅	癸卯	戊辰	己巳
대운	男	2	2	1	1	1	1	芒	10	9	9	9	8	8	8	7	7	7	6	6	6	5	5	5	4	4	4	3	3	3	2	2
	女	8	8	8	9	9	9	種	1	1	1	1	2	2	2	3	3	3	4	4	4	5	5	5	6	6	6	7	7	7	8	8

辛亥年 (五黃土星)

1月 (1일 九紫 -) **癸未 (七赤)** 절기: 小暑 (6일 08:27) 大暑 (21일 01:52)

양력		1	2	3	4	5	6	7	8	9	10	11	12	13	14	15	16	17	18	19	20	21	22	23	24	25	26	27	28	29	30	31
요일		日	月	火	水	木	金	土	日	月	火	水	木	金	土	日	月	火	水	木	金	土	日	月	火	水	木	金	土	日	月	火
음력	월	26	27	28	29	30	十二	2	3	4	5	6	7	8	9	10	11	12	13	14	15	16	17	18	19	20	21	22	23	24	25	26
일진		甲午	乙未	丙申	丁酉	庚戌	辛亥	壬子	癸丑	戊寅	己卯	甲辰	乙巳	丙午	丁未	庚申	辛酉	壬戌	癸亥	戊子	己丑	甲寅	乙卯	丙辰	丁巳	庚午	辛未	壬申	癸酉	戊戌	己亥	甲子
대운	男	2	1	1	1	1	小	9	9	9	8	8	8	7	7	7	6	6	6	5	5	5	4	4	4	3	3	3	2	2	2	1
	女	8	9	9	9	10	暑	1	1	1	1	2	2	2	3	3	3	4	4	4	5	5	5	6	6	6	7	7	7	8	8	8

2月 (1일 五黃 -) **戊申 (八白)** 절기: 立秋 (4일 20:16) 處暑 (19일 16:21)

양력		1	2	3	4	5	6	7	8	9	10	11	12	13	14	15	16	17	18	19	20	21	22	23	24	25	26	27	28			
요일		水	木	金	土	日	月	火	水	木	金	土	日	月	火	水	木	金	土	日	月	火	水	木	金	土	日	月	火			
음력	월	27	28	29	一	2	3	4	5	6	7	8	9	10	11	12	13	14	15	16	17	18	19	20	21	22	23	24	25			
일진		乙丑	丙寅	丁卯	庚辰	辛巳	壬午	癸未	戊申	己酉	甲戌	乙亥	丙子	丁丑	庚寅	辛卯	壬辰	癸巳	戊午	己未	甲申	乙酉	丙戌	丁亥	庚子	辛丑	壬寅	癸卯	戊辰			
대운	男	1	1	1	立	1	1	1	1	2	2	2	3	3	3	4	4	4	5	5	5	6	6	6	7	7	7	8	8			
	女	9	9	9	秋	10	9	9	9	8	8	8	7	7	7	6	6	6	5	5	5	4	4	4	3	3	3	2	2			

3月 (1일 四綠 -) **己酉 (九紫)** 절기: 白露 (6일 14:46) 秋分 (21일 15:58)

양력		1	2	3	4	5	6	7	8	9	10	11	12	13	14	15	16	17	18	19	20	21	22	23	24	25	26	27	28	29	30	31
요일		水	木	金	土	日	月	火	水	木	金	土	日	月	火	水	木	金	土	日	月	火	水	木	金	土	日	月	火	水	木	金
음력	월	26	27	28	29	30	二	2	3	4	5	6	7	8	9	10	11	12	13	14	15	16	17	18	19	20	21	22	23	24	25	26
일진		己巳	甲午	乙未	丙申	丁酉	庚戌	辛亥	壬子	癸丑	戊寅	己卯	甲辰	乙巳	丙午	丁未	庚申	辛酉	壬戌	癸亥	戊子	己丑	甲寅	乙卯	丙辰	丁巳	庚午	辛未	壬申	癸酉	戊戌	己亥
대운	男	8	9	9	9	10	白	1	1	1	1	2	2	2	3	3	3	4	4	4	5	5	5	6	6	6	7	7	7	8	8	8
	女	2	1	1	1	1	露	10	9	9	9	8	8	8	7	7	7	6	6	6	5	5	5	4	4	4	3	3	3	2	2	2

4月 (1일 九紫 -) **甲戌 (一白)** 절기: 寒露 (5일 20:15) 霜降 (21일 03:44)

양력		1	2	3	4	5	6	7	8	9	10	11	12	13	14	15	16	17	18	19	20	21	22	23	24	25	26	27	28	29	30	
요일		土	日	月	火	水	木	金	土	日	月	火	水	木	金	土	日	月	火	水	木	金	土	日	月	火	水	木	金	土	日	
음력	월	27	28	29	30	三	2	3	4	5	6	7	8	9	10	11	12	13	14	15	16	17	18	19	20	21	22	23	24	25	26	
일진		甲子	乙丑	丙寅	丁卯	庚辰	辛巳	壬午	癸未	戊申	己酉	甲戌	乙亥	丙子	丁丑	庚寅	辛卯	壬辰	癸巳	戊午	己未	甲申	乙酉	丙戌	丁亥	庚子	辛丑	壬寅	癸卯	戊辰	己巳	
대운	男	9	9	9	10	寒	1	1	1	1	2	2	2	3	3	3	4	4	4	5	5	5	6	6	6	7	7	7	8	8	8	
	女	1	1	1	1	露	10	10	9	9	9	8	8	8	7	7	7	6	6	6	5	5	5	4	4	4	3	3	3	2	2	

5月 (1일 六白 - 25일 一白 +) **乙亥 (二黑)** 절기: 立冬 (6일 14:14) 小雪 (22일 03:31)

양력		1	2	3	4	5	6	7	8	9	10	11	12	13	14	15	16	17	18	19	20	21	22	23	24	25	26	27	28	29	30	31
요일		月	火	水	木	金	土	日	月	火	水	木	金	土	日	月	火	水	木	金	土	日	月	火	水	木	金	土	日	月	火	水
음력	월	27	28	29	四	2	3	4	5	6	7	8	9	10	11	12	13	14	15	16	17	18	19	20	21	22	23	24	25	26	27	28
일진		甲午	乙未	丙申	丁酉	庚戌	辛亥	壬子	癸丑	戊寅	己卯	甲辰	乙巳	丙午	丁未	庚申	辛酉	壬戌	癸亥	戊子	己丑	甲寅	乙卯	丙辰	丁巳	庚午	辛未	壬申	癸酉	戊戌	己亥	甲子
대운	男	9	9	9	10	10	立	1	1	1	1	2	2	2	3	3	3	4	4	4	5	5	5	6	6	6	7	7	7	8	8	8
	女	2	1	1	1	1	冬	10	10	9	9	9	8	8	8	7	7	7	6	6	6	5	5	5	4	4	4	3	3	3	2	2

6月 (1일 八白 +) **丙子 (三碧)** 절기: 大雪 (6일 18:54) 冬至 (22일 11:51)

양력		1	2	3	4	5	6	7	8	9	10	11	12	13	14	15	16	17	18	19	20	21	22	23	24	25	26	27	28	29	30	
요일		木	金	土	日	月	火	水	木	金	土	日	月	火	水	木	金	土	日	月	火	水	木	金	土	日	月	火	水	木	金	
음력	월	29	30	五	2	3	4	5	6	7	8	9	10	11	12	13	14	15	16	17	18	19	20	21	22	23	24	25	26	27	28	
일진		乙丑	丙寅	丁卯	庚辰	辛巳	壬午	癸未	戊申	己酉	甲戌	乙亥	丙子	丁丑	庚寅	辛卯	壬辰	癸巳	戊午	己未	甲申	乙酉	丙戌	丁亥	庚子	辛丑	壬寅	癸卯	戊辰	己巳	甲午	
대운	男	9	9	9	10	10	大	1	1	1	1	2	2	2	3	3	3	4	4	4	5	5	5	6	6	6	7	7	7	8	8	
	女	2	1	1	1	1	雪	10	10	10	9	9	9	8	8	8	7	7	7	6	6	6	5	5	5	4	4	4	3	3	3	

7月 (1일 二黑 +) **丁丑 (四綠)** 절기: 小寒(8일 05:20) 大寒(23일 22:46)

양력		1	2	3	4	5	6	7	8	9	10	11	12	13	14	15	16	17	18	19	20	21	22	23	24	25	26	27	28	29	30	31
요일		土	日	月	火	水	木	金	土	日	月	火	水	木	金	土	日	月	火	水	木	金	土	日	月	火	水	木	金	土	日	月
음력	월	29	30	六	2	3	4	5	6	7	8	9	10	11	12	13	14	15	16	17	18	19	20	21	22	23	24	25	26	27	28	29
일진		乙未	丙申	丁酉	庚戌	辛亥	壬子	癸丑	戊寅	己卯	甲辰	乙巳	丙午	丁未	庚申	辛酉	壬戌	癸亥	戊子	己丑	甲寅	乙卯	丙辰	丁巳	庚午	辛未	壬申	癸酉	戊戌	己亥	甲子	乙丑
대운	男	8	9	9	9	10	10	10	小	1	1	1	1	2	2	2	3	3	3	4	4	4	5	5	5	6	6	6	7	7	7	8
	女	2	2	2	1	1	1	1	寒	10	10	9	9	9	8	8	8	7	7	7	6	6	6	5	5	5	4	4	4	3	3	3

8月 (1일 六白 +) **庚寅 (五黃)** 절기: 立春(8일 14:57) 雨水(24일 05:29)

양력		1	2	3	4	5	6	7	8	9	10	11	12	13	14	15	16	17	18	19	20	21	22	23	24	25	26	27	28	29	30	31
요일		火	水	木	金	土	日	月	火	水	木	金	土	日	月	火	水	木	金	土	日	月	火	水	木	金	土	日	月	火	水	木
음력	월	七	2	3	4	5	6	7	8	9	10	11	12	13	14	15	16	17	18	19	20	21	22	23	24	25	26	27	28	29	八	2
일진		丙寅	丁卯	庚辰	辛巳	壬午	癸未	戊申	己酉	甲戌	乙亥	丙子	丁丑	庚寅	辛卯	壬辰	癸巳	戊午	己未	甲申	乙酉	丙戌	丁亥	庚子	辛丑	壬寅	癸卯	戊辰	己巳	甲午	乙未	丙申
대운	男	8	8	9	9	9	10	10	立	1	1	1	1	2	2	2	3	3	3	4	4	4	5	5	5	6	6	6	7	7	7	8
	女	2	2	2	1	1	1	1	春	10	10	9	9	9	8	8	8	7	7	7	6	6	6	5	5	5	4	4	4	3	3	3

9月 (1일 一白 +) **辛卯 (六白)** 절기: 驚蟄(8일 17:22) 春分 (24일 02:30)

양력		1	2	3	4	5	6	7	8	9	10	11	12	13	14	15	16	17	18	19	20	21	22	23	24	25	26	27	28	29	30	
요일		金	土	日	月	火	水	木	金	土	日	月	火	水	木	金	土	日	月	火	水	木	金	土	日	月	火	水	木	金	土	
음력	월	3	4	5	6	7	8	9	10	11	12	13	14	15	16	17	18	19	20	21	22	23	24	25	26	27	28	29	30	九	2	
일진		丁酉	庚戌	辛亥	壬子	癸丑	戊寅	己卯	甲辰	乙巳	丙午	丁未	庚申	辛酉	壬戌	癸亥	戊子	己丑	甲寅	乙卯	丙辰	丁巳	庚午	辛未	壬申	癸酉	戊戌	己亥	甲子	乙丑	丙寅	
대운	男	8	8	9	9	9	10	10	驚	1	1	1	1	2	2	2	3	3	3	4	4	4	5	5	5	6	6	6	7	7	7	
	女	2	2	2	1	1	1	1	蟄	10	10	9	9	9	8	8	8	7	7	7	6	6	6	5	5	5	4	4	4	3	3	

10月 (1일 四綠 +) **壬辰 (七赤)** 절기: 清明(9일 08:20) 穀雨(24일 11:08)

양력		1	2	3	4	5	6	7	8	9	10	11	12	13	14	15	16	17	18	19	20	21	22	23	24	25	26	27	28	29	30	31
요일		日	月	火	水	木	金	土	日	月	火	水	木	金	土	日	月	火	水	木	金	土	日	月	火	水	木	金	土	日	月	火
음력	월	3	4	5	6	7	8	9	10	11	12	13	14	15	16	17	18	19	20	21	22	23	24	25	26	27	28	29	十	2	3	4
일진		丁卯	庚辰	辛巳	壬午	癸未	戊申	己酉	甲戌	乙亥	丙子	丁丑	庚寅	辛卯	壬辰	癸巳	戊午	己未	甲申	乙酉	丙戌	丁亥	庚子	辛丑	壬寅	癸卯	戊辰	己巳	甲午	乙未	丙申	丁酉
대운	男	8	8	8	9	9	9	10	10	清	1	1	1	1	2	2	2	3	3	3	4	4	4	5	5	5	6	6	6	7	7	7
	女	3	2	2	2	1	1	1	1	明	10	9	9	9	8	8	8	7	7	7	6	6	6	5	5	5	4	4	4	3	3	3

11月 (1일 八白 +) **癸巳 (八白)** 절기: 立夏(8일 10:50) 小滿 (23일 08:05)

양력		1	2	3	4	5	6	7	8	9	10	11	12	13	14	15	16	17	18	19	20	21	22	23	24	25	26	27	28	29	30	
요일		水	木	金	土	日	月	火	水	木	金	土	日	月	火	水	木	金	土	日	月	火	水	木	金	土	日	月	火	水	木	
음력	월	5	6	7	8	9	10	11	12	13	14	15	16	17	18	19	20	21	22	23	24	25	26	27	28	29	30	十一	2	3	4	
일진		庚戌	辛亥	壬子	癸丑	戊寅	己卯	甲辰	乙巳	丙午	丁未	庚申	辛酉	壬戌	癸亥	戊子	己丑	甲寅	乙卯	丙辰	丁巳	庚午	辛未	壬申	癸酉	戊戌	己亥	甲子	乙丑	丙寅	丁卯	
대운	男	8	8	8	9	9	9	10	立	1	1	1	1	2	2	2	3	3	3	4	4	4	5	5	5	6	6	6	7	7	7	
	女	2	2	2	1	1	1	1	夏	10	9	9	9	8	8	8	7	7	7	6	6	6	5	5	5	4	4	4	3	3	3	

12月 (1일 二黑 + 24일 九紫 -) **戊午 (九紫)** 절기: 芒種(8일 03:11) 夏至(22일 21:04)

양력		1	2	3	4	5	6	7	8	9	10	11	12	13	14	15	16	17	18	19	20	21	22	23	24	25	26	27	28	29	30	31
요일		金	土	日	月	火	水	木	金	土	日	月	火	水	木	金	土	日	月	火	水	木	金	土	日	月	火	水	木	金	土	日
음력	월	5	6	7	8	9	10	11	12	13	14	15	16	17	18	19	20	21	22	23	24	25	26	27	28	29	十二	2	3	4	5	6
일진		庚辰	辛巳	壬午	癸未	戊申	己酉	甲戌	乙亥	丙子	丁丑	庚寅	辛卯	壬辰	癸巳	戊午	己未	甲申	乙酉	丙戌	丁亥	庚子	辛丑	壬寅	癸卯	戊辰	己巳	甲午	乙未	丙申	丁酉	庚戌
대운	男	8	8	8	9	9	9	10	芒	1	1	1	1	2	2	2	3	3	3	4	4	4	5	5	5	6	6	6	7	7	7	8
	女	2	2	2	1	1	1	1	種	9	9	9	8	8	8	7	7	7	6	6	6	5	5	5	4	4	4	3	3	3	2	2

서기1906년

壬子年 (六白金星) 閏四月

1月 (1일 一白 -) **己未 (一白)** 절기: 小暑 (6일 14:14) 大暑 (21일 07:43)

양력		1	2	3	4	5	6	7	8	9	10	11	12	13	14	15	16	17	18	19	20	21	22	23	24	25	26	27	28	29	30	31
요일		月	火	水	木	金	土	日	月	火	水	木	金	土	日	月	火	水	木	金	土	日	月	火	水	木	金	土	日	月	火	水
음력	월	7	8	9	10	11	12	13	14	15	16	17	18	19	20	21	22	23	24	25	26	27	28	29	30	一	2	3	4	5	6	7
일진		辛亥	壬子	癸丑	戊寅	己卯	甲辰	乙巳	丙午	丁未	庚申	辛酉	壬戌	癸亥	戊子	己丑	甲寅	乙卯	丙辰	丁巳	庚午	辛未	壬申	癸酉	戊戌	己亥	甲子	乙丑	丙寅	丁卯	庚辰	辛巳
대운	男	8	8	9	9	9	小	1	1	1	1	2	2	2	3	3	3	4	4	4	5	5	5	6	6	6	7	7	7	8	8	8
	女	2	1	1	1	1	暑	10	9	9	9	8	8	8	7	7	7	6	6	6	5	5	5	4	4	4	3	3	3	2	2	2

2月 (1일 六白 -) **甲申 (二黑)** 절기: 立秋 (5일 02:04) 處暑 (19일 22:15)

양력		1	2	3	4	5	6	7	8	9	10	11	12	13	14	15	16	17	18	19	20	21	22	23	24	25	26	27	28			
요일		木	金	土	日	月	火	水	木	金	土	日	月	火	水	木	金	土	日	月	火	水	木	金	土	日	月	火	水			
음력	월	8	9	10	11	12	13	14	15	16	17	18	19	20	21	22	23	24	25	26	27	28	29	二	2	3	4	5	6			
일진		壬午	癸未	戊申	己酉	甲戌	乙亥	丙子	丁丑	庚寅	辛卯	壬辰	癸巳	戊午	己未	甲申	乙酉	丙戌	丁亥	庚子	辛丑	壬寅	癸卯	戊辰	己巳	甲午	乙未	丙申	丁酉			
대운	男	9	9	9	10	立	9	9	9	8	8	8	7	7	7	6	6	6	5	5	5	4	4	4	3	3	3	2	2			
	女	1	1	1	1	秋	1	1	1	1	2	2	2	3	3	3	4	4	4	5	5	5	6	6	6	7	7	7	8			

3月 (1일 五黃 -) **乙酉 (三碧)** 절기: 白露 (6일 20:36) 秋分 (21일 21:53)

양력		1	2	3	4	5	6	7	8	9	10	11	12	13	14	15	16	17	18	19	20	21	22	23	24	25	26	27	28	29	30	31
요일		木	金	土	日	月	火	水	木	金	土	日	月	火	水	木	金	土	日	月	火	水	木	金	土	日	月	火	水	木	金	土
음력	월	7	8	9	10	11	12	13	14	15	16	17	18	19	20	21	22	23	24	25	26	27	28	29	30	三	2	3	4	5	6	7
일진		庚戌	辛亥	壬子	癸丑	戊寅	己卯	甲辰	乙巳	丙午	丁未	庚申	辛酉	壬戌	癸亥	戊子	己丑	甲寅	乙卯	丙辰	丁巳	庚午	辛未	壬申	癸酉	戊戌	己亥	甲子	乙丑	丙寅	丁卯	庚辰
대운	男	2	1	1	1	1	白	10	10	9	9	9	8	8	8	7	7	7	6	6	6	5	5	5	4	4	4	3	3	3	2	2
	女	8	8	9	9	9	露	1	1	1	1	2	2	2	3	3	3	4	4	4	5	5	5	6	6	6	7	7	7	8	8	8

4月 (1일 一白 -) **丙戌 (四綠)** 절기: 寒露 (6일 02:07) 霜降 (21일 09:39)

양력		1	2	3	4	5	6	7	8	9	10	11	12	13	14	15	16	17	18	19	20	21	22	23	24	25	26	27	28	29	30	
요일		日	月	火	水	木	金	土	日	月	火	水	木	金	土	日	月	火	水	木	金	土	日	月	火	水	木	金	土	日	月	
음력	월	8	9	10	11	12	13	14	15	16	17	18	19	20	21	22	23	24	25	26	27	28	29	30	四	2	3	4	5	6	7	
일진		辛巳	壬午	癸未	戊申	己酉	甲戌	乙亥	丙子	丁丑	庚寅	辛卯	壬辰	癸巳	戊午	己未	甲申	乙酉	丙戌	丁亥	庚子	辛丑	壬寅	癸卯	戊辰	己巳	甲午	乙未	丙申	丁酉	庚戌	
대운	男	2	1	1	1	1	寒	10	9	9	9	8	8	8	7	7	7	6	6	6	5	5	5	4	4	4	3	3	3	2	2	
	女	9	9	9	10	10	露	1	1	1	1	2	2	2	3	3	3	4	4	4	5	5	5	6	6	6	7	7	7	8	8	

5月 (1일 七赤 -) **丁亥 (五黃)** 절기: 立冬 (6일 20:09) 小雪 (22일 09:25)

양력		1	2	3	4	5	6	7	8	9	10	11	12	13	14	15	16	17	18	19	20	21	22	23	24	25	26	27	28	29	30	31
요일		火	水	木	金	土	日	月	火	水	木	金	土	日	月	火	水	木	金	土	日	月	火	水	木	金	土	日	月	火	水	木
음력	월	8	9	10	11	12	13	14	15	16	17	18	19	20	21	22	23	24	25	26	27	28	29	閏四		3	4	5	6	7	8	9
일진		辛亥	壬子	癸丑	戊寅	己卯	甲辰	乙巳	丙午	丁未	庚申	辛酉	壬戌	癸亥	戊子	己丑	甲寅	乙卯	丙辰	丁巳	庚午	辛未	壬申	癸酉	戊戌	己亥	甲子	乙丑	丙寅	丁卯	庚辰	辛巳
대운	男	2	1	1	1	1	立	10	10	10	9	9	9	8	8	8	7	7	7	6	6	6	5	5	5	4	4	4	3	3	3	2
	女	8	9	9	9	10	冬	1	1	1	1	2	2	2	3	3	3	4	4	4	5	5	5	6	6	6	7	7	7	8	8	8

6月 (1일 三碧 -) **庚子 (六白)** 절기: 大雪 (7일 00:49) 冬至 (22일 17:42)

양력		1	2	3	4	5	6	7	8	9	10	11	12	13	14	15	16	17	18	19	20	21	22	23	24	25	26	27	28	29	30	
요일		金	土	日	月	火	水	木	金	土	日	月	火	水	木	金	土	日	月	火	水	木	金	土	日	月	火	水	木	金	土	
음력	월	10	11	12	13	14	15	16	17	18	19	20	21	22	23	24	25	26	27	28	29	30	五	2	3	4	5	6	7	8	9	
일진		壬午	癸未	戊申	己酉	甲戌	乙亥	丙子	丁丑	庚寅	辛卯	壬辰	癸巳	戊午	己未	甲申	乙酉	丙戌	丁亥	庚子	辛丑	壬寅	癸卯	戊辰	己巳	甲午	乙未	丙申	丁酉	庚戌	辛亥	
대운	男	2	2	1	1	1	1	大	10	10	9	9	9	8	8	8	7	7	7	6	6	6	5	5	5	4	4	4	3	3	3	
	女	9	9	9	10	10	10	雪	1	1	1	1	2	2	2	3	3	3	4	4	4	5	5	5	6	6	6	7	7	7	8	

7月 (1일 九紫 - 19일 一白 +) **辛丑 (七赤)** 절기: 小寒(8일 11:15) 大寒(24일 04:33)

양력		1	2	3	4	5	6	7	8	9	10	11	12	13	14	15	16	17	18	19	20	21	22	23	24	25	26	27	28	29	30	31
요일		日	月	火	水	木	金	土	日	月	火	水	木	金	土	日	月	火	水	木	金	土	日	月	火	水	木	金	土	日	月	火
음력	월	10	11	12	13	14	15	16	17	18	19	20	21	22	23	24	25	26	27	28	29	六	2	3	4	5	6	7	8	9	10	11
일진		壬子	癸丑	戊寅	己卯	甲辰	乙巳	丙午	丁未	庚申	辛酉	壬戌	癸亥	戊子	己丑	甲寅	乙卯	丙辰	丁巳	庚午	辛未	壬申	癸酉	戊戌	己亥	甲子	乙丑	丙寅	丁卯	庚辰	辛巳	壬午
대운	男	2	2	2	1	1	1	1	小	10	10	9	9	9	8	8	8	7	7	7	6	6	6	5	5	5	4	4	4	3	3	3
	女	8	8	9	9	9	10	10	寒	1	1	1	1	2	2	2	3	3	3	4	4	4	5	5	5	6	6	6	7	7	7	8

8月 (1일 五黃 +) **壬寅 (八白)** 절기: 立春(8일 20:52) 雨水(24일 11:14)

양력		1	2	3	4	5	6	7	8	9	10	11	12	13	14	15	16	17	18	19	20	21	22	23	24	25	26	27	28	29	30	31
요일		水	木	金	土	日	月	火	水	木	金	土	日	月	火	水	木	金	土	日	月	火	水	木	金	土	日	月	火	水	木	金
음력	월	12	13	14	15	16	17	18	19	20	21	22	23	24	25	26	27	28	29	30	七	2	3	4	5	6	7	8	9	10	11	12
일진		癸未	戊申	己酉	甲戌	乙亥	丙子	丁丑	庚寅	辛卯	壬辰	癸巳	戊午	己未	甲申	乙酉	丙戌	丁亥	庚子	辛丑	壬寅	癸卯	戊辰	己巳	甲午	乙未	丙申	丁酉	庚戌	辛亥	壬子	癸丑
대운	男	2	2	2	1	1	1	1	立	10	10	9	9	9	8	8	8	7	7	7	6	6	6	5	5	5	4	4	4	3	3	3
	女	8	8	9	9	9	10	10	春	1	1	1	1	2	2	2	3	3	3	4	4	4	5	5	5	6	6	6	7	7	7	8

9月 (1일 九紫 +) **癸卯 (九紫)** 절기: 驚蟄(8일 23:16) 春分 (24일 08:15)

양력		1	2	3	4	5	6	7	8	9	10	11	12	13	14	15	16	17	18	19	20	21	22	23	24	25	26	27	28	29	30	
요일		土	日	月	火	水	木	金	土	日	月	火	水	木	金	土	日	月	火	水	木	金	土	日	月	火	水	木	金	土	日	
음력	월	13	14	15	16	17	18	19	20	21	22	23	24	25	26	27	28	29	八	2	3	4	5	6	7	8	9	10	11	12	13	
일진		戊寅	己卯	甲辰	乙巳	丙午	丁未	庚申	辛酉	壬戌	癸亥	戊子	己丑	甲寅	乙卯	丙辰	丁巳	庚午	辛未	壬申	癸酉	戊戌	己亥	甲子	乙丑	丙寅	丁卯	庚辰	辛巳	壬午	癸未	
대운	男	2	2	2	1	1	1	1	驚	10	10	9	9	9	8	8	8	7	7	7	6	6	6	5	5	5	4	4	4	3	3	
	女	8	8	9	9	9	10	10	蟄	1	1	1	1	2	2	2	3	3	3	4	4	4	5	5	5	6	6	6	7	7	7	

10月 (1일 三碧 +) **戊辰 (一白)** 절기: 清明(9일 14:15) 穀雨(24일 16:55)

양력		1	2	3	4	5	6	7	8	9	10	11	12	13	14	15	16	17	18	19	20	21	22	23	24	25	26	27	28	29	30	31
요일		月	火	水	木	金	土	日	月	火	水	木	金	土	日	月	火	水	木	金	土	日	月	火	水	木	金	土	日	月	火	水
음력	월	14	15	16	17	18	19	20	21	22	23	24	25	26	27	28	29	30	九	2	3	4	5	6	7	8	9	10	11	12	13	14
일진		戊申	己酉	甲戌	乙亥	丙子	丁丑	庚寅	辛卯	壬辰	癸巳	戊午	己未	甲申	乙酉	丙戌	丁亥	庚子	辛丑	壬寅	癸卯	戊辰	己巳	甲午	乙未	丙申	丁酉	庚戌	辛亥	壬子	癸丑	戊寅
대운	男	3	2	2	2	1	1	1	1	清	10	9	9	9	8	8	8	7	7	7	6	6	6	5	5	5	4	4	4	3	3	3
	女	8	8	8	9	9	9	10	10	明	1	1	1	1	2	2	2	3	3	3	4	4	4	5	5	5	6	6	6	7	7	7

11月 (1일 七赤 +) **己巳 (二黑)** 절기: 立夏(8일 16:47) 小滿 (23일 13:54)

양력		1	2	3	4	5	6	7	8	9	10	11	12	13	14	15	16	17	18	19	20	21	22	23	24	25	26	27	28	29	30	
요일		木	金	土	日	月	火	水	木	金	土	日	月	火	水	木	金	土	日	月	火	水	木	金	土	日	月	火	水	木	金	
음력	월	15	16	17	18	19	20	21	22	23	24	25	26	27	28	29	十	2	3	4	5	6	7	8	9	10	11	12	13	14	15	
일진		己卯	甲辰	乙巳	丙午	丁未	庚申	辛酉	壬戌	癸亥	戊子	己丑	甲寅	乙卯	丙辰	丁巳	庚午	辛未	壬申	癸酉	戊戌	己亥	甲子	乙丑	丙寅	丁卯	庚辰	辛巳	壬午	癸未	戊申	
대운	男	2	2	2	1	1	1	1	立	10	9	9	9	8	8	8	7	7	7	6	6	6	5	5	5	4	4	4	3	3	3	
	女	8	8	8	9	9	9	10	夏	1	1	1	1	2	2	2	3	3	3	4	4	4	5	5	5	6	6	6	7	7	7	

12月 (1일 一白 +) **甲午 (三碧)** 절기: 芒種(8일 09:10) 夏至(23일 02:53)

양력		1	2	3	4	5	6	7	8	9	10	11	12	13	14	15	16	17	18	19	20	21	22	23	24	25	26	27	28	29	30	31
요일		土	日	月	火	水	木	金	土	日	月	火	水	木	金	土	日	月	火	水	木	金	土	日	月	火	水	木	金	土	日	月
음력	월	16	17	18	19	20	21	22	23	24	25	26	27	28	29	30	十一	2	3	4	5	6	7	8	9	10	11	12	13	14	15	16
일진		己酉	甲戌	乙亥	丙子	丁丑	庚寅	辛卯	壬辰	癸巳	戊午	己未	甲申	乙酉	丙戌	丁亥	庚子	辛丑	壬寅	癸卯	戊辰	己巳	甲午	乙未	丙申	丁酉	庚戌	辛亥	壬子	癸丑	戊寅	己卯
대운	男	2	2	2	1	1	1	1	芒	9	9	9	8	8	8	7	7	7	6	6	6	5	5	5	4	4	4	3	3	3	2	2
	女	8	8	8	9	9	9	10	種	1	1	1	1	2	2	2	3	3	3	4	4	4	5	5	5	6	6	6	7	7	7	8

서기1907년

癸丑年 (七赤金星)

1月 (1일 五黃 + 15일 九紫 -) **乙未 (四綠)** 절기: 小暑 (6일 20:11) 大暑 (21일 13:31)

양력	1	2	3	4	5	6	7	8	9	10	11	12	13	14	15	16	17	18	19	20	21	22	23	24	25	26	27	28	29	30	31
요일	火	水	木	金	土	日	月	火	水	木	金	土	日	月	火	水	木	金	土	日	月	火	水	木	金	土	日	月	火	水	木
음력 월.	17	18	19	20	21	22	23	24	25	26	27	28	29	十二	2	3	4	5	6	7	8	9	10	11	12	13	14	15	16	17	18
일진	甲辰	乙巳	丙午	丁未	庚申	辛酉	壬戌	癸亥	戊子	己丑	甲寅	乙卯	丙辰	丁巳	庚午	辛未	壬申	癸酉	戊戌	己亥	甲子	乙丑	丙寅	丁卯	庚辰	辛巳	壬午	癸未	戊申	己酉	甲戌
대운 男	2	1	1	1	1	小	10	9	9	9	8	8	8	7	7	7	6	6	6	5	5	5	4	4	4	3	3	3	2	2	2
대운 女	8	8	8	9	9	寒	1	1	1	1	2	2	2	3	3	3	4	4	4	5	5	5	6	6	6	7	7	7	8	8	8

2月 (1일 一白 -) **丙申 (五黃)** 절기: 立秋 (5일 07:59) 處暑 (20일 03:58)

양력	1	2	3	4	5	6	7	8	9	10	11	12	13	14	15	16	17	18	19	20	21	22	23	24	25	26	27	28			
요일	金	土	日	月	火	水	木	金	土	日	月	火	水	木	金	土	日	月	火	水	木	金	土	日	月	火	水	木			
음력 월	19	20	21	22	23	24	25	26	27	28	29	30	一	2	3	4	5	6	7	8	9	10	11	12	13	14	15	16			
일진	乙亥	丙子	丁丑	庚寅	辛卯	壬辰	癸巳	戊午	己未	甲申	乙酉	丙戌	丁亥	庚子	辛丑	壬寅	癸卯	戊辰	己巳	甲午	乙未	丙申	丁酉	庚戌	辛亥	壬子	癸丑	戊寅			
대운 男	1	1	1	1	立	1	1	1	1	2	2	2	3	3	3	4	4	4	5	5	5	6	6	6	7	7	7	8			
대운 女	9	9	9	10	秋	10	9	9	9	8	8	8	7	7	7	6	6	6	5	5	5	4	4	4	3	3	3	2			

3月 (1일 九紫 -) **丁酉 (六白)** 절기: 白露 (7일 02:27) 秋分 (22일 03:33)

양력	1	2	3	4	5	6	7	8	9	10	11	12	13	14	15	16	17	18	19	20	21	22	23	24	25	26	27	28	29	30	31
요일	金	土	日	月	火	水	木	金	土	日	月	火	水	木	金	土	日	月	火	水	木	金	土	日	月	火	水	木	金	土	日
음력 월	17	18	19	20	21	22	23	24	25	26	27	28	29	二	2	3	4	5	6	7	8	9	10	11	12	13	14	15	16	17	18
일진	己卯	甲辰	乙巳	丙午	丁未	庚申	辛酉	壬戌	癸亥	戊子	己丑	甲寅	乙卯	丙辰	丁巳	庚午	辛未	壬申	癸酉	戊戌	己亥	甲子	乙丑	丙寅	丁卯	庚辰	辛巳	壬午	癸未	戊申	己酉
대운 男	8	8	9	9	9	10	白	1	1	1	1	2	2	2	3	3	3	4	4	4	5	5	5	6	6	6	7	7	7	8	8
대운 女	2	2	1	1	1	1	露	10	9	9	9	8	8	8	7	7	7	6	6	6	5	5	5	4	4	4	3	3	3	2	2

4月 (1일 五黃 -) **庚戌 (七赤)** 절기: 寒露 (6일 07:55) 霜降 (21일 15:17)

양력	1	2	3	4	5	6	7	8	9	10	11	12	13	14	15	16	17	18	19	20	21	22	23	24	25	26	27	28	29	30	
요일	月	火	水	木	金	土	日	月	火	水	木	金	土	日	月	火	水	木	金	土	日	月	火	水	木	金	土	日	月	火	
음력 월	19	20	21	22	23	24	25	26	27	28	29	30	三	2	3	4	5	6	7	8	9	10	11	12	13	14	15	16	17	18	
일진	甲戌	乙亥	丙子	丁丑	庚寅	辛卯	壬辰	癸巳	戊午	己未	甲申	乙酉	丙戌	丁亥	庚子	辛丑	壬寅	癸卯	戊辰	己巳	甲午	乙未	丙申	丁酉	庚戌	辛亥	壬子	癸丑	戊寅	己卯	
대운 男	8	9	9	9	10	寒	1	1	1	1	2	2	2	3	3	3	4	4	4	5	5	5	6	6	6	7	7	7	8	8	
대운 女	2	1	1	1	1	露	10	10	9	9	9	8	8	8	7	7	7	6	6	6	5	5	5	4	4	4	3	3	3	2	

5月 (1일 二黑 -) **辛亥 (八白)** 절기: 立冬 (7일 01:54) 小雪 (22일 15:03)

양력	1	2	3	4	5	6	7	8	9	10	11	12	13	14	15	16	17	18	19	20	21	22	23	24	25	26	27	28	29	30	31
요일	水	木	金	土	日	月	火	水	木	金	土	日	月	火	水	木	金	土	日	月	火	水	木	金	土	日	月	火	水	木	金
음력 월	19	20	21	22	23	24	25	26	27	28	29	四	2	3	4	5	6	7	8	9	10	11	12	13	14	15	16	17	18	19	20
일진	甲辰	乙巳	丙午	丁未	庚申	辛酉	壬戌	癸亥	戊子	己丑	甲寅	乙卯	丙辰	丁巳	庚午	辛未	壬申	癸酉	戊戌	己亥	甲子	乙丑	丙寅	丁卯	庚辰	辛巳	壬午	癸未	戊申	己酉	甲戌
대운 男	8	9	9	9	10	10	立	1	1	1	1	2	2	2	3	3	3	4	4	4	5	5	5	6	6	6	7	7	7	8	8
대운 女	2	2	1	1	1	1	冬	10	10	9	9	9	8	8	8	7	7	7	6	6	6	5	5	5	4	4	4	3	3	3	2

6月 (1일 七赤 -) **壬子 (九紫)** 절기: 大雪 (7일 06:33) 冬至 (22일 23:23)

양력	1	2	3	4	5	6	7	8	9	10	11	12	13	14	15	16	17	18	19	20	21	22	23	24	25	26	27	28	29	30	
요일	土	日	月	火	水	木	金	土	日	月	火	水	木	金	土	日	月	火	水	木	金	土	日	月	火	水	木	金	土	日	
음력 월	21	22	23	24	25	26	27	28	29	30	五	2	3	4	5	6	7	8	9	10	11	12	13	14	15	16	17	18	19	20	
일진	乙亥	丙子	丁丑	庚寅	辛卯	壬辰	癸巳	戊午	己未	甲申	乙酉	丙戌	丁亥	庚子	辛丑	壬寅	癸卯	戊辰	己巳	甲午	乙未	丙申	丁酉	庚戌	辛亥	壬子	癸丑	戊寅	己卯	甲辰	
대운 男	8	9	9	9	10	10	大	1	1	1	1	2	2	2	3	3	3	4	4	4	5	5	5	6	6	6	7	7	7	8	
대운 女	2	2	1	1	1	1	雪	10	10	9	9	9	8	8	8	7	7	7	6	6	6	5	5	5	4	4	4	3	3	3	

7月 (1일 四綠 - 14일 一白 +) **癸丑 (一白)** 절기: 小寒(8일 16:59) 大寒(24일 10:18)

양력		1	2	3	4	5	6	7	8	9	10	11	12	13	14	15	16	17	18	19	20	21	22	23	24	25	26	27	28	29	30	31
요일		月	火	水	木	金	土	日	月	火	水	木	金	土	日	月	火	水	木	金	土	日	月	火	水	木	金	土	日	月	火	水
음력	월	21	22	23	24	25	26	27	28	29	六	2	3	4	5	6	7	8	9	10	11	12	13	14	15	16	17	18	19	20	21	22
일진		乙巳	丙午	丁未	庚申	辛酉	壬戌	癸亥	戊子	己丑	甲寅	乙卯	丙辰	丁巳	庚午	辛未	壬申	癸酉	戊戌	己亥	甲子	乙丑	丙寅	丁卯	庚辰	辛巳	壬午	癸未	戊申	己酉	甲戌	乙亥
대운	男	8	8	9	9	9	10	10	小	1	1	1	1	2	2	2	3	3	3	4	4	4	5	5	5	6	6	6	7	7	7	8
	女	2	2	2	1	1	1	1	寒	10	10	10	9	9	9	8	8	8	7	7	7	6	6	6	5	5	5	4	4	4	3	3

8月 (1일 一白 +) **戊寅 (二黑)** 절기: 立春(9일 02:36) 雨水(24일 17:03)

양력		1	2	3	4	5	6	7	8	9	10	11	12	13	14	15	16	17	18	19	20	21	22	23	24	25	26	27	28	29	30	31
요일		木	金	土	日	月	火	水	木	金	土	日	月	火	水	木	金	土	日	月	火	水	木	金	土	日	月	火	水	木	金	土
음력	월	23	24	25	26	27	28	29	30	七	2	3	4	5	6	7	8	9	10	11	12	13	14	15	16	17	18	19	20	21	22	23
일진		丙子	丁丑	庚寅	辛卯	壬辰	癸巳	戊午	己未	甲申	乙酉	丙戌	丁亥	庚子	辛丑	壬寅	癸卯	戊辰	己巳	甲午	乙未	丙申	丁酉	庚戌	辛亥	壬子	癸丑	戊寅	己卯	甲辰	乙巳	丙午
대운	男	8	8	9	9	9	10	10	10	立	1	1	1	1	2	2	2	3	3	3	4	4	4	5	5	5	6	6	6	7	7	7
	女	3	2	2	2	1	1	1	1	春	10	10	9	9	9	8	8	8	7	7	7	6	6	6	5	5	5	4	4	4	3	3

9月 (1일 五黃 +) **己卯 (三碧)** 절기: 驚蟄(9일 05:02) 春分 (24일 14:09)

양력		1	2	3	4	5	6	7	8	9	10	11	12	13	14	15	16	17	18	19	20	21	22	23	24	25	26	27	28	29	30	
요일		日	月	火	水	木	金	土	日	月	火	水	木	金	土	日	月	火	水	木	金	土	日	月	火	水	木	金	土	日	月	
음력	월	24	25	26	27	28	29	30	八	2	3	4	5	6	7	8	9	10	11	12	13	14	15	16	17	18	19	20	21	22	23	
일진		丁未	庚申	辛酉	壬戌	癸亥	戊子	己丑	甲寅	乙卯	丙辰	丁巳	庚午	辛未	壬申	癸酉	戊戌	己亥	甲子	乙丑	丙寅	丁卯	庚辰	辛巳	壬午	癸未	戊申	己酉	甲戌	乙亥	丙子	
대운	男	8	8	8	9	9	9	10	10	驚	1	1	1	1	2	2	2	3	3	3	4	4	4	5	5	5	6	6	6	7	7	
	女	3	2	2	2	1	1	1	1	蟄	10	9	9	9	8	8	8	7	7	7	6	6	6	5	5	5	4	4	4	3	3	

10月 (1일 八白 +) **甲辰 (四綠)** 절기: 淸明(9일 20:03) 穀雨(24일 22:52)

양력		1	2	3	4	5	6	7	8	9	10	11	12	13	14	15	16	17	18	19	20	21	22	23	24	25	26	27	28	29	30	31
요일		火	水	木	金	土	日	月	火	水	木	金	土	日	月	火	水	木	金	土	日	月	火	水	木	金	土	日	月	火	水	木
음력	월	24	25	26	27	28	29	九	2	3	4	5	6	7	8	9	10	11	12	13	14	15	16	17	18	19	20	21	22	23	24	25
일진		丁丑	庚寅	辛卯	壬辰	癸巳	戊午	己未	甲申	乙酉	丙戌	丁亥	庚子	辛丑	壬寅	癸卯	戊辰	己巳	甲午	乙未	丙申	丁酉	庚戌	辛亥	壬子	癸丑	戊寅	己卯	甲辰	乙巳	丙午	丁未
대운	男	7	8	8	8	9	9	9	10	淸	1	1	1	1	2	2	2	3	3	3	4	4	4	5	5	5	6	6	6	7	7	7
	女	3	2	2	2	1	1	1	1	明	10	9	9	9	8	8	8	7	7	7	6	6	6	5	5	5	4	4	4	3	3	3

11月 (1일 三碧 +) **乙巳 (五黃)** 절기: 立夏(8일 22:36) 小滿 (23일 19:52)

양력		1	2	3	4	5	6	7	8	9	10	11	12	13	14	15	16	17	18	19	20	21	22	23	24	25	26	27	28	29	30	
요일		金	土	日	月	火	水	木	金	土	日	月	火	水	木	金	土	日	月	火	水	木	金	土	日	月	火	水	木	金	土	
음력	월	26	27	28	29	30	十	2	3	4	5	6	7	8	9	10	11	12	13	14	15	16	17	18	19	20	21	22	23	24	25	
일진		庚申	辛酉	壬戌	癸亥	戊子	己丑	甲寅	乙卯	丙辰	丁巳	庚午	辛未	壬申	癸酉	戊戌	己亥	甲子	乙丑	丙寅	丁卯	庚辰	辛巳	壬午	癸未	戊申	己酉	甲戌	乙亥	丙子	丁丑	
대운	男	8	8	8	9	9	9	10	立	1	1	1	1	2	2	2	3	3	3	4	4	4	5	5	5	6	6	6	7	7	7	
	女	2	2	2	1	1	1	1	夏	10	9	9	9	8	8	8	7	7	7	6	6	6	5	5	5	4	4	4	3	3	3	

12月 (1일 六白 +) **丙午 (六白)** 절기: 芒種(8일 15:00) 夏至(23일 08:52)

양력		1	2	3	4	5	6	7	8	9	10	11	12	13	14	15	16	17	18	19	20	21	22	23	24	25	26	27	28	29	30	31
요일		日	月	火	水	木	金	土	日	月	火	水	木	金	土	日	月	火	水	木	金	土	日	月	火	水	木	金	土	日	月	火
음력	월	26	27	28	29	十一	2	3	4	5	6	7	8	9	10	11	12	13	14	15	16	17	18	19	20	21	22	23	24	25	26	27
일진		庚寅	辛卯	壬辰	癸巳	戊午	己未	甲申	乙酉	丙戌	丁亥	庚子	辛丑	壬寅	癸卯	戊辰	己巳	甲午	乙未	丙申	丁酉	庚戌	辛亥	壬子	癸丑	戊寅	己卯	甲辰	乙巳	丙午	丁未	庚申
대운	男	8	8	8	9	9	9	10	芒	1	1	1	1	2	2	2	3	3	3	4	4	4	5	5	5	6	6	6	7	7	7	8
	女	2	2	2	1	1	1	1	種	10	9	9	9	8	8	8	7	7	7	6	6	6	5	5	5	4	4	4	3	3	3	2

서기1908년

戊寅年 (八白土星)

1月 (1일 一白 + 10일 九紫 -) 丁未 (七赤) 절기: 小暑 (7일 02:01) 大暑 (21일 19:28)

양력		1	2	3	4	5	6	7	8	9	10	11	12	13	14	15	16	17	18	19	20	21	22	23	24	25	26	27	28	29	30	31
요일		水	木	金	土	日	月	火	水	木	金	土	日	月	火	水	木	金	土	日	月	火	水	木	金	土	日	月	火	水	木	金
음력	월	28	29	30	十二	2	3	4	5	6	7	8	9	10	11	12	13	14	15	16	17	18	19	20	21	22	23	24	25	26	27	28
일진		辛酉	壬戌	癸亥	戊子	己丑	甲寅	乙卯	丙辰	丁巳	庚午	辛未	壬申	癸酉	戊戌	己亥	甲子	乙丑	丙寅	丁卯	庚辰	辛巳	壬午	癸未	戊申	己酉	甲戌	乙亥	丙子	丁丑	庚寅	辛卯
대운	男	8	8	9	9	9	10	小	1	1	1	1	2	2	2	3	3	3	4	4	4	5	5	5	6	6	6	7	7	7	8	8
	女	2	2	1	1	1	1	暑	9	9	9	8	8	8	7	7	7	6	6	6	5	5	5	4	4	4	3	3	3	2	2	2

2月 閏 (1일 五黃 -) 庚申 (八白) 절기: 立秋 (5일 13:47) 處暑 (20일 09:54)

양력		1	2	3	4	5	6	7	8	9	10	11	12	13	14	15	16	17	18	19	20	21	22	23	24	25	26	27	28	29		
요일		土	日	月	火	水	木	金	土	日	月	火	水	木	金	土	日	月	火	水	木	金	土	日	月	火	水	木	金	土		
음력	월	29	一	2	3	4	5	6	7	8	9	10	11	12	13	14	15	16	17	18	19	20	21	22	23	24	25	26	27	28		
일진		壬辰	癸巳	戊午	己未	甲申	乙酉	丙戌	丁亥	庚子	辛丑	壬寅	癸卯	戊辰	己巳	甲午	乙未	丙申	丁酉	庚戌	辛亥	壬子	癸丑	戊寅	己卯	甲辰	乙巳	丙午	丁未	庚申		
대운	男	8	9	9	9	立	10	9	9	9	8	8	8	7	7	7	6	6	6	5	5	5	4	4	4	3	3	3	2	2		
	女	1	1	1	1	秋	1	1	1	1	2	2	2	3	3	3	4	4	4	5	5	5	6	6	6	7	7	7	8	8		

3月 (1일 三碧 -) 辛酉 (九紫) 절기: 白露 (6일 08:14) 秋分 (21일 09:27)

양력		1	2	3	4	5	6	7	8	9	10	11	12	13	14	15	16	17	18	19	20	21	22	23	24	25	26	27	28	29	30	31
요일		日	月	火	水	木	金	土	日	月	火	水	木	金	土	日	月	火	水	木	金	土	日	月	火	水	木	金	土	日	月	火
음력	월	29	30	二	2	3	4	5	6	7	8	9	10	11	12	13	14	15	16	17	18	19	20	21	22	23	24	25	26	27	28	29
일진		辛酉	壬戌	癸亥	戊子	己丑	甲寅	乙卯	丙辰	丁巳	庚午	辛未	壬申	癸酉	戊戌	己亥	甲子	乙丑	丙寅	丁卯	庚辰	辛巳	壬午	癸未	戊申	己酉	甲戌	乙亥	丙子	丁丑	庚寅	辛卯
대운	男	2	1	1	1	1	白	10	9	9	9	8	8	8	7	7	7	6	6	6	5	5	5	4	4	4	3	3	3	2	2	2
	女	8	9	9	9	10	露	1	1	1	1	2	2	2	3	3	3	4	4	4	5	5	5	6	6	6	7	7	7	8	8	8

4月 (1일 八白 -) 壬戌 (一白) 절기: 寒露 (5일 13:40) 霜降 (20일 21:11)

양력		1	2	3	4	5	6	7	8	9	10	11	12	13	14	15	16	17	18	19	20	21	22	23	24	25	26	27	28	29	30	
요일		水	木	金	土	日	月	火	水	木	金	土	日	月	火	水	木	金	土	日	月	火	水	木	金	土	日	月	火	水	木	
음력	월	三	2	3	4	5	6	7	8	9	10	11	12	13	14	15	16	17	18	19	20	21	22	23	24	25	26	27	28	29	四	
일진		壬辰	癸巳	戊午	己未	甲申	乙酉	丙戌	丁亥	庚子	辛丑	壬寅	癸卯	戊辰	己巳	甲午	乙未	丙申	丁酉	庚戌	辛亥	壬子	癸丑	戊寅	己卯	甲辰	乙巳	丙午	丁未	庚申	辛酉	
대운	男	1	1	1	1	寒	10	10	9	9	9	8	8	8	7	7	7	6	6	6	5	5	5	4	4	4	3	3	3	2	2	
	女	9	9	9	10	露	1	1	1	1	2	2	2	3	3	3	4	4	4	5	5	5	6	6	6	7	7	7	8	8	8	

5月 (1일 五黃 -) 癸亥 (二黑) 절기: 立冬 (6일 07:38) 小雪 (21일 20:58)

양력		1	2	3	4	5	6	7	8	9	10	11	12	13	14	15	16	17	18	19	20	21	22	23	24	25	26	27	28	29	30	31
요일		金	土	日	月	火	水	木	金	土	日	月	火	水	木	金	土	日	月	火	水	木	金	土	日	月	火	水	木	金	土	日
음력	월	2	3	4	5	6	7	8	9	10	11	12	13	14	15	16	17	18	19	20	21	22	23	24	25	26	27	28	29	30	五	2
일진		壬戌	癸亥	戊子	己丑	甲寅	乙卯	丙辰	丁巳	庚午	辛未	壬申	癸酉	戊戌	己亥	甲子	乙丑	丙寅	丁卯	庚辰	辛巳	壬午	癸未	戊申	己酉	甲戌	乙亥	丙子	丁丑	庚寅	辛卯	壬辰
대운	男	2	1	1	1	1	立	10	10	9	9	9	8	8	8	7	7	7	6	6	6	5	5	5	4	4	4	3	3	3	2	2
	女	9	9	9	10	10	冬	1	1	1	1	2	2	2	3	3	3	4	4	4	5	5	5	6	6	6	7	7	7	8	8	8

6月 (1일 一白 -) 戊子 (三碧) 절기: 大雪 (6일 12:19) 冬至 (22일 05:19)

양력		1	2	3	4	5	6	7	8	9	10	11	12	13	14	15	16	17	18	19	20	21	22	23	24	25	26	27	28	29	30	
요일		月	火	水	木	金	土	日	月	火	水	木	金	土	日	月	火	水	木	金	土	日	月	火	水	木	金	土	日	月	火	
음력	월	3	4	5	6	7	8	9	10	11	12	13	14	15	16	17	18	19	20	21	22	23	24	25	26	27	28	29	30	六	2	
일진		癸巳	戊午	己未	甲申	乙酉	丙戌	丁亥	庚子	辛丑	壬寅	癸卯	戊辰	己巳	甲午	乙未	丙申	丁酉	庚戌	辛亥	壬子	癸丑	戊寅	己卯	甲辰	乙巳	丙午	丁未	庚申	辛酉	壬戌	
대운	男	2	1	1	1	1	大	10	10	9	9	9	8	8	8	7	7	7	6	6	6	5	5	5	4	4	4	3	3	3	2	
	女	9	9	9	10	10	雪	1	1	1	1	2	2	2	3	3	3	4	4	4	5	5	5	6	6	6	7	7	7	8	8	

7月 (1일 七赤 - 8일 一白 +) **己丑 (四綠)** 절기: 小寒(7일 22:48) 大寒(23일 16:14)

양력	1	2	3	4	5	6	7	8	9	10	11	12	13	14	15	16	17	18	19	20	21	22	23	24	25	26	27	28	29	30	31
요일	水	木	金	土	日	月	火	水	木	金	土	日	月	火	水	木	金	土	日	月	火	水	木	金	土	日	月	火	水	木	金
음력 월	3	4	5	6	7	8	9	10	11	12	13	14	15	16	17	18	19	20	21	22	23	24	25	26	27	28	29	七	2	3	4
일진	癸亥	戊子	己丑	甲寅	乙卯	丙辰	丁巳	庚午	辛未	壬申	癸酉	戊戌	己亥	甲子	乙丑	丙寅	丁卯	庚辰	辛巳	壬午	癸未	戊申	己酉	甲戌	乙亥	丙子	丁丑	庚寅	辛卯	壬辰	癸巳
대운 男	2	2	1	1	1	1	小	10	10	10	9	9	9	8	8	8	7	7	7	6	6	6	5	5	5	4	4	4	3	3	3
대운 女	8	9	9	9	10	10	寒	1	1	1	1	2	2	2	3	3	3	4	4	4	5	5	5	6	6	6	7	7	7	8	8

8月 (1일 七赤 +) **甲寅 (五黃)** 절기: 立春(8일 08:27) 雨水(23일 22:57)

양력	1	2	3	4	5	6	7	8	9	10	11	12	13	14	15	16	17	18	19	20	21	22	23	24	25	26	27	28	29	30	31
요일	土	日	月	火	水	木	金	土	日	月	火	水	木	金	土	日	月	火	水	木	金	土	日	月	火	水	木	金	土	日	月
음력 월	5	6	7	8	9	10	11	12	13	14	15	16	17	18	19	20	21	22	23	24	25	26	27	28	29	30	八	2	3	4	5
일진	戊午	己未	甲申	乙酉	丙戌	丁亥	庚子	辛丑	壬寅	癸卯	戊辰	己巳	甲午	乙未	丙申	丁酉	庚戌	辛亥	壬子	癸丑	戊寅	己卯	甲辰	乙巳	丙午	丁未	庚申	辛酉	壬戌	癸亥	戊子
대운 男	2	2	2	1	1	1	1	立	10	10	9	9	9	8	8	8	7	7	7	6	6	6	5	5	5	4	4	4	3	3	3
대운 女	8	9	9	9	10	10	10	春	1	1	1	1	2	2	2	3	3	3	4	4	4	5	5	5	6	6	6	7	7	7	8

9月 (1일 二黑 +) **乙卯 (六白)** 절기: 驚蟄(8일 10:52) 春分 (23일 19:58)

양력	1	2	3	4	5	6	7	8	9	10	11	12	13	14	15	16	17	18	19	20	21	22	23	24	25	26	27	28	29	30	
요일	火	水	木	金	土	日	月	火	水	木	金	土	日	月	火	水	木	金	土	日	月	火	水	木	金	土	日	月	火	水	
음력 월	6	7	8	9	10	11	12	13	14	15	16	17	18	19	20	21	22	23	24	25	26	27	28	29	九	2	3	4	5	6	
일진	己丑	甲寅	乙卯	丙辰	丁巳	庚午	辛未	壬申	癸酉	戊戌	己亥	甲子	乙丑	丙寅	丁卯	庚辰	辛巳	壬午	癸未	戊申	己酉	甲戌	乙亥	丙子	丁丑	庚寅	辛卯	壬辰	癸巳	戊午	
대운 男	2	2	2	1	1	1	1	驚	10	10	9	9	9	8	8	8	7	7	7	6	6	6	5	5	5	4	4	4	3	3	
대운 女	8	8	9	9	9	10	10	蟄	1	1	1	1	2	2	2	3	3	3	4	4	4	5	5	5	6	6	6	7	7	7	

10月 (1일 五黃 +) **丙辰 (七赤)** 절기: 清明(9일 01:51) 穀雨(24일 04:37)

양력	1	2	3	4	5	6	7	8	9	10	11	12	13	14	15	16	17	18	19	20	21	22	23	24	25	26	27	28	29	30	31
요일	木	金	土	日	月	火	水	木	金	土	日	月	火	水	木	金	土	日	月	火	水	木	金	土	日	月	火	水	木	金	土
음력 월	7	8	9	10	11	12	13	14	15	16	17	18	19	20	21	22	23	24	25	26	27	28	29	30	十	2	3	4	5	6	7
일진	己未	甲申	乙酉	丙戌	丁亥	庚子	辛丑	壬寅	癸卯	戊辰	己巳	甲午	乙未	丙申	丁酉	庚戌	辛亥	壬子	癸丑	戊寅	己卯	甲辰	乙巳	丙午	丁未	庚申	辛酉	壬戌	癸亥	戊子	己丑
대운 男	3	2	2	2	1	1	1	1	清	10	9	9	9	8	8	8	7	7	7	6	6	6	5	5	5	4	4	4	3	3	3
대운 女	8	8	8	9	9	9	10	10	明	1	1	1	1	2	2	2	3	3	3	4	4	4	5	5	5	6	6	6	7	7	7

11月 (1일 九紫 +) **丁巳 (八白)** 절기: 立夏(8일 04:22) 小滿 (23일 01:35)

양력	1	2	3	4	5	6	7	8	9	10	11	12	13	14	15	16	17	18	19	20	21	22	23	24	25	26	27	28	29	30	
요일	日	月	火	水	木	金	土	日	月	火	水	木	金	土	日	月	火	水	木	金	土	日	月	火	水	木	金	土	日	月	
음력 월	8	9	10	11	12	13	14	15	16	17	18	19	20	21	22	23	24	25	26	27	28	29	30	十一	2	3	4	5	6	7	
일진	甲寅	乙卯	丙辰	丁巳	庚午	辛未	壬申	癸酉	戊戌	己亥	甲子	乙丑	丙寅	丁卯	庚辰	辛巳	壬午	癸未	戊申	己酉	甲戌	乙亥	丙子	丁丑	庚寅	辛卯	壬辰	癸巳	戊午	己未	
대운 男	2	2	2	1	1	1	1	立	9	9	9	8	8	8	7	7	7	6	6	6	5	5	5	4	4	4	3	3	3	2	
대운 女	8	8	8	9	9	9	10	夏	1	1	1	1	2	2	2	3	3	3	4	4	4	5	5	5	6	6	6	7	7	7	

12月 (1일 三碧 +) **庚午 (九紫)** 절기: 芒種(7일 20:44) 夏至(22일 14:34)

양력	1	2	3	4	5	6	7	8	9	10	11	12	13	14	15	16	17	18	19	20	21	22	23	24	25	26	27	28	29	30	31
요일	火	水	木	金	土	日	月	火	水	木	金	土	日	月	火	水	木	金	土	日	月	火	水	木	金	土	日	月	火	水	木
음력 월	8	9	10	11	12	13	14	15	16	17	18	19	20	21	22	23	24	25	26	27	28	29	十二	2	3	4	5	6	7	8	9
일진	甲申	乙酉	丙戌	丁亥	庚子	辛丑	壬寅	癸卯	戊辰	己巳	甲午	乙未	丙申	丁酉	庚戌	辛亥	壬子	癸丑	戊寅	己卯	甲辰	乙巳	丙午	丁未	庚申	辛酉	壬戌	癸亥	戊子	己丑	甲寅
대운 男	2	2	1	1	1	1	芒	10	9	9	9	8	8	8	7	7	7	6	6	6	5	5	5	4	4	4	3	3	3	2	2
대운 女	8	8	8	9	9	9	種	1	1	1	1	2	2	2	3	3	3	4	4	4	5	5	5	6	6	6	7	7	7	8	8

己卯年 (九紫火聖) 閏二月

1月 (1일 七赤 + 4일 九紫 -) **辛未 (一白)** 절기: 小暑 (6일 07:45) 大暑 (21일 01:11)

양력		1	2	3	4	5	6	7	8	9	10	11	12	13	14	15	16	17	18	19	20	21	22	23	24	25	26	27	28	29	30	31
요일		金	土	日	月	火	水	木	金	土	日	月	火	水	木	金	土	日	月	火	水	木	金	土	日	月	火	水	木	金	土	日
음력	월	10	11	12	13	14	15	16	17	18	19	20	21	22	23	24	25	26	27	28	29	30	一	2	3	4	5	6	7	8	9	10
일진		乙卯	丙辰	丁巳	庚午	辛未	壬申	癸酉	戊戌	己亥	甲子	乙丑	丙寅	丁卯	庚辰	辛巳	壬午	癸未	戊申	己酉	甲戌	乙亥	丙子	丁丑	庚寅	辛卯	壬辰	癸巳	戊午	己未	甲申	乙酉
대운	男	2	1	1	1	1	小	9	9	9	8	8	8	7	7	7	6	6	6	5	5	5	4	4	4	3	3	3	2	2	2	1
	女	8	9	9	9	10	暑	1	1	1	1	2	2	2	3	3	3	4	4	4	5	5	5	6	6	6	7	7	7	8	8	8

2月 (1일 八白 -) **壬申 (二黑)** 절기: 立秋 (4일 19:33) 處暑 (19일 15:38)

양력		1	2	3	4	5	6	7	8	9	10	11	12	13	14	15	16	17	18	19	20	21	22	23	24	25	26	27	28			
요일		月	火	水	木	金	土	日	月	火	水	木	金	土	日	月	火	水	木	金	土	日	月	火	水	木	金	土	日			
음력	월	11	12	13	14	15	16	17	18	19	20	21	22	23	24	25	26	27	28	29	二	2	3	4	5	6	7	8	9			
일진		丙戌	丁亥	庚子	辛丑	壬寅	癸卯	戊辰	己巳	甲午	乙未	丙申	丁酉	庚戌	辛亥	壬子	癸丑	戊寅	己卯	甲辰	乙巳	丙午	丁未	庚申	辛酉	壬戌	癸亥	戊子	己丑			
대운	男	1	1	1	立	1	1	1	1	2	2	2	3	3	3	4	4	4	5	5	5	6	6	6	7	7	7	8	8			
	女	9	9	9	秋	10	9	9	9	8	8	8	7	7	7	6	6	6	5	5	5	4	4	4	3	3	3	2	2			

3月 (1일 七赤 -) **癸酉 (三碧)** 절기: 白露 (6일 14:01) 秋分 (21일 15:13)

양력		1	2	3	4	5	6	7	8	9	10	11	12	13	14	15	16	17	18	19	20	21	22	23	24	25	26	27	28	29	30	31
요일		月	火	水	木	金	土	日	月	火	水	木	金	土	日	月	火	水	木	金	土	日	月	火	水	木	金	土	日	月	火	水
음력	월	10	11	12	13	14	15	16	17	18	19	20	21	22	23	24	25	26	27	28	29	30	閏二		3	4	5	6	7	8	9	10
일진		甲寅	乙卯	丙辰	丁巳	庚午	辛未	壬申	癸酉	戊戌	己亥	甲子	乙丑	丙寅	丁卯	庚辰	辛巳	壬午	癸未	戊申	己酉	甲戌	乙亥	丙子	丁丑	庚寅	辛卯	壬辰	癸巳	戊午	己未	甲申
대운	男	8	9	9	9	10	白	1	1	1	1	2	2	2	3	3	3	4	4	4	5	5	5	6	6	6	7	7	7	8	8	8
	女	2	1	1	1	1	露	10	9	9	9	8	8	8	7	7	7	6	6	6	5	5	5	4	4	4	3	3	3	2	2	2

4月 (1일 三碧 -) **戊戌 (四綠)** 절기: 寒露 (5일 19:30) 霜降 (21일 02:58)

양력		1	2	3	4	5	6	7	8	9	10	11	12	13	14	15	16	17	18	19	20	21	22	23	24	25	26	27	28	29	30	
요일		木	金	土	日	月	火	水	木	金	土	日	月	火	水	木	金	土	日	月	火	水	木	金	土	日	月	火	水	木	金	
음력	월	11	12	13	14	15	16	17	18	19	20	21	22	23	24	25	26	27	28	29	三	2	3	4	5	6	7	8	9	10	11	
일진		乙酉	丙戌	丁亥	庚子	辛丑	壬寅	癸卯	戊辰	己巳	甲午	乙未	丙申	丁酉	庚戌	辛亥	壬子	癸丑	戊寅	己卯	甲辰	乙巳	丙午	丁未	庚申	辛酉	壬戌	癸亥	戊子	己丑	甲寅	
대운	男	9	9	9	10	寒	1	1	1	1	2	2	2	3	3	3	4	4	4	5	5	5	6	6	6	7	7	7	8	8	8	
	女	1	1	1	1	露	10	10	9	9	9	8	8	8	7	7	7	6	6	6	5	5	5	4	4	4	3	3	3	2	2	

5月 (1일 九紫 -) **己亥 (五黃)** 절기: 立冬 (6일 13:31) 小雪 (22일 02:45)

양력		1	2	3	4	5	6	7	8	9	10	11	12	13	14	15	16	17	18	19	20	21	22	23	24	25	26	27	28	29	30	31
요일		土	日	月	火	水	木	金	土	日	月	火	水	木	金	土	日	月	火	水	木	金	土	日	月	火	水	木	金	土	日	月
음력	월	12	13	14	15	16	17	18	19	20	21	22	23	24	25	26	27	28	29	四	2	3	4	5	6	7	8	9	10	11	12	13
일진		乙卯	丙辰	丁巳	庚午	辛未	壬申	癸酉	戊戌	己亥	甲子	乙丑	丙寅	丁卯	庚辰	辛巳	壬午	癸未	戊申	己酉	甲戌	乙亥	丙子	丁丑	庚寅	辛卯	壬辰	癸巳	戊午	己未	甲申	乙酉
대운	男	9	9	9	10	10	立	1	1	1	1	2	2	2	3	3	3	4	4	4	5	5	5	6	6	6	7	7	7	8	8	8
	女	2	1	1	1	1	冬	10	10	9	9	9	8	8	8	7	7	7	6	6	6	5	5	5	4	4	4	3	3	3	2	2

6月 (1일 五黃 -) **甲子 (六白)** 절기: 大雪 (6일 18:14) 冬至 (22일 11:06)

양력		1	2	3	4	5	6	7	8	9	10	11	12	13	14	15	16	17	18	19	20	21	22	23	24	25	26	27	28	29	30	
요일		火	水	木	金	土	日	月	火	水	木	金	土	日	月	火	水	木	金	土	日	月	火	水	木	金	土	日	月	火	水	
음력	월	14	15	16	17	18	19	20	21	22	23	24	25	26	27	28	29	30	五	2	3	4	5	6	7	8	9	10	11	12	13	
일진		丙戌	丁亥	庚子	辛丑	壬寅	癸卯	戊辰	己巳	甲午	乙未	丙申	丁酉	庚戌	辛亥	壬子	癸丑	戊寅	己卯	甲辰	乙巳	丙午	丁未	庚申	辛酉	壬戌	癸亥	戊子	己丑	甲寅	乙卯	
대운	男	9	9	9	10	10	大	1	1	1	1	2	2	2	3	3	3	4	4	4	5	5	5	6	6	6	7	7	7	8	8	
	女	2	1	1	1	1	雪	10	10	10	9	9	9	8	8	8	7	7	7	6	6	6	5	5	5	4	4	4	3	3	3	

7月 (1일 二黑 - 3일 一白 +) **乙丑 (七赤)** 절기: 小寒(8일 04:44) 大寒(23일 22:01)

양력		1	2	3	4	5	6	7	8	9	10	11	12	13	14	15	16	17	18	19	20	21	22	23	24	25	26	27	28	29	30	31
요일		木	金	土	日	月	火	水	木	金	土	日	月	火	水	木	金	土	日	月	火	水	木	金	土	日	月	火	水	木	金	土
음력	월	14	15	16	17	18	19	20	21	22	23	24	25	26	27	28	29	六	2	3	4	5	6	7	8	9	10	11	12	13	14	15
일진		丙辰	丁巳	庚午	辛未	壬申	癸酉	戊戌	己亥	甲子	乙丑	丙寅	丁卯	庚辰	辛巳	壬午	癸未	戊申	己酉	甲戌	乙亥	丙子	丁丑	庚寅	辛卯	壬辰	癸巳	戊午	己未	甲申	乙酉	丙戌
대운	男	8	9	9	9	10	10	10	小	1	1	1	1	2	2	2	3	3	3	4	4	4	5	5	5	6	6	6	7	7	7	8
	女	2	2	2	1	1	1	1	寒	10	10	9	9	9	8	8	8	7	7	7	6	6	6	5	5	5	4	4	4	3	3	3

8月 (1일 三碧 +) **丙寅 (八白)** 절기: 立春(8일 14:23) 雨水(24일 04:44)

양력		1	2	3	4	5	6	7	8	9	10	11	12	13	14	15	16	17	18	19	20	21	22	23	24	25	26	27	28	29	30	31
요일		日	月	火	水	木	金	土	日	月	火	水	木	金	土	日	月	火	水	木	金	土	日	月	火	水	木	金	土	日	月	火
음력	월	16	17	18	19	20	21	22	23	24	25	26	27	28	29	30	七	2	3	4	5	6	7	8	9	10	11	12	13	14	15	16
일진		丁亥	庚子	辛丑	壬寅	癸卯	戊辰	己巳	甲午	乙未	丙申	丁酉	庚戌	辛亥	壬子	癸丑	戊寅	己卯	甲辰	乙巳	丙午	丁未	庚申	辛酉	壬戌	癸亥	戊子	己丑	甲寅	乙卯	丙辰	丁巳
대운	男	8	8	9	9	9	10	10	立	1	1	1	1	2	2	2	3	3	3	4	4	4	5	5	5	6	6	6	7	7	7	8
	女	2	2	2	1	1	1	1	春	10	10	9	9	9	8	8	8	7	7	7	6	6	6	5	5	5	4	4	4	3	3	3

9月 (1일 七赤 +) **丁卯 (九紫)** 절기: 驚蟄(8일 16:47) 春分 (24일 01:45)

양력		1	2	3	4	5	6	7	8	9	10	11	12	13	14	15	16	17	18	19	20	21	22	23	24	25	26	27	28	29	30	
요일		水	木	金	土	日	月	火	水	木	金	土	日	月	火	水	木	金	土	日	月	火	水	木	金	土	日	月	火	水	木	
음력	월	17	18	19	20	21	22	23	24	25	26	27	28	29	八	2	3	4	5	6	7	8	9	10	11	12	13	14	15	16	17	
일진		庚午	辛未	壬申	癸酉	戊戌	己亥	甲子	乙丑	丙寅	丁卯	庚辰	辛巳	壬午	癸未	戊申	己酉	甲戌	乙亥	丙子	丁丑	庚寅	辛卯	壬辰	癸巳	戊午	己未	甲申	乙酉	丙戌	丁亥	
대운	男	8	8	9	9	9	10	10	驚	1	1	1	1	2	2	2	3	3	3	4	4	4	5	5	5	6	6	6	7	7	7	
	女	2	2	2	1	1	1	1	蟄	10	10	9	9	9	8	8	8	7	7	7	6	6	6	5	5	5	4	4	4	3	3	

10月 (1일 一白 +) **庚辰 (一白)** 절기: 清明(9일 07:43) 穀雨(24일 10:23)

양력		1	2	3	4	5	6	7	8	9	10	11	12	13	14	15	16	17	18	19	20	21	22	23	24	25	26	27	28	29	30	31
요일		金	土	日	月	火	水	木	金	土	日	月	火	水	木	金	土	日	月	火	水	木	金	土	日	月	火	水	木	金	土	日
음력	월	18	19	20	21	22	23	24	25	26	27	28	29	30	九	2	3	4	5	6	7	8	9	10	11	12	13	14	15	16	17	18
일진		庚子	辛丑	壬寅	癸卯	戊辰	己巳	甲午	乙未	丙申	丁酉	庚戌	辛亥	壬子	癸丑	戊寅	己卯	甲辰	乙巳	丙午	丁未	庚申	辛酉	壬戌	癸亥	戊子	己丑	甲寅	乙卯	丙辰	丁巳	庚午
대운	男	8	8	8	9	9	9	10	10	清	1	1	1	1	2	2	2	3	3	3	4	4	4	5	5	5	6	6	6	7	7	7
	女	3	2	2	2	1	1	1	1	明	10	9	9	9	8	8	8	7	7	7	6	6	6	5	5	5	4	4	4	3	3	3

11月 (1일 五黃 +) **辛巳 (二黑)** 절기: 立夏(8일 10:13) 小滿 (23일 07:20)

양력		1	2	3	4	5	6	7	8	9	10	11	12	13	14	15	16	17	18	19	20	21	22	23	24	25	26	27	28	29	30	
요일		月	火	水	木	金	土	日	月	火	水	木	金	土	日	月	火	水	木	金	土	日	月	火	水	木	金	土	日	月	火	
음력	월	19	20	21	22	23	24	25	26	27	28	29	30	十	2	3	4	5	6	7	8	9	10	11	12	13	14	15	16	17	18	
일진		辛未	壬申	癸酉	戊戌	己亥	甲子	乙丑	丙寅	丁卯	庚辰	辛巳	壬午	癸未	戊申	己酉	甲戌	乙亥	丙子	丁丑	庚寅	辛卯	壬辰	癸巳	戊午	己未	甲申	乙酉	丙戌	丁亥	庚子	
대운	男	8	8	8	9	9	9	10	立	1	1	1	1	2	2	2	3	3	3	4	4	4	5	5	5	6	6	6	7	7	7	
	女	2	2	2	1	1	1	1	夏	10	9	9	9	8	8	8	7	7	7	6	6	6	5	5	5	4	4	4	3	3	3	

12月 (1일 八白 + 30일 九紫 -) **壬午 (三碧)** 절기: 芒種(8일 02:35) 夏至(22일 20:20)

양력		1	2	3	4	5	6	7	8	9	10	11	12	13	14	15	16	17	18	19	20	21	22	23	24	25	26	27	28	29	30	31
요일		水	木	金	土	日	月	火	水	木	金	土	日	月	火	水	木	金	土	日	月	火	水	木	金	土	日	月	火	水	木	金
음력	월	19	20	21	22	23	24	25	26	27	28	29	30	十一	2	3	4	5	6	7	8	9	10	11	12	13	14	15	16	17	18	19
일진		辛丑	壬寅	癸卯	戊辰	己巳	甲午	乙未	丙申	丁酉	庚戌	辛亥	壬子	癸丑	戊寅	己卯	甲辰	乙巳	丙午	丁未	庚申	辛酉	壬戌	癸亥	戊子	己丑	甲寅	乙卯	丙辰	丁巳	庚午	辛未
대운	男	8	8	8	9	9	9	10	芒	1	1	1	1	2	2	2	3	3	3	4	4	4	5	5	5	6	6	6	7	7	7	8
	女	2	2	2	1	1	1	1	種	9	9	9	8	8	8	7	7	7	6	6	6	5	5	5	4	4	4	3	3	3	2	2

서기1910년

甲辰年 (一白水星)

1月 (1일 七赤 -) **癸未 (四綠)** 절기: 小暑 (6일 13:38) 大暑 (21일 06:59)

양력		1	2	3	4	5	6	7	8	9	10	11	12	13	14	15	16	17	18	19	20	21	22	23	24	25	26	27	28	29	30	31
요일		土	日	月	火	水	木	金	土	日	月	火	水	木	金	土	日	月	火	水	木	金	土	日	月	火	水	木	金	土	日	月
음력	월	20	21	22	23	24	25	26	27	28	29	十二	2	3	4	5	6	7	8	9	10	11	12	13	14	15	16	17	18	19	20	21
일진		壬申	癸酉	戊戌	己亥	甲子	乙丑	丙寅	丁卯	庚辰	辛巳	壬午	癸未	戊申	己酉	甲戌	乙亥	丙子	丁丑	庚寅	辛卯	壬辰	癸巳	戊午	己未	甲申	乙酉	丙戌	丁亥	庚子	辛丑	壬寅
대운	男	8	8	9	9	9	小	1	1	1	1	2	2	2	3	3	3	4	4	4	5	5	5	6	6	6	7	7	7	8	8	8
	女	2	1	1	1	1	暑	10	9	9	9	8	8	8	7	7	7	6	6	6	5	5	5	4	4	4	3	3	3	2	2	2

2月 (1일 三碧 -) **戊申 (五黃)** 절기: 立秋 (5일 01:27) 處暑 (19일 21:28)

양력		1	2	3	4	5	6	7	8	9	10	11	12	13	14	15	16	17	18	19	20	21	22	23	24	25	26	27	28			
요일		火	水	木	金	土	日	月	火	水	木	金	土	日	月	火	水	木	金	土	日	月	火	水	木	金	土	日	月			
음력	월	22	23	24	25	26	27	28	29	30	一	2	3	4	5	6	7	8	9	10	11	12	13	14	15	16	17	18	19			
일진		癸卯	戊辰	己巳	甲午	乙未	丙申	丁酉	庚戌	辛亥	壬子	癸丑	戊寅	己卯	甲辰	乙巳	丙午	丁未	庚申	辛酉	壬戌	癸亥	戊子	己丑	甲寅	乙卯	丙辰	丁巳	庚午			
대운	男	9	9	9	10	立	9	9	9	8	8	8	7	7	7	6	6	6	5	5	5	4	4	4	3	3	3	2	2			
	女	1	1	1	1	秋	1	1	1	1	2	2	2	3	3	3	4	4	4	5	5	5	6	6	6	7	7	7	8			

3月 (1일 二黑 -) **己酉 (六白)** 절기: 白露 (6일 19:57) 秋分 (21일 21:03)

양력		1	2	3	4	5	6	7	8	9	10	11	12	13	14	15	16	17	18	19	20	21	22	23	24	25	26	27	28	29	30	31
요일		火	水	木	金	土	日	月	火	水	木	金	土	日	月	火	水	木	金	土	日	月	火	水	木	金	土	日	月	火	水	木
음력	월	20	21	22	23	24	25	26	27	28	29	二	2	3	4	5	6	7	8	9	10	11	12	13	14	15	16	17	18	19	20	21
일진		辛未	壬申	癸酉	戊戌	己亥	甲子	乙丑	丙寅	丁卯	庚辰	辛巳	壬午	癸未	戊申	己酉	甲戌	乙亥	丙子	丁丑	庚寅	辛卯	壬辰	癸巳	戊午	己未	甲申	乙酉	丙戌	丁亥	庚子	辛丑
대운	男	2	1	1	1	1	白	10	10	9	9	9	8	8	8	7	7	7	6	6	6	5	5	5	4	4	4	3	3	3	2	2
	女	8	8	9	9	9	露	1	1	1	1	2	2	2	3	3	3	4	4	4	5	5	5	6	6	6	7	7	7	8	8	8

4月 (1일 七赤 -) **甲戌 (七赤)** 절기: 寒露 (6일 01:23) 霜降 (21일 08:46)

양력		1	2	3	4	5	6	7	8	9	10	11	12	13	14	15	16	17	18	19	20	21	22	23	24	25	26	27	28	29	30	
요일		金	土	日	月	火	水	木	金	土	日	月	火	水	木	金	土	日	月	火	水	木	金	土	日	月	火	水	木	金	土	
음력	월	22	23	24	25	26	27	28	29	30	三	2	3	4	5	6	7	8	9	10	11	12	13	14	15	16	17	18	19	20	21	
일진		壬寅	癸卯	戊辰	己巳	甲午	乙未	丙申	丁酉	庚戌	辛亥	壬子	癸丑	戊寅	己卯	甲辰	乙巳	丙午	丁未	庚申	辛酉	壬戌	癸亥	戊子	己丑	甲寅	乙卯	丙辰	丁巳	庚午	辛未	
대운	男	2	1	1	1	1	寒	10	9	9	9	8	8	8	7	7	7	6	6	6	5	5	5	4	4	4	3	3	3	2	2	
	女	9	9	9	10	10	露	1	1	1	1	2	2	2	3	3	3	4	4	4	5	5	5	6	6	6	7	7	7	8	8	

5月 (1일 四綠 -) **乙亥 (八白)** 절기: 立冬 (6일 19:19) 小雪 (22일 08:30)

양력		1	2	3	4	5	6	7	8	9	10	11	12	13	14	15	16	17	18	19	20	21	22	23	24	25	26	27	28	29	30	31
요일		日	月	火	水	木	金	土	日	月	火	水	木	金	土	日	月	火	水	木	金	土	日	月	火	水	木	金	土	日	月	火
음력	월	22	23	24	25	26	27	28	29	四	2	3	4	5	6	7	8	9	10	11	12	13	14	15	16	17	18	19	20	21	22	23
일진		壬申	癸酉	戊戌	己亥	甲子	乙丑	丙寅	丁卯	庚辰	辛巳	壬午	癸未	戊申	己酉	甲戌	乙亥	丙子	丁丑	庚寅	辛卯	壬辰	癸巳	戊午	己未	甲申	乙酉	丙戌	丁亥	庚子	辛丑	壬寅
대운	男	2	1	1	1	1	立	10	10	9	9	9	8	8	8	7	7	7	6	6	6	5	5	5	4	4	4	3	3	3	2	2
	女	8	9	9	9	10	冬	1	1	1	1	2	2	2	3	3	3	4	4	4	5	5	5	6	6	6	7	7	7	8	8	8

6月 (1일 九紫 - 28일 一白 +) **丙子 (九紫)** 절기: 大雪 (6일 23:56) 冬至 (22일 16:49)

양력		1	2	3	4	5	6	7	8	9	10	11	12	13	14	15	16	17	18	19	20	21	22	23	24	25	26	27	28	29	30	
요일		水	木	金	土	日	月	火	水	木	金	土	日	月	火	水	木	金	土	日	月	火	水	木	金	土	日	月	火	水	木	
음력	월	24	25	26	27	28	29	五	2	3	4	5	6	7	8	9	10	11	12	13	14	15	16	17	18	19	20	21	22	23	24	
일진		癸卯	戊辰	己巳	甲午	乙未	丙申	丁酉	庚戌	辛亥	壬子	癸丑	戊寅	己卯	甲辰	乙巳	丙午	丁未	庚申	辛酉	壬戌	癸亥	戊子	己丑	甲寅	乙卯	丙辰	丁巳	庚午	辛未	壬申	
대운	男	2	1	1	1	1	大	10	10	10	9	9	9	8	8	8	7	7	7	6	6	6	5	5	5	4	4	4	3	3	3	
	女	9	9	9	10	10	雪	1	1	1	1	2	2	2	3	3	3	4	4	4	5	5	5	6	6	6	7	7	7	8	8	

7月 (1일 四綠 +) **丁丑 (一白)** 절기: 小寒(8일 10:21) 大寒(24일 03:43)

양력		1	2	3	4	5	6	7	8	9	10	11	12	13	14	15	16	17	18	19	20	21	22	23	24	25	26	27	28	29	30	31
요일		金	土	日	月	火	水	木	金	土	日	月	火	水	木	金	土	日	月	火	水	木	金	土	日	月	火	水	木	金	土	日
음력	월	25	26	27	28	29	30	六	2	3	4	5	6	7	8	9	10	11	12	13	14	15	16	17	18	19	20	21	22	23	24	25
일진		癸酉	戊戌	己亥	甲子	乙丑	丙寅	丁卯	庚辰	辛巳	壬午	癸未	戊申	己酉	甲戌	乙亥	丙子	丁丑	庚寅	辛卯	壬辰	癸巳	戊午	己未	甲申	乙酉	丙戌	丁亥	庚子	辛丑	壬寅	癸卯
대운	男	2	2	2	1	1	1	1	小	10	10	9	9	9	8	8	8	7	7	7	6	6	6	5	5	5	4	4	4	3	3	3
	女	8	9	9	9	10	10	10	寒	1	1	1	1	2	2	2	3	3	3	4	4	4	5	5	5	6	6	6	7	7	7	8

8月 (1일 八白 +) **庚寅 (二黑)** 절기: 立春(8일 19:57) 雨水(24일 10:27)

양력		1	2	3	4	5	6	7	8	9	10	11	12	13	14	15	16	17	18	19	20	21	22	23	24	25	26	27	28	29	30	31
요일		月	火	水	木	金	土	日	月	火	水	木	金	土	日	月	火	水	木	金	土	日	月	火	水	木	金	土	日	月	火	水
음력	월	26	27	28	29	七	2	3	4	5	6	7	8	9	10	11	12	13	14	15	16	17	18	19	20	21	22	23	24	25	26	27
일진		戊辰	己巳	甲午	乙未	丙申	丁酉	庚戌	辛亥	壬子	癸丑	戊寅	己卯	甲辰	乙巳	丙午	丁未	庚申	辛酉	壬戌	癸亥	戊子	己丑	甲寅	乙卯	丙辰	丁巳	庚午	辛未	壬申	癸酉	戊戌
대운	男	2	2	2	1	1	1	1	立	10	10	9	9	9	8	8	8	7	7	7	6	6	6	5	5	5	4	4	4	3	3	3
	女	8	8	9	9	9	10	10	春	1	1	1	1	2	2	2	3	3	3	4	4	4	5	5	5	6	6	6	7	7	7	8

9月 (1일 三碧 +) **辛卯 (三碧)** 절기: 驚蟄(8일 22:22) 春分 (24일 07:31)

양력		1	2	3	4	5	6	7	8	9	10	11	12	13	14	15	16	17	18	19	20	21	22	23	24	25	26	27	28	29	30	
요일		木	金	土	日	月	火	水	木	金	土	日	月	火	水	木	金	土	日	月	火	水	木	金	土	日	月	火	水	木	金	
음력	월	28	29	30	八	2	3	4	5	6	7	8	9	10	11	12	13	14	15	16	17	18	19	20	21	22	23	24	25	26	27	
일진		己亥	甲子	乙丑	丙寅	丁卯	庚辰	辛巳	壬午	癸未	戊申	己酉	甲戌	乙亥	丙子	丁丑	庚寅	辛卯	壬辰	癸巳	戊午	己未	甲申	乙酉	丙戌	丁亥	庚子	辛丑	壬寅	癸卯	戊辰	
대운	男	2	2	2	1	1	1	1	驚	10	10	9	9	9	8	8	8	7	7	7	6	6	6	5	5	5	4	4	4	3	3	
	女	8	8	9	9	9	10	10	蟄	1	1	1	1	2	2	2	3	3	3	4	4	4	5	5	5	6	6	6	7	7	7	

10月 (1일 六白 +) **壬辰 (四綠)** 절기: 淸明(9일 13:21) 穀雨(24일 16:11)

양력		1	2	3	4	5	6	7	8	9	10	11	12	13	14	15	16	17	18	19	20	21	22	23	24	25	26	27	28	29	30	31
요일		土	日	月	火	水	木	金	土	日	月	火	水	木	金	土	日	月	火	水	木	金	土	日	月	火	水	木	金	土	日	月
음력	월	28	29	九	2	3	4	5	6	7	8	9	10	11	12	13	14	15	16	17	18	19	20	21	22	23	24	25	26	27	28	29
일진		己巳	甲午	乙未	丙申	丁酉	庚戌	辛亥	壬子	癸丑	戊寅	己卯	甲辰	乙巳	丙午	丁未	庚申	辛酉	壬戌	癸亥	戊子	己丑	甲寅	乙卯	丙辰	丁巳	庚午	辛未	壬申	癸酉	戊戌	己亥
대운	男	3	2	2	2	1	1	1	1	淸	10	9	9	9	8	8	8	7	7	7	6	6	6	5	5	5	4	4	4	3	3	3
	女	8	8	8	9	9	9	10	10	明	1	1	1	1	2	2	2	3	3	3	4	4	4	5	5	5	6	6	6	7	7	7

11月 (1일 一白 +) **癸巳 (五黃)** 절기: 立夏(8일 15:54) 小滿 (23일 13:11)

양력		1	2	3	4	5	6	7	8	9	10	11	12	13	14	15	16	17	18	19	20	21	22	23	24	25	26	27	28	29	30	
요일		火	水	木	金	土	日	月	火	水	木	金	土	日	月	火	水	木	金	土	日	月	火	水	木	金	土	日	月	火	水	
음력	월	30	十	2	3	4	5	6	7	8	9	10	11	12	13	14	15	16	17	18	19	20	21	22	23	24	25	26	27	28	29	
일진		甲子	乙丑	丙寅	丁卯	庚辰	辛巳	壬午	癸未	戊申	己酉	甲戌	乙亥	丙子	丁丑	庚寅	辛卯	壬辰	癸巳	戊午	己未	甲申	乙酉	丙戌	丁亥	庚子	辛丑	壬寅	癸卯	戊辰	己巳	
대운	男	2	2	2	1	1	1	1	立	10	9	9	9	8	8	8	7	7	7	6	6	6	5	5	5	4	4	4	3	3	3	
	女	8	8	8	9	9	9	10	夏	1	1	1	1	2	2	2	3	3	3	4	4	4	5	5	5	6	6	6	7	7	7	

12月 (1일 四綠 + 25일 九紫 -) **戊午 (六白)** 절기: 芒種(8일 08:17) 夏至(23일 02:12)

양력		1	2	3	4	5	6	7	8	9	10	11	12	13	14	15	16	17	18	19	20	21	22	23	24	25	26	27	28	29	30	31
요일		木	金	土	日	月	火	水	木	金	土	日	月	火	水	木	金	土	日	月	火	水	木	金	土	日	月	火	水	木	金	土
음력	월	30	十一	2	3	4	5	6	7	8	9	10	11	12	13	14	15	16	17	18	19	20	21	22	23	24	25	26	27	28	29	30
일진		甲午	乙未	丙申	丁酉	庚戌	辛亥	壬子	癸丑	戊寅	己卯	甲辰	乙巳	丙午	丁未	庚申	辛酉	壬戌	癸亥	戊子	己丑	甲寅	乙卯	丙辰	丁巳	庚午	辛未	壬申	癸酉	戊戌	己亥	甲子
대운	男	2	2	2	1	1	1	1	芒	9	9	9	8	8	8	7	7	7	6	6	6	5	5	5	4	4	4	3	3	3	2	2
	女	8	8	8	9	9	9	10	種	1	1	1	1	2	2	2	3	3	3	4	4	4	5	5	5	6	6	6	7	7	7	8

서기1911년

乙巳年 (二黑土星) 閏六月

1月 (1일 二黑 -) **己未 (七赤)** 절기: 小暑 (6일 19:21) 大暑 (21일 12:51)

양력	1	2	3	4	5	6	7	8	9	10	11	12	13	14	15	16	17	18	19	20	21	22	23	24	25	26	27	28	29	30	31
요일	日	月	火	水	木	金	土	日	月	火	水	木	金	土	日	月	火	水	木	金	土	日	月	火	水	木	金	土	日	月	火
음력 월	十二	2	3	4	5	6	7	8	9	10	11	12	13	14	15	16	17	18	19	20	21	22	23	24	25	26	27	28	29	一	2
일진	乙丑	丙寅	丁卯	庚辰	辛巳	壬午	癸未	戊申	己酉	甲戌	乙亥	丙子	丁丑	庚寅	辛卯	壬辰	癸巳	戊午	己未	甲申	乙酉	丙戌	丁亥	庚子	辛丑	壬寅	癸卯	戊辰	己巳	甲午	乙未
대운 男	2	1	1	1	1	小	10	9	9	9	8	8	8	7	7	7	6	6	6	5	5	5	4	4	4	3	3	3	2	2	2
대운 女	8	8	9	9	9	暑	1	1	1	1	2	2	2	3	3	3	4	4	4	5	5	5	6	6	6	7	7	7	8	8	8

2月 (1일 七赤 -) **甲申 (八白)** 절기: 立秋 (5일 07:10) 處暑 (20일 03:20)

양력	1	2	3	4	5	6	7	8	9	10	11	12	13	14	15	16	17	18	19	20	21	22	23	24	25	26	27	28			
요일	水	木	金	土	日	月	火	水	木	金	土	日	月	火	水	木	金	土	日	月	火	水	木	金	土	日	月	火			
음력 월	3	4	5	6	7	8	9	10	11	12	13	14	15	16	17	18	19	20	21	22	23	24	25	26	27	28	29	30			
일진	丙申	丁酉	庚戌	辛亥	壬子	癸丑	戊寅	己卯	甲辰	乙巳	丙午	丁未	庚申	辛酉	壬戌	癸亥	戊子	己丑	甲寅	乙卯	丙辰	丁巳	庚午	辛未	壬申	癸酉	戊戌	己亥			
대운 男	1	1	1	1	立	1	1	1	1	2	2	2	3	3	3	4	4	4	5	5	5	6	6	6	7	7	7	8			
대운 女	9	9	9	10	秋	10	9	9	9	8	8	8	7	7	7	6	6	6	5	5	5	4	4	4	3	3	3	2			

3月 (1일 六白 -) **乙酉 (九紫)** 절기: 白露 (7일 01:39) 秋分 (22일 02:54)

양력	1	2	3	4	5	6	7	8	9	10	11	12	13	14	15	16	17	18	19	20	21	22	23	24	25	26	27	28	29	30	31
요일	水	木	金	土	日	月	火	水	木	金	土	日	月	火	水	木	金	土	日	月	火	水	木	金	土	日	月	火	水	木	金
음력 월	二	2	3	4	5	6	7	8	9	10	11	12	13	14	15	16	17	18	19	20	21	22	23	24	25	26	27	28	29	三	2
일진	甲子	乙丑	丙寅	丁卯	庚辰	辛巳	壬午	癸未	戊申	己酉	甲戌	乙亥	丙子	丁丑	庚寅	辛卯	壬辰	癸巳	戊午	己未	甲申	乙酉	丙戌	丁亥	庚子	辛丑	壬寅	癸卯	戊辰	己巳	甲午
대운 男	8	8	9	9	9	10	白	1	1	1	1	2	2	2	3	3	3	4	4	4	5	5	5	6	6	6	7	7	7	8	8
대운 女	2	2	1	1	1	1	露	10	9	9	9	8	8	8	7	7	7	6	6	6	5	5	5	4	4	4	3	3	3	2	2

4月 (1일 二黑 -) **丙戌 (一白)** 절기: 寒露 (6일 07:05) 霜降 (21일 14:36)

양력	1	2	3	4	5	6	7	8	9	10	11	12	13	14	15	16	17	18	19	20	21	22	23	24	25	26	27	28	29	30	
요일	土	日	月	火	水	木	金	土	日	月	火	水	木	金	土	日	月	火	水	木	金	土	日	月	火	水	木	金	土	日	
음력 월	3	4	5	6	7	8	9	10	11	12	13	14	15	16	17	18	19	20	21	22	23	24	25	26	27	28	29	30	四	2	
일진	乙未	丙申	丁酉	庚戌	辛亥	壬子	癸丑	戊寅	己卯	甲辰	乙巳	丙午	丁未	庚申	辛酉	壬戌	癸亥	戊子	己丑	甲寅	乙卯	丙辰	丁巳	庚午	辛未	壬申	癸酉	戊戌	己亥	甲子	
대운 男	8	9	9	9	10	寒	1	1	1	1	2	2	2	3	3	3	4	4	4	5	5	5	6	6	6	7	7	7	8	8	
대운 女	2	1	1	1	1	露	10	10	9	9	9	8	8	8	7	7	7	6	6	6	5	5	5	4	4	4	3	3	3	2	

5月 (1일 八白 -) **丁亥 (二黑)** 절기: 立冬 (7일 01:00) 小雪 (22일 14:19)

양력	1	2	3	4	5	6	7	8	9	10	11	12	13	14	15	16	17	18	19	20	21	22	23	24	25	26	27	28	29	30	31
요일	月	火	水	木	金	土	日	月	火	水	木	金	土	日	月	火	水	木	金	土	日	月	火	水	木	金	土	日	月	火	水
음력 월	3	4	5	6	7	8	9	10	11	12	13	14	15	16	17	18	19	20	21	22	23	24	25	26	27	28	29	五	2	3	4
일진	乙丑	丙寅	丁卯	庚辰	辛巳	壬午	癸未	戊申	己酉	甲戌	乙亥	丙子	丁丑	庚寅	辛卯	壬辰	癸巳	戊午	己未	甲申	乙酉	丙戌	丁亥	庚子	辛丑	壬寅	癸卯	戊辰	己巳	甲午	乙未
대운 男	8	9	9	9	10	10	立	1	1	1	1	2	2	2	3	3	3	4	4	4	5	5	5	6	6	6	7	7	7	8	8
대운 女	2	2	1	1	1	1	冬	10	10	9	9	9	8	8	8	7	7	7	6	6	6	5	5	5	4	4	4	3	3	3	2

6月 (1일 四綠 - 23일 一白 +) **庚子 (三碧)** 절기: 大雪 (7일 05:38) 冬至 (22일 22:36)

양력	1	2	3	4	5	6	7	8	9	10	11	12	13	14	15	16	17	18	19	20	21	22	23	24	25	26	27	28	29	30	
요일	木	金	土	日	月	火	水	木	金	土	日	月	火	水	木	金	土	日	月	火	水	木	金	土	日	月	火	水	木	金	
음력 월	5	6	7	8	9	10	11	12	13	14	15	16	17	18	19	20	21	22	23	24	25	26	27	28	29	六	2	3	4	5	
일진	丙申	丁酉	庚戌	辛亥	壬子	癸丑	戊寅	己卯	甲辰	乙巳	丙午	丁未	庚申	辛酉	壬戌	癸亥	戊子	己丑	甲寅	乙卯	丙辰	丁巳	庚午	辛未	壬申	癸酉	戊戌	己亥	甲子	乙丑	
대운 男	8	9	9	9	10	10	大	1	1	1	1	2	2	2	3	3	3	4	4	4	5	5	5	6	6	6	7	7	7	8	
대운 女	2	2	1	1	1	1	雪	10	10	9	9	9	8	8	8	7	7	7	6	6	6	5	5	5	4	4	4	3	3	3	

7月 (1일 九紫 +) **辛丑 (四綠)** 절기: 小寒(8일 16:05) 大寒(24일 09:29)

양력		1	2	3	4	5	6	7	8	9	10	11	12	13	14	15	16	17	18	19	20	21	22	23	24	25	26	27	28	29	30	31
요일		土	日	月	火	水	木	金	土	日	月	火	水	木	金	土	日	月	火	水	木	金	土	日	月	火	水	木	金	土	日	月
음력	월	6	7	8	9	10	11	12	13	14	15	16	17	18	19	20	21	22	23	24	25	26	27	28	29	30	閏六		3	4	5	6
일진		丙寅	丁卯	庚辰	辛巳	壬午	癸未	戊申	己酉	甲戌	乙亥	丙子	丁丑	庚寅	辛卯	壬辰	癸巳	戊午	己未	甲申	乙酉	丙戌	丁亥	庚子	辛丑	壬寅	癸卯	戊辰	己巳	甲午	乙未	丙申
대운	男	8	8	9	9	9	10	10	小	1	1	1	1	2	2	2	3	3	3	4	4	4	5	5	5	6	6	6	7	7	7	8
	女	2	2	2	1	1	1	1	寒	10	10	10	9	9	9	8	8	8	7	7	7	6	6	6	5	5	5	4	4	4	3	3

8月 (1일 四綠 +) **壬寅 (五黃)** 절기: 立春(9일 01:44) 雨水(24일 16:13)

양력		1	2	3	4	5	6	7	8	9	10	11	12	13	14	15	16	17	18	19	20	21	22	23	24	25	26	27	28	29	30	31
요일		火	水	木	金	土	日	月	火	水	木	金	土	日	月	火	水	木	金	土	日	月	火	水	木	金	土	日	月	火	水	木
음력	월	7	8	9	10	11	12	13	14	15	16	17	18	19	20	21	22	23	24	25	26	27	28	29	七	2	3	4	5	6	7	8
일진		丁酉	庚戌	辛亥	壬子	癸丑	戊寅	己卯	甲辰	乙巳	丙午	丁未	庚申	辛酉	壬戌	癸亥	戊子	己丑	甲寅	乙卯	丙辰	丁巳	庚午	辛未	壬申	癸酉	戊戌	己亥	甲子	乙丑	丙寅	丁卯
대운	男	8	8	9	9	9	10	10	10	立	1	1	1	1	2	2	2	3	3	3	4	4	4	5	5	5	6	6	6	7	7	7
	女	3	2	2	2	1	1	1	1	春	10	10	9	9	9	8	8	8	7	7	7	6	6	6	5	5	5	4	4	4	3	3

9月 (1일 八白 +) **癸卯 (六白)** 절기: 驚蟄(9일 04:13) 春分 (24일 13:18)

양력		1	2	3	4	5	6	7	8	9	10	11	12	13	14	15	16	17	18	19	20	21	22	23	24	25	26	27	28	29	30	
요일		金	土	日	月	火	水	木	金	土	日	月	火	水	木	金	土	日	月	火	水	木	金	土	日	月	火	水	木	金	土	
음력	월	9	10	11	12	13	14	15	16	17	18	19	20	21	22	23	24	25	26	27	28	29	八	2	3	4	5	6	7	8	9	
일진		庚辰	辛巳	壬午	癸未	戊申	己酉	甲戌	乙亥	丙子	丁丑	庚寅	辛卯	壬辰	癸巳	戊午	己未	甲申	乙酉	丙戌	丁亥	庚子	辛丑	壬寅	癸卯	戊辰	己巳	甲午	乙未	丙申	丁酉	
대운	男	8	8	8	9	9	9	10	10	驚	1	1	1	1	2	2	2	3	3	3	4	4	4	5	5	5	6	6	6	7	7	
	女	3	2	2	2	1	1	1	1	蟄	10	9	9	9	8	8	8	7	7	7	6	6	6	5	5	5	4	4	4	3	3	

10月 (1일 二黑 +) **戊辰 (七赤)** 절기: 淸明(9일 19:15) 穀雨(24일 21:58)

양력		1	2	3	4	5	6	7	8	9	10	11	12	13	14	15	16	17	18	19	20	21	22	23	24	25	26	27	28	29	30	31
요일		日	月	火	水	木	金	土	日	月	火	水	木	金	土	日	月	火	水	木	金	土	日	月	火	水	木	金	土	日	月	火
음력	월	10	11	12	13	14	15	16	17	18	19	20	21	22	23	24	25	26	27	28	29	30	九	2	3	4	5	6	7	8	9	10
일진		庚戌	辛亥	壬子	癸丑	戊寅	己卯	甲辰	乙巳	丙午	丁未	庚申	辛酉	壬戌	癸亥	戊子	己丑	甲寅	乙卯	丙辰	丁巳	庚午	辛未	壬申	癸酉	戊戌	己亥	甲子	乙丑	丙寅	丁卯	庚辰
대운	男	7	8	8	8	9	9	9	10	淸	1	1	1	1	2	2	2	3	3	3	4	4	4	5	5	5	6	6	6	7	7	7
	女	3	2	2	2	1	1	1	1	明	10	9	9	9	8	8	8	7	7	7	6	6	6	5	5	5	4	4	4	3	3	3

11月 (1일 六白 +) **己巳 (八白)** 절기: 立夏(8일 21:47) 小滿 (23일 18:56)

양력		1	2	3	4	5	6	7	8	9	10	11	12	13	14	15	16	17	18	19	20	21	22	23	24	25	26	27	28	29	30	
요일		水	木	金	土	日	月	火	水	木	金	土	日	月	火	水	木	金	土	日	月	火	水	木	金	土	日	月	火	水	木	
음력	월	11	12	13	14	15	16	17	18	19	20	21	22	23	24	25	26	27	28	29	30	十	2	3	4	5	6	7	8	9	10	
일진		辛巳	壬午	癸未	戊申	己酉	甲戌	乙亥	丙子	丁丑	庚寅	辛卯	壬辰	癸巳	戊午	己未	甲申	乙酉	丙戌	丁亥	庚子	辛丑	壬寅	癸卯	戊辰	己巳	甲午	乙未	丙申	丁酉	庚戌	
대운	男	8	8	8	9	9	9	10	立	1	1	1	1	2	2	2	3	3	3	4	4	4	5	5	5	6	6	6	7	7	7	
	女	2	2	2	1	1	1	1	夏	10	9	9	9	8	8	8	7	7	7	6	6	6	5	5	5	4	4	4	3	3	3	

12月 (1일 九紫 + 20일 九紫 -) **甲午 (九紫)** 절기: 芒種(8일 14:08) 夏至(23일 07:53)

양력		1	2	3	4	5	6	7	8	9	10	11	12	13	14	15	16	17	18	19	20	21	22	23	24	25	26	27	28	29	30	31
요일		金	土	日	月	火	水	木	金	土	日	月	火	水	木	金	土	日	月	火	水	木	金	土	日	月	火	水	木	金	土	日
음력	월	11	12	13	14	15	16	17	18	19	20	21	22	23	24	25	26	27	28	29	十一	2	3	4	5	6	7	8	9	10	11	12
일진		辛亥	壬子	癸丑	戊寅	己卯	甲辰	乙巳	丙午	丁未	庚申	辛酉	壬戌	癸亥	戊子	己丑	甲寅	乙卯	丙辰	丁巳	庚午	辛未	壬申	癸酉	戊戌	己亥	甲子	乙丑	丙寅	丁卯	庚辰	辛巳
대운	男	8	8	8	9	9	9	10	芒	1	1	1	1	2	2	2	3	3	3	4	4	4	5	5	5	6	6	6	7	7	7	8
	女	2	2	2	1	1	1	1	種	10	9	9	9	8	8	8	7	7	7	6	6	6	5	5	5	4	4	4	3	3	3	2

서기1912년

丙午年 (三碧木星)

1月 (1일 六白 -) **乙未 (一白)** 절기: 小暑 (7일 01:08) 大暑 (21일 18:29)

양력		1	2	3	4	5	6	7	8	9	10	11	12	13	14	15	16	17	18	19	20	21	22	23	24	25	26	27	28	29	30	31
요일		月	火	水	木	金	土	日	月	火	水	木	金	土	日	月	火	水	木	金	土	日	月	火	水	木	金	土	日	月	火	水
음력	월	13	14	15	16	17	18	19	20	21	22	23	24	25	26	27	28	29	30	十二	2	3	4	5	6	7	8	9	10	11	12	13
일진		壬午	癸未	戊申	己酉	甲戌	乙亥	丙子	丁丑	庚寅	辛卯	壬辰	癸巳	戊午	己未	甲申	乙酉	丙戌	丁亥	庚子	辛丑	壬寅	癸卯	戊辰	己巳	甲午	乙未	丙申	丁酉	庚戌	辛亥	壬子
대운	男	8	8	9	9	9	10	小	1	1	1	1	2	2	2	3	3	3	4	4	4	5	5	5	6	6	6	7	7	7	8	8
	女	2	2	1	1	1	1	暑	9	9	9	8	8	8	7	7	7	6	6	6	5	5	5	4	4	4	3	3	3	2	2	2

2月 閏 (1일 二黑 -) **丙申 (二黑)** 절기: 立秋 (5일 12:54) 處暑 (20일 08:56)

양력		1	2	3	4	5	6	7	8	9	10	11	12	13	14	15	16	17	18	19	20	21	22	23	24	25	26	27	28	29		
요일		木	金	土	日	月	火	水	木	金	土	日	月	火	水	木	金	土	日	月	火	水	木	金	土	日	月	火	水	木		
음력	월	14	15	16	17	18	19	20	21	22	23	24	25	26	27	28	29	30	一	2	3	4	5	6	7	8	9	10	11	12		
일진		癸丑	戊寅	己卯	甲辰	乙巳	丙午	丁未	庚申	辛酉	壬戌	癸亥	戊子	己丑	甲寅	乙卯	丙辰	丁巳	庚午	辛未	壬申	癸酉	戊戌	己亥	甲子	乙丑	丙寅	丁卯	庚辰	辛巳		
대운	男	8	9	9	9	立	10	9	9	9	8	8	8	7	7	7	6	6	6	5	5	5	4	4	4	3	3	3	2	2		
	女	1	1	1	1	秋	1	1	1	1	2	2	2	3	3	3	4	4	4	5	5	5	6	6	6	7	7	7	8	8		

3月 (1일 九紫 -) **丁酉 (三碧)** 절기: 白露 (6일 07:21) 秋分 (21일 08:29)

양력		1	2	3	4	5	6	7	8	9	10	11	12	13	14	15	16	17	18	19	20	21	22	23	24	25	26	27	28	29	30	31
요일		金	土	日	月	火	水	木	金	土	日	月	火	水	木	金	土	日	月	火	水	木	金	土	日	月	火	水	木	金	土	日
음력	월	13	14	15	16	17	18	19	20	21	22	23	24	25	26	27	28	29	30	二	2	3	4	5	6	7	8	9	10	11	12	13
일진		壬午	癸未	戊申	己酉	甲戌	乙亥	丙子	丁丑	庚寅	辛卯	壬辰	癸巳	戊午	己未	甲申	乙酉	丙戌	丁亥	庚子	辛丑	壬寅	癸卯	戊辰	己巳	甲午	乙未	丙申	丁酉	庚戌	辛亥	壬子
대운	男	2	1	1	1	1	白	10	9	9	9	8	8	8	7	7	7	6	6	6	5	5	5	4	4	4	3	3	3	2	2	2
	女	8	9	9	9	10	露	1	1	1	1	2	2	2	3	3	3	4	4	4	5	5	5	6	6	6	7	7	7	8	8	8

4月 (1일 五黃 -) **庚戌 (四綠)** 절기: 寒露 (5일 12:48) 霜降 (20일 20:12)

양력		1	2	3	4	5	6	7	8	9	10	11	12	13	14	15	16	17	18	19	20	21	22	23	24	25	26	27	28	29	30	
요일		月	火	水	木	金	土	日	月	火	水	木	金	土	日	月	火	水	木	金	土	日	月	火	水	木	金	土	日	月	火	
음력	월	14	15	16	17	18	19	20	21	22	23	24	25	26	27	28	29	三	2	3	4	5	6	7	8	9	10	11	12	13	14	
일진		癸丑	戊寅	己卯	甲辰	乙巳	丙午	丁未	庚申	辛酉	壬戌	癸亥	戊子	己丑	甲寅	乙卯	丙辰	丁巳	庚午	辛未	壬申	癸酉	戊戌	己亥	甲子	乙丑	丙寅	丁卯	庚辰	辛巳	壬午	
대운	男	1	1	1	1	寒	10	10	9	9	9	8	8	8	7	7	7	6	6	6	5	5	5	4	4	4	3	3	3	2	2	
	女	9	9	9	10	露	1	1	1	1	2	2	2	3	3	3	4	4	4	5	5	5	6	6	6	7	7	7	8	8	8	

5月 (1일 二黑 -) **辛亥 (五黃)** 절기: 立冬 (6일 06:47) 小雪 (21일 19:57)

양력		1	2	3	4	5	6	7	8	9	10	11	12	13	14	15	16	17	18	19	20	21	22	23	24	25	26	27	28	29	30	31
요일		水	木	金	土	日	月	火	水	木	金	土	日	月	火	水	木	金	土	日	月	火	水	木	金	土	日	月	火	水	木	金
음력	월	15	16	17	18	19	20	21	22	23	24	25	26	27	28	29	30	四	2	3	4	5	6	7	8	9	10	11	12	13	14	15
일진		癸未	戊申	己酉	甲戌	乙亥	丙子	丁丑	庚寅	辛卯	壬辰	癸巳	戊午	己未	甲申	乙酉	丙戌	丁亥	庚子	辛丑	壬寅	癸卯	戊辰	己巳	甲午	乙未	丙申	丁酉	庚戌	辛亥	壬子	癸丑
대운	男	2	1	1	1	1	立	10	10	9	9	9	8	8	8	7	7	7	6	6	6	5	5	5	4	4	4	3	3	3	2	2
	女	9	9	9	10	10	冬	1	1	1	1	2	2	2	3	3	3	4	4	4	5	5	5	6	6	6	7	7	7	8	8	8

6月 (1일 七赤 - 17일 一白 +) **壬子 (六白)** 절기: 大雪 (6일 11:28) 冬至 (22일 04:17)

양력		1	2	3	4	5	6	7	8	9	10	11	12	13	14	15	16	17	18	19	20	21	22	23	24	25	26	27	28	29	30	
요일		土	日	月	火	水	木	金	土	日	月	火	水	木	金	土	日	月	火	水	木	金	土	日	月	火	水	木	金	土	日	
음력	월	16	17	18	19	20	21	22	23	24	25	26	27	28	29	五	2	3	4	5	6	7	8	9	10	11	12	13	14	15	16	
일진		戊寅	己卯	甲辰	乙巳	丙午	丁未	庚申	辛酉	壬戌	癸亥	戊子	己丑	甲寅	乙卯	丙辰	丁巳	庚午	辛未	壬申	癸酉	戊戌	己亥	甲子	乙丑	丙寅	丁卯	庚辰	辛巳	壬午	癸未	
대운	男	2	1	1	1	1	大	10	10	9	9	9	8	8	8	7	7	7	6	6	6	5	5	5	4	4	4	3	3	3	2	
	女	9	9	9	10	10	雪	1	1	1	1	2	2	2	3	3	3	4	4	4	5	5	5	6	6	6	7	7	7	8	8	

7月 (1일 六白 +) **癸丑 (七赤)** 절기: 小寒(7일 21:57) 大寒(23일 15:14)

양력		1	2	3	4	5	6	7	8	9	10	11	12	13	14	15	16	17	18	19	20	21	22	23	24	25	26	27	28	29	30	31
요일		月	火	水	木	金	土	日	月	火	水	木	金	土	日	月	火	水	木	金	土	日	月	火	水	木	金	土	日	月	火	水
음력	월	17	18	19	20	21	22	23	24	25	26	27	28	29	六	2	3	4	5	6	7	8	9	10	11	12	13	14	15	16	17	18
일진		戊申	己酉	甲戌	乙亥	丙子	丁丑	庚寅	辛卯	壬辰	癸巳	戊午	己未	甲申	乙酉	丙戌	丁亥	庚子	辛丑	壬寅	癸卯	戊辰	己巳	甲午	乙未	丙申	丁酉	庚戌	辛亥	壬子	癸丑	戊寅
대운	男	2	2	1	1	1	1	小	10	10	10	9	9	9	8	8	8	7	7	7	6	6	6	5	5	5	4	4	4	3	3	3
	女	8	9	9	9	10	10	寒	1	1	1	1	2	2	2	3	3	3	4	4	4	5	5	5	6	6	6	7	7	7	8	8

8月 (1일 一白 +) **戊寅 (八白)** 절기: 立春(8일 07:37) 雨水(23일 22:01)

양력		1	2	3	4	5	6	7	8	9	10	11	12	13	14	15	16	17	18	19	20	21	22	23	24	25	26	27	28	29	30	31
요일		木	金	土	日	月	火	水	木	金	土	日	月	火	水	木	金	土	日	月	火	水	木	金	土	日	月	火	水	木	金	土
음력	월	19	20	21	22	23	24	25	26	27	28	29	30	七	2	3	4	5	6	7	8	9	10	11	12	13	14	15	16	17	18	19
일진		己卯	甲辰	乙巳	丙午	丁未	庚申	辛酉	壬戌	癸亥	戊子	己丑	甲寅	乙卯	丙辰	丁巳	庚午	辛未	壬申	癸酉	戊戌	己亥	甲子	乙丑	丙寅	丁卯	庚辰	辛巳	壬午	癸未	戊申	己酉
대운	男	2	2	2	1	1	1	1	立	10	10	9	9	9	8	8	8	7	7	7	6	6	6	5	5	5	4	4	4	3	3	3
	女	8	9	9	9	10	10	10	春	1	1	1	1	2	2	2	3	3	3	4	4	4	5	5	5	6	6	6	7	7	7	8

9月 (1일 五黃 +) **己卯 (九紫)** 절기: 驚蟄(8일 10:06) 春分 (23일 19:08)

양력		1	2	3	4	5	6	7	8	9	10	11	12	13	14	15	16	17	18	19	20	21	22	23	24	25	26	27	28	29	30	
요일		日	月	火	水	木	金	土	日	月	火	水	木	金	土	日	月	火	水	木	金	土	日	月	火	水	木	金	土	日	月	
음력	월	20	21	22	23	24	25	26	27	28	29	八	2	3	4	5	6	7	8	9	10	11	12	13	14	15	16	17	18	19	20	
일진		甲戌	乙亥	丙子	丁丑	庚寅	辛卯	壬辰	癸巳	戊午	己未	甲申	乙酉	丙戌	丁亥	庚子	辛丑	壬寅	癸卯	戊辰	己巳	甲午	乙未	丙申	丁酉	庚戌	辛亥	壬子	癸丑	戊寅	己卯	
대운	男	2	2	2	1	1	1	1	驚	10	10	9	9	9	8	8	8	7	7	7	6	6	6	5	5	5	4	4	4	3	3	
	女	8	8	9	9	9	10	10	蟄	1	1	1	1	2	2	2	3	3	3	4	4	4	5	5	5	6	6	6	7	7	7	

10月 (1일 八白 +) **甲辰 (一白)** 절기: 清明(9일 01:07) 穀雨(24일 03:50)

양력		1	2	3	4	5	6	7	8	9	10	11	12	13	14	15	16	17	18	19	20	21	22	23	24	25	26	27	28	29	30	31
요일		火	水	木	金	土	日	月	火	水	木	金	土	日	月	火	水	木	金	土	日	月	火	水	木	金	土	日	月	火	水	木
음력	월	21	22	23	24	25	26	27	28	29	九	2	3	4	5	6	7	8	9	10	11	12	13	14	15	16	17	18	19	20	21	22
일진		甲辰	乙巳	丙午	丁未	庚申	辛酉	壬戌	癸亥	戊子	己丑	甲寅	乙卯	丙辰	丁巳	庚午	辛未	壬申	癸酉	戊戌	己亥	甲子	乙丑	丙寅	丁卯	庚辰	辛巳	壬午	癸未	戊申	己酉	甲戌
대운	男	3	2	2	2	1	1	1	1	清	10	9	9	9	8	8	8	7	7	7	6	6	6	5	5	5	4	4	4	3	3	3
	女	8	8	8	9	9	9	10	10	明	1	1	1	1	2	2	2	3	3	3	4	4	4	5	5	5	6	6	6	7	7	7

11月 (1일 三碧 +) **乙巳 (二黑)** 절기: 立夏(8일 03:39) 小滿 (23일 00:48)

양력		1	2	3	4	5	6	7	8	9	10	11	12	13	14	15	16	17	18	19	20	21	22	23	24	25	26	27	28	29	30	
요일		金	土	日	月	火	水	木	金	土	日	月	火	水	木	金	土	日	月	火	水	木	金	土	日	月	火	水	木	金	土	
음력	월	23	24	25	26	27	28	29	30	十	2	3	4	5	6	7	8	9	10	11	12	13	14	15	16	17	18	19	20	21	22	
일진		乙亥	丙子	丁丑	庚寅	辛卯	壬辰	癸巳	戊午	己未	甲申	乙酉	丙戌	丁亥	庚子	辛丑	壬寅	癸卯	戊辰	己巳	甲午	乙未	丙申	丁酉	庚戌	辛亥	壬子	癸丑	戊寅	己卯	甲辰	
대운	男	2	2	2	1	1	1	1	立	9	9	9	8	8	8	7	7	7	6	6	6	5	5	5	4	4	4	3	3	3	2	
	女	8	8	8	9	9	9	10	夏	1	1	1	1	2	2	2	3	3	3	4	4	4	5	5	5	6	6	6	7	7	7	

12月 (1일 六白 + 14일 九紫 -) **丙午 (三碧)** 절기: 芒種(7일 19:59) 夏至(22일 13:45)

양력		1	2	3	4	5	6	7	8	9	10	11	12	13	14	15	16	17	18	19	20	21	22	23	24	25	26	27	28	29	30	31
요일		日	月	火	水	木	金	土	日	月	火	水	木	金	土	日	月	火	水	木	金	土	日	月	火	水	木	金	土	日	月	火
음력	월	23	24	25	26	27	28	29	30	十一	2	3	4	5	6	7	8	9	10	11	12	13	14	15	16	17	18	19	20	21	22	23
일진		乙巳	丙午	丁未	庚申	辛酉	壬戌	癸亥	戊子	己丑	甲寅	乙卯	丙辰	丁巳	庚午	辛未	壬申	癸酉	戊戌	己亥	甲子	乙丑	丙寅	丁卯	庚辰	辛巳	壬午	癸未	戊申	己酉	甲戌	乙亥
대운	男	2	2	1	1	1	1	芒	10	9	9	9	8	8	8	7	7	7	6	6	6	5	5	5	4	4	4	3	3	3	2	2
	女	8	8	8	9	9	9	種	1	1	1	1	2	2	2	3	3	3	4	4	4	5	5	5	6	6	6	7	7	7	8	8

서기1913년

丁未年 (四綠木星)

1月 (1일 九紫 -) **丁未 (四綠)** 절기: 小暑 (6일 06:58) 大暑 (21일 00:19)

양력		1	2	3	4	5	6	7	8	9	10	11	12	13	14	15	16	17	18	19	20	21	22	23	24	25	26	27	28	29	30	31
요일		水	木	金	土	日	月	火	水	木	金	土	日	月	火	水	木	金	土	日	月	火	水	木	金	土	日	月	火	水	木	金
음력	월	24	25	26	27	28	29	十二	2	3	4	5	6	7	8	9	10	11	12	13	14	15	16	17	18	19	20	21	22	23	24	25
일진		丙子	丁丑	庚寅	辛卯	壬辰	癸巳	戊午	己未	甲申	乙酉	丙戌	丁亥	庚子	辛丑	壬寅	癸卯	戊辰	己巳	甲午	乙未	丙申	丁酉	庚戌	辛亥	壬子	癸丑	戊寅	己卯	甲辰	乙巳	丙午
대운	男	2	1	1	1	1	小	9	9	9	8	8	8	7	7	7	6	6	6	5	5	5	4	4	4	3	3	3	2	2	2	1
	女	8	9	9	9	10	暑	1	1	1	1	2	2	2	3	3	3	4	4	4	5	5	5	6	6	6	7	7	7	8	8	8

2月 (1일 五黃 -) **庚申 (五黃)** 절기: 立秋 (4일 18:43) 處暑 (19일 14:44)

양력		1	2	3	4	5	6	7	8	9	10	11	12	13	14	15	16	17	18	19	20	21	22	23	24	25	26	27	28			
요일		土	日	月	火	水	木	金	土	日	月	火	水	木	金	土	日	月	火	水	木	金	土	日	月	火	水	木	金			
음력	월	26	27	28	29	30	一	2	3	4	5	6	7	8	9	10	11	12	13	14	15	16	17	18	19	20	21	22	23			
일진		丁未	庚申	辛酉	壬戌	癸亥	戊子	己丑	甲寅	乙卯	丙辰	丁巳	庚午	辛未	壬申	癸酉	戊戌	己亥	甲子	乙丑	丙寅	丁卯	庚辰	辛巳	壬午	癸未	戊申	己酉	甲戌			
대운	男	1	1	1	立	1	1	1	1	2	2	2	3	3	3	4	4	4	5	5	5	6	6	6	7	7	7	8	8			
	女	9	9	9	秋	10	9	9	9	8	8	8	7	7	7	6	6	6	5	5	5	4	4	4	3	3	3	2	2			

3月 (1일 四綠 -) **辛酉 (六白)** 절기: 白露 (6일 13:09) 秋分 (21일 14:18)

양력		1	2	3	4	5	6	7	8	9	10	11	12	13	14	15	16	17	18	19	20	21	22	23	24	25	26	27	28	29	30	31
요일		土	日	月	火	水	木	金	土	日	月	火	水	木	金	土	日	月	火	水	木	金	土	日	月	火	水	木	金	土	日	月
음력	월	24	25	26	27	28	29	30	二	2	3	4	5	6	7	8	9	10	11	12	13	14	15	16	17	18	19	20	21	22	23	24
일진		乙亥	丙子	丁丑	庚寅	辛卯	壬辰	癸巳	戊午	己未	甲申	乙酉	丙戌	丁亥	庚子	辛丑	壬寅	癸卯	戊辰	己巳	甲午	乙未	丙申	丁酉	庚戌	辛亥	壬子	癸丑	戊寅	己卯	甲辰	乙巳
대운	男	8	9	9	9	10	白	1	1	1	1	2	2	2	3	3	3	4	4	4	5	5	5	6	6	6	7	7	7	8	8	8
	女	2	1	1	1	1	露	10	9	9	9	8	8	8	7	7	7	6	6	6	5	5	5	4	4	4	3	3	3	2	2	2

4月 (1일 九紫 -) **壬戌 (七赤)** 절기: 寒露 (5일 18:36) 霜降 (21일 02:03)

양력		1	2	3	4	5	6	7	8	9	10	11	12	13	14	15	16	17	18	19	20	21	22	23	24	25	26	27	28	29	30	
요일		火	水	木	金	土	日	月	火	水	木	金	土	日	月	火	水	木	金	土	日	月	火	水	木	金	土	日	月	火	水	
음력	월	25	26	27	28	29	30	三	2	3	4	5	6	7	8	9	10	11	12	13	14	15	16	17	18	19	20	21	22	23	24	
일진		丙午	丁未	庚申	辛酉	壬戌	癸亥	戊子	己丑	甲寅	乙卯	丙辰	丁巳	庚午	辛未	壬申	癸酉	戊戌	己亥	甲子	乙丑	丙寅	丁卯	庚辰	辛巳	壬午	癸未	戊申	己酉	甲戌	乙亥	
대운	男	9	9	9	10	寒	1	1	1	1	2	2	2	3	3	3	4	4	4	5	5	5	6	6	6	7	7	7	8	8	8	
	女	1	1	1	1	露	10	10	9	9	9	8	8	8	7	7	7	6	6	6	5	5	5	4	4	4	3	3	3	2	2	

5月 (1일 六白 -) **癸亥 (八白)** 절기: 立冬 (6일 12:35) 小雪 (22일 01:50)

양력		1	2	3	4	5	6	7	8	9	10	11	12	13	14	15	16	17	18	19	20	21	22	23	24	25	26	27	28	29	30	31
요일		木	金	土	日	月	火	水	木	金	土	日	月	火	水	木	金	土	日	月	火	水	木	金	土	日	月	火	水	木	金	土
음력	월	25	26	27	28	29	四	2	3	4	5	6	7	8	9	10	11	12	13	14	15	16	17	18	19	20	21	22	23	24	25	26
일진		丙子	丁丑	庚寅	辛卯	壬辰	癸巳	戊午	己未	甲申	乙酉	丙戌	丁亥	庚子	辛丑	壬寅	癸卯	戊辰	己巳	甲午	乙未	丙申	丁酉	庚戌	辛亥	壬子	癸丑	戊寅	己卯	甲辰	乙巳	丙午
대운	男	9	9	9	10	10	立	1	1	1	1	2	2	2	3	3	3	4	4	4	5	5	5	6	6	6	7	7	7	8	8	8
	女	2	1	1	1	1	冬	10	10	9	9	9	8	8	8	7	7	7	6	6	6	5	5	5	4	4	4	3	3	3	2	2

6月 (1일 二黑 - 12일 一白 +) **戊子 (九紫)** 절기: 大雪 (6일 17:14) 冬至 (22일 10:10)

양력		1	2	3	4	5	6	7	8	9	10	11	12	13	14	15	16	17	18	19	20	21	22	23	24	25	26	27	28	29	30	
요일		日	月	火	水	木	金	土	日	月	火	水	木	金	土	日	月	火	水	木	金	土	日	月	火	水	木	金	土	日	月	
음력	월	27	28	29	30	五	2	3	4	5	6	7	8	9	10	11	12	13	14	15	16	17	18	19	20	21	22	23	24	25	26	
일진		丁未	庚申	辛酉	壬戌	癸亥	戊子	己丑	甲寅	乙卯	丙辰	丁巳	庚午	辛未	壬申	癸酉	戊戌	己亥	甲子	乙丑	丙寅	丁卯	庚辰	辛巳	壬午	癸未	戊申	己酉	甲戌	乙亥	丙子	
대운	男	9	9	9	10	10	大	1	1	1	1	2	2	2	3	3	3	4	4	4	5	5	5	6	6	6	7	7	7	8	8	
	女	2	1	1	1	1	雪	10	10	10	9	9	9	8	8	8	7	7	7	6	6	6	5	5	5	4	4	4	3	3	3	

7月 (1일 二黑 +) **己丑 (一白)** 절기: 小寒(8일 03:39) 大寒(23일 21:04)

양력		1	2	3	4	5	6	7	8	9	10	11	12	13	14	15	16	17	18	19	20	21	22	23	24	25	26	27	28	29	30	31
요일		火	水	木	金	土	日	月	火	水	木	金	土	日	月	火	水	木	金	土	日	月	火	水	木	金	土	日	月	火	水	木
음력	월	27	28	29	六	2	3	4	5	6	7	8	9	10	11	12	13	14	15	16	17	18	19	20	21	22	23	24	25	26	27	28
일진		丁丑	庚寅	辛卯	壬辰	癸巳	戊午	己未	甲申	乙酉	丙戌	丁亥	庚子	辛丑	壬寅	癸卯	戊辰	己巳	甲午	乙未	丙申	丁酉	庚戌	辛亥	壬子	癸丑	戊寅	己卯	甲辰	乙巳	丙午	丁未
대운	男	8	9	9	9	10	10	10	小	1	1	1	1	2	2	2	3	3	3	4	4	4	5	5	5	6	6	6	7	7	7	8
	女	2	2	2	1	1	1	1	寒	10	10	9	9	9	8	8	8	7	7	7	6	6	6	5	5	5	4	4	4	3	3	3

8月 (1일 六白 +) **甲寅 (二黑)** 절기: 立春(8일 13:16) 雨水(24일 03:48)

양력		1	2	3	4	5	6	7	8	9	10	11	12	13	14	15	16	17	18	19	20	21	22	23	24	25	26	27	28	29	30	31
요일		金	土	日	月	火	水	木	金	土	日	月	火	水	木	金	土	日	月	火	水	木	金	土	日	月	火	水	木	金	土	日
음력	월	29	七	2	3	4	5	6	7	8	9	10	11	12	13	14	15	16	17	18	19	20	21	22	23	24	25	26	27	28	29	30
일진		庚申	辛酉	壬戌	癸亥	戊子	己丑	甲寅	乙卯	丙辰	丁巳	庚午	辛未	壬申	癸酉	戊戌	己亥	甲子	乙丑	丙寅	丁卯	庚辰	辛巳	壬午	癸未	戊申	己酉	甲戌	乙亥	丙子	丁丑	庚寅
대운	男	8	8	9	9	9	10	10	立	1	1	1	1	2	2	2	3	3	3	4	4	4	5	5	5	6	6	6	7	7	7	8
	女	2	2	2	1	1	1	1	春	10	10	9	9	9	8	8	8	7	7	7	6	6	6	5	5	5	4	4	4	3	3	3

9月 (1일 一白 +) **乙卯 (三碧)** 절기: 驚蟄(8일 15:42) 春分 (24일 00:53)

양력		1	2	3	4	5	6	7	8	9	10	11	12	13	14	15	16	17	18	19	20	21	22	23	24	25	26	27	28	29	30	
요일		月	火	水	木	金	土	日	月	火	水	木	金	土	日	月	火	水	木	金	土	日	月	火	水	木	金	土	日	月	火	
음력	월	八	2	3	4	5	6	7	8	9	10	11	12	13	14	15	16	17	18	19	20	21	22	23	24	25	26	27	28	29	九	
일진		辛卯	壬辰	癸巳	戊午	己未	甲申	乙酉	丙戌	丁亥	庚子	辛丑	壬寅	癸卯	戊辰	己巳	甲午	乙未	丙申	丁酉	庚戌	辛亥	壬子	癸丑	戊寅	己卯	甲辰	乙巳	丙午	丁未	庚申	
대운	男	8	8	9	9	9	10	10	驚	1	1	1	1	2	2	2	3	3	3	4	4	4	5	5	5	6	6	6	7	7	7	
	女	2	2	2	1	1	1	1	蟄	10	10	9	9	9	8	8	8	7	7	7	6	6	6	5	5	5	4	4	4	3	3	

10月 (1일 四綠 +) **丙辰 (四綠)** 절기: 淸明(9일 06:44) 穀雨(24일 09:35)

양력		1	2	3	4	5	6	7	8	9	10	11	12	13	14	15	16	17	18	19	20	21	22	23	24	25	26	27	28	29	30	31
요일		水	木	金	土	日	月	火	水	木	金	土	日	月	火	水	木	金	土	日	月	火	水	木	金	土	日	月	火	水	木	金
음력	월	2	3	4	5	6	7	8	9	10	11	12	13	14	15	16	17	18	19	20	21	22	23	24	25	26	27	28	29	十	2	3
일진		辛酉	壬戌	癸亥	戊子	己丑	甲寅	乙卯	丙辰	丁巳	庚午	辛未	壬申	癸酉	戊戌	己亥	甲子	乙丑	丙寅	丁卯	庚辰	辛巳	壬午	癸未	戊申	己酉	甲戌	乙亥	丙子	丁丑	庚寅	辛卯
대운	男	8	8	8	9	9	9	10	10	清	1	1	1	1	2	2	2	3	3	3	4	4	4	5	5	5	6	6	6	7	7	7
	女	3	2	2	2	1	1	1	1	明	10	9	9	9	8	8	8	7	7	7	6	6	6	5	5	5	4	4	4	3	3	3

11月 (1일 八白 +) **丁巳 (五黃)** 절기: 立夏(8일 09:18) 小滿 (23일 06:35)

양력		1	2	3	4	5	6	7	8	9	10	11	12	13	14	15	16	17	18	19	20	21	22	23	24	25	26	27	28	29	30	
요일		土	日	月	火	水	木	金	土	日	月	火	水	木	金	土	日	月	火	水	木	金	土	日	月	火	水	木	金	土	日	
음력	월	4	5	6	7	8	9	10	11	12	13	14	15	16	17	18	19	20	21	22	23	24	25	26	27	28	29	30	十一	2	3	
일진		壬辰	癸巳	戊午	己未	甲申	乙酉	丙戌	丁亥	庚子	辛丑	壬寅	癸卯	戊辰	己巳	甲午	乙未	丙申	丁酉	庚戌	辛亥	壬子	癸丑	戊寅	己卯	甲辰	乙巳	丙午	丁未	庚申	辛酉	
대운	男	8	8	8	9	9	9	10	立	1	1	1	1	2	2	2	3	3	3	4	4	4	5	5	5	6	6	6	7	7	7	
	女	2	2	2	1	1	1	1	夏	10	9	9	9	8	8	8	7	7	7	6	6	6	5	5	5	4	4	4	3	3	3	

12月 (1일 二黑 + 9일 九紫 -) **庚午 (六白)** 절기: 芒種(8일 01:41) 夏至(22일 19:35)

양력		1	2	3	4	5	6	7	8	9	10	11	12	13	14	15	16	17	18	19	20	21	22	23	24	25	26	27	28	29	30	31
요일		月	火	水	木	金	土	日	月	火	水	木	金	土	日	月	火	水	木	金	土	日	月	火	水	木	金	土	日	月	火	水
음력	월	4	5	6	7	8	9	10	11	12	13	14	15	16	17	18	19	20	21	22	23	24	25	26	27	28	29	十二	2	3	4	5
일진		壬戌	癸亥	戊子	己丑	甲寅	乙卯	丙辰	丁巳	庚午	辛未	壬申	癸酉	戊戌	己亥	甲子	乙丑	丙寅	丁卯	庚辰	辛巳	壬午	癸未	戊申	己酉	甲戌	乙亥	丙子	丁丑	庚寅	辛卯	壬辰
대운	男	8	8	8	9	9	9	10	芒	1	1	1	1	2	2	2	3	3	3	4	4	4	5	5	5	6	6	6	7	7	7	8
	女	2	2	2	1	1	1	1	種	9	9	9	8	8	8	7	7	7	6	6	6	5	5	5	4	4	4	3	3	3	2	2

서기1914년

庚申年 (五黃土星) 閏五月

1月 (1일 四綠 -) **辛未 (七赤)** 절기: 小暑 (6일 12:43) 大暑 (21일 06:12)

양력		1	2	3	4	5	6	7	8	9	10	11	12	13	14	15	16	17	18	19	20	21	22	23	24	25	26	27	28	29	30	31
요일		木	金	土	日	月	火	水	木	金	土	日	月	火	水	木	金	土	日	月	火	水	木	金	土	日	月	火	水	木	金	土
음력	월	6	7	8	9	10	11	12	13	14	15	16	17	18	19	20	21	22	23	24	25	26	27	28	29	30	十二	2	3	4	5	6
일진		癸巳	戊午	己未	甲申	乙酉	丙戌	丁亥	庚子	辛丑	壬寅	癸卯	戊辰	己巳	甲午	乙未	丙申	丁酉	庚戌	辛亥	壬子	癸丑	戊寅	己卯	甲辰	乙巳	丙午	丁未	庚申	辛酉	壬戌	癸亥
대운	男	8	8	9	9	9	小	1	1	1	1	2	2	2	3	3	3	4	4	4	5	5	5	6	6	6	7	7	7	8	8	8
	女	2	1	1	1	1	暑	10	9	9	9	8	8	8	7	7	7	6	6	6	5	5	5	4	4	4	3	3	3	2	2	2

2月 (1일 九紫 -) **壬申 (八白)** 절기: 立秋 (5일 00:29) 處暑 (19일 20:38)

양력		1	2	3	4	5	6	7	8	9	10	11	12	13	14	15	16	17	18	19	20	21	22	23	24	25	26	27	28			
요일		日	月	火	水	木	金	土	日	月	火	水	木	金	土	日	月	火	水	木	金	土	日	月	火	水	木	金	土			
음력	월	7	8	9	10	11	12	13	14	15	16	17	18	19	20	21	22	23	24	25	26	27	28	29	30	一	2	3	4			
일진		戊子	己丑	甲寅	乙卯	丙辰	丁巳	庚午	辛未	壬申	癸酉	戊戌	己亥	甲子	乙丑	丙寅	丁卯	庚辰	辛巳	壬午	癸未	戊申	己酉	甲戌	乙亥	丙子	丁丑	庚寅	辛卯			
대운	男	9	9	9	10	立	9	9	9	8	8	8	7	7	7	6	6	6	5	5	5	4	4	4	3	3	3	2	2			
	女	1	1	1	1	秋	1	1	1	1	2	2	2	3	3	3	4	4	4	5	5	5	6	6	6	7	7	7	8			

3月 (1일 八白 -) **癸酉 (九紫)** 절기: 白露 (6일 18:56) 秋分 (21일 20:11)

양력		1	2	3	4	5	6	7	8	9	10	11	12	13	14	15	16	17	18	19	20	21	22	23	24	25	26	27	28	29	30	31
요일		日	月	火	水	木	金	土	日	月	火	水	木	金	土	日	月	火	水	木	金	土	日	月	火	水	木	金	土	日	月	火
음력	월	5	6	7	8	9	10	11	12	13	14	15	16	17	18	19	20	21	22	23	24	25	26	27	28	29	30	二	2	3	4	5
일진		壬辰	癸巳	戊午	己未	甲申	乙酉	丙戌	丁亥	庚子	辛丑	壬寅	癸卯	戊辰	己巳	甲午	乙未	丙申	丁酉	庚戌	辛亥	壬子	癸丑	戊寅	己卯	甲辰	乙巳	丙午	丁未	庚申	辛酉	壬戌
대운	男	2	1	1	1	1	白	10	10	9	9	9	8	8	8	7	7	7	6	6	6	5	5	5	4	4	4	3	3	3	2	2
	女	8	8	9	9	9	露	1	1	1	1	2	2	2	3	3	3	4	4	4	5	5	5	6	6	6	7	7	7	8	8	8

4月 (1일 四綠 -) **戊戌 (一白)** 절기: 寒露 (6일 00:22) 霜降 (21일 07:53)

양력		1	2	3	4	5	6	7	8	9	10	11	12	13	14	15	16	17	18	19	20	21	22	23	24	25	26	27	28	29	30	
요일		水	木	金	土	日	月	火	水	木	金	土	日	月	火	水	木	金	土	日	月	火	水	木	金	土	日	月	火	水	木	
음력	월	6	7	8	9	10	11	12	13	14	15	16	17	18	19	20	21	22	23	24	25	26	27	28	29	三	2	3	4	5	6	
일진		癸亥	戊子	己丑	甲寅	乙卯	丙辰	丁巳	庚午	辛未	壬申	癸酉	戊戌	己亥	甲子	乙丑	丙寅	丁卯	庚辰	辛巳	壬午	癸未	戊申	己酉	甲戌	乙亥	丙子	丁丑	庚寅	辛卯	壬辰	
대운	男	2	1	1	1	1	寒	10	9	9	9	8	8	8	7	7	7	6	6	6	5	5	5	4	4	4	3	3	3	2	2	
	女	9	9	9	10	10	露	1	1	1	1	2	2	2	3	3	3	4	4	4	5	5	5	6	6	6	7	7	7	8	8	

5月 (1일 一白 -) **己亥 (二黑)** 절기: 立冬 (6일 18:20) 小雪 (22일 07:38)

양력		1	2	3	4	5	6	7	8	9	10	11	12	13	14	15	16	17	18	19	20	21	22	23	24	25	26	27	28	29	30	31
요일		金	土	日	月	火	水	木	金	土	日	月	火	水	木	金	土	日	月	火	水	木	金	土	日	月	火	水	木	金	土	日
음력	월	7	8	9	10	11	12	13	14	15	16	17	18	19	20	21	22	23	24	25	26	27	28	29	30	四	2	3	4	5	6	7
일진		癸巳	戊午	己未	甲申	乙酉	丙戌	丁亥	庚子	辛丑	壬寅	癸卯	戊辰	己巳	甲午	乙未	丙申	丁酉	庚戌	辛亥	壬子	癸丑	戊寅	己卯	甲辰	乙巳	丙午	丁未	庚申	辛酉	壬戌	癸亥
대운	男	2	1	1	1	1	立	10	10	9	9	9	8	8	8	7	7	7	6	6	6	5	5	5	4	4	4	3	3	3	2	2
	女	8	9	9	9	10	冬	1	1	1	1	2	2	2	3	3	3	4	4	4	5	5	5	6	6	6	7	7	7	8	8	8

6月 (1일 六白 - 7일 一白 +) **甲子 (三碧)** 절기: 大雪 (6일 23:00) 冬至 (22일 15:55)

양력		1	2	3	4	5	6	7	8	9	10	11	12	13	14	15	16	17	18	19	20	21	22	23	24	25	26	27	28	29	30	
요일		月	火	水	木	金	土	日	月	火	水	木	金	土	日	月	火	水	木	金	土	日	月	火	水	木	金	土	日	月	火	
음력	월	8	9	10	11	12	13	14	15	16	17	18	19	20	21	22	23	24	25	26	27	28	29	30	閏五		3	4	5	6	7	
일진		戊子	己丑	甲寅	乙卯	丙辰	丁巳	庚午	辛未	壬申	癸酉	戊戌	己亥	甲子	乙丑	丙寅	丁卯	庚辰	辛巳	壬午	癸未	戊申	己酉	甲戌	乙亥	丙子	丁丑	庚寅	辛卯	壬辰	癸巳	
대운	男	2	1	1	1	1	大	10	10	10	9	9	9	8	8	8	7	7	7	6	6	6	5	5	5	4	4	4	3	3	3	
	女	9	9	9	10	10	雪	1	1	1	1	2	2	2	3	3	3	4	4	4	5	5	5	6	6	6	7	7	7	8	8	

7月 (1일 七赤 +) **乙丑 (四綠)** 절기: 小寒(8일 09:27) 大寒(24일 02:47)

양력	1	2	3	4	5	6	7	8	9	10	11	12	13	14	15	16	17	18	19	20	21	22	23	24	25	26	27	28	29	30	31
요일	水	木	金	土	日	月	火	水	木	金	土	日	月	火	水	木	金	土	日	月	火	水	木	金	土	日	月	火	水	木	金
음력 월	8	9	10	11	12	13	14	15	16	17	18	19	20	21	22	23	24	25	26	27	28	29	六	2	3	4	5	6	7	8	9
일진	戊午	己未	甲申	乙酉	丙戌	丁亥	庚子	辛丑	壬寅	癸卯	戊辰	己巳	甲午	乙未	丙申	丁酉	庚戌	辛亥	壬子	癸丑	戊寅	己卯	甲辰	乙巳	丙午	丁未	庚申	辛酉	壬戌	癸亥	戊子
대운 男	2	2	2	1	1	1	1	小	10	10	9	9	9	8	8	8	7	7	7	6	6	6	5	5	5	4	4	4	3	3	3
대운 女	8	9	9	9	10	10	10	寒	1	1	1	1	2	2	2	3	3	3	4	4	4	5	5	5	6	6	6	7	7	7	8

8月 (1일 二黑 +) **丙寅 (五黃)** 절기: 立春(8일 19:05) 雨水(24일 09:30)

양력	1	2	3	4	5	6	7	8	9	10	11	12	13	14	15	16	17	18	19	20	21	22	23	24	25	26	27	28	29	30	31
요일	土	日	月	火	水	木	金	土	日	月	火	水	木	金	土	日	月	火	水	木	金	土	日	月	火	水	木	金	土	日	月
음력 월	10	11	12	13	14	15	16	17	18	19	20	21	22	23	24	25	26	27	28	29	七	2	3	4	5	6	7	8	9	10	11
일진	己丑	甲寅	乙卯	丙辰	丁巳	庚午	辛未	壬申	癸酉	戊戌	己亥	甲子	乙丑	丙寅	丁卯	庚辰	辛巳	壬午	癸未	戊申	己酉	甲戌	乙亥	丙子	丁丑	庚寅	辛卯	壬辰	癸巳	戊午	己未
대운 男	2	2	2	1	1	1	1	立	10	10	9	9	9	8	8	8	7	7	7	6	6	6	5	5	5	4	4	4	3	3	3
대운 女	8	8	9	9	9	10	10	春	1	1	1	1	2	2	2	3	3	3	4	4	4	5	5	5	6	6	6	7	7	7	8

9月 (1일 六白 +) **丁卯 (六白)** 절기: 驚蟄(8일 21:33) 春分 (24일 06:34)

양력	1	2	3	4	5	6	7	8	9	10	11	12	13	14	15	16	17	18	19	20	21	22	23	24	25	26	27	28	29	30	
요일	火	水	木	金	土	日	月	火	水	木	金	土	日	月	火	水	木	金	土	日	月	火	水	木	金	土	日	月	火	水	
음력 월	12	13	14	15	16	17	18	19	20	21	22	23	24	25	26	27	28	29	30	八	2	3	4	5	6	7	8	9	10	11	
일진	甲申	乙酉	丙戌	丁亥	庚子	辛丑	壬寅	癸卯	戊辰	己巳	甲午	乙未	丙申	丁酉	庚戌	辛亥	壬子	癸丑	戊寅	己卯	甲辰	乙巳	丙午	丁未	庚申	辛酉	壬戌	癸亥	戊子	己丑	
대운 男	2	2	2	1	1	1	1	驚	10	10	9	9	9	8	8	8	7	7	7	6	6	6	5	5	5	4	4	4	3	3	
대운 女	8	8	9	9	9	10	10	蟄	1	1	1	1	2	2	2	3	3	3	4	4	4	5	5	5	6	6	6	7	7	7	

10月 (1일 九紫 +) **庚辰 (七赤)** 절기: 清明(9일 12:35) 穀雨(24일 15:17)

양력	1	2	3	4	5	6	7	8	9	10	11	12	13	14	15	16	17	18	19	20	21	22	23	24	25	26	27	28	29	30	31
요일	木	金	土	日	月	火	水	木	金	土	日	月	火	水	木	金	土	日	月	火	水	木	金	土	日	月	火	水	木	金	土
음력 월	12	13	14	15	16	17	18	19	20	21	22	23	24	25	26	27	28	29	九	2	3	4	5	6	7	8	9	10	11	12	13
일진	甲寅	乙卯	丙辰	丁巳	庚午	辛未	壬申	癸酉	戊戌	己亥	甲子	乙丑	丙寅	丁卯	庚辰	辛巳	壬午	癸未	戊申	己酉	甲戌	乙亥	丙子	丁丑	庚寅	辛卯	壬辰	癸巳	戊午	己未	甲申
대운 男	3	2	2	2	1	1	1	1	清	10	9	9	9	8	8	8	7	7	7	6	6	6	5	5	5	4	4	4	3	3	3
대운 女	8	8	8	9	9	9	10	10	明	1	1	1	1	2	2	2	3	3	3	4	4	4	5	5	5	6	6	6	7	7	7

11月 (1일 四綠 +) **辛巳 (八白)** 절기: 立夏(8일 15:11) 小滿 (23일 12:20)

양력	1	2	3	4	5	6	7	8	9	10	11	12	13	14	15	16	17	18	19	20	21	22	23	24	25	26	27	28	29	30	
요일	日	月	火	水	木	金	土	日	月	火	水	木	金	土	日	月	火	水	木	金	土	日	月	火	水	木	金	土	日	月	
음력 월	14	15	16	17	18	19	20	21	22	23	24	25	26	27	28	29	30	十	2	3	4	5	6	7	8	9	10	11	12	13	
일진	乙酉	丙戌	丁亥	庚子	辛丑	壬寅	癸卯	戊辰	己巳	甲午	乙未	丙申	丁酉	庚戌	辛亥	壬子	癸丑	戊寅	己卯	甲辰	乙巳	丙午	丁未	庚申	辛酉	壬戌	癸亥	戊子	己丑	甲寅	
대운 男	2	2	2	1	1	1	1	立	10	9	9	9	8	8	8	7	7	7	6	6	6	5	5	5	4	4	4	3	3	3	
대운 女	8	8	8	9	9	9	10	夏	1	1	1	1	2	2	2	3	3	3	4	4	4	5	5	5	6	6	6	7	7	7	

12月 (1일 七赤 + 4일 九紫 -) **壬午 (九紫)** 절기: 芒種(8일 07:37) 夏至(23일 01:22)

양력	1	2	3	4	5	6	7	8	9	10	11	12	13	14	15	16	17	18	19	20	21	22	23	24	25	26	27	28	29	30	31
요일	火	水	木	金	土	日	月	火	水	木	金	土	日	月	火	水	木	金	土	日	月	火	水	木	金	土	日	月	火	水	木
음력 월	14	15	16	17	18	19	20	21	22	23	24	25	26	27	28	29	十一	2	3	4	5	6	7	8	9	10	11	12	13	14	15
일진	乙卯	丙辰	丁巳	庚午	辛未	壬申	癸酉	戊戌	己亥	甲子	乙丑	丙寅	丁卯	庚辰	辛巳	壬午	癸未	戊申	己酉	甲戌	乙亥	丙子	丁丑	庚寅	辛卯	壬辰	癸巳	戊午	己未	甲申	乙酉
대운 男	2	2	2	1	1	1	1	芒	9	9	9	8	8	8	7	7	7	6	6	6	5	5	5	4	4	4	3	3	3	2	2
대운 女	8	8	8	9	9	9	10	種	1	1	1	1	2	2	2	3	3	3	4	4	4	5	5	5	6	6	6	7	7	7	8

서기1915년

辛酉年 (六白金星)

1月 (1일 八白 -) **癸未 (一白)** 절기: 小暑 (6일 18:40) 大暑 (21일 12:00)

양력		1	2	3	4	5	6	7	8	9	10	11	12	13	14	15	16	17	18	19	20	21	22	23	24	25	26	27	28	29	30	31
요일		金	土	日	月	火	水	木	金	土	日	月	火	水	木	金	土	日	月	火	水	木	金	土	日	月	火	水	木	金	土	日
음력	월	16	17	18	19	20	21	22	23	24	25	26	27	28	29	十二	2	3	4	5	6	7	8	9	10	11	12	13	14	15	16	17
일진		丙戌	丁亥	庚子	辛丑	壬寅	癸卯	戊辰	己巳	甲午	乙未	丙申	丁酉	庚戌	辛亥	壬子	癸丑	戊寅	己卯	甲辰	乙巳	丙午	丁未	庚申	辛酉	壬戌	癸亥	戊子	己丑	甲寅	乙卯	丙辰
대운	男	2	1	1	1	1	小	10	9	9	9	8	8	8	7	7	7	6	6	6	5	5	5	4	4	4	3	3	3	2	2	2
	女	8	8	9	9	9	暑	1	1	1	1	2	2	2	3	3	3	4	4	4	5	5	5	6	6	6	7	7	7	8	8	8

2月 (1일 四綠 -) **戊申 (二黑)** 절기: 立秋 (5일 06:25) 處暑 (20일 02:23)

양력		1	2	3	4	5	6	7	8	9	10	11	12	13	14	15	16	17	18	19	20	21	22	23	24	25	26	27	28			
요일		月	火	水	木	金	土	日	月	火	水	木	金	土	日	月	火	水	木	金	土	日	月	火	水	木	金	土	日			
음력	월	18	19	20	21	22	23	24	25	26	27	28	29	30	一	2	3	4	5	6	7	8	9	10	11	12	13	14	15			
일진		丁巳	庚午	辛未	壬申	癸酉	戊戌	己亥	甲子	乙丑	丙寅	丁卯	庚辰	辛巳	壬午	癸未	戊申	己酉	甲戌	乙亥	丙子	丁丑	庚寅	辛卯	壬辰	癸巳	戊午	己未	甲申			
대운	男	1	1	1	1	立	1	1	1	1	2	2	2	3	3	3	4	4	4	5	5	5	6	6	6	7	7	7	8			
	女	9	9	9	10	秋	10	9	9	9	8	8	8	7	7	7	6	6	6	5	5	5	4	4	4	3	3	3	2			

3月 (1일 三碧 -) **己酉 (三碧)** 절기: 白露 (7일 00:48) 秋分 (22일 01:51)

양력		1	2	3	4	5	6	7	8	9	10	11	12	13	14	15	16	17	18	19	20	21	22	23	24	25	26	27	28	29	30	31
요일		月	火	水	木	金	土	日	月	火	水	木	金	土	日	月	火	水	木	金	土	日	月	火	水	木	金	土	日	月	火	水
음력	월	16	17	18	19	20	21	22	23	24	25	26	27	28	29	30	二	2	3	4	5	6	7	8	9	10	11	12	13	14	15	16
일진		乙酉	丙戌	丁亥	庚子	辛丑	壬寅	癸卯	戊辰	己巳	甲午	乙未	丙申	丁酉	庚戌	辛亥	壬子	癸丑	戊寅	己卯	甲辰	乙巳	丙午	丁未	庚申	辛酉	壬戌	癸亥	戊子	己丑	甲寅	乙卯
대운	男	8	8	9	9	9	10	白	1	1	1	1	2	2	2	3	3	3	4	4	4	5	5	5	6	6	6	7	7	7	8	8
	女	2	2	1	1	1	1	露	10	9	9	9	8	8	8	7	7	7	6	6	6	5	5	5	4	4	4	3	3	3	2	2

4月 (1일 八白 -) **甲戌 (四綠)** 절기: 寒露 (6일 06:09) 霜降 (21일 13:29)

양력		1	2	3	4	5	6	7	8	9	10	11	12	13	14	15	16	17	18	19	20	21	22	23	24	25	26	27	28	29	30	
요일		木	金	土	日	月	火	水	木	金	土	日	月	火	水	木	金	土	日	月	火	水	木	金	土	日	月	火	水	木	金	
음력	월	17	18	19	20	21	22	23	24	25	26	27	28	29	三	2	3	4	5	6	7	8	9	10	11	12	13	14	15	16	17	
일진		丙辰	丁巳	庚午	辛未	壬申	癸酉	戊戌	己亥	甲子	乙丑	丙寅	丁卯	庚辰	辛巳	壬午	癸未	戊申	己酉	甲戌	乙亥	丙子	丁丑	庚寅	辛卯	壬辰	癸巳	戊午	己未	甲申	乙酉	
대운	男	8	9	9	9	10	寒	1	1	1	2	2	2	3	3	3	4	4	4	5	5	5	6	6	6	7	7	7	8	8	8	
	女	2	1	1	1	1	露	10	10	9	9	9	8	8	8	7	7	7	6	6	6	5	5	5	4	4	4	3	3	3	2	

5月 (1일 五黃 -) **乙亥 (五黃)** 절기: 立冬 (7일 00:03) 小雪 (22일 13:10)

양력		1	2	3	4	5	6	7	8	9	10	11	12	13	14	15	16	17	18	19	20	21	22	23	24	25	26	27	28	29	30	31
요일		土	日	月	火	水	木	金	土	日	月	火	水	木	金	土	日	月	火	水	木	金	土	日	月	火	水	木	金	土	日	月
음력	월	18	19	20	21	22	23	24	25	26	27	28	29	30	四	2	3	4	5	6	7	8	9	10	11	12	13	14	15	16	17	18
일진		丙戌	丁亥	庚子	辛丑	壬寅	癸卯	戊辰	己巳	甲午	乙未	丙申	丁酉	庚戌	辛亥	壬子	癸丑	戊寅	己卯	甲辰	乙巳	丙午	丁未	庚申	辛酉	壬戌	癸亥	戊子	己丑	甲寅	乙卯	丙辰
대운	男	8	9	9	9	10	10	立	1	1	1	1	2	2	2	3	3	3	4	4	4	5	5	5	6	6	6	7	7	7	8	8
	女	2	2	1	1	1	1	冬	10	10	9	9	9	8	8	8	7	7	7	6	6	6	5	5	5	4	4	4	3	3	3	2

6月 (1일 一白 - 2일 一白 +) **丙子 (六白)** 절기: 大雪 (7일 04:40) 冬至 (22일 21:29)

양력		1	2	3	4	5	6	7	8	9	10	11	12	13	14	15	16	17	18	19	20	21	22	23	24	25	26	27	28	29	30	
요일		火	水	木	金	土	日	月	火	水	木	金	土	日	月	火	水	木	金	土	日	月	火	水	木	金	土	日	月	火	水	
음력	월	19	20	21	22	23	24	25	26	27	28	29	30	五	2	3	4	5	6	7	8	9	10	11	12	13	14	15	16	17	18	
일진		丁巳	庚午	辛未	壬申	癸酉	戊戌	己亥	甲子	乙丑	丙寅	丁卯	庚辰	辛巳	壬午	癸未	戊申	己酉	甲戌	乙亥	丙子	丁丑	庚寅	辛卯	壬辰	癸巳	戊午	己未	甲申	乙酉	丙戌	
대운	男	8	9	9	9	10	10	大	1	1	1	1	2	2	2	3	3	3	4	4	4	5	5	5	6	6	6	7	7	7	8	
	女	2	2	1	1	1	1	雪	10	10	9	9	9	8	8	8	7	7	7	6	6	6	5	5	5	4	4	4	3	3	3	

7月 (1일 三碧 +) **丁丑 (七赤)** 절기: 小寒(8일 15:08) 大寒(24일 08:26)

양력		1	2	3	4	5	6	7	8	9	10	11	12	13	14	15	16	17	18	19	20	21	22	23	24	25	26	27	28	29	30	31
요일		木	金	土	日	月	火	水	木	金	土	日	月	火	水	木	金	土	日	月	火	水	木	金	土	日	月	火	水	木	金	土
음력	월	19	20	21	22	23	24	25	26	27	28	29	六	2	3	4	5	6	7	8	9	10	11	12	13	14	15	16	17	18	19	20
일진		丁亥	庚子	辛丑	壬寅	癸卯	戊辰	己巳	甲午	乙未	丙申	丁酉	庚戌	辛亥	壬子	癸丑	戊寅	己卯	甲辰	乙巳	丙午	丁未	庚申	辛酉	壬戌	癸亥	戊子	己丑	甲寅	乙卯	丙辰	丁巳
대운	男	8	8	9	9	9	10	10	小	1	1	1	1	2	2	2	3	3	3	4	4	4	5	5	5	6	6	6	7	7	7	8
	女	2	2	2	1	1	1	1	寒	10	10	10	9	9	9	8	8	8	7	7	7	6	6	6	5	5	5	4	4	4	3	3

8月 (1일 七赤 +) **庚寅 (八白)** 절기: 立春(9일 00:48) 雨水(24일 15:15)

양력		1	2	3	4	5	6	7	8	9	10	11	12	13	14	15	16	17	18	19	20	21	22	23	24	25	26	27	28	29	30	31
요일		日	月	火	水	木	金	土	日	月	火	水	木	金	土	日	月	火	水	木	金	土	日	月	火	水	木	金	土	日	月	火
음력	월	21	22	23	24	25	26	27	28	29	30	七	2	3	4	5	6	7	8	9	10	11	12	13	14	15	16	17	18	19	20	21
일진		庚午	辛未	壬申	癸酉	戊戌	己亥	甲子	乙丑	丙寅	丁卯	庚辰	辛巳	壬午	癸未	戊申	己酉	甲戌	乙亥	丙子	丁丑	庚寅	辛卯	壬辰	癸巳	戊午	己未	甲申	乙酉	丙戌	丁亥	庚子
대운	男	8	8	9	9	9	10	10	10	立	1	1	1	1	2	2	2	3	3	3	4	4	4	5	5	5	6	6	6	7	7	7
	女	3	2	2	2	1	1	1	1	春	10	10	9	9	9	8	8	8	7	7	7	6	6	6	5	5	5	4	4	4	3	3

9月 (1일 二黑 +) **辛卯 (九紫)** 절기: 驚蟄(9일 03:17) 春分 (24일 12:24)

양력		1	2	3	4	5	6	7	8	9	10	11	12	13	14	15	16	17	18	19	20	21	22	23	24	25	26	27	28	29	30	
요일		水	木	金	土	日	月	火	水	木	金	土	日	月	火	水	木	金	土	日	月	火	水	木	金	土	日	月	火	水	木	
음력	월	22	23	24	25	26	27	28	29	八	2	3	4	5	6	7	8	9	10	11	12	13	14	15	16	17	18	19	20	21	22	
일진		辛丑	壬寅	癸卯	戊辰	己巳	甲午	乙未	丙申	丁酉	庚戌	辛亥	壬子	癸丑	戊寅	己卯	甲辰	乙巳	丙午	丁未	庚申	辛酉	壬戌	癸亥	戊子	己丑	甲寅	乙卯	丙辰	丁巳	庚午	
대운	男	8	8	8	9	9	9	10	10	驚	1	1	1	1	2	2	2	3	3	3	4	4	4	5	5	5	6	6	6	7	7	
	女	3	2	2	2	1	1	1	1	蟄	10	9	9	9	8	8	8	7	7	7	6	6	6	5	5	5	4	4	4	3	3	

10月 (1일 五黃 +) **壬辰 (一白)** 절기: 清明(9일 18:21) 穀雨(24일 21:10)

양력		1	2	3	4	5	6	7	8	9	10	11	12	13	14	15	16	17	18	19	20	21	22	23	24	25	26	27	28	29	30	31
요일		金	土	日	月	火	水	木	金	土	日	月	火	水	木	金	土	日	月	火	水	木	金	土	日	月	火	水	木	金	土	日
음력	월	23	24	25	26	27	28	29	30	九	2	3	4	5	6	7	8	9	10	11	12	13	14	15	16	17	18	19	20	21	22	23
일진		辛未	壬申	癸酉	戊戌	己亥	甲子	乙丑	丙寅	丁卯	庚辰	辛巳	壬午	癸未	戊申	己酉	甲戌	乙亥	丙子	丁丑	庚寅	辛卯	壬辰	癸巳	戊午	己未	甲申	乙酉	丙戌	丁亥	庚子	辛丑
대운	男	7	8	8	8	9	9	9	10	清	1	1	1	1	2	2	2	3	3	3	4	4	4	5	5	5	6	6	6	7	7	7
	女	3	2	2	2	1	1	1	1	明	10	9	9	9	8	8	8	7	7	7	6	6	6	5	5	5	4	4	4	3	3	3

11月 (1일 九紫 + 29일 九紫 -) **癸巳 (二黑)** 절기: 立夏(8일 20:58) 小滿 (23일 18:14)

양력		1	2	3	4	5	6	7	8	9	10	11	12	13	14	15	16	17	18	19	20	21	22	23	24	25	26	27	28	29	30	
요일		月	火	水	木	金	土	日	月	火	水	木	金	土	日	月	火	水	木	金	土	日	月	火	水	木	金	土	日	月	火	
음력	월	24	25	26	27	28	29	十	2	3	4	5	6	7	8	9	10	11	12	13	14	15	16	17	18	19	20	21	22	23	24	
일진		壬寅	癸卯	戊辰	己巳	甲午	乙未	丙申	丁酉	庚戌	辛亥	壬子	癸丑	戊寅	己卯	甲辰	乙巳	丙午	丁未	庚申	辛酉	壬戌	癸亥	戊子	己丑	甲寅	乙卯	丙辰	丁巳	庚午	辛未	
대운	男	8	8	8	9	9	9	10	立	1	1	1	1	2	2	2	3	3	3	4	4	4	5	5	5	6	6	6	7	7	7	
	女	2	2	2	1	1	1	1	夏	10	9	9	9	8	8	8	7	7	7	6	6	6	5	5	5	4	4	4	3	3	3	

12月 (1일 七赤 -) **戊午 (三碧)** 절기: 芒種(8일 13:24) 夏至(23일 07:16)

양력		1	2	3	4	5	6	7	8	9	10	11	12	13	14	15	16	17	18	19	20	21	22	23	24	25	26	27	28	29	30	31
요일		水	木	金	土	日	月	火	水	木	金	土	日	月	火	水	木	金	土	日	月	火	水	木	金	土	日	月	火	水	木	金
음력	월	25	26	27	28	29	30	十一	2	3	4	5	6	7	8	9	10	11	12	13	14	15	16	17	18	19	20	21	22	23	24	25
일진		壬申	癸酉	戊戌	己亥	甲子	乙丑	丙寅	丁卯	庚辰	辛巳	壬午	癸未	戊申	己酉	甲戌	乙亥	丙子	丁丑	庚寅	辛卯	壬辰	癸巳	戊午	己未	甲申	乙酉	丙戌	丁亥	庚子	辛丑	壬寅
대운	男	8	8	8	9	9	9	10	芒	1	1	1	1	2	2	2	3	3	3	4	4	4	5	5	5	6	6	6	7	7	7	8
	女	2	2	2	1	1	1	1	種	10	9	9	9	8	8	8	7	7	7	6	6	6	5	5	5	4	4	4	3	3	3	2

壬戌年 (七赤金星)

1月 (1일 三碧 -) 己未 (四綠) 절기: 小暑 (7일 00:28) 大暑 (21일 17:54)

양력		1	2	3	4	5	6	7	8	9	10	11	12	13	14	15	16	17	18	19	20	21	22	23	24	25	26	27	28	29	30	31
요일		土	日	月	火	水	木	金	土	日	月	火	水	木	金	土	日	月	火	水	木	金	土	日	月	火	水	木	金	土	日	月
음력	월	26	27	28	29	十二	2	3	4	5	6	7	8	9	10	11	12	13	14	15	16	17	18	19	20	21	22	23	24	25	26	27
일진		癸卯	戊辰	己巳	甲午	乙未	丙申	丁酉	庚戌	辛亥	壬子	癸丑	戊寅	己卯	甲辰	乙巳	丙午	丁未	庚申	辛酉	壬戌	癸亥	戊子	己丑	甲寅	乙卯	丙辰	丁巳	庚午	辛未	壬申	癸酉
대운	男	8	8	9	9	9	10	小	1	1	1	1	2	2	2	3	3	3	4	4	4	5	5	5	6	6	6	7	7	7	8	8
	女	2	2	1	1	1	1	暑	9	9	9	8	8	8	7	7	7	6	6	6	5	5	5	4	4	4	3	3	3	2	2	2

2月 閏 (1일 八白 -) 甲申 (五黃) 절기: 立秋 (5일 12:14) 處暑 (20일 08:18)

양력		1	2	3	4	5	6	7	8	9	10	11	12	13	14	15	16	17	18	19	20	21	22	23	24	25	26	27	28	29		
요일		火	水	木	金	土	日	月	火	水	木	金	土	日	月	火	水	木	金	土	日	月	火	水	木	金	土	日	月	火		
음력	월	28	29	30	一	2	3	4	5	6	7	8	9	10	11	12	13	14	15	16	17	18	19	20	21	22	23	24	25	26		
일진		戊戌	己亥	甲子	乙丑	丙寅	丁卯	庚辰	辛巳	壬午	癸未	戊申	己酉	甲戌	乙亥	丙子	丁丑	庚寅	辛卯	壬辰	癸巳	戊午	己未	甲申	乙酉	丙戌	丁亥	庚子	辛丑	壬寅		
대운	男	8	9	9	9	立	10	9	9	9	8	8	8	7	7	7	6	6	6	5	5	5	4	4	4	3	3	3	2	2		
	女	1	1	1	1	秋	1	1	1	1	2	2	2	3	3	3	4	4	4	5	5	5	6	6	6	7	7	7	8	8		

3月 (1일 六白 -) 乙酉 (六白) 절기: 白露 (6일 06:37) 秋分 (21일 07:47)

양력		1	2	3	4	5	6	7	8	9	10	11	12	13	14	15	16	17	18	19	20	21	22	23	24	25	26	27	28	29	30	31
요일		水	木	金	土	日	月	火	水	木	金	土	日	月	火	水	木	金	土	日	月	火	水	木	金	土	日	月	火	水	木	金
음력	월	27	28	29	二	2	3	4	5	6	7	8	9	10	11	12	13	14	15	16	17	18	19	20	21	22	23	24	25	26	27	28
일진		癸卯	戊辰	己巳	甲午	乙未	丙申	丁酉	庚戌	辛亥	壬子	癸丑	戊寅	己卯	甲辰	乙巳	丙午	丁未	庚申	辛酉	壬戌	癸亥	戊子	己丑	甲寅	乙卯	丙辰	丁巳	庚午	辛未	壬申	癸酉
대운	男	2	1	1	1	1	白	10	9	9	9	8	8	8	7	7	7	6	6	6	5	5	5	4	4	4	3	3	3	2	2	2
	女	8	9	9	9	10	露	1	1	1	1	2	2	2	3	3	3	4	4	4	5	5	5	6	6	6	7	7	7	8	8	8

4月 (1일 二黑 -) 丙戌 (七赤) 절기: 寒露 (5일 11:58) 霜降 (20일 19:25)

양력		1	2	3	4	5	6	7	8	9	10	11	12	13	14	15	16	17	18	19	20	21	22	23	24	25	26	27	28	29	30	
요일		土	日	月	火	水	木	金	土	日	月	火	水	木	金	土	日	月	火	水	木	金	土	日	月	火	水	木	金	土	日	
음력	월	29	30	三	2	3	4	5	6	7	8	9	10	11	12	13	14	15	16	17	18	19	20	21	22	23	24	25	26	27	28	
일진		戊戌	己亥	甲子	乙丑	丙寅	丁卯	庚辰	辛巳	壬午	癸未	戊申	己酉	甲戌	乙亥	丙子	丁丑	庚寅	辛卯	壬辰	癸巳	戊午	己未	甲申	乙酉	丙戌	丁亥	庚子	辛丑	壬寅	癸卯	
대운	男	1	1	1	1	寒	10	10	9	9	9	8	8	8	7	7	7	6	6	6	5	5	5	4	4	4	3	3	3	2	2	
	女	9	9	9	10	露	1	1	1	1	2	2	2	3	3	3	4	4	4	5	5	5	6	6	6	7	7	7	8	8	8	

5月 (1일 八白 - 27일 一白 +) 丁亥 (八白) 절기: 立冬 (6일 05:50) 小雪 (21일 19:06)

양력		1	2	3	4	5	6	7	8	9	10	11	12	13	14	15	16	17	18	19	20	21	22	23	24	25	26	27	28	29	30	31
요일		月	火	水	木	金	土	日	月	火	水	木	金	土	日	月	火	水	木	金	土	日	月	火	水	木	金	土	日	月	火	水
음력	월	29	四	2	3	4	5	6	7	8	9	10	11	12	13	14	15	16	17	18	19	20	21	22	23	24	25	26	27	28	29	30
일진		戊辰	己巳	甲午	乙未	丙申	丁酉	庚戌	辛亥	壬子	癸丑	戊寅	己卯	甲辰	乙巳	丙午	丁未	庚申	辛酉	壬戌	癸亥	戊子	己丑	甲寅	乙卯	丙辰	丁巳	庚午	辛未	壬申	癸酉	戊戌
대운	男	2	1	1	1	1	立	10	10	9	9	9	8	8	8	7	7	7	6	6	6	5	5	5	4	4	4	3	3	3	2	2
	女	9	9	9	10	10	冬	1	1	1	1	2	2	2	3	3	3	4	4	4	5	5	5	6	6	6	7	7	7	8	8	8

6月 (1일 六白 +) 庚子 (九紫) 절기: 大雪 (6일 10:26) 冬至 (22일 03:24)

양력		1	2	3	4	5	6	7	8	9	10	11	12	13	14	15	16	17	18	19	20	21	22	23	24	25	26	27	28	29	30	
요일		木	金	土	日	月	火	水	木	金	土	日	月	火	水	木	金	土	日	月	火	水	木	金	土	日	月	火	水	木	金	
음력	월	五	2	3	4	5	6	7	8	9	10	11	12	13	14	15	16	17	18	19	20	21	22	23	24	25	26	27	28	29	六	
일진		己亥	甲子	乙丑	丙寅	丁卯	庚辰	辛巳	壬午	癸未	戊申	己酉	甲戌	乙亥	丙子	丁丑	庚寅	辛卯	壬辰	癸巳	戊午	己未	甲申	乙酉	丙戌	丁亥	庚子	辛丑	壬寅	癸卯	戊辰	
대운	男	2	1	1	1	1	大	10	10	9	9	9	8	8	8	7	7	7	6	6	6	5	5	5	4	4	4	3	3	3	2	
	女	9	9	9	10	10	雪	1	1	1	1	2	2	2	3	3	3	4	4	4	5	5	5	6	6	6	7	7	7	8	8	

7月 (1일 九紫 +) **辛丑 (一白)** 절기: 小寒(7일 20:54) 大寒(23일 14:21)

양력		1	2	3	4	5	6	7	8	9	10	11	12	13	14	15	16	17	18	19	20	21	22	23	24	25	26	27	28	29	30	31
요일		土	日	月	火	水	木	金	土	日	月	火	水	木	金	土	日	月	火	水	木	金	土	日	月	火	水	木	金	土	日	月
음력	월	2	3	4	5	6	7	8	9	10	11	12	13	14	15	16	17	18	19	20	21	22	23	24	25	26	27	28	29	30	七	2
일진		己巳	甲午	乙未	丙申	丁酉	庚戌	辛亥	壬子	癸丑	戊寅	己卯	甲辰	乙巳	丙午	丁未	庚申	辛酉	壬戌	癸亥	戊子	己丑	甲寅	乙卯	丙辰	丁巳	庚午	辛未	壬申	癸酉	戊戌	己亥
대운	男	2	2	1	1	1	1	小	10	10	10	9	9	9	8	8	8	7	7	7	6	6	6	5	5	5	4	4	4	3	3	3
	女	8	9	9	9	10	10	寒	1	1	1	1	2	2	2	3	3	3	4	4	4	5	5	5	6	6	6	7	7	7	8	8

8月 (1일 四綠 +) **壬寅 (二黑)** 절기: 立春(8일 06:35) 雨水(23일 21:09)

양력		1	2	3	4	5	6	7	8	9	10	11	12	13	14	15	16	17	18	19	20	21	22	23	24	25	26	27	28	29	30	31
요일		火	水	木	金	土	日	月	火	水	木	金	土	日	月	火	水	木	金	土	日	月	火	水	木	金	土	日	月	火	水	木
음력	월	3	4	5	6	7	8	9	10	11	12	13	14	15	16	17	18	19	20	21	22	23	24	25	26	27	28	29	30	八	2	3
일진		甲子	乙丑	丙寅	丁卯	庚辰	辛巳	壬午	癸未	戊申	己酉	甲戌	乙亥	丙子	丁丑	庚寅	辛卯	壬辰	癸巳	戊午	己未	甲申	乙酉	丙戌	丁亥	庚子	辛丑	壬寅	癸卯	戊辰	己巳	甲午
대운	男	2	2	2	1	1	1	1	立	10	10	9	9	9	8	8	8	7	7	7	6	6	6	5	5	5	4	4	4	3	3	3
	女	8	9	9	9	10	10	10	春	1	1	1	1	2	2	2	3	3	3	4	4	4	5	5	5	6	6	6	7	7	7	8

9月 (1일 八白 +) **癸卯 (三碧)** 절기: 驚蟄(8일 09:05) 春分 (23일 18:15)

양력		1	2	3	4	5	6	7	8	9	10	11	12	13	14	15	16	17	18	19	20	21	22	23	24	25	26	27	28	29	30	
요일		金	土	日	月	火	水	木	金	土	日	月	火	水	木	金	土	日	月	火	水	木	金	土	日	月	火	水	木	金	土	
음력	월	4	5	6	7	8	9	10	11	12	13	14	15	16	17	18	19	20	21	22	23	24	25	26	27	28	29	九	2	3	4	
일진		乙未	丙申	丁酉	庚戌	辛亥	壬子	癸丑	戊寅	己卯	甲辰	乙巳	丙午	丁未	庚申	辛酉	壬戌	癸亥	戊子	己丑	甲寅	乙卯	丙辰	丁巳	庚午	辛未	壬申	癸酉	戊戌	己亥	甲子	
대운	男	2	2	2	1	1	1	1	驚	10	10	9	9	9	8	8	8	7	7	7	6	6	6	5	5	5	4	4	4	3	3	
	女	8	8	9	9	9	10	10	蟄	1	1	1	1	2	2	2	3	3	3	4	4	4	5	5	5	6	6	6	7	7	7	

10月 (1일 二黑 +) **戊辰 (四綠)** 절기: 清明(9일 00:08) 穀雨(24일 02:57)

양력		1	2	3	4	5	6	7	8	9	10	11	12	13	14	15	16	17	18	19	20	21	22	23	24	25	26	27	28	29	30	31
요일		日	月	火	水	木	金	土	日	月	火	水	木	金	土	日	月	火	水	木	金	土	日	月	火	水	木	金	土	日	月	火
음력	월	5	6	7	8	9	10	11	12	13	14	15	16	17	18	19	20	21	22	23	24	25	26	27	28	29	30	十	2	3	4	5
일진		乙丑	丙寅	丁卯	庚辰	辛巳	壬午	癸未	戊申	己酉	甲戌	乙亥	丙子	丁丑	庚寅	辛卯	壬辰	癸巳	戊午	己未	甲申	乙酉	丙戌	丁亥	庚子	辛丑	壬寅	癸卯	戊辰	己巳	甲午	乙未
대운	男	3	2	2	2	1	1	1	1	清	10	9	9	9	8	8	8	7	7	7	6	6	6	5	5	5	4	4	4	3	3	3
	女	8	8	8	9	9	9	10	10	明	1	1	1	1	2	2	2	3	3	3	4	4	4	5	5	5	6	6	6	7	7	7

11月 (1일 六白 + 23일 一白 +) **己巳 (五黃)** 절기: 立夏(8일 02:42) 小滿 (22일 23:58)

양력		1	2	3	4	5	6	7	8	9	10	11	12	13	14	15	16	17	18	19	20	21	22	23	24	25	26	27	28	29	30	
요일		水	木	金	土	日	月	火	水	木	金	土	日	月	火	水	木	金	土	日	月	火	水	木	金	土	日	月	火	水	木	
음력	월	6	7	8	9	10	11	12	13	14	15	16	17	18	19	20	21	22	23	24	25	26	27	28	29	十一	2	3	4	5	6	
일진		丙申	丁酉	庚戌	辛亥	壬子	癸丑	戊寅	己卯	甲辰	乙巳	丙午	丁未	庚申	辛酉	壬戌	癸亥	戊子	己丑	甲寅	乙卯	丙辰	丁巳	庚午	辛未	壬申	癸酉	戊戌	己亥	甲子	乙丑	
대운	男	2	2	2	1	1	1	1	立	9	9	9	8	8	8	7	7	7	6	6	6	5	5	5	4	4	4	3	3	3	2	
	女	8	8	8	9	9	9	10	夏	1	1	1	1	2	2	2	3	3	3	4	4	4	5	5	5	6	6	6	7	7	7	

12月 (1일 九紫 + 26일 九紫 -) **甲午 (六白)** 절기: 芒種(7일 19:06) 夏至(22일 12:59)

양력		1	2	3	4	5	6	7	8	9	10	11	12	13	14	15	16	17	18	19	20	21	22	23	24	25	26	27	28	29	30	31
요일		金	土	日	月	火	水	木	金	土	日	月	火	水	木	金	土	日	月	火	水	木	金	土	日	月	火	水	木	金	土	日
음력	월	7	8	9	10	11	12	13	14	15	16	17	18	19	20	21	22	23	24	25	26	27	28	29	30	十二	2	3	4	5	6	7
일진		丙寅	丁卯	庚辰	辛巳	壬午	癸未	戊申	己酉	甲戌	乙亥	丙子	丁丑	庚寅	辛卯	壬辰	癸巳	戊午	己未	甲申	乙酉	丙戌	丁亥	庚子	辛丑	壬寅	癸卯	戊辰	己巳	甲午	乙未	丙申
대운	男	2	2	1	1	1	1	芒	10	9	9	9	8	8	8	7	7	7	6	6	6	5	5	5	4	4	4	3	3	3	2	2
	女	8	8	8	9	9	9	種	1	1	1	1	2	2	2	3	3	3	4	4	4	5	5	5	6	6	6	7	7	7	8	8

癸亥年 (八白土星) 閏二月

1月 (1일 三碧 - 22일 九紫 -) **乙未 (七赤)** 절기: 小暑 (6일 06:10) 大暑 (20일 23:37)

		1	2	3	4	5	6	7	8	9	10	11	12	13	14	15	16	17	18	19	20	21	22	23	24	25	26	27	28	29	30	31
양력		1	2	3	4	5	6	7	8	9	10	11	12	13	14	15	16	17	18	19	20	21	22	23	24	25	26	27	28	29	30	31
요일		月	火	水	木	金	土	日	月	火	水	木	金	土	日	月	火	水	木	金	土	日	月	火	水	木	金	土	日	月	火	水
음력	월	8	9	10	11	12	13	14	15	16	17	18	19	20	21	22	23	24	25	26	27	28	29	一	2	3	4	5	6	7	8	9
일진		丁酉	庚戌	辛亥	壬子	癸丑	戊寅	己卯	甲辰	乙巳	丙午	丁未	庚申	辛酉	壬戌	癸亥	戊子	己丑	甲寅	乙卯	丙辰	丁巳	庚午	辛未	壬申	癸酉	戊戌	己亥	甲子	乙丑	丙寅	丁卯
대운	男	2	1	1	1	1	小	9	9	9	8	8	8	7	7	7	6	6	6	5	5	5	4	4	4	3	3	3	2	2	2	1
	女	8	9	9	9	10	暑	1	1	1	1	2	2	2	3	3	3	4	4	4	5	5	5	6	6	6	7	7	7	8	8	8

2月 (1일 八白 -) **丙申 (八白)** 절기: 立秋 (4일 17:58) 處暑 (19일 14:05)

		1	2	3	4	5	6	7	8	9	10	11	12	13	14	15	16	17	18	19	20	21	22	23	24	25	26	27	28			
양력		1	2	3	4	5	6	7	8	9	10	11	12	13	14	15	16	17	18	19	20	21	22	23	24	25	26	27	28			
요일		木	金	土	日	月	火	水	木	金	土	日	月	火	水	木	金	土	日	月	火	水	木	金	土	日	月	火	水			
음력	월	10	11	12	13	14	15	16	17	18	19	20	21	22	23	24	25	26	27	28	29	30	二	2	3	4	5	6	7			
일진		庚辰	辛巳	壬午	癸未	戊申	己酉	甲戌	乙亥	丙子	丁丑	庚寅	辛卯	壬辰	癸巳	戊午	己未	甲申	乙酉	丙戌	丁亥	庚子	辛丑	壬寅	癸卯	戊辰	己巳	甲午	乙未			
대운	男	1	1	1	立	1	1	1	1	2	2	2	3	3	3	4	4	4	5	5	5	6	6	6	7	7	7	8	8			
	女	9	9	9	秋	10	9	9	9	8	8	8	7	7	7	6	6	6	5	5	5	4	4	4	3	3	3	2	2			

3月 (1일 七赤 -) **丁酉 (九紫)** 절기: 白露 (6일 12:25) 秋分 (21일 13:37)

		1	2	3	4	5	6	7	8	9	10	11	12	13	14	15	16	17	18	19	20	21	22	23	24	25	26	27	28	29	30	31
양력		1	2	3	4	5	6	7	8	9	10	11	12	13	14	15	16	17	18	19	20	21	22	23	24	25	26	27	28	29	30	31
요일		木	金	土	日	月	火	水	木	金	土	日	月	火	水	木	金	土	日	月	火	水	木	金	土	日	月	火	水	木	金	土
음력	월	8	9	10	11	12	13	14	15	16	17	18	19	20	21	22	23	24	25	26	27	28	29	閏二		3	4	5	6	7	8	9
일진		丙申	丁酉	庚戌	辛亥	壬子	癸丑	戊寅	己卯	甲辰	乙巳	丙午	丁未	庚申	辛酉	壬戌	癸亥	戊子	己丑	甲寅	乙卯	丙辰	丁巳	庚午	辛未	壬申	癸酉	戊戌	己亥	甲子	乙丑	丙寅
대운	男	8	9	9	9	10	白	1	1	1	1	2	2	2	3	3	3	4	4	4	5	5	5	6	6	6	7	7	7	8	8	8
	女	2	1	1	1	1	露	10	9	9	9	8	8	8	7	7	7	6	6	6	5	5	5	4	4	4	3	3	3	2	2	2

4月 (1일 三碧 -) **庚戌 (一白)** 절기: 寒露 (5일17:50) 霜降 (21일 01:17)

		1	2	3	4	5	6	7	8	9	10	11	12	13	14	15	16	17	18	19	20	21	22	23	24	25	26	27	28	29	30	
양력		1	2	3	4	5	6	7	8	9	10	11	12	13	14	15	16	17	18	19	20	21	22	23	24	25	26	27	28	29	30	
요일		日	月	火	水	木	金	土	日	月	火	水	木	金	土	日	月	火	水	木	金	土	日	月	火	水	木	金	土	日	月	
음력	월	10	11	12	13	14	15	16	17	18	19	20	21	22	23	24	25	26	27	28	29	三	2	3	4	5	6	7	8	9	10	
일진		丁卯	庚辰	辛巳	壬午	癸未	戊申	己酉	甲戌	乙亥	丙子	丁丑	庚寅	辛卯	壬辰	癸巳	戊午	己未	甲申	乙酉	丙戌	丁亥	庚子	辛丑	壬寅	癸卯	戊辰	己巳	甲午	乙未	丙申	
대운	男	9	9	9	10	寒	1	1	1	1	2	2	2	3	3	3	4	4	4	5	5	5	6	6	6	7	7	7	8	8	8	
	女	1	1	1	1	露	10	10	9	9	9	8	8	8	7	7	7	6	6	6	5	5	5	4	4	4	3	3	3	2	2	

5月 (1일 九紫 -) **辛亥 (二黑)** 절기: 立冬 (6일 11:46) 小雪 (22일 00:59)

		1	2	3	4	5	6	7	8	9	10	11	12	13	14	15	16	17	18	19	20	21	22	23	24	25	26	27	28	29	30	31
양력		1	2	3	4	5	6	7	8	9	10	11	12	13	14	15	16	17	18	19	20	21	22	23	24	25	26	27	28	29	30	31
요일		火	水	木	金	土	日	月	火	水	木	金	土	日	月	火	水	木	金	土	日	月	火	水	木	金	土	日	月	火	水	木
음력	월	11	12	13	14	15	16	17	18	19	20	21	22	23	24	25	26	27	28	29	30	四	2	3	4	5	6	7	8	9	10	11
일진		丁酉	庚戌	辛亥	壬子	癸丑	戊寅	己卯	甲辰	乙巳	丙午	丁未	庚申	辛酉	壬戌	癸亥	戊子	己丑	甲寅	乙卯	丙辰	丁巳	庚午	辛未	壬申	癸酉	戊戌	己亥	甲子	乙丑	丙寅	丁卯
대운	男	9	9	9	10	10	立	1	1	1	1	2	2	2	3	3	3	4	4	4	5	5	5	6	6	6	7	7	7	8	8	8
	女	2	1	1	1	1	冬	10	10	9	9	9	8	8	8	7	7	7	6	6	6	5	5	5	4	4	4	3	3	3	2	2

6月 (1일 五黃 -) **壬子 (三碧)** 절기: 大雪 (6일 16:23) 冬至 (22일 09:14)

		1	2	3	4	5	6	7	8	9	10	11	12	13	14	15	16	17	18	19	20	21	22	23	24	25	26	27	28	29	30	
양력		1	2	3	4	5	6	7	8	9	10	11	12	13	14	15	16	17	18	19	20	21	22	23	24	25	26	27	28	29	30	
요일		金	土	日	月	火	水	木	金	土	日	月	火	水	木	金	土	日	月	火	水	木	金	土	日	月	火	水	木	金	土	
음력	월	12	13	14	15	16	17	18	19	20	21	22	23	24	25	26	27	28	29	五	2	3	4	5	6	7	8	9	10	11	12	
일진		庚辰	辛巳	壬午	癸未	戊申	己酉	甲戌	乙亥	丙子	丁丑	庚寅	辛卯	壬辰	癸巳	戊午	己未	甲申	乙酉	丙戌	丁亥	庚子	辛丑	壬寅	癸卯	戊辰	己巳	甲午	乙未	丙申	丁酉	
대운	男	9	9	9	10	10	大	1	1	1	1	2	2	2	3	3	3	4	4	4	5	5	5	6	6	6	7	7	7	8	8	
	女	2	1	1	1	1	雪	10	10	10	9	9	9	8	8	8	7	7	7	6	6	6	5	5	5	4	4	4	3	3	3	

7月 (1일 二黑 - 21일 一白 +) **癸丑 (四綠)** 절기: 小寒(8일 02:50) 大寒(23일 20:08)

양력		1	2	3	4	5	6	7	8	9	10	11	12	13	14	15	16	17	18	19	20	21	22	23	24	25	26	27	28	29	30	31
요일		日	月	火	水	木	金	土	日	月	火	水	木	金	土	日	月	火	水	木	金	土	日	月	火	水	木	金	土	日	月	火
음력	월	13	14	15	16	17	18	19	20	21	22	23	24	25	26	27	28	29	30	六	2	3	4	5	6	7	8	9	10	11	12	13
일진		庚戌	辛亥	壬子	癸丑	戊寅	己卯	甲辰	乙巳	丙午	丁未	庚申	辛酉	壬戌	癸亥	戊子	己丑	甲寅	乙卯	丙辰	丁巳	庚午	辛未	壬申	癸酉	戊戌	己亥	甲子	乙丑	丙寅	丁卯	庚辰
대운	男	8	9	9	9	10	10	10	小	1	1	1	1	2	2	2	3	3	3	4	4	4	5	5	5	6	6	6	7	7	7	8
	女	2	2	2	1	1	1	1	暑	10	10	9	9	9	8	8	8	7	7	7	6	6	6	5	5	5	4	4	4	3	3	3

8月 (1일 三碧 +) **戊寅 (五黃)** 절기: 立春(8일 12:30) 雨水(24일 02:54)

양력		1	2	3	4	5	6	7	8	9	10	11	12	13	14	15	16	17	18	19	20	21	22	23	24	25	26	27	28	29	30	31
요일		水	木	金	土	日	月	火	水	木	金	土	日	月	火	水	木	金	土	日	月	火	水	木	金	土	日	月	火	水	木	金
음력	월	14	15	16	17	18	19	20	21	22	23	24	25	26	27	28	29	30	七	2	3	4	5	6	7	8	9	10	11	12	13	14
일진		辛巳	壬午	癸未	戊申	己酉	甲戌	乙亥	丙子	丁丑	庚寅	辛卯	壬辰	癸巳	戊午	己未	甲申	乙酉	丙戌	丁亥	庚子	辛丑	壬寅	癸卯	戊辰	己巳	甲午	乙未	丙申	丁酉	庚戌	辛亥
대운	男	8	8	9	9	9	10	10	立	1	1	1	1	2	2	2	3	3	3	4	4	4	5	5	5	6	6	6	7	7	7	8
	女	2	2	2	1	1	1	1	春	10	10	9	9	9	8	8	8	7	7	7	6	6	6	5	5	5	4	4	4	3	3	3

9月 (1일 七赤 +) **己卯 (六白)** 절기: 驚蟄(8일 14:59) 春分 (24일 00:00)

양력		1	2	3	4	5	6	7	8	9	10	11	12	13	14	15	16	17	18	19	20	21	22	23	24	25	26	27	28	29	30	
요일		土	日	月	火	水	木	金	土	日	月	火	水	木	金	土	日	月	火	水	木	金	土	日	月	火	水	木	金	土	日	
음력	월	15	16	17	18	19	20	21	22	23	24	25	26	27	28	29	八	2	3	4	5	6	7	8	9	10	11	12	13	14	15	
일진		壬子	癸丑	戊寅	己卯	甲辰	乙巳	丙午	丁未	庚申	辛酉	壬戌	癸亥	戊子	己丑	甲寅	乙卯	丙辰	丁巳	庚午	辛未	壬申	癸酉	戊戌	己亥	甲子	乙丑	丙寅	丁卯	庚辰	辛巳	
대운	男	8	8	9	9	9	10	10	驚	1	1	1	1	2	2	2	3	3	3	4	4	4	5	5	5	6	6	6	7	7	7	
	女	2	2	2	1	1	1	1	蟄	10	10	9	9	9	8	8	8	7	7	7	6	6	6	5	5	5	4	4	4	3	3	

10月 (1일 一白 +) **甲辰 (七赤)** 절기: 清明(9일 06:02) 穀雨(24일 08:44)

양력		1	2	3	4	5	6	7	8	9	10	11	12	13	14	15	16	17	18	19	20	21	22	23	24	25	26	27	28	29	30	31
요일		月	火	水	木	金	土	日	月	火	水	木	金	土	日	月	火	水	木	金	土	日	月	火	水	木	金	土	日	月	火	水
음력	월	16	17	18	19	20	21	22	23	24	25	26	27	28	29	30	九	2	3	4	5	6	7	8	9	10	11	12	13	14	15	16
일진		壬午	癸未	戊申	己酉	甲戌	乙亥	丙子	丁丑	庚寅	辛卯	壬辰	癸巳	戊午	己未	甲申	乙酉	丙戌	丁亥	庚子	辛丑	壬寅	癸卯	戊辰	己巳	甲午	乙未	丙申	丁酉	庚戌	辛亥	壬子
대운	男	8	8	8	9	9	9	10	10	清	1	1	1	1	2	2	2	3	3	3	4	4	4	5	5	5	6	6	6	7	7	7
	女	3	2	2	2	1	1	1	1	明	10	9	9	9	8	8	8	7	7	7	6	6	6	5	5	5	4	4	4	3	3	3

11月 (1일 五黃 +) **乙巳 (八白)** 절기: 立夏(8일 08:37) 小滿 (23일 05:45)

양력		1	2	3	4	5	6	7	8	9	10	11	12	13	14	15	16	17	18	19	20	21	22	23	24	25	26	27	28	29	30	
요일		木	金	土	日	月	火	水	木	金	土	日	月	火	水	木	金	土	日	月	火	水	木	金	土	日	月	火	水	木	金	
음력	월	17	18	19	20	21	22	23	24	25	26	27	28	29	30	十	2	3	4	5	6	7	8	9	10	11	12	13	14	15	16	
일진		癸丑	戊寅	己卯	甲辰	乙巳	丙午	丁未	庚申	辛酉	壬戌	癸亥	戊子	己丑	甲寅	乙卯	丙辰	丁巳	庚午	辛未	壬申	癸酉	戊戌	己亥	甲子	乙丑	丙寅	丁卯	庚辰	辛巳	壬午	
대운	男	8	8	8	9	9	9	10	立	1	1	1	1	2	2	2	3	3	3	4	4	4	5	5	5	6	6	6	7	7	7	
	女	2	2	2	1	1	1	1	夏	10	9	9	9	8	8	8	7	7	7	6	6	6	5	5	5	4	4	4	3	3	3	

12月 (1일 八白 +) **丙午 (九紫)** 절기: 芒種(8일 01:01) 夏至(22일 18:46)

양력		1	2	3	4	5	6	7	8	9	10	11	12	13	14	15	16	17	18	19	20	21	22	23	24	25	26	27	28	29	30	31
요일		土	日	月	火	水	木	金	土	日	月	火	水	木	金	土	日	月	火	水	木	金	土	日	月	火	水	木	金	土	日	月
음력	월	17	18	19	20	21	22	23	24	25	26	27	28	29	十一	2	3	4	5	6	7	8	9	10	11	12	13	14	15	16	17	18
일진		癸未	戊申	己酉	甲戌	乙亥	丙子	丁丑	庚寅	辛卯	壬辰	癸巳	戊午	己未	甲申	乙酉	丙戌	丁亥	庚子	辛丑	壬寅	癸卯	戊辰	己巳	甲午	乙未	丙申	丁酉	庚戌	辛亥	壬子	癸丑
대운	男	8	8	8	9	9	9	10	芒	1	1	1	1	2	2	2	3	3	3	4	4	4	5	5	5	6	6	6	7	7	7	8
	女	2	2	2	1	1	1	1	種	9	9	9	8	8	8	7	7	7	6	6	6	5	5	5	4	4	4	3	3	3	2	2

서기1918년

戊子年 (九紫火星)

1月 (1일 三碧 + 17일 九紫 -) **丁未 (一白)** 절기: 小暑 (6일 12:04) 大暑 (21일 05:25)

양력	1	2	3	4	5	6	7	8	9	10	11	12	13	14	15	16	17	18	19	20	21	22	23	24	25	26	27	28	29	30	31
요일	火	水	木	金	土	日	月	火	水	木	金	土	日	月	火	水	木	金	土	日	月	火	水	木	金	土	日	月	火	水	木
음력 월	19	20	21	22	23	24	25	26	27	28	29	30	十二	2	3	4	5	6	7	8	9	10	11	12	13	14	15	16	17	18	19
일진	戊寅	己卯	甲辰	乙巳	丙午	丁未	庚申	辛酉	壬戌	癸亥	戊子	己丑	甲寅	乙卯	丙辰	丁巳	庚午	辛未	壬申	癸酉	戊戌	己亥	甲子	乙丑	丙寅	丁卯	庚辰	辛巳	壬午	癸未	戊申
대운 男	8	8	9	9	9	小	1	1	1	1	2	2	2	3	3	3	4	4	4	5	5	5	6	6	6	7	7	7	8	8	8
대운 女	2	1	1	1	1	暑	9	9	9	8	8	8	7	7	7	6	6	6	5	5	5	4	4	4	3	3	3	2	2	2	1

2月 (1일 三碧 -) **庚申 (二黑)** 절기: 立秋 (4일 23:53) 處暑 (19일 19:53)

양력	1	2	3	4	5	6	7	8	9	10	11	12	13	14	15	16	17	18	19	20	21	22	23	24	25	26	27	28			
요일	金	土	日	月	火	水	木	金	土	日	月	火	水	木	金	土	日	月	火	水	木	金	土	日	月	火	水	木			
음력 월	20	21	22	23	24	25	26	27	28	29	一	2	3	4	5	6	7	8	9	10	11	12	13	14	15	16	17	18			
일진	己酉	甲戌	乙亥	丙子	丁丑	庚寅	辛卯	壬辰	癸巳	戊午	己未	甲申	乙酉	丙戌	丁亥	庚子	辛丑	壬寅	癸卯	戊辰	己巳	甲午	乙未	丙申	丁酉	庚戌	辛亥	壬子			
대운 男	9	9	9	立	10	9	9	9	8	8	8	7	7	7	6	6	6	5	5	5	4	4	4	3	3	3	2	2			
대운 女	1	1	1	秋	1	1	1	1	2	2	2	3	3	3	4	4	4	5	5	5	6	6	6	7	7	7	8	8			

3月 (1일 二黑 -) **辛酉 (三碧)** 절기: 白露 (6일 18:21) 秋分 (21일 19:26)

양력	1	2	3	4	5	6	7	8	9	10	11	12	13	14	15	16	17	18	19	20	21	22	23	24	25	26	27	28	29	30	31
요일	金	土	日	月	火	水	木	金	土	日	月	火	水	木	金	土	日	月	火	水	木	金	土	日	月	火	水	木	金	土	日
음력 월	19	20	21	22	23	24	25	26	27	28	29	30	二	2	3	4	5	6	7	8	9	10	11	12	13	14	15	16	17	18	19
일진	癸丑	戊寅	己卯	甲辰	乙巳	丙午	丁未	庚申	辛酉	壬戌	癸亥	戊子	己丑	甲寅	乙卯	丙辰	丁巳	庚午	辛未	壬申	癸酉	戊戌	己亥	甲子	乙丑	丙寅	丁卯	庚辰	辛巳	壬午	癸未
대운 男	2	1	1	1	1	白	10	9	9	9	8	8	8	7	7	7	6	6	6	5	5	5	4	4	4	3	3	3	2	2	2
대운 女	8	9	9	9	10	露	1	1	1	1	2	2	2	3	3	3	4	4	4	5	5	5	6	6	6	7	7	7	8	8	8

4月 (1일 七赤 -) **壬戌 (四綠)** 절기: 寒露 (5일 23:45) 霜降 (21일 07:05)

양력	1	2	3	4	5	6	7	8	9	10	11	12	13	14	15	16	17	18	19	20	21	22	23	24	25	26	27	28	29	30	
요일	月	火	水	木	金	土	日	月	火	水	木	金	土	日	月	火	水	木	金	土	日	月	火	水	木	金	土	日	月	火	
음력 월	20	21	22	23	24	25	26	27	28	29	三	2	3	4	5	6	7	8	9	10	11	12	13	14	15	16	17	18	19	20	
일진	戊申	己酉	甲戌	乙亥	丙子	丁丑	庚寅	辛卯	壬辰	癸巳	戊午	己未	甲申	乙酉	丙戌	丁亥	庚子	辛丑	壬寅	癸卯	戊辰	己巳	甲午	乙未	丙申	丁酉	庚戌	辛亥	壬子	癸丑	
대운 男	1	1	1	1	寒	10	10	9	9	9	8	8	8	7	7	7	6	6	6	5	5	5	4	4	4	3	3	3	2	2	
대운 女	9	9	9	10	露	1	1	1	1	2	2	2	3	3	3	4	4	4	5	5	5	6	6	6	7	7	7	8	8	8	

5月 (1일 四綠 -) **癸亥 (五黃)** 절기: 立冬 (6일 17:38) 小雪 (22일 06:46)

양력	1	2	3	4	5	6	7	8	9	10	11	12	13	14	15	16	17	18	19	20	21	22	23	24	25	26	27	28	29	30	31
요일	水	木	金	土	日	月	火	水	木	金	土	日	月	火	水	木	金	土	日	月	火	水	木	金	土	日	月	火	水	木	金
음력 월	21	22	23	24	25	26	27	28	29	四	2	3	4	5	6	7	8	9	10	11	12	13	14	15	16	17	18	19	20	21	22
일진	戊寅	己卯	甲辰	乙巳	丙午	丁未	庚申	辛酉	壬戌	癸亥	戊子	己丑	甲寅	乙卯	丙辰	丁巳	庚午	辛未	壬申	癸酉	戊戌	己亥	甲子	乙丑	丙寅	丁卯	庚辰	辛巳	壬午	癸未	戊申
대운 男	2	1	1	1	1	立	10	10	9	9	9	8	8	8	7	7	7	6	6	6	5	5	5	4	4	4	3	3	3	2	2
대운 女	9	9	9	10	10	冬	1	1	1	1	2	2	2	3	3	3	4	4	4	5	5	5	6	6	6	7	7	7	8	8	8

6月 (1일 九紫 -) **戊子 (六白)** 절기: 大雪 (6일 22:11) 冬至 (22일 15:00)

양력	1	2	3	4	5	6	7	8	9	10	11	12	13	14	15	16	17	18	19	20	21	22	23	24	25	26	27	28	29	30	
요일	土	日	月	火	水	木	金	土	日	月	火	水	木	金	土	日	月	火	水	木	金	土	日	月	火	水	木	金	土	日	
음력 월	23	24	25	26	27	28	29	30	五	2	3	4	5	6	7	8	9	10	11	12	13	14	15	16	17	18	19	20	21	22	
일진	己酉	甲戌	乙亥	丙子	丁丑	庚寅	辛卯	壬辰	癸巳	戊午	己未	甲申	乙酉	丙戌	丁亥	庚子	辛丑	壬寅	癸卯	戊辰	己巳	甲午	乙未	丙申	丁酉	庚戌	辛亥	壬子	癸丑	戊寅	
대운 男	2	1	1	1	1	大	10	10	10	9	9	9	8	8	8	7	7	7	6	6	6	5	5	5	4	4	4	3	3	3	
대운 女	9	9	9	10	10	雪	1	1	1	1	2	2	2	3	3	3	4	4	4	5	5	5	6	6	6	7	7	7	8	8	

7月 (1일 六白 - 16일 一白 +)　己丑 (七赤)　절기: 小寒(8일 08:32) 大寒(24일 01:51)

		1	2	3	4	5	6	7	8	9	10	11	12	13	14	15	16	17	18	19	20	21	22	23	24	25	26	27	28	29	30	31
요일		月	火	水	木	金	土	日	月	火	水	木	金	土	日	月	火	水	木	金	土	日	月	火	水	木	金	土	日	月	火	水
음력	월	23	24	25	26	27	28	29	六	2	3	4	5	6	7	8	9	10	11	12	13	14	15	16	17	18	19	20	21	22	23	24
일진		己卯	甲辰	乙巳	丙午	丁未	庚申	辛酉	壬戌	癸亥	戊子	己丑	甲寅	乙卯	丙辰	丁巳	庚午	辛未	壬申	癸酉	戊戌	己亥	甲子	乙丑	丙寅	丁卯	庚辰	辛巳	壬午	癸未	戊申	己酉
대운	男	2	2	2	1	1	1	1	小	10	10	9	9	9	8	8	8	7	7	7	6	6	6	5	5	5	4	4	4	3	3	3
	女	8	9	9	9	10	10	10	寒	1	1	1	1	2	2	2	3	3	3	4	4	4	5	5	5	6	6	6	7	7	7	8

8月 (1일 八白 +)　甲寅 (八白)　절기: 立春(8일 18:08) 雨水(24일 08:37)

		1	2	3	4	5	6	7	8	9	10	11	12	13	14	15	16	17	18	19	20	21	22	23	24	25	26	27	28	29	30	31
요일		木	金	土	日	月	火	水	木	金	土	日	月	火	水	木	金	土	日	月	火	水	木	金	土	日	月	火	水	木	金	土
음력	월	25	26	27	28	29	30	七	2	3	4	5	6	7	8	9	10	11	12	13	14	15	16	17	18	19	20	21	22	23	24	25
일진		甲戌	乙亥	丙子	丁丑	庚寅	辛卯	壬辰	癸巳	戊午	己未	甲申	乙酉	丙戌	丁亥	庚子	辛丑	壬寅	癸卯	戊辰	己巳	甲午	乙未	丙申	丁酉	庚戌	辛亥	壬子	癸丑	戊寅	己卯	甲辰
대운	男	2	2	2	1	1	1	1	立	10	10	9	9	9	8	8	8	7	7	7	6	6	6	5	5	5	4	4	4	3	3	3
	女	8	8	9	9	9	10	10	春	1	1	1	1	2	2	2	3	3	3	4	4	4	5	5	5	6	6	6	7	7	7	8

9月 (1일 三碧 +)　乙卯 (九紫)　절기: 驚蟄(8일 20:36) 春分 (24일 05:46)

		1	2	3	4	5	6	7	8	9	10	11	12	13	14	15	16	17	18	19	20	21	22	23	24	25	26	27	28	29	30	
요일		日	月	火	水	木	金	土	日	月	火	水	木	金	土	日	月	火	水	木	金	土	日	月	火	水	木	金	土	日	月	
음력	월	26	27	28	29	八	2	3	4	5	6	7	8	9	10	11	12	13	14	15	16	17	18	19	20	21	22	23	24	25	26	
일진		乙巳	丙午	丁未	庚申	辛酉	壬戌	癸亥	戊子	己丑	甲寅	乙卯	丙辰	丁巳	庚午	辛未	壬申	癸酉	戊戌	己亥	甲子	乙丑	丙寅	丁卯	庚辰	辛巳	壬午	癸未	戊申	己酉	甲戌	
대운	男	2	2	2	1	1	1	1	驚	10	10	9	9	9	8	8	8	7	7	7	6	6	6	5	5	5	4	4	4	3	3	
	女	8	8	9	9	9	10	10	蟄	1	1	1	1	2	2	2	3	3	3	4	4	4	5	5	5	6	6	6	7	7	7	

10月 (1일 六白 +)　丙辰 (一白)　절기: 清明(9일 11:40) 穀雨(24일 14:33)

		1	2	3	4	5	6	7	8	9	10	11	12	13	14	15	16	17	18	19	20	21	22	23	24	25	26	27	28	29	30	31
요일		火	水	木	金	土	日	月	火	水	木	金	土	日	月	火	水	木	金	土	日	月	火	水	木	金	土	日	月	火	水	木
음력	월	27	28	29	30	九	2	3	4	5	6	7	8	9	10	11	12	13	14	15	16	17	18	19	20	21	22	23	24	25	26	27
일진		乙亥	丙子	丁丑	庚寅	辛卯	壬辰	癸巳	戊午	己未	甲申	乙酉	丙戌	丁亥	庚子	辛丑	壬寅	癸卯	戊辰	己巳	甲午	乙未	丙申	丁酉	庚戌	辛亥	壬子	癸丑	戊寅	己卯	甲辰	乙巳
대운	男	3	2	2	2	1	1	1	1	清	10	9	9	9	8	8	8	7	7	7	6	6	6	5	5	5	4	4	4	3	3	3
	女	8	8	8	9	9	9	10	10	明	1	1	1	1	2	2	2	3	3	3	4	4	4	5	5	5	6	6	6	7	7	7

11月 (1일 一白 +)　丁巳 (二黑)　절기: 立夏(8일 14:19) 小滿(23일 11:38)

		1	2	3	4	5	6	7	8	9	10	11	12	13	14	15	16	17	18	19	20	21	22	23	24	25	26	27	28	29	30	
요일		金	土	日	月	火	水	木	金	土	日	月	火	水	木	金	土	日	月	火	水	木	金	土	日	月	火	水	木	金	土	
음력	월	28	29	30	十	2	3	4	5	6	7	8	9	10	11	12	13	14	15	16	17	18	19	20	21	22	23	24	25	26	27	
일진		丙午	丁未	庚申	辛酉	壬戌	癸亥	戊子	己丑	甲寅	乙卯	丙辰	丁巳	庚午	辛未	壬申	癸酉	戊戌	己亥	甲子	乙丑	丙寅	丁卯	庚辰	辛巳	壬午	癸未	戊申	己酉	甲戌	乙亥	
대운	男	2	2	2	1	1	1	1	立	10	9	9	9	8	8	8	7	7	7	6	6	6	5	5	5	4	4	4	3	3	3	
	女	8	8	8	9	9	9	10	夏	1	1	1	1	2	2	2	3	3	3	4	4	4	5	5	5	6	6	6	7	7	7	

12月 (1일 四綠 +)　庚午 (三碧)　절기: 芒種(8일 06:47) 夏至(23일 00:42)

		1	2	3	4	5	6	7	8	9	10	11	12	13	14	15	16	17	18	19	20	21	22	23	24	25	26	27	28	29	30	31
요일		日	月	火	水	木	金	土	日	月	火	水	木	金	土	日	月	火	水	木	金	土	日	月	火	水	木	金	土	日	月	火
음력	월	28	29	30	十一	2	3	4	5	6	7	8	9	10	11	12	13	14	15	16	17	18	19	20	21	22	23	24	25	26	27	28
일진		丙子	丁丑	庚寅	辛卯	壬辰	癸巳	戊午	己未	甲申	乙酉	丙戌	丁亥	庚子	辛丑	壬寅	癸卯	戊辰	己巳	甲午	乙未	丙申	丁酉	庚戌	辛亥	壬子	癸丑	戊寅	己卯	甲辰	乙巳	丙午
대운	男	2	2	2	1	1	1	1	芒	9	9	9	8	8	8	7	7	7	6	6	6	5	5	5	4	4	4	3	3	3	2	2
	女	8	8	8	9	9	9	10	種	1	1	1	1	2	2	2	3	3	3	4	4	4	5	5	5	6	6	6	7	7	7	8

서기1919년

己丑年 (一白水星) 閏七月

1月 (1일 八白 +) **辛未 (四綠)** 절기: 小暑 (6일 17:52) 大暑 (21일 11:21)

양력		1	2	3	4	5	6	7	8	9	10	11	12	13	14	15	16	17	18	19	20	21	22	23	24	25	26	27	28	29	30	31
요일		水	木	金	土	日	月	火	水	木	金	土	日	月	火	水	木	金	土	日	月	火	水	木	金	土	日	月	火	水	木	金
음력	월	29	十二	2	3	4	5	6	7	8	9	10	11	12	13	14	15	16	17	18	19	20	21	22	23	24	25	26	27	28	29	30
일진		丁未	庚申	辛酉	壬戌	癸亥	戊子	己丑	甲寅	乙卯	丙辰	丁巳	庚午	辛未	壬申	癸酉	戊戌	己亥	甲子	乙丑	丙寅	丁卯	庚辰	辛巳	壬午	癸未	戊申	己酉	甲戌	乙亥	丙子	丁丑
대운	男	2	1	1	1	1	小	10	9	9	9	8	8	8	7	7	7	6	6	6	5	5	5	4	4	4	3	3	3	2	2	2
	女	8	8	9	9	9	暑	1	1	1	1	2	2	2	3	3	3	4	4	4	5	5	5	6	6	6	7	7	7	8	8	8

2月 (1일 七赤 -) **壬申 (五黃)** 절기: 立秋 (5일 05:39) 處暑 (20일 01:48)

양력		1	2	3	4	5	6	7	8	9	10	11	12	13	14	15	16	17	18	19	20	21	22	23	24	25	26	27	28			
요일		土	日	月	火	水	木	金	土	日	月	火	水	木	金	土	日	月	火	水	木	金	土	日	月	火	水	木	金			
음력	월	一	2	3	4	5	6	7	8	9	10	11	12	13	14	15	16	17	18	19	20	21	22	23	24	25	26	27	28			
일진		庚寅	辛卯	壬辰	癸巳	戊午	己未	甲申	乙酉	丙戌	丁亥	庚子	辛丑	壬寅	癸卯	戊辰	己巳	甲午	乙未	丙申	丁酉	庚戌	辛亥	壬子	癸丑	戊寅	己卯	甲辰	乙巳			
대운	男	1	1	1	1	立	1	1	1	1	2	2	2	3	3	3	4	4	4	5	5	5	6	6	6	7	7	7	8			
	女	9	9	9	10	秋	10	9	9	9	8	8	8	7	7	7	6	6	6	5	5	5	4	4	4	3	3	3	2			

3月 (1일 六白 -) **癸酉 (六白)** 절기: 白露 (7일 00:06) 秋分 (22일 01:19)

양력		1	2	3	4	5	6	7	8	9	10	11	12	13	14	15	16	17	18	19	20	21	22	23	24	25	26	27	28	29	30	31
요일		土	日	月	火	水	木	金	土	日	月	火	水	木	金	土	日	月	火	水	木	金	土	日	月	火	水	木	金	土	日	月
음력	월	29	二	2	3	4	5	6	7	8	9	10	11	12	13	14	15	16	17	18	19	20	21	22	23	24	25	26	27	28	29	30
일진		丙午	丁未	庚申	辛酉	壬戌	癸亥	戊子	己丑	甲寅	乙卯	丙辰	丁巳	庚午	辛未	壬申	癸酉	戊戌	己亥	甲子	乙丑	丙寅	丁卯	庚辰	辛巳	壬午	癸未	戊申	己酉	甲戌	乙亥	丙子
대운	男	8	8	9	9	9	10	白	1	1	1	1	2	2	2	3	3	3	4	4	4	5	5	5	6	6	6	7	7	7	8	8
	女	2	2	1	1	1	1	露	10	9	9	9	8	8	8	7	7	7	6	6	6	5	5	5	4	4	4	3	3	3	2	2

4月 (1일 二黑 -) **戊戌 (七赤)** 절기: 寒露 (6일 05:29) 霜降 (21일 12:59)

양력		1	2	3	4	5	6	7	8	9	10	11	12	13	14	15	16	17	18	19	20	21	22	23	24	25	26	27	28	29	30	
요일		火	水	木	金	土	日	月	火	水	木	金	土	日	月	火	水	木	金	土	日	月	火	水	木	金	土	日	月	火	水	
음력	월	三	2	3	4	5	6	7	8	9	10	11	12	13	14	15	16	17	18	19	20	21	22	23	24	25	26	27	28	29	四	
일진		丁丑	庚寅	辛卯	壬辰	癸巳	戊午	己未	甲申	乙酉	丙戌	丁亥	庚子	辛丑	壬寅	癸卯	戊辰	己巳	甲午	乙未	丙申	丁酉	庚戌	辛亥	壬子	癸丑	戊寅	己卯	甲辰	乙巳	丙午	
대운	男	8	9	9	9	10	寒	1	1	1	1	2	2	2	3	3	3	4	4	4	5	5	5	6	6	6	7	7	7	8	8	
	女	2	1	1	1	1	露	10	9	9	9	8	8	8	7	7	7	6	6	6	5	5	5	4	4	4	3	3	3	2	2	

5月 (1일 八白 -) **己亥 (八白)** 절기: 立冬 (6일 23:22) 小雪 (22일 12:39)

양력		1	2	3	4	5	6	7	8	9	10	11	12	13	14	15	16	17	18	19	20	21	22	23	24	25	26	27	28	29	30	31
요일		木	金	土	日	月	火	水	木	金	土	日	月	火	水	木	金	土	日	月	火	水	木	金	土	日	月	火	水	木	金	土
음력	월	2	3	4	5	6	7	8	9	10	11	12	13	14	15	16	17	18	19	20	21	22	23	24	25	26	27	28	29	五	2	3
일진		丁未	庚申	辛酉	壬戌	癸亥	戊子	己丑	甲寅	乙卯	丙辰	丁巳	庚午	辛未	壬申	癸酉	戊戌	己亥	甲子	乙丑	丙寅	丁卯	庚辰	辛巳	壬午	癸未	戊申	己酉	甲戌	乙亥	丙子	丁丑
대운	男	8	9	9	9	10	立	1	1	1	1	2	2	2	3	3	3	4	4	4	5	5	5	6	6	6	7	7	7	8	8	8
	女	2	1	1	1	1	冬	10	10	10	9	9	9	8	8	8	7	7	7	6	6	6	5	5	5	4	4	4	3	3	3	2

6月 (1일 四綠 -) **甲子 (九紫)** 절기: 大雪 (7일 03:57) 冬至 (22일 20:54)

양력		1	2	3	4	5	6	7	8	9	10	11	12	13	14	15	16	17	18	19	20	21	22	23	24	25	26	27	28	29	30	
요일		日	月	火	水	木	金	土	日	月	火	水	木	金	土	日	月	火	水	木	金	土	日	月	火	水	木	金	土	日	月	
음력	월	4	5	6	7	8	9	10	11	12	13	14	15	16	17	18	19	20	21	22	23	24	25	26	27	28	29	30	六	2	3	
일진		庚寅	辛卯	壬辰	癸巳	戊午	己未	甲申	乙酉	丙戌	丁亥	庚子	辛丑	壬寅	癸卯	戊辰	己巳	甲午	乙未	丙申	丁酉	庚戌	辛亥	壬子	癸丑	戊寅	己卯	甲辰	乙巳	丙午	丁未	
대운	男	9	9	9	10	10	10	大	1	1	1	1	2	2	2	3	3	3	4	4	4	5	5	5	6	6	6	7	7	7	8	
	女	2	2	1	1	1	1	雪	10	10	9	9	9	8	8	8	7	7	7	6	6	6	5	5	5	4	4	4	3	3	3	

7月 (1일 一白 - 11일 一白 +) **乙丑 (一白)** 절기: 小寒(8일 14:21) 大寒(24일 07:45)

양력		1	2	3	4	5	6	7	8	9	10	11	12	13	14	15	16	17	18	19	20	21	22	23	24	25	26	27	28	29	30	31
요일		火	水	木	金	土	日	月	火	水	木	金	土	日	月	火	水	木	金	土	日	月	火	水	木	金	土	日	月	火	水	木
음력	월	4	5	6	7	8	9	10	11	12	13	14	15	16	17	18	19	20	21	22	23	24	25	26	27	28	29	七	2	3	4	5
일진		庚申	辛酉	壬戌	癸亥	戊子	己丑	甲寅	乙卯	丙辰	丁巳	庚午	辛未	壬申	癸酉	戊戌	己亥	甲子	乙丑	丙寅	丁卯	庚辰	辛巳	壬午	癸未	戊申	己酉	甲戌	乙亥	丙子	丁丑	庚寅
대운	男	8	8	9	9	9	10	10	小	1	1	1	1	2	2	2	3	3	3	4	4	4	5	5	5	6	6	6	7	7	7	8
	女	2	2	2	1	1	1	1	寒	10	10	9	9	9	8	8	8	7	7	7	6	6	6	5	5	5	4	4	4	3	3	3

8月 (1일 四綠 +) **丙寅 (二黑)** 절기: 立春(8일 23:58) 雨水(24일 14:28)

양력		1	2	3	4	5	6	7	8	9	10	11	12	13	14	15	16	17	18	19	20	21	22	23	24	25	26	27	28	29	30	31
요일		金	土	日	月	火	水	木	金	土	日	月	火	水	木	金	土	日	月	火	水	木	金	土	日	月	火	水	木	金	土	日
음력	월	6	7	8	9	10	11	12	13	14	15	16	17	18	19	20	21	22	23	24	25	26	27	28	29	30	閏七		3	4	5	6
일진		辛卯	壬辰	癸巳	戊午	己未	甲申	乙酉	丙戌	丁亥	庚子	辛丑	壬寅	癸卯	戊辰	己巳	甲午	乙未	丙申	丁酉	庚戌	辛亥	壬子	癸丑	戊寅	己卯	甲辰	乙巳	丙午	丁未	庚申	辛酉
대운	男	8	8	9	9	9	10	10	立	1	1	1	1	2	2	2	3	3	3	4	4	4	5	5	5	6	6	6	7	7	7	8
	女	2	2	2	1	1	1	1	春	10	10	10	9	9	9	8	8	8	7	7	7	6	6	6	5	5	5	4	4	4	3	3

9月 (1일 八白 +) **丁卯 (三碧)** 절기: 驚蟄(9일 02:28) 春分 (24일 11:35)

양력		1	2	3	4	5	6	7	8	9	10	11	12	13	14	15	16	17	18	19	20	21	22	23	24	25	26	27	28	29	30	
요일		月	火	水	木	金	土	日	月	火	水	木	金	土	日	月	火	水	木	金	土	日	月	火	水	木	金	土	日	月	火	
음력	월	7	8	9	10	11	12	13	14	15	16	17	18	19	20	21	22	23	24	25	26	27	28	29	八	2	3	4	5	6	7	
일진		壬戌	癸亥	戊子	己丑	甲寅	乙卯	丙辰	丁巳	庚午	辛未	壬申	癸酉	戊戌	己亥	甲子	乙丑	丙寅	丁卯	庚辰	辛巳	壬午	癸未	戊申	己酉	甲戌	乙亥	丙子	丁丑	庚寅	辛卯	
대운	男	8	8	9	9	9	10	10	10	驚	1	1	1	1	2	2	2	3	3	3	4	4	4	5	5	5	6	6	6	7	7	
	女	3	2	2	2	1	1	1	1	蟄	10	9	9	9	8	8	8	7	7	7	6	6	6	5	5	5	4	4	4	3	3	

10月 (1일 二黑 +) **庚辰 (四綠)** 절기: 清明(9일 17:33) 穀雨(24일 20:21)

양력		1	2	3	4	5	6	7	8	9	10	11	12	13	14	15	16	17	18	19	20	21	22	23	24	25	26	27	28	29	30	31
요일		水	木	金	土	日	月	火	水	木	金	土	日	月	火	水	木	金	土	日	月	火	水	木	金	土	日	月	火	水	木	金
음력	월	8	9	10	11	12	13	14	15	16	17	18	19	20	21	22	23	24	25	26	27	28	29	30	九	2	3	4	5	6	7	8
일진		壬辰	癸巳	戊午	己未	甲申	乙酉	丙戌	丁亥	庚子	辛丑	壬寅	癸卯	戊辰	己巳	甲午	乙未	丙申	丁酉	庚戌	辛亥	壬子	癸丑	戊寅	己卯	甲辰	乙巳	丙午	丁未	庚申	辛酉	壬戌
대운	男	7	8	8	8	9	9	9	10	清	1	1	1	1	2	2	2	3	3	3	4	4	4	5	5	5	6	6	6	7	7	7
	女	3	2	2	2	1	1	1	1	明	10	9	9	9	8	8	8	7	7	7	6	6	6	5	5	5	4	4	4	3	3	3

11月 (1일 六白 +) **辛巳 (五黃)** 절기: 立夏(8일 20:12) 小滿 (23일 17:25)

양력		1	2	3	4	5	6	7	8	9	10	11	12	13	14	15	16	17	18	19	20	21	22	23	24	25	26	27	28	29	30	
요일		土	日	月	火	水	木	金	土	日	月	火	水	木	金	土	日	月	火	水	木	金	土	日	月	火	水	木	金	土	日	
음력	월	9	10	11	12	13	14	15	16	17	18	19	20	21	22	23	24	25	26	27	28	29	30	十	2	3	4	5	6	7	8	
일진		癸亥	戊子	己丑	甲寅	乙卯	丙辰	丁巳	庚午	辛未	壬申	癸酉	戊戌	己亥	甲子	乙丑	丙寅	丁卯	庚辰	辛巳	壬午	癸未	戊申	己酉	甲戌	乙亥	丙子	丁丑	庚寅	辛卯	壬辰	
대운	男	8	8	8	9	9	9	10	立	1	1	1	1	2	2	2	3	3	3	4	4	4	5	5	5	6	6	6	7	7	7	
	女	2	2	2	1	1	1	1	夏	10	9	9	9	8	8	8	7	7	7	6	6	6	5	5	5	4	4	4	3	3	3	

12月 (1일 九紫 +) **壬午 (六白)** 절기: 芒種(8일 12:38) 夏至(23일 06:27)

양력		1	2	3	4	5	6	7	8	9	10	11	12	13	14	15	16	17	18	19	20	21	22	23	24	25	26	27	28	29	30	31
요일		月	火	水	木	金	土	日	月	火	水	木	金	土	日	月	火	水	木	金	土	日	月	火	水	木	金	土	日	月	火	水
음력	월	9	10	11	12	13	14	15	16	17	18	19	20	21	22	23	24	25	26	27	28	29	十一	2	3	4	5	6	7	8	9	10
일진		癸巳	戊午	己未	甲申	乙酉	丙戌	丁亥	庚子	辛丑	壬寅	癸卯	戊辰	己巳	甲午	乙未	丙申	丁酉	庚戌	辛亥	壬子	癸丑	戊寅	己卯	甲辰	乙巳	丙午	丁未	庚申	辛酉	壬戌	癸亥
대운	男	8	8	8	9	9	9	10	芒	1	1	1	1	2	2	2	3	3	3	4	4	4	5	5	5	6	6	6	7	7	7	8
	女	2	2	2	1	1	1	1	種	9	9	9	8	8	8	7	7	7	6	6	6	5	5	5	4	4	4	3	3	3	2	2

서기1920년

甲寅年 (二黑土星)

1월 (1일 四綠 + 7일 九紫 -) **癸未 (七赤)** 절기: 小暑 (6일 23:41) 大暑 (21일 17:04)

양력		1	2	3	4	5	6	7	8	9	10	11	12	13	14	15	16	17	18	19	20	21	22	23	24	25	26	27	28	29	30	31
요일		木	金	土	日	月	火	水	木	金	土	日	月	火	水	木	金	土	日	月	火	水	木	金	土	日	月	火	水	木	金	土
음력	월	11	12	13	14	15	16	17	18	19	20	21	22	23	24	25	26	27	28	29	30	十二	2	3	4	5	6	7	8	9	10	11
일진		戊子	己丑	甲寅	乙卯	丙辰	丁巳	庚午	辛未	壬申	癸酉	戊戌	己亥	甲子	乙丑	丙寅	丁卯	庚辰	辛巳	壬午	癸未	戊申	己酉	甲戌	乙亥	丙子	丁丑	庚寅	辛卯	壬辰	癸巳	戊午
대운	男	8	8	9	9	9	小	1	1	1	1	2	2	2	3	3	3	4	4	4	5	5	5	6	6	6	7	7	7	8	8	8
	女	2	1	1	1	1	暑	10	9	9	9	8	8	8	7	7	7	6	6	6	5	5	5	4	4	4	3	3	3	2	2	2

2월 閏 (1일 二黑 +) **戊申 (八白)** 절기: 立秋 (5일 11:27) 處暑 (20일 07:29)

양력		1	2	3	4	5	6	7	8	9	10	11	12	13	14	15	16	17	18	19	20	21	22	23	24	25	26	27	28	29		
요일		日	月	火	水	木	金	土	日	月	火	水	木	金	土	日	月	火	水	木	金	土	日	月	火	水	木	金	土	日		
음력	월	12	13	14	15	16	17	18	19	20	21	22	23	24	25	26	27	28	29	30	一	2	3	4	5	6	7	8	9	10		
일진		己未	甲申	乙酉	丙戌	丁亥	庚子	辛丑	壬寅	癸卯	戊辰	己巳	甲午	乙未	丙申	丁酉	庚戌	辛亥	壬子	癸丑	戊寅	己卯	甲辰	乙巳	丙午	丁未	庚申	辛酉	壬戌	癸亥		
대운	男	9	9	9	10	立	10	9	9	9	8	8	8	7	7	7	6	6	6	5	5	5	4	4	4	3	3	3	2	2		
	女	1	1	1	1	秋	1	1	1	1	2	2	2	3	3	3	4	4	4	5	5	5	6	6	6	7	7	7	8	8		

3월 (1일 九紫 -) **己酉 (九紫)** 절기: 白露 (6일 05:51) 秋分 (21일 06:59)

양력		1	2	3	4	5	6	7	8	9	10	11	12	13	14	15	16	17	18	19	20	21	22	23	24	25	26	27	28	29	30	31
요일		月	火	水	木	金	土	日	月	火	水	木	金	土	日	月	火	水	木	金	土	日	月	火	水	木	金	土	日	月	火	水
음력	월	11	12	13	14	15	16	17	18	19	20	21	22	23	24	25	26	27	28	29	二	2	3	4	5	6	7	8	9	10	11	12
일진		戊子	己丑	甲寅	乙卯	丙辰	丁巳	庚午	辛未	壬申	癸酉	戊戌	己亥	甲子	乙丑	丙寅	丁卯	庚辰	辛巳	壬午	癸未	戊申	己酉	甲戌	乙亥	丙子	丁丑	庚寅	辛卯	壬辰	癸巳	戊午
대운	男	2	1	1	1	1	驚	10	9	9	9	8	8	8	7	7	7	6	6	6	5	5	5	4	4	4	3	3	3	2	2	2
	女	8	9	9	9	10	蟄	1	1	1	1	2	2	2	3	3	3	4	4	4	5	5	5	6	6	6	7	7	7	8	8	8

4월 (1일 五黃 -) **甲戌 (一白)** 절기: 寒露 (5일 11:15) 霜降 (20일 18:39)

양력		1	2	3	4	5	6	7	8	9	10	11	12	13	14	15	16	17	18	19	20	21	22	23	24	25	26	27	28	29	30	
요일		木	金	土	日	月	火	水	木	金	土	日	月	火	水	木	金	土	日	月	火	水	木	金	土	日	月	火	水	木	金	
음력	월	13	14	15	16	17	18	19	20	21	22	23	24	25	26	27	28	29	30	三	2	3	4	5	6	7	8	9	10	11	12	
일진		己未	甲申	乙酉	丙戌	丁亥	庚子	辛丑	壬寅	癸卯	戊辰	己巳	甲午	乙未	丙申	丁酉	庚戌	辛亥	壬子	癸丑	戊寅	己卯	甲辰	乙巳	丙午	丁未	庚申	辛酉	壬戌	癸亥	戊子	
대운	男	1	1	1	1	寒	10	10	9	9	9	8	8	8	7	7	7	6	6	6	5	5	5	4	4	4	3	3	3	2	2	
	女	9	9	9	10	露	1	1	1	1	2	2	2	3	3	3	4	4	4	5	5	5	6	6	6	7	7	7	8	8	8	

5월 (1일 二黑 -) **乙亥 (二黑)** 절기: 立冬 (6일 05:11) 小雪 (21일 18:22)

양력		1	2	3	4	5	6	7	8	9	10	11	12	13	14	15	16	17	18	19	20	21	22	23	24	25	26	27	28	29	30	31
요일		土	日	月	火	水	木	金	土	日	月	火	水	木	金	土	日	月	火	水	木	金	土	日	月	火	水	木	金	土	日	月
음력	월	13	14	15	16	17	18	19	20	21	22	23	24	25	26	27	28	29	四	2	3	4	5	6	7	8	9	10	11	12	13	14
일진		己丑	甲寅	乙卯	丙辰	丁巳	庚午	辛未	壬申	癸酉	戊戌	己亥	甲子	乙丑	丙寅	丁卯	庚辰	辛巳	壬午	癸未	戊申	己酉	甲戌	乙亥	丙子	丁丑	庚寅	辛卯	壬辰	癸巳	戊午	己未
대운	男	2	1	1	1	1	立	10	10	9	9	9	8	8	8	7	7	7	6	6	6	5	5	5	4	4	4	3	3	3	2	2
	女	9	9	9	10	10	冬	1	1	1	1	2	2	2	3	3	3	4	4	4	5	5	5	6	6	6	7	7	7	8	8	8

6월 (1일 七赤 -) **丙子 (三碧)** 절기: 大雪 (6일 09:50) 冬至 (22일 02:40)

양력		1	2	3	4	5	6	7	8	9	10	11	12	13	14	15	16	17	18	19	20	21	22	23	24	25	26	27	28	29	30	
요일		火	水	木	金	土	日	月	火	水	木	金	土	日	月	火	水	木	金	土	日	月	火	水	木	金	土	日	月	火	水	
음력	월	15	16	17	18	19	20	21	22	23	24	25	26	27	28	29	五	2	3	4	5	6	7	8	9	10	11	12	13	14	15	
일진		甲申	乙酉	丙戌	丁亥	庚子	辛丑	壬寅	癸卯	戊辰	己巳	甲午	乙未	丙申	丁酉	庚戌	辛亥	壬子	癸丑	戊寅	己卯	甲辰	乙巳	丙午	丁未	庚申	辛酉	壬戌	癸亥	戊子	己丑	
대운	男	2	1	1	1	1	大	10	10	9	9	9	8	8	8	7	7	7	6	6	6	5	5	5	4	4	4	3	3	3	2	
	女	9	9	9	10	10	雪	1	1	1	1	2	2	2	3	3	3	4	4	4	5	5	5	6	6	6	7	7	7	8	8	

7月 (1일 四綠 - 5일 一白 +) **丁丑 (四綠)** 절기: 小寒(7일 20:19) 大寒(23일 13:35)

양력		1	2	3	4	5	6	7	8	9	10	11	12	13	14	15	16	17	18	19	20	21	22	23	24	25	26	27	28	29	30	31
요일		木	金	土	日	月	火	水	木	金	土	日	月	火	水	木	金	土	日	月	火	水	木	金	土	日	月	火	水	木	金	土
음력	월	16	17	18	19	20	21	22	23	24	25	26	27	28	29	30	六	2	3	4	5	6	7	8	9	10	11	12	13	14	15	16
일진		甲寅	乙卯	丙辰	丁巳	庚午	辛未	壬申	癸酉	戊戌	己亥	甲子	乙丑	丙寅	丁卯	庚辰	辛巳	壬午	癸未	戊申	己酉	甲戌	乙亥	丙子	丁丑	庚寅	辛卯	壬辰	癸巳	戊午	己未	甲申
대운	男	2	2	1	1	1	1	小	10	10	10	9	9	9	8	8	8	7	7	7	6	6	6	5	5	5	4	4	4	3	3	3
	女	8	9	9	9	10	10	寒	1	1	1	1	2	2	2	3	3	3	4	4	4	5	5	5	6	6	6	7	7	7	8	8

8月 (1일 一白 +) **庚寅 (五黃)** 절기: 立春(8일 05:58) 雨水(23일 20:21)

양력		1	2	3	4	5	6	7	8	9	10	11	12	13	14	15	16	17	18	19	20	21	22	23	24	25	26	27	28	29	30	31
요일		日	月	火	水	木	金	土	日	月	火	水	木	金	土	日	月	火	水	木	金	土	日	月	火	水	木	金	土	日	月	火
음력	월	17	18	19	20	21	22	23	24	25	26	27	28	29	七	2	3	4	5	6	7	8	9	10	11	12	13	14	15	16	17	18
일진		乙酉	丙戌	丁亥	庚子	辛丑	壬寅	癸卯	戊辰	己巳	甲午	乙未	丙申	丁酉	庚戌	辛亥	壬子	癸丑	戊寅	己卯	甲辰	乙巳	丙午	丁未	庚申	辛酉	壬戌	癸亥	戊子	己丑	甲寅	乙卯
대운	男	2	2	2	1	1	1	1	立	10	10	9	9	9	8	8	8	7	7	7	6	6	6	5	5	5	4	4	4	3	3	3
	女	8	9	9	9	10	10	10	春	1	1	1	1	2	2	2	3	3	3	4	4	4	5	5	5	6	6	6	7	7	7	8

9月 (1일 五黃 +) **辛卯 (六白)** 절기: 驚蟄(8일 08:27) 春分 (23일 17:28)

양력		1	2	3	4	5	6	7	8	9	10	11	12	13	14	15	16	17	18	19	20	21	22	23	24	25	26	27	28	29	30	
요일		水	木	金	土	日	月	火	水	木	金	土	日	月	火	水	木	金	土	日	月	火	水	木	金	土	日	月	火	水	木	
음력	월	19	20	21	22	23	24	25	26	27	28	29	八	2	3	4	5	6	7	8	9	10	11	12	13	14	15	16	17	18	19	
일진		丙辰	丁巳	庚午	辛未	壬申	癸酉	戊戌	己亥	甲子	乙丑	丙寅	丁卯	庚辰	辛巳	壬午	癸未	戊申	己酉	甲戌	乙亥	丙子	丁丑	庚寅	辛卯	壬辰	癸巳	戊午	己未	甲申	乙酉	
대운	男	2	2	2	1	1	1	1	驚	10	9	9	9	8	8	8	7	7	7	6	6	6	5	5	5	4	4	4	3	3	3	
	女	8	8	9	9	9	10	10	蟄	1	1	1	1	2	2	2	3	3	3	4	4	4	5	5	5	6	6	6	7	7	7	

10月 (1일 八白 +) **壬辰 (七赤)** 절기: 清明(8일 23:29) 穀雨(24일 02:13)

양력		1	2	3	4	5	6	7	8	9	10	11	12	13	14	15	16	17	18	19	20	21	22	23	24	25	26	27	28	29	30	31
요일		金	土	日	月	火	水	木	金	土	日	月	火	水	木	金	土	日	月	火	水	木	金	土	日	月	火	水	木	金	土	日
음력	월	20	21	22	23	24	25	26	27	28	29	30	九	2	3	4	5	6	7	8	9	10	11	12	13	14	15	16	17	18	19	20
일진		丙戌	丁亥	庚子	辛丑	壬寅	癸卯	戊辰	己巳	甲午	乙未	丙申	丁酉	庚戌	辛亥	壬子	癸丑	戊寅	己卯	甲辰	乙巳	丙午	丁未	庚申	辛酉	壬戌	癸亥	戊子	己丑	甲寅	乙卯	丙辰
대운	男	2	2	2	1	1	1	1	清	10	10	9	9	9	8	8	8	7	7	7	6	6	6	5	5	5	4	4	4	3	3	3
	女	8	8	8	9	9	9	10	明	1	1	1	1	2	2	2	3	3	3	4	4	4	5	5	5	6	6	6	7	7	7	8

11月 (1일 三碧 +) **癸巳 (八白)** 절기: 立夏(8일 02:02) 小滿 (22일 23:15)

양력		1	2	3	4	5	6	7	8	9	10	11	12	13	14	15	16	17	18	19	20	21	22	23	24	25	26	27	28	29	30	
요일		月	火	水	木	金	土	日	月	火	水	木	金	土	日	月	火	水	木	金	土	日	月	火	水	木	金	土	日	月	火	
음력	월	21	22	23	24	25	26	27	28	29	30	十	2	3	4	5	6	7	8	9	10	11	12	13	14	15	16	17	18	19	20	
일진		丁巳	庚午	辛未	壬申	癸酉	戊戌	己亥	甲子	乙丑	丙寅	丁卯	庚辰	辛巳	壬午	癸未	戊申	己酉	甲戌	乙亥	丙子	丁丑	庚寅	辛卯	壬辰	癸巳	戊午	己未	甲申	乙酉	丙戌	
대운	男	2	2	2	1	1	1	1	立	9	9	9	8	8	8	7	7	7	6	6	6	5	5	5	4	4	4	3	3	3	2	
	女	8	8	9	9	9	10	10	夏	1	1	1	1	2	2	2	3	3	3	4	4	4	5	5	5	6	6	6	7	7	7	

12月 (1일 六白 +) **戊午 (九紫)** 절기: 芒種(7일 18:30) 夏至(22일 12:17)

양력		1	2	3	4	5	6	7	8	9	10	11	12	13	14	15	16	17	18	19	20	21	22	23	24	25	26	27	28	29	30	31
요일		水	木	金	土	日	月	火	水	木	金	土	日	月	火	水	木	金	土	日	月	火	水	木	金	土	日	月	火	水	木	金
음력	월	21	22	23	24	25	26	27	28	29	十一	2	3	4	5	6	7	8	9	10	11	12	13	14	15	16	17	18	19	20	21	22
일진		丁亥	庚子	辛丑	壬寅	癸卯	戊辰	己巳	甲午	乙未	丙申	丁酉	庚戌	辛亥	壬子	癸丑	戊寅	己卯	甲辰	乙巳	丙午	丁未	庚申	辛酉	壬戌	癸亥	戊子	己丑	甲寅	乙卯	丙辰	丁巳
대운	男	2	2	1	1	1	1	芒	10	9	9	9	8	8	8	7	7	7	6	6	6	5	5	5	4	4	4	3	3	3	2	2
	女	8	8	8	9	9	9	種	1	1	1	1	2	2	2	3	3	3	4	4	4	5	5	5	6	6	6	7	7	7	8	8

서기1921년

乙卯年 (三碧木星)

1月 (1일 九紫 -) **己未 (一白)** 절기: 小暑 (6일 05:34) 大暑 (20일 22:55)

양력		1	2	3	4	5	6	7	8	9	10	11	12	13	14	15	16	17	18	19	20	21	22	23	24	25	26	27	28	29	30	31
요일		土	日	月	火	水	木	金	土	日	月	火	水	木	金	土	日	月	火	水	木	金	土	日	月	火	水	木	金	土	日	月
음력	월	23	24	25	26	27	28	29	30	十二	2	3	4	5	6	7	8	9	10	11	12	13	14	15	16	17	18	19	20	21	22	23
일진		庚午	辛未	壬申	癸酉	戊戌	己亥	甲子	乙丑	丙寅	丁卯	庚辰	辛巳	壬午	癸未	戊申	己酉	甲戌	乙亥	丙子	丁丑	庚寅	辛卯	壬辰	癸巳	戊午	己未	甲申	乙酉	丙戌	丁亥	庚子
대운	男	2	1	1	1	1	小	9	9	9	8	8	8	7	7	7	6	6	6	5	5	5	4	4	4	3	3	3	2	2	2	1
	女	8	9	9	9	10	暑	1	1	1	1	2	2	2	3	3	3	4	4	4	5	5	5	6	6	6	7	7	7	8	8	8

2月 (1일 五黃 -) **甲申 (二黑)** 절기: 立秋 (4일 17:20) 處暑 (19일 13:20)

양력		1	2	3	4	5	6	7	8	9	10	11	12	13	14	15	16	17	18	19	20	21	22	23	24	25	26	27	28			
요일		火	水	木	金	土	日	月	火	水	木	金	土	日	月	火	水	木	金	土	日	月	火	水	木	金	土	日	月			
음력	월	24	25	26	27	28	29	30	一	2	3	4	5	6	7	8	9	10	11	12	13	14	15	16	17	18	19	20	21			
일진		辛丑	壬寅	癸卯	戊辰	己巳	甲午	乙未	丙申	丁酉	庚戌	辛亥	壬子	癸丑	戊寅	己卯	甲辰	乙巳	丙午	丁未	庚申	辛酉	壬戌	癸亥	戊子	己丑	甲寅	乙卯	丙辰			
대운	男	1	1	1	立	1	1	1	1	2	2	2	3	3	3	4	4	4	5	5	5	6	6	6	7	7	7	8	8			
	女	9	9	9	秋	10	9	9	9	8	8	8	7	7	7	6	6	6	5	5	5	4	4	4	3	3	3	2	2			

3月 (1일 四綠 -) **乙酉 (三碧)** 절기: 白露 (6일 11:45) 秋分 (21일 12:51)

양력		1	2	3	4	5	6	7	8	9	10	11	12	13	14	15	16	17	18	19	20	21	22	23	24	25	26	27	28	29	30	31
요일		火	水	木	金	土	日	月	火	水	木	金	土	日	月	火	水	木	金	土	日	月	火	水	木	金	土	日	月	火	水	木
음력	월	22	23	24	25	26	27	28	29	30	二	2	3	4	5	6	7	8	9	10	11	12	13	14	15	16	17	18	19	20	21	22
일진		丁巳	庚午	辛未	壬申	癸酉	戊戌	己亥	甲子	乙丑	丙寅	丁卯	庚辰	辛巳	壬午	癸未	戊申	己酉	甲戌	乙亥	丙子	丁丑	庚寅	辛卯	壬辰	癸巳	戊午	己未	甲申	乙酉	丙戌	丁亥
대운	男	8	9	9	9	10	白	1	1	1	1	2	2	2	3	3	3	4	4	4	5	5	5	6	6	6	7	7	7	8	8	8
	女	2	1	1	1	1	露	10	9	9	9	8	8	8	7	7	7	6	6	6	5	5	5	4	4	4	3	3	3	2	2	2

4月 (1일 九紫 -) **丙戌 (四綠)** 절기: 寒露 (5일 17:09) 霜降 (21일 00:32)

양력		1	2	3	4	5	6	7	8	9	10	11	12	13	14	15	16	17	18	19	20	21	22	23	24	25	26	27	28	29	30	
요일		金	土	日	月	火	水	木	金	土	日	月	火	水	木	金	土	日	月	火	水	木	金	土	日	月	火	水	木	金	土	
음력	월	23	24	25	26	27	28	29	三	2	3	4	5	6	7	8	9	10	11	12	13	14	15	16	17	18	19	20	21	22	23	
일진		庚子	辛丑	壬寅	癸卯	戊辰	己巳	甲午	乙未	丙申	丁酉	庚戌	辛亥	壬子	癸丑	戊寅	己卯	甲辰	乙巳	丙午	丁未	庚申	辛酉	壬戌	癸亥	戊子	己丑	甲寅	乙卯	丙辰	丁巳	
대운	男	9	9	9	10	寒	1	1	1	1	2	2	2	3	3	3	4	4	4	5	5	5	6	6	6	7	7	7	8	8	8	
	女	1	1	1	1	露	10	10	9	9	9	8	8	8	7	7	7	6	6	6	5	5	5	4	4	4	3	3	3	2	2	

5月 (1일 六白 -) **丁亥 (五黃)** 절기: 立冬 (6일 11:04) 小雪 (22일 00:17)

양력		1	2	3	4	5	6	7	8	9	10	11	12	13	14	15	16	17	18	19	20	21	22	23	24	25	26	27	28	29	30	31
요일		日	月	火	水	木	金	土	日	月	火	水	木	金	土	日	月	火	水	木	金	土	日	月	火	水	木	金	土	日	月	火
음력	월	24	25	26	27	28	29	30	四	2	3	4	5	6	7	8	9	10	11	12	13	14	15	16	17	18	19	20	21	22	23	24
일진		庚午	辛未	壬申	癸酉	戊戌	己亥	甲子	乙丑	丙寅	丁卯	庚辰	辛巳	壬午	癸未	戊申	己酉	甲戌	乙亥	丙子	丁丑	庚寅	辛卯	壬辰	癸巳	戊午	己未	甲申	乙酉	丙戌	丁亥	庚子
대운	男	9	9	9	10	10	立	1	1	1	1	2	2	2	3	3	3	4	4	4	5	5	5	6	6	6	7	7	7	8	8	8
	女	2	1	1	1	1	冬	10	10	9	9	9	8	8	8	7	7	7	6	6	6	5	5	5	4	4	4	3	3	3	2	2

6月 (1일 二黑 - 30일 一白 +) **庚子 (六白)** 절기: 大雪 (6일 15:42) 冬至 (22일 08:36)

양력		1	2	3	4	5	6	7	8	9	10	11	12	13	14	15	16	17	18	19	20	21	22	23	24	25	26	27	28	29	30	
요일		水	木	金	土	日	月	火	水	木	金	土	日	月	火	水	木	金	土	日	月	火	水	木	金	土	日	月	火	水	木	
음력	월	25	26	27	28	29	五	2	3	4	5	6	7	8	9	10	11	12	13	14	15	16	17	18	19	20	21	22	23	24	25	
일진		辛丑	壬寅	癸卯	戊辰	己巳	甲午	乙未	丙申	丁酉	庚戌	辛亥	壬子	癸丑	戊寅	己卯	甲辰	乙巳	丙午	丁未	庚申	辛酉	壬戌	癸亥	戊子	己丑	甲寅	乙卯	丙辰	丁巳	庚午	
대운	男	9	9	9	10	10	大	1	1	1	1	2	2	2	3	3	3	4	4	4	5	5	5	6	6	6	7	7	7	8	8	
	女	2	1	1	1	1	雪	10	10	10	9	9	9	8	8	8	7	7	7	6	6	6	5	5	5	4	4	4	3	3	3	

7月 (1일 二黑 +) **辛丑 (七赤)** 절기: 小寒(8일 02:07) 大寒(23일 19:30)

양력		1	2	3	4	5	6	7	8	9	10	11	12	13	14	15	16	17	18	19	20	21	22	23	24	25	26	27	28	29	30	31
요일		金	土	日	月	火	水	木	金	土	日	月	火	水	木	金	土	日	月	火	水	木	金	土	日	月	火	水	木	金	土	日
음력	월	26	27	28	29	六	2	3	4	5	6	7	8	9	10	11	12	13	14	15	16	17	18	19	20	21	22	23	24	25	26	27
일진		辛未	壬申	癸酉	戊戌	己亥	甲子	乙丑	丙寅	丁卯	庚辰	辛巳	壬午	癸未	戊申	己酉	甲戌	乙亥	丙子	丁丑	庚寅	辛卯	壬辰	癸巳	戊午	己未	甲申	乙酉	丙戌	丁亥	庚子	辛丑
대운	男	8	9	9	9	10	10	10	小	1	1	1	1	2	2	2	3	3	3	4	4	4	5	5	5	6	6	6	7	7	7	8
	女	2	2	2	1	1	1	1	寒	10	10	9	9	9	8	8	8	7	7	7	6	6	6	5	5	5	4	4	4	3	3	3

8月 (1일 六白 +) **壬寅 (八白)** 절기: 立春(8일 11:44) 雨水(24일 02:15)

양력		1	2	3	4	5	6	7	8	9	10	11	12	13	14	15	16	17	18	19	20	21	22	23	24	25	26	27	28	29	30	31
요일		月	火	水	木	金	土	日	月	火	水	木	金	土	日	月	火	水	木	金	土	日	月	火	水	木	金	土	日	月	火	水
음력	월	28	29	30	七	2	3	4	5	6	7	8	9	10	11	12	13	14	15	16	17	18	19	20	21	22	23	24	25	26	27	28
일진		壬寅	癸卯	戊辰	己巳	甲午	乙未	丙申	丁酉	庚戌	辛亥	壬子	癸丑	戊寅	己卯	甲辰	乙巳	丙午	丁未	庚申	辛酉	壬戌	癸亥	戊子	己丑	甲寅	乙卯	丙辰	丁巳	庚午	辛未	壬申
대운	男	8	8	9	9	9	10	10	立	1	1	1	1	2	2	2	3	3	3	4	4	4	5	5	5	6	6	6	7	7	7	8
	女	2	2	2	1	1	1	1	春	10	10	9	9	9	8	8	8	7	7	7	6	6	6	5	5	5	4	4	4	3	3	3

9月 (1일 一白 +) **癸卯 (九紫)** 절기: 驚蟄(8일 14:10) 春分 (23일 23:20)

양력		1	2	3	4	5	6	7	8	9	10	11	12	13	14	15	16	17	18	19	20	21	22	23	24	25	26	27	28	29	30	
요일		木	金	土	日	月	火	水	木	金	土	日	月	火	水	木	金	土	日	月	火	水	木	金	土	日	月	火	水	木	金	
음력	월	29	八	2	3	4	5	6	7	8	9	10	11	12	13	14	15	16	17	18	19	20	21	22	23	24	25	26	27	28	29	
일진		癸酉	戊戌	己亥	甲子	乙丑	丙寅	丁卯	庚辰	辛巳	壬午	癸未	戊申	己酉	甲戌	乙亥	丙子	丁丑	庚寅	辛卯	壬辰	癸巳	戊午	己未	甲申	乙酉	丙戌	丁亥	庚子	辛丑	壬寅	
대운	男	8	8	9	9	9	10	10	驚	1	1	1	1	2	2	2	3	3	3	4	4	4	5	5	5	6	6	6	7	7	7	
	女	2	2	2	1	1	1	1	蟄	10	10	9	9	9	8	8	8	7	7	7	6	6	6	5	5	5	4	4	4	3	3	

10月 (1일 四綠 +) **戊辰 (一白)** 절기: 淸明(9일 05:11) 穀雨(24일 08:02)

양력		1	2	3	4	5	6	7	8	9	10	11	12	13	14	15	16	17	18	19	20	21	22	23	24	25	26	27	28	29	30	31
요일		土	日	月	火	水	木	金	土	日	月	火	水	木	金	土	日	月	火	水	木	金	土	日	月	火	水	木	金	土	日	月
음력	월	九	2	3	4	5	6	7	8	9	10	11	12	13	14	15	16	17	18	19	20	21	22	23	24	25	26	27	28	29	30	十
일진		癸卯	戊辰	己巳	甲午	乙未	丙申	丁酉	庚戌	辛亥	壬子	癸丑	戊寅	己卯	甲辰	乙巳	丙午	丁未	庚申	辛酉	壬戌	癸亥	戊子	己丑	甲寅	乙卯	丙辰	丁巳	庚午	辛未	壬申	癸酉
대운	男	8	8	8	9	9	9	10	10	淸	1	1	1	1	2	2	2	3	3	3	4	4	4	5	5	5	6	6	6	7	7	7
	女	3	2	2	2	1	1	1	1	明	10	9	9	9	8	8	8	7	7	7	6	6	6	5	5	5	4	4	4	3	3	3

11月 (1일 八白 +) **己巳 (二黑)** 절기: 立夏(8일 07:46) 小滿 (23일 05:05)

양력		1	2	3	4	5	6	7	8	9	10	11	12	13	14	15	16	17	18	19	20	21	22	23	24	25	26	27	28	29	30	
요일		火	水	木	金	土	日	月	火	水	木	金	土	日	月	火	水	木	金	土	日	月	火	水	木	金	土	日	月	火	水	
음력	월	2	3	4	5	6	7	8	9	10	11	12	13	14	15	16	17	18	19	20	21	22	23	24	25	26	27	28	29	十一	2	
일진		戊戌	己亥	甲子	乙丑	丙寅	丁卯	庚辰	辛巳	壬午	癸未	戊申	己酉	甲戌	乙亥	丙子	丁丑	庚寅	辛卯	壬辰	癸巳	戊午	己未	甲申	乙酉	丙戌	丁亥	庚子	辛丑	壬寅	癸卯	
대운	男	8	8	8	9	9	9	10	立	1	1	1	1	2	2	2	3	3	3	4	4	4	5	5	5	6	6	6	7	7	7	
	女	2	2	2	1	1	1	1	夏	10	9	9	9	8	8	8	7	7	7	6	6	6	5	5	5	4	4	4	3	3	3	

12月 (1일 二黑 + 27일 九紫 -) **甲午 (三碧)** 절기: 芒種(8일 00:12) 夏至(22일 18:07)

양력		1	2	3	4	5	6	7	8	9	10	11	12	13	14	15	16	17	18	19	20	21	22	23	24	25	26	27	28	29	30	31
요일		木	金	土	日	月	火	水	木	金	土	日	月	火	水	木	金	土	日	月	火	水	木	金	土	日	月	火	水	木	金	土
음력	월	3	4	5	6	7	8	9	10	11	12	13	14	15	16	17	18	19	20	21	22	23	24	25	26	27	28	29	30	十二	2	3
일진		戊辰	己巳	甲午	乙未	丙申	丁酉	庚戌	辛亥	壬子	癸丑	戊寅	己卯	甲辰	乙巳	丙午	丁未	庚申	辛酉	壬戌	癸亥	戊子	己丑	甲寅	乙卯	丙辰	丁巳	庚午	辛未	壬申	癸酉	戊戌
대운	男	8	8	8	9	9	9	10	芒	1	1	1	1	2	2	2	3	3	3	4	4	4	5	5	5	6	6	6	7	7	7	8
	女	2	2	2	1	1	1	1	種	9	9	9	8	8	8	7	7	7	6	6	6	5	5	5	4	4	4	3	3	3	2	2

서기1922년

丙辰年 (四綠木星) 閏五月

1月 (1일 四綠 -) **乙未 (四綠)** 절기: 小暑 (6일 11:17) 大暑 (21일 04:48)

양력		1	2	3	4	5	6	7	8	9	10	11	12	13	14	15	16	17	18	19	20	21	22	23	24	25	26	27	28	29	30	31
요일		日	月	火	水	木	金	土	日	月	火	水	木	金	土	日	月	火	水	木	金	土	日	月	火	水	木	金	土	日	月	火
음력	월	4	5	6	7	8	9	10	11	12	13	14	15	16	17	18	19	20	21	22	23	24	25	26	27	28	29	30	一	2	3	4
일진		己亥	甲子	乙丑	丙寅	丁卯	庚辰	辛巳	壬午	癸未	戊申	己酉	甲戌	乙亥	丙子	丁丑	庚寅	辛卯	壬辰	癸巳	戊午	己未	甲申	乙酉	丙戌	丁亥	庚子	辛丑	壬寅	癸卯	戊辰	己巳
대운	男	8	8	9	9	9	小	1	1	1	1	2	2	2	3	3	3	4	4	4	5	5	5	6	6	6	7	7	7	8	8	8
	女	2	1	1	1	1	暑	9	9	9	8	8	8	7	7	7	6	6	6	5	5	5	4	4	4	3	3	3	2	2	2	1

2月 (1일 九紫 -) **丙申 (五黃)** 절기: 立秋 (4일 23:06) 處暑 (19일 19:16)

양력		1	2	3	4	5	6	7	8	9	10	11	12	13	14	15	16	17	18	19	20	21	22	23	24	25	26	27	28			
요일		水	木	金	土	日	月	火	水	木	金	土	日	月	火	水	木	金	土	日	月	火	水	木	金	土	日	月	火			
음력	월	5	6	7	8	9	10	11	12	13	14	15	16	17	18	19	20	21	22	23	24	25	26	27	28	29	30	二	2			
일진		甲午	乙未	丙申	丁酉	庚戌	辛亥	壬子	癸丑	戊寅	己卯	甲辰	乙巳	丙午	丁未	庚申	辛酉	壬戌	癸亥	戊子	己丑	甲寅	乙卯	丙辰	丁巳	庚午	辛未	壬申	癸酉			
대운	男	9	9	9	立	10	9	9	9	8	8	8	7	7	7	6	6	6	5	5	5	4	4	4	3	3	3	2	2			
	女	1	1	1	秋	1	1	1	1	2	2	2	3	3	3	4	4	4	5	5	5	6	6	6	7	7	7	8	8			

3月 (1일 八白 -) **丁酉 (六白)** 절기: 白露 (6일 17:34) 秋分 (21일 18:49)

양력		1	2	3	4	5	6	7	8	9	10	11	12	13	14	15	16	17	18	19	20	21	22	23	24	25	26	27	28	29	30	31
요일		水	木	金	土	日	月	火	水	木	金	土	日	月	火	水	木	金	土	日	月	火	水	木	金	土	日	月	火	水	木	金
음력	월	3	4	5	6	7	8	9	10	11	12	13	14	15	16	17	18	19	20	21	22	23	24	25	26	27	28	29	三	2	3	4
일진		戊戌	己亥	甲子	乙丑	丙寅	丁卯	庚辰	辛巳	壬午	癸未	戊申	己酉	甲戌	乙亥	丙子	丁丑	庚寅	辛卯	壬辰	癸巳	戊午	己未	甲申	乙酉	丙戌	丁亥	庚子	辛丑	壬寅	癸卯	戊辰
대운	男	2	1	1	1	1	白	10	9	9	9	8	8	8	7	7	7	6	6	6	5	5	5	4	4	4	3	3	3	2	2	2
	女	8	9	9	9	10	露	1	1	1	1	2	2	2	3	3	3	4	4	4	5	5	5	6	6	6	7	7	7	8	8	8

4月 (1일 四綠 -) **庚戌 (七赤)** 절기: 寒露 (5일 22:58) 霜降 (21일 06:29)

양력		1	2	3	4	5	6	7	8	9	10	11	12	13	14	15	16	17	18	19	20	21	22	23	24	25	26	27	28	29	30	
요일		土	日	月	火	水	木	金	土	日	月	火	水	木	金	土	日	月	火	水	木	金	土	日	月	火	水	木	金	土	日	
음력	월	5	6	7	8	9	10	11	12	13	14	15	16	17	18	19	20	21	22	23	24	25	26	27	28	29	30	四	2	3	4	
일진		己巳	甲午	乙未	丙申	丁酉	庚戌	辛亥	壬子	癸丑	戊寅	己卯	甲辰	乙巳	丙午	丁未	庚申	辛酉	壬戌	癸亥	戊子	己丑	甲寅	乙卯	丙辰	丁巳	庚午	辛未	壬申	癸酉	戊戌	
대운	男	1	1	1	1	寒	10	10	9	9	9	8	8	8	7	7	7	6	6	6	5	5	5	4	4	4	3	3	3	2	2	
	女	9	9	9	10	露	1	1	1	1	2	2	2	3	3	3	4	4	4	5	5	5	6	6	6	7	7	7	8	8	8	

5月 (1일 一白 -) **辛亥 (八白)** 절기: 立冬 (6일 16:53) 小雪 (22일 06:10)

양력		1	2	3	4	5	6	7	8	9	10	11	12	13	14	15	16	17	18	19	20	21	22	23	24	25	26	27	28	29	30	31
요일		月	火	水	木	金	土	日	月	火	水	木	金	土	日	月	火	水	木	金	土	日	月	火	水	木	金	土	日	月	火	水
음력	월	5	6	7	8	9	10	11	12	13	14	15	16	17	18	19	20	21	22	23	24	25	26	27	28	29	30	五	2	3	4	5
일진		己亥	甲子	乙丑	丙寅	丁卯	庚辰	辛巳	壬午	癸未	戊申	己酉	甲戌	乙亥	丙子	丁丑	庚寅	辛卯	壬辰	癸巳	戊午	己未	甲申	乙酉	丙戌	丁亥	庚子	辛丑	壬寅	癸卯	戊辰	己巳
대운	男	2	1	1	1	1	立	10	10	9	9	9	8	8	8	7	7	7	6	6	6	5	5	5	4	4	4	3	3	3	2	2
	女	9	9	9	10	10	冬	1	1	1	1	2	2	2	3	3	3	4	4	4	5	5	5	6	6	6	7	7	7	8	8	8

6月 (1일 六白 - 25일 一白 +) **壬子 (九紫)** 절기: 大雪 (6일 21:30) 冬至 (22일 14:27)

양력		1	2	3	4	5	6	7	8	9	10	11	12	13	14	15	16	17	18	19	20	21	22	23	24	25	26	27	28	29	30	
요일		木	金	土	日	月	火	水	木	金	土	日	月	火	水	木	金	土	日	月	火	水	木	金	土	日	月	火	水	木	金	
음력	월	6	7	8	9	10	11	12	13	14	15	16	17	18	19	20	21	22	23	24	25	26	27	28	29	閏五		3	4	5	6	
일진		甲午	乙未	丙申	丁酉	庚戌	辛亥	壬子	癸丑	戊寅	己卯	甲辰	乙巳	丙午	丁未	庚申	辛酉	壬戌	癸亥	戊子	己丑	甲寅	乙卯	丙辰	丁巳	庚午	辛未	壬申	癸酉	戊戌	己亥	
대운	男	2	1	1	1	1	大	10	10	10	9	9	9	8	8	8	7	7	7	6	6	6	5	5	5	4	4	4	3	3	3	
	女	9	9	9	10	10	雪	1	1	1	1	2	2	2	3	3	3	4	4	4	5	5	5	6	6	6	7	7	7	8	8	

7月 (1일 七赤 +) **癸丑 (一白)** 절기: 小寒(8일 07:58) 大寒(24일 01:20)

양력		1	2	3	4	5	6	7	8	9	10	11	12	13	14	15	16	17	18	19	20	21	22	23	24	25	26	27	28	29	30	31
요일		土	日	月	火	水	木	金	土	日	月	火	水	木	金	土	日	月	火	水	木	金	土	日	月	火	水	木	金	土	日	月
음력	월	7	8	9	10	11	12	13	14	15	16	17	18	19	20	21	22	23	24	25	26	27	28	29	六	2	3	4	5	6	7	8
일진		甲子	乙丑	丙寅	丁卯	庚辰	辛巳	壬午	癸未	戊申	己酉	甲戌	乙亥	丙子	丁丑	庚寅	辛卯	壬辰	癸巳	戊午	己未	甲申	乙酉	丙戌	丁亥	庚子	辛丑	壬寅	癸卯	戊辰	己巳	甲午
대운	男	2	2	2	1	1	1	1	小	10	10	9	9	9	8	8	8	7	7	7	6	6	6	5	5	5	4	4	4	3	3	3
	女	8	9	9	9	10	10	10	寒	1	1	1	1	2	2	2	3	3	3	4	4	4	5	5	5	6	6	6	7	7	7	8

8月 (1일 二黑 +) **戊寅 (二黑)** 절기: 立春(8일 17:37) 雨水(24일 08:04)

양력		1	2	3	4	5	6	7	8	9	10	11	12	13	14	15	16	17	18	19	20	21	22	23	24	25	26	27	28	29	30	31
요일		火	水	木	金	土	日	月	火	水	木	金	土	日	月	火	水	木	金	土	日	月	火	水	木	金	土	日	月	火	水	木
음력	월	9	10	11	12	13	14	15	16	17	18	19	20	21	22	23	24	25	26	27	28	29	30	七	2	3	4	5	6	7	8	9
일진		乙未	丙申	丁酉	庚戌	辛亥	壬子	癸丑	戊寅	己卯	甲辰	乙巳	丙午	丁未	庚申	辛酉	壬戌	癸亥	戊子	己丑	甲寅	乙卯	丙辰	丁巳	庚午	辛未	壬申	癸酉	戊戌	己亥	甲子	乙丑
대운	男	2	2	2	1	1	1	1	立	10	10	9	9	9	8	8	8	7	7	7	6	6	6	5	5	5	4	4	4	3	3	3
	女	8	8	9	9	9	10	10	春	1	1	1	1	2	2	2	3	3	3	4	4	4	5	5	5	6	6	6	7	7	7	8

9月 (1일 六白 +) **己卯 (三碧)** 절기: 驚蟄(8일 20:06) 春分 (24일 05:10)

양력		1	2	3	4	5	6	7	8	9	10	11	12	13	14	15	16	17	18	19	20	21	22	23	24	25	26	27	28	29	30	
요일		金	土	日	月	火	水	木	金	土	日	月	火	水	木	金	土	日	月	火	水	木	金	土	日	月	火	水	木	金	土	
음력	월	10	11	12	13	14	15	16	17	18	19	20	21	22	23	24	25	26	27	28	29	八	2	3	4	5	6	7	8	9	10	
일진		丙寅	丁卯	庚辰	辛巳	壬午	癸未	戊申	己酉	甲戌	乙亥	丙子	丁丑	庚寅	辛卯	壬辰	癸巳	戊午	己未	甲申	乙酉	丙戌	丁亥	庚子	辛丑	壬寅	癸卯	戊辰	己巳	甲午	乙未	
대운	男	2	2	2	1	1	1	1	驚	10	10	9	9	9	8	8	8	7	7	7	6	6	6	5	5	5	4	4	4	3	3	
	女	8	8	9	9	9	10	10	蟄	1	1	1	1	2	2	2	3	3	3	4	4	4	5	5	5	6	6	6	7	7	7	

10月 (1일 九紫 +) **甲辰 (四綠)** 절기: 清明(9일 11:09) 穀雨(24일 13:53)

양력		1	2	3	4	5	6	7	8	9	10	11	12	13	14	15	16	17	18	19	20	21	22	23	24	25	26	27	28	29	30	31
요일		日	月	火	水	木	金	土	日	月	火	水	木	金	土	日	月	火	水	木	金	土	日	月	火	水	木	金	土	日	月	火
음력	월	11	12	13	14	15	16	17	18	19	20	21	22	23	24	25	26	27	28	29	九	2	3	4	5	6	7	8	9	10	11	12
일진		丙申	丁酉	庚戌	辛亥	壬子	癸丑	戊寅	己卯	甲辰	乙巳	丙午	丁未	庚申	辛酉	壬戌	癸亥	戊子	己丑	甲寅	乙卯	丙辰	丁巳	庚午	辛未	壬申	癸酉	戊戌	己亥	甲子	乙丑	丙寅
대운	男	3	2	2	2	1	1	1	1	清	10	9	9	9	8	8	8	7	7	7	6	6	6	5	5	5	4	4	4	3	3	3
	女	8	8	8	9	9	9	10	10	明	1	1	1	1	2	2	2	3	3	3	4	4	4	5	5	5	6	6	6	7	7	7

11月 (1일 四綠 +) **乙巳 (五黃)** 절기: 立夏(8일 13:45) 小滿 (23일 10:55)

양력		1	2	3	4	5	6	7	8	9	10	11	12	13	14	15	16	17	18	19	20	21	22	23	24	25	26	27	28	29	30	
요일		水	木	金	土	日	月	火	水	木	金	土	日	月	火	水	木	金	土	日	月	火	水	木	金	土	日	月	火	水	木	
음력	월	13	14	15	16	17	18	19	20	21	22	23	24	25	26	27	28	29	30	十	2	3	4	5	6	7	8	9	10	11	12	
일진		丁卯	庚辰	辛巳	壬午	癸未	戊申	己酉	甲戌	乙亥	丙子	丁丑	庚寅	辛卯	壬辰	癸巳	戊午	己未	甲申	乙酉	丙戌	丁亥	庚子	辛丑	壬寅	癸卯	戊辰	己巳	甲午	乙未	丙申	
대운	男	2	2	2	1	1	1	1	立	10	9	9	9	8	8	8	7	7	7	6	6	6	5	5	5	4	4	4	3	3	3	
	女	8	8	8	9	9	9	10	夏	1	1	1	1	2	2	2	3	3	3	4	4	4	5	5	5	6	6	6	7	7	7	

12月 (1일 七赤 + 22일 九紫 -) **丙午 (六白)** 절기: 芒種(8일 06:11) 夏至(22일 23:57)

양력		1	2	3	4	5	6	7	8	9	10	11	12	13	14	15	16	17	18	19	20	21	22	23	24	25	26	27	28	29	30	31
요일		金	土	日	月	火	水	木	金	土	日	月	火	水	木	金	土	日	月	火	水	木	金	土	日	月	火	水	木	金	土	日
음력	월	13	14	15	16	17	18	19	20	21	22	23	24	25	26	27	28	29	十一	2	3	4	5	6	7	8	9	10	11	12	13	14
일진		丁酉	庚戌	辛亥	壬子	癸丑	戊寅	己卯	甲辰	乙巳	丙午	丁未	庚申	辛酉	壬戌	癸亥	戊子	己丑	甲寅	乙卯	丙辰	丁巳	庚午	辛未	壬申	癸酉	戊戌	己亥	甲子	乙丑	丙寅	丁卯
대운	男	2	2	2	1	1	1	1	芒	9	9	9	8	8	8	7	7	7	6	6	6	5	5	5	4	4	4	3	3	3	2	2
	女	8	8	8	9	9	9	10	種	1	1	1	1	2	2	2	3	3	3	4	4	4	5	5	5	6	6	6	7	7	7	8

서기1923년

丁巳年 (五黃土星)

1月 (1일 八白 -) **丁未 (七赤)** 절기: 小暑 (6일 17:14) 大暑 (21일 10:35)

양력		1	2	3	4	5	6	7	8	9	10	11	12	13	14	15	16	17	18	19	20	21	22	23	24	25	26	27	28	29	30	31
요일		月	火	水	木	金	土	日	月	火	水	木	金	土	日	月	火	水	木	金	土	日	月	火	水	木	金	土	日	月	火	水
음력	월	15	16	17	18	19	20	21	22	23	24	25	26	27	28	29	30	十二	2	3	4	5	6	7	8	9	10	11	12	13	14	15
일진		庚辰	辛巳	壬午	癸未	戊申	己酉	甲戌	乙亥	丙子	丁丑	庚寅	辛卯	壬辰	癸巳	戊午	己未	甲申	乙酉	丙戌	丁亥	庚子	辛丑	壬寅	癸卯	戊辰	己巳	甲午	乙未	丙申	丁酉	庚戌
대운	男	2	1	1	1	1	小	10	9	9	9	8	8	8	7	7	7	6	6	6	5	5	5	4	4	4	3	3	3	2	2	2
	女	8	8	9	9	9	暑	1	1	1	1	2	2	2	3	3	3	4	4	4	5	5	5	6	6	6	7	7	7	8	8	8

2月 (1일 四綠 -) **庚申 (八白)** 절기: 立秋 (5일 05:00) 處暑 (20일 01:00)

양력		1	2	3	4	5	6	7	8	9	10	11	12	13	14	15	16	17	18	19	20	21	22	23	24	25	26	27	28			
요일		木	金	土	日	月	火	水	木	金	土	日	月	火	水	木	金	土	日	月	火	水	木	金	土	日	月	火	水			
음력	월	16	17	18	19	20	21	22	23	24	25	26	27	28	29	30	一	2	3	4	5	6	7	8	9	10	11	12	13			
일진		辛亥	壬子	癸丑	戊寅	己卯	甲辰	乙巳	丙午	丁未	庚申	辛酉	壬戌	癸亥	戊子	己丑	甲寅	乙卯	丙辰	丁巳	庚午	辛未	壬申	癸酉	戊戌	己亥	甲子	乙丑	丙寅			
대운	男	1	1	1	1	立	1	1	1	1	2	2	2	3	3	3	4	4	4	5	5	5	6	6	6	7	7	7	8			
	女	9	9	9	10	秋	9	9	9	8	8	8	7	7	7	6	6	6	5	5	5	4	4	4	3	3	3	2	2			

3月 (1일 三碧 -) **辛酉 (九紫)** 절기: 白露 (6일 23:25) 秋分 (22일 00:29)

양력		1	2	3	4	5	6	7	8	9	10	11	12	13	14	15	16	17	18	19	20	21	22	23	24	25	26	27	28	29	30	31
요일		木	金	土	日	月	火	水	木	金	土	日	月	火	水	木	金	土	日	月	火	水	木	金	土	日	月	火	水	木	金	土
음력	월	14	15	16	17	18	19	20	21	22	23	24	25	26	27	28	29	二	2	3	4	5	6	7	8	9	10	11	12	13	14	15
일진		丁卯	庚辰	辛巳	壬午	癸未	戊申	己酉	甲戌	乙亥	丙子	丁丑	庚寅	辛卯	壬辰	癸巳	戊午	己未	甲申	乙酉	丙戌	丁亥	庚子	辛丑	壬寅	癸卯	戊辰	己巳	甲午	乙未	丙申	丁酉
대운	男	8	8	9	9	9	白	1	1	1	1	2	2	2	3	3	3	4	4	4	5	5	5	6	6	6	7	7	7	8	8	8
	女	2	1	1	1	1	露	10	10	9	9	9	8	8	8	7	7	7	6	6	6	5	5	5	4	4	4	3	3	3	2	2

4月 (1일 八白 -) **壬戌 (一白)** 절기: 寒露 (6일 04:46) 霜降 (21일 12:06)

양력		1	2	3	4	5	6	7	8	9	10	11	12	13	14	15	16	17	18	19	20	21	22	23	24	25	26	27	28	29	30	
요일		日	月	火	水	木	金	土	日	月	火	水	木	金	土	日	月	火	水	木	金	土	日	月	火	水	木	金	土	日	月	
음력	월	16	17	18	19	20	21	22	23	24	25	26	27	28	29	30	三	2	3	4	5	6	7	8	9	10	11	12	13	14	15	
일진		庚戌	辛亥	壬子	癸丑	戊寅	己卯	甲辰	乙巳	丙午	丁未	庚申	辛酉	壬戌	癸亥	戊子	己丑	甲寅	乙卯	丙辰	丁巳	庚午	辛未	壬申	癸酉	戊戌	己亥	甲子	乙丑	丙寅	丁卯	
대운	男	9	9	9	10	10	寒	1	1	1	1	2	2	2	3	3	3	4	4	4	5	5	5	6	6	6	7	7	7	8	8	
	女	2	1	1	1	1	露	10	9	9	9	8	8	8	7	7	7	6	6	6	5	5	5	4	4	4	3	3	3	2	2	

5月 (1일 五黃 -) **癸亥 (二黑)** 절기: 立冬 (6일 22:38) 小雪 (22일 11:45)

양력		1	2	3	4	5	6	7	8	9	10	11	12	13	14	15	16	17	18	19	20	21	22	23	24	25	26	27	28	29	30	31
요일		火	水	木	金	土	日	月	火	水	木	金	土	日	月	火	水	木	金	土	日	月	火	水	木	金	土	日	月	火	水	木
음력	월	16	17	18	19	20	21	22	23	24	25	26	27	28	29	30	四	2	3	4	5	6	7	8	9	10	11	12	13	14	15	16
일진		庚辰	辛巳	壬午	癸未	戊申	己酉	甲戌	乙亥	丙子	丁丑	庚寅	辛卯	壬辰	癸巳	戊午	己未	甲申	乙酉	丙戌	丁亥	庚子	辛丑	壬寅	癸卯	戊辰	己巳	甲午	乙未	丙申	丁酉	庚戌
대운	男	8	9	9	9	10	立	1	1	1	1	2	2	2	3	3	3	4	4	4	5	5	5	6	6	6	7	7	7	8	8	8
	女	2	1	1	1	1	冬	10	10	10	9	9	9	8	8	8	7	7	7	6	6	6	5	5	5	4	4	4	3	3	3	2

6月 (1일 一白 - 20일 一白 +) **戊子 (三碧)** 절기: 大雪 (7일 03:14) 冬至 (22일 20:03)

양력		1	2	3	4	5	6	7	8	9	10	11	12	13	14	15	16	17	18	19	20	21	22	23	24	25	26	27	28	29	30	
요일		金	土	日	月	火	水	木	金	土	日	月	火	水	木	金	土	日	月	火	水	木	金	土	日	月	火	水	木	金	土	
음력	월	17	18	19	20	21	22	23	24	25	26	27	28	29	五	2	3	4	5	6	7	8	9	10	11	12	13	14	15	16	17	
일진		辛亥	壬子	癸丑	戊寅	己卯	甲辰	乙巳	丙午	丁未	庚申	辛酉	壬戌	癸亥	戊子	己丑	甲寅	乙卯	丙辰	丁巳	庚午	辛未	壬申	癸酉	戊戌	己亥	甲子	乙丑	丙寅	丁卯	庚辰	
대운	男	9	9	9	10	10	10	大	1	1	1	1	2	2	2	3	3	3	4	4	4	5	5	5	6	6	6	7	7	7	8	
	女	2	2	1	1	1	1	雪	10	10	9	9	9	8	8	8	7	7	7	6	6	6	5	5	5	4	4	4	3	3	3	

7月 (1일 三碧 +) **己丑 (四綠)** 절기: 小寒(8일 13:42) 大寒(24일 07:01)

양력		1	2	3	4	5	6	7	8	9	10	11	12	13	14	15	16	17	18	19	20	21	22	23	24	25	26	27	28	29	30	31
요일		日	月	火	水	木	金	土	日	月	火	水	木	金	土	日	月	火	水	木	金	土	日	月	火	水	木	金	土	日	月	火
음력	월	18	19	20	21	22	23	24	25	26	27	28	29	30	六	2	3	4	5	6	7	8	9	10	11	12	13	14	15	16	17	18
일진		辛巳	壬午	癸未	戊申	己酉	甲戌	乙亥	丙子	丁丑	庚寅	辛卯	壬辰	癸巳	戊午	己未	甲申	乙酉	丙戌	丁亥	庚子	辛丑	壬寅	癸卯	戊辰	己巳	甲午	乙未	丙申	丁酉	庚戌	辛亥
대운	男	8	8	9	9	9	10	10	小	1	1	1	1	2	2	2	3	3	3	4	4	4	5	5	5	6	6	6	7	7	7	8
	女	2	2	2	1	1	1	1	寒	10	10	9	9	9	8	8	8	7	7	7	6	6	6	5	5	5	4	4	4	3	3	3

8月 (1일 七赤 +) **甲寅 (五黃)** 절기: 立春(8일 23:25) 雨水(24일 13:52)

양력		1	2	3	4	5	6	7	8	9	10	11	12	13	14	15	16	17	18	19	20	21	22	23	24	25	26	27	28	29	30	31
요일		水	木	金	土	日	月	火	水	木	金	土	日	月	火	水	木	金	土	日	月	火	水	木	金	土	日	月	火	水	木	金
음력	월	19	20	21	22	23	24	25	26	27	28	29	七	2	3	4	5	6	7	8	9	10	11	12	13	14	15	16	17	18	19	20
일진		壬子	癸丑	戊寅	己卯	甲辰	乙巳	丙午	丁未	庚申	辛酉	壬戌	癸亥	戊子	己丑	甲寅	乙卯	丙辰	丁巳	庚午	辛未	壬申	癸酉	戊戌	己亥	甲子	乙丑	丙寅	丁卯	庚辰	辛巳	壬午
대운	男	8	8	9	9	9	10	10	立	1	1	1	1	2	2	2	3	3	3	4	4	4	5	5	5	6	6	6	7	7	7	8
	女	2	2	2	1	1	1	1	春	10	10	10	9	9	9	8	8	8	7	7	7	6	6	6	5	5	5	4	4	4	3	3

9月 (1일 二黑 +) **乙卯 (六白)** 절기: 驚蟄(9일 01:57) 春分 (24일 11:04)

양력		1	2	3	4	5	6	7	8	9	10	11	12	13	14	15	16	17	18	19	20	21	22	23	24	25	26	27	28	29	30	
요일		土	日	月	火	水	木	金	土	日	月	火	水	木	金	土	日	月	火	水	木	金	土	日	月	火	水	木	金	土	日	
음력	월	21	22	23	24	25	26	27	28	29	30	八	2	3	4	5	6	7	8	9	10	11	12	13	14	15	16	17	18	19	20	
일진		癸未	戊申	己酉	甲戌	乙亥	丙子	丁丑	庚寅	辛卯	壬辰	癸巳	戊午	己未	甲申	乙酉	丙戌	丁亥	庚子	辛丑	壬寅	癸卯	戊辰	己巳	甲午	乙未	丙申	丁酉	庚戌	辛亥	壬子	
대운	男	8	8	9	9	9	10	10	10	驚	1	1	1	1	2	2	2	3	3	3	4	4	4	5	5	5	6	6	6	7	7	
	女	3	2	2	2	1	1	1	1	蟄	10	9	9	9	8	8	8	7	7	7	6	6	6	5	5	5	4	4	4	3	3	

10月 (1일 五黃 +) **丙辰 (七赤)** 절기: 清明(9일 17:03) 穀雨(24일 19:51)

양력		1	2	3	4	5	6	7	8	9	10	11	12	13	14	15	16	17	18	19	20	21	22	23	24	25	26	27	28	29	30	31
요일		月	火	水	木	金	土	日	月	火	水	木	金	土	日	月	火	水	木	金	土	日	月	火	水	木	金	土	日	月	火	水
음력	월	21	22	23	24	25	26	27	28	29	九	2	3	4	5	6	7	8	9	10	11	12	13	14	15	16	17	18	19	20	21	22
일진		癸丑	戊寅	己卯	甲辰	乙巳	丙午	丁未	庚申	辛酉	壬戌	癸亥	戊子	己丑	甲寅	乙卯	丙辰	丁巳	庚午	辛未	壬申	癸酉	戊戌	己亥	甲子	乙丑	丙寅	丁卯	庚辰	辛巳	壬午	癸未
대운	男	7	8	8	8	9	9	9	10	清	1	1	1	1	2	2	2	3	3	3	4	4	4	5	5	5	6	6	6	7	7	7
	女	3	2	2	2	1	1	1	1	明	10	9	9	9	8	8	8	7	7	7	6	6	6	5	5	5	4	4	4	3	3	3

11月 (1일 九紫 +) **丁巳 (八白)** 절기: 立夏(8일 19:40) 小滿 (23일 16:54)

양력		1	2	3	4	5	6	7	8	9	10	11	12	13	14	15	16	17	18	19	20	21	22	23	24	25	26	27	28	29	30	
요일		木	金	土	日	月	火	水	木	金	土	日	月	火	水	木	金	土	日	月	火	水	木	金	土	日	月	火	水	木	金	
음력	월	23	24	25	26	27	28	29	30	十	2	3	4	5	6	7	8	9	10	11	12	13	14	15	16	17	18	19	20	21	22	
일진		戊申	己酉	甲戌	乙亥	丙子	丁丑	庚寅	辛卯	壬辰	癸巳	戊午	己未	甲申	乙酉	丙戌	丁亥	庚子	辛丑	壬寅	癸卯	戊辰	己巳	甲午	乙未	丙申	丁酉	庚戌	辛亥	壬子	癸丑	
대운	男	8	8	8	9	9	9	10	立	1	1	1	1	2	2	2	3	3	3	4	4	4	5	5	5	6	6	6	7	7	7	
	女	2	2	2	1	1	1	1	夏	10	9	9	9	8	8	8	7	7	7	6	6	6	5	5	5	4	4	4	3	3	3	

12月 (1일 三碧 + 17일 九紫 -) **庚午 (九紫)** 절기: 芒種(8일 12:05) 夏至(23일 05:53)

양력		1	2	3	4	5	6	7	8	9	10	11	12	13	14	15	16	17	18	19	20	21	22	23	24	25	26	27	28	29	30	31
요일		土	日	月	火	水	木	金	土	日	月	火	水	木	金	土	日	月	火	水	木	金	土	日	月	火	水	木	金	土	日	月
음력	월	23	24	25	26	27	28	29	十一	2	3	4	5	6	7	8	9	10	11	12	13	14	15	16	17	18	19	20	21	22	23	24
일진		戊寅	己卯	甲辰	乙巳	丙午	丁未	庚申	辛酉	壬戌	癸亥	戊子	己丑	甲寅	乙卯	丙辰	丁巳	庚午	辛未	壬申	癸酉	戊戌	己亥	甲子	乙丑	丙寅	丁卯	庚辰	辛巳	壬午	癸未	戊申
대운	男	8	8	8	9	9	9	10	芒	1	1	1	1	2	2	2	3	3	3	4	4	4	5	5	5	6	6	6	7	7	7	8
	女	2	2	2	1	1	1	1	種	9	9	9	8	8	8	7	7	7	6	6	6	5	5	5	4	4	4	3	3	3	2	2

서기1924년

庚午年 (六白金星)

1月 (1일 三碧 -) **辛未 (一白)** 절기: 小暑 (6일 23:06) 大暑 (21일 16:28)

양력		1	2	3	4	5	6	7	8	9	10	11	12	13	14	15	16	17	18	19	20	21	22	23	24	25	26	27	28	29	30	31
요일		火	水	木	金	土	日	月	火	水	木	金	土	日	月	火	水	木	金	土	日	月	火	水	木	金	土	日	月	火	水	木
음력	월	25	26	27	28	29	十二	2	3	4	5	6	7	8	9	10	11	12	13	14	15	16	17	18	19	20	21	22	23	24	25	26
일진		己酉	甲戌	乙亥	丙子	丁丑	庚寅	辛卯	壬辰	癸巳	戊午	己未	甲申	乙酉	丙戌	丁亥	庚子	辛丑	壬寅	癸卯	戊辰	己巳	甲午	乙未	丙申	丁酉	庚戌	辛亥	壬子	癸丑	戊寅	己卯
대운	男	8	8	9	9	9	小	1	1	1	1	2	2	2	3	3	3	4	4	4	5	5	5	6	6	6	7	7	7	8	8	8
	女	2	1	1	1	1	暑	10	9	9	9	8	8	8	7	7	7	6	6	6	5	5	5	4	4	4	3	3	3	2	2	2

2月 閏 (1일 八白 -) **壬申 (二黑)** 절기: 立秋 (5일 10:50) 處暑 (20일 06:51)

양력		1	2	3	4	5	6	7	8	9	10	11	12	13	14	15	16	17	18	19	20	21	22	23	24	25	26	27	28	29		
요일		金	土	日	月	火	水	木	金	土	日	月	火	水	木	金	土	日	月	火	水	木	金	土	日	月	火	水	木	金		
음력	월	27	28	29	30	一	2	3	4	5	6	7	8	9	10	11	12	13	14	15	16	17	18	19	20	21	22	23	24	25		
일진		甲辰	乙巳	丙午	丁未	庚申	辛酉	壬戌	癸亥	戊子	己丑	甲寅	乙卯	丙辰	丁巳	庚午	辛未	壬申	癸酉	戊戌	己亥	甲子	乙丑	丙寅	丁卯	庚辰	辛巳	壬午	癸未	戊申		
대운	男	9	9	9	10	立	10	9	9	9	8	8	8	7	7	7	6	6	6	5	5	5	4	4	4	3	3	3	2	2		
	女	1	1	1	1	秋	1	1	1	1	2	2	2	3	3	3	4	4	4	5	5	5	6	6	6	7	7	7	8	8		

3月 (1일 六白 -) **癸酉 (三碧)** 절기: 白露 (6일 05:12) 秋分 (21일 06:20)

양력		1	2	3	4	5	6	7	8	9	10	11	12	13	14	15	16	17	18	19	20	21	22	23	24	25	26	27	28	29	30	31
요일		土	日	月	火	水	木	金	土	日	月	火	水	木	金	土	日	月	火	水	木	金	土	日	月	火	水	木	金	土	日	月
음력	월	26	27	28	29	30	二	2	3	4	5	6	7	8	9	10	11	12	13	14	15	16	17	18	19	20	21	22	23	24	25	26
일진		己酉	甲戌	乙亥	丙子	丁丑	庚寅	辛卯	壬辰	癸巳	戊午	己未	甲申	乙酉	丙戌	丁亥	庚子	辛丑	壬寅	癸卯	戊辰	己巳	甲午	乙未	丙申	丁酉	庚戌	辛亥	壬子	癸丑	戊寅	己卯
대운	男	2	1	1	1	1	白	10	9	9	9	8	8	8	7	7	7	6	6	6	5	5	5	4	4	4	3	3	3	2	2	2
	女	8	9	9	9	10	露	1	1	1	1	2	2	2	3	3	3	4	4	4	5	5	5	6	6	6	7	7	7	8	8	8

4月 (1일 二黑 -) **戊戌 (四綠)** 절기: 寒露 (5일 10:33) 霜降 (20일 17:59)

양력		1	2	3	4	5	6	7	8	9	10	11	12	13	14	15	16	17	18	19	20	21	22	23	24	25	26	27	28	29	30	
요일		火	水	木	金	土	日	月	火	水	木	金	土	日	月	火	水	木	金	土	日	月	火	水	木	金	土	日	月	火	水	
음력	월	27	28	29	三	2	3	4	5	6	7	8	9	10	11	12	13	14	15	16	17	18	19	20	21	22	23	24	25	26	27	
일진		甲辰	乙巳	丙午	丁未	庚申	辛酉	壬戌	癸亥	戊子	己丑	甲寅	乙卯	丙辰	丁巳	庚午	辛未	壬申	癸酉	戊戌	己亥	甲子	乙丑	丙寅	丁卯	庚辰	辛巳	壬午	癸未	戊申	己酉	
대운	男	1	1	1	1	寒	10	10	9	9	9	8	8	8	7	7	7	6	6	6	5	5	5	4	4	4	3	3	3	2	2	
	女	9	9	9	10	露	1	1	1	1	2	2	2	3	3	3	4	4	4	5	5	5	6	6	6	7	7	7	8	8	8	

5月 (1일 八白 -) **己亥 (五黃)** 절기: 立冬 (6일 04:26) 小雪 (21일 17:40)

양력		1	2	3	4	5	6	7	8	9	10	11	12	13	14	15	16	17	18	19	20	21	22	23	24	25	26	27	28	29	30	31
요일		木	金	土	日	月	火	水	木	金	土	日	月	火	水	木	金	土	日	月	火	水	木	金	土	日	月	火	水	木	金	土
음력	월	28	29	30	四	2	3	4	5	6	7	8	9	10	11	12	13	14	15	16	17	18	19	20	21	22	23	24	25	26	27	28
일진		甲戌	乙亥	丙子	丁丑	庚寅	辛卯	壬辰	癸巳	戊午	己未	甲申	乙酉	丙戌	丁亥	庚子	辛丑	壬寅	癸卯	戊辰	己巳	甲午	乙未	丙申	丁酉	庚戌	辛亥	壬子	癸丑	戊寅	己卯	甲辰
대운	男	2	1	1	1	1	立	10	10	9	9	9	8	8	8	7	7	7	6	6	6	5	5	5	4	4	4	3	3	3	2	2
	女	9	9	9	10	10	冬	1	1	1	1	2	2	2	3	3	3	4	4	4	5	5	5	6	6	6	7	7	7	8	8	8

6月 (1일 四綠 - 14일 一白 +) **甲子 (六白)** 절기: 大雪 (6일 09:02) 冬至 (22일 01:59)

양력		1	2	3	4	5	6	7	8	9	10	11	12	13	14	15	16	17	18	19	20	21	22	23	24	25	26	27	28	29	30	
요일		日	月	火	水	木	金	土	日	月	火	水	木	金	土	日	月	火	水	木	金	土	日	月	火	水	木	金	土	日	月	
음력	월	29	五	2	3	4	5	6	7	8	9	10	11	12	13	14	15	16	17	18	19	20	21	22	23	24	25	26	27	28	29	
일진		乙巳	丙午	丁未	庚申	辛酉	壬戌	癸亥	戊子	己丑	甲寅	乙卯	丙辰	丁巳	庚午	辛未	壬申	癸酉	戊戌	己亥	甲子	乙丑	丙寅	丁卯	庚辰	辛巳	壬午	癸未	戊申	己酉	甲戌	
대운	男	2	1	1	1	1	大	10	10	9	9	9	8	8	8	7	7	7	6	6	6	5	5	5	4	4	4	3	3	3	2	
	女	9	9	9	10	10	雪	1	1	1	1	2	2	2	3	3	3	4	4	4	5	5	5	6	6	6	7	7	7	8	8	

7月 (1일 九紫 +) **乙丑 (七赤)** 절기: 小寒(7일 19:30) 大寒(23일 12:58)

양력		1	2	3	4	5	6	7	8	9	10	11	12	13	14	15	16	17	18	19	20	21	22	23	24	25	26	27	28	29	30	31
요일		火	水	木	金	土	日	月	火	水	木	金	土	日	月	火	水	木	金	土	日	月	火	水	木	金	土	日	月	火	水	木
음력	월	30	六	2	3	4	5	6	7	8	9	10	11	12	13	14	15	16	17	18	19	20	21	22	23	24	25	26	27	28	29	30
일진		乙亥	丙子	丁丑	庚寅	辛卯	壬辰	癸巳	戊午	己未	甲申	乙酉	丙戌	丁亥	庚子	辛丑	壬寅	癸卯	戊辰	己巳	甲午	乙未	丙申	丁酉	庚戌	辛亥	壬子	癸丑	戊寅	己卯	甲辰	乙巳
대운	男	2	2	1	1	1	1	小	10	10	10	9	9	9	8	8	8	7	7	7	6	6	6	5	5	5	4	4	4	3	3	3
	女	8	9	9	9	10	10	寒	1	1	1	1	2	2	2	3	3	3	4	4	4	5	5	5	6	6	6	7	7	7	8	8

8月 (1일 四綠 +) **丙寅 (八白)** 절기: 立春(8일 05:12) 雨水(23일 19:48)

양력		1	2	3	4	5	6	7	8	9	10	11	12	13	14	15	16	17	18	19	20	21	22	23	24	25	26	27	28	29	30	31
요일		金	土	日	月	火	水	木	金	土	日	月	火	水	木	金	土	日	月	火	水	木	金	土	日	月	火	水	木	金	土	日
음력	월	七	2	3	4	5	6	7	8	9	10	11	12	13	14	15	16	17	18	19	20	21	22	23	24	25	26	27	28	29	八	2
일진		丙午	丁未	庚申	辛酉	壬戌	癸亥	戊子	己丑	甲寅	乙卯	丙辰	丁巳	庚午	辛未	壬申	癸酉	戊戌	己亥	甲子	乙丑	丙寅	丁卯	庚辰	辛巳	壬午	癸未	戊申	己酉	甲戌	乙亥	丙子
대운	男	2	2	2	1	1	1	1	立	10	10	9	9	9	8	8	8	7	7	7	6	6	6	5	5	5	4	4	4	3	3	3
	女	8	9	9	9	10	10	10	春	1	1	1	1	2	2	2	3	3	3	4	4	4	5	5	5	6	6	6	7	7	7	8

9月 (1일 八白 +) **丁卯 (九紫)** 절기: 驚蟄(8일 07:46) 春分 (23일 16:58)

양력		1	2	3	4	5	6	7	8	9	10	11	12	13	14	15	16	17	18	19	20	21	22	23	24	25	26	27	28	29	30	
요일		月	火	水	木	金	土	日	月	火	水	木	金	土	日	月	火	水	木	金	土	日	月	火	水	木	金	土	日	月	火	
음력	월	3	4	5	6	7	8	9	10	11	12	13	14	15	16	17	18	19	20	21	22	23	24	25	26	27	28	29	30	九	2	
일진		丁丑	庚寅	辛卯	壬辰	癸巳	戊午	己未	甲申	乙酉	丙戌	丁亥	庚子	辛丑	壬寅	癸卯	戊辰	己巳	甲午	乙未	丙申	丁酉	庚戌	辛亥	壬子	癸丑	戊寅	己卯	甲辰	乙巳	丙午	
대운	男	2	2	2	1	1	1	1	驚	10	9	9	9	8	8	8	7	7	7	6	6	6	5	5	5	4	4	4	3	3	3	
	女	8	8	9	9	9	10	10	蟄	1	1	1	1	2	2	2	3	3	3	4	4	4	5	5	5	6	6	6	7	7	7	

10月 (1일 二黑 +) **庚辰 (一白)** 절기: 清明(8일 22:52) 穀雨(24일 01:44)

양력		1	2	3	4	5	6	7	8	9	10	11	12	13	14	15	16	17	18	19	20	21	22	23	24	25	26	27	28	29	30	31
요일		水	木	金	土	日	月	火	水	木	金	土	日	月	火	水	木	金	土	日	月	火	水	木	金	土	日	月	火	水	木	金
음력	월	3	4	5	6	7	8	9	10	11	12	13	14	15	16	17	18	19	20	21	22	23	24	25	26	27	28	29	十	2	3	4
일진		丁未	庚申	辛酉	壬戌	癸亥	戊子	己丑	甲寅	乙卯	丙辰	丁巳	庚午	辛未	壬申	癸酉	戊戌	己亥	甲子	乙丑	丙寅	丁卯	庚辰	辛巳	壬午	癸未	戊申	己酉	甲戌	乙亥	丙子	丁丑
대운	男	2	2	2	1	1	1	1	清	10	10	9	9	9	8	8	8	7	7	7	6	6	6	5	5	5	4	4	4	3	3	3
	女	8	8	8	9	9	9	10	明	1	1	1	1	2	2	2	3	3	3	4	4	4	5	5	5	6	6	6	7	7	7	8

11月 (1일 六白 +) **辛巳 (二黑)** 절기: 立夏(8일 01:29) 小滿 (22일 22:46)

양력		1	2	3	4	5	6	7	8	9	10	11	12	13	14	15	16	17	18	19	20	21	22	23	24	25	26	27	28	29	30	
요일		土	日	月	火	水	木	金	土	日	月	火	水	木	金	土	日	月	火	水	木	金	土	日	月	火	水	木	金	土	日	
음력	월	5	6	7	8	9	10	11	12	13	14	15	16	17	18	19	20	21	22	23	24	25	26	27	28	29	30	十一	2	3	4	
일진		庚寅	辛卯	壬辰	癸巳	戊午	己未	甲申	乙酉	丙戌	丁亥	庚子	辛丑	壬寅	癸卯	戊辰	己巳	甲午	乙未	丙申	丁酉	庚戌	辛亥	壬子	癸丑	戊寅	己卯	甲辰	乙巳	丙午	丁未	
대운	男	2	2	2	1	1	1	1	立	9	9	9	8	8	8	7	7	7	6	6	6	5	5	5	4	4	4	3	3	3	2	
	女	8	8	9	9	9	10	10	夏	1	1	1	1	2	2	2	3	3	3	4	4	4	5	5	5	6	6	6	7	7	7	

12月 (1일 九紫 + 11일 九紫 -) **壬午 (三碧)** 절기: 芒種(7일 17:53) 夏至(22일 11:46)

양력		1	2	3	4	5	6	7	8	9	10	11	12	13	14	15	16	17	18	19	20	21	22	23	24	25	26	27	28	29	30	31
요일		月	火	水	木	金	土	日	月	火	水	木	金	土	日	月	火	水	木	金	土	日	月	火	水	木	金	土	日	月	火	水
음력	월	5	6	7	8	9	10	11	12	13	14	15	16	17	18	19	20	21	22	23	24	25	26	27	28	29	十二	2	3	4	5	6
일진		庚申	辛酉	壬戌	癸亥	戊子	己丑	甲寅	乙卯	丙辰	丁巳	庚午	辛未	壬申	癸酉	戊戌	己亥	甲子	乙丑	丙寅	丁卯	庚辰	辛巳	壬午	癸未	戊申	己酉	甲戌	乙亥	丙子	丁丑	庚寅
대운	男	2	2	1	1	1	1	芒	10	9	9	9	8	8	8	7	7	7	6	6	6	5	5	5	4	4	4	3	3	3	2	2
	女	8	8	8	9	9	9	種	1	1	1	1	2	2	2	3	3	3	4	4	4	5	5	5	6	6	6	7	7	7	8	8

서기1925년

辛未年 (七赤金星) 閏四月

1月 (1일 六白 -) **癸未 (四綠)** 절기: 小暑 (6일 04:53) 大暑 (20일 22:20)

양력		1	2	3	4	5	6	7	8	9	10	11	12	13	14	15	16	17	18	19	20	21	22	23	24	25	26	27	28	29	30	31
요일		木	金	土	日	月	火	水	木	金	土	日	月	火	水	木	金	土	日	月	火	水	木	金	土	日	月	火	水	木	金	土
음력	월	7	8	9	10	11	12	13	14	15	16	17	18	19	20	21	22	23	24	25	26	27	28	29	一	2	3	4	5	6	7	8
일진		辛卯	壬辰	癸巳	戊午	己未	甲申	乙酉	丙戌	丁亥	庚子	辛丑	壬寅	癸卯	戊辰	己巳	甲午	乙未	丙申	丁酉	庚戌	辛亥	壬子	癸丑	戊寅	己卯	甲辰	乙巳	丙午	丁未	庚申	辛酉
대운	男	2	1	1	1	1	小	9	9	9	8	8	8	7	7	7	6	6	6	5	5	5	4	4	4	3	3	3	2	2	2	1
	女	8	9	9	9	10	暑	1	1	1	1	2	2	2	3	3	3	4	4	4	5	5	5	6	6	6	7	7	7	8	8	8

2月 (1일 二黑 -) **戊申 (五黃)** 절기: 立秋 (4일 16:37) 處暑 (19일 12:43)

양력		1	2	3	4	5	6	7	8	9	10	11	12	13	14	15	16	17	18	19	20	21	22	23	24	25	26	27	28			
요일		日	月	火	水	木	金	土	日	月	火	水	木	金	土	日	月	火	水	木	金	土	日	月	火	水	木	金	土			
음력	월	9	10	11	12	13	14	15	16	17	18	19	20	21	22	23	24	25	26	27	28	29	30	二	2	3	4	5	6			
일진		壬戌	癸亥	戊子	己丑	甲寅	乙卯	丙辰	丁巳	庚午	辛未	壬申	癸酉	戊戌	己亥	甲子	乙丑	丙寅	丁卯	庚辰	辛巳	壬午	癸未	戊申	己酉	甲戌	乙亥	丙子	丁丑			
대운	男	1	1	1	立	1	1	1	1	2	2	2	3	3	3	4	4	4	5	5	5	6	6	6	7	7	7	8	8			
	女	9	9	9	秋	10	9	9	9	8	8	8	7	7	7	6	6	6	5	5	5	4	4	4	3	3	3	2	2			

3月 (1일 一白 -) **己酉 (六白)** 절기: 白露 (6일 11:00) 秋分 (21일 12:12)

양력		1	2	3	4	5	6	7	8	9	10	11	12	13	14	15	16	17	18	19	20	21	22	23	24	25	26	27	28	29	30	31
요일		日	月	火	水	木	金	土	日	月	火	水	木	金	土	日	月	火	水	木	金	土	日	月	火	水	木	金	土	日	月	火
음력	월	7	8	9	10	11	12	13	14	15	16	17	18	19	20	21	22	23	24	25	26	27	28	29	三	2	3	4	5	6	7	8
일진		庚寅	辛卯	壬辰	癸巳	戊午	己未	甲申	乙酉	丙戌	丁亥	庚子	辛丑	壬寅	癸卯	戊辰	己巳	甲午	乙未	丙申	丁酉	庚戌	辛亥	壬子	癸丑	戊寅	己卯	甲辰	乙巳	丙午	丁未	庚申
대운	男	8	9	9	9	10	白	1	1	1	1	2	2	2	3	3	3	4	4	4	5	5	5	6	6	6	7	7	7	8	8	8
	女	2	1	1	1	1	露	10	9	9	9	8	8	8	7	7	7	6	6	6	5	5	5	4	4	4	3	3	3	2	2	2

4月 (1일 六白 -) **甲戌 (七赤)** 절기: 寒露 (5일 16:23) 霜降 (20일 23:51)

양력		1	2	3	4	5	6	7	8	9	10	11	12	13	14	15	16	17	18	19	20	21	22	23	24	25	26	27	28	29	30	
요일		水	木	金	土	日	月	火	水	木	金	土	日	月	火	水	木	金	土	日	月	火	水	木	金	土	日	月	火	水	木	
음력	월	9	10	11	12	13	14	15	16	17	18	19	20	21	22	23	24	25	26	27	28	29	30	四	2	3	4	5	6	7	8	
일진		辛酉	壬戌	癸亥	戊子	己丑	甲寅	乙卯	丙辰	丁巳	庚午	辛未	壬申	癸酉	戊戌	己亥	甲子	乙丑	丙寅	丁卯	庚辰	辛巳	壬午	癸未	戊申	己酉	甲戌	乙亥	丙子	丁丑	庚寅	
대운	男	9	9	9	10	寒	1	1	1	1	2	2	2	3	3	3	4	4	4	5	5	5	6	6	6	7	7	7	8	8	8	
	女	1	1	1	1	露	10	10	9	9	9	8	8	8	7	7	7	6	6	6	5	5	5	4	4	4	3	3	3	2	2	

5月 (1일 三碧 -) **乙亥 (八白)** 절기: 立冬 (6일 10:18) 小雪 (21일 23:33)

양력		1	2	3	4	5	6	7	8	9	10	11	12	13	14	15	16	17	18	19	20	21	22	23	24	25	26	27	28	29	30	31
요일		金	土	日	月	火	水	木	金	土	日	月	火	水	木	金	土	日	月	火	水	木	金	土	日	月	火	水	木	金	土	日
음력	월	9	10	11	12	13	14	15	16	17	18	19	20	21	22	23	24	25	26	27	28	29	30	閏四		3	4	5	6	7	8	9
일진		辛卯	壬辰	癸巳	戊午	己未	甲申	乙酉	丙戌	丁亥	庚子	辛丑	壬寅	癸卯	戊辰	己巳	甲午	乙未	丙申	丁酉	庚戌	辛亥	壬子	癸丑	戊寅	己卯	甲辰	乙巳	丙午	丁未	庚申	辛酉
대운	男	9	9	9	10	10	立	1	1	1	1	2	2	2	3	3	3	4	4	4	5	5	5	6	6	6	7	7	7	8	8	8
	女	2	1	1	1	1	冬	10	10	9	9	9	8	8	8	7	7	7	6	6	6	5	5	5	4	4	4	3	3	3	2	2

6月 (1일 八白 - 9일 一白 +) **丙子 (九紫)** 절기: 大雪 (6일 14:56) 冬至 (22일 07:50)

양력		1	2	3	4	5	6	7	8	9	10	11	12	13	14	15	16	17	18	19	20	21	22	23	24	25	26	27	28	29	30	
요일		月	火	水	木	金	土	日	月	火	水	木	金	土	日	月	火	水	木	金	土	日	月	火	水	木	金	土	日	月	火	
음력	월	10	11	12	13	14	15	16	17	18	19	20	21	22	23	24	25	26	27	28	29	五	2	3	4	5	6	7	8	9	10	
일진		壬戌	癸亥	戊子	己丑	甲寅	乙卯	丙辰	丁巳	庚午	辛未	壬申	癸酉	戊戌	己亥	甲子	乙丑	丙寅	丁卯	庚辰	辛巳	壬午	癸未	戊申	己酉	甲戌	乙亥	丙子	丁丑	庚寅	辛卯	
대운	男	9	9	9	10	10	大	1	1	1	1	2	2	2	3	3	3	4	4	4	5	5	5	6	6	6	7	7	7	8	8	
	女	2	1	1	1	1	雪	10	10	10	9	9	9	8	8	8	7	7	7	6	6	6	5	5	5	4	4	4	3	3	3	

7月 (1일 五黃 +) **丁丑 (一白)** 절기: 小寒(8일 01:25) 大寒(23일 18:45)

양력	1	2	3	4	5	6	7	8	9	10	11	12	13	14	15	16	17	18	19	20	21	22	23	24	25	26	27	28	29	30	31
요일	水	木	金	土	日	月	火	水	木	金	土	日	月	火	水	木	金	土	日	月	火	水	木	金	土	日	月	火	水	木	金
음력 월	11	12	13	14	15	16	17	18	19	20	21	22	23	24	25	26	27	28	29	30	六	2	3	4	5	6	7	8	9	10	11
일진	壬辰	癸巳	戊午	己未	甲申	乙酉	丙戌	丁亥	庚子	辛丑	壬寅	癸卯	戊辰	己巳	甲午	乙未	丙申	丁酉	庚戌	辛亥	壬子	癸丑	戊寅	己卯	甲辰	乙巳	丙午	丁未	庚申	辛酉	壬戌
대운 男	8	9	9	9	10	10	10	小	1	1	1	1	2	2	2	3	3	3	4	4	4	5	5	5	6	6	6	7	7	7	8
대운 女	2	2	2	1	1	1	1	寒	10	10	9	9	9	8	8	8	7	7	7	6	6	6	5	5	5	4	4	4	3	3	3

8月 (1일 九紫 +) **庚寅 (二黑)** 절기: 立春(8일 11:07) 雨水(24일 01:33)

양력	1	2	3	4	5	6	7	8	9	10	11	12	13	14	15	16	17	18	19	20	21	22	23	24	25	26	27	28	29	30	31
요일	土	日	月	火	水	木	金	土	日	月	火	水	木	金	土	日	月	火	水	木	金	土	日	月	火	水	木	金	土	日	月
음력 월	12	13	14	15	16	17	18	19	20	21	22	23	24	25	26	27	28	29	七	2	3	4	5	6	7	8	9	10	11	12	13
일진	癸亥	戊子	己丑	甲寅	乙卯	丙辰	丁巳	庚午	辛未	壬申	癸酉	戊戌	己亥	甲子	乙丑	丙寅	丁卯	庚辰	辛巳	壬午	癸未	戊申	己酉	甲戌	乙亥	丙子	丁丑	庚寅	辛卯	壬辰	癸巳
대운 男	8	8	9	9	9	10	10	立	1	1	1	1	2	2	2	3	3	3	4	4	4	5	5	5	6	6	6	7	7	7	8
대운 女	2	2	2	1	1	1	1	春	10	10	9	9	9	8	8	8	7	7	7	6	6	6	5	5	5	4	4	4	3	3	3

9月 (1일 四綠 +) **辛卯 (三碧)** 절기: 驚蟄(8일 13:40) 春分 (23일 22:43)

양력	1	2	3	4	5	6	7	8	9	10	11	12	13	14	15	16	17	18	19	20	21	22	23	24	25	26	27	28	29	30	
요일	火	水	木	金	土	日	月	火	水	木	金	土	日	月	火	水	木	金	土	日	月	火	水	木	金	土	日	月	火	水	
음력 월	14	15	16	17	18	19	20	21	22	23	24	25	26	27	28	29	30	八	2	3	4	5	6	7	8	9	10	11	12	13	
일진	戊午	己未	甲申	乙酉	丙戌	丁亥	庚子	辛丑	壬寅	癸卯	戊辰	己巳	甲午	乙未	丙申	丁酉	庚戌	辛亥	壬子	癸丑	戊寅	己卯	甲辰	乙巳	丙午	丁未	庚申	辛酉	壬戌	癸亥	
대운 男	8	8	9	9	9	10	10	驚	1	1	1	1	2	2	2	3	3	3	4	4	4	5	5	5	6	6	6	7	7	7	
대운 女	2	2	2	1	1	1	1	蟄	10	10	9	9	9	8	8	8	7	7	7	6	6	6	5	5	5	4	4	4	3	3	

10月 (1일 七赤 +) **壬辰 (四綠)** 절기: 清明(9일 04:47) 穀雨(24일 07:31)

양력	1	2	3	4	5	6	7	8	9	10	11	12	13	14	15	16	17	18	19	20	21	22	23	24	25	26	27	28	29	30	31
요일	木	金	土	日	月	火	水	木	金	土	日	月	火	水	木	金	土	日	月	火	水	木	金	土	日	月	火	水	木	金	土
음력 월	14	15	16	17	18	19	20	21	22	23	24	25	26	27	28	29	30	九	2	3	4	5	6	7	8	9	10	11	12	13	14
일진	戊子	己丑	甲寅	乙卯	丙辰	丁巳	庚午	辛未	壬申	癸酉	戊戌	己亥	甲子	乙丑	丙寅	丁卯	庚辰	辛巳	壬午	癸未	戊申	己酉	甲戌	乙亥	丙子	丁丑	庚寅	辛卯	壬辰	癸巳	戊午
대운 男	8	8	8	9	9	9	10	10	清	1	1	1	1	2	2	2	3	3	3	4	4	4	5	5	5	6	6	6	7	7	7
대운 女	3	2	2	2	1	1	1	1	明	10	9	9	9	8	8	8	7	7	7	6	6	6	5	5	5	4	4	4	3	3	3

11月 (1일 二黑 +) **癸巳 (五黃)** 절기: 立夏(8일 07:26) 小滿 (23일 04:35)

양력	1	2	3	4	5	6	7	8	9	10	11	12	13	14	15	16	17	18	19	20	21	22	23	24	25	26	27	28	29	30	
요일	日	月	火	水	木	金	土	日	月	火	水	木	金	土	日	月	火	水	木	金	土	日	月	火	水	木	金	土	日	月	
음력 월	15	16	17	18	19	20	21	22	23	24	25	26	27	28	29	十	2	3	4	5	6	7	8	9	10	11	12	13	14	15	
일진	己未	甲申	乙酉	丙戌	丁亥	庚子	辛丑	壬寅	癸卯	戊辰	己巳	甲午	乙未	丙申	丁酉	庚戌	辛亥	壬子	癸丑	戊寅	己卯	甲辰	乙巳	丙午	丁未	庚申	辛酉	壬戌	癸亥	戊子	
대운 男	8	8	8	9	9	9	10	立	1	1	1	1	2	2	2	3	3	3	4	4	4	5	5	5	6	6	6	7	7	7	
대운 女	2	2	2	1	1	1	1	夏	9	9	9	8	8	8	7	7	7	6	6	6	5	5	5	4	4	4	3	3	3	2	

12月 (1일 五黃 + 6일 九紫 -) **戊午 (六白)** 절기: 芒種(7일 23:52) 夏至(22일 17:37)

양력	1	2	3	4	5	6	7	8	9	10	11	12	13	14	15	16	17	18	19	20	21	22	23	24	25	26	27	28	29	30	31
요일	火	水	木	金	土	日	月	火	水	木	金	土	日	月	火	水	木	金	土	日	月	火	水	木	金	土	日	月	火	水	木
음력 월	16	17	18	19	20	21	22	23	24	25	26	27	28	29	30	十一	2	3	4	5	6	7	8	9	10	11	12	13	14	15	16
일진	己丑	甲寅	乙卯	丙辰	丁巳	庚午	辛未	壬申	癸酉	戊戌	己亥	甲子	乙丑	丙寅	丁卯	庚辰	辛巳	壬午	癸未	戊申	己酉	甲戌	乙亥	丙子	丁丑	庚寅	辛卯	壬辰	癸巳	戊午	己未
대운 男	8	8	8	9	9	9	芒	1	1	1	1	2	2	2	3	3	3	4	4	4	5	5	5	6	6	6	7	7	7	8	8
대운 女	2	2	1	1	1	1	種	10	9	9	9	8	8	8	7	7	7	6	6	6	5	5	5	4	4	4	3	3	3	2	2

서기1926년

壬申年 (八白土星)

1月 (1일 一白 -) **己未 (七赤)** 절기: 小暑 (6일 10:54) 大暑 (21일 04:12)

양력	1	2	3	4	5	6	7	8	9	10	11	12	13	14	15	16	17	18	19	20	21	22	23	24	25	26	27	28	29	30	31
요일	金	土	日	月	火	水	木	金	土	日	月	火	水	木	金	土	日	月	火	水	木	金	土	日	月	火	水	木	金	土	日
음력 월	17	18	19	20	21	22	23	24	25	26	27	28	29	十二	2	3	4	5	6	7	8	9	10	11	12	13	14	15	16	17	18
일진	甲申	乙酉	丙戌	丁亥	庚子	辛丑	壬寅	癸卯	戊辰	己巳	甲午	乙未	丙申	丁酉	庚戌	辛亥	壬子	癸丑	戊寅	己卯	甲辰	乙巳	丙午	丁未	庚申	辛酉	壬戌	癸亥	戊子	己丑	甲寅
대운 男	8	9	9	9	10	小	1	1	1	1	2	2	2	3	3	3	4	4	4	5	5	5	6	6	6	7	7	7	8	8	8
대운 女	2	1	1	1	1	暑	9	9	9	8	8	8	7	7	7	6	6	6	5	5	5	4	4	4	3	3	3	2	2	2	1

2月 (1일 六白 -) **甲申 (八白)** 절기: 立秋 (4일 22:38) 處暑 (19일 18:35)

양력	1	2	3	4	5	6	7	8	9	10	11	12	13	14	15	16	17	18	19	20	21	22	23	24	25	26	27	28			
요일	月	火	水	木	金	土	日	月	火	水	木	金	土	日	月	火	水	木	金	土	日	月	火	水	木	金	土	日			
음력 월	19	20	21	22	23	24	25	26	27	28	29	30	一	2	3	4	5	6	7	8	9	10	11	12	13	14	15	16			
일진	乙卯	丙辰	丁巳	庚午	辛未	壬申	癸酉	戊戌	己亥	甲子	乙丑	丙寅	丁卯	庚辰	辛巳	壬午	癸未	戊申	己酉	甲戌	乙亥	丙子	丁丑	庚寅	辛卯	壬辰	癸巳	戊午			
대운 男	9	9	9	立	10	9	9	9	8	8	8	7	7	7	6	6	6	5	5	5	4	4	4	3	3	3	2	2			
대운 女	1	1	1	秋	1	1	1	1	2	2	2	3	3	3	4	4	4	5	5	5	6	6	6	7	7	7	8	8			

3月 (1일 五黃 -) **乙酉 (九紫)** 절기: 白露 (6일 17:00) 秋分 (21일 18:01)

양력	1	2	3	4	5	6	7	8	9	10	11	12	13	14	15	16	17	18	19	20	21	22	23	24	25	26	27	28	29	30	31
요일	月	火	水	木	金	土	日	月	火	水	木	金	土	日	月	火	水	木	金	土	日	月	火	水	木	金	土	日	月	火	水
음력 월	17	18	19	20	21	22	23	24	25	26	27	28	29	二	2	3	4	5	6	7	8	9	10	11	12	13	14	15	16	17	18
일진	己未	甲申	乙酉	丙戌	丁亥	庚子	辛丑	壬寅	癸卯	戊辰	己巳	甲午	乙未	丙申	丁酉	庚戌	辛亥	壬子	癸丑	戊寅	己卯	甲辰	乙巳	丙午	丁未	庚申	辛酉	壬戌	癸亥	戊子	己丑
대운 男	2	1	1	1	1	白	10	9	9	9	8	8	8	7	7	7	6	6	6	5	5	5	4	4	4	3	3	3	2	2	2
대운 女	8	9	9	9	10	露	1	1	1	1	2	2	2	3	3	3	4	4	4	5	5	5	6	6	6	7	7	7	8	8	8

4月 (1일 一白 -) **丙戌 (一白)** 절기: 寒露 (5일 22:18) 霜降 (21일 05:36)

양력	1	2	3	4	5	6	7	8	9	10	11	12	13	14	15	16	17	18	19	20	21	22	23	24	25	26	27	28	29	30	
요일	木	金	土	日	月	火	水	木	金	土	日	月	火	水	木	金	土	日	月	火	水	木	金	土	日	月	火	水	木	金	
음력 월	19	20	21	22	23	24	25	26	27	28	29	三	2	3	4	5	6	7	8	9	10	11	12	13	14	15	16	17	18	19	
일진	甲寅	乙卯	丙辰	丁巳	庚午	辛未	壬申	癸酉	戊戌	己亥	甲子	乙丑	丙寅	丁卯	庚辰	辛巳	壬午	癸未	戊申	己酉	甲戌	乙亥	丙子	丁丑	庚寅	辛卯	壬辰	癸巳	戊午	己未	
대운 男	1	1	1	1	寒	10	10	9	9	9	8	8	8	7	7	7	6	6	6	5	5	5	4	4	4	3	3	3	2	2	
대운 女	9	9	9	10	露	1	1	1	1	2	2	2	3	3	3	4	4	4	5	5	5	6	6	6	7	7	7	8	8	8	

5月 (1일 七赤 -) **丁亥 (二黑)** 절기: 立冬 (6일 16:08) 小雪 (22일 05:15)

양력	1	2	3	4	5	6	7	8	9	10	11	12	13	14	15	16	17	18	19	20	21	22	23	24	25	26	27	28	29	30	31
요일	土	日	月	火	水	木	金	土	日	月	火	水	木	金	土	日	月	火	水	木	金	土	日	月	火	水	木	金	土	日	月
음력 월	20	21	22	23	24	25	26	27	28	29	30	四	2	3	4	5	6	7	8	9	10	11	12	13	14	15	16	17	18	19	20
일진	甲申	乙酉	丙戌	丁亥	庚子	辛丑	壬寅	癸卯	戊辰	己巳	甲午	乙未	丙申	丁酉	庚戌	辛亥	壬子	癸丑	戊寅	己卯	甲辰	乙巳	丙午	丁未	庚申	辛酉	壬戌	癸亥	戊子	己丑	甲寅
대운 男	2	1	1	1	1	立	10	10	9	9	9	8	8	8	7	7	7	6	6	6	5	5	5	4	4	4	3	3	3	2	2
대운 女	9	9	9	10	10	冬	1	1	1	1	2	2	2	3	3	3	4	4	4	5	5	5	6	6	6	7	7	7	8	8	8

6月 (1일 三碧 - 4일 一白 +) **庚子 (三碧)** 절기: 大雪 (6일 20:42) 冬至 (22일 13:30)

양력	1	2	3	4	5	6	7	8	9	10	11	12	13	14	15	16	17	18	19	20	21	22	23	24	25	26	27	28	29	30	
요일	火	水	木	金	土	日	月	火	水	木	金	土	日	月	火	水	木	金	土	日	月	火	水	木	金	土	日	月	火	水	
음력 월	21	22	23	24	25	26	27	28	29	五	2	3	4	5	6	7	8	9	10	11	12	13	14	15	16	17	18	19	20	21	
일진	乙卯	丙辰	丁巳	庚午	辛未	壬申	癸酉	戊戌	己亥	甲子	乙丑	丙寅	丁卯	庚辰	辛巳	壬午	癸未	戊申	己酉	甲戌	乙亥	丙子	丁丑	庚寅	辛卯	壬辰	癸巳	戊午	己未	甲申	
대운 男	2	1	1	1	1	大	10	10	10	9	9	9	8	8	8	7	7	7	6	6	6	5	5	5	4	4	4	3	3	3	
대운 女	9	9	9	10	10	雪	1	1	1	1	2	2	2	3	3	3	4	4	4	5	5	5	6	6	6	7	7	7	8	8	

7月 (1일 一白 +) **辛丑 (四綠)** 절기: 小寒(8일 07:06) 大寒(24일 00:25)

양력		1	2	3	4	5	6	7	8	9	10	11	12	13	14	15	16	17	18	19	20	21	22	23	24	25	26	27	28	29	30	31
요일		木	金	土	日	月	火	水	木	金	土	日	月	火	水	木	金	土	日	月	火	水	木	金	土	日	月	火	水	木	金	土
음력	월	22	23	24	25	26	27	28	29	30	六	2	3	4	5	6	7	8	9	10	11	12	13	14	15	16	17	18	19	20	21	22
일진		乙酉	丙戌	丁亥	庚子	辛丑	壬寅	癸卯	戊辰	己巳	甲午	乙未	丙申	丁酉	庚戌	辛亥	壬子	癸丑	戊寅	己卯	甲辰	乙巳	丙午	丁未	庚申	辛酉	壬戌	癸亥	戊子	己丑	甲寅	乙卯
대운	男	2	2	2	1	1	1	1	小	10	10	9	9	9	8	8	8	7	7	7	6	6	6	5	5	5	4	4	4	3	3	3
	女	8	9	9	9	10	10	10	寒	1	1	1	1	2	2	2	3	3	3	4	4	4	5	5	5	6	6	6	7	7	7	8

8月 (1일 五黃 +) **壬寅 (五黃)** 절기: 立春(8일 16:44) 雨水(24일 07:14)

양력		1	2	3	4	5	6	7	8	9	10	11	12	13	14	15	16	17	18	19	20	21	22	23	24	25	26	27	28	29	30	31
요일		日	月	火	水	木	金	土	日	月	火	水	木	金	土	日	月	火	水	木	金	土	日	月	火	水	木	金	土	日	月	火
음력	월	23	24	25	26	27	28	29	七	2	3	4	5	6	7	8	9	10	11	12	13	14	15	16	17	18	19	20	21	22	23	24
일진		丙辰	丁巳	庚午	辛未	壬申	癸酉	戊戌	己亥	甲子	乙丑	丙寅	丁卯	庚辰	辛巳	壬午	癸未	戊申	己酉	甲戌	乙亥	丙子	丁丑	庚寅	辛卯	壬辰	癸巳	戊午	己未	甲申	乙酉	丙戌
대운	男	2	2	2	1	1	1	1	立	10	10	9	9	9	8	8	8	7	7	7	6	6	6	5	5	5	4	4	4	3	3	3
	女	8	8	9	9	9	10	10	春	1	1	1	1	2	2	2	3	3	3	4	4	4	5	5	5	6	6	6	7	7	7	8

9月 (1일 九紫 +) **癸卯 (六白)** 절기: 驚蟄(8일 19:16) 春分 (24일 04:27)

양력		1	2	3	4	5	6	7	8	9	10	11	12	13	14	15	16	17	18	19	20	21	22	23	24	25	26	27	28	29	30	
요일		水	木	金	土	日	月	火	水	木	金	土	日	月	火	水	木	金	土	日	月	火	水	木	金	土	日	月	火	水	木	
음력	월	25	26	27	28	29	30	八	2	3	4	5	6	7	8	9	10	11	12	13	14	15	16	17	18	19	20	21	22	23	24	
일진		丁亥	庚子	辛丑	壬寅	癸卯	戊辰	己巳	甲午	乙未	丙申	丁酉	庚戌	辛亥	壬子	癸丑	戊寅	己卯	甲辰	乙巳	丙午	丁未	庚申	辛酉	壬戌	癸亥	戊子	己丑	甲寅	乙卯	丙辰	
대운	男	2	2	2	1	1	1	1	驚	10	10	9	9	9	8	8	8	7	7	7	6	6	6	5	5	5	4	4	4	3	3	
	女	8	8	9	9	9	10	10	蟄	1	1	1	1	2	2	2	3	3	3	4	4	4	5	5	5	6	6	6	7	7	7	

10月 (1일 三碧 +) **戊辰 (七赤)** 절기: 清明(9일 10:25) 穀雨(24일 13:18)

양력		1	2	3	4	5	6	7	8	9	10	11	12	13	14	15	16	17	18	19	20	21	22	23	24	25	26	27	28	29	30	31
요일		金	土	日	月	火	水	木	金	土	日	月	火	水	木	金	土	日	月	火	水	木	金	土	日	月	火	水	木	金	土	日
음력	월	25	26	27	28	29	30	九	2	3	4	5	6	7	8	9	10	11	12	13	14	15	16	17	18	19	20	21	22	23	24	25
일진		丁巳	庚午	辛未	壬申	癸酉	戊戌	己亥	甲子	乙丑	丙寅	丁卯	庚辰	辛巳	壬午	癸未	戊申	己酉	甲戌	乙亥	丙子	丁丑	庚寅	辛卯	壬辰	癸巳	戊午	己未	甲申	乙酉	丙戌	丁亥
대운	男	3	2	2	2	1	1	1	1	清	10	9	9	9	8	8	8	7	7	7	6	6	6	5	5	5	4	4	4	3	3	3
	女	8	8	8	9	9	9	10	10	明	1	1	1	1	2	2	2	3	3	3	4	4	4	5	5	5	6	6	6	7	7	7

11月 (1일 七赤 +) **己巳 (八白)** 절기: 立夏(8일 13:08) 小滿 (23일 10:28)

양력		1	2	3	4	5	6	7	8	9	10	11	12	13	14	15	16	17	18	19	20	21	22	23	24	25	26	27	28	29	30	
요일		月	火	水	木	金	土	日	月	火	水	木	金	土	日	月	火	水	木	金	土	日	月	火	水	木	金	土	日	月	火	
음력	월	26	27	28	29	十	2	3	4	5	6	7	8	9	10	11	12	13	14	15	16	17	18	19	20	21	22	23	24	25	26	
일진		庚子	辛丑	壬寅	癸卯	戊辰	己巳	甲午	乙未	丙申	丁酉	庚戌	辛亥	壬子	癸丑	戊寅	己卯	甲辰	乙巳	丙午	丁未	庚申	辛酉	壬戌	癸亥	戊子	己丑	甲寅	乙卯	丙辰	丁巳	
대운	男	2	2	2	1	1	1	1	立	10	9	9	9	8	8	8	7	7	7	6	6	6	5	5	5	4	4	4	3	3	3	
	女	8	8	8	9	9	9	10	夏	1	1	1	1	2	2	2	3	3	3	4	4	4	5	5	5	6	6	6	7	7	7	

12月 (1일 九紫 -) **甲午 (九紫)** 절기: 芒種(8일 05:39) 夏至(22일 23:33)

양력		1	2	3	4	5	6	7	8	9	10	11	12	13	14	15	16	17	18	19	20	21	22	23	24	25	26	27	28	29	30	31
요일		水	木	金	土	日	月	火	水	木	金	土	日	月	火	水	木	金	土	日	月	火	水	木	金	土	日	月	火	水	木	金
음력	월	27	28	29	30	十一	2	3	4	5	6	7	8	9	10	11	12	13	14	15	16	17	18	19	20	21	22	23	24	25	26	27
일진		庚午	辛未	壬申	癸酉	戊戌	己亥	甲子	乙丑	丙寅	丁卯	庚辰	辛巳	壬午	癸未	戊申	己酉	甲戌	乙亥	丙子	丁丑	庚寅	辛卯	壬辰	癸巳	戊午	己未	甲申	乙酉	丙戌	丁亥	庚子
대운	男	2	2	2	1	1	1	1	芒	9	9	9	8	8	8	7	7	7	6	6	6	5	5	5	4	4	4	3	3	3	2	2
	女	8	8	8	9	9	9	10	種	1	1	1	1	2	2	2	3	3	3	4	4	4	5	5	5	6	6	6	7	7	7	8

서기1927년

癸酉年 (九紫火星)

1月 (1일 五黃 -) **乙未 (一白)** 절기: 小暑 (6일 16:45) 大暑 (21일 10:12)

양력		1	2	3	4	5	6	7	8	9	10	11	12	13	14	15	16	17	18	19	20	21	22	23	24	25	26	27	28	29	30	31
요일		土	日	月	火	水	木	金	土	日	月	火	水	木	金	土	日	月	火	水	木	金	土	日	月	火	水	木	金	土	日	月
음력	월	28	29	30	十二	2	3	4	5	6	7	8	9	10	11	12	13	14	15	16	17	18	19	20	21	22	23	24	25	26	27	28
일진		辛丑	壬寅	癸卯	戊辰	己巳	甲午	乙未	丙申	丁酉	庚戌	辛亥	壬子	癸丑	戊寅	己卯	甲辰	乙巳	丙午	丁未	庚申	辛酉	壬戌	癸亥	戊子	己丑	甲寅	乙卯	丙辰	丁巳	庚午	辛未
대운	男	2	1	1	1	1	小	10	9	9	9	8	8	8	7	7	7	6	6	6	5	5	5	4	4	4	3	3	3	2	2	2
	女	8	8	9	9	9	暑	1	1	1	1	2	2	2	3	3	3	4	4	4	5	5	5	6	6	6	7	7	7	8	8	8

2月 (1일 一白 -) **丙申 (二黑)** 절기: 立秋 (5일 04:30) 處暑 (20일 00:34)

양력		1	2	3	4	5	6	7	8	9	10	11	12	13	14	15	16	17	18	19	20	21	22	23	24	25	26	27	28			
요일		火	水	木	金	土	日	月	火	水	木	金	土	日	月	火	水	木	金	土	日	月	火	水	木	金	土	日	月			
음력	월	29	一	2	3	4	5	6	7	8	9	10	11	12	13	14	15	16	17	18	19	20	21	22	23	24	25	26	27			
일진		壬申	癸酉	戊戌	己亥	甲子	乙丑	丙寅	丁卯	庚辰	辛巳	壬午	癸未	戊申	己酉	甲戌	乙亥	丙子	丁丑	庚寅	辛卯	壬辰	癸巳	戊午	己未	甲申	乙酉	丙戌	丁亥			
대운	男	1	1	1	1	立	1	1	1	1	2	2	2	3	3	3	4	4	4	5	5	5	6	6	6	7	7	7	8			
	女	9	9	9	10	秋	9	9	9	8	8	8	7	7	7	6	6	6	5	5	5	4	4	4	3	3	3	2	2			

3月 (1일 九紫 -) **丁酉 (三碧)** 절기: 白露 (6일 22:50) 秋分 (21일 23:59)

양력		1	2	3	4	5	6	7	8	9	10	11	12	13	14	15	16	17	18	19	20	21	22	23	24	25	26	27	28	29	30	31
요일		火	水	木	金	土	日	月	火	水	木	金	土	日	月	火	水	木	金	土	日	月	火	水	木	金	土	日	月	火	水	木
음력	월	28	29	30	二	2	3	4	5	6	7	8	9	10	11	12	13	14	15	16	17	18	19	20	21	22	23	24	25	26	27	28
일진		庚子	辛丑	壬寅	癸卯	戊辰	己巳	甲午	乙未	丙申	丁酉	庚戌	辛亥	壬子	癸丑	戊寅	己卯	甲辰	乙巳	丙午	丁未	庚申	辛酉	壬戌	癸亥	戊子	己丑	甲寅	乙卯	丙辰	丁巳	庚午
대운	男	8	8	9	9	9	白	1	1	1	1	2	2	2	3	3	3	4	4	4	5	5	5	6	6	6	7	7	7	8	8	8
	女	2	1	1	1	1	露	10	10	9	9	9	8	8	8	7	7	7	6	6	6	5	5	5	4	4	4	3	3	3	2	2

4月 (1일 五黃 -) **庚戌 (四綠)** 절기: 寒露 (6일 04:06) 霜降 (21일 11:32)

양력		1	2	3	4	5	6	7	8	9	10	11	12	13	14	15	16	17	18	19	20	21	22	23	24	25	26	27	28	29	30	
요일		金	土	日	月	火	水	木	金	土	日	月	火	水	木	金	土	日	月	火	水	木	金	土	日	月	火	水	木	金	土	
음력	월	29	三	2	3	4	5	6	7	8	9	10	11	12	13	14	15	16	17	18	19	20	21	22	23	24	25	26	27	28	29	
일진		辛未	壬申	癸酉	戊戌	己亥	甲子	乙丑	丙寅	丁卯	庚辰	辛巳	壬午	癸未	戊申	己酉	甲戌	乙亥	丙子	丁丑	庚寅	辛卯	壬辰	癸巳	戊午	己未	甲申	乙酉	丙戌	丁亥	庚子	
대운	男	9	9	9	10	10	寒	1	1	1	1	2	2	2	3	3	3	4	4	4	5	5	5	6	6	6	7	7	7	8	8	
	女	2	1	1	1	1	露	10	9	9	9	8	8	8	7	7	7	6	6	6	5	5	5	4	4	4	3	3	3	2	2	

5月 (1일 二黑 - 30일 一白 +) **辛亥 (五黃)** 절기: 立冬 (6일 21:53) 小雪 (22일 11:08)

양력		1	2	3	4	5	6	7	8	9	10	11	12	13	14	15	16	17	18	19	20	21	22	23	24	25	26	27	28	29	30	31
요일		日	月	火	水	木	金	土	日	月	火	水	木	金	土	日	月	火	水	木	金	土	日	月	火	水	木	金	土	日	月	火
음력	월	四	2	3	4	5	6	7	8	9	10	11	12	13	14	15	16	17	18	19	20	21	22	23	24	25	26	27	28	29	30	五
일진		辛丑	壬寅	癸卯	戊辰	己巳	甲午	乙未	丙申	丁酉	庚戌	辛亥	壬子	癸丑	戊寅	己卯	甲辰	乙巳	丙午	丁未	庚申	辛酉	壬戌	癸亥	戊子	己丑	甲寅	乙卯	丙辰	丁巳	庚午	辛未
대운	男	8	9	9	9	10	立	1	1	1	1	2	2	2	3	3	3	4	4	4	5	5	5	6	6	6	7	7	7	8	8	8
	女	2	1	1	1	1	冬	10	10	10	9	9	9	8	8	8	7	7	7	6	6	6	5	5	5	4	4	4	3	3	3	2

6月 (1일 三碧 +) **壬子 (六白)** 절기: 大雪 (7일 02:25) 冬至 (22일 19:22)

양력		1	2	3	4	5	6	7	8	9	10	11	12	13	14	15	16	17	18	19	20	21	22	23	24	25	26	27	28	29	30	
요일		水	木	金	土	日	月	火	水	木	金	土	日	月	火	水	木	金	土	日	月	火	水	木	金	土	日	月	火	水	木	
음력	월	2	3	4	5	6	7	8	9	10	11	12	13	14	15	16	17	18	19	20	21	22	23	24	25	26	27	28	29	六	2	
일진		壬申	癸酉	戊戌	己亥	甲子	乙丑	丙寅	丁卯	庚辰	辛巳	壬午	癸未	戊申	己酉	甲戌	乙亥	丙子	丁丑	庚寅	辛卯	壬辰	癸巳	戊午	己未	甲申	乙酉	丙戌	丁亥	庚子	辛丑	
대운	男	9	9	9	10	10	10	大	1	1	1	1	2	2	2	3	3	3	4	4	4	5	5	5	6	6	6	7	7	7	8	
	女	2	2	1	1	1	1	雪	10	10	9	9	9	8	8	8	7	7	7	6	6	6	5	5	5	4	4	4	3	3	3	

7月 (1일 六白 +) **癸丑 (七赤)** 절기: 小寒(8일 12:50) 大寒(24일 06:17)

양력	1	2	3	4	5	6	7	8	9	10	11	12	13	14	15	16	17	18	19	20	21	22	23	24	25	26	27	28	29	30	31
요일	金	土	日	月	火	水	木	金	土	日	月	火	水	木	金	土	日	月	火	水	木	金	土	日	月	火	水	木	金	土	日
음력 월	3	4	5	6	7	8	9	10	11	12	13	14	15	16	17	18	19	20	21	22	23	24	25	26	27	28	29	30	七	2	3
일진	壬寅	癸卯	戊辰	己巳	甲午	乙未	丙申	丁酉	庚戌	辛亥	壬子	癸丑	戊寅	己卯	甲辰	乙巳	丙午	丁未	庚申	辛酉	壬戌	癸亥	戊子	己丑	甲寅	乙卯	丙辰	丁巳	庚午	辛未	壬申
대운 男	8	8	9	9	9	10	10	小	1	1	1	1	2	2	2	3	3	3	4	4	4	5	5	5	6	6	6	7	7	7	8
대운 女	2	2	2	1	1	1	1	寒	10	10	9	9	9	8	8	8	7	7	7	6	6	6	5	5	5	4	4	4	3	3	3

8月 (1일 一白 +) **戊寅 (八白)** 절기: 立春(8일 22:31) 雨水(24일 13:05)

양력	1	2	3	4	5	6	7	8	9	10	11	12	13	14	15	16	17	18	19	20	21	22	23	24	25	26	27	28	29	30	31
요일	月	火	水	木	金	土	日	月	火	水	木	金	土	日	月	火	水	木	金	土	日	月	火	水	木	金	土	日	月	火	水
음력 월	4	5	6	7	8	9	10	11	12	13	14	15	16	17	18	19	20	21	22	23	24	25	26	27	28	29	八	2	3	4	5
일진	癸酉	戊戌	己亥	甲子	乙丑	丙寅	丁卯	庚辰	辛巳	壬午	癸未	戊申	己酉	甲戌	乙亥	丙子	丁丑	庚寅	辛卯	壬辰	癸巳	戊午	己未	甲申	乙酉	丙戌	丁亥	庚子	辛丑	壬寅	癸卯
대운 男	8	8	9	9	9	10	10	立	1	1	1	1	2	2	2	3	3	3	4	4	4	5	5	5	6	6	6	7	7	7	8
대운 女	2	2	2	1	1	1	1	春	10	10	10	9	9	9	8	8	8	7	7	7	6	6	6	5	5	5	4	4	4	3	3

9月 (1일 五黃 +) **己卯 (九紫)** 절기: 驚蟄(9일 01:06) 春分 (24일 10:17)

양력	1	2	3	4	5	6	7	8	9	10	11	12	13	14	15	16	17	18	19	20	21	22	23	24	25	26	27	28	29	30	
요일	木	金	土	日	月	火	水	木	金	土	日	月	火	水	木	金	土	日	月	火	水	木	金	土	日	月	火	水	木	金	
음력 월	6	7	8	9	10	11	12	13	14	15	16	17	18	19	20	21	22	23	24	25	26	27	28	29	30	九	2	3	4	5	
일진	戊辰	己巳	甲午	乙未	丙申	丁酉	庚戌	辛亥	壬子	癸丑	戊寅	己卯	甲辰	乙巳	丙午	丁未	庚申	辛酉	壬戌	癸亥	戊子	己丑	甲寅	乙卯	丙辰	丁巳	庚午	辛未	壬申	癸酉	
대운 男	8	8	9	9	9	10	10	10	驚	1	1	1	1	2	2	2	3	3	3	4	4	4	5	5	5	6	6	6	7	7	
대운 女	3	2	2	2	1	1	1	1	蟄	10	9	9	9	8	8	8	7	7	7	6	6	6	5	5	5	4	4	4	3	3	

10月 (1일 八白 +) **甲辰 (一白)** 절기: 清明(9일 16:15) 穀雨(24일 19:07)

양력	1	2	3	4	5	6	7	8	9	10	11	12	13	14	15	16	17	18	19	20	21	22	23	24	25	26	27	28	29	30	31
요일	土	日	月	火	水	木	金	土	日	月	火	水	木	金	土	日	月	火	水	木	金	土	日	月	火	水	木	金	土	日	月
음력 월	6	7	8	9	10	11	12	13	14	15	16	17	18	19	20	21	22	23	24	25	26	27	28	29	30	十	2	3	4	5	6
일진	戊戌	己亥	甲子	乙丑	丙寅	丁卯	庚辰	辛巳	壬午	癸未	戊申	己酉	甲戌	乙亥	丙子	丁丑	庚寅	辛卯	壬辰	癸巳	戊午	己未	甲申	乙酉	丙戌	丁亥	庚子	辛丑	壬寅	癸卯	戊辰
대운 男	7	8	8	8	9	9	9	10	清	1	1	1	1	2	2	2	3	3	3	4	4	4	5	5	5	6	6	6	7	7	7
대운 女	3	2	2	2	1	1	1	1	明	10	9	9	9	8	8	8	7	7	7	6	6	6	5	5	5	4	4	4	3	3	3

11月 (1일 三碧 + 九紫 -) **乙巳 (二黑)** 절기: 立夏(8일 18:57) 小滿(23일 16:14)

양력	1	2	3	4	5	6	7	8	9	10	11	12	13	14	15	16	17	18	19	20	21	22	23	24	25	26	27	28	29	30	
요일	火	水	木	金	土	日	月	火	水	木	金	土	日	月	火	水	木	金	土	日	月	火	水	木	金	土	日	月	火	水	
음력 월	7	8	9	10	11	12	13	14	15	16	17	18	19	20	21	22	23	24	25	26	27	28	29	十一	2	3	4	5	6	7	
일진	己巳	甲午	乙未	丙申	丁酉	庚戌	辛亥	壬子	癸丑	戊寅	己卯	甲辰	乙巳	丙午	丁未	庚申	辛酉	壬戌	癸亥	戊子	己丑	甲寅	乙卯	丙辰	丁巳	庚午	辛未	壬申	癸酉	戊戌	
대운 男	8	8	8	9	9	9	10	立	1	1	1	1	2	2	2	3	3	3	4	4	4	5	5	5	6	6	6	7	7	7	
대운 女	2	2	2	1	1	1	1	夏	10	9	9	9	8	8	8	7	7	7	6	6	6	5	5	5	4	4	4	3	3	3	

12月 (1일 四綠 -) **丙午 (三碧)** 절기: 芒種(8일 11:26) 夏至(23일 05:19)

양력	1	2	3	4	5	6	7	8	9	10	11	12	13	14	15	16	17	18	19	20	21	22	23	24	25	26	27	28	29	30	31
요일	木	金	土	日	月	火	水	木	金	土	日	月	火	水	木	金	土	日	月	火	水	木	金	土	日	月	火	水	木	金	土
음력 월	8	9	10	11	12	13	14	15	16	17	18	19	20	21	22	23	24	25	26	27	28	29	30	十二	2	3	4	5	6	7	8
일진	己亥	甲子	乙丑	丙寅	丁卯	庚辰	辛巳	壬午	癸未	戊申	己酉	甲戌	乙亥	丙子	丁丑	庚寅	辛卯	壬辰	癸巳	戊午	己未	甲申	乙酉	丙戌	丁亥	庚子	辛丑	壬寅	癸卯	戊辰	己巳
대운 男	8	8	8	9	9	9	10	芒	1	1	1	1	2	2	2	3	3	3	4	4	4	5	5	5	6	6	6	7	7	7	8
대운 女	2	2	2	1	1	1	1	種	9	9	9	8	8	8	7	7	7	6	6	6	5	5	5	4	4	4	3	3	3	2	2

서기1928년

戊戌年 (一白水星) 閏二月

1月 (1일 九紫 -) **丁未 (四綠)** 절기: 小暑 (6일 22:31) 大暑 (21일 15:57)

양력		1	2	3	4	5	6	7	8	9	10	11	12	13	14	15	16	17	18	19	20	21	22	23	24	25	26	27	28	29	30	31
요일		日	月	火	水	木	金	土	日	月	火	水	木	金	土	日	月	火	水	木	金	土	日	月	火	水	木	金	土	日	月	火
음력	월	9	10	11	12	13	14	15	16	17	18	19	20	21	22	23	24	25	26	27	28	29	30	一	2	3	4	5	6	7	8	9
일진		甲午	乙未	丙申	丁酉	庚戌	辛亥	壬子	癸丑	戊寅	己卯	甲辰	乙巳	丙午	丁未	庚申	辛酉	壬戌	癸亥	戊子	己丑	甲寅	乙卯	丙辰	丁巳	庚午	辛未	壬申	癸酉	戊戌	己亥	甲子
대운	男	8	8	9	9	9	小	1	1	1	1	2	2	2	3	3	3	4	4	4	5	5	5	6	6	6	7	7	7	8	8	8
	女	2	1	1	1	1	暑	10	9	9	9	8	8	8	7	7	7	6	6	6	5	5	5	4	4	4	3	3	3	2	2	2

2月 閏 (1일 五黃 -) **庚申 (五黃)** 절기: 立秋 (5일 10:16) 處暑 (20일 06:19)

양력		1	2	3	4	5	6	7	8	9	10	11	12	13	14	15	16	17	18	19	20	21	22	23	24	25	26	27	28	29		
요일		水	木	金	土	日	月	火	水	木	金	土	日	月	火	水	木	金	土	日	月	火	水	木	金	土	日	月	火	水		
음력	월	10	11	12	13	14	15	16	17	18	19	20	21	22	23	24	25	26	27	28	29	二	2	3	4	5	6	7	8	9		
일진		乙丑	丙寅	丁卯	庚辰	辛巳	壬午	癸未	戊申	己酉	甲戌	乙亥	丙子	丁丑	庚寅	辛卯	壬辰	癸巳	戊午	己未	甲申	乙酉	丙戌	丁亥	庚子	辛丑	壬寅	癸卯	戊辰	己巳		
대운	男	9	9	9	10	立	10	9	9	9	8	8	8	7	7	7	6	6	6	5	5	5	4	4	4	3	3	3	2	2		
	女	1	1	1	1	秋	1	1	1	1	2	2	2	3	3	3	4	4	4	5	5	5	6	6	6	7	7	7	8	8		

3月 (1일 三碧 -) **辛酉 (六白)** 절기: 白露 (6일 04:37) 秋分 (21일 05:44)

양력		1	2	3	4	5	6	7	8	9	10	11	12	13	14	15	16	17	18	19	20	21	22	23	24	25	26	27	28	29	30	31
요일		木	金	土	日	月	火	水	木	金	土	日	月	火	水	木	金	土	日	月	火	水	木	金	土	日	月	火	水	木	金	土
음력	월	10	11	12	13	14	15	16	17	18	19	20	21	22	23	24	25	26	27	28	29	30	閏二		3	4	5	6	7	8	9	10
일진		甲午	乙未	丙申	丁酉	庚戌	辛亥	壬子	癸丑	戊寅	己卯	甲辰	乙巳	丙午	丁未	庚申	辛酉	壬戌	癸亥	戊子	己丑	甲寅	乙卯	丙辰	丁巳	庚午	辛未	壬申	癸酉	戊戌	己亥	甲子
대운	男	2	1	1	1	1	白	10	9	9	9	8	8	8	7	7	7	6	6	6	5	5	5	4	4	4	3	3	3	2	2	2
	女	8	9	9	9	10	露	1	1	1	1	2	2	2	3	3	3	4	4	4	5	5	5	6	6	6	7	7	7	8	8	8

4月 (1일 八白 -) **壬戌 (七赤)** 절기: 寒露 (5일 09:55) 霜降 (20일 17:17)

양력		1	2	3	4	5	6	7	8	9	10	11	12	13	14	15	16	17	18	19	20	21	22	23	24	25	26	27	28	29	30	
요일		日	月	火	水	木	金	土	日	月	火	水	木	金	土	日	月	火	水	木	金	土	日	月	火	水	木	金	土	日	月	
음력	월	11	12	13	14	15	16	17	18	19	20	21	22	23	24	25	26	27	28	29	三	2	3	4	5	6	7	8	9	10	11	
일진		乙丑	丙寅	丁卯	庚辰	辛巳	壬午	癸未	戊申	己酉	甲戌	乙亥	丙子	丁丑	庚寅	辛卯	壬辰	癸巳	戊午	己未	甲申	乙酉	丙戌	丁亥	庚子	辛丑	壬寅	癸卯	戊辰	己巳	甲午	
대운	男	1	1	1	1	寒	10	10	9	9	9	8	8	8	7	7	7	6	6	6	5	5	5	4	4	4	3	3	3	2	2	
	女	9	9	9	10	露	1	1	1	1	2	2	2	3	3	3	4	4	4	5	5	5	6	6	6	7	7	7	8	8	8	

5月 (1일 五黃 -) **癸亥 (八白)** 절기: 立冬 (6일 03:44) 小雪 (21일 16:52)

양력		1	2	3	4	5	6	7	8	9	10	11	12	13	14	15	16	17	18	19	20	21	22	23	24	25	26	27	28	29	30	31
요일		火	水	木	金	土	日	月	火	水	木	金	土	日	月	火	水	木	金	土	日	月	火	水	木	金	土	日	月	火	水	木
음력	월	12	13	14	15	16	17	18	19	20	21	22	23	24	25	26	27	28	29	四	2	3	4	5	6	7	8	9	10	11	12	13
일진		乙未	丙申	丁酉	庚戌	辛亥	壬子	癸丑	戊寅	己卯	甲辰	乙巳	丙午	丁未	庚申	辛酉	壬戌	癸亥	戊子	己丑	甲寅	乙卯	丙辰	丁巳	庚午	辛未	壬申	癸酉	戊戌	己亥	甲子	乙丑
대운	男	2	1	1	1	1	立	10	10	9	9	9	8	8	8	7	7	7	6	6	6	5	5	5	4	4	4	3	3	3	2	2
	女	9	9	9	10	10	冬	1	1	1	1	2	2	2	3	3	3	4	4	4	5	5	5	6	6	6	7	7	7	8	8	8

6月 (1일 一白 - 26일 一白 +) **戊子 (九紫)** 절기: 大雪 (6일 08:17) 冬至 (22일 01:06)

양력		1	2	3	4	5	6	7	8	9	10	11	12	13	14	15	16	17	18	19	20	21	22	23	24	25	26	27	28	29	30	
요일		金	土	日	月	火	水	木	金	土	日	月	火	水	木	金	土	日	月	火	水	木	金	土	日	月	火	水	木	金	土	
음력	월	14	15	16	17	18	19	20	21	22	23	24	25	26	27	28	29	30	五	2	3	4	5	6	7	8	9	10	11	12	13	
일진		丙寅	丁卯	庚辰	辛巳	壬午	癸未	戊申	己酉	甲戌	乙亥	丙子	丁丑	庚寅	辛卯	壬辰	癸巳	戊午	己未	甲申	乙酉	丙戌	丁亥	庚子	辛丑	壬寅	癸卯	戊辰	己巳	甲午	乙未	
대운	男	2	1	1	1	1	大	10	10	9	9	9	8	8	8	7	7	7	6	6	6	5	5	5	4	4	4	3	3	3	2	
	女	9	9	9	10	10	雪	1	1	1	1	2	2	2	3	3	3	4	4	4	5	5	5	6	6	6	7	7	7	8	8	

7月 (1일 六白 + 23일 一白 +) **己丑 (一白)** 절기: 小寒(7일 18:44) 大寒(23일 12:02)

양력		1	2	3	4	5	6	7	8	9	10	11	12	13	14	15	16	17	18	19	20	21	22	23	24	25	26	27	28	29	30	31
요일		日	月	火	水	木	金	土	日	月	火	水	木	金	土	日	月	火	水	木	金	土	日	月	火	水	木	金	土	日	月	火
음력	월	14	15	16	17	18	19	20	21	22	23	24	25	26	27	28	29	六	2	3	4	5	6	7	8	9	10	11	12	13	14	15
일진		丙申	丁酉	庚戌	辛亥	壬子	癸丑	戊寅	己卯	甲辰	乙巳	丙午	丁未	庚申	辛酉	壬戌	癸亥	戊子	己丑	甲寅	乙卯	丙辰	丁巳	庚午	辛未	壬申	癸酉	戊戌	己亥	甲子	乙丑	丙寅
대운	男	2	2	1	1	1	1	小	10	10	10	9	9	9	8	8	8	7	7	7	6	6	6	5	5	5	4	4	4	3	3	3
	女	8	9	9	9	10	10	寒	1	1	1	1	2	2	2	3	3	3	4	4	4	5	5	5	6	6	6	7	7	7	8	8

8月 (1일 一白 +) **甲寅 (二黑)** 절기: 立春(8일 04:28) 雨水(23일 18:53)

양력		1	2	3	4	5	6	7	8	9	10	11	12	13	14	15	16	17	18	19	20	21	22	23	24	25	26	27	28	29	30	31
요일		水	木	金	土	日	月	火	水	木	金	土	日	月	火	水	木	金	土	日	月	火	水	木	金	土	日	月	火	水	木	金
음력	월	16	17	18	19	20	21	22	23	24	25	26	27	28	29	七	2	3	4	5	6	7	8	9	10	11	12	13	14	15	16	17
일진		丁卯	庚辰	辛巳	壬午	癸未	戊申	己酉	甲戌	乙亥	丙子	丁丑	庚寅	辛卯	壬辰	癸巳	戊午	己未	甲申	乙酉	丙戌	丁亥	庚子	辛丑	壬寅	癸卯	戊辰	己巳	甲午	乙未	丙申	丁酉
대운	男	2	2	2	1	1	1	1	立	10	10	9	9	9	8	8	8	7	7	7	6	6	6	5	5	5	4	4	4	3	3	3
	女	8	9	9	9	10	10	10	春	1	1	1	1	2	2	2	3	3	3	4	4	4	5	5	5	6	6	6	7	7	7	8

9月 (1일 五黃 +) **乙卯 (三碧)** 절기: 驚蟄(8일 07:02) 春分 (23일 16:06)

양력		1	2	3	4	5	6	7	8	9	10	11	12	13	14	15	16	17	18	19	20	21	22	23	24	25	26	27	28	29	30	
요일		土	日	月	火	水	木	金	土	日	月	火	水	木	金	土	日	月	火	水	木	金	土	日	月	火	水	木	金	土	日	
음력	월	18	19	20	21	22	23	24	25	26	27	28	29	30	八	2	3	4	5	6	7	8	9	10	11	12	13	14	15	16	17	
일진		庚戌	辛亥	壬子	癸丑	戊寅	己卯	甲辰	乙巳	丙午	丁未	庚申	辛酉	壬戌	癸亥	戊子	己丑	甲寅	乙卯	丙辰	丁巳	庚午	辛未	壬申	癸酉	戊戌	己亥	甲子	乙丑	丙寅	丁卯	
대운	男	2	2	2	1	1	1	1	驚	10	9	9	9	8	8	8	7	7	7	6	6	6	5	5	5	4	4	4	3	3	3	
	女	8	8	9	9	9	10	10	蟄	1	1	1	1	2	2	2	3	3	3	4	4	4	5	5	5	6	6	6	7	7	7	

10月 (1일 八白 +) **丙辰 (四綠)** 절기: 清明(8일 22:10) 穀雨(24일 00:55)

양력		1	2	3	4	5	6	7	8	9	10	11	12	13	14	15	16	17	18	19	20	21	22	23	24	25	26	27	28	29	30	31
요일		月	火	水	木	金	土	日	月	火	水	木	金	土	日	月	火	水	木	金	土	日	月	火	水	木	金	土	日	月	火	水
음력	월	18	19	20	21	22	23	24	25	26	27	28	29	30	九	2	3	4	5	6	7	8	9	10	11	12	13	14	15	16	17	18
일진		庚辰	辛巳	壬午	癸未	戊申	己酉	甲戌	乙亥	丙子	丁丑	庚寅	辛卯	壬辰	癸巳	戊午	己未	甲申	乙酉	丙戌	丁亥	庚子	辛丑	壬寅	癸卯	戊辰	己巳	甲午	乙未	丙申	丁酉	庚戌
대운	男	2	2	2	1	1	1	1	清	10	10	9	9	9	8	8	8	7	7	7	6	6	6	5	5	5	4	4	4	3	3	3
	女	8	8	8	9	9	9	10	明	1	1	1	1	2	2	2	3	3	3	4	4	4	5	5	5	6	6	6	7	7	7	8

11月 (1일 三碧 +) **丁巳 (五黃)** 절기: 立夏(8일 00:50) 小滿 (22일 22:00)

양력		1	2	3	4	5	6	7	8	9	10	11	12	13	14	15	16	17	18	19	20	21	22	23	24	25	26	27	28	29	30	
요일		木	金	土	日	月	火	水	木	金	土	日	月	火	水	木	金	土	日	月	火	水	木	金	土	日	月	火	水	木	金	
음력	월	19	20	21	22	23	24	25	26	27	28	29	十	2	3	4	5	6	7	8	9	10	11	12	13	14	15	16	17	18	19	
일진		辛亥	壬子	癸丑	戊寅	己卯	甲辰	乙巳	丙午	丁未	庚申	辛酉	壬戌	癸亥	戊子	己丑	甲寅	乙卯	丙辰	丁巳	庚午	辛未	壬申	癸酉	戊戌	己亥	甲子	乙丑	丙寅	丁卯	庚辰	
대운	男	2	2	2	1	1	1	1	立	9	9	9	8	8	8	7	7	7	6	6	6	5	5	5	4	4	4	3	3	3	2	
	女	8	8	9	9	9	10	10	夏	1	1	1	1	2	2	2	3	3	3	4	4	4	5	5	5	6	6	6	7	7	7	

12月 (1일 四錄 +) **庚午 (六白)** 절기: 芒種(7일 17:17) 夏至(22일 11:04)

양력		1	2	3	4	5	6	7	8	9	10	11	12	13	14	15	16	17	18	19	20	21	22	23	24	25	26	27	28	29	30	31
요일		土	日	月	火	水	木	金	土	日	月	火	水	木	金	土	日	月	火	水	木	金	土	日	月	火	水	木	金	土	日	月
음력	월	20	21	22	23	24	25	26	27	28	29	30	十一	2	3	4	5	6	7	8	9	10	11	12	13	14	15	16	17	18	19	20
일진		辛巳	壬午	癸未	戊申	己酉	甲戌	乙亥	丙子	丁丑	庚寅	辛卯	壬辰	癸巳	戊午	己未	甲申	乙酉	丙戌	丁亥	庚子	辛丑	壬寅	癸卯	戊辰	己巳	甲午	乙未	丙申	丁酉	庚戌	辛亥
대운	男	2	2	1	1	1	1	芒	10	9	9	9	8	8	8	7	7	7	6	6	6	5	5	5	4	4	4	3	3	3	2	2
	女	8	8	8	9	9	9	種	1	1	1	1	2	2	2	3	3	3	4	4	4	5	5	5	6	6	6	7	7	7	8	8

서기1929년

己亥年 (二黑土星)

1月 (1일 一白 + 19일 九紫 -) **辛未 (七赤)** 절기: 小暑 (6일 04:22) 大暑 (20일 21:42)

양력		1	2	3	4	5	6	7	8	9	10	11	12	13	14	15	16	17	18	19	20	21	22	23	24	25	26	27	28	29	30	31
요일		火	水	木	金	土	日	月	火	水	木	金	土	日	月	火	水	木	金	土	日	月	火	水	木	金	土	日	月	火	水	木
음력	월	21	22	23	24	25	26	27	28	29	30	十二	2	3	4	5	6	7	8	9	10	11	12	13	14	15	16	17	18	19	20	21
일진		壬子	癸丑	戊寅	己卯	甲辰	乙巳	丙午	丁未	庚申	辛酉	壬戌	癸亥	戊子	己丑	甲寅	乙卯	丙辰	丁巳	庚午	辛未	壬申	癸酉	戊戌	己亥	甲子	乙丑	丙寅	丁卯	庚辰	辛巳	壬午
대운	男	2	1	1	1	1	小	9	9	9	8	8	8	7	7	7	6	6	6	5	5	5	4	4	4	3	3	3	2	2	2	1
	女	8	9	9	9	10	暑	1	1	1	1	2	2	2	3	3	3	4	4	4	5	5	5	6	6	6	7	7	7	8	8	8

2月 (1일 五黃 -) **壬申 (八白)** 절기: 立秋 (4일 16:09) 處暑 (19일 12:07)

양력		1	2	3	4	5	6	7	8	9	10	11	12	13	14	15	16	17	18	19	20	21	22	23	24	25	26	27	28			
요일		金	土	日	月	火	水	木	金	土	日	月	火	水	木	金	土	日	月	火	水	木	金	土	日	月	火	水	木			
음력	월	22	23	24	25	26	27	28	29	30	一	2	3	4	5	6	7	8	9	10	11	12	13	14	15	16	17	18	19			
일진		癸未	戊申	己酉	甲戌	乙亥	丙子	丁丑	庚寅	辛卯	壬辰	癸巳	戊午	己未	甲申	乙酉	丙戌	丁亥	庚子	辛丑	壬寅	癸卯	戊辰	己巳	甲午	乙未	丙申	丁酉	庚戌			
대운	男	1	1	1	立	1	1	1	1	2	2	2	3	3	3	4	4	4	5	5	5	6	6	6	7	7	7	8	8			
	女	9	9	9	秋	10	9	9	9	8	8	8	7	7	7	6	6	6	5	5	5	4	4	4	3	3	3	2	2			

3月 (1일 四綠 -) **癸酉 (九紫)** 절기: 白露 (6일 10:32) 秋分 (21일 11:35)

양력		1	2	3	4	5	6	7	8	9	10	11	12	13	14	15	16	17	18	19	20	21	22	23	24	25	26	27	28	29	30	31
요일		金	土	日	月	火	水	木	金	土	日	月	火	水	木	金	土	日	月	火	水	木	金	土	日	月	火	水	木	金	土	日
음력	월	20	21	22	23	24	25	26	27	28	29	二	2	3	4	5	6	7	8	9	10	11	12	13	14	15	16	17	18	19	20	21
일진		辛亥	壬子	癸丑	戊寅	己卯	甲辰	乙巳	丙午	丁未	庚申	辛酉	壬戌	癸亥	戊子	己丑	甲寅	乙卯	丙辰	丁巳	庚午	辛未	壬申	癸酉	戊戌	己亥	甲子	乙丑	丙寅	丁卯	庚辰	辛巳
대운	男	8	9	9	9	10	白	1	1	1	1	2	2	2	3	3	3	4	4	4	5	5	5	6	6	6	7	7	7	8	8	8
	女	2	1	1	1	1	露	10	9	9	9	8	8	8	7	7	7	6	6	6	5	5	5	4	4	4	3	3	3	2	2	2

4月 (1일 九紫 -) **戊戌 (一白)** 절기: 寒露 (5일 15:51) 霜降 (20일 23:10)

양력		1	2	3	4	5	6	7	8	9	10	11	12	13	14	15	16	17	18	19	20	21	22	23	24	25	26	27	28	29	30	
요일		月	火	水	木	金	土	日	月	火	水	木	金	土	日	月	火	水	木	金	土	日	月	火	水	木	金	土	日	月	火	
음력	월	22	23	24	25	26	27	28	29	30	三	2	3	4	5	6	7	8	9	10	11	12	13	14	15	16	17	18	19	20	21	
일진		壬午	癸未	戊申	己酉	甲戌	乙亥	丙子	丁丑	庚寅	辛卯	壬辰	癸巳	戊午	己未	甲申	乙酉	丙戌	丁亥	庚子	辛丑	壬寅	癸卯	戊辰	己巳	甲午	乙未	丙申	丁酉	庚戌	辛亥	
대운	男	9	9	9	10	寒	1	1	1	1	2	2	2	3	3	3	4	4	4	5	5	5	6	6	6	7	7	7	8	8	8	
	女	1	1	1	1	露	10	10	9	9	9	8	8	8	7	7	7	6	6	6	5	5	5	4	4	4	3	3	3	2	2	

5月 (1일 六白 -) **己亥 (二黑)** 절기: 立冬 (6일 09:40) 小雪 (21일 22:48)

양력		1	2	3	4	5	6	7	8	9	10	11	12	13	14	15	16	17	18	19	20	21	22	23	24	25	26	27	28	29	30	31
요일		水	木	金	土	日	月	火	水	木	金	土	日	月	火	水	木	金	土	日	月	火	水	木	金	土	日	月	火	水	木	金
음력	월	22	23	24	25	26	27	28	29	四	2	3	4	5	6	7	8	9	10	11	12	13	14	15	16	17	18	19	20	21	22	23
일진		壬子	癸丑	戊寅	己卯	甲辰	乙巳	丙午	丁未	庚申	辛酉	壬戌	癸亥	戊子	己丑	甲寅	乙卯	丙辰	丁巳	庚午	辛未	壬申	癸酉	戊戌	己亥	甲子	乙丑	丙寅	丁卯	庚辰	辛巳	壬午
대운	男	9	9	9	10	10	立	1	1	1	1	2	2	2	3	3	3	4	4	4	5	5	5	6	6	6	7	7	7	8	8	8
	女	2	1	1	1	1	冬	10	10	9	9	9	8	8	8	7	7	7	6	6	6	5	5	5	4	4	4	3	3	3	2	2

6月 (1일 二黑 -) **甲子 (三碧)** 절기: 大雪 (6일 14:11) 冬至 (22일 07:01)

양력		1	2	3	4	5	6	7	8	9	10	11	12	13	14	15	16	17	18	19	20	21	22	23	24	25	26	27	28	29	30	
요일		土	日	月	火	水	木	金	土	日	月	火	水	木	金	土	日	月	火	水	木	金	土	日	月	火	水	木	金	土	日	
음력	월	24	25	26	27	28	29	五	2	3	4	5	6	7	8	9	10	11	12	13	14	15	16	17	18	19	20	21	22	23	24	
일진		癸未	戊申	己酉	甲戌	乙亥	丙子	丁丑	庚寅	辛卯	壬辰	癸巳	戊午	己未	甲申	乙酉	丙戌	丁亥	庚子	辛丑	壬寅	癸卯	戊辰	己巳	甲午	乙未	丙申	丁酉	庚戌	辛亥	壬子	
대운	男	9	9	9	10	10	大	1	1	1	1	2	2	2	3	3	3	4	4	4	5	5	5	6	6	6	7	7	7	8	8	
	女	2	1	1	1	1	雪	10	10	10	9	9	9	8	8	8	7	7	7	6	6	6	5	5	5	4	4	4	3	3	3	

7月 (1일 八白 - 18일 一白 +) **乙丑 (四綠)** 절기: 小寒(8일 00:32) 大寒(23일 17:53)

양력	1	2	3	4	5	6	7	8	9	10	11	12	13	14	15	16	17	18	19	20	21	22	23	24	25	26	27	28	29	30	31
요일	月	火	水	木	金	土	日	月	火	水	木	金	土	日	月	火	水	木	金	土	日	月	火	水	木	金	土	日	月	火	水
음력 월	25	26	27	28	29	30	六	2	3	4	5	6	7	8	9	10	11	12	13	14	15	16	17	18	19	20	21	22	23	24	25
일진	癸丑	戊寅	己卯	甲辰	乙巳	丙午	丁未	庚申	辛酉	壬戌	癸亥	戊子	己丑	甲寅	乙卯	丙辰	丁巳	庚午	辛未	壬申	癸酉	戊戌	己亥	甲子	乙丑	丙寅	丁卯	庚辰	辛巳	壬午	癸未
대운 男	8	9	9	9	10	10	10	小	1	1	1	1	2	2	2	3	3	3	4	4	4	5	5	5	6	6	6	7	7	7	8
대운 女	2	2	2	1	1	1	1	寒	10	10	9	9	9	8	8	8	7	7	7	6	6	6	5	5	5	4	4	4	3	3	3

8月 (1일 六白 +) **丙寅 (五黃)** 절기: 立春(8일 10:09) 雨水(24일 00:41)

양력	1	2	3	4	5	6	7	8	9	10	11	12	13	14	15	16	17	18	19	20	21	22	23	24	25	26	27	28	29	30	31
요일	木	金	土	日	月	火	水	木	金	土	日	月	火	水	木	金	土	日	月	火	水	木	金	土	日	月	火	水	木	金	土
음력 월	26	27	28	29	七	2	3	4	5	6	7	8	9	10	11	12	13	14	15	16	17	18	19	20	21	22	23	24	25	26	27
일진	戊申	己酉	甲戌	乙亥	丙子	丁丑	庚寅	辛卯	壬辰	癸巳	戊午	己未	甲申	乙酉	丙戌	丁亥	庚子	辛丑	壬寅	癸卯	戊辰	己巳	甲午	乙未	丙申	丁酉	庚戌	辛亥	壬子	癸丑	戊寅
대운 男	8	8	9	9	9	10	10	立	1	1	1	1	2	2	2	3	3	3	4	4	4	5	5	5	6	6	6	7	7	7	8
대운 女	2	2	2	1	1	1	1	春	10	10	9	9	9	8	8	8	7	7	7	6	6	6	5	5	5	4	4	4	3	3	3

9月 (1일 一白 +) **丁卯 (六白)** 절기: 驚蟄(8일 12:40) 春分 (23일 21:52)

양력	1	2	3	4	5	6	7	8	9	10	11	12	13	14	15	16	17	18	19	20	21	22	23	24	25	26	27	28	29	30	
요일	日	月	火	水	木	金	土	日	月	火	水	木	金	土	日	月	火	水	木	金	土	日	月	火	水	木	金	土	日	月	
음력 월	28	29	八	2	3	4	5	6	7	8	9	10	11	12	13	14	15	16	17	18	19	20	21	22	23	24	25	26	27	28	
일진	己卯	甲辰	乙巳	丙午	丁未	庚申	辛酉	壬戌	癸亥	戊子	己丑	甲寅	乙卯	丙辰	丁巳	庚午	辛未	壬申	癸酉	戊戌	己亥	甲子	乙丑	丙寅	丁卯	庚辰	辛巳	壬午	癸未	戊申	
대운 男	8	8	9	9	9	10	10	驚	1	1	1	1	2	2	2	3	3	3	4	4	4	5	5	5	6	6	6	7	7	7	
대운 女	2	2	2	1	1	1	1	蟄	10	10	9	9	9	8	8	8	7	7	7	6	6	6	5	5	5	4	4	4	3	3	

10月 (1일 四綠 +) **庚辰 (七赤)** 절기: 清明(9일 03:47) 穀雨(24일 06:41)

양력	1	2	3	4	5	6	7	8	9	10	11	12	13	14	15	16	17	18	19	20	21	22	23	24	25	26	27	28	29	30	31
요일	火	水	木	金	土	日	月	火	水	木	金	土	日	月	火	水	木	金	土	日	月	火	水	木	金	土	日	月	火	水	木
음력 월	29	30	九	2	3	4	5	6	7	8	9	10	11	12	13	14	15	16	17	18	19	20	21	22	23	24	25	26	27	28	29
일진	己酉	甲戌	乙亥	丙子	丁丑	庚寅	辛卯	壬辰	癸巳	戊午	己未	甲申	乙酉	丙戌	丁亥	庚子	辛丑	壬寅	癸卯	戊辰	己巳	甲午	乙未	丙申	丁酉	庚戌	辛亥	壬子	癸丑	戊寅	己卯
대운 男	8	8	8	9	9	9	10	10	清	1	1	1	1	2	2	2	3	3	3	4	4	4	5	5	5	6	6	6	7	7	7
대운 女	3	2	2	2	1	1	1	1	明	10	9	9	9	8	8	8	7	7	7	6	6	6	5	5	5	4	4	4	3	3	3

11月 (1일 八白 +) **辛巳 (八白)** 절기: 立夏(8일 06:28) 小滿 (23일 03:48)

양력	1	2	3	4	5	6	7	8	9	10	11	12	13	14	15	16	17	18	19	20	21	22	23	24	25	26	27	28	29	30	
요일	金	土	日	月	火	水	木	金	土	日	月	火	水	木	金	土	日	月	火	水	木	金	土	日	月	火	水	木	金	土	
음력 월	十	2	3	4	5	6	7	8	9	10	11	12	13	14	15	16	17	18	19	20	21	22	23	24	25	26	27	28	29	30	
일진	甲辰	乙巳	丙午	丁未	庚申	辛酉	壬戌	癸亥	戊子	己丑	甲寅	乙卯	丙辰	丁巳	庚午	辛未	壬申	癸酉	戊戌	己亥	甲子	乙丑	丙寅	丁卯	庚辰	辛巳	壬午	癸未	戊申	己酉	
대운 男	8	8	8	9	9	9	10	立	1	1	1	1	2	2	2	3	3	3	4	4	4	5	5	5	6	6	6	7	7	7	
대운 女	2	2	2	1	1	1	1	夏	9	9	9	8	8	8	7	7	7	6	6	6	5	5	5	4	4	4	3	3	3	2	

12月 (1일 二黑 +) **壬午 (九紫)** 절기: 芒種(7일 22:56) 夏至(22일 16:53)

양력	1	2	3	4	5	6	7	8	9	10	11	12	13	14	15	16	17	18	19	20	21	22	23	24	25	26	27	28	29	30	31
요일	日	月	火	水	木	金	土	日	月	火	水	木	金	土	日	月	火	水	木	金	土	日	月	火	水	木	金	土	日	月	火
음력 월	十一	2	3	4	5	6	7	8	9	10	11	12	13	14	15	16	17	18	19	20	21	22	23	24	25	26	27	28	29	30	十二
일진	甲戌	乙亥	丙子	丁丑	庚寅	辛卯	壬辰	癸巳	戊午	己未	甲申	乙酉	丙戌	丁亥	庚子	辛丑	壬寅	癸卯	戊辰	己巳	甲午	乙未	丙申	丁酉	庚戌	辛亥	壬子	癸丑	戊寅	己卯	甲辰
대운 男	8	8	8	9	9	9	芒	1	1	1	1	2	2	2	3	3	3	4	4	4	5	5	5	6	6	6	7	7	7	8	8
대운 女	2	2	1	1	1	1	種	10	9	9	9	8	8	8	7	7	7	6	6	6	5	5	5	4	4	4	3	3	3	2	2

甲子年 (三碧木星) 閏六月

1月 (1일 六白 + 14일 九紫 -) **癸未 (一白)** 절기: 小暑 (6일 10:03) 大暑 (21일 03:33)

양력	1	2	3	4	5	6	7	8	9	10	11	12	13	14	15	16	17	18	19	20	21	22	23	24	25	26	27	28	29	30	31
요일	水	木	金	土	日	月	火	水	木	金	土	日	月	火	水	木	金	土	日	月	火	水	木	金	土	日	月	火	氷	木	金
음력 월	2	3	4	5	6	7	8	9	10	11	12	13	14	15	16	17	18	19	20	21	22	23	24	25	26	27	28	29	30	一	2
일진	乙巳	丙午	丁未	庚申	辛酉	壬戌	癸亥	戊子	己丑	甲寅	乙卯	丙辰	丁巳	庚午	辛未	壬申	癸酉	戊戌	己亥	甲子	乙丑	丙寅	丁卯	庚辰	辛巳	壬午	癸未	戊申	己酉	甲戌	乙亥
대운 男	8	9	9	9	10	小	1	1	1	1	2	2	2	3	3	3	4	4	4	5	5	5	6	6	6	7	7	7	8	8	8
대운 女	2	1	1	1	1	暑	9	9	9	8	8	8	7	7	7	6	6	6	5	5	5	4	4	4	3	3	3	2	2	2	1

2月 (1일 九紫 -) **戊申 (二黑)** 절기: 立秋 (4일 21:51) 處暑 (19일 18:00)

양력	1	2	3	4	5	6	7	8	9	10	11	12	13	14	15	16	17	18	19	20	21	22	23	24	25	26	27	28			
요일	土	日	月	火	水	木	金	土	日	月	火	水	木	金	土	日	月	火	水	木	金	土	日	月	火	水	木	金			
음력 월	3	4	5	6	7	8	9	10	11	12	13	14	15	16	17	18	19	20	21	22	23	24	25	26	27	28	29	二			
일진	丙子	丁丑	庚寅	辛卯	壬辰	癸巳	戊午	己未	甲申	乙酉	丙戌	丁亥	庚子	辛丑	壬寅	癸卯	戊辰	己巳	甲午	乙未	丙申	丁酉	庚戌	辛亥	壬子	癸丑	戊寅	己卯			
대운 男	9	9	9	立	10	9	9	9	8	8	8	7	7	7	6	6	6	5	5	5	4	4	4	3	3	3	2	2			
대운 女	1	1	1	秋	1	1	1	1	2	2	2	3	3	3	4	4	4	5	5	5	6	6	6	7	7	7	8	8			

3月 (1일 八白 -) **己酉 (三碧)** 절기: 白露 (6일 16:17) 秋分 (21일 17:30)

양력	1	2	3	4	5	6	7	8	9	10	11	12	13	14	15	16	17	18	19	20	21	22	23	24	25	26	27	28	29	30	31
요일	土	日	月	火	水	木	金	土	日	月	火	水	木	金	土	日	月	火	水	木	金	土	日	月	火	水	木	金	土	日	月
음력 월	2	3	4	5	6	7	8	9	10	11	12	13	14	15	16	17	18	19	20	21	22	23	24	25	26	27	28	29	30	三	2
일진	甲辰	乙巳	丙午	丁未	庚申	辛酉	壬戌	癸亥	戊子	己丑	甲寅	乙卯	丙辰	丁巳	庚午	辛未	壬申	癸酉	戊戌	己亥	甲子	乙丑	丙寅	丁卯	庚辰	辛巳	壬午	癸未	戊申	己酉	甲戌
대운 男	2	1	1	1	1	白	10	9	9	9	8	8	8	7	7	7	6	6	6	5	5	5	4	4	4	3	3	3	2	2	2
대운 女	8	9	9	9	10	露	1	1	1	1	2	2	2	3	3	3	4	4	4	5	5	5	6	6	6	7	7	7	8	8	8

4月 (1일 四綠 -) **甲戌 (四綠)** 절기: 寒露 (5일 21:37) 霜降 (21일 05:06)

양력	1	2	3	4	5	6	7	8	9	10	11	12	13	14	15	16	17	18	19	20	21	22	23	24	25	26	27	28	29	30	
요일	火	水	木	金	土	日	月	火	水	木	金	土	日	月	火	水	木	金	土	日	月	火	水	木	金	土	日	月	火	水	
음력 월	3	4	5	6	7	8	9	10	11	12	13	14	15	16	17	18	19	20	21	22	23	24	25	26	27	28	29	30	四	2	
일진	乙亥	丙子	丁丑	庚寅	辛卯	壬辰	癸巳	戊午	己未	甲申	乙酉	丙戌	丁亥	庚子	辛丑	壬寅	癸卯	戊辰	己巳	甲午	乙未	丙申	丁酉	庚戌	辛亥	壬子	癸丑	戊寅	己卯	甲辰	
대운 男	1	1	1	1	寒	10	9	9	9	8	8	8	7	7	7	6	6	6	5	5	5	4	4	4	3	3	3	2	2	2	
대운 女	9	9	9	10	露	1	1	1	1	2	2	2	3	3	3	4	4	4	5	5	5	6	6	6	7	7	7	8	8	8	

5月 (1일 一白 -) **乙亥 (五黃)** 절기: 立冬 (6일 15:27) 小雪 (22일 04:42)

양력	1	2	3	4	5	6	7	8	9	10	11	12	13	14	15	16	17	18	19	20	21	22	23	24	25	26	27	28	29	30	31
요일	木	金	土	日	月	火	水	木	金	土	日	月	火	水	木	金	土	日	月	火	水	木	金	土	日	月	火	水	木	金	土
음력 월	3	4	5	6	7	8	9	10	11	12	13	14	15	16	17	18	19	20	21	22	23	24	25	26	27	28	29	五	2	3	4
일진	乙巳	丙午	丁未	庚申	辛酉	壬戌	癸亥	戊子	己丑	甲寅	乙卯	丙辰	丁巳	庚午	辛未	壬申	癸酉	戊戌	己亥	甲子	乙丑	丙寅	丁卯	庚辰	辛巳	壬午	癸未	戊申	己酉	甲戌	乙亥
대운 男	2	1	1	1	1	立	10	10	9	9	9	8	8	8	7	7	7	6	6	6	5	5	5	4	4	4	3	3	3	2	2
대운 女	9	9	9	10	10	冬	1	1	1	1	2	2	2	3	3	3	4	4	4	5	5	5	6	6	6	7	7	7	8	8	8

6月 (1일 六白 -) **丙子 (六白)** 절기: 大雪 (6일 19:58) 冬至 (22일 12:53)

양력	1	2	3	4	5	6	7	8	9	10	11	12	13	14	15	16	17	18	19	20	21	22	23	24	25	26	27	28	29	30	
요일	日	月	火	水	木	金	土	日	月	火	水	木	金	土	日	月	火	水	木	金	土	日	月	火	水	木	金	土	日	月	
음력 월	5	6	7	8	9	10	11	12	13	14	15	16	17	18	19	20	21	22	23	24	25	26	27	28	29	六	2	3	4	5	
일진	丙子	丁丑	庚寅	辛卯	壬辰	癸巳	戊午	己未	甲申	乙酉	丙戌	丁亥	庚子	辛丑	壬寅	癸卯	戊辰	己巳	甲午	乙未	丙申	丁酉	庚戌	辛亥	壬子	癸丑	戊寅	己卯	甲辰	乙巳	
대운 男	2	1	1	1	1	大	10	10	10	9	9	9	8	8	8	7	7	7	6	6	6	5	5	5	4	4	4	3	3	3	
대운 女	9	9	9	10	10	雪	1	1	1	1	2	2	2	3	3	3	4	4	4	5	5	5	6	6	6	7	7	7	8	8	

7月 (1일 三碧 - 13일 一白 +) **丁丑 (七赤)** 절기: 小寒(8일 06:20) 大寒(23일 23:42)

양력		1	2	3	4	5	6	7	8	9	10	11	12	13	14	15	16	17	18	19	20	21	22	23	24	25	26	27	28	29	30	31
요일		火	水	木	金	土	日	月	火	水	木	金	土	日	月	火	水	木	金	土	日	月	火	水	木	金	土	日	月	火	水	木
음력	월	6	7	8	9	10	11	12	13	14	15	16	17	18	19	20	21	22	23	24	25	26	27	28	29	30	閏六		3	4	5	6
일진		丙午	丁未	庚申	辛酉	壬戌	癸亥	戊子	己丑	甲寅	乙卯	丙辰	丁巳	庚午	辛未	壬申	癸酉	戊戌	己亥	甲子	乙丑	丙寅	丁卯	庚辰	辛巳	壬午	癸未	戊申	己酉	甲戌	乙亥	丙子
대운	男	2	2	2	1	1	1	1	小	10	10	9	9	9	8	8	8	7	7	7	6	6	6	5	5	5	4	4	4	3	3	3
	女	8	9	9	9	10	10	10	寒	1	1	1	1	2	2	2	3	3	3	4	4	4	5	5	5	6	6	6	7	7	7	8

8月 (1일 二黑 +) **庚寅 (八白)** 절기: 立春(8일 15:57) 雨水(24일 06:26)

양력		1	2	3	4	5	6	7	8	9	10	11	12	13	14	15	16	17	18	19	20	21	22	23	24	25	26	27	28	29	30	31
요일		金	土	日	月	火	水	木	金	土	日	月	火	水	木	金	土	日	月	火	水	木	金	土	日	月	火	水	木	金	土	日
음력	월	7	8	9	10	11	12	13	14	15	16	17	18	19	20	21	22	23	24	25	26	27	28	29	七	2	3	4	5	6	7	8
일진		丁丑	庚寅	辛卯	壬辰	癸巳	戊午	己未	甲申	乙酉	丙戌	丁亥	庚子	辛丑	壬寅	癸卯	戊辰	己巳	甲午	乙未	丙申	丁酉	庚戌	辛亥	壬子	癸丑	戊寅	己卯	甲辰	乙巳	丙午	丁未
대운	男	2	2	2	1	1	1	1	立	10	10	9	9	9	8	8	8	7	7	7	6	6	6	5	5	5	4	4	4	3	3	3
	女	8	8	9	9	9	10	10	春	1	1	1	1	2	2	2	3	3	3	4	4	4	5	5	5	6	6	6	7	7	7	8

9月 (1일 六白 +) **辛卯 (九紫)** 절기: 驚蟄(8일 18:28) 春分 (24일 03:36)

양력		1	2	3	4	5	6	7	8	9	10	11	12	13	14	15	16	17	18	19	20	21	22	23	24	25	26	27	28	29	30	
요일		月	火	水	木	金	土	日	月	火	水	木	金	土	日	月	火	水	木	金	土	日	月	火	水	木	金	土	日	月	火	
음력	월	9	10	11	12	13	14	15	16	17	18	19	20	21	22	23	24	25	26	27	28	29	八	2	3	4	5	6	7	8	9	
일진		庚申	辛酉	壬戌	癸亥	戊子	己丑	甲寅	乙卯	丙辰	丁巳	庚午	辛未	壬申	癸酉	戊戌	己亥	甲子	乙丑	丙寅	丁卯	庚辰	辛巳	壬午	癸未	戊申	己酉	甲戌	乙亥	丙子	丁丑	
대운	男	2	2	2	1	1	1	1	驚	10	10	9	9	9	8	8	8	7	7	7	6	6	6	5	5	5	4	4	4	3	3	
	女	8	8	9	9	9	10	10	蟄	1	1	1	1	2	2	2	3	3	3	4	4	4	5	5	5	6	6	6	7	7	7	

10月 (1일 九紫 +) **壬辰 (一白)** 절기: 清明(9일 09:38) 穀雨(24일 12:26)

양력		1	2	3	4	5	6	7	8	9	10	11	12	13	14	15	16	17	18	19	20	21	22	23	24	25	26	27	28	29	30	31
요일		水	木	金	土	日	月	火	水	木	金	土	日	月	火	水	木	金	土	日	月	火	水	木	金	土	日	月	火	水	木	金
음력	월	10	11	12	13	14	15	16	17	18	19	20	21	22	23	24	25	26	27	28	29	30	九	2	3	4	5	6	7	8	9	10
일진		庚寅	辛卯	壬辰	癸巳	戊午	己未	甲申	乙酉	丙戌	丁亥	庚子	辛丑	壬寅	癸卯	戊辰	己巳	甲午	乙未	丙申	丁酉	庚戌	辛亥	壬子	癸丑	戊寅	己卯	甲辰	乙巳	丙午	丁未	庚申
대운	男	3	2	2	2	1	1	1	1	清	10	9	9	9	8	8	8	7	7	7	6	6	6	5	5	5	4	4	4	3	3	3
	女	8	8	8	9	9	9	10	10	明	1	1	1	1	2	2	2	3	3	3	4	4	4	5	5	5	6	6	6	7	7	7

11月 (1일 四綠 +) **癸巳 (二黑)** 절기: 立夏(8일 12:20) 小滿 (23일 09:34)

양력		1	2	3	4	5	6	7	8	9	10	11	12	13	14	15	16	17	18	19	20	21	22	23	24	25	26	27	28	29	30	
요일		土	日	月	火	水	木	金	土	日	月	火	水	木	金	土	日	月	火	水	木	金	土	日	月	火	水	木	金	土	日	
음력	월	11	12	13	14	15	16	17	18	19	20	21	22	23	24	25	26	27	28	29	十	2	3	4	5	6	7	8	9	10	11	
일진		辛酉	壬戌	癸亥	戊子	己丑	甲寅	乙卯	丙辰	丁巳	庚午	辛未	壬申	癸酉	戊戌	己亥	甲子	乙丑	丙寅	丁卯	庚辰	辛巳	壬午	癸未	戊申	己酉	甲戌	乙亥	丙子	丁丑	庚寅	
대운	男	2	2	2	1	1	1	1	立	10	9	9	9	8	8	8	7	7	7	6	6	6	5	5	5	4	4	4	3	3	3	
	女	8	8	8	9	9	9	10	夏	1	1	1	1	2	2	2	3	3	3	4	4	4	5	5	5	6	6	6	7	7	7	

12月 (1일 七赤 +) **戊午 (三碧)** 절기: 芒種(8일 04:51) 夏至(22일 22:40)

양력		1	2	3	4	5	6	7	8	9	10	11	12	13	14	15	16	17	18	19	20	21	22	23	24	25	26	27	28	29	30	31
요일		月	火	水	木	金	土	日	月	火	水	木	金	土	日	月	火	水	木	金	土	日	月	火	水	木	金	土	日	月	火	水
음력	월	12	13	14	15	16	17	18	19	20	21	22	23	24	25	26	27	28	29	30	十一	2	3	4	5	6	7	8	9	10	11	12
일진		辛卯	壬辰	癸巳	戊午	己未	甲申	乙酉	丙戌	丁亥	庚子	辛丑	壬寅	癸卯	戊辰	己巳	甲午	乙未	丙申	丁酉	庚戌	辛亥	壬子	癸丑	戊寅	己卯	甲辰	乙巳	丙午	丁未	庚申	辛酉
대운	男	2	2	2	1	1	1	1	芒	9	9	9	8	8	8	7	7	7	6	6	6	5	5	5	4	4	4	3	3	3	2	2
	女	8	8	8	9	9	9	10	種	1	1	1	1	2	2	2	3	3	3	4	4	4	5	5	5	6	6	6	7	7	7	8

서기1931년

乙丑年 (四綠木星)

1月 (1일 二黑 + 9일 九紫 -) **己未 (四綠)** 절기: 小暑 (6일 15:56) 大暑 (21일 09:18)

양력		1	2	3	4	5	6	7	8	9	10	11	12	13	14	15	16	17	18	19	20	21	22	23	24	25	26	27	28	29	30	31
요일		木	金	土	日	月	火	水	木	金	土	日	月	火	水	木	金	土	日	月	火	水	木	金	土	日	月	火	水	木	金	土
음력	월	13	14	15	16	17	18	19	20	21	22	23	24	25	26	27	28	29	30	十二	2	3	4	5	6	7	8	9	10	11	12	13
일진		壬戌	癸亥	戊子	己丑	甲寅	乙卯	丙辰	丁巳	庚午	辛未	壬申	癸酉	戊戌	己亥	甲子	乙丑	丙寅	丁卯	庚辰	辛巳	壬午	癸未	戊申	己酉	甲戌	乙亥	丙子	丁丑	庚寅	辛卯	壬辰
대운	男	2	1	1	1	1	小	10	9	9	9	8	8	8	7	7	7	6	6	6	5	5	5	4	4	4	3	3	3	2	2	2
	女	8	8	9	9	9	暑	1	1	1	1	2	2	2	3	3	3	4	4	4	5	5	5	6	6	6	7	7	7	8	8	8

2月 (1일 四綠 -) **甲申 (五黃)** 절기: 立秋 (5일 03:41) 處暑 (19일 23:40)

양력		1	2	3	4	5	6	7	8	9	10	11	12	13	14	15	16	17	18	19	20	21	22	23	24	25	26	27	28			
요일		日	月	火	水	木	金	土	日	月	火	水	木	金	土	日	月	火	水	木	金	土	日	月	火	水	木	金	土			
음력	월	14	15	16	17	18	19	20	21	22	23	24	25	26	27	28	29	一	2	3	4	5	6	7	8	9	10	11	12			
일진		癸巳	戊午	己未	甲申	乙酉	丙戌	丁亥	庚子	辛丑	壬寅	癸卯	戊辰	己巳	甲午	乙未	丙申	丁酉	庚戌	辛亥	壬子	癸丑	戊寅	己卯	甲辰	乙巳	丙午	丁未	庚申			
대운	男	1	1	1	1	立	1	1	1	1	2	2	2	3	3	3	4	4	4	5	5	5	6	6	6	7	7	7	8			
	女	9	9	9	10	秋	9	9	9	8	8	8	7	7	7	6	6	6	5	5	5	4	4	4	3	3	3	2	2			

3月 (1일 三碧 -) **乙酉 (六白)** 절기: 白露 (6일 22:02) 秋分 (21일 23:06)

양력		1	2	3	4	5	6	7	8	9	10	11	12	13	14	15	16	17	18	19	20	21	22	23	24	25	26	27	28	29	30	31
요일		日	月	火	水	木	金	土	日	月	火	水	木	金	土	日	月	火	水	木	金	土	日	月	火	水	木	金	土	日	月	火
음력	월	13	14	15	16	17	18	19	20	21	22	23	24	25	26	27	28	29	30	二	2	3	4	5	6	7	8	9	10	11	12	13
일진		辛酉	壬戌	癸亥	戊子	己丑	甲寅	乙卯	丙辰	丁巳	庚午	辛未	壬申	癸酉	戊戌	己亥	甲子	乙丑	丙寅	丁卯	庚辰	辛巳	壬午	癸未	戊申	己酉	甲戌	乙亥	丙子	丁丑	庚寅	辛卯
대운	男	8	8	9	9	9	白	1	1	1	1	2	2	2	3	3	3	4	4	4	5	5	5	6	6	6	7	7	7	8	8	8
	女	2	1	1	1	1	露	10	10	9	9	9	8	8	8	7	7	7	6	6	6	5	5	5	4	4	4	3	3	3	2	2

4月 (1일 八白 -) **丙戌 (七赤)** 절기: 寒露 (6일 03:20) 霜降 (21일 10:40)

양력		1	2	3	4	5	6	7	8	9	10	11	12	13	14	15	16	17	18	19	20	21	22	23	24	25	26	27	28	29	30	
요일		水	木	金	土	日	月	火	水	木	金	土	日	月	火	水	木	金	土	日	月	火	水	木	金	土	日	月	火	水	木	
음력	월	14	15	16	17	18	19	20	21	22	23	24	25	26	27	28	29	30	三	2	3	4	5	6	7	8	9	10	11	12	13	
일진		壬辰	癸巳	戊午	己未	甲申	乙酉	丙戌	丁亥	庚子	辛丑	壬寅	癸卯	戊辰	己巳	甲午	乙未	丙申	丁酉	庚戌	辛亥	壬子	癸丑	戊寅	己卯	甲辰	乙巳	丙午	丁未	庚申	辛酉	
대운	男	9	9	9	10	10	寒	1	1	1	1	2	2	2	3	3	3	4	4	4	5	5	5	6	6	6	7	7	7	8	8	
	女	2	1	1	1	1	露	10	9	9	9	8	8	8	7	7	7	6	6	6	5	5	5	4	4	4	3	3	3	2	2	

5月 (1일 五黃 -) **丁亥 (八白)** 절기: 立冬 (6일 21:10) 小雪 (22일 10:15)

양력		1	2	3	4	5	6	7	8	9	10	11	12	13	14	15	16	17	18	19	20	21	22	23	24	25	26	27	28	29	30	31
요일		金	土	日	月	火	水	木	金	土	日	月	火	水	木	金	土	日	月	火	水	木	金	土	日	月	火	水	木	金	土	日
음력	월	14	15	16	17	18	19	20	21	22	23	24	25	26	27	28	29	30	四	2	3	4	5	6	7	8	9	10	11	12	13	14
일진		壬戌	癸亥	戊子	己丑	甲寅	乙卯	丙辰	丁巳	庚午	辛未	壬申	癸酉	戊戌	己亥	甲子	乙丑	丙寅	丁卯	庚辰	辛巳	壬午	癸未	戊申	己酉	甲戌	乙亥	丙子	丁丑	庚寅	辛卯	壬辰
대운	男	8	9	9	9	10	立	1	1	1	1	2	2	2	3	3	3	4	4	4	5	5	5	6	6	6	7	7	7	8	8	8
	女	2	1	1	1	1	冬	10	10	10	9	9	9	8	8	8	7	7	7	6	6	6	5	5	5	4	4	4	3	3	3	2

6月 (1일 一白 -) **庚子 (九紫)** 절기: 大雪 (7일 01:42) 冬至 (22일 18:28)

양력		1	2	3	4	5	6	7	8	9	10	11	12	13	14	15	16	17	18	19	20	21	22	23	24	25	26	27	28	29	30	
요일		月	火	水	木	金	土	日	月	火	水	木	金	土	日	月	火	水	木	金	土	日	月	火	水	木	金	土	日	月	火	
음력	월	15	16	17	18	19	20	21	22	23	24	25	26	27	28	29	五	2	3	4	5	6	7	8	9	10	11	12	13	14	15	
일진		癸巳	戊午	己未	甲申	乙酉	丙戌	丁亥	庚子	辛丑	壬寅	癸卯	戊辰	己巳	甲午	乙未	丙申	丁酉	庚戌	辛亥	壬子	癸丑	戊寅	己卯	甲辰	乙巳	丙午	丁未	庚申	辛酉	壬戌	
대운	男	9	9	9	10	10	10	大	1	1	1	1	2	2	2	3	3	3	4	4	4	5	5	5	6	6	6	7	7	7	8	
	女	2	2	1	1	1	1	雪	10	10	9	9	9	8	8	8	7	7	7	6	6	6	5	5	5	4	4	4	3	3	3	

7月 (1일 七赤 - 8일 一白 +) **辛丑 (一白)** 절기: 小寒(8일 12:06) 大寒(24일 05:21)

양력		1	2	3	4	5	6	7	8	9	10	11	12	13	14	15	16	17	18	19	20	21	22	23	24	25	26	27	28	29	30	31
요일		水	木	金	土	日	月	火	水	木	金	土	日	月	火	水	木	金	土	日	月	火	水	木	金	土	日	月	火	水	木	金
음력	월	16	17	18	19	20	21	22	23	24	25	26	27	28	29	六	2	3	4	5	6	7	8	9	10	11	12	13	14	15	16	17
일진		癸亥	戊子	己丑	甲寅	乙卯	丙辰	丁巳	庚午	辛未	壬申	癸酉	戊戌	己亥	甲子	乙丑	丙寅	丁卯	庚辰	辛巳	壬午	癸未	戊申	己酉	甲戌	乙亥	丙子	丁丑	庚寅	辛卯	壬辰	癸巳
대운	男	8	8	9	9	9	10	10	小	1	1	1	1	2	2	2	3	3	3	4	4	4	5	5	5	6	6	6	7	7	7	8
	女	2	2	2	1	1	1	1	寒	10	10	9	9	9	8	8	8	7	7	7	6	6	6	5	5	5	4	4	4	3	3	3

8月 (1일 七赤 +) **壬寅 (二黑)** 절기: 立春(8일 21:45) 雨水(24일 12:10)

양력		1	2	3	4	5	6	7	8	9	10	11	12	13	14	15	16	17	18	19	20	21	22	23	24	25	26	27	28	29	30	31
요일		土	日	月	火	水	木	金	土	日	月	火	水	木	金	土	日	月	火	水	木	金	土	日	月	火	水	木	金	土	日	月
음력	월	18	19	20	21	22	23	24	25	26	27	28	29	30	七	2	3	4	5	6	7	8	9	10	11	12	13	14	15	16	17	18
일진		戊午	己未	甲申	乙酉	丙戌	丁亥	庚子	辛丑	壬寅	癸卯	戊辰	己巳	甲午	乙未	丙申	丁酉	庚戌	辛亥	壬子	癸丑	戊寅	己卯	甲辰	乙巳	丙午	丁未	庚申	辛酉	壬戌	癸亥	戊子
대운	男	8	8	9	9	9	10	10	立	1	1	1	1	2	2	2	3	3	3	4	4	4	5	5	5	6	6	6	7	7	7	8
	女	2	2	2	1	1	1	1	春	10	10	10	9	9	9	8	8	8	7	7	7	6	6	6	5	5	5	4	4	4	3	3

9月 (1일 二黑 +) **癸卯 (三碧)** 절기: 驚蟄(9일 00:17) 春分 (24일 09:23)

양력		1	2	3	4	5	6	7	8	9	10	11	12	13	14	15	16	17	18	19	20	21	22	23	24	25	26	27	28	29	30	
요일		火	水	木	金	土	日	月	火	水	木	金	土	日	月	火	水	木	金	土	日	月	火	水	木	金	土	日	月	火	水	
음력	월	19	20	21	22	23	24	25	26	27	28	29	八	2	3	4	5	6	7	8	9	10	11	12	13	14	15	16	17	18	19	
일진		己丑	甲寅	乙卯	丙辰	丁巳	庚午	辛未	壬申	癸酉	戊戌	己亥	甲子	乙丑	丙寅	丁卯	庚辰	辛巳	壬午	癸未	戊申	己酉	甲戌	乙亥	丙子	丁丑	庚寅	辛卯	壬辰	癸巳	戊午	
대운	男	8	8	9	9	9	10	10	10	驚	1	1	1	1	2	2	2	3	3	3	4	4	4	5	5	5	6	6	6	7	7	
	女	3	2	2	2	1	1	1	1	蟄	10	9	9	9	8	8	8	7	7	7	6	6	6	5	5	5	4	4	4	3	3	

10月 (1일 五黃 +) **戊辰 (四綠)** 절기: 清明(9일 15:27) 穀雨(24일 18:16)

양력		1	2	3	4	5	6	7	8	9	10	11	12	13	14	15	16	17	18	19	20	21	22	23	24	25	26	27	28	29	30	31
요일		木	金	土	日	月	火	水	木	金	土	日	月	火	水	木	金	土	日	月	火	水	木	金	土	日	月	火	水	木	金	土
음력	월	20	21	22	23	24	25	26	27	28	29	九	2	3	4	5	6	7	8	9	10	11	12	13	14	15	16	17	18	19	20	21
일진		己未	甲申	乙酉	丙戌	丁亥	庚子	辛丑	壬寅	癸卯	戊辰	己巳	甲午	乙未	丙申	丁酉	庚戌	辛亥	壬子	癸丑	戊寅	己卯	甲辰	乙巳	丙午	丁未	庚申	辛酉	壬戌	癸亥	戊子	己丑
대운	男	7	8	8	8	9	9	9	10	清	1	1	1	1	2	2	2	3	3	3	4	4	4	5	5	5	6	6	6	7	7	7
	女	3	2	2	2	1	1	1	1	明	10	9	9	9	8	8	8	7	7	7	6	6	6	5	5	5	4	4	4	3	3	3

11月 (1일 九紫 +) **己巳 (五黃)** 절기: 立夏(8일 18:10) 小滿 (23일 15:25)

양력		1	2	3	4	5	6	7	8	9	10	11	12	13	14	15	16	17	18	19	20	21	22	23	24	25	26	27	28	29	30	
요일		日	月	火	水	木	金	土	日	月	火	水	木	金	土	日	月	火	水	木	金	土	日	月	火	水	木	金	土	日	月	
음력	월	22	23	24	25	26	27	28	29	30	十	2	3	4	5	6	7	8	9	10	11	12	13	14	15	16	17	18	19	20	21	
일진		甲寅	乙卯	丙辰	丁巳	庚午	辛未	壬申	癸酉	戊戌	己亥	甲子	乙丑	丙寅	丁卯	庚辰	辛巳	壬午	癸未	戊申	己酉	甲戌	乙亥	丙子	丁丑	庚寅	辛卯	壬辰	癸巳	戊午	己未	
대운	男	8	8	8	9	9	9	10	立	1	1	1	1	2	2	2	3	3	3	4	4	4	5	5	5	6	6	6	7	7	7	
	女	2	2	2	1	1	1	1	夏	10	9	9	9	8	8	8	7	7	7	6	6	6	5	5	5	4	4	4	3	3	3	

12月 (1일 三碧 +) **甲午 (六白)** 절기: 芒種(8일 10:40) 夏至(23일 04:30)

양력		1	2	3	4	5	6	7	8	9	10	11	12	13	14	15	16	17	18	19	20	21	22	23	24	25	26	27	28	29	30	31
요일		火	水	木	金	土	日	月	火	水	木	金	土	日	月	火	水	木	金	土	日	月	火	水	木	金	土	日	月	火	水	木
음력	월	22	23	24	25	26	27	28	29	十一	2	3	4	5	6	7	8	9	10	11	12	13	14	15	16	17	18	19	20	21	22	23
일진		甲申	乙酉	丙戌	丁亥	庚子	辛丑	壬寅	癸卯	戊辰	己巳	甲午	乙未	丙申	丁酉	庚戌	辛亥	壬子	癸丑	戊寅	己卯	甲辰	乙巳	丙午	丁未	庚申	辛酉	壬戌	癸亥	戊子	己丑	甲寅
대운	男	8	8	8	9	9	9	10	芒	1	1	1	1	2	2	2	3	3	3	4	4	4	5	5	5	6	6	6	7	7	7	8
	女	2	2	2	1	1	1	1	種	9	9	9	8	8	8	7	7	7	6	6	6	5	5	5	4	4	4	3	3	3	2	2

서기1932년

丙寅年 (五黃土星)

1月 (1일 三黑 + 4일 九紫 -) 乙未 (七赤) 절기: 小暑 (6일 21:45) 大暑 (21일 15:07)

양력		1	2	3	4	5	6	7	8	9	10	11	12	13	14	15	16	17	18	19	20	21	22	23	24	25	26	27	28	29	30	31
요일		金	土	日	月	火	水	木	金	土	日	月	火	水	木	金	土	日	月	火	水	木	金	土	日	月	火	水	木	金	土	日
음력	월	24	25	26	27	28	29	30	十二	2	3	4	5	6	7	8	9	10	11	12	13	14	15	16	17	18	19	20	21	22	23	24
일진		乙卯	丙辰	丁巳	庚午	辛未	壬申	癸酉	戊戌	己亥	甲子	乙丑	丙寅	丁卯	庚辰	辛巳	壬午	癸未	戊申	己酉	甲戌	乙亥	丙子	丁丑	庚寅	辛卯	壬辰	癸巳	戊午	己未	甲申	乙酉
대운	男	8	8	9	9	9	小	1	1	1	1	2	2	2	3	3	3	4	4	4	5	5	5	6	6	6	7	7	7	8	8	8
	女	2	1	1	1	1	暑	10	9	9	9	8	8	8	7	7	7	6	6	6	5	5	5	4	4	4	3	3	3	2	2	2

2月 閏 (1일 八白 -) 丙申 (八白) 절기: 立秋 (5일 09:29) 處暑 (20일 05:28)

양력		1	2	3	4	5	6	7	8	9	10	11	12	13	14	15	16	17	18	19	20	21	22	23	24	25	26	27	28	29		
요일		月	火	水	木	金	土	日	月	火	水	木	金	土	日	月	火	水	木	金	土	日	月	火	水	木	金	土	日	月		
음력	월	25	26	27	28	29	一	2	3	4	5	6	7	8	9	10	11	12	13	14	15	16	17	18	19	20	21	22	23	24		
일진		丙戌	丁亥	庚子	辛丑	壬寅	癸卯	戊辰	己巳	甲午	乙未	丙申	丁酉	庚戌	辛亥	壬子	癸丑	戊寅	己卯	甲辰	乙巳	丙午	丁未	庚申	辛酉	壬戌	癸亥	戊子	己丑	甲寅		
대운	男	9	9	9	10	立	10	9	9	9	8	8	8	7	7	7	6	6	6	5	5	5	4	4	4	3	3	3	2	2		
	女	1	1	1	1	秋	1	1	1	1	2	2	2	3	3	3	4	4	4	5	5	5	6	6	6	7	7	7	8	8		

3月 (1일 六白 -) 丁酉 (九紫) 절기: 白露 (6일 03:49) 秋分 (21일 04:54)

양력		1	2	3	4	5	6	7	8	9	10	11	12	13	14	15	16	17	18	19	20	21	22	23	24	25	26	27	28	29	30	31
요일		火	水	木	金	土	日	月	火	水	木	金	土	日	月	火	水	木	金	土	日	月	火	水	木	金	土	日	月	火	水	木
음력	월	25	26	27	28	29	30	二	2	3	4	5	6	7	8	9	10	11	12	13	14	15	16	17	18	19	20	21	22	23	24	25
일진		乙卯	丙辰	丁巳	庚午	辛未	壬申	癸酉	戊戌	己亥	甲子	乙丑	丙寅	丁卯	庚辰	辛巳	壬午	癸未	戊申	己酉	甲戌	乙亥	丙子	丁丑	庚寅	辛卯	壬辰	癸巳	戊午	己未	甲申	乙酉
대운	男	2	1	1	1	1	白	10	9	9	9	8	8	8	7	7	7	6	6	6	5	5	5	4	4	4	3	3	3	2	2	2
	女	8	9	9	9	10	露	1	1	1	1	2	2	2	3	3	3	4	4	4	5	5	5	6	6	6	7	7	7	8	8	8

4月 (1일 二黑 -) 庚戌 (一白) 절기: 寒露 (5일 09:06) 霜降 (20일 16:28)

양력		1	2	3	4	5	6	7	8	9	10	11	12	13	14	15	16	17	18	19	20	21	22	23	24	25	26	27	28	29	30	
요일		金	土	日	月	火	水	木	金	土	日	月	火	水	木	金	土	日	月	火	水	木	金	土	日	月	火	水	木	金	土	
음력	월	26	27	28	29	30	三	2	3	4	5	6	7	8	9	10	11	12	13	14	15	16	17	18	19	20	21	22	23	24	25	
일진		丙戌	丁亥	庚子	辛丑	壬寅	癸卯	戊辰	己巳	甲午	乙未	丙申	丁酉	庚戌	辛亥	壬子	癸丑	戊寅	己卯	甲辰	乙巳	丙午	丁未	庚申	辛酉	壬戌	癸亥	戊子	己丑	甲寅	乙卯	
대운	男	1	1	1	1	寒	10	10	9	9	9	8	8	8	7	7	7	6	6	6	5	5	5	4	4	4	3	3	3	2	2	
	女	9	9	9	10	露	1	1	1	1	2	2	2	3	3	3	4	4	4	5	5	5	6	6	6	7	7	7	8	8	8	

5月 (1일 八白 -) 辛亥 (二黑) 절기: 立冬 (6일 02:55) 小雪 (21일 16:07)

양력		1	2	3	4	5	6	7	8	9	10	11	12	13	14	15	16	17	18	19	20	21	22	23	24	25	26	27	28	29	30	31
요일		日	月	火	水	木	金	土	日	月	火	水	木	金	土	日	月	火	水	木	金	土	日	月	火	水	木	金	土	日	月	火
음력	월	26	27	28	29	30	四	2	3	4	5	6	7	8	9	10	11	12	13	14	15	16	17	18	19	20	21	22	23	24	25	26
일진		丙辰	丁巳	庚午	辛未	壬申	癸酉	戊戌	己亥	甲子	乙丑	丙寅	丁卯	庚辰	辛巳	壬午	癸未	戊申	己酉	甲戌	乙亥	丙子	丁丑	庚寅	辛卯	壬辰	癸巳	戊午	己未	甲申	乙酉	丙戌
대운	男	2	1	1	1	1	立	10	10	9	9	9	8	8	8	7	7	7	6	6	6	5	5	5	4	4	4	3	3	3	2	2
	女	9	9	9	10	10	冬	1	1	1	1	2	2	2	3	3	3	4	4	4	5	5	5	6	6	6	7	7	7	8	8	8

6月 (1일 四綠 -) 壬子 (三碧) 절기: 大雪 (6일 07:28) 冬至 (22일 00:23)

양력		1	2	3	4	5	6	7	8	9	10	11	12	13	14	15	16	17	18	19	20	21	22	23	24	25	26	27	28	29	30	
요일		水	木	金	土	日	月	火	水	木	金	土	日	月	火	水	木	金	土	日	月	火	水	木	金	土	日	月	火	水	木	
음력	월	27	28	29	五	2	3	4	5	6	7	8	9	10	11	12	13	14	15	16	17	18	19	20	21	22	23	24	25	26	27	
일진		丁亥	庚子	辛丑	壬寅	癸卯	戊辰	己巳	甲午	乙未	丙申	丁酉	庚戌	辛亥	壬子	癸丑	戊寅	己卯	甲辰	乙巳	丙午	丁未	庚申	辛酉	壬戌	癸亥	戊子	己丑	甲寅	乙卯	丙辰	
대운	男	2	1	1	1	1	大	10	10	9	9	9	8	8	8	7	7	7	6	6	6	5	5	5	4	4	4	3	3	3	2	
	女	9	9	9	10	10	雪	1	1	1	1	2	2	2	3	3	3	4	4	4	5	5	5	6	6	6	7	7	7	8	8	

7月 (1일 一白 - 2일 一白 +) **癸丑 (四綠)** 절기: 小寒(7일 17:52) 大寒(23일 11:18)

양력		1	2	3	4	5	6	7	8	9	10	11	12	13	14	15	16	17	18	19	20	21	22	23	24	25	26	27	28	29	30	31
요일		金	土	日	月	火	水	木	金	土	日	月	火	水	木	金	土	日	月	火	水	木	金	土	日	月	火	水	木	金	土	日
음력	월	28	29	30	六	2	3	4	5	6	7	8	9	10	11	12	13	14	15	16	17	18	19	20	21	22	23	24	25	26	27	28
일진		丁巳	庚午	辛未	壬申	癸酉	戊戌	己亥	甲子	乙丑	丙寅	丁卯	庚辰	辛巳	壬午	癸未	戊申	己酉	甲戌	乙亥	丙子	丁丑	庚寅	辛卯	壬辰	癸巳	戊午	己未	甲申	乙酉	丙戌	丁亥
대운	男	2	2	1	1	1	1	小	10	10	10	9	9	9	8	8	8	7	7	7	6	6	6	5	5	5	4	4	4	3	3	3
	女	8	9	9	9	10	10	寒	1	1	1	1	2	2	2	3	3	3	4	4	4	5	5	5	6	6	6	7	7	7	8	8

8月 (1일 四綠 +) **戊寅 (五黃)** 절기: 立春(8일 03:32) 雨水(23일 18:06)

양력		1	2	3	4	5	6	7	8	9	10	11	12	13	14	15	16	17	18	19	20	21	22	23	24	25	26	27	28	29	30	31
요일		月	火	水	木	金	土	日	月	火	水	木	金	土	日	月	火	水	木	金	土	日	月	火	水	木	金	土	日	月	火	水
음력	월	29	七	2	3	4	5	6	7	8	9	10	11	12	13	14	15	16	17	18	19	20	21	22	23	24	25	26	27	28	29	30
일진		庚子	辛丑	壬寅	癸卯	戊辰	己巳	甲午	乙未	丙申	丁酉	庚戌	辛亥	壬子	癸丑	戊寅	己卯	甲辰	乙巳	丙午	丁未	庚申	辛酉	壬戌	癸亥	戊子	己丑	甲寅	乙卯	丙辰	丁巳	庚午
대운	男	2	2	2	1	1	1	1	立	10	10	9	9	9	8	8	8	7	7	7	6	6	6	5	5	5	4	4	4	3	3	3
	女	8	9	9	9	10	10	10	春	1	1	1	1	2	2	2	3	3	3	4	4	4	5	5	5	6	6	6	7	7	7	8

9月 (1일 八白 +) **己卯 (六白)** 절기: 驚蟄(8일 06:03) 春分 (23일 15:16)

양력		1	2	3	4	5	6	7	8	9	10	11	12	13	14	15	16	17	18	19	20	21	22	23	24	25	26	27	28	29	30	
요일		木	金	土	日	月	火	水	木	金	土	日	月	火	水	木	金	土	日	月	火	水	木	金	土	日	月	火	水	木	金	
음력	월	八	2	3	4	5	6	7	8	9	10	11	12	13	14	15	16	17	18	19	20	21	22	23	24	25	26	27	28	29	九	
일진		辛未	壬申	癸酉	戊戌	己亥	甲子	乙丑	丙寅	丁卯	庚辰	辛巳	壬午	癸未	戊申	己酉	甲戌	乙亥	丙子	丁丑	庚寅	辛卯	壬辰	癸巳	戊午	己未	甲申	乙酉	丙戌	丁亥	庚子	
대운	男	2	2	2	1	1	1	1	驚	10	9	9	9	8	8	8	7	7	7	6	6	6	5	5	5	4	4	4	3	3	3	
	女	8	8	9	9	9	10	10	蟄	1	1	1	1	2	2	2	3	3	3	4	4	4	5	5	5	6	6	6	7	7	7	

10月 (1일 二黑 +) **甲辰 (七赤)** 절기: 淸明(8일 21:10) 穀雨(24일 00:04)

양력		1	2	3	4	5	6	7	8	9	10	11	12	13	14	15	16	17	18	19	20	21	22	23	24	25	26	27	28	29	30	31
요일		土	日	月	火	水	木	金	土	日	月	火	水	木	金	土	日	月	火	水	木	金	土	日	月	火	水	木	金	土	日	月
음력	월	2	3	4	5	6	7	8	9	10	11	12	13	14	15	16	17	18	19	20	21	22	23	24	25	26	27	28	29	十	2	3
일진		辛丑	壬寅	癸卯	戊辰	己巳	甲午	乙未	丙申	丁酉	庚戌	辛亥	壬子	癸丑	戊寅	己卯	甲辰	乙巳	丙午	丁未	庚申	辛酉	壬戌	癸亥	戊子	己丑	甲寅	乙卯	丙辰	丁巳	庚午	辛未
대운	男	2	2	2	1	1	1	1	淸	10	9	9	9	8	8	8	7	7	7	6	6	6	5	5	5	4	4	4	3	3	3	2
	女	8	8	8	9	9	9	10	明	1	1	1	1	2	2	2	3	3	3	4	4	4	5	5	5	6	6	6	7	7	7	8

11月 (1일 六白 +) **乙巳 (八白)** 절기: 立夏(7일 23:50) 小滿 (22일 21:10)

양력		1	2	3	4	5	6	7	8	9	10	11	12	13	14	15	16	17	18	19	20	21	22	23	24	25	26	27	28	29	30	
요일		火	水	木	金	土	日	月	火	水	木	金	土	日	月	火	水	木	金	土	日	月	火	水	木	金	土	日	月	火	水	
음력	월	4	5	6	7	8	9	10	11	12	13	14	15	16	17	18	19	20	21	22	23	24	25	26	27	28	29	30	十一	2	3	
일진		壬申	癸酉	戊戌	己亥	甲子	乙丑	丙寅	丁卯	庚辰	辛巳	壬午	癸未	戊申	己酉	甲戌	乙亥	丙子	丁丑	庚寅	辛卯	壬辰	癸巳	戊午	己未	甲申	乙酉	丙戌	丁亥	庚子	辛丑	
대운	男	2	2	1	1	1	1	立	10	9	9	9	8	8	8	7	7	7	6	6	6	5	5	5	4	4	4	3	3	3	2	
	女	8	8	9	9	9	10	夏	1	1	1	1	2	2	2	3	3	3	4	4	4	5	5	5	6	6	6	7	7	7	8	

12月 (1일 九紫 + 29일 九紫 -) **丙午 (九紫)** 절기: 芒種(7일 16:18) 夏至(22일 10:14)

양력		1	2	3	4	5	6	7	8	9	10	11	12	13	14	15	16	17	18	19	20	21	22	23	24	25	26	27	28	29	30	31
요일		木	金	土	日	月	火	水	木	金	土	日	月	火	水	木	金	土	日	月	火	水	木	金	土	日	月	火	水	木	金	土
음력	월	4	5	6	7	8	9	10	11	12	13	14	15	16	17	18	19	20	21	22	23	24	25	26	27	28	29	十二	2	3	4	5
일진		壬寅	癸卯	戊辰	己巳	甲午	乙未	丙申	丁酉	庚戌	辛亥	壬子	癸丑	戊寅	己卯	甲辰	乙巳	丙午	丁未	庚申	辛酉	壬戌	癸亥	戊子	己丑	甲寅	乙卯	丙辰	丁巳	庚午	辛未	壬申
대운	男	2	2	1	1	1	1	芒	10	9	9	9	8	8	8	7	7	7	6	6	6	5	5	5	4	4	4	3	3	3	2	2
	女	8	8	9	9	9	10	種	1	1	1	1	2	2	2	3	3	3	4	4	4	5	5	5	6	6	6	7	7	7	8	8

서기1933년

丁卯年 (六白金星) 閏五月

1月 (1일 六白 -) **丁未 (一白)** 절기: 小暑 (6일 03:23) 大暑 (20일 20:53)

양력		1	2	3	4	5	6	7	8	9	10	11	12	13	14	15	16	17	18	19	20	21	22	23	24	25	26	27	28	29	30	31
요일		日	月	火	水	木	金	土	日	月	火	水	木	金	土	日	月	火	水	木	金	土	日	月	火	水	木	金	土	日	月	火
음력	월	6	7	8	9	10	11	12	13	14	15	16	17	18	19	20	21	22	23	24	25	26	27	28	29	30	一	2	3	4	5	6
일진		癸酉	戊戌	己亥	甲子	乙丑	丙寅	丁卯	庚辰	辛巳	壬午	癸未	戊申	己酉	甲戌	乙亥	丙子	丁丑	庚寅	辛卯	壬辰	癸巳	戊午	己未	甲申	乙酉	丙戌	丁亥	庚子	辛丑	壬寅	癸卯
대운	男	2	1	1	1	1	小	9	9	9	8	8	8	7	7	7	6	6	6	5	5	5	4	4	4	3	3	3	2	2	2	1
	女	8	9	9	9	10	暑	1	1	1	1	2	2	2	3	3	3	4	4	4	5	5	5	6	6	6	7	7	7	8	8	8

2月 閏 (1일 二黑 -) **庚申 (二黑)** 절기: 立秋 (4일 15:09) 處暑 (19일 11:16)

양력		1	2	3	4	5	6	7	8	9	10	11	12	13	14	15	16	17	18	19	20	21	22	23	24	25	26	27	28			
요일		水	木	金	土	日	月	火	水	木	金	土	日	月	火	水	木	金	土	日	月	火	水	木	金	土	日	月	火			
음력	월	7	8	9	10	11	12	13	14	15	16	17	18	19	20	21	22	23	24	25	26	27	28	29	二	2	3	4	5			
일진		戊辰	己巳	甲午	乙未	丙申	丁酉	庚戌	辛亥	壬子	癸丑	戊寅	己卯	甲辰	乙巳	丙午	丁未	庚申	辛酉	壬戌	癸亥	戊子	己丑	甲寅	乙卯	丙辰	丁巳	庚午	辛未			
대운	男	1	1	1	立	1	1	1	1	2	2	2	3	3	3	4	4	4	5	5	5	6	6	6	7	7	7	8	8			
	女	9	9	9	秋	10	9	9	9	8	8	8	7	7	7	6	6	6	5	5	5	4	4	4	3	3	3	2	2			

3月 (1일 一白 -) **辛酉 (三碧)** 절기: 白露 (6일 09:31) 秋分 (21일 10:43)

양력		1	2	3	4	5	6	7	8	9	10	11	12	13	14	15	16	17	18	19	20	21	22	23	24	25	26	27	28	29	30	31
요일		水	木	金	土	日	月	火	水	木	金	土	日	月	火	水	木	金	土	日	月	火	水	木	金	土	日	月	火	水	木	金
음력	월	6	7	8	9	10	11	12	13	14	15	16	17	18	19	20	21	22	23	24	25	26	27	28	29	30	三	2	3	4	5	6
일진		壬申	癸酉	戊戌	己亥	甲子	乙丑	丙寅	丁卯	庚辰	辛巳	壬午	癸未	戊申	己酉	甲戌	乙亥	丙子	丁丑	庚寅	辛卯	壬辰	癸巳	戊午	己未	甲申	乙酉	丙戌	丁亥	庚子	辛丑	壬寅
대운	男	8	9	9	9	10	白	1	1	1	1	2	2	2	3	3	3	4	4	4	5	5	5	6	6	6	7	7	7	8	8	8
	女	2	1	1	1	1	露	10	9	9	9	8	8	8	7	7	7	6	6	6	5	5	5	4	4	4	3	3	3	2	2	2

4月 (1일 六白 -) **壬戌 (四綠)** 절기: 寒露 (5일 14:51) 霜降 (20일 22:18)

양력		1	2	3	4	5	6	7	8	9	10	11	12	13	14	15	16	17	18	19	20	21	22	23	24	25	26	27	28	29	30	
요일		土	日	月	火	水	木	金	土	日	月	火	水	木	金	土	日	月	火	水	木	金	土	日	月	火	水	木	金	土	日	
음력	월	7	8	9	10	11	12	13	14	15	16	17	18	19	20	21	22	23	24	25	26	27	28	29	30	四	2	3	4	5	6	
일진		癸卯	戊辰	己巳	甲午	乙未	丙申	丁酉	庚戌	辛亥	壬子	癸丑	戊寅	己卯	甲辰	乙巳	丙午	丁未	庚申	辛酉	壬戌	癸亥	戊子	己丑	甲寅	乙卯	丙辰	丁巳	庚午	辛未	壬申	
대운	男	9	9	9	10	寒	1	1	1	1	2	2	2	3	3	3	4	4	4	5	5	5	6	6	6	7	7	7	8	8	8	
	女	1	1	1	1	露	10	10	9	9	9	8	8	8	7	7	7	6	6	6	5	5	5	4	4	4	3	3	3	2	2	

5月 (1일 三碧 -) **癸亥 (五黃)** 절기: 立冬 (6일 08:42) 小雪 (21일 21:57)

양력		1	2	3	4	5	6	7	8	9	10	11	12	13	14	15	16	17	18	19	20	21	22	23	24	25	26	27	28	29	30	31
요일		月	火	水	木	金	土	日	月	火	水	木	金	土	日	月	火	水	木	金	土	日	月	火	水	木	金	土	日	月	火	水
음력	월	7	8	9	10	11	12	13	14	15	16	17	18	19	20	21	22	23	24	25	26	27	28	29	五	2	3	4	5	6	7	8
일진		癸酉	戊戌	己亥	甲子	乙丑	丙寅	丁卯	庚辰	辛巳	壬午	癸未	戊申	己酉	甲戌	乙亥	丙子	丁丑	庚寅	辛卯	壬辰	癸巳	戊午	己未	甲申	乙酉	丙戌	丁亥	庚子	辛丑	壬寅	癸卯
대운	男	9	9	9	10	10	立	1	1	1	1	2	2	2	3	3	3	4	4	4	5	5	5	6	6	6	7	7	7	8	8	8
	女	2	1	1	1	1	冬	10	10	9	9	9	8	8	8	7	7	7	6	6	6	5	5	5	4	4	4	3	3	3	2	2

6月 (1일 八白 - 27일 一白 +) **戊子 (六白)** 절기: 大雪 (6일 13:17) 冬至 (22일 06:12)

양력		1	2	3	4	5	6	7	8	9	10	11	12	13	14	15	16	17	18	19	20	21	22	23	24	25	26	27	28	29	30	
요일		木	金	土	日	月	火	水	木	金	土	日	月	火	水	木	金	土	日	月	火	水	木	金	土	日	月	火	水	木	金	
음력	월	9	10	11	12	13	14	15	16	17	18	19	20	21	22	23	24	25	26	27	28	29	30	閏五		3	4	5	6	7	8	
일진		戊辰	己巳	甲午	乙未	丙申	丁酉	庚戌	辛亥	壬子	癸丑	戊寅	己卯	甲辰	乙巳	丙午	丁未	庚申	辛酉	壬戌	癸亥	戊子	己丑	甲寅	乙卯	丙辰	丁巳	庚午	辛未	壬申	癸酉	
대운	男	9	9	9	10	10	大	1	1	1	1	2	2	2	3	3	3	4	4	4	5	5	5	6	6	6	7	7	7	8	8	
	女	2	1	1	1	1	雪	10	10	9	9	9	8	8	8	7	7	7	6	6	6	5	5	5	4	4	4	3	3	3	2	

7月 (1일 五黃 +) **己丑 (七赤)** 절기: 小寒(7일 23:44) 大寒(23일 17:05)

양력		1	2	3	4	5	6	7	8	9	10	11	12	13	14	15	16	17	18	19	20	21	22	23	24	25	26	27	28	29	30	31
요일		土	日	月	火	水	木	金	土	日	月	火	水	木	金	土	日	月	火	水	木	金	土	日	月	火	水	木	金	土	日	月
음력	월	9	10	11	12	13	14	15	16	17	18	19	20	21	22	23	24	25	26	27	28	29	30	六	2	3	4	5	6	7	8	9
일진		戊戌	己亥	甲子	乙丑	丙寅	丁卯	庚辰	辛巳	壬午	癸未	戊申	己酉	甲戌	乙亥	丙子	丁丑	庚寅	辛卯	壬辰	癸巳	戊午	己未	甲申	乙酉	丙戌	丁亥	庚子	辛丑	壬寅	癸卯	戊辰
대운	男	8	9	9	9	10	10	小	1	1	1	1	2	2	2	3	3	3	4	4	4	5	5	5	6	6	6	7	7	7	8	8
	女	2	2	1	1	1	1	寒	10	10	10	9	9	9	8	8	8	7	7	7	6	6	6	5	5	5	4	4	4	3	3	3

8月 (1일 九紫 +) **甲寅 (八白)** 절기: 立春(8일 09:26) 雨水(23일 23:52)

양력		1	2	3	4	5	6	7	8	9	10	11	12	13	14	15	16	17	18	19	20	21	22	23	24	25	26	27	28	29	30	31
요일		火	水	木	金	土	日	月	火	水	木	金	土	日	月	火	水	木	金	土	日	月	火	水	木	金	土	日	月	火	水	木
음력	월	10	11	12	13	14	15	16	17	18	19	20	21	22	23	24	25	26	27	28	29	七	2	3	4	5	6	7	8	9	10	11
일진		己巳	甲午	乙未	丙申	丁酉	庚戌	辛亥	壬子	癸丑	戊寅	己卯	甲辰	乙巳	丙午	丁未	庚申	辛酉	壬戌	癸亥	戊子	己丑	甲寅	乙卯	丙辰	丁巳	庚午	辛未	壬申	癸酉	戊戌	己亥
대운	男	8	9	9	9	10	10	10	立	1	1	1	1	2	2	2	3	3	3	4	4	4	5	5	5	6	6	6	7	7	7	8
	女	2	2	2	1	1	1	1	春	10	10	9	9	9	8	8	8	7	7	7	6	6	6	5	5	5	4	4	4	3	3	3

9月 (1일 四綠 +) **乙卯 (九紫)** 절기: 驚蟄(8일 11:58) 春分 (23일 21:01)

양력		1	2	3	4	5	6	7	8	9	10	11	12	13	14	15	16	17	18	19	20	21	22	23	24	25	26	27	28	29	30	
요일		金	土	日	月	火	水	木	金	土	日	月	火	水	木	金	土	日	月	火	水	木	金	土	日	月	火	水	木	金	土	
음력	월	12	13	14	15	16	17	18	19	20	21	22	23	24	25	26	27	28	29	30	八	2	3	4	5	6	7	8	9	10	11	
일진		甲子	乙丑	丙寅	丁卯	庚辰	辛巳	壬午	癸未	戊申	己酉	甲戌	乙亥	丙子	丁丑	庚寅	辛卯	壬辰	癸巳	戊午	己未	甲申	乙酉	丙戌	丁亥	庚子	辛丑	壬寅	癸卯	戊辰	己巳	
대운	男	8	8	9	9	9	10	10	驚	1	1	1	1	2	2	2	3	3	3	4	4	4	5	5	5	6	6	6	7	7	7	
	女	2	2	2	1	1	1	1	蟄	10	10	9	9	9	8	8	8	7	7	7	6	6	6	5	5	5	4	4	4	3	3	

10月 (1일 七赤 +) **丙辰 (一白)** 절기: 淸明(9일 03:04) 穀雨(24일 05:48)

양력		1	2	3	4	5	6	7	8	9	10	11	12	13	14	15	16	17	18	19	20	21	22	23	24	25	26	27	28	29	30	31
요일		日	月	火	水	木	金	土	日	月	火	水	木	金	土	日	月	火	水	木	金	土	日	月	火	水	木	金	土	日	月	火
음력	월	12	13	14	15	16	17	18	19	20	21	22	23	24	25	26	27	28	29	九	2	3	4	5	6	7	8	9	10	11	12	13
일진		甲午	乙未	丙申	丁酉	庚戌	辛亥	壬子	癸丑	戊寅	己卯	甲辰	乙巳	丙午	丁未	庚申	辛酉	壬戌	癸亥	戊子	己丑	甲寅	乙卯	丙辰	丁巳	庚午	辛未	壬申	癸酉	戊戌	己亥	甲子
대운	男	8	8	8	9	9	9	10	10	淸	1	1	1	1	2	2	2	3	3	3	4	4	4	5	5	5	6	6	6	7	7	7
	女	3	2	2	2	1	1	1	1	明	10	9	9	9	8	8	8	7	7	7	6	6	6	5	5	5	4	4	4	3	3	3

11月 (1일 二黑 +) **丁巳 (二黑)** 절기: 立夏(8일 05:43) 小滿 (23일 02:53)

양력		1	2	3	4	5	6	7	8	9	10	11	12	13	14	15	16	17	18	19	20	21	22	23	24	25	26	27	28	29	30	
요일		水	木	金	土	日	月	火	水	木	金	土	日	月	火	水	木	金	土	日	月	火	水	木	金	土	日	月	火	水	木	
음력	월	14	15	16	17	18	19	20	21	22	23	24	25	26	27	28	29	30	十	2	3	4	5	6	7	8	9	10	11	12	13	
일진		乙丑	丙寅	丁卯	庚辰	辛巳	壬午	癸未	戊申	己酉	甲戌	乙亥	丙子	丁丑	庚寅	辛卯	壬辰	癸巳	戊午	己未	甲申	乙酉	丙戌	丁亥	庚子	辛丑	壬寅	癸卯	戊辰	己巳	甲午	
대운	男	8	8	8	9	9	9	10	立	1	1	1	1	2	2	2	3	3	3	4	4	4	5	5	5	6	6	6	7	7	7	
	女	2	2	2	1	1	1	1	夏	9	9	9	8	8	8	7	7	7	6	6	6	5	5	5	4	4	4	3	3	3	2	

12月 (1일 五黃 + 24일 九紫 -) **庚午 (三碧)** 절기: 芒種(7일 22:11) 夏至(22일 15:58)

양력		1	2	3	4	5	6	7	8	9	10	11	12	13	14	15	16	17	18	19	20	21	22	23	24	25	26	27	28	29	30	31
요일		金	土	日	月	火	水	木	金	土	日	月	火	水	木	金	土	日	月	火	水	木	金	土	日	月	火	水	木	金	土	日
음력	월	14	15	16	17	18	19	20	21	22	23	24	25	26	27	28	29	十一	2	3	4	5	6	7	8	9	10	11	12	13	14	15
일진		乙未	丙申	丁酉	庚戌	辛亥	壬子	癸丑	戊寅	己卯	甲辰	乙巳	丙午	丁未	庚申	辛酉	壬戌	癸亥	戊子	己丑	甲寅	乙卯	丙辰	丁巳	庚午	辛未	壬申	癸酉	戊戌	己亥	甲子	乙丑
대운	男	8	8	8	9	9	9	芒	1	1	1	1	2	2	2	3	3	3	4	4	4	5	5	5	6	6	6	7	7	7	8	8
	女	2	2	1	1	1	1	種	10	9	9	9	8	8	8	7	7	7	6	6	6	5	5	5	4	4	4	3	3	3	2	2

庚辰年 (七赤金星)

1月 (1일 一白 -) **辛未 (四綠)** 절기: 小暑 (6일 09:17) 大暑 (21일 02:37)

양력		1	2	3	4	5	6	7	8	9	10	11	12	13	14	15	16	17	18	19	20	21	22	23	24	25	26	27	28	29	30	31
요일		月	火	水	木	金	土	日	月	火	水	木	金	土	日	月	火	水	木	金	土	日	月	火	水	木	金	土	日	月	火	水
음력	월	16	17	18	19	20	21	22	23	24	25	26	27	28	29	十二	2	3	4	5	6	7	8	9	10	11	12	13	14	15	16	17
일진		丙寅	丁卯	庚辰	辛巳	壬午	癸未	戊申	己酉	甲戌	乙亥	丙子	丁丑	庚寅	辛卯	壬辰	癸巳	戊午	己未	甲申	乙酉	丙戌	丁亥	庚子	辛丑	壬寅	癸卯	戊辰	己巳	甲午	乙未	丙申
대운	男	8	9	9	9	10	小	1	1	1	1	2	2	2	3	3	3	4	4	4	5	5	5	6	6	6	7	7	7	8	8	8
	女	2	1	1	1	1	暑	9	9	9	8	8	8	7	7	7	6	6	6	5	5	5	4	4	4	3	3	3	2	2	2	1

2月 (1일 六白 -) **壬申 (五黃)** 절기: 立秋 (4일 21:04) 處暑 (19일 17:02)

양력		1	2	3	4	5	6	7	8	9	10	11	12	13	14	15	16	17	18	19	20	21	22	23	24	25	26	27	28			
요일		木	金	土	日	月	火	水	木	金	土	日	月	火	水	木	金	土	日	月	火	水	木	金	土	日	月	火	水			
음력	월	18	19	20	21	22	23	24	25	26	27	28	29	30	一	2	3	4	5	6	7	8	9	10	11	12	13	14	15			
일진		丁酉	庚戌	辛亥	壬子	癸丑	戊寅	己卯	甲辰	乙巳	丙午	丁未	庚申	辛酉	壬戌	癸亥	戊子	己丑	甲寅	乙卯	丙辰	丁巳	庚午	辛未	壬申	癸酉	戊戌	己亥	甲子			
대운	男	9	9	9	立	10	9	9	9	8	8	8	7	7	7	6	6	6	5	5	5	4	4	4	3	3	3	2	2			
	女	1	1	1	秋	1	1	1	1	2	2	2	3	3	3	4	4	4	5	5	5	6	6	6	7	7	7	8	8			

3月 (1일 五黃 -) **癸酉 (六白)** 절기: 白露 (6일 15:26) 秋分 (21일 16:28)

양력		1	2	3	4	5	6	7	8	9	10	11	12	13	14	15	16	17	18	19	20	21	22	23	24	25	26	27	28	29	30	31
요일		木	金	土	日	月	火	水	木	金	土	日	月	火	水	木	金	土	日	月	火	水	木	金	土	日	月	火	水	木	金	土
음력	월	16	17	18	19	20	21	22	23	24	25	26	27	28	29	二	2	3	4	5	6	7	8	9	10	11	12	13	14	15	16	17
일진		乙丑	丙寅	丁卯	庚辰	辛巳	壬午	癸未	戊申	己酉	甲戌	乙亥	丙子	丁丑	庚寅	辛卯	壬辰	癸巳	戊午	己未	甲申	乙酉	丙戌	丁亥	庚子	辛丑	壬寅	癸卯	戊辰	己巳	甲午	乙未
대운	男	2	1	1	1	1	白	10	9	9	9	8	8	8	7	7	7	6	6	6	5	5	5	4	4	4	3	3	3	2	2	2
	女	8	9	9	9	10	露	1	1	1	1	2	2	2	3	3	3	4	4	4	5	5	5	6	6	6	7	7	7	8	8	8

4月 (1일 一白 -) **戊戌 (七赤)** 절기: 寒露 (5일 20:44) 霜降 (21일 04:00)

양력		1	2	3	4	5	6	7	8	9	10	11	12	13	14	15	16	17	18	19	20	21	22	23	24	25	26	27	28	29	30	
요일		日	月	火	水	木	金	土	日	月	火	水	木	金	土	日	月	火	水	木	金	土	日	月	火	水	木	金	土	日	月	
음력	월	18	19	20	21	22	23	24	25	26	27	28	29	30	三	2	3	4	5	6	7	8	9	10	11	12	13	14	15	16	17	
일진		丙申	丁酉	庚戌	辛亥	壬子	癸丑	戊寅	己卯	甲辰	乙巳	丙午	丁未	庚申	辛酉	壬戌	癸亥	戊子	己丑	甲寅	乙卯	丙辰	丁巳	庚午	辛未	壬申	癸酉	戊戌	己亥	甲子	乙丑	
대운	男	1	1	1	1	寒	10	10	9	9	9	8	8	8	7	7	7	6	6	6	5	5	5	4	4	4	3	3	3	2	2	
	女	9	9	9	10	露	1	1	1	1	2	2	2	3	3	3	4	4	4	5	5	5	6	6	6	7	7	7	8	8	8	

5月 (1일 七赤 -) **己亥 (八白)** 절기: 立冬 (6일 14:31) 小雪 (22일 03:35)

양력		1	2	3	4	5	6	7	8	9	10	11	12	13	14	15	16	17	18	19	20	21	22	23	24	25	26	27	28	29	30	31
요일		火	水	木	金	土	日	月	火	水	木	金	土	日	月	火	水	木	金	土	日	月	火	水	木	金	土	日	月	火	水	木
음력	월	18	19	20	21	22	23	24	25	26	27	28	29	四	2	3	4	5	6	7	8	9	10	11	12	13	14	15	16	17	18	19
일진		丙寅	丁卯	庚辰	辛巳	壬午	癸未	戊申	己酉	甲戌	乙亥	丙子	丁丑	庚寅	辛卯	壬辰	癸巳	戊午	己未	甲申	乙酉	丙戌	丁亥	庚子	辛丑	壬寅	癸卯	戊辰	己巳	甲午	乙未	丙申
대운	男	2	1	1	1	1	立	10	10	9	9	9	8	8	8	7	7	7	6	6	6	5	5	5	4	4	4	3	3	3	2	2
	女	9	9	9	10	10	冬	1	1	1	1	2	2	2	3	3	3	4	4	4	5	5	5	6	6	6	7	7	7	8	8	8

6月 (1일 三碧 - 22일 一白 +) **甲子 (九紫)** 절기: 大雪 (6일 19:01) 冬至 (22일 11:48)

양력		1	2	3	4	5	6	7	8	9	10	11	12	13	14	15	16	17	18	19	20	21	22	23	24	25	26	27	28	29	30	
요일		金	土	日	月	火	水	木	金	土	日	月	火	水	木	金	土	日	月	火	水	木	金	土	日	月	火	水	木	金	土	
음력	월	20	21	22	23	24	25	26	27	28	29	30	五	2	3	4	5	6	7	8	9	10	11	12	13	14	15	16	17	18	19	
일진		丁酉	庚戌	辛亥	壬子	癸丑	戊寅	己卯	甲辰	乙巳	丙午	丁未	庚申	辛酉	壬戌	癸亥	戊子	己丑	甲寅	乙卯	丙辰	丁巳	庚午	辛未	壬申	癸酉	戊戌	己亥	甲子	乙丑	丙寅	
대운	男	2	1	1	1	1	大	10	10	10	9	9	9	8	8	8	7	7	7	6	6	6	5	5	5	4	4	4	3	3	3	
	女	9	9	9	10	10	雪	1	1	1	1	2	2	2	3	3	3	4	4	4	5	5	5	6	6	6	7	7	7	8	8	

7月 (1일 一白 +) 乙丑 (一白) 절기: 小寒(8일 05:24) 大寒(23일 22:42)

양력		1	2	3	4	5	6	7	8	9	10	11	12	13	14	15	16	17	18	19	20	21	22	23	24	25	26	27	28	29	30	31
요일		日	月	火	水	木	金	土	日	月	火	水	木	金	土	日	月	火	水	木	金	土	日	月	火	水	木	金	土	日	月	火
음력	월	20	21	22	23	24	25	26	27	28	29	30	六	2	3	4	5	6	7	8	9	10	11	12	13	14	15	16	17	18	19	20
일진		丁卯	庚辰	辛巳	壬午	癸未	戊申	己酉	甲戌	乙亥	丙子	丁丑	庚寅	辛卯	壬辰	癸巳	戊午	己未	甲申	乙酉	丙戌	丁亥	庚子	辛丑	壬寅	癸卯	戊辰	己巳	甲午	乙未	丙申	丁酉
대운	男	2	2	2	1	1	1	1	小	10	10	9	9	9	8	8	8	7	7	7	6	6	6	5	5	5	4	4	4	3	3	3
	女	8	9	9	9	10	10	10	寒	1	1	1	1	2	2	2	3	3	3	4	4	4	5	5	5	6	6	6	7	7	7	8

8月 (1일 五黃 +) 丙寅 (二黑) 절기: 立春(8일 15:04) 雨水(24일 05:32)

양력		1	2	3	4	5	6	7	8	9	10	11	12	13	14	15	16	17	18	19	20	21	22	23	24	25	26	27	28	29	30	31
요일		水	木	金	土	日	月	火	水	木	金	土	日	月	火	水	木	金	土	日	月	火	水	木	金	土	日	月	火	水	木	金
음력	월	21	22	23	24	25	26	27	28	29	七	2	3	4	5	6	7	8	9	10	11	12	13	14	15	16	17	18	19	20	21	22
일진		庚戌	辛亥	壬子	癸丑	戊寅	己卯	甲辰	乙巳	丙午	丁未	庚申	辛酉	壬戌	癸亥	戊子	己丑	甲寅	乙卯	丙辰	丁巳	庚午	辛未	壬申	癸酉	戊戌	己亥	甲子	乙丑	丙寅	丁卯	庚辰
대운	男	2	2	2	1	1	1	1	立	10	10	9	9	9	8	8	8	7	7	7	6	6	6	5	5	5	4	4	4	3	3	3
	女	8	9	9	9	10	10	10	春	1	1	1	1	2	2	2	3	3	3	4	4	4	5	5	5	6	6	6	7	7	7	8

9月 (1일 九紫 +) 丁卯 (三碧) 절기: 驚蟄(8일 17:36) 春分 (24일 02:45)

양력		1	2	3	4	5	6	7	8	9	10	11	12	13	14	15	16	17	18	19	20	21	22	23	24	25	26	27	28	29	30	
요일		土	日	月	火	水	木	金	土	日	月	火	水	木	金	土	日	月	火	水	木	金	土	日	月	火	水	木	金	土	日	
음력	월	23	24	25	26	27	28	29	30	八	2	3	4	5	6	7	8	9	10	11	12	13	14	15	16	17	18	19	20	21	22	
일진		辛巳	壬午	癸未	戊申	己酉	甲戌	乙亥	丙子	丁丑	庚寅	辛卯	壬辰	癸巳	戊午	己未	甲申	乙酉	丙戌	丁亥	庚子	辛丑	壬寅	癸卯	戊辰	己巳	甲午	乙未	丙申	丁酉	庚戌	
대운	男	2	2	2	1	1	1	1	驚	10	10	9	9	9	8	8	8	7	7	7	6	6	6	5	5	5	4	4	4	3	3	
	女	8	8	9	9	9	10	10	蟄	1	1	1	1	2	2	2	3	3	3	4	4	4	5	5	5	6	6	6	7	7	7	

10月 (1일 三碧 +) 庚辰 (四綠) 절기: 清明(9일 08:45) 穀雨(24일 11:36)

양력		1	2	3	4	5	6	7	8	9	10	11	12	13	14	15	16	17	18	19	20	21	22	23	24	25	26	27	28	29	30	31
요일		月	火	水	木	金	土	日	月	火	水	木	金	土	日	月	火	水	木	金	土	日	月	火	水	木	金	土	日	月	火	水
음력	월	23	24	25	26	27	28	29	30	九	2	3	4	5	6	7	8	9	10	11	12	13	14	15	16	17	18	19	20	21	22	23
일진		辛亥	壬子	癸丑	戊寅	己卯	甲辰	乙巳	丙午	丁未	庚申	辛酉	壬戌	癸亥	戊子	己丑	甲寅	乙卯	丙辰	丁巳	庚午	辛未	壬申	癸酉	戊戌	己亥	甲子	乙丑	丙寅	丁卯	庚辰	辛巳
대운	男	3	2	2	2	1	1	1	1	清	10	9	9	9	8	8	8	7	7	7	6	6	6	5	5	5	4	4	4	3	3	3
	女	8	8	8	9	9	9	10	10	明	1	1	1	1	2	2	2	3	3	3	4	4	4	5	5	5	6	6	6	7	7	7

11月 (1일 七赤 +) 辛巳 (五黃) 절기: 立夏(8일 11:27) 小滿 (23일 08:44)

양력		1	2	3	4	5	6	7	8	9	10	11	12	13	14	15	16	17	18	19	20	21	22	23	24	25	26	27	28	29	30	
요일		木	金	土	日	月	火	水	木	金	土	日	月	火	水	木	金	土	日	月	火	水	木	金	土	日	月	火	水	木	金	
음력	월	24	25	26	27	28	29	十	2	3	4	5	6	7	8	9	10	11	12	13	14	15	16	17	18	19	20	21	22	23	24	
일진		壬午	癸未	戊申	己酉	甲戌	乙亥	丙子	丁丑	庚寅	辛卯	壬辰	癸巳	戊午	己未	甲申	乙酉	丙戌	丁亥	庚子	辛丑	壬寅	癸卯	戊辰	己巳	甲午	乙未	丙申	丁酉	庚戌	辛亥	
대운	男	2	2	2	1	1	1	1	立	10	9	9	9	8	8	8	7	7	7	6	6	6	5	5	5	4	4	4	3	3	3	
	女	8	8	8	9	9	9	10	夏	1	1	1	1	2	2	2	3	3	3	4	4	4	5	5	5	6	6	6	7	7	7	

12月 (1일 一白 + 19일 九紫 -) 壬午 (六白) 절기: 芒種(8일 03:57) 夏至(22일 21:49)

양력		1	2	3	4	5	6	7	8	9	10	11	12	13	14	15	16	17	18	19	20	21	22	23	24	25	26	27	28	29	30	31
요일		土	日	月	火	水	木	金	土	日	月	火	水	木	金	土	日	月	火	水	木	金	土	日	月	火	水	木	金	土	日	月
음력	월	25	26	27	28	29	30	十一	2	3	4	5	6	7	8	9	10	11	12	13	14	15	16	17	18	19	20	21	22	23	24	25
일진		壬子	癸丑	戊寅	己卯	甲辰	乙巳	丙午	丁未	庚申	辛酉	壬戌	癸亥	戊子	己丑	甲寅	乙卯	丙辰	丁巳	庚午	辛未	壬申	癸酉	戊戌	己亥	甲子	乙丑	丙寅	丁卯	庚辰	辛巳	壬午
대운	男	2	2	2	1	1	1	1	芒	9	9	9	8	8	8	7	7	7	6	6	6	5	5	5	4	4	4	3	3	3	2	2
	女	8	8	8	9	9	9	10	種	1	1	1	1	2	2	2	3	3	3	4	4	4	5	5	5	6	6	6	7	7	7	8

서기1935년

辛巳年 (八白土星)

1月 (1일 五黃 -) **癸未 (七赤)** 절기: 小暑 (6일 15:02) 大暑 (21일 08:28)

양력		1	2	3	4	5	6	7	8	9	10	11	12	13	14	15	16	17	18	19	20	21	22	23	24	25	26	27	28	29	30	31
요일		火	水	木	金	土	日	月	火	水	木	金	土	日	月	火	水	木	金	土	日	月	火	水	木	金	土	日	月	火	水	木
음력	월	26	27	28	29	十二	2	3	4	5	6	7	8	9	10	11	12	13	14	15	16	17	18	19	20	21	22	23	24	25	26	27
일진		癸未	戊申	己酉	甲戌	乙亥	丙子	丁丑	庚寅	辛卯	壬辰	癸巳	戊午	己未	甲申	乙酉	丙戌	丁亥	庚子	辛丑	壬寅	癸卯	戊辰	己巳	甲午	乙未	丙申	丁酉	庚戌	辛亥	壬子	癸丑
대운	男	2	1	1	1	1	小	10	9	9	9	8	8	8	7	7	7	6	6	6	5	5	5	4	4	4	3	3	3	2	2	2
	女	8	8	9	9	9	暑	1	1	1	1	2	2	2	3	3	3	4	4	4	5	5	5	6	6	6	7	7	7	8	8	8

2月 (1일 一白 -) **戊申 (八白)** 절기: 立秋 (5일 02:49) 處暑 (19일 22:52)

양력		1	2	3	4	5	6	7	8	9	10	11	12	13	14	15	16	17	18	19	20	21	22	23	24	25	26	27	28			
요일		金	土	日	月	火	水	木	金	土	日	月	火	水	木	金	土	日	月	火	水	木	金	土	日	月	火	水	木			
음력	월	28	29	30	一	2	3	4	5	6	7	8	9	10	11	12	13	14	15	16	17	18	19	20	21	22	23	24	25			
일진		戊寅	己卯	甲辰	乙巳	丙午	丁未	庚申	辛酉	壬戌	癸亥	戊子	己丑	甲寅	乙卯	丙辰	丁巳	庚午	辛未	壬申	癸酉	戊戌	己亥	甲子	乙丑	丙寅	丁卯	庚辰	辛巳			
대운	男	1	1	1	1	立	1	1	1	1	2	2	2	3	3	3	4	4	4	5	5	5	6	6	6	7	7	7	8			
	女	9	9	9	10	秋	9	9	9	8	8	8	7	7	7	6	6	6	5	5	5	4	4	4	3	3	3	2	2			

3月 (1일 九紫 -) **己酉 (九紫)** 절기: 白露 (6일 21:10) 秋分 (21일 22:18)

양력		1	2	3	4	5	6	7	8	9	10	11	12	13	14	15	16	17	18	19	20	21	22	23	24	25	26	27	28	29	30	31
요일		金	土	日	月	火	水	木	金	土	日	月	火	水	木	金	土	日	月	火	水	木	金	土	日	月	火	水	木	金	土	日
음력	월	26	27	28	29	二	2	3	4	5	6	7	8	9	10	11	12	13	14	15	16	17	18	19	20	21	22	23	24	25	26	27
일진		壬午	癸未	戊申	己酉	甲戌	乙亥	丙子	丁丑	庚寅	辛卯	壬辰	癸巳	戊午	己未	甲申	乙酉	丙戌	丁亥	庚子	辛丑	壬寅	癸卯	戊辰	己巳	甲午	乙未	丙申	丁酉	庚戌	辛亥	壬子
대운	男	8	8	9	9	9	白	1	1	1	1	2	2	2	3	3	3	4	4	4	5	5	5	6	6	6	7	7	7	8	8	8
	女	2	1	1	1	1	露	10	10	9	9	9	8	8	8	7	7	7	6	6	6	5	5	5	4	4	4	3	3	3	2	2

4月 (1일 五黃 -) **甲戌 (一白)** 절기: 寒露 (6일 02:26) 霜降 (21일 09:50)

양력		1	2	3	4	5	6	7	8	9	10	11	12	13	14	15	16	17	18	19	20	21	22	23	24	25	26	27	28	29	30	
요일		月	火	水	木	金	土	日	月	火	水	木	金	土	日	月	火	水	木	金	土	日	月	火	水	木	金	土	日	月	火	
음력	월	28	29	三	2	3	4	5	6	7	8	9	10	11	12	13	14	15	16	17	18	19	20	21	22	23	24	25	26	27	28	
일진		癸丑	戊寅	己卯	甲辰	乙巳	丙午	丁未	庚申	辛酉	壬戌	癸亥	戊子	己丑	甲寅	乙卯	丙辰	丁巳	庚午	辛未	壬申	癸酉	戊戌	己亥	甲子	乙丑	丙寅	丁卯	庚辰	辛巳	壬午	
대운	男	8	8	9	9	9	寒	1	1	1	1	2	2	2	3	3	3	4	4	4	5	5	5	6	6	6	7	7	7	8	8	
	女	2	1	1	1	1	露	10	9	9	9	8	8	8	7	7	7	6	6	6	5	5	5	4	4	4	3	3	3	2	2	

5月 (1일 二黑 -) **乙亥 (二黑)** 절기: 立冬 (6일 20:12) 小雪 (22일 09:25)

양력		1	2	3	4	5	6	7	8	9	10	11	12	13	14	15	16	17	18	19	20	21	22	23	24	25	26	27	28	29	30	31
요일		水	木	金	土	日	月	火	水	木	金	土	日	月	火	水	木	金	土	日	月	火	水	木	金	土	日	月	火	水	木	金
음력	월	29	30	四	2	3	4	5	6	7	8	9	10	11	12	13	14	15	16	17	18	19	20	21	22	23	24	25	26	27	28	29
일진		癸未	戊申	己酉	甲戌	乙亥	丙子	丁丑	庚寅	辛卯	壬辰	癸巳	戊午	己未	甲申	乙酉	丙戌	丁亥	庚子	辛丑	壬寅	癸卯	戊辰	己巳	甲午	乙未	丙申	丁酉	庚戌	辛亥	壬子	癸丑
대운	男	8	9	9	9	10	立	1	1	1	1	2	2	2	3	3	3	4	4	4	5	5	5	6	6	6	7	7	7	8	8	8
	女	2	1	1	1	1	冬	10	10	10	9	9	9	8	8	8	7	7	7	6	6	6	5	5	5	4	4	4	3	3	3	2

6月 (1일 七赤 - 17일 一白 +) **丙子 (三碧)** 절기: 大雪 (7일 00:42) 冬至 (22일 17:38)

양력		1	2	3	4	5	6	7	8	9	10	11	12	13	14	15	16	17	18	19	20	21	22	23	24	25	26	27	28	29	30	
요일		土	日	月	火	水	木	金	土	日	月	火	水	木	金	土	日	月	火	水	木	金	土	日	月	火	水	木	金	土	日	
음력	월	五	2	3	4	5	6	7	8	9	10	11	12	13	14	15	16	17	18	19	20	21	22	23	24	25	26	27	28	29	30	
일진		戊寅	己卯	甲辰	乙巳	丙午	丁未	庚申	辛酉	壬戌	癸亥	戊子	己丑	甲寅	乙卯	丙辰	丁巳	庚午	辛未	壬申	癸酉	戊戌	己亥	甲子	乙丑	丙寅	丁卯	庚辰	辛巳	壬午	癸未	
대운	男	9	9	9	10	10	10	大	1	1	1	1	2	2	2	3	3	3	4	4	4	5	5	5	6	6	6	7	7	7	8	
	女	2	2	1	1	1	1	雪	10	10	9	9	9	8	8	8	7	7	7	6	6	6	5	5	5	4	4	4	3	3	3	

7月 (1일 六白 +) **丁丑 (四綠)** 절기: 小寒(8일 11:06) 大寒(24일 04:33)

양력		1	2	3	4	5	6	7	8	9	10	11	12	13	14	15	16	17	18	19	20	21	22	23	24	25	26	27	28	29	30	31
요일		月	火	水	木	金	土	日	月	火	水	木	金	土	日	月	火	水	木	金	土	日	月	火	水	木	金	土	日	月	火	水
음력	월	六	2	3	4	5	6	7	8	9	10	11	12	13	14	15	16	17	18	19	20	21	22	23	24	25	26	27	28	29	七	2
일진		戊申	己酉	甲戌	乙亥	丙子	丁丑	庚寅	辛卯	壬辰	癸巳	戊午	己未	甲申	乙酉	丙戌	丁亥	庚子	辛丑	壬寅	癸卯	戊辰	己巳	甲午	乙未	丙申	丁酉	庚戌	辛亥	壬子	癸丑	戊寅
대운	男	8	8	9	9	9	10	10	小	1	1	1	1	2	2	2	3	3	3	4	4	4	5	5	5	6	6	6	7	7	7	8
	女	2	2	2	1	1	1	1	寒	10	10	9	9	9	8	8	8	7	7	7	6	6	6	5	5	5	4	4	4	3	3	3

8月 (1일 一白 +) **庚寅 (五黃)** 절기: 立春(8일 20:48) 雨水(24일 11:24)

양력		1	2	3	4	5	6	7	8	9	10	11	12	13	14	15	16	17	18	19	20	21	22	23	24	25	26	27	28	29	30	31
요일		木	金	土	日	月	火	水	木	金	土	日	月	火	水	木	金	土	日	月	火	水	木	金	土	日	月	火	水	木	金	土
음력	월	3	4	5	6	7	8	9	10	11	12	13	14	15	16	17	18	19	20	21	22	23	24	25	26	27	28	29	30	八	2	3
일진		己卯	甲辰	乙巳	丙午	丁未	庚申	辛酉	壬戌	癸亥	戊子	己丑	甲寅	乙卯	丙辰	丁巳	庚午	辛未	壬申	癸酉	戊戌	己亥	甲子	乙丑	丙寅	丁卯	庚辰	辛巳	壬午	癸未	戊申	己酉
대운	男	8	8	9	9	9	10	10	立	1	1	1	1	2	2	2	3	3	3	4	4	4	5	5	5	6	6	6	7	7	7	8
	女	2	2	2	1	1	1	1	春	10	10	9	9	9	8	8	8	7	7	7	6	6	6	5	5	5	4	4	4	3	3	3

9月 (1일 五黃 +) **辛卯 (六白)** 절기: 驚蟄(8일 23:24) 春分 (24일 08:38)

양력		1	2	3	4	5	6	7	8	9	10	11	12	13	14	15	16	17	18	19	20	21	22	23	24	25	26	27	28	29	30	
요일		日	月	火	水	木	金	土	日	月	火	水	木	金	土	日	月	火	水	木	金	土	日	月	火	水	木	金	土	日	月	
음력	월	4	5	6	7	8	9	10	11	12	13	14	15	16	17	18	19	20	21	22	23	24	25	26	27	28	29	30	九	2	3	
일진		甲戌	乙亥	丙子	丁丑	庚寅	辛卯	壬辰	癸巳	戊午	己未	甲申	乙酉	丙戌	丁亥	庚子	辛丑	壬寅	癸卯	戊辰	己巳	甲午	乙未	丙申	丁酉	庚戌	辛亥	壬子	癸丑	戊寅	己卯	
대운	男	8	8	9	9	9	10	10	驚	1	1	1	1	2	2	2	3	3	3	4	4	4	5	5	5	6	6	6	7	7	7	
	女	2	2	2	1	1	1	1	蟄	10	10	9	9	9	8	8	8	7	7	7	6	6	6	5	5	5	4	4	4	3	3	

10月 (1일 八白 +) **壬辰 (七赤)** 절기: 清明(9일 14:36) 穀雨(24일 17:29)

양력		1	2	3	4	5	6	7	8	9	10	11	12	13	14	15	16	17	18	19	20	21	22	23	24	25	26	27	28	29	30	31
요일		火	水	木	金	土	日	月	火	水	木	金	土	日	月	火	水	木	金	土	日	月	火	水	木	金	土	日	月	火	水	木
음력	월	4	5	6	7	8	9	10	11	12	13	14	15	16	17	18	19	20	21	22	23	24	25	26	27	28	29	十	2	3	4	5
일진		甲辰	乙巳	丙午	丁未	庚申	辛酉	壬戌	癸亥	戊子	己丑	甲寅	乙卯	丙辰	丁巳	庚午	辛未	壬申	癸酉	戊戌	己亥	甲子	乙丑	丙寅	丁卯	庚辰	辛巳	壬午	癸未	戊申	己酉	甲戌
대운	男	8	8	8	9	9	9	10	10	清	1	1	1	1	2	2	2	3	3	3	4	4	4	5	5	5	6	6	6	7	7	7
	女	3	2	2	2	1	1	1	1	明	10	9	9	9	8	8	8	7	7	7	6	6	6	5	5	5	4	4	4	3	3	3

11月 (1일 三碧 +) **癸巳 (八白)** 절기: 立夏(8일 17:18) 小滿 (23일 14:35)

양력		1	2	3	4	5	6	7	8	9	10	11	12	13	14	15	16	17	18	19	20	21	22	23	24	25	26	27	28	29	30	
요일		金	土	日	月	火	水	木	金	土	日	月	火	水	木	金	土	日	月	火	水	木	金	土	日	月	火	水	木	金	土	
음력	월	6	7	8	9	10	11	12	13	14	15	16	17	18	19	20	21	22	23	24	25	26	27	28	29	30	十一	2	3	4	5	
일진		乙亥	丙子	丁丑	庚寅	辛卯	壬辰	癸巳	戊午	己未	甲申	乙酉	丙戌	丁亥	庚子	辛丑	壬寅	癸卯	戊辰	己巳	甲午	乙未	丙申	丁酉	庚戌	辛亥	壬子	癸丑	戊寅	己卯	甲辰	
대운	男	8	8	8	9	9	9	10	立	1	1	1	1	2	2	2	3	3	3	4	4	4	5	5	5	6	6	6	7	7	7	
	女	2	2	2	1	1	1	1	夏	10	9	9	9	8	8	8	7	7	7	6	6	6	5	5	5	4	4	4	3	3	3	

12月 (1일 六白 + 14일 九紫 -) **戊午 (九紫)** 절기: 芒種(8일 09:45) 夏至(23일 03:37)

양력		1	2	3	4	5	6	7	8	9	10	11	12	13	14	15	16	17	18	19	20	21	22	23	24	25	26	27	28	29	30	31
요일		日	月	火	水	木	金	土	日	月	火	水	木	金	土	日	月	火	水	木	金	土	日	月	火	水	木	金	土	日	月	火
음력	월	6	7	8	9	10	11	12	13	14	15	16	17	18	19	20	21	22	23	24	25	26	27	28	29	30	十二	2	3	4	5	6
일진		乙巳	丙午	丁未	庚申	辛酉	壬戌	癸亥	戊子	己丑	甲寅	乙卯	丙辰	丁巳	庚午	辛未	壬申	癸酉	戊戌	己亥	甲子	乙丑	丙寅	丁卯	庚辰	辛巳	壬午	癸未	戊申	己酉	甲戌	乙亥
대운	男	8	8	8	9	9	9	10	芒	1	1	1	1	2	2	2	3	3	3	4	4	4	5	5	5	6	6	6	7	7	7	8
	女	2	2	2	1	1	1	1	種	9	9	9	8	8	8	7	7	7	6	6	6	5	5	5	4	4	4	3	3	3	2	2

서기1936년

壬午年 (九紫火星) 閏三月

1月 (1일 九紫 -) **己未 (一白)** 절기: 小暑 (6일 20:47) 大暑 (21일 14:12)

양력		1	2	3	4	5	6	7	8	9	10	11	12	13	14	15	16	17	18	19	20	21	22	23	24	25	26	27	28	29	30	31
요일		水	木	金	土	日	月	火	水	木	金	土	日	月	火	水	木	金	土	日	月	火	水	木	金	土	日	月	火	水	木	金
음력	월	7	8	9	10	11	12	13	14	15	16	17	18	19	20	21	22	23	24	25	26	27	28	29	一	2	3	4	5	6	7	8
일진		丙子	丁丑	庚寅	辛卯	壬辰	癸巳	戊午	己未	甲申	乙酉	丙戌	丁亥	庚子	辛丑	壬寅	癸卯	戊辰	己巳	甲午	乙未	丙申	丁酉	庚戌	辛亥	壬子	癸丑	戊寅	己卯	甲辰	乙巳	丙午
대운	男	8	8	9	9	9	小	1	1	1	1	2	2	2	3	3	3	4	4	4	5	5	5	6	6	6	7	7	7	8	8	8
	女	2	1	1	1	1	暑	10	9	9	9	8	8	8	7	7	7	6	6	6	5	5	5	4	4	4	3	3	3	2	2	2

2月 閏 (1일 五黃 -) **甲申 (二黑)** 절기: 立秋 (5일 08:29) 處暑 (20일 04:33)

양력		1	2	3	4	5	6	7	8	9	10	11	12	13	14	15	16	17	18	19	20	21	22	23	24	25	26	27	28	29		
요일		土	日	月	火	水	木	金	土	日	月	火	水	木	金	土	日	月	火	水	木	金	土	日	月	火	水	木	金	土		
음력	월	9	10	11	12	13	14	15	16	17	18	19	20	21	22	23	24	25	26	27	28	29	30	二	2	3	4	5	6	7		
일진		丁未	庚申	辛酉	壬戌	癸亥	戊子	己丑	甲寅	乙卯	丙辰	丁巳	庚午	辛未	壬申	癸酉	戊戌	己亥	甲子	乙丑	丙寅	丁卯	庚辰	辛巳	壬午	癸未	戊申	己酉	甲戌	乙亥		
대운	男	9	9	9	10	立	10	9	9	9	8	8	8	7	7	7	6	6	6	5	5	5	4	4	4	3	3	3	2	2		
	女	1	1	1	1	秋	10	9	9	9	8	8	8	7	7	7	6	6	6	5	5	5	4	4	4	3	3	3	2	2		

3月 (1일 三碧 -) **乙酉 (三碧)** 절기: 白露 (6일 02:49) 秋分 (21일 03:58)

양력		1	2	3	4	5	6	7	8	9	10	11	12	13	14	15	16	17	18	19	20	21	22	23	24	25	26	27	28	29	30	31
요일		日	月	火	水	木	金	土	日	月	火	水	木	金	土	日	月	火	水	木	金	土	日	月	火	水	木	金	土	日	月	火
음력	월	8	9	10	11	12	13	14	15	16	17	18	19	20	21	22	23	24	25	26	27	28	29	三	2	3	4	5	6	7	8	9
일진		丙子	丁丑	庚寅	辛卯	壬辰	癸巳	戊午	己未	甲申	乙酉	丙戌	丁亥	庚子	辛丑	壬寅	癸卯	戊辰	己巳	甲午	乙未	丙申	丁酉	庚戌	辛亥	壬子	癸丑	戊寅	己卯	甲辰	乙巳	丙午
대운	男	2	1	1	1	1	白	10	9	9	9	8	8	8	7	7	7	6	6	6	5	5	5	4	4	4	3	3	3	2	2	2
	女	8	9	9	9	10	露	1	1	1	1	2	2	2	3	3	3	4	4	4	5	5	5	6	6	6	7	7	7	8	8	8

4月 (1일 八白 -) **丙戌 (四綠)** 절기: 寒露 (5일 08:07) 霜降 (20일 15:31)

양력		1	2	3	4	5	6	7	8	9	10	11	12	13	14	15	16	17	18	19	20	21	22	23	24	25	26	27	28	29	30	
요일		水	木	金	土	日	月	火	水	木	金	土	日	月	火	水	木	金	土	日	月	火	水	木	金	土	日	月	火	水	木	
음력	월	10	11	12	13	14	15	16	17	18	19	20	21	22	23	24	25	26	27	28	29	閏三		3	4	5	6	7	8	9	10	
일진		丁未	庚申	辛酉	壬戌	癸亥	戊子	己丑	甲寅	乙卯	丙辰	丁巳	庚午	辛未	壬申	癸酉	戊戌	己亥	甲子	乙丑	丙寅	丁卯	庚辰	辛巳	壬午	癸未	戊申	己酉	甲戌	乙亥	丙子	
대운	男	1	1	1	1	寒	10	10	9	9	9	8	8	8	7	7	7	6	6	6	5	5	5	4	4	4	3	3	3	2	2	
	女	9	9	9	10	露	1	1	1	1	2	2	2	3	3	3	4	4	4	5	5	5	6	6	6	7	7	7	8	8	8	

5月 (1일 五黃 -) **丁亥 (五黃)** 절기: 立冬 (6일 01:57) 小雪 (21일 15:07)

양력		1	2	3	4	5	6	7	8	9	10	11	12	13	14	15	16	17	18	19	20	21	22	23	24	25	26	27	28	29	30	31
요일		金	土	日	月	火	水	木	金	土	日	月	火	水	木	金	土	日	月	火	水	木	金	土	日	月	火	水	木	金	土	日
음력	월	11	12	13	14	15	16	17	18	19	20	21	22	23	24	25	26	27	28	29	30	四	2	3	4	5	6	7	8	9	10	11
일진		丁丑	庚寅	辛卯	壬辰	癸巳	戊午	己未	甲申	乙酉	丙戌	丁亥	庚子	辛丑	壬寅	癸卯	戊辰	己巳	甲午	乙未	丙申	丁酉	庚戌	辛亥	壬子	癸丑	戊寅	己卯	甲辰	乙巳	丙午	丁未
대운	男	2	1	1	1	1	立	10	10	9	9	9	8	8	8	7	7	7	6	6	6	5	5	5	4	4	4	3	3	3	2	2
	女	9	9	9	10	10	冬	1	1	1	1	2	2	2	3	3	3	4	4	4	5	5	5	6	6	6	7	7	7	8	8	8

6月 (1일 一白 - 11일 一白 +) **庚子 (六白)** 절기: 大雪 (6일 06:31) 冬至 (21일 23:22)

양력		1	2	3	4	5	6	7	8	9	10	11	12	13	14	15	16	17	18	19	20	21	22	23	24	25	26	27	28	29	30	
요일		月	火	水	木	金	土	日	月	火	水	木	金	土	日	月	火	水	木	金	土	日	月	火	水	木	金	土	日	月	火	
음력	월	12	13	14	15	16	17	18	19	20	21	22	23	24	25	26	27	28	29	五	2	3	4	5	6	7	8	9	10	11	12	
일진		庚申	辛酉	壬戌	癸亥	戊子	己丑	甲寅	乙卯	丙辰	丁巳	庚午	辛未	壬申	癸酉	戊戌	己亥	甲子	乙丑	丙寅	丁卯	庚辰	辛巳	壬午	癸未	戊申	己酉	甲戌	乙亥	丙子	丁丑	
대운	男	2	1	1	1	1	大	10	10	9	9	9	8	8	8	7	7	7	6	6	6	5	5	5	4	4	4	3	3	3	2	
	女	9	9	9	10	10	雪	1	1	1	1	2	2	2	3	3	3	4	4	4	5	5	5	6	6	6	7	7	7	8	8	

7月 (1일 三碧 +) **辛丑 (七赤)** 절기: 小寒(7일 16:58) 大寒(23일 10:18)

양력		1	2	3	4	5	6	7	8	9	10	11	12	13	14	15	16	17	18	19	20	21	22	23	24	25	26	27	28	29	30	31
요일		水	木	金	土	日	月	火	水	木	金	土	日	月	火	水	木	金	土	日	月	火	水	木	金	土	日	月	火	水	木	金
음력	월	13	14	15	16	17	18	19	20	21	22	23	24	25	26	27	28	29	30	六	2	3	4	5	6	7	8	9	10	11	12	13
일진		庚寅	辛卯	壬辰	癸巳	戊午	己未	甲申	乙酉	丙戌	丁亥	庚子	辛丑	壬寅	癸卯	戊辰	己巳	甲午	乙未	丙申	丁酉	庚戌	辛亥	壬子	癸丑	戊寅	己卯	甲辰	乙巳	丙午	丁未	庚申
대운	男	2	2	1	1	1	1	小	10	10	10	9	9	9	8	8	8	7	7	7	6	6	6	5	5	5	4	4	4	3	3	3
	女	8	9	9	9	10	10	寒	1	1	1	1	2	2	2	3	3	3	4	4	4	5	5	5	6	6	6	7	7	7	8	8

8月 (1일 七赤 +) **壬寅 (八白)** 절기: 立春(8일 02:43) 雨水(23일 17:11)

양력		1	2	3	4	5	6	7	8	9	10	11	12	13	14	15	16	17	18	19	20	21	22	23	24	25	26	27	28	29	30	31
요일		土	日	月	火	水	木	金	土	日	月	火	水	木	金	土	日	月	火	水	木	金	土	日	月	火	水	木	金	土	日	月
음력	월	14	15	16	17	18	19	20	21	22	23	24	25	26	27	28	29	七	2	3	4	5	6	7	8	9	10	11	12	13	14	15
일진		辛酉	壬戌	癸亥	戊子	己丑	甲寅	乙卯	丙辰	丁巳	庚午	辛未	壬申	癸酉	戊戌	己亥	甲子	乙丑	丙寅	丁卯	庚辰	辛巳	壬午	癸未	戊申	己酉	甲戌	乙亥	丙子	丁丑	庚寅	辛卯
대운	男	2	2	2	1	1	1	1	立	10	10	9	9	9	8	8	8	7	7	7	6	6	6	5	5	5	4	4	4	3	3	3
	女	8	9	9	9	10	10	10	春	1	1	1	1	2	2	2	3	3	3	4	4	4	5	5	5	6	6	6	7	7	7	8

9月 (1일 二黑 +) **癸卯 (九紫)** 절기: 驚蟄(8일 05:21) 春分 (23일 14:26)

양력		1	2	3	4	5	6	7	8	9	10	11	12	13	14	15	16	17	18	19	20	21	22	23	24	25	26	27	28	29	30	
요일		火	水	木	金	土	日	月	火	水	木	金	土	日	月	火	水	木	金	土	日	月	火	水	木	金	土	日	月	火	水	
음력	월	16	17	18	19	20	21	22	23	24	25	26	27	28	29	30	八	2	3	4	5	6	7	8	9	10	11	12	13	14	15	
일진		壬辰	癸巳	戊午	己未	甲申	乙酉	丙戌	丁亥	庚子	辛丑	壬寅	癸卯	戊辰	己巳	甲午	乙未	丙申	丁酉	庚戌	辛亥	壬子	癸丑	戊寅	己卯	甲辰	乙巳	丙午	丁未	庚申	辛酉	
대운	男	2	2	2	1	1	1	1	驚	10	9	9	9	8	8	8	7	7	7	6	6	6	5	5	5	4	4	4	3	3	3	
	女	8	8	9	9	9	10	10	蟄	1	1	1	1	2	2	2	3	3	3	4	4	4	5	5	5	6	6	6	7	7	7	

10月 (1일 五黃 +) **戊辰 (一白)** 절기: 淸明(8일 20:32) 穀雨(23일 23:18)

양력		1	2	3	4	5	6	7	8	9	10	11	12	13	14	15	16	17	18	19	20	21	22	23	24	25	26	27	28	29	30	31
요일		木	金	土	日	月	火	水	木	金	土	日	月	火	水	木	金	土	日	月	火	水	木	金	土	日	月	火	水	木	金	土
음력	월	16	17	18	19	20	21	22	23	24	25	26	27	28	29	九	2	3	4	5	6	7	8	9	10	11	12	13	14	15	16	17
일진		壬戌	癸亥	戊子	己丑	甲寅	乙卯	丙辰	丁巳	庚午	辛未	壬申	癸酉	戊戌	己亥	甲子	乙丑	丙寅	丁卯	庚辰	辛巳	壬午	癸未	戊申	己酉	甲戌	乙亥	丙子	丁丑	庚寅	辛卯	壬辰
대운	男	2	2	2	1	1	1	1	淸	10	9	9	9	8	8	8	7	7	7	6	6	6	5	5	5	4	4	4	3	3	3	2
	女	8	8	8	9	9	9	10	明	1	1	1	1	2	2	2	3	3	3	4	4	4	5	5	5	6	6	6	7	7	7	8

11月 (1일 九紫 +) **己巳 (二黑)** 절기: 立夏(7일 23:15) 小滿 (22일 20:25)

양력		1	2	3	4	5	6	7	8	9	10	11	12	13	14	15	16	17	18	19	20	21	22	23	24	25	26	27	28	29	30	
요일		日	月	火	水	木	金	土	日	月	火	水	木	金	土	日	月	火	水	木	金	土	日	月	火	水	木	金	土	日	月	
음력	월	18	19	20	21	22	23	24	25	26	27	28	29	30	十	2	3	4	5	6	7	8	9	10	11	12	13	14	15	16	17	
일진		癸巳	戊午	己未	甲申	乙酉	丙戌	丁亥	庚子	辛丑	壬寅	癸卯	戊辰	己巳	甲午	乙未	丙申	丁酉	庚戌	辛亥	壬子	癸丑	戊寅	己卯	甲辰	乙巳	丙午	丁未	庚申	辛酉	壬戌	
대운	男	2	2	1	1	1	1	立	10	9	9	9	8	8	8	7	7	7	6	6	6	5	5	5	4	4	4	3	3	3	2	
	女	8	8	9	9	9	10	夏	1	1	1	1	2	2	2	3	3	3	4	4	4	5	5	5	6	6	6	7	7	7	8	

12月 (1일 三碧 + 8일 九紫 -) **甲午 (三碧)** 절기: 芒種(7일 15:42) 夏至(22일 09:27)

양력		1	2	3	4	5	6	7	8	9	10	11	12	13	14	15	16	17	18	19	20	21	22	23	24	25	26	27	28	29	30	31
요일		火	水	木	金	土	日	月	火	水	木	金	土	日	月	火	水	木	金	土	日	月	火	水	木	金	土	日	月	火	水	木
음력	월	18	19	20	21	22	23	24	25	26	27	28	29	30	十一	2	3	4	5	6	7	8	9	10	11	12	13	14	15	16	17	18
일진		癸亥	戊子	己丑	甲寅	乙卯	丙辰	丁巳	庚午	辛未	壬申	癸酉	戊戌	己亥	甲子	乙丑	丙寅	丁卯	庚辰	辛巳	壬午	癸未	戊申	己酉	甲戌	乙亥	丙子	丁丑	庚寅	辛卯	壬辰	癸巳
대운	男	2	2	1	1	1	1	芒	10	9	9	9	8	8	8	7	7	7	6	6	6	5	5	5	4	4	4	3	3	3	2	2
	女	8	8	9	9	9	10	種	1	1	1	1	2	2	2	3	3	3	4	4	4	5	5	5	6	6	6	7	7	7	8	8

서기1937년

癸未年 (一白水星)

1月 (1일 三碧 -) 乙未 (四綠) 절기: 小暑 (6일 02:44) 大暑 (20일 20:01)

양력		1	2	3	4	5	6	7	8	9	10	11	12	13	14	15	16	17	18	19	20	21	22	23	24	25	26	27	28	29	30	31
요일		金	土	日	月	火	水	木	金	土	日	月	火	水	木	金	土	日	月	火	水	木	金	土	日	月	火	水	木	金	土	日
음력	월	19	20	21	22	23	24	25	26	27	28	29	30	十二	2	3	4	5	6	7	8	9	10	11	12	13	14	15	16	17	18	19
일진		戊午	己未	甲申	乙酉	丙戌	丁亥	庚子	辛丑	壬寅	癸卯	戊辰	己巳	甲午	乙未	丙申	丁酉	庚戌	辛亥	壬子	癸丑	戊寅	己卯	甲辰	乙巳	丙午	丁未	庚申	辛酉	壬戌	癸亥	戊子
대운	男	2	1	1	1	1	小	9	9	9	8	8	8	7	7	7	6	6	6	5	5	5	4	4	4	3	3	3	2	2	2	1
	女	8	9	9	9	10	暑	1	1	1	1	2	2	2	3	3	3	4	4	4	5	5	5	6	6	6	7	7	7	8	8	8

2月 (1일 八白 -) 丙申 (五黃) 절기: 立秋 (4일 14:26) 處暑 (19일 10:21)

양력		1	2	3	4	5	6	7	8	9	10	11	12	13	14	15	16	17	18	19	20	21	22	23	24	25	26	27	28			
요일		月	火	水	木	金	土	日	月	火	水	木	金	土	日	月	火	水	木	金	土	日	月	火	水	木	金	土	日			
음력	월	20	21	22	23	24	25	26	27	28	29	一	2	3	4	5	6	7	8	9	10	11	12	13	14	15	16	17	18			
일진		己丑	甲寅	乙卯	丙辰	丁巳	庚午	辛未	壬申	癸酉	戊戌	己亥	甲子	乙丑	丙寅	丁卯	庚辰	辛巳	壬午	癸未	戊申	己酉	甲戌	乙亥	丙子	丁丑	庚寅	辛卯	壬辰			
대운	男	1	1	1	立	1	1	1	1	2	2	2	3	3	3	4	4	4	5	5	5	6	6	6	7	7	7	8	8			
	女	9	9	9	秋	10	9	9	9	8	8	8	7	7	7	6	6	6	5	5	5	4	4	4	3	3	3	2	2			

3月 (1일 七赤 -) 丁酉 (六白) 절기: 白露 (6일 08:44) 秋分 (21일 09:45)

양력		1	2	3	4	5	6	7	8	9	10	11	12	13	14	15	16	17	18	19	20	21	22	23	24	25	26	27	28	29	30	31
요일		月	火	水	木	金	土	日	月	火	水	木	金	土	日	月	火	水	木	金	土	日	月	火	水	木	金	土	日	月	火	水
음력	월	19	20	21	22	23	24	25	26	27	28	29	30	二	2	3	4	5	6	7	8	9	10	11	12	13	14	15	16	17	18	19
일진		癸巳	戊午	己未	甲申	乙酉	丙戌	丁亥	庚子	辛丑	壬寅	癸卯	戊辰	己巳	甲午	乙未	丙申	丁酉	庚戌	辛亥	壬子	癸丑	戊寅	己卯	甲辰	乙巳	丙午	丁未	庚申	辛酉	壬戌	癸亥
대운	男	8	9	9	9	10	白	1	1	1	1	2	2	2	3	3	3	4	4	4	5	5	5	6	6	6	7	7	7	8	8	8
	女	2	1	1	1	1	露	10	9	9	9	8	8	8	7	7	7	6	6	6	5	5	5	4	4	4	3	3	3	2	2	2

4月 (1일 三碧 -) 庚戌 (七赤) 절기: 寒露 (5일 14:01) 霜降 (20일 21:19)

양력		1	2	3	4	5	6	7	8	9	10	11	12	13	14	15	16	17	18	19	20	21	22	23	24	25	26	27	28	29	30	
요일		木	金	土	日	月	火	水	木	金	土	日	月	火	水	木	金	土	日	月	火	水	木	金	土	日	月	火	水	木	金	
음력	월	20	21	22	23	24	25	26	27	28	29	三	2	3	4	5	6	7	8	9	10	11	12	13	14	15	16	17	18	19	20	
일진		戊子	己丑	甲寅	乙卯	丙辰	丁巳	庚午	辛未	壬申	癸酉	戊戌	己亥	甲子	乙丑	丙寅	丁卯	庚辰	辛巳	壬午	癸未	戊申	己酉	甲戌	乙亥	丙子	丁丑	庚寅	辛卯	壬辰	癸巳	
대운	男	9	9	9	10	寒	1	1	1	1	2	2	2	3	3	3	4	4	4	5	5	5	6	6	6	7	7	7	8	8	8	
	女	1	1	1	1	露	10	10	9	9	9	8	8	8	7	7	7	6	6	6	5	5	5	4	4	4	3	3	3	2	2	

5月 (1일 九紫 -) 辛亥 (八白) 절기: 立冬 (6일 07:51) 小雪 (21일 20:57)

양력		1	2	3	4	5	6	7	8	9	10	11	12	13	14	15	16	17	18	19	20	21	22	23	24	25	26	27	28	29	30	31
요일		土	日	月	火	水	木	金	土	日	月	火	水	木	金	土	日	月	火	水	木	金	土	日	月	火	水	木	金	土	日	月
음력	월	21	22	23	24	25	26	27	28	29	四	2	3	4	5	6	7	8	9	10	11	12	13	14	15	16	17	18	19	20	21	22
일진		戊午	己未	甲申	乙酉	丙戌	丁亥	庚子	辛丑	壬寅	癸卯	戊辰	己巳	甲午	乙未	丙申	丁酉	庚戌	辛亥	壬子	癸丑	戊寅	己卯	甲辰	乙巳	丙午	丁未	庚申	辛酉	壬戌	癸亥	戊子
대운	男	9	9	9	10	10	立	1	1	1	1	2	2	2	3	3	3	4	4	4	5	5	5	6	6	6	7	7	7	8	8	8
	女	2	1	1	1	1	冬	10	10	9	9	9	8	8	8	7	7	7	6	6	6	5	5	5	4	4	4	3	3	3	2	2

6月 (1일 五黃 - 6일 一白 +) 壬子 (九紫) 절기: 大雪 (6일 12:23) 冬至 (22일 05:12)

양력		1	2	3	4	5	6	7	8	9	10	11	12	13	14	15	16	17	18	19	20	21	22	23	24	25	26	27	28	29	30	
요일		火	水	木	金	土	日	月	火	水	木	金	土	日	月	火	水	木	金	土	日	月	火	水	木	金	土	日	月	火	水	
음력	월	23	24	25	26	27	28	29	30	五	2	3	4	5	6	7	8	9	10	11	12	13	14	15	16	17	18	19	20	21	22	
일진		己丑	甲寅	乙卯	丙辰	丁巳	庚午	辛未	壬申	癸酉	戊戌	己亥	甲子	乙丑	丙寅	丁卯	庚辰	辛巳	壬午	癸未	戊申	己酉	甲戌	乙亥	丙子	丁丑	庚寅	辛卯	壬辰	癸巳	戊午	
대운	男	9	9	9	10	10	大	1	1	1	1	2	2	2	3	3	3	4	4	4	5	5	5	6	6	6	7	7	7	8	8	
	女	2	1	1	1	1	雪	10	10	9	9	9	8	8	8	7	7	7	6	6	6	5	5	5	4	4	4	3	3	3	2	

7月 (1일 八白 +) **癸丑 (一白)** 절기: 小寒(7일 22:46) 大寒(23일 16:07)

양력	1	2	3	4	5	6	7	8	9	10	11	12	13	14	15	16	17	18	19	20	21	22	23	24	25	26	27	28	29	30	31
요일	木	金	土	日	月	火	水	木	金	土	日	月	火	水	木	金	土	日	月	火	水	木	金	土	日	月	火	水	木	金	土
음력 월	23	24	25	26	27	28	29	六	2	3	4	5	6	7	8	9	10	11	12	13	14	15	16	17	18	19	20	21	22	23	24
일진	己未	甲申	乙酉	丙戌	丁亥	庚子	辛丑	壬寅	癸卯	戊辰	己巳	甲午	乙未	丙申	丁酉	庚戌	辛亥	壬子	癸丑	戊寅	己卯	甲辰	乙巳	丙午	丁未	庚申	辛酉	壬戌	癸亥	戊子	己丑
대운 男	8	9	9	9	10	10	小	1	1	1	1	2	2	2	3	3	3	4	4	4	5	5	5	6	6	6	7	7	7	8	8
대운 女	2	2	1	1	1	1	寒	10	10	10	9	9	9	8	8	8	7	7	7	6	6	6	5	5	5	4	4	4	3	3	3

8月 (1일 三碧 +) **戊寅 (二黑)** 절기: 立春(8일 08:25) 雨水(23일 22:58)

양력	1	2	3	4	5	6	7	8	9	10	11	12	13	14	15	16	17	18	19	20	21	22	23	24	25	26	27	28	29	30	31
요일	日	月	火	水	木	金	土	日	月	火	水	木	金	土	日	月	火	水	木	金	土	日	月	火	水	木	金	土	日	月	火
음력 월	25	26	27	28	29	七	2	3	4	5	6	7	8	9	10	11	12	13	14	15	16	17	18	19	20	21	22	23	24	25	26
일진	甲寅	乙卯	丙辰	丁巳	庚午	辛未	壬申	癸酉	戊戌	己亥	甲子	乙丑	丙寅	丁卯	庚辰	辛巳	壬午	癸未	戊申	己酉	甲戌	乙亥	丙子	丁丑	庚寅	辛卯	壬辰	癸巳	戊午	己未	甲申
대운 男	8	9	9	9	10	10	10	立	1	1	1	1	2	2	2	3	3	3	4	4	4	5	5	5	6	6	6	7	7	7	8
대운 女	2	2	2	1	1	1	1	春	10	10	9	9	9	8	8	8	7	7	7	6	6	6	5	5	5	4	4	4	3	3	3

9月 (1일 七赤 +) **己卯 (三碧)** 절기: 驚蟄(8일 10:59) 春分 (23일 20:13)

양력	1	2	3	4	5	6	7	8	9	10	11	12	13	14	15	16	17	18	19	20	21	22	23	24	25	26	27	28	29	30	
요일	水	木	金	土	日	月	火	水	木	金	土	日	月	火	水	木	金	土	日	月	火	水	木	金	土	日	月	火	水	木	
음력 월	27	28	29	30	八	2	3	4	5	6	7	8	9	10	11	12	13	14	15	16	17	18	19	20	21	22	23	24	25	26	
일진	乙酉	丙戌	丁亥	庚子	辛丑	壬寅	癸卯	戊辰	己巳	甲午	乙未	丙申	丁酉	庚戌	辛亥	壬子	癸丑	戊寅	己卯	甲辰	乙巳	丙午	丁未	庚申	辛酉	壬戌	癸亥	戊子	己丑	甲寅	
대운 男	8	8	9	9	9	10	10	驚	1	1	1	1	2	2	2	3	3	3	4	4	4	5	5	5	6	6	6	7	7	7	
대운 女	2	2	2	1	1	1	1	蟄	10	10	9	9	9	8	8	8	7	7	7	6	6	6	5	5	5	4	4	4	3	3	

10月 (1일 一白 +) **甲辰 (四綠)** 절기: 清明(9일 02:11) 穀雨(24일 05:07)

양력	1	2	3	4	5	6	7	8	9	10	11	12	13	14	15	16	17	18	19	20	21	22	23	24	25	26	27	28	29	30	31
요일	金	土	日	月	火	水	木	金	土	日	月	火	水	木	金	土	日	月	火	水	木	金	土	日	月	火	水	木	金	土	日
음력 월	27	28	29	九	2	3	4	5	6	7	8	9	10	11	12	13	14	15	16	17	18	19	20	21	22	23	24	25	26	27	28
일진	乙卯	丙辰	丁巳	庚午	辛未	壬申	癸酉	戊戌	己亥	甲子	乙丑	丙寅	丁卯	庚辰	辛巳	壬午	癸未	戊申	己酉	甲戌	乙亥	丙子	丁丑	庚寅	辛卯	壬辰	癸巳	戊午	己未	甲申	乙酉
대운 男	8	8	8	9	9	9	10	10	清	1	1	1	1	2	2	2	3	3	3	4	4	4	5	5	5	6	6	6	7	7	7
대운 女	3	2	2	2	1	1	1	1	明	10	9	9	9	8	8	8	7	7	7	6	6	6	5	5	5	4	4	4	3	3	3

11月 (1일 五黃 +) **乙巳 (五黃)** 절기: 立夏(8일 04:55) 小滿 (23일 02:17)

양력	1	2	3	4	5	6	7	8	9	10	11	12	13	14	15	16	17	18	19	20	21	22	23	24	25	26	27	28	29	30	
요일	月	火	水	木	金	土	日	月	火	水	木	金	土	日	月	火	水	木	金	土	日	月	火	水	木	金	土	日	月	火	
음력 월	29	30	十	2	3	4	5	6	7	8	9	10	11	12	13	14	15	16	17	18	19	20	21	22	23	24	25	26	27	28	
일진	丙戌	丁亥	庚子	辛丑	壬寅	癸卯	戊辰	己巳	甲午	乙未	丙申	丁酉	庚戌	辛亥	壬子	癸丑	戊寅	己卯	甲辰	乙巳	丙午	丁未	庚申	辛酉	壬戌	癸亥	戊子	己丑	甲寅	乙卯	
대운 男	8	8	8	9	9	9	10	立	1	1	1	1	2	2	2	3	3	3	4	4	4	5	5	5	6	6	6	7	7	7	
대운 女	2	2	2	1	1	1	1	夏	9	9	9	8	8	8	7	7	7	6	6	6	5	5	5	4	4	4	3	3	3	2	

12月 (1일 八白 + 3일 九紫 -) **丙午 (六白)** 절기: 芒種(7일 21:26) 夏至(22일 15:22)

양력	1	2	3	4	5	6	7	8	9	10	11	12	13	14	15	16	17	18	19	20	21	22	23	24	25	26	27	28	29	30	31
요일	水	木	金	土	日	月	火	水	木	金	土	日	月	火	水	木	金	土	日	月	火	水	木	金	土	日	月	火	水	木	金
음력 월	29	30	十一	2	3	4	5	6	7	8	9	10	11	12	13	14	15	16	17	18	19	20	21	22	23	24	25	26	27	28	29
일진	丙辰	丁巳	庚午	辛未	壬申	癸酉	戊戌	己亥	甲子	乙丑	丙寅	丁卯	庚辰	辛巳	壬午	癸未	戊申	己酉	甲戌	乙亥	丙子	丁丑	庚寅	辛卯	壬辰	癸巳	戊午	己未	甲申	乙酉	丙戌
대운 男	8	8	8	9	9	9	芒	1	1	1	1	2	2	2	3	3	3	4	4	4	5	5	5	6	6	6	7	7	7	8	8
대운 女	2	2	1	1	1	1	種	10	9	9	9	8	8	8	7	7	7	6	6	6	5	5	5	4	4	4	3	3	3	2	2

戊申年 (二黑土星) 閏七月

1月 (1일 七赤 -) 丁未 (七赤) 절기: 小暑 (6일 08:31) 大暑 (21일 01:59)

양력		1	2	3	4	5	6	7	8	9	10	11	12	13	14	15	16	17	18	19	20	21	22	23	24	25	26	27	28	29	30	31
요일		土	日	月	火	水	木	金	土	日	月	火	水	木	金	土	日	月	火	水	木	金	土	日	月	火	水	木	金	土	日	月
음력	월	30	十二	2	3	4	5	6	7	8	9	10	11	12	13	14	15	16	17	18	19	20	21	22	23	24	25	26	27	28	29	一
일진		丁亥	庚子	辛丑	壬寅	癸卯	戊辰	己巳	甲午	乙未	丙申	丁酉	庚戌	辛亥	壬子	癸丑	戊寅	己卯	甲辰	乙巳	丙午	丁未	庚申	辛酉	壬戌	癸亥	戊子	己丑	甲寅	乙卯	丙辰	丁巳
대운	男	8	9	9	9	10	小	1	1	1	1	2	2	2	3	3	3	4	4	4	5	5	5	6	6	6	7	7	7	8	8	8
	女	2	1	1	1	1	暑	9	9	9	8	8	8	7	7	7	6	6	6	5	5	5	4	4	4	3	3	3	2	2	2	1

2月 (1일 三碧 -) 庚申 (八白) 절기: 立秋 (4일 20:15) 處暑 (19일 16:20)

양력		1	2	3	4	5	6	7	8	9	10	11	12	13	14	15	16	17	18	19	20	21	22	23	24	25	26	27	28			
요일		火	水	木	金	土	日	月	火	水	木	金	土	日	月	火	水	木	金	土	日	月	火	水	木	金	土	日	月			
음력	월	2	3	4	5	6	7	8	9	10	11	12	13	14	15	16	17	18	19	20	21	22	23	24	25	26	27	28	29			
일진		庚午	辛未	壬申	癸酉	戊戌	己亥	甲子	乙丑	丙寅	丁卯	庚辰	辛巳	壬午	癸未	戊申	己酉	甲戌	乙亥	丙子	丁丑	庚寅	辛卯	壬辰	癸巳	戊午	己未	甲申	乙酉			
대운	男	9	9	9	立	10	9	9	9	8	8	8	7	7	7	6	6	6	5	5	5	4	4	4	3	3	3	2	2			
	女	1	1	1	秋	1	1	1	1	2	2	2	3	3	3	4	4	4	5	5	5	6	6	6	7	7	7	8	8			

3月 (1일 二黑 -) 辛酉 (九紫) 절기: 白露 (6일 14:34) 秋分 (21일 15:43)

양력		1	2	3	4	5	6	7	8	9	10	11	12	13	14	15	16	17	18	19	20	21	22	23	24	25	26	27	28	29	30	31
요일		火	水	木	金	土	日	月	火	水	木	金	土	日	月	火	水	木	金	土	日	月	火	水	木	金	土	日	月	火	水	木
음력	월	30	二	2	3	4	5	6	7	8	9	10	11	12	13	14	15	16	17	18	19	20	21	22	23	24	25	26	27	28	29	30
일진		丙戌	丁亥	庚子	辛丑	壬寅	癸卯	戊辰	己巳	甲午	乙未	丙申	丁酉	庚戌	辛亥	壬子	癸丑	戊寅	己卯	甲辰	乙巳	丙午	丁未	庚申	辛酉	壬戌	癸亥	戊子	己丑	甲寅	乙卯	丙辰
대운	男	2	1	1	1	1	白	10	9	9	9	8	8	8	7	7	7	6	6	6	5	5	5	4	4	4	3	3	3	2	2	2
	女	8	9	9	9	10	露	1	1	1	1	2	2	2	3	3	3	4	4	4	5	5	5	6	6	6	7	7	7	8	8	8

4月 (1일 七赤 -) 壬戌 (一白) 절기: 寒露 (5일 19:49) 霜降 (21일 03:15)

양력		1	2	3	4	5	6	7	8	9	10	11	12	13	14	15	16	17	18	19	20	21	22	23	24	25	26	27	28	29	30	
요일		金	土	日	月	火	水	木	金	土	日	月	火	水	木	金	土	日	月	火	水	木	金	土	日	月	火	水	木	金	土	
음력	월	三	2	3	4	5	6	7	8	9	10	11	12	13	14	15	16	17	18	19	20	21	22	23	24	25	26	27	28	29	四	
일진		丁巳	庚午	辛未	壬申	癸酉	戊戌	己亥	甲子	乙丑	丙寅	丁卯	庚辰	辛巳	壬午	癸未	戊申	己酉	甲戌	乙亥	丙子	丁丑	庚寅	辛卯	壬辰	癸巳	戊午	己未	甲申	乙酉	丙戌	
대운	男	1	1	1	1	寒	10	10	9	9	9	8	8	8	7	7	7	6	6	6	5	5	5	4	4	4	3	3	3	2	2	
	女	9	9	9	10	露	1	1	1	1	2	2	2	3	3	3	4	4	4	5	5	5	6	6	6	7	7	7	8	8	8	

5月 (1일 四綠 -) 癸亥 (二黑) 절기: 立冬 (6일 13:35) 小雪 (22일 02:50)

양력		1	2	3	4	5	6	7	8	9	10	11	12	13	14	15	16	17	18	19	20	21	22	23	24	25	26	27	28	29	30	31
요일		日	月	火	水	木	金	土	日	月	火	水	木	金	土	日	月	火	水	木	金	土	日	月	火	水	木	金	土	日	月	火
음력	월	2	3	4	5	6	7	8	9	10	11	12	13	14	15	16	17	18	19	20	21	22	23	24	25	26	27	28	29	五	2	3
일진		丁亥	庚子	辛丑	壬寅	癸卯	戊辰	己巳	甲午	乙未	丙申	丁酉	庚戌	辛亥	壬子	癸丑	戊寅	己卯	甲辰	乙巳	丙午	丁未	庚申	辛酉	壬戌	癸亥	戊子	己丑	甲寅	乙卯	丙辰	丁巳
대운	男	2	1	1	1	1	立	10	10	9	9	9	8	8	8	7	7	7	6	6	6	5	5	5	4	4	4	3	3	3	2	2
	女	9	9	9	10	10	冬	1	1	1	1	2	2	2	3	3	3	4	4	4	5	5	5	6	6	6	7	7	7	8	8	8

6月 (1일 一白 +) 戊子 (三碧) 절기: 大雪 (6일 18:07) 冬至 (22일 11:04)

양력		1	2	3	4	5	6	7	8	9	10	11	12	13	14	15	16	17	18	19	20	21	22	23	24	25	26	27	28	29	30	
요일		水	木	金	土	日	月	火	水	木	金	土	日	月	火	水	木	金	土	日	月	火	水	木	金	土	日	月	火	水	木	
음력	월	4	5	6	7	8	9	10	11	12	13	14	15	16	17	18	19	20	21	22	23	24	25	26	27	28	29	30	六	2	3	
일진		庚午	辛未	壬申	癸酉	戊戌	己亥	甲子	乙丑	丙寅	丁卯	庚辰	辛巳	壬午	癸未	戊申	己酉	甲戌	乙亥	丙子	丁丑	庚寅	辛卯	壬辰	癸巳	戊午	己未	甲申	乙酉	丙戌	丁亥	
대운	男	2	1	1	1	1	大	10	10	10	9	9	9	8	8	8	7	7	7	6	6	6	5	5	5	4	4	4	3	3	3	
	女	9	9	9	10	10	雪	1	1	1	1	2	2	2	3	3	3	4	4	4	5	5	5	6	6	6	7	7	7	8	8	

7月 (1일 四綠 +) **己丑 (四綠)** 절기: 小寒(8일 04:31) 大寒(23일 21:57)

양력		1	2	3	4	5	6	7	8	9	10	11	12	13	14	15	16	17	18	19	20	21	22	23	24	25	26	27	28	29	30	31
요일		金	土	日	月	火	水	木	金	土	日	月	火	水	木	金	土	日	月	火	水	木	金	土	日	月	火	水	木	金	土	日
음력	월	4	5	6	7	8	9	10	11	12	13	14	15	16	17	18	19	20	21	22	23	24	25	26	27	28	29	七	2	3	4	5
일진		庚子	辛丑	壬寅	癸卯	戊辰	己巳	甲午	乙未	丙申	丁酉	庚戌	辛亥	壬子	癸丑	戊寅	己卯	甲辰	乙巳	丙午	丁未	庚申	辛酉	壬戌	癸亥	戊子	己丑	甲寅	乙卯	丙辰	丁巳	庚午
대운	男	2	2	2	1	1	1	1	小	10	10	9	9	9	8	8	8	7	7	7	6	6	6	5	5	5	4	4	4	3	3	3
	女	8	9	9	9	10	10	10	寒	1	1	1	1	2	2	2	3	3	3	4	4	4	5	5	5	6	6	6	7	7	7	8

8月 (1일 八白 +) **甲寅 (五黃)** 절기: 立春(8일 14:13) 雨水(24일 04:46)

양력		1	2	3	4	5	6	7	8	9	10	11	12	13	14	15	16	17	18	19	20	21	22	23	24	25	26	27	28	29	30	31
요일		月	火	水	木	金	土	日	月	火	水	木	金	土	日	月	火	水	木	金	土	日	月	火	水	木	金	土	日	月	火	水
음력	월	6	7	8	9	10	11	12	13	14	15	16	17	18	19	20	21	22	23	24	25	26	27	28	29	閏七		3	4	5	6	7
일진		辛未	壬申	癸酉	戊戌	己亥	甲子	乙丑	丙寅	丁卯	庚辰	辛巳	壬午	癸未	戊申	己酉	甲戌	乙亥	丙子	丁丑	庚寅	辛卯	壬辰	癸巳	戊午	己未	甲申	乙酉	丙戌	丁亥	庚子	辛丑
대운	男	2	2	2	1	1	1	1	立	10	10	9	9	9	8	8	8	7	7	7	6	6	6	5	5	5	4	4	4	3	3	3
	女	8	8	9	9	9	10	10	春	1	1	1	1	2	2	2	3	3	3	4	4	4	5	5	5	6	6	6	7	7	7	8

9月 (1일 三碧 +) **乙卯 (六白)** 절기: 驚蟄(8일 16:48) 春分 (24일 02:00)

양력		1	2	3	4	5	6	7	8	9	10	11	12	13	14	15	16	17	18	19	20	21	22	23	24	25	26	27	28	29	30	
요일		木	金	土	日	月	火	水	木	金	土	日	月	火	水	木	金	土	日	月	火	水	木	金	土	日	月	火	水	木	金	
음력	월	8	9	10	11	12	13	14	15	16	17	18	19	20	21	22	23	24	25	26	27	28	29	30	八	2	3	4	5	6	7	
일진		壬寅	癸卯	戊辰	己巳	甲午	乙未	丙申	丁酉	庚戌	辛亥	壬子	癸丑	戊寅	己卯	甲辰	乙巳	丙午	丁未	庚申	辛酉	壬戌	癸亥	戊子	己丑	甲寅	乙卯	丙辰	丁巳	庚午	辛未	
대운	男	2	2	2	1	1	1	1	驚	10	10	9	9	9	8	8	8	7	7	7	6	6	6	5	5	5	4	4	4	3	3	
	女	8	8	9	9	9	10	10	蟄	1	1	1	1	2	2	2	3	3	3	4	4	4	5	5	5	6	6	6	7	7	7	

10月 (1일 六白 +) **丙辰 (七赤)** 절기: 清明(9일 08:01) 穀雨(24일 10:54)

양력		1	2	3	4	5	6	7	8	9	10	11	12	13	14	15	16	17	18	19	20	21	22	23	24	25	26	27	28	29	30	31
요일		土	日	月	火	水	木	金	土	日	月	火	水	木	金	土	日	月	火	水	木	金	土	日	月	火	水	木	金	土	日	月
음력	월	8	9	10	11	12	13	14	15	16	17	18	19	20	21	22	23	24	25	26	27	28	29	九	2	3	4	5	6	7	8	9
일진		壬申	癸酉	戊戌	己亥	甲子	乙丑	丙寅	丁卯	庚辰	辛巳	壬午	癸未	戊申	己酉	甲戌	乙亥	丙子	丁丑	庚寅	辛卯	壬辰	癸巳	戊午	己未	甲申	乙酉	丙戌	丁亥	庚子	辛丑	壬寅
대운	男	3	2	2	2	1	1	1	1	清	10	9	9	9	8	8	8	7	7	7	6	6	6	5	5	5	4	4	4	3	3	3
	女	8	8	8	9	9	9	10	10	明	1	1	1	1	2	2	2	3	3	3	4	4	4	5	5	5	6	6	6	7	7	7

11月 (1일 一白 + 28일 九紫 -) **丁巳 (八白)** 절기: 立夏(8일 10:48) 小滿 (23일 08:06)

양력		1	2	3	4	5	6	7	8	9	10	11	12	13	14	15	16	17	18	19	20	21	22	23	24	25	26	27	28	29	30	
요일		火	水	木	金	土	日	月	火	水	木	金	土	日	月	火	水	木	金	土	日	月	火	水	木	金	土	日	月	火	水	
음력	월	10	11	12	13	14	15	16	17	18	19	20	21	22	23	24	25	26	27	28	29	30	十	2	3	4	5	6	7	8	9	
일진		癸卯	戊辰	己巳	甲午	乙未	丙申	丁酉	庚戌	辛亥	壬子	癸丑	戊寅	己卯	甲辰	乙巳	丙午	丁未	庚申	辛酉	壬戌	癸亥	戊子	己丑	甲寅	乙卯	丙辰	丁巳	庚午	辛未	壬申	
대운	男	2	2	2	1	1	1	1	立	10	9	9	9	8	8	8	7	7	7	6	6	6	5	5	5	4	4	4	3	3	3	
	女	8	8	8	9	9	9	10	夏	1	1	1	1	2	2	2	3	3	3	4	4	4	5	5	5	6	6	6	7	7	7	

12月 (1일 六白 -) **庚午 (九紫)** 절기: 芒種(8일 03:22) 夏至(22일 21:13)

양력		1	2	3	4	5	6	7	8	9	10	11	12	13	14	15	16	17	18	19	20	21	22	23	24	25	26	27	28	29	30	31
요일		木	金	土	日	月	火	水	木	金	土	日	月	火	水	木	金	土	日	月	火	水	木	金	土	日	月	火	水	木	金	土
음력	월	10	11	12	13	14	15	16	17	18	19	20	21	22	23	24	25	26	27	28	29	30	十一	2	3	4	5	6	7	8	9	10
일진		癸酉	戊戌	己亥	甲子	乙丑	丙寅	丁卯	庚辰	辛巳	壬午	癸未	戊申	己酉	甲戌	乙亥	丙子	丁丑	庚寅	辛卯	壬辰	癸巳	戊午	己未	甲申	乙酉	丙戌	丁亥	庚子	辛丑	壬寅	癸卯
대운	男	2	2	2	1	1	1	1	芒	9	9	9	8	8	8	7	7	7	6	6	6	5	5	5	4	4	4	3	3	3	2	2
	女	8	8	8	9	9	9	10	種	1	1	1	1	2	2	2	3	3	3	4	4	4	5	5	5	6	6	6	7	7	7	8

서기1939년

己酉年 (三碧木星)

1月 (1일 二黑 -) **辛未 (一白)** 절기: 小暑 (6일 14:28) 大暑 (21일 07:51)

양력		1	2	3	4	5	6	7	8	9	10	11	12	13	14	15	16	17	18	19	20	21	22	23	24	25	26	27	28	29	30	31
요일		日	月	火	水	木	金	土	日	月	火	水	木	金	土	日	月	火	水	木	金	土	日	月	火	水	木	金	土	日	月	火
음력	월	11	12	13	14	15	16	17	18	19	20	21	22	23	24	25	26	27	28	29	十二	2	3	4	5	6	7	8	9	10	11	12
일진		戊辰	己巳	甲午	乙未	丙申	丁酉	庚戌	辛亥	壬子	癸丑	戊寅	己卯	甲辰	乙巳	丙午	丁未	庚申	辛酉	壬戌	癸亥	戊子	己丑	甲寅	乙卯	丙辰	丁巳	庚午	辛未	壬申	癸酉	戊戌
대운	男	2	1	1	1	1	小	10	9	9	9	8	8	8	7	7	7	6	6	6	5	5	5	4	4	4	3	3	3	2	2	2
	女	8	8	9	9	9	暑	1	1	1	1	2	2	2	3	3	3	4	4	4	5	5	5	6	6	6	7	7	7	8	8	8

2月 (1일 七赤 -) **壬申 (二黑)** 절기: 立秋 (5일 02:10) 處暑 (19일 22:09)

양력		1	2	3	4	5	6	7	8	9	10	11	12	13	14	15	16	17	18	19	20	21	22	23	24	25	26	27	28			
요일		水	木	金	土	日	月	火	水	木	金	土	日	月	火	水	木	金	土	日	月	火	水	木	金	土	日	月	火			
음력	월	13	14	15	16	17	18	19	20	21	22	23	24	25	26	27	28	29	30	一	2	3	4	5	6	7	8	9	10			
일진		己亥	甲子	乙丑	丙寅	丁卯	庚辰	辛巳	壬午	癸未	戊申	己酉	甲戌	乙亥	丙子	丁丑	庚寅	辛卯	壬辰	癸巳	戊午	己未	甲申	乙酉	丙戌	丁亥	庚子	辛丑	壬寅			
대운	男	1	1	1	1	立	1	1	1	1	2	2	2	3	3	3	4	4	4	5	5	5	6	6	6	7	7	7	8			
	女	9	9	9	10	秋	9	9	9	8	8	8	7	7	7	6	6	6	5	5	5	4	4	4	3	3	3	2	2			

3月 (1일 六白 -) **癸酉 (三碧)** 절기: 白露 (6일 20:26) 秋分 (21일 21:28)

양력		1	2	3	4	5	6	7	8	9	10	11	12	13	14	15	16	17	18	19	20	21	22	23	24	25	26	27	28	29	30	31
요일		水	木	金	土	日	月	火	水	木	金	土	日	月	火	水	木	金	土	日	月	火	水	木	金	土	日	月	火	水	木	金
음력	월	11	12	13	14	15	16	17	18	19	20	21	22	23	24	25	26	27	28	29	30	二	2	3	4	5	6	7	8	9	10	11
일진		癸卯	戊辰	己巳	甲午	乙未	丙申	丁酉	庚戌	辛亥	壬子	癸丑	戊寅	己卯	甲辰	乙巳	丙午	丁未	庚申	辛酉	壬戌	癸亥	戊子	己丑	甲寅	乙卯	丙辰	丁巳	庚午	辛未	壬申	癸酉
대운	男	8	8	9	9	9	白	1	1	1	1	2	2	2	3	3	3	4	4	4	5	5	5	6	6	6	7	7	7	8	8	8
	女	2	1	1	1	1	露	10	10	9	9	9	8	8	8	7	7	7	6	6	6	5	5	5	4	4	4	3	3	3	2	2

4月 (1일 二黑 -) **戊戌 (四綠)** 절기: 寒露 (6일 01:37) 霜降 (21일 08:55)

양력		1	2	3	4	5	6	7	8	9	10	11	12	13	14	15	16	17	18	19	20	21	22	23	24	25	26	27	28	29	30	
요일		土	日	月	火	水	木	金	土	日	月	火	水	木	金	土	日	月	火	水	木	金	土	日	月	火	水	木	金	土	日	
음력	월	12	13	14	15	16	17	18	19	20	21	22	23	24	25	26	27	28	29	30	三	2	3	4	5	6	7	8	9	10	11	
일진		戊戌	己亥	甲子	乙丑	丙寅	丁卯	庚辰	辛巳	壬午	癸未	戊申	己酉	甲戌	乙亥	丙子	丁丑	庚寅	辛卯	壬辰	癸巳	戊午	己未	甲申	乙酉	丙戌	丁亥	庚子	辛丑	壬寅	癸卯	
대운	男	9	9	9	10	10	寒	1	1	1	1	2	2	2	3	3	3	4	4	4	5	5	5	6	6	6	7	7	7	8	8	
	女	2	1	1	1	1	露	10	9	9	9	8	8	8	7	7	7	6	6	6	5	5	5	4	4	4	3	3	3	2	2	

5月 (1일 八白 - 27일 一白 +) **己亥 (五黃)** 절기: 立冬 (6일 19:21) 小雪 (22일 08:27)

양력		1	2	3	4	5	6	7	8	9	10	11	12	13	14	15	16	17	18	19	20	21	22	23	24	25	26	27	28	29	30	31
요일		月	火	水	木	金	土	日	月	火	水	木	金	土	日	月	火	水	木	金	土	日	月	火	水	木	金	土	日	月	火	水
음력	월	12	13	14	15	16	17	18	19	20	21	22	23	24	25	26	27	28	29	四	2	3	4	5	6	7	8	9	10	11	12	13
일진		戊辰	己巳	甲午	乙未	丙申	丁酉	庚戌	辛亥	壬子	癸丑	戊寅	己卯	甲辰	乙巳	丙午	丁未	庚申	辛酉	壬戌	癸亥	戊子	己丑	甲寅	乙卯	丙辰	丁巳	庚午	辛未	壬申	癸酉	戊戌
대운	男	8	9	9	9	10	立	1	1	1	1	2	2	2	3	3	3	4	4	4	5	5	5	6	6	6	7	7	7	8	8	8
	女	2	1	1	1	1	冬	10	10	9	9	9	8	8	8	7	7	7	6	6	6	5	5	5	4	4	4	3	3	3	2	2

6月 (1일 六白 +) **甲子 (六白)** 절기: 大雪 (6일 23:52) 冬至 (22일 16:39)

양력		1	2	3	4	5	6	7	8	9	10	11	12	13	14	15	16	17	18	19	20	21	22	23	24	25	26	27	28	29	30	
요일		木	金	土	日	月	火	水	木	金	土	日	月	火	水	木	金	土	日	月	火	水	木	金	土	日	月	火	水	木	金	
음력	월	14	15	16	17	18	19	20	21	22	23	24	25	26	27	28	29	五	2	3	4	5	6	7	8	9	10	11	12	13	14	
일진		己亥	甲子	乙丑	丙寅	丁卯	庚辰	辛巳	壬午	癸未	戊申	己酉	甲戌	乙亥	丙子	丁丑	庚寅	辛卯	壬辰	癸巳	戊午	己未	甲申	乙酉	丙戌	丁亥	庚子	辛丑	壬寅	癸卯	戊辰	
대운	男	9	9	9	10	10	大	1	1	1	1	2	2	2	3	3	3	4	4	4	5	5	5	6	6	6	7	7	7	8	8	
	女	2	1	1	1	1	雪	10	10	10	9	9	9	8	8	8	7	7	7	6	6	6	5	5	5	4	4	4	3	3	3	

7月 (1일 九紫 +) 乙丑 (七赤) 절기: 小寒(8일 10:18) 大寒(24일 03:37)

양력		1	2	3	4	5	6	7	8	9	10	11	12	13	14	15	16	17	18	19	20	21	22	23	24	25	26	27	28	29	30	31
요일		土	日	月	火	水	木	金	土	日	月	火	水	木	金	土	日	月	火	水	木	金	土	日	月	火	水	木	金	土	日	月
음력	월	15	16	17	18	19	20	21	22	23	24	25	26	27	28	29	30	六	2	3	4	5	6	7	8	9	10	11	12	13	14	15
일진		己巳	甲午	乙未	丙申	丁酉	庚戌	辛亥	壬子	癸丑	戊寅	己卯	甲辰	乙巳	丙午	丁未	庚申	辛酉	壬戌	癸亥	戊子	己丑	甲寅	乙卯	丙辰	丁巳	庚午	辛未	壬申	癸酉	戊戌	己亥
대운	男	8	9	9	9	10	10	10	小	1	1	1	1	2	2	2	3	3	3	4	4	4	5	5	5	6	6	6	7	7	7	8
	女	2	2	2	1	1	1	1	寒	10	10	9	9	9	8	8	8	7	7	7	6	6	6	5	5	5	4	4	4	3	3	3

8月 (1일 四綠 +) 丙寅 (八白) 절기: 立春(8일 20:04) 雨水(24일 10:31)

양력		1	2	3	4	5	6	7	8	9	10	11	12	13	14	15	16	17	18	19	20	21	22	23	24	25	26	27	28	29	30	31
요일		火	水	木	金	土	日	月	火	水	木	金	土	日	月	火	水	木	金	土	日	月	火	水	木	金	土	日	月	火	水	木
음력	월	16	17	18	19	20	21	22	23	24	25	26	27	28	29	七	2	3	4	5	6	7	8	9	10	11	12	13	14	15	16	17
일진		甲子	乙丑	丙寅	丁卯	庚辰	辛巳	壬午	癸未	戊申	己酉	甲戌	乙亥	丙子	丁丑	庚寅	辛卯	壬辰	癸巳	戊午	己未	甲申	乙酉	丙戌	丁亥	庚子	辛丑	壬寅	癸卯	戊辰	己巳	甲午
대운	男	8	8	9	9	9	10	10	立	1	1	1	1	2	2	2	3	3	3	4	4	4	5	5	5	6	6	6	7	7	7	8
	女	2	2	2	1	1	1	1	春	10	10	9	9	9	8	8	8	7	7	7	6	6	6	5	5	5	4	4	4	3	3	3

9月 (1일 八白 +) 丁卯 (九紫) 절기: 驚蟄(8일 22:42) 春分 (24일 07:49)

양력		1	2	3	4	5	6	7	8	9	10	11	12	13	14	15	16	17	18	19	20	21	22	23	24	25	26	27	28	29	30	
요일		金	土	日	月	火	水	木	金	土	日	月	火	水	木	金	土	日	月	火	水	木	金	土	日	月	火	水	木	金	土	
음력	월	18	19	20	21	22	23	24	25	26	27	28	29	八	2	3	4	5	6	7	8	9	10	11	12	13	14	15	16	17	18	
일진		乙未	丙申	丁酉	庚戌	辛亥	壬子	癸丑	戊寅	己卯	甲辰	乙巳	丙午	丁未	庚申	辛酉	壬戌	癸亥	戊子	己丑	甲寅	乙卯	丙辰	丁巳	庚午	辛未	壬申	癸酉	戊戌	己亥	甲子	
대운	男	8	8	9	9	9	10	10	驚	1	1	1	1	2	2	2	3	3	3	4	4	4	5	5	5	6	6	6	7	7	7	
	女	2	2	2	1	1	1	1	蟄	10	10	9	9	9	8	8	8	7	7	7	6	6	6	5	5	5	4	4	4	3	3	

10月 (1일 二黑 +) 庚辰 (一白) 절기: 淸明(9일 13:57) 穀雨(24일 16:46)

양력		1	2	3	4	5	6	7	8	9	10	11	12	13	14	15	16	17	18	19	20	21	22	23	24	25	26	27	28	29	30	31
요일		日	月	火	水	木	金	土	日	月	火	水	木	金	土	日	月	火	水	木	金	土	日	月	火	水	木	金	土	日	月	火
음력	월	19	20	21	22	23	24	25	26	27	28	29	30	九	2	3	4	5	6	7	8	9	10	11	12	13	14	15	16	17	18	19
일진		乙丑	丙寅	丁卯	庚辰	辛巳	壬午	癸未	戊申	己酉	甲戌	乙亥	丙子	丁丑	庚寅	辛卯	壬辰	癸巳	戊午	己未	甲申	乙酉	丙戌	丁亥	庚子	辛丑	壬寅	癸卯	戊辰	己巳	甲午	乙未
대운	男	8	8	8	9	9	9	10	10	淸	1	1	1	1	2	2	2	3	3	3	4	4	4	5	5	5	6	6	6	7	7	7
	女	3	2	2	2	1	1	1	1	明	10	9	9	9	8	8	8	7	7	7	6	6	6	5	5	5	4	4	4	3	3	3

11月 (1일 六白 +) 辛巳 (二黑) 절기: 立夏(8일 16:44) 小滿 (23일 13:59)

양력		1	2	3	4	5	6	7	8	9	10	11	12	13	14	15	16	17	18	19	20	21	22	23	24	25	26	27	28	29	30	
요일		水	木	金	土	日	月	火	水	木	金	土	日	月	火	水	木	金	土	日	月	火	水	木	金	土	日	月	火	水	木	
음력	월	20	21	22	23	24	25	26	27	28	29	十	2	3	4	5	6	7	8	9	10	11	12	13	14	15	16	17	18	19	20	
일진		丙申	丁酉	庚戌	辛亥	壬子	癸丑	戊寅	己卯	甲辰	乙巳	丙午	丁未	庚申	辛酉	壬戌	癸亥	戊子	己丑	甲寅	乙卯	丙辰	丁巳	庚午	辛未	壬申	癸酉	戊戌	己亥	甲子	乙丑	
대운	男	8	8	8	9	9	9	10	立	1	1	1	1	2	2	2	3	3	3	4	4	4	5	5	5	6	6	6	7	7	7	
	女	2	2	2	1	1	1	1	夏	10	9	9	9	8	8	8	7	7	7	6	6	6	5	5	5	4	4	4	3	3	3	

12月 (1일 九紫 + 26일 九紫 -) 壬午 (三碧) 절기: 芒種(8일 09:17) 夏至(23일 03:06)

양력		1	2	3	4	5	6	7	8	9	10	11	12	13	14	15	16	17	18	19	20	21	22	23	24	25	26	27	28	29	30	31
요일		金	土	日	月	火	水	木	金	土	日	月	火	水	木	金	土	日	月	火	水	木	金	土	日	月	火	水	木	金	土	日
음력	월	21	22	23	24	25	26	27	28	29	30	十一	2	3	4	5	6	7	8	9	10	11	12	13	14	15	16	17	18	19	20	21
일진		丙寅	丁卯	庚辰	辛巳	壬午	癸未	戊申	己酉	甲戌	乙亥	丙子	丁丑	庚寅	辛卯	壬辰	癸巳	戊午	己未	甲申	乙酉	丙戌	丁亥	庚子	辛丑	壬寅	癸卯	戊辰	己巳	甲午	乙未	丙申
대운	男	8	8	8	9	9	9	10	芒	1	1	1	1	2	2	2	3	3	3	4	4	4	5	5	5	6	6	6	7	7	7	8
	女	2	2	2	1	1	1	1	種	9	9	9	8	8	8	7	7	7	6	6	6	5	5	5	4	4	4	3	3	3	2	2

서기1940년

甲戌年 (四綠木星)

1月 (1일 三碧 -) **癸未 (四綠)** 절기: 小暑 (6일 20:24) 大暑 (21일 13:44)

양력		1	2	3	4	5	6	7	8	9	10	11	12	13	14	15	16	17	18	19	20	21	22	23	24	25	26	27	28	29	30	31
요일		月	火	水	木	金	土	日	月	火	水	木	金	土	日	月	火	水	木	金	土	日	月	火	水	木	金	土	日	月	火	水
음력	월	22	23	24	25	26	27	28	29	十二	2	3	4	5	6	7	8	9	10	11	12	13	14	15	16	17	18	19	20	21	22	23
일진		丁酉	庚戌	辛亥	壬子	癸丑	戊寅	己卯	甲辰	乙巳	丙午	丁未	庚申	辛酉	壬戌	癸亥	戊子	己丑	甲寅	乙卯	丙辰	丁巳	庚午	辛未	壬申	癸酉	戊戌	己亥	甲子	乙丑	丙寅	丁卯
대운	男	8	8	9	9	9	小	1	1	1	1	2	2	2	3	3	3	4	4	4	5	5	5	6	6	6	7	7	7	8	8	8
	女	2	1	1	1	1	暑	10	9	9	9	8	8	8	7	7	7	6	6	6	5	5	5	4	4	4	3	3	3	2	2	2

2月 閏 (1일 八白 -) **戊申 (五黃)** 절기: 立秋 (5일 08:08) 處暑 (20일 04:04)

양력		1	2	3	4	5	6	7	8	9	10	11	12	13	14	15	16	17	18	19	20	21	22	23	24	25	26	27	28	29		
요일		木	金	土	日	月	火	水	木	金	土	日	月	火	水	木	金	土	日	月	火	水	木	金	土	日	月	火	水	木		
음력	월	24	25	26	27	28	29	30	一	2	3	4	5	6	7	8	9	10	11	12	13	14	15	16	17	18	19	20	21	22		
일진		庚辰	辛巳	壬午	癸未	戊申	己酉	甲戌	乙亥	丙子	丁丑	庚寅	辛卯	壬辰	癸巳	戊午	己未	甲申	乙酉	丙戌	丁亥	庚子	辛丑	壬寅	癸卯	戊辰	己巳	甲午	乙未	丙申		
대운	男	9	9	9	10	立	10	9	9	9	8	8	8	7	7	7	6	6	6	5	5	5	4	4	4	3	3	3	2	2		
	女	1	1	1	1	秋	1	1	1	1	2	2	2	3	3	3	4	4	4	5	5	5	6	6	6	7	7	7	8	8		

3月 (1일 六白 -) **己酉 (六白)** 절기: 白露 (6일 02:24) 秋分 (21일 03:24)

양력		1	2	3	4	5	6	7	8	9	10	11	12	13	14	15	16	17	18	19	20	21	22	23	24	25	26	27	28	29	30	31
요일		金	土	日	月	火	水	木	金	土	日	月	火	水	木	金	土	日	月	火	水	木	金	土	日	月	火	水	木	金	土	日
음력	월	23	24	25	26	27	28	29	30	二	2	3	4	5	6	7	8	9	10	11	12	13	14	15	16	17	18	19	20	21	22	23
일진		丁酉	庚戌	辛亥	壬子	癸丑	戊寅	己卯	甲辰	乙巳	丙午	丁未	庚申	辛酉	壬戌	癸亥	戊子	己丑	甲寅	乙卯	丙辰	丁巳	庚午	辛未	壬申	癸酉	戊戌	己亥	甲子	乙丑	丙寅	丁卯
대운	男	2	1	1	1	1	白	10	9	9	9	8	8	8	7	7	7	6	6	6	5	5	5	4	4	4	3	3	3	2	2	2
	女	8	9	9	9	10	露	1	1	1	1	2	2	2	3	3	3	4	4	4	5	5	5	6	6	6	7	7	7	8	8	8

4月 (1일 二黑 -) **甲戌 (七赤)** 절기: 寒露 (5일 07:35) 霜降 (20일 14:51)

양력		1	2	3	4	5	6	7	8	9	10	11	12	13	14	15	16	17	18	19	20	21	22	23	24	25	26	27	28	29	30	
요일		月	火	水	木	金	土	日	月	火	水	木	金	土	日	月	火	水	木	金	土	日	月	火	水	木	金	土	日	月	火	
음력	월	24	25	26	27	28	29	30	三	2	3	4	5	6	7	8	9	10	11	12	13	14	15	16	17	18	19	20	21	22	23	
일진		庚辰	辛巳	壬午	癸未	戊申	己酉	甲戌	乙亥	丙子	丁丑	庚寅	辛卯	壬辰	癸巳	戊午	己未	甲申	乙酉	丙戌	丁亥	庚子	辛丑	壬寅	癸卯	戊辰	己巳	甲午	乙未	丙申	丁酉	
대운	男	1	1	1	1	寒	10	10	9	9	9	8	8	8	7	7	7	6	6	6	5	5	5	4	4	4	3	3	3	2	2	
	女	9	9	9	10	露	1	1	1	1	2	2	2	3	3	3	4	4	4	5	5	5	6	6	6	7	7	7	8	8	8	

5月 (1일 八白 -) **乙亥 (八白)** 절기: 立冬 (6일 01:16) 小雪 (21일 14:23)

양력		1	2	3	4	5	6	7	8	9	10	11	12	13	14	15	16	17	18	19	20	21	22	23	24	25	26	27	28	29	30	31
요일		水	木	金	土	日	月	火	水	木	金	土	日	月	火	水	木	金	土	日	月	火	水	木	金	土	日	月	火	水	木	金
음력	월	24	25	26	27	28	29	四	2	3	4	5	6	7	8	9	10	11	12	13	14	15	16	17	18	19	20	21	22	23	24	25
일진		庚戌	辛亥	壬子	癸丑	戊寅	己卯	甲辰	乙巳	丙午	丁未	庚申	辛酉	壬戌	癸亥	戊子	己丑	甲寅	乙卯	丙辰	丁巳	庚午	辛未	壬申	癸酉	戊戌	己亥	甲子	乙丑	丙寅	丁卯	庚辰
대운	男	2	1	1	1	1	立	10	10	9	9	9	8	8	8	7	7	7	6	6	6	5	5	5	4	4	4	3	3	3	2	2
	女	9	9	9	10	10	冬	1	1	1	1	2	2	2	3	3	3	4	4	4	5	5	5	6	6	6	7	7	7	8	8	8

6月 (1일 四綠 -) **丙子 (九紫)** 절기: 大雪 (6일 05:44) 冬至 (21일 22:36)

양력		1	2	3	4	5	6	7	8	9	10	11	12	13	14	15	16	17	18	19	20	21	22	23	24	25	26	27	28	29	30	
요일		土	日	月	火	水	木	金	土	日	月	火	水	木	金	土	日	月	火	水	木	金	土	日	月	火	水	木	金	土	日	
음력	월	26	27	28	29	30	五	2	3	4	5	6	7	8	9	10	11	12	13	14	15	16	17	18	19	20	21	22	23	24	25	
일진		辛巳	壬午	癸未	戊申	己酉	甲戌	乙亥	丙子	丁丑	庚寅	辛卯	壬辰	癸巳	戊午	己未	甲申	乙酉	丙戌	丁亥	庚子	辛丑	壬寅	癸卯	戊辰	己巳	甲午	乙未	丙申	丁酉	庚戌	
대운	男	2	1	1	1	1	大	10	10	9	9	9	8	8	8	7	7	7	6	6	6	5	5	5	4	4	4	3	3	3	2	
	女	9	9	9	10	10	雪	1	1	1	1	2	2	2	3	3	3	4	4	4	5	5	5	6	6	6	7	7	7	8	8	

7月 (1일 一白 - 20일 一白 +) 丁丑 (一白) 절기: 小寒(7일 16:08) 大寒(23일 09:34)

양력		1	2	3	4	5	6	7	8	9	10	11	12	13	14	15	16	17	18	19	20	21	22	23	24	25	26	27	28	29	30	31
요일		月	火	水	木	金	土	日	月	火	水	木	金	土	日	月	火	水	木	金	土	日	月	火	水	木	金	土	日	月	火	水
음력	월	26	27	28	29	六	2	3	4	5	6	7	8	9	10	11	12	13	14	15	16	17	18	19	20	21	22	23	24	25	26	27
일진		辛亥	壬子	癸丑	戊寅	己卯	甲辰	乙巳	丙午	丁未	庚申	辛酉	壬戌	癸亥	戊子	己丑	甲寅	乙卯	丙辰	丁巳	庚午	辛未	壬申	癸酉	戊戌	己亥	甲子	乙丑	丙寅	丁卯	庚辰	辛巳
대운	男	2	2	1	1	1	1	小	10	10	10	9	9	9	8	8	8	7	7	7	6	6	6	5	5	5	4	4	4	3	3	3
	女	8	9	9	9	10	10	寒	1	1	1	1	2	2	2	3	3	3	4	4	4	5	5	5	6	6	6	7	7	7	8	8

8月 (1일 四綠 +) 庚寅 (二黑) 절기: 立春(8일 01:52) 雨水(23일 16:29)

양력		1	2	3	4	5	6	7	8	9	10	11	12	13	14	15	16	17	18	19	20	21	22	23	24	25	26	27	28	29	30	31
요일		木	金	土	日	月	火	水	木	金	土	日	月	火	水	木	金	土	日	月	火	水	木	金	土	日	月	火	水	木	金	土
음력	월	28	29	30	七	2	3	4	5	6	7	8	9	10	11	12	13	14	15	16	17	18	19	20	21	22	23	24	25	26	27	28
일진		壬午	癸未	戊申	己酉	甲戌	乙亥	丙子	丁丑	庚寅	辛卯	壬辰	癸巳	戊午	己未	甲申	乙酉	丙戌	丁亥	庚子	辛丑	壬寅	癸卯	戊辰	己巳	甲午	乙未	丙申	丁酉	庚戌	辛亥	壬子
대운	男	2	2	2	1	1	1	1	立	10	10	9	9	9	8	8	8	7	7	7	6	6	6	5	5	5	4	4	4	3	3	3
	女	8	9	9	9	10	10	10	春	1	1	1	1	2	2	2	3	3	3	4	4	4	5	5	5	6	6	6	7	7	7	8

9月 (1일 八白 +) 辛卯 (三碧) 절기: 驚蟄(8일 04:29) 春分 (23일 13:46)

양력		1	2	3	4	5	6	7	8	9	10	11	12	13	14	15	16	17	18	19	20	21	22	23	24	25	26	27	28	29	30	
요일		日	月	火	水	木	金	土	日	月	火	水	木	金	土	日	月	火	水	木	金	土	日	月	火	水	木	金	土	日	月	
음력	월	29	八	2	3	4	5	6	7	8	9	10	11	12	13	14	15	16	17	18	19	20	21	22	23	24	25	26	27	28	29	
일진		癸丑	戊寅	己卯	甲辰	乙巳	丙午	丁未	庚申	辛酉	壬戌	癸亥	戊子	己丑	甲寅	乙卯	丙辰	丁巳	庚午	辛未	壬申	癸酉	戊戌	己亥	甲子	乙丑	丙寅	丁卯	庚辰	辛巳	壬午	
대운	男	2	2	2	1	1	1	1	驚	10	9	9	9	8	8	8	7	7	7	6	6	6	5	5	5	4	4	4	3	3	3	
	女	8	8	9	9	9	10	10	蟄	1	1	1	1	2	2	2	3	3	3	4	4	4	5	5	5	6	6	6	7	7	7	

10月 (1일 二黑 +) 壬辰 (四綠) 절기: 清明(8일 19:42) 穀雨(23일 22:39)

양력		1	2	3	4	5	6	7	8	9	10	11	12	13	14	15	16	17	18	19	20	21	22	23	24	25	26	27	28	29	30	31
요일		火	水	木	金	土	日	月	火	水	木	金	土	日	月	火	水	木	金	土	日	月	火	水	木	金	土	日	月	火	水	木
음력	월	九	2	3	4	5	6	7	8	9	10	11	12	13	14	15	16	17	18	19	20	21	22	23	24	25	26	27	28	29	30	十
일진		癸未	戊申	己酉	甲戌	乙亥	丙子	丁丑	庚寅	辛卯	壬辰	癸巳	戊午	己未	甲申	乙酉	丙戌	丁亥	庚子	辛丑	壬寅	癸卯	戊辰	己巳	甲午	乙未	丙申	丁酉	庚戌	辛亥	壬子	癸丑
대운	男	2	2	2	1	1	1	1	清	10	9	9	9	8	8	8	7	7	7	6	6	6	5	5	5	4	4	4	3	3	3	2
	女	8	8	8	9	9	9	10	明	1	1	1	1	2	2	2	3	3	3	4	4	4	5	5	5	6	6	6	7	7	7	8

11月 (1일 六白 +) 癸巳 (五黃) 절기: 立夏(7일 22:27) 小滿 (22일 19:49)

양력		1	2	3	4	5	6	7	8	9	10	11	12	13	14	15	16	17	18	19	20	21	22	23	24	25	26	27	28	29	30	
요일		金	土	日	月	火	水	木	金	土	日	月	火	水	木	金	土	日	月	火	水	木	金	土	日	月	火	水	木	金	土	
음력	월	2	3	4	5	6	7	8	9	10	11	12	13	14	15	16	17	18	19	20	21	22	23	24	25	26	27	28	29	十一	2	
일진		戊寅	己卯	甲辰	乙巳	丙午	丁未	庚申	辛酉	壬戌	癸亥	戊子	己丑	甲寅	乙卯	丙辰	丁巳	庚午	辛未	壬申	癸酉	戊戌	己亥	甲子	乙丑	丙寅	丁卯	庚辰	辛巳	壬午	癸未	
대운	男	2	2	1	1	1	1	立	10	9	9	9	8	8	8	7	7	7	6	6	6	5	5	5	4	4	4	3	3	3	2	
	女	8	8	9	9	9	10	夏	1	1	1	1	2	2	2	3	3	3	4	4	4	5	5	5	6	6	6	7	7	7	8	

12月 (1일 九紫 +) 戊午 (六白) 절기: 芒種(7일 14:58) 夏至(22일 08:55)

양력		1	2	3	4	5	6	7	8	9	10	11	12	13	14	15	16	17	18	19	20	21	22	23	24	25	26	27	28	29	30	31
요일		日	月	火	水	木	金	土	日	月	火	水	木	金	土	日	月	火	水	木	金	土	日	月	火	水	木	金	土	日	月	火
음력	월	3	4	5	6	7	8	9	10	11	12	13	14	15	16	17	18	19	20	21	22	23	24	25	26	27	28	29	30	十二	2	3
일진		戊申	己酉	甲戌	乙亥	丙子	丁丑	庚寅	辛卯	壬辰	癸巳	戊午	己未	甲申	乙酉	丙戌	丁亥	庚子	辛丑	壬寅	癸卯	戊辰	己巳	甲午	乙未	丙申	丁酉	庚戌	辛亥	壬子	癸丑	戊寅
대운	男	2	2	1	1	1	1	芒	10	9	9	9	8	8	8	7	7	7	6	6	6	5	5	5	4	4	4	3	3	3	2	2
	女	8	8	9	9	9	10	種	1	1	1	1	2	2	2	3	3	3	4	4	4	5	5	5	6	6	6	7	7	7	8	8

서기1941년

乙亥年 (五黃土星) 閏六月

1月 (1일 四綠 + 16일 九紫 -) 己未 (七赤) 절기: 小暑 (6일 02:04) 大暑 (20일 19:34)

양력		1	2	3	4	5	6	7	8	9	10	11	12	13	14	15	16	17	18	19	20	21	22	23	24	25	26	27	28	29	30	31
요일		水	木	金	土	日	月	火	水	木	金	土	日	月	火	水	木	金	土	日	月	火	水	木	金	土	日	月	火	水	木	金
음력	월	4	5	6	7	8	9	10	11	12	13	14	15	16	17	18	19	20	21	22	23	24	25	26	27	28	29	一	2	3	4	5
일진		己卯	甲辰	乙巳	丙午	丁未	庚申	辛酉	壬戌	癸亥	戊子	己丑	甲寅	乙卯	丙辰	丁巳	庚午	辛未	壬申	癸酉	戊戌	己亥	甲子	乙丑	丙寅	丁卯	庚辰	辛巳	壬午	癸未	戊申	己酉
대운	男	2	1	1	1	1	小	9	9	9	8	8	8	7	7	7	6	6	6	5	5	5	4	4	4	3	3	3	2	2	2	1
	女	8	9	9	9	10	暑	1	1	1	1	2	2	2	3	3	3	4	4	4	5	5	5	6	6	6	7	7	7	8	8	8

2月 (1일 二黑 -) 甲申 (八白) 절기: 立秋 (4일 13:50) 處暑 (19일 09:56)

양력		1	2	3	4	5	6	7	8	9	10	11	12	13	14	15	16	17	18	19	20	21	22	23	24	25	26	27	28			
요일		土	日	月	火	水	木	金	土	日	月	火	水	木	金	土	日	月	火	水	木	金	土	日	月	火	水	木	金			
음력	월	6	7	8	9	10	11	12	13	14	15	16	17	18	19	20	21	22	23	24	25	26	27	28	29	30	二	2	3			
일진		甲戌	乙亥	丙子	丁丑	庚寅	辛卯	壬辰	癸巳	戊午	己未	甲申	乙酉	丙戌	丁亥	庚子	辛丑	壬寅	癸卯	戊辰	己巳	甲午	乙未	丙申	丁酉	庚戌	辛亥	壬子	癸丑			
대운	男	1	1	1	立	1	1	1	1	2	2	2	3	3	3	4	4	4	5	5	5	6	6	6	7	7	7	8	8			
	女	9	9	9	秋	10	9	9	9	8	8	8	7	7	7	6	6	6	5	5	5	4	4	4	3	3	3	2	2			

3月 (1일 一白 -) 乙酉 (九紫) 절기: 白露 (6일 08:10) 秋分 (21일 09:20)

양력		1	2	3	4	5	6	7	8	9	10	11	12	13	14	15	16	17	18	19	20	21	22	23	24	25	26	27	28	29	30	31
요일		土	日	月	火	水	木	金	土	日	月	火	水	木	金	土	日	月	火	水	木	金	土	日	月	火	水	木	金	土	日	月
음력	월	4	5	6	7	8	9	10	11	12	13	14	15	16	17	18	19	20	21	22	23	24	25	26	27	28	29	30	三	2	3	4
일진		戊寅	己卯	甲辰	乙巳	丙午	丁未	庚申	辛酉	壬戌	癸亥	戊子	己丑	甲寅	乙卯	丙辰	丁巳	庚午	辛未	壬申	癸酉	戊戌	己亥	甲子	乙丑	丙寅	丁卯	庚辰	辛巳	壬午	癸未	戊申
대운	男	8	9	9	9	10	白	1	1	1	1	2	2	2	3	3	3	4	4	4	5	5	5	6	6	6	7	7	7	8	8	8
	女	2	1	1	1	1	露	10	9	9	9	8	8	8	7	7	7	6	6	6	5	5	5	4	4	4	3	3	3	2	2	2

4月 (1일 六白 -) 丙戌 (一白) 절기: 寒露 (5일 13:25) 霜降 (20일 20:50)

양력		1	2	3	4	5	6	7	8	9	10	11	12	13	14	15	16	17	18	19	20	21	22	23	24	25	26	27	28	29	30	
요일		火	水	木	金	土	日	月	火	水	木	金	土	日	月	火	水	木	金	土	日	月	火	水	木	金	土	日	月	火	水	
음력	월	5	6	7	8	9	10	11	12	13	14	15	16	17	18	19	20	21	22	23	24	25	26	27	28	29	四	2	3	4	5	
일진		己酉	甲戌	乙亥	丙子	丁丑	庚寅	辛卯	壬辰	癸巳	戊午	己未	甲申	乙酉	丙戌	丁亥	庚子	辛丑	壬寅	癸卯	戊辰	己巳	甲午	乙未	丙申	丁酉	庚戌	辛亥	壬子	癸丑	戊寅	
대운	男	9	9	9	10	寒	1	1	1	1	2	2	2	3	3	3	4	4	4	5	5	5	6	6	6	7	7	7	8	8	8	
	女	2	1	1	1	露	10	10	9	9	9	8	8	8	7	7	7	6	6	6	5	5	5	4	4	4	3	3	3	2	2	

5月 (1일 三碧 -) 丁亥 (二黑) 절기: 立冬 (6일 07:10) 小雪 (21일 20:23)

양력		1	2	3	4	5	6	7	8	9	10	11	12	13	14	15	16	17	18	19	20	21	22	23	24	25	26	27	28	29	30	31
요일		木	金	土	日	月	火	水	木	金	土	日	月	火	水	木	金	土	日	月	火	水	木	金	土	日	月	火	水	木	金	土
음력	월	6	7	8	9	10	11	12	13	14	15	16	17	18	19	20	21	22	23	24	25	26	27	28	29	30	五	2	3	4	5	6
일진		己卯	甲辰	乙巳	丙午	丁未	庚申	辛酉	壬戌	癸亥	戊子	己丑	甲寅	乙卯	丙辰	丁巳	庚午	辛未	壬申	癸酉	戊戌	己亥	甲子	乙丑	丙寅	丁卯	庚辰	辛巳	壬午	癸未	戊申	己酉
대운	男	9	9	9	10	10	立	1	1	1	1	2	2	2	3	3	3	4	4	4	5	5	5	6	6	6	7	7	7	8	8	8
	女	2	1	1	1	1	冬	10	10	9	9	9	8	8	8	7	7	7	6	6	6	5	5	5	4	4	4	3	3	3	2	2

6月 (1일 八白 -) 庚子 (三碧) 절기: 大雪 (6일 11:39) 冬至 (22일 04:33)

양력		1	2	3	4	5	6	7	8	9	10	11	12	13	14	15	16	17	18	19	20	21	22	23	24	25	26	27	28	29	30	
요일		日	月	火	水	木	金	土	日	月	火	水	木	金	土	日	月	火	水	木	金	土	日	月	火	水	木	金	土	日	月	
음력	월	7	8	9	10	11	12	13	14	15	16	17	18	19	20	21	22	23	24	25	26	27	28	29	30	六	2	3	4	5	6	
일진		甲戌	乙亥	丙子	丁丑	庚寅	辛卯	壬辰	癸巳	戊午	己未	甲申	乙酉	丙戌	丁亥	庚子	辛丑	壬寅	癸卯	戊辰	己巳	甲午	乙未	丙申	丁酉	庚戌	辛亥	壬子	癸丑	戊寅	己卯	
대운	男	9	9	9	10	10	大	1	1	1	1	2	2	2	3	3	3	4	4	4	5	5	5	6	6	6	7	7	7	8	8	
	女	2	1	1	1	1	雪	10	10	9	9	9	8	8	8	7	7	7	6	6	6	5	5	5	4	4	4	3	3	3	2	

7月 (1일 五黃 - 15일 一白 +) **辛丑 (四綠)** 절기: 小寒(7일 22:03) 大寒(23일 15:26)

양력		1	2	3	4	5	6	7	8	9	10	11	12	13	14	15	16	17	18	19	20	21	22	23	24	25	26	27	28	29	30	31
요일		火	水	木	金	土	日	月	火	水	木	金	土	日	月	火	水	木	金	土	日	月	火	水	木	金	土	日	月	火	水	木
음력	월	7	8	9	10	11	12	13	14	15	16	17	18	19	20	21	22	23	24	25	26	27	28	29	閏六		3	4	5	6	7	8
일진		甲辰	乙巳	丙午	丁未	庚申	辛酉	壬戌	癸亥	戊子	己丑	甲寅	乙卯	丙辰	丁巳	庚午	辛未	壬申	癸酉	戊戌	己亥	甲子	乙丑	丙寅	丁卯	庚辰	辛巳	壬午	癸未	戊申	己酉	甲戌
대운	男	8	9	9	9	10	10	小	1	1	1	1	2	2	2	3	3	3	4	4	4	5	5	5	6	6	6	7	7	7	8	8
	女	2	2	1	1	1	1	寒	10	10	10	9	9	9	8	8	8	7	7	7	6	6	6	5	5	5	4	4	4	3	3	3

8月 (1일 九紫 +) **壬寅 (五黃)** 절기: 立春(8일 07:46) 雨水(23일 22:17)

양력		1	2	3	4	5	6	7	8	9	10	11	12	13	14	15	16	17	18	19	20	21	22	23	24	25	26	27	28	29	30	31
요일		金	土	日	月	火	水	木	金	土	日	月	火	水	木	金	土	日	月	火	水	木	金	土	日	月	火	水	木	金	土	日
음력	월	9	10	11	12	13	14	15	16	17	18	19	20	21	22	23	24	25	26	27	28	29	30	七	2	3	4	5	6	7	8	9
일진		乙亥	丙子	丁丑	庚寅	辛卯	壬辰	癸巳	戊午	己未	甲申	乙酉	丙戌	丁亥	庚子	辛丑	壬寅	癸卯	戊辰	己巳	甲午	乙未	丙申	丁酉	庚戌	辛亥	壬子	癸丑	戊寅	己卯	甲辰	乙巳
대운	男	8	9	9	9	10	10	10	立	1	1	1	1	2	2	2	3	3	3	4	4	4	5	5	5	6	6	6	7	7	7	8
	女	2	2	2	1	1	1	1	春	10	10	9	9	9	8	8	8	7	7	7	6	6	6	5	5	5	4	4	4	3	3	3

9月 (1일 四綠 +) **癸卯 (六白)** 절기: 驚蟄(8일 10:24) 春分 (23일 19:33)

양력		1	2	3	4	5	6	7	8	9	10	11	12	13	14	15	16	17	18	19	20	21	22	23	24	25	26	27	28	29	30	
요일		月	火	水	木	金	土	日	月	火	水	木	金	土	日	月	火	水	木	金	土	日	月	火	水	木	金	土	日	月	火	
음력	월	10	11	12	13	14	15	16	17	18	19	20	21	22	23	24	25	26	27	28	29	八	2	3	4	5	6	7	8	9	10	
일진		丙午	丁未	庚申	辛酉	壬戌	癸亥	戊子	己丑	甲寅	乙卯	丙辰	丁巳	庚午	辛未	壬申	癸酉	戊戌	己亥	甲子	乙丑	丙寅	丁卯	庚辰	辛巳	壬午	癸未	戊申	己酉	甲戌	乙亥	
대운	男	8	8	9	9	9	10	10	驚	1	1	1	1	2	2	2	3	3	3	4	4	4	5	5	5	6	6	6	7	7	7	
	女	2	2	2	1	1	1	1	蟄	10	10	9	9	9	8	8	8	7	7	7	6	6	6	5	5	5	4	4	4	3	3	

10月 (1일 七赤 +) **戊辰 (七赤)** 절기: 清明(9일 01:38) 穀雨(24일 04:27)

양력		1	2	3	4	5	6	7	8	9	10	11	12	13	14	15	16	17	18	19	20	21	22	23	24	25	26	27	28	29	30	31
요일		水	木	金	土	日	月	火	水	木	金	土	日	月	火	水	木	金	土	日	月	火	水	木	金	土	日	月	火	水	木	金
음력	월	11	12	13	14	15	16	17	18	19	20	21	22	23	24	25	26	27	28	29	九	2	3	4	5	6	7	8	9	10	11	12
일진		丙子	丁丑	庚寅	辛卯	壬辰	癸巳	戊午	己未	甲申	乙酉	丙戌	丁亥	庚子	辛丑	壬寅	癸卯	戊辰	己巳	甲午	乙未	丙申	丁酉	庚戌	辛亥	壬子	癸丑	戊寅	己卯	甲辰	乙巳	丙午
대운	男	8	8	8	9	9	9	10	10	清	1	1	1	1	2	2	2	3	3	3	4	4	4	5	5	5	6	6	6	7	7	7
	女	3	2	2	2	1	1	1	1	明	10	9	9	9	8	8	8	7	7	7	6	6	6	5	5	5	4	4	4	3	3	3

11月 (1일 二黑 +) **己巳 (八白)** 절기: 立夏(8일 04:24) 小滿 (23일 01:38)

양력		1	2	3	4	5	6	7	8	9	10	11	12	13	14	15	16	17	18	19	20	21	22	23	24	25	26	27	28	29	30	
요일		土	日	月	火	水	木	金	土	日	月	火	水	木	金	土	日	月	火	水	木	金	土	日	月	火	水	木	金	土	日	
음력	월	13	14	15	16	17	18	19	20	21	22	23	24	25	26	27	28	29	30	十	2	3	4	5	6	7	8	9	10	11	12	
일진		丁未	庚申	辛酉	壬戌	癸亥	戊子	己丑	甲寅	乙卯	丙辰	丁巳	庚午	辛未	壬申	癸酉	戊戌	己亥	甲子	乙丑	丙寅	丁卯	庚辰	辛巳	壬午	癸未	戊申	己酉	甲戌	乙亥	丙子	
대운	男	8	8	8	9	9	9	10	立	1	1	1	1	2	2	2	3	3	3	4	4	4	5	5	5	6	6	6	7	7	7	
	女	2	2	2	1	1	1	1	夏	9	9	9	8	8	8	7	7	7	6	6	6	5	5	5	4	4	4	3	3	3	2	

12月 (1일 五黃 +) **甲午 (九紫)** 절기: 芒種(7일 20:56) 夏至(22일 14:44)

양력		1	2	3	4	5	6	7	8	9	10	11	12	13	14	15	16	17	18	19	20	21	22	23	24	25	26	27	28	29	30	31
요일		月	火	水	木	金	土	日	月	火	水	木	金	土	日	月	火	水	木	金	土	日	月	火	水	木	金	土	日	月	火	水
음력	월	13	14	15	16	17	18	19	20	21	22	23	24	25	26	27	28	29	十一	2	3	4	5	6	7	8	9	10	11	12	13	14
일진		丁丑	庚寅	辛卯	壬辰	癸巳	戊午	己未	甲申	乙酉	丙戌	丁亥	庚子	辛丑	壬寅	癸卯	戊辰	己巳	甲午	乙未	丙申	丁酉	庚戌	辛亥	壬子	癸丑	戊寅	己卯	甲辰	乙巳	丙午	丁未
대운	男	8	8	9	9	9	10	芒	1	1	1	1	2	2	2	3	3	3	4	4	4	5	5	5	6	6	6	7	7	7	8	8
	女	2	2	1	1	1	1	種	10	9	9	9	8	8	8	7	7	7	6	6	6	5	5	5	4	4	4	3	3	3	2	2

서기1942년

丙子年 (六白金星)

1月 (1일 九紫 + 11일 九紫 -) **乙未 (一白)** 절기: 小暑 (6일 08:02) 大暑 (21일 01:24)

양력		1	2	3	4	5	6	7	8	9	10	11	12	13	14	15	16	17	18	19	20	21	22	23	24	25	26	27	28	29	30	31
요일		木	金	土	日	月	火	水	木	金	土	日	月	火	水	木	金	土	日	月	火	水	木	金	土	日	月	火	水	木	金	土
음력	월	15	16	17	18	19	20	21	22	23	24	25	26	27	28	29	30	十二	2	3	4	5	6	7	8	9	10	11	12	13	14	15
일진		庚申	辛酉	壬戌	癸亥	戊子	己丑	甲寅	乙卯	丙辰	丁巳	庚午	辛未	壬申	癸酉	戊戌	己亥	甲子	乙丑	丙寅	丁卯	庚辰	辛巳	壬午	癸未	戊申	己酉	甲戌	乙亥	丙子	丁丑	庚寅
대운	男	8	9	9	9	10	小	1	1	1	1	2	2	2	3	3	3	4	4	4	5	5	5	6	6	6	7	7	7	8	8	8
	女	2	1	1	1	1	暑	9	9	9	8	8	8	7	7	7	6	6	6	5	5	5	4	4	4	3	3	3	2	2	2	1

2月 (1일 六白 -) **丙申 (二黑)** 절기: 立秋 (4일 19:49) 處暑 (19일 15:47)

양력		1	2	3	4	5	6	7	8	9	10	11	12	13	14	15	16	17	18	19	20	21	22	23	24	25	26	27	28			
요일		日	月	火	水	木	金	土	日	月	火	水	木	金	土	日	月	火	水	木	金	土	日	月	火	水	木	金	土			
음력	월	16	17	18	19	20	21	22	23	24	25	26	27	28	29	一	2	3	4	5	6	7	8	9	10	11	12	13	14			
일진		辛卯	壬辰	癸巳	戊午	己未	甲申	乙酉	丙戌	丁亥	庚子	辛丑	壬寅	癸卯	戊辰	己巳	甲午	乙未	丙申	丁酉	庚戌	辛亥	壬子	癸丑	戊寅	己卯	甲辰	乙巳	丙午			
대운	男	9	9	9	立	10	9	9	9	8	8	8	7	7	7	6	6	6	5	5	5	4	4	4	3	3	3	2	2			
	女	1	1	1	秋	1	1	1	1	2	2	2	3	3	3	4	4	4	5	5	5	6	6	6	7	7	7	8	8			

3月 (1일 五黃 -) **丁酉 (三碧)** 절기: 白露 (6일 14:09) 秋分 (21일 15:11)

양력		1	2	3	4	5	6	7	8	9	10	11	12	13	14	15	16	17	18	19	20	21	22	23	24	25	26	27	28	29	30	31
요일		日	月	火	水	木	金	土	日	月	火	水	木	金	土	日	月	火	水	木	金	土	日	月	火	水	木	金	土	日	月	火
음력	월	15	16	17	18	19	20	21	22	23	24	25	26	27	28	29	30	二	2	3	4	5	6	7	8	9	10	11	12	13	14	15
일진		丁未	庚申	辛酉	壬戌	癸亥	戊子	己丑	甲寅	乙卯	丙辰	丁巳	庚午	辛未	壬申	癸酉	戊戌	己亥	甲子	乙丑	丙寅	丁卯	庚辰	辛巳	壬午	癸未	戊申	己酉	甲戌	乙亥	丙子	丁丑
대운	男	2	1	1	1	1	白	10	9	9	9	8	8	8	7	7	7	6	6	6	5	5	5	4	4	4	3	3	3	2	2	2
	女	8	9	9	9	10	露	1	1	1	1	2	2	2	3	3	3	4	4	4	5	5	5	6	6	6	7	7	7	8	8	8

4月 (1일 一白 -) **庚戌 (四綠)** 절기: 寒露 (5일 19:24) 霜降 (21일 02:39)

양력		1	2	3	4	5	6	7	8	9	10	11	12	13	14	15	16	17	18	19	20	21	22	23	24	25	26	27	28	29	30	
요일		水	木	金	土	日	月	火	水	木	金	土	日	月	火	水	木	金	土	日	月	火	水	木	金	土	日	月	火	水	木	
음력	월	16	17	18	19	20	21	22	23	24	25	26	27	28	29	三	2	3	4	5	6	7	8	9	10	11	12	13	14	15	16	
일진		庚寅	辛卯	壬辰	癸巳	戊午	己未	甲申	乙酉	丙戌	丁亥	庚子	辛丑	壬寅	癸卯	戊辰	己巳	甲午	乙未	丙申	丁酉	庚戌	辛亥	壬子	癸丑	戊寅	己卯	甲辰	乙巳	丙午	丁未	
대운	男	1	1	1	1	寒	10	10	9	9	9	8	8	8	7	7	7	6	6	6	5	5	5	4	4	4	3	3	3	2	2	
	女	9	9	9	10	露	1	1	1	1	2	2	2	3	3	3	4	4	4	5	5	5	6	6	6	7	7	7	8	8	8	

5月 (1일 七赤 -) **辛亥 (五黃)** 절기: 立冬 (6일 13:07) 小雪 (22일 02:09)

양력		1	2	3	4	5	6	7	8	9	10	11	12	13	14	15	16	17	18	19	20	21	22	23	24	25	26	27	28	29	30	31
요일		金	土	日	月	火	水	木	金	土	日	月	火	水	木	金	土	日	月	火	水	木	金	土	日	月	火	水	木	金	土	日
음력	월	17	18	19	20	21	22	23	24	25	26	27	28	29	30	四	2	3	4	5	6	7	8	9	10	11	12	13	14	15	16	17
일진		庚申	辛酉	壬戌	癸亥	戊子	己丑	甲寅	乙卯	丙辰	丁巳	庚午	辛未	壬申	癸酉	戊戌	己亥	甲子	乙丑	丙寅	丁卯	庚辰	辛巳	壬午	癸未	戊申	己酉	甲戌	乙亥	丙子	丁丑	庚寅
대운	男	2	1	1	1	1	立	10	10	9	9	9	8	8	8	7	7	7	6	6	6	5	5	5	4	4	4	3	3	3	2	2
	女	9	9	9	10	10	冬	1	1	1	1	2	2	2	3	3	3	4	4	4	5	5	5	6	6	6	7	7	7	8	8	8

6月 (1일 三碧 -) **壬子 (六白)** 절기: 大雪 (6일 17:33) 冬至 (22일 10:16)

양력		1	2	3	4	5	6	7	8	9	10	11	12	13	14	15	16	17	18	19	20	21	22	23	24	25	26	27	28	29	30	
요일		月	火	水	木	金	土	日	月	火	水	木	金	土	日	月	火	水	木	金	土	日	月	火	水	木	金	土	日	月	火	
음력	월	18	19	20	21	22	23	24	25	26	27	28	29	30	五	2	3	4	5	6	7	8	9	10	11	12	13	14	15	16	17	
일진		辛卯	壬辰	癸巳	戊午	己未	甲申	乙酉	丙戌	丁亥	庚子	辛丑	壬寅	癸卯	戊辰	己巳	甲午	乙未	丙申	丁酉	庚戌	辛亥	壬子	癸丑	戊寅	己卯	甲辰	乙巳	丙午	丁未	庚申	
대운	男	2	1	1	1	1	大	10	10	10	9	9	9	8	8	8	7	7	7	6	6	6	5	5	5	4	4	4	3	3	3	
	女	9	9	9	10	10	雪	1	1	1	1	2	2	2	3	3	3	4	4	4	5	5	5	6	6	6	7	7	7	8	8	

7月 (1일 九紫 - 10일 一白 +) **癸丑 (七赤)** 절기: 小寒(8일 03:52) 大寒(23일 21:07)

양력		1	2	3	4	5	6	7	8	9	10	11	12	13	14	15	16	17	18	19	20	21	22	23	24	25	26	27	28	29	30	31
요일		水	木	金	土	日	月	火	水	木	金	土	日	月	火	水	木	金	土	日	月	火	水	木	金	土	日	月	火	水	木	金
음력	월	18	19	20	21	22	23	24	25	26	27	28	29	六	2	3	4	5	6	7	8	9	10	11	12	13	14	15	16	17	18	19
일진		辛酉	壬戌	癸亥	戊子	己丑	甲寅	乙卯	丙辰	丁巳	庚午	辛未	壬申	癸酉	戊戌	己亥	甲子	乙丑	丙寅	丁卯	庚辰	辛巳	壬午	癸未	戊申	己酉	甲戌	乙亥	丙子	丁丑	庚寅	辛卯
대운	男	2	2	2	1	1	1	1	小	10	10	9	9	9	8	8	8	7	7	7	6	6	6	5	5	5	4	4	4	3	3	3
	女	8	9	9	9	10	10	10	寒	1	1	1	1	2	2	2	3	3	3	4	4	4	5	5	5	6	6	6	7	7	7	8

8月 (1일 五黃 +) **戊寅 (八白)** 절기: 立春(8일 13:30) 雨水(24일 03:58)

양력		1	2	3	4	5	6	7	8	9	10	11	12	13	14	15	16	17	18	19	20	21	22	23	24	25	26	27	28	29	30	31
요일		土	日	月	火	水	木	金	土	日	月	火	水	木	金	土	日	月	火	水	木	金	土	日	月	火	水	木	金	土	日	月
음력	월	20	21	22	23	24	25	26	27	28	29	30	七	2	3	4	5	6	7	8	9	10	11	12	13	14	15	16	17	18	19	20
일진		壬辰	癸巳	戊午	己未	甲申	乙酉	丙戌	丁亥	庚子	辛丑	壬寅	癸卯	戊辰	己巳	甲午	乙未	丙申	丁酉	庚戌	辛亥	壬子	癸丑	戊寅	己卯	甲辰	乙巳	丙午	丁未	庚申	辛酉	壬戌
대운	男	2	2	2	1	1	1	1	立	10	10	9	9	9	8	8	8	7	7	7	6	6	6	5	5	5	4	4	4	3	3	3
	女	8	8	9	9	9	10	10	春	1	1	1	1	2	2	2	3	3	3	4	4	4	5	5	5	6	6	6	7	7	7	8

9月 (1일 九紫 +) **己卯 (九紫)** 절기: 驚蟄(8일 16:06) 春分 (24일 01:16)

양력		1	2	3	4	5	6	7	8	9	10	11	12	13	14	15	16	17	18	19	20	21	22	23	24	25	26	27	28	29	30	
요일		火	水	木	金	土	日	月	火	水	木	金	土	日	月	火	水	木	金	土	日	月	火	水	木	金	土	日	月	火	水	
음력	월	21	22	23	24	25	26	27	28	29	30	八	2	3	4	5	6	7	8	9	10	11	12	13	14	15	16	17	18	19	20	
일진		癸亥	戊子	己丑	甲寅	乙卯	丙辰	丁巳	庚午	辛未	壬申	癸酉	戊戌	己亥	甲子	乙丑	丙寅	丁卯	庚辰	辛巳	壬午	癸未	戊申	己酉	甲戌	乙亥	丙子	丁丑	庚寅	辛卯	壬辰	
대운	男	2	2	2	1	1	1	1	驚	10	10	9	9	9	8	8	8	7	7	7	6	6	6	5	5	5	4	4	4	3	3	
	女	8	8	9	9	9	10	10	蟄	1	1	1	1	2	2	2	3	3	3	4	4	4	5	5	5	6	6	6	7	7	7	

10月 (1일 三碧 +) **甲辰 (一白)** 절기: 清明(9일 07:22) 穀雨(24일 10:15)

양력		1	2	3	4	5	6	7	8	9	10	11	12	13	14	15	16	17	18	19	20	21	22	23	24	25	26	27	28	29	30	31
요일		木	金	土	日	月	火	水	木	金	土	日	月	火	水	木	金	土	日	月	火	水	木	金	土	日	月	火	水	木	金	土
음력	월	21	22	23	24	25	26	27	28	29	九	2	3	4	5	6	7	8	9	10	11	12	13	14	15	16	17	18	19	20	21	22
일진		癸巳	戊午	己未	甲申	乙酉	丙戌	丁亥	庚子	辛丑	壬寅	癸卯	戊辰	己巳	甲午	乙未	丙申	丁酉	庚戌	辛亥	壬子	癸丑	戊寅	己卯	甲辰	乙巳	丙午	丁未	庚申	辛酉	壬戌	癸亥
대운	男	3	2	2	2	1	1	1	1	清	10	9	9	9	8	8	8	7	7	7	6	6	6	5	5	5	4	4	4	3	3	3
	女	8	8	8	9	9	9	10	10	明	1	1	1	1	2	2	2	3	3	3	4	4	4	5	5	5	6	6	6	7	7	7

11月 (1일 七赤 +) **乙巳 (二黑)** 절기: 立夏(8일 10:11) 小滿 (23일 07:30)

양력		1	2	3	4	5	6	7	8	9	10	11	12	13	14	15	16	17	18	19	20	21	22	23	24	25	26	27	28	29	30	
요일		日	月	火	水	木	金	土	日	月	火	水	木	金	土	日	月	火	水	木	金	土	日	月	火	水	木	金	土	日	月	
음력	월	23	24	25	26	27	28	29	30	十	2	3	4	5	6	7	8	9	10	11	12	13	14	15	16	17	18	19	20	21	22	
일진		戊子	己丑	甲寅	乙卯	丙辰	丁巳	庚午	辛未	壬申	癸酉	戊戌	己亥	甲子	乙丑	丙寅	丁卯	庚辰	辛巳	壬午	癸未	戊申	己酉	甲戌	乙亥	丙子	丁丑	庚寅	辛卯	壬辰	癸巳	
대운	男	2	2	2	1	1	1	1	立	10	9	9	9	8	8	8	7	7	7	6	6	6	5	5	5	4	4	4	3	3	3	
	女	8	8	8	9	9	9	10	夏	1	1	1	1	2	2	2	3	3	3	4	4	4	5	5	5	6	6	6	7	7	7	

12月 (1일 一白 +) **丙午 (三碧)** 절기: 芒種(8일 02:47) 夏至(22일 20:40)

양력		1	2	3	4	5	6	7	8	9	10	11	12	13	14	15	16	17	18	19	20	21	22	23	24	25	26	27	28	29	30	31
요일		火	水	木	金	土	日	月	火	水	木	金	土	日	月	火	水	木	金	土	日	月	火	水	木	金	土	日	月	火	水	木
음력	월	23	24	25	26	27	28	29	十一	2	3	4	5	6	7	8	9	10	11	12	13	14	15	16	17	18	19	20	21	22	23	24
일진		戊午	己未	甲申	乙酉	丙戌	丁亥	庚子	辛丑	壬寅	癸卯	戊辰	己巳	甲午	乙未	丙申	丁酉	庚戌	辛亥	壬子	癸丑	戊寅	己卯	甲辰	乙巳	丙午	丁未	庚申	辛酉	壬戌	癸亥	戊子
대운	男	2	2	2	1	1	1	1	芒	9	9	9	8	8	8	7	7	7	6	6	6	5	5	5	4	4	4	3	3	3	2	2
	女	8	8	8	9	9	9	10	種	1	1	1	1	2	2	2	3	3	3	4	4	4	5	5	5	6	6	6	7	7	7	8

서기1943년

丁丑年 (七赤金星)

1月 (1일 五黃 + 6일 九紫 -) **丁未 (四綠)** 절기: 小暑 (6일 13:55) 大暑 (21일 07:19)

양력		1	2	3	4	5	6	7	8	9	10	11	12	13	14	15	16	17	18	19	20	21	22	23	24	25	26	27	28	29	30	31
요일		金	土	日	月	火	水	木	金	土	日	月	火	水	木	金	土	日	月	火	水	木	金	土	日	月	火	水	木	金	土	日
음력	월	25	26	27	28	29	十二	2	3	4	5	6	7	8	9	10	11	12	13	14	15	16	17	18	19	20	21	22	23	24	25	26
일진		己丑	甲寅	乙卯	丙辰	丁巳	庚午	辛未	壬申	癸酉	戊戌	己亥	甲子	乙丑	丙寅	丁卯	庚辰	辛巳	壬午	癸未	戊申	己酉	甲戌	乙亥	丙子	丁丑	庚寅	辛卯	壬辰	癸巳	戊午	己未
대운	男	2	1	1	1	1	小	10	9	9	9	8	8	8	7	7	7	6	6	6	5	5	5	4	4	4	3	3	3	2	2	2
	女	8	8	9	9	9	暑	1	1	1	1	2	2	2	3	3	3	4	4	4	5	5	5	6	6	6	7	7	7	8	8	8

2月 (1일 一白 -) **庚申 (五黃)** 절기: 立秋 (5일 01:40) 處暑 (21일 21:40)

양력		1	2	3	4	5	6	7	8	9	10	11	12	13	14	15	16	17	18	19	20	21	22	23	24	25	26	27	28			
요일		月	火	水	木	金	土	日	月	火	水	木	金	土	日	月	火	水	木	金	土	日	月	火	水	木	金	土	日			
음력	월	27	28	29	30	一	2	3	4	5	6	7	8	9	10	11	12	13	14	15	16	17	18	19	20	21	22	23	24			
일진		甲申	乙酉	丙戌	丁亥	庚子	辛丑	壬寅	癸卯	戊辰	己巳	甲午	乙未	丙申	丁酉	庚戌	辛亥	壬子	癸丑	戊寅	己卯	甲辰	乙巳	丙午	丁未	庚申	辛酉	壬戌	癸亥			
대운	男	11	1	1	1	立	1	1	1	1	2	2	2	3	3	3	4	4	4	5	5	5	6	6	6	7	7	7	8			
	女	9	9	9	10	秋	9	9	9	8	8	8	7	7	7	6	6	6	5	5	5	4	4	4	3	3	3	2	2			

3月 (1일 九紫 -) **辛酉 (六白)** 절기: 白露 (6일 19:59) 秋分 (21일 21:03)

양력		1	2	3	4	5	6	7	8	9	10	11	12	13	14	15	16	17	18	19	20	21	22	23	24	25	26	27	28	29	30	31
요일		月	火	水	木	金	土	日	月	火	水	木	金	土	日	月	火	水	木	金	土	日	月	火	水	木	金	土	日	月	火	水
음력	월	25	26	27	28	29	二	2	3	4	5	6	7	8	9	10	11	12	13	14	15	16	17	18	19	20	21	22	23	24	25	26
일진		戊子	己丑	甲寅	乙卯	丙辰	丁巳	庚午	辛未	壬申	癸酉	戊戌	己亥	甲子	乙丑	丙寅	丁卯	庚辰	辛巳	壬午	癸未	戊申	己酉	甲戌	乙亥	丙子	丁丑	庚寅	辛卯	壬辰	癸巳	戊午
대운	男	8	8	9	9	9	白	1	1	1	1	2	2	2	3	3	3	4	4	4	5	5	5	6	6	6	7	7	7	8	8	8
	女	2	1	1	1	1	露	10	10	9	9	9	8	8	8	7	7	7	6	6	6	5	5	5	4	4	4	3	3	3	2	2

4月 (1일 五黃 -) **壬戌 (七赤)** 절기: 寒露 (6일 01:11) 霜降 (21일 08:32)

양력		1	2	3	4	5	6	7	8	9	10	11	12	13	14	15	16	17	18	19	20	21	22	23	24	25	26	27	28	29	30	
요일		木	金	土	日	月	火	水	木	金	土	日	月	火	水	木	金	土	日	月	火	水	木	金	土	日	月	火	水	木	金	
음력	월	27	28	29	30	三	2	3	4	5	6	7	8	9	10	11	12	13	14	15	16	17	18	19	20	21	22	23	24	25	26	
일진		己未	甲申	乙酉	丙戌	丁亥	庚子	辛丑	壬寅	癸卯	戊辰	己巳	甲午	乙未	丙申	丁酉	庚戌	辛亥	壬子	癸丑	戊寅	己卯	甲辰	乙巳	丙午	丁未	庚申	辛酉	壬戌	癸亥	戊子	
대운	男	9	9	9	10	10	寒	1	1	1	1	2	2	2	3	3	3	4	4	4	5	5	5	6	6	6	7	7	7	8	8	
	女	2	1	1	1	1	露	10	9	9	9	8	8	8	7	7	7	6	6	6	5	5	5	4	4	4	3	3	3	2	2	

5月 (1일 二黑 -) **癸亥 (八白)** 절기: 立冬 (6일 18:53) 小雪 (21일 08:03)

양력		1	2	3	4	5	6	7	8	9	10	11	12	13	14	15	16	17	18	19	20	21	22	23	24	25	26	27	28	29	30	31
요일		土	日	月	火	水	木	金	土	日	月	火	水	木	金	土	日	月	火	水	木	金	土	日	月	火	水	木	金	土	日	月
음력	월	27	28	29	四	2	3	4	5	6	7	8	9	10	11	12	13	14	15	16	17	18	19	20	21	22	23	24	25	26	27	28
일진		己丑	甲寅	乙卯	丙辰	丁巳	庚午	辛未	壬申	癸酉	戊戌	己亥	甲子	乙丑	丙寅	丁卯	庚辰	辛巳	壬午	癸未	戊申	己酉	甲戌	乙亥	丙子	丁丑	庚寅	辛卯	壬辰	癸巳	戊午	己未
대운	男	8	9	9	9	10	立	1	1	1	1	2	2	2	3	3	3	4	4	4	5	5	5	6	6	6	7	7	7	8	8	8
	女	2	1	1	1	1	冬	10	10	9	9	9	8	8	8	7	7	7	6	6	6	5	5	5	4	4	4	3	3	3	2	2

6月 (1일 七赤 -) **戊子 (九紫)** 절기: 大雪 (6일 23:19) 冬至 (22일 16:12)

양력		1	2	3	4	5	6	7	8	9	10	11	12	13	14	15	16	17	18	19	20	21	22	23	24	25	26	27	28	29	30	
요일		火	水	木	金	土	日	月	火	水	木	金	土	日	月	火	水	木	金	土	日	月	火	水	木	金	土	日	月	火	水	
음력	월	29	30	五	2	3	4	5	6	7	8	9	10	11	12	13	14	15	16	17	18	19	20	21	22	23	24	25	26	27	28	
일진		甲申	乙酉	丙戌	丁亥	庚子	辛丑	壬寅	癸卯	戊辰	己巳	甲午	乙未	丙申	丁酉	庚戌	辛亥	壬子	癸丑	戊寅	己卯	甲辰	乙巳	丙午	丁未	庚申	辛酉	壬戌	癸亥	戊子	己丑	
대운	男	9	9	9	10	10	大	1	1	1	1	2	2	2	3	3	3	4	4	4	5	5	5	6	6	6	7	7	7	8	8	
	女	2	2	1	1	1	雪	10	10	10	9	9	9	8	8	8	7	7	7	6	6	6	5	5	5	4	4	4	3	3	3	

7月 (1일 四綠 - 5일 一白 +) **己丑 (一白)** 절기: 小寒(8일 09:39) 大寒(24일 03:05)

양력		1	2	3	4	5	6	7	8	9	10	11	12	13	14	15	16	17	18	19	20	21	22	23	24	25	26	27	28	29	30	31
요일		木	金	土	日	月	火	水	木	金	土	日	月	火	水	木	金	土	日	月	火	水	木	金	土	日	月	火	水	木	金	土
음력	월	29	六	2	3	4	5	6	7	8	9	10	11	12	13	14	15	16	17	18	19	20	21	22	23	24	25	26	27	28	29	30
일진		甲寅	乙卯	丙辰	丁巳	庚午	辛未	壬申	癸酉	戊戌	己亥	甲子	乙丑	丙寅	丁卯	庚辰	辛巳	壬午	癸未	戊申	己酉	甲戌	乙亥	丙子	丁丑	庚寅	辛卯	壬辰	癸巳	戊午	己未	甲申
대운	男	8	9	9	9	10	10	10	小	1	1	1	1	2	2	2	3	3	3	4	4	4	5	5	5	6	6	6	7	7	7	8
	女	2	2	2	1	1	1	1	寒	10	10	9	9	9	8	8	8	7	7	7	6	6	6	5	5	5	4	4	4	3	3	3

8月 (1일 一白 +) **甲寅 (二黑)** 절기: 立春(8일 19:19) 雨水(24일 09:55)

양력		1	2	3	4	5	6	7	8	9	10	11	12	13	14	15	16	17	18	19	20	21	22	23	24	25	26	27	28	29	30	31
요일		日	月	火	水	木	金	土	日	月	火	水	木	金	土	日	月	火	水	木	金	土	日	月	火	水	木	金	土	日	月	火
음력	월	七	2	3	4	5	6	7	8	9	10	11	12	13	14	15	16	17	18	19	20	21	22	23	24	25	26	27	28	29	30	八
일진		乙酉	丙戌	丁亥	庚子	辛丑	壬寅	癸卯	戊辰	己巳	甲午	乙未	丙申	丁酉	庚戌	辛亥	壬子	癸丑	戊寅	己卯	甲辰	乙巳	丙午	丁未	庚申	辛酉	壬戌	癸亥	戊子	己丑	甲寅	乙卯
대운	男	8	8	9	9	9	10	10	立	1	1	1	1	2	2	2	3	3	3	4	4	4	5	5	5	6	6	6	7	7	7	8
	女	2	2	2	1	1	1	1	春	10	10	9	9	9	8	8	8	7	7	7	6	6	6	5	5	5	4	4	4	3	3	3

9月 (1일 五黃 +) **乙卯 (三碧)** 절기: 驚蟄(8일 21:55) 春分 (24일 07:12)

양력		1	2	3	4	5	6	7	8	9	10	11	12	13	14	15	16	17	18	19	20	21	22	23	24	25	26	27	28	29	30	
요일		水	木	金	土	日	月	火	水	木	金	土	日	月	火	水	木	金	土	日	月	火	水	木	金	土	日	月	火	水	木	
음력	월	2	3	4	5	6	7	8	9	10	11	12	13	14	15	16	17	18	19	20	21	22	23	24	25	26	27	28	29	九	2	
일진		丙辰	丁巳	庚午	辛未	壬申	癸酉	戊戌	己亥	甲子	乙丑	丙寅	丁卯	庚辰	辛巳	壬午	癸未	戊申	己酉	甲戌	乙亥	丙子	丁丑	庚寅	辛卯	壬辰	癸巳	戊午	己未	甲申	乙酉	
대운	男	8	8	9	9	9	10	10	驚	1	1	1	1	2	2	2	3	3	3	4	4	4	5	5	5	6	6	6	7	7	7	
	女	2	2	2	1	1	1	1	蟄	10	10	9	9	9	8	8	8	7	7	7	6	6	6	5	5	5	4	4	4	3	3	

10月 (1일 八白 +) **丙辰 (四綠)** 절기: 清明(9일 13:11) 穀雨(24일 16:08)

양력		1	2	3	4	5	6	7	8	9	10	11	12	13	14	15	16	17	18	19	20	21	22	23	24	25	26	27	28	29	30	31
요일		金	土	日	月	火	水	木	金	土	日	月	火	水	木	金	土	日	月	火	水	木	金	土	日	月	火	水	木	金	土	日
음력	월	3	4	5	6	7	8	9	10	11	12	13	14	15	16	17	18	19	20	21	22	23	24	25	26	27	28	29	30	十	2	3
일진		丙戌	丁亥	庚子	辛丑	壬寅	癸卯	戊辰	己巳	甲午	乙未	丙申	丁酉	庚戌	辛亥	壬子	癸丑	戊寅	己卯	甲辰	乙巳	丙午	丁未	庚申	辛酉	壬戌	癸亥	戊子	己丑	甲寅	乙卯	丙辰
대운	男	8	8	8	9	9	9	10	10	清	1	1	1	1	2	2	2	3	3	3	4	4	4	5	5	5	6	6	6	7	7	7
	女	3	2	2	2	1	1	1	1	明	10	9	9	9	8	8	8	7	7	7	6	6	6	5	5	5	4	4	4	3	3	3

11月 (1일 三碧 +) **丁巳 (五黃)** 절기: 立夏(8일 15:59) 小滿 (23일 13:22)

양력		1	2	3	4	5	6	7	8	9	10	11	12	13	14	15	16	17	18	19	20	21	22	23	24	25	26	27	28	29	30	
요일		月	火	水	木	金	土	日	月	火	水	木	金	土	日	月	火	水	木	金	土	日	月	火	水	木	金	土	日	月	火	
음력	월	4	5	6	7	8	9	10	11	12	13	14	15	16	17	18	19	20	21	22	23	24	25	26	27	28	29	30	十一	2	3	
일진		丁巳	庚午	辛未	壬申	癸酉	戊戌	己亥	甲子	乙丑	丙寅	丁卯	庚辰	辛巳	壬午	癸未	戊申	己酉	甲戌	乙亥	丙子	丁丑	庚寅	辛卯	壬辰	癸巳	戊午	己未	甲申	乙酉	丙戌	
대운	男	8	8	8	9	9	9	10	立	1	1	1	1	2	2	2	3	3	3	4	4	4	5	5	5	6	6	6	7	7	7	
	女	2	2	2	1	1	1	1	夏	10	9	9	9	8	8	8	7	7	7	6	6	6	5	5	5	4	4	4	3	3	3	

12月 (1일 六白 +) **庚午 (六白)** 절기: 芒種(8일 08:33) 夏至(23일 02:29)

양력		1	2	3	4	5	6	7	8	9	10	11	12	13	14	15	16	17	18	19	20	21	22	23	24	25	26	27	28	29	30	31
요일		水	木	金	土	日	月	火	水	木	金	土	日	月	火	水	木	金	土	日	月	火	水	木	金	土	日	月	火	水	木	金
음력	월	4	5	6	7	8	9	10	11	12	13	14	15	16	17	18	19	20	21	22	23	24	25	26	27	28	29	十二	2	3	4	5
일진		丁亥	庚子	辛丑	壬寅	癸卯	戊辰	己巳	甲午	乙未	丙申	丁酉	庚戌	辛亥	壬子	癸丑	戊寅	己卯	甲辰	乙巳	丙午	丁未	庚申	辛酉	壬戌	癸亥	戊子	己丑	甲寅	乙卯	丙辰	丁巳
대운	男	8	8	8	9	9	9	10	芒	1	1	1	1	2	2	2	3	3	3	4	4	4	5	5	5	6	6	6	7	7	7	8
	女	2	2	2	1	1	1	1	種	9	9	9	8	8	8	7	7	7	6	6	6	5	5	5	4	4	4	3	3	3	2	2

서기1944년

庚寅年 (八白土星) 閏四月

1月 (1일 九紫 -) **辛未 (七赤)** 절기: 小暑 (6일 19:39) 大暑 (21일 13:07)

양력	1	2	3	4	5	6	7	8	9	10	11	12	13	14	15	16	17	18	19	20	21	22	23	24	25	26	27	28	29	30	31
요일	土	日	月	火	水	木	金	土	日	月	火	水	木	金	土	日	月	火	水	木	金	土	日	月	火	水	木	金	土	日	月
음력 월	6	7	8	9	10	11	12	13	14	15	16	17	18	19	20	21	22	23	24	25	26	27	28	29	30	一	2	3	4	5	6
일진	庚午	辛未	壬申	癸酉	戊戌	己亥	甲子	乙丑	丙寅	丁卯	庚辰	辛巳	壬午	癸未	戊申	己酉	甲戌	乙亥	丙子	丁丑	庚寅	辛卯	壬辰	癸巳	戊午	己未	甲申	乙酉	丙戌	丁亥	庚子
대운 男	8	8	9	9	9	小	1	1	1	1	2	2	2	3	3	3	4	4	4	5	5	5	6	6	6	7	7	7	8	8	8
대운 女	2	1	1	1	1	暑	10	9	9	9	8	8	8	7	7	7	6	6	6	5	5	5	4	4	4	3	3	3	2	2	2

2月 閏 (1일 五黃 -) **壬申 (八白)** 절기: 立秋 (5일 07:23) 處暑 (20일 03:27)

양력	1	2	3	4	5	6	7	8	9	10	11	12	13	14	15	16	17	18	19	20	21	22	23	24	25	26	27	28	29		
요일	火	水	木	金	土	日	月	火	水	木	金	土	日	月	火	水	木	金	土	日	月	火	水	木	金	土	日	月	火		
음력 월	7	8	9	10	11	12	13	14	15	16	17	18	19	20	21	22	23	24	25	26	27	28	29	二	2	3	4	5	6		
일진	辛丑	壬寅	癸卯	戊辰	己巳	甲午	乙未	丙申	丁酉	庚戌	辛亥	壬子	癸丑	戊寅	己卯	甲辰	乙巳	丙午	丁未	庚申	辛酉	壬戌	癸亥	戊子	己丑	甲寅	乙卯	丙辰	丁巳		
대운 男	9	9	9	10	立	10	9	9	9	8	8	8	7	7	7	6	6	6	5	5	5	4	4	4	3	3	3	2	2		
대운 女	1	1	1	1	秋	1	1	1	1	2	2	2	3	3	3	4	4	4	5	5	5	6	6	6	7	7	7	8	8		

3月 (1일 三碧 -) **癸酉 (九紫)** 절기: 白露 (6일 01:40) 秋分 (21일 02:49)

양력	1	2	3	4	5	6	7	8	9	10	11	12	13	14	15	16	17	18	19	20	21	22	23	24	25	26	27	28	29	30	31
요일	水	木	金	土	日	月	火	水	木	金	土	日	月	火	水	木	金	土	日	月	火	水	木	金	土	日	月	火	水	木	金
음력 월	7	8	9	10	11	12	13	14	15	16	17	18	19	20	21	22	23	24	25	26	27	28	29	三	2	3	4	5	6	7	8
일진	庚午	辛未	壬申	癸酉	戊戌	己亥	甲子	乙丑	丙寅	丁卯	庚辰	辛巳	壬午	癸未	戊申	己酉	甲戌	乙亥	丙子	丁丑	庚寅	辛卯	壬辰	癸巳	戊午	己未	甲申	乙酉	丙戌	丁亥	庚子
대운 男	2	1	1	1	1	白	10	9	9	9	8	8	8	7	7	7	6	6	6	5	5	5	4	4	4	3	3	3	2	2	2
대운 女	8	9	9	9	10	露	1	1	1	1	2	2	2	3	3	3	4	4	4	5	5	5	6	6	6	7	7	7	8	8	8

4月 (1일 八白 -) **戊戌 (一白)** 절기: 寒露 (5일 06:54) 霜降 (20일 14:18)

양력	1	2	3	4	5	6	7	8	9	10	11	12	13	14	15	16	17	18	19	20	21	22	23	24	25	26	27	28	29	30	
요일	土	日	月	火	水	木	金	土	日	月	火	水	木	金	土	日	月	火	水	木	金	土	日	月	火	水	木	金	土	日	
음력 월	9	10	11	12	13	14	15	16	17	18	19	20	21	22	23	24	25	26	27	28	29	30	四	2	3	4	5	6	7	8	
일진	辛丑	壬寅	癸卯	戊辰	己巳	甲午	乙未	丙申	丁酉	庚戌	辛亥	壬子	癸丑	戊寅	己卯	甲辰	乙巳	丙午	丁未	庚申	辛酉	壬戌	癸亥	戊子	己丑	甲寅	乙卯	丙辰	丁巳	庚午	
대운 男	2	1	1	1	寒	10	10	9	9	9	8	8	8	7	7	7	6	6	6	5	5	5	4	4	4	3	3	3	2	2	
대운 女	9	9	9	10	露	1	1	1	1	2	2	2	3	3	3	4	4	4	5	5	5	6	6	6	7	7	7	8	8	8	

5月 (1일 五黃 -) **己亥 (二黑)** 절기: 立冬 (6일 00:40) 小雪 (21일 13:51)

양력	1	2	3	4	5	6	7	8	9	10	11	12	13	14	15	16	17	18	19	20	21	22	23	24	25	26	27	28	29	30	31
요일	月	火	水	木	金	土	日	月	火	水	木	金	土	日	月	火	水	木	金	土	日	月	火	水	木	金	土	日	月	火	水
음력 월	9	10	11	12	13	14	15	16	17	18	19	20	21	22	23	24	25	26	27	28	29	閏四		3	4	5	6	7	8	9	10
일진	辛未	壬申	癸酉	戊戌	己亥	甲子	乙丑	丙寅	丁卯	庚辰	辛巳	壬午	癸未	戊申	己酉	甲戌	乙亥	丙子	丁丑	庚寅	辛卯	壬辰	癸巳	戊午	己未	甲申	乙酉	丙戌	丁亥	庚子	辛丑
대운 男	2	1	1	1	1	立	10	10	9	9	9	8	8	8	7	7	7	6	6	6	5	5	5	4	4	4	3	3	3	2	2
대운 女	9	9	9	10	10	冬	1	1	1	1	2	2	2	3	3	3	4	4	4	5	5	5	6	6	6	7	7	7	8	8	8

6月 (1일 一白 - 29일 一白 +) **甲子 (三碧)** 절기: 大雪 (6일 05:11) 冬至 (21일 22:02)

양력	1	2	3	4	5	6	7	8	9	10	11	12	13	14	15	16	17	18	19	20	21	22	23	24	25	26	27	28	29	30
요일	木	金	土	日	月	火	水	木	金	土	日	月	火	水	木	金	土	日	月	火	水	木	金	土	日	月	火	水	木	金
음력 월	11	12	13	14	15	16	17	18	19	20	21	22	23	24	25	26	27	28	29	30	五	2	3	4	5	6	7	8	9	10
일진	壬寅	癸卯	戊辰	己巳	甲午	乙未	丙申	丁酉	庚戌	辛亥	壬子	癸丑	戊寅	己卯	甲辰	乙巳	丙午	丁未	庚申	辛酉	壬戌	癸亥	戊子	己丑	甲寅	乙卯	丙辰	丁巳	庚午	辛未
대운 男	2	1	1	1	1	大	10	10	9	9	9	8	8	8	7	7	7	6	6	6	5	5	5	4	4	4	3	3	3	2
대운 女	9	9	9	10	10	雪	1	1	1	1	2	2	2	3	3	3	4	4	4	5	5	5	6	6	6	7	7	7	8	8

7月 (1일 三碧 +) 乙丑 (四綠) 절기: 小寒(7일 15:36) 大寒(23일 08:56)

양력		1	2	3	4	5	6	7	8	9	10	11	12	13	14	15	16	17	18	19	20	21	22	23	24	25	26	27	28	29	30	31
요일		土	日	月	火	水	木	金	土	日	月	火	水	木	金	土	日	月	火	水	木	金	土	日	月	火	水	木	金	土	日	月
음력	월	11	12	13	14	15	16	17	18	19	20	21	22	23	24	25	26	27	28	29	六	2	3	4	5	6	7	8	9	10	11	12
일진		壬申	癸酉	戊戌	己亥	甲子	乙丑	丙寅	丁卯	庚辰	辛巳	壬午	癸未	戊申	己酉	甲戌	乙亥	丙子	丁丑	庚寅	辛卯	壬辰	癸巳	戊午	己未	甲申	乙酉	丙戌	丁亥	庚子	辛丑	壬寅
대운	男	2	2	1	1	1	1	小	10	10	10	9	9	9	8	8	8	7	7	7	6	6	6	5	5	5	4	4	4	3	3	3
	女	8	9	9	9	10	10	寒	1	1	1	1	2	2	2	3	3	3	4	4	4	5	5	5	6	6	6	7	7	7	8	8

8月 (1일 七赤 +) 丙寅 (五黃) 절기: 立春(8일 01:19) 雨水(23일 15:46)

양력		1	2	3	4	5	6	7	8	9	10	11	12	13	14	15	16	17	18	19	20	21	22	23	24	25	26	27	28	29	30	31
요일		火	水	木	金	土	日	月	火	水	木	金	土	日	月	火	水	木	金	土	日	月	火	水	木	金	土	日	月	火	水	木
음력	월	13	14	15	16	17	18	19	20	21	22	23	24	25	26	27	28	29	30	七	2	3	4	5	6	7	8	9	10	11	12	13
일진		癸卯	戊辰	己巳	甲午	乙未	丙申	丁酉	庚戌	辛亥	壬子	癸丑	戊寅	己卯	甲辰	乙巳	丙午	丁未	庚申	辛酉	壬戌	癸亥	戊子	己丑	甲寅	乙卯	丙辰	丁巳	庚午	辛未	壬申	癸酉
대운	男	2	2	2	1	1	1	1	立	10	10	9	9	9	8	8	8	7	7	7	6	6	6	5	5	5	4	4	4	3	3	3
	女	8	9	9	9	10	10	10	春	1	1	1	1	2	2	2	3	3	3	4	4	4	5	5	5	6	6	6	7	7	7	8

9月 (1일 二黑 +) 丁卯 (六白) 절기: 驚蟄(8일 03:56) 春分 (23일 13:02)

양력		1	2	3	4	5	6	7	8	9	10	11	12	13	14	15	16	17	18	19	20	21	22	23	24	25	26	27	28	29	30	
요일		金	土	日	月	火	水	木	金	土	日	月	火	水	木	金	土	日	月	火	水	木	金	土	日	月	火	水	木	金	土	
음력	월	14	15	16	17	18	19	20	21	22	23	24	25	26	27	28	29	八	2	3	4	5	6	7	8	9	10	11	12	13	14	
일진		戊戌	己亥	甲子	乙丑	丙寅	丁卯	庚辰	辛巳	壬午	癸未	戊申	己酉	甲戌	乙亥	丙子	丁丑	庚寅	辛卯	壬辰	癸巳	戊午	己未	甲申	乙酉	丙戌	丁亥	庚子	辛丑	壬寅	癸卯	
대운	男	2	2	2	1	1	1	1	驚	10	9	9	9	8	8	8	7	7	7	6	6	6	5	5	5	4	4	4	3	3	3	
	女	8	8	9	9	9	10	10	蟄	1	1	1	1	2	2	2	3	3	3	4	4	4	5	5	5	6	6	6	7	7	7	

10月 (1일 五黃 +) 庚辰 (七赤) 절기: 清明(8일 19:09) 穀雨(23일 21:56)

양력		1	2	3	4	5	6	7	8	9	10	11	12	13	14	15	16	17	18	19	20	21	22	23	24	25	26	27	28	29	30	31
요일		日	月	火	水	木	金	土	日	月	火	水	木	金	土	日	月	火	水	木	金	土	日	月	火	水	木	金	土	日	月	火
음력	월	15	16	17	18	19	20	21	22	23	24	25	26	27	28	29	30	九	2	3	4	5	6	7	8	9	10	11	12	13	14	15
일진		戊辰	己巳	甲午	乙未	丙申	丁酉	庚戌	辛亥	壬子	癸丑	戊寅	己卯	甲辰	乙巳	丙午	丁未	庚申	辛酉	壬戌	癸亥	戊子	己丑	甲寅	乙卯	丙辰	丁巳	庚午	辛未	壬申	癸酉	戊戌
대운	男	2	2	2	1	1	1	1	清	10	9	9	9	8	8	8	7	7	7	6	6	6	5	5	5	4	4	4	3	3	3	2
	女	8	8	8	9	9	9	10	明	1	1	1	1	2	2	2	3	3	3	4	4	4	5	5	5	6	6	6	7	7	7	8

11月 (1일 九紫 +) 辛巳 (八白) 절기: 立夏(7일 21:55) 小滿 (22일 19:08)

양력		1	2	3	4	5	6	7	8	9	10	11	12	13	14	15	16	17	18	19	20	21	22	23	24	25	26	27	28	29	30	
요일		水	木	金	土	日	月	火	水	木	金	土	日	月	火	水	木	金	土	日	月	火	水	木	金	土	日	月	火	水	木	
음력	월	16	17	18	19	20	21	22	23	24	25	26	27	28	29	30	十	2	3	4	5	6	7	8	9	10	11	12	13	14	15	
일진		己亥	甲子	乙丑	丙寅	丁卯	庚辰	辛巳	壬午	癸未	戊申	己酉	甲戌	乙亥	丙子	丁丑	庚寅	辛卯	壬辰	癸巳	戊午	己未	甲申	乙酉	丙戌	丁亥	庚子	辛丑	壬寅	癸卯	戊辰	
대운	男	2	2	1	1	1	1	立	10	9	9	9	8	8	8	7	7	7	6	6	6	5	5	5	4	4	4	3	3	3	2	
	女	8	8	9	9	9	10	夏	1	1	1	1	2	2	2	3	3	3	4	4	4	5	5	5	6	6	6	7	7	7	8	

12月 (1일 三碧 + 26일 九紫 -) 壬午 (九紫) 절기: 芒種(7일 14:28) 夏至(22일 08:15)

양력		1	2	3	4	5	6	7	8	9	10	11	12	13	14	15	16	17	18	19	20	21	22	23	24	25	26	27	28	29	30	31
요일		金	土	日	月	火	水	木	金	土	日	月	火	水	木	金	土	日	月	火	水	木	金	土	日	月	火	水	木	金	土	日
음력	월	16	17	18	19	20	21	22	23	24	25	26	27	28	29	十一	2	3	4	5	6	7	8	9	10	11	12	13	14	15	16	17
일진		己巳	甲午	乙未	丙申	丁酉	庚戌	辛亥	壬子	癸丑	戊寅	己卯	甲辰	乙巳	丙午	丁未	庚申	辛酉	壬戌	癸亥	戊子	己丑	甲寅	乙卯	丙辰	丁巳	庚午	辛未	壬申	癸酉	戊戌	己亥
대운	男	2	2	1	1	1	1	芒	10	9	9	9	8	8	8	7	7	7	6	6	6	5	5	5	4	4	4	3	3	3	2	2
	女	8	8	9	9	9	10	種	1	1	1	1	2	2	2	3	3	3	4	4	4	5	5	5	6	6	6	7	7	7	8	8

서기1945년

辛卯年 (九紫火星)

1月 (1일 三碧 -) **癸未 (一白)** 절기: 小暑 (6일 01:34) 大暑 (20일 18:54)

양력		1	2	3	4	5	6	7	8	9	10	11	12	13	14	15	16	17	18	19	20	21	22	23	24	25	26	27	28	29	30	31
요일		月	火	水	木	金	土	日	月	火	水	木	金	土	日	月	火	水	木	金	土	日	月	火	水	木	金	土	日	月	火	水
음력	월	18	19	20	21	22	23	24	25	26	27	28	29	30	十二	2	3	4	5	6	7	8	9	10	11	12	13	14	15	16	17	18
일진		甲子	乙丑	丙寅	丁卯	庚辰	辛巳	壬午	癸未	戊申	己酉	甲戌	乙亥	丙子	丁丑	庚寅	辛卯	壬辰	癸巳	戊午	己未	甲申	乙酉	丙戌	丁亥	庚子	辛丑	壬寅	癸卯	戊辰	己巳	甲午
대운	男	2	1	1	1	1	小	9	9	9	8	8	8	7	7	7	6	6	6	5	5	5	4	4	4	3	3	3	2	2	2	1
	女	8	9	9	9	10	暑	1	1	1	1	2	2	2	3	3	3	4	4	4	5	5	5	6	6	6	7	7	7	8	8	8

2月 (1일 八白 -) **戊申 (二黑)** 절기: 立秋 (4일 13:19) 處暑 (19일 09:15)

양력		1	2	3	4	5	6	7	8	9	10	11	12	13	14	15	16	17	18	19	20	21	22	23	24	25	26	27	28			
요일		木	金	土	日	月	火	水	木	金	土	日	月	火	水	木	金	土	日	月	火	水	木	金	土	日	月	火	水			
음력	월	19	20	21	22	23	24	25	26	27	28	29	30	一	2	3	4	5	6	7	8	9	10	11	12	13	14	15	16			
일진		乙未	丙申	丁酉	庚戌	辛亥	壬子	癸丑	戊寅	己卯	甲辰	乙巳	丙午	丁未	庚申	辛酉	壬戌	癸亥	戊子	己丑	甲寅	乙卯	丙辰	丁巳	庚午	辛未	壬申	癸酉	戊戌			
대운	男	1	1	1	立	1	1	1	1	2	2	2	3	3	3	4	4	4	5	5	5	6	6	6	7	7	7	8	8			
	女	9	9	9	秋	10	9	9	9	8	8	8	7	7	7	6	6	6	5	5	5	4	4	4	3	3	3	2	2			

3月 (1일 七赤 -) **己酉 (三碧)** 절기: 白露 (6일 07:38) 秋分 (21일 08:37)

양력		1	2	3	4	5	6	7	8	9	10	11	12	13	14	15	16	17	18	19	20	21	22	23	24	25	26	27	28	29	30	31
요일		木	金	土	日	月	火	水	木	金	土	日	月	火	水	木	金	土	日	月	火	水	木	金	土	日	月	火	水	木	金	土
음력	월	17	18	19	20	21	22	23	24	25	26	27	28	29	二	2	3	4	5	6	7	8	9	10	11	12	13	14	15	16	17	18
일진		己亥	甲子	乙丑	丙寅	丁卯	庚辰	辛巳	壬午	癸未	戊申	己酉	甲戌	乙亥	丙子	丁丑	庚寅	辛卯	壬辰	癸巳	戊午	己未	甲申	乙酉	丙戌	丁亥	庚子	辛丑	壬寅	癸卯	戊辰	己巳
대운	男	8	9	9	9	10	白	1	1	1	1	2	2	2	3	3	3	4	4	4	5	5	5	6	6	6	7	7	7	8	8	8
	女	2	1	1	1	1	露	10	9	9	9	8	8	8	7	7	7	6	6	6	5	5	5	4	4	4	3	3	3	2	2	2

4月 (1일 三碧 -) **甲戌 (四綠)** 절기: 寒露 (5일 12:52) 霜降 (20일 20:07)

양력		1	2	3	4	5	6	7	8	9	10	11	12	13	14	15	16	17	18	19	20	21	22	23	24	25	26	27	28	29	30	
요일		日	月	火	水	木	金	土	日	月	火	水	木	金	土	日	月	火	水	木	金	土	日	月	火	水	木	金	土	日	月	
음력	월	19	20	21	22	23	24	25	26	27	28	29	三	2	3	4	5	6	7	8	9	10	11	12	13	14	15	16	17	18	19	
일진		甲午	乙未	丙申	丁酉	庚戌	辛亥	壬子	癸丑	戊寅	己卯	甲辰	乙巳	丙午	丁未	庚申	辛酉	壬戌	癸亥	戊子	己丑	甲寅	乙卯	丙辰	丁巳	庚午	辛未	壬申	癸酉	戊戌	己亥	
대운	男	9	9	9	10	寒	1	1	1	1	2	2	2	3	3	3	4	4	4	5	5	5	6	6	6	7	7	7	8	8	8	
	女	1	1	1	1	露	10	10	9	9	9	8	8	8	7	7	7	6	6	6	5	5	5	4	4	4	3	3	3	2	2	

5月 (1일 九紫 -) **乙亥 (五黃)** 절기: 立冬 (6일 06:37) 小雪 (21일 19:40)

양력		1	2	3	4	5	6	7	8	9	10	11	12	13	14	15	16	17	18	19	20	21	22	23	24	25	26	27	28	29	30	31
요일		火	水	木	金	土	日	月	火	水	木	金	土	日	月	火	水	木	金	土	日	月	火	水	木	金	土	日	月	火	水	木
음력	월	20	21	22	23	24	25	26	27	28	29	30	四	2	3	4	5	6	7	8	9	10	11	12	13	14	15	16	17	18	19	20
일진		甲子	乙丑	丙寅	丁卯	庚辰	辛巳	壬午	癸未	戊申	己酉	甲戌	乙亥	丙子	丁丑	庚寅	辛卯	壬辰	癸巳	戊午	己未	甲申	乙酉	丙戌	丁亥	庚子	辛丑	壬寅	癸卯	戊辰	己巳	甲午
대운	男	2	1	1	1	1	立	1	1	1	1	2	2	2	3	3	3	4	4	4	5	5	5	6	6	6	7	7	7	8	8	8
	女	2	1	1	1	1	冬	10	10	9	9	9	8	8	8	7	7	7	6	6	6	5	5	5	4	4	4	3	3	3	2	2

6月 (1일 五黃 - 24일 一白 +) **丙子 (六白)** 절기: 大雪 (6일 11:05) 冬至 (22일 03:52)

양력		1	2	3	4	5	6	7	8	9	10	11	12	13	14	15	16	17	18	19	20	21	22	23	24	25	26	27	28	29	30	
요일		金	土	日	月	火	水	木	金	土	日	月	火	水	木	金	土	日	月	火	水	木	金	土	日	月	火	水	木	金	土	
음력	월	21	22	23	24	25	26	27	28	29	五	2	3	4	5	6	7	8	9	10	11	12	13	14	15	16	17	18	19	20	21	
일진		乙未	丙申	丁酉	庚戌	辛亥	壬子	癸丑	戊寅	己卯	甲辰	乙巳	丙午	丁未	庚申	辛酉	壬戌	癸亥	戊子	己丑	甲寅	乙卯	丙辰	丁巳	庚午	辛未	壬申	癸酉	戊戌	己亥	甲子	
대운	男	9	9	9	10	10	大	1	1	1	1	2	2	2	3	3	3	4	4	4	5	5	5	6	6	6	7	7	7	8	8	
	女	2	1	1	1	1	雪	10	10	9	9	9	8	8	8	7	7	7	6	6	6	5	5	5	4	4	4	3	3	3	2	

7月 (1일 八白 +) **丁丑 (七赤)** 절기: 小寒(7일 21:27) 大寒(23일 14:45)

양력		1	2	3	4	5	6	7	8	9	10	11	12	13	14	15	16	17	18	19	20	21	22	23	24	25	26	27	28	29	30	31
요일		日	月	火	水	木	金	土	日	月	火	水	木	金	土	日	月	火	水	木	金	土	日	月	火	水	木	金	土	日	月	火
음력	월	22	23	24	25	26	27	28	29	六	2	3	4	5	6	7	8	9	10	11	12	13	14	15	16	17	18	19	20	21	22	23
일진		乙丑	丙寅	丁卯	庚辰	辛巳	壬午	癸未	戊申	己酉	甲戌	乙亥	丙子	丁丑	庚寅	辛卯	壬辰	癸巳	戊午	己未	甲申	乙酉	丙戌	丁亥	庚子	辛丑	壬寅	癸卯	戊辰	己巳	甲午	乙未
대운	男	8	9	9	9	10	10	小	1	1	1	1	2	2	2	3	3	3	4	4	4	5	5	5	6	6	6	7	7	7	8	8
	女	2	2	1	1	1	1	寒	10	10	10	9	9	9	8	8	8	7	7	7	6	6	6	5	5	5	4	4	4	3	3	3

8月 (1일 三碧 +) **庚寅 (八白)** 절기: 立春(8일 07:05) 雨水(23일 21:35)

양력		1	2	3	4	5	6	7	8	9	10	11	12	13	14	15	16	17	18	19	20	21	22	23	24	25	26	27	28	29	30	31
요일		水	木	金	土	日	月	火	水	木	金	土	日	月	火	水	木	金	土	日	月	火	水	木	金	土	日	月	火	水	木	金
음력	월	24	25	26	27	28	29	30	七	2	3	4	5	6	7	8	9	10	11	12	13	14	15	16	17	18	19	20	21	22	23	24
일진		丙申	丁酉	庚戌	辛亥	壬子	癸丑	戊寅	己卯	甲辰	乙巳	丙午	丁未	庚申	辛酉	壬戌	癸亥	戊子	己丑	甲寅	乙卯	丙辰	丁巳	庚午	辛未	壬申	癸酉	戊戌	己亥	甲子	乙丑	丙寅
대운	男	8	9	9	9	10	10	10	立	1	1	1	1	2	2	2	3	3	3	4	4	4	5	5	5	6	6	6	7	7	7	8
	女	2	2	2	1	1	1	1	春	10	10	9	9	9	8	8	8	7	7	7	6	6	6	5	5	5	4	4	4	3	3	3

9月 (1일 七赤 +) **辛卯 (九紫)** 절기: 驚蟄(8일 09:38) 春分 (23일 18:50)

양력		1	2	3	4	5	6	7	8	9	10	11	12	13	14	15	16	17	18	19	20	21	22	23	24	25	26	27	28	29	30	
요일		土	日	月	火	水	木	金	土	日	月	火	水	木	金	土	日	月	火	水	木	金	土	日	月	火	水	木	金	土	日	
음력	월	25	26	27	28	29	八	2	3	4	5	6	7	8	9	10	11	12	13	14	15	16	17	18	19	20	21	22	23	24	25	
일진		丁卯	庚辰	辛巳	壬午	癸未	戊申	己酉	甲戌	乙亥	丙子	丁丑	庚寅	辛卯	壬辰	癸巳	戊午	己未	甲申	乙酉	丙戌	丁亥	庚子	辛丑	壬寅	癸卯	戊辰	己巳	甲午	乙未	丙申	
대운	男	8	8	9	9	9	10	10	驚	1	1	1	1	2	2	2	3	3	3	4	4	4	5	5	5	6	6	6	7	7	7	
	女	2	2	2	1	1	1	1	蟄	10	10	9	9	9	8	8	8	7	7	7	6	6	6	5	5	5	4	4	4	3	3	

10月 (1일 一白 +) **壬辰 (一白)** 절기: 清明(9일 00:49) 穀雨(24일 03:44)

양력		1	2	3	4	5	6	7	8	9	10	11	12	13	14	15	16	17	18	19	20	21	22	23	24	25	26	27	28	29	30	31
요일		月	火	水	木	金	土	日	月	火	水	木	金	土	日	月	火	水	木	金	土	日	月	火	水	木	金	土	日	月	火	水
음력	월	26	27	28	29	30	九	2	3	4	5	6	7	8	9	10	11	12	13	14	15	16	17	18	19	20	21	22	23	24	25	26
일진		丁酉	庚戌	辛亥	壬子	癸丑	戊寅	己卯	甲辰	乙巳	丙午	丁未	庚申	辛酉	壬戌	癸亥	戊子	己丑	甲寅	乙卯	丙辰	丁巳	庚午	辛未	壬申	癸酉	戊戌	己亥	甲子	乙丑	丙寅	丁卯
대운	男	8	8	8	9	9	9	10	10	清	1	1	1	1	2	2	2	3	3	3	4	4	4	5	5	5	6	6	6	7	7	7
	女	3	2	2	2	1	1	1	1	明	10	9	9	9	8	8	8	7	7	7	6	6	6	5	5	5	4	4	4	3	3	3

11月 (1일 五黃 +) **癸巳 (二黑)** 절기: 立夏(8일 03:34) 小滿 (23일 00:55)

양력		1	2	3	4	5	6	7	8	9	10	11	12	13	14	15	16	17	18	19	20	21	22	23	24	25	26	27	28	29	30	
요일		木	金	土	日	月	火	水	木	金	土	日	月	火	水	木	金	土	日	月	火	水	木	金	土	日	月	火	水	木	金	
음력	월	27	28	29	30	十	2	3	4	5	6	7	8	9	10	11	12	13	14	15	16	17	18	19	20	21	22	23	24	25	26	
일진		庚辰	辛巳	壬午	癸未	戊申	己酉	甲戌	乙亥	丙子	丁丑	庚寅	辛卯	壬辰	癸巳	戊午	己未	甲申	乙酉	丙戌	丁亥	庚子	辛丑	壬寅	癸卯	戊辰	己巳	甲午	乙未	丙申	丁酉	
대운	男	8	8	8	9	9	9	10	立	1	1	1	1	2	2	2	3	3	3	4	4	4	5	5	5	6	6	6	7	7	7	
	女	2	2	2	1	1	1	1	夏	9	9	9	8	8	8	7	7	7	6	6	6	5	5	5	4	4	4	3	3	3	2	

12月 (1일 八白 + 21일 九紫 -) **戊午 (三碧)** 절기: 芒種(7일 20:08) 夏至(22일 14:04)

양력		1	2	3	4	5	6	7	8	9	10	11	12	13	14	15	16	17	18	19	20	21	22	23	24	25	26	27	28	29	30	31
요일		土	日	月	火	水	木	金	土	日	月	火	水	木	金	土	日	月	火	水	木	金	土	日	月	火	水	木	金	土	日	月
음력	월	27	28	29	30	十一	2	3	4	5	6	7	8	9	10	11	12	13	14	15	16	17	18	19	20	21	22	23	24	25	26	27
일진		庚戌	辛亥	壬子	癸丑	戊寅	己卯	甲辰	乙巳	丙午	丁未	庚申	辛酉	壬戌	癸亥	戊子	己丑	甲寅	乙卯	丙辰	丁巳	庚午	辛未	壬申	癸酉	戊戌	己亥	甲子	乙丑	丙寅	丁卯	庚辰
대운	男	8	8	8	9	9	9	芒	1	1	1	1	2	2	2	3	3	3	4	4	4	5	5	5	6	6	6	7	7	7	8	8
	女	2	2	1	1	1	1	種	10	9	9	9	8	8	8	7	7	7	6	6	6	5	5	5	4	4	4	3	3	3	2	2

서기1946년

壬辰年 (一白水星)

1月 (1일 七赤 -) **己未 (四綠)** 절기: 小暑 (6일 07:16) 大暑 (21일 00:45)

양력		1	2	3	4	5	6	7	8	9	10	11	12	13	14	15	16	17	18	19	20	21	22	23	24	25	26	27	28	29	30	31
요일		火	水	木	金	土	日	月	火	水	木	金	土	日	月	火	水	木	金	土	日	月	火	水	木	金	土	日	月	火	水	木
음력	월	28	29	十二	2	3	4	5	6	7	8	9	10	11	12	13	14	15	16	17	18	19	20	21	22	23	24	25	26	27	28	29
일진		辛巳	壬午	癸未	戊申	己酉	甲戌	乙亥	丙子	丁丑	庚寅	辛卯	壬辰	癸巳	戊午	己未	甲申	乙酉	丙戌	丁亥	庚子	辛丑	壬寅	癸卯	戊辰	己巳	甲午	乙未	丙申	丁酉	庚戌	辛亥
대운	男	8	9	9	9	10	小	1	1	1	1	2	2	2	3	3	3	4	4	4	5	5	5	6	6	6	7	7	7	8	8	8
	女	2	1	1	1	1	暑	9	9	9	8	8	8	7	7	7	6	6	6	5	5	5	4	4	4	3	3	3	2	2	2	1

2月 (1일 三碧 -) **甲申 (五黃)** 절기: 立秋 (4일 19:04) 處暑 (19일 15:09)

양력		1	2	3	4	5	6	7	8	9	10	11	12	13	14	15	16	17	18	19	20	21	22	23	24	25	26	27	28			
요일		金	土	日	月	火	水	木	金	土	日	月	火	水	木	金	土	日	月	火	水	木	金	土	日	月	火	水	木			
음력	월	30	一	2	3	4	5	6	7	8	9	10	11	12	13	14	15	16	17	18	19	20	21	22	23	24	25	26	27			
일진		壬子	癸丑	戊寅	己卯	甲辰	乙巳	丙午	丁未	庚申	辛酉	壬戌	癸亥	戊子	己丑	甲寅	乙卯	丙辰	丁巳	庚午	辛未	壬申	癸酉	戊戌	己亥	甲子	乙丑	丙寅	丁卯			
대운	男	9	9	9	立	10	9	9	9	8	8	8	7	7	7	6	6	6	5	5	5	4	4	4	3	3	3	2	2			
	女	1	1	1	秋	1	1	1	1	2	2	2	3	3	3	4	4	4	5	5	5	6	6	6	7	7	7	8	8			

3月 (1일 二黑 -) **乙酉 (六白)** 절기: 白露 (6일 13:25) 秋分 (21일 14:33)

양력		1	2	3	4	5	6	7	8	9	10	11	12	13	14	15	16	17	18	19	20	21	22	23	24	25	26	27	28	29	30	31
요일		金	土	日	月	火	水	木	金	土	日	月	火	水	木	金	土	日	月	火	水	木	金	土	日	月	火	水	木	金	土	日
음력	월	28	29	30	二	2	3	4	5	6	7	8	9	10	11	12	13	14	15	16	17	18	19	20	21	22	23	24	25	26	27	28
일진		庚辰	辛巳	壬午	癸未	戊申	己酉	甲戌	乙亥	丙子	丁丑	庚寅	辛卯	壬辰	癸巳	戊午	己未	甲申	乙酉	丙戌	丁亥	庚子	辛丑	壬寅	癸卯	戊辰	己巳	甲午	乙未	丙申	丁酉	庚戌
대운	男	2	1	1	1	1	白	10	9	9	9	8	8	8	7	7	7	6	6	6	5	5	5	4	4	4	3	3	3	2	2	2
	女	8	9	9	9	10	露	1	1	1	1	2	2	2	3	3	3	4	4	4	5	5	5	6	6	6	7	7	7	8	8	8

4月 (1일 七赤 -) **丙戌 (七赤)** 절기: 寒露 (5일 18:39) 霜降 (21일 02:02)

양력		1	2	3	4	5	6	7	8	9	10	11	12	13	14	15	16	17	18	19	20	21	22	23	24	25	26	27	28	29	30	
요일		月	火	水	木	金	土	日	月	火	水	木	金	土	日	月	火	水	木	金	土	日	月	火	水	木	金	土	日	月	火	
음력	월	29	三	2	3	4	5	6	7	8	9	10	11	12	13	14	15	16	17	18	19	20	21	22	23	24	25	26	27	28	29	
일진		辛亥	壬子	癸丑	戊寅	己卯	甲辰	乙巳	丙午	丁未	庚申	辛酉	壬戌	癸亥	戊子	己丑	甲寅	乙卯	丙辰	丁巳	庚午	辛未	壬申	癸酉	戊戌	己亥	甲子	乙丑	丙寅	丁卯	庚辰	
대운	男	1	1	1	1	寒	10	10	9	9	9	8	8	8	7	7	7	6	6	6	5	5	5	4	4	4	3	3	3	2	2	
	女	9	9	9	10	露	1	1	1	1	2	2	2	3	3	3	4	4	4	5	5	5	6	6	6	7	7	7	8	8	8	

5月 (1일 四綠 -) **丁亥 (八白)** 절기: 立冬 (6일 12:22) 小雪 (22일 01:34)

양력		1	2	3	4	5	6	7	8	9	10	11	12	13	14	15	16	17	18	19	20	21	22	23	24	25	26	27	28	29	30	31
요일		水	木	金	土	日	月	火	水	木	金	土	日	月	火	水	木	金	土	日	月	火	水	木	金	土	日	月	火	水	木	金
음력	월	四	2	3	4	5	6	7	8	9	10	11	12	13	14	15	16	17	18	19	20	21	22	23	24	25	26	27	28	29	30	五
일진		辛巳	壬午	癸未	戊申	己酉	甲戌	乙亥	丙子	丁丑	庚寅	辛卯	壬辰	癸巳	戊午	己未	甲申	乙酉	丙戌	丁亥	庚子	辛丑	壬寅	癸卯	戊辰	己巳	甲午	乙未	丙申	丁酉	庚戌	辛亥
대운	男	2	1	1	1	1	立	10	10	9	9	9	8	8	8	7	7	7	6	6	6	5	5	5	4	4	4	3	3	3	2	2
	女	9	9	9	10	10	冬	1	1	1	1	2	2	2	3	3	3	4	4	4	5	5	5	6	6	6	7	7	7	8	8	8

6月 (1일 九紫 - 19일 一白 +) **庚子 (九紫)** 절기: 大雪 (6일 16:49) 冬至 (22일 09:44)

양력		1	2	3	4	5	6	7	8	9	10	11	12	13	14	15	16	17	18	19	20	21	22	23	24	25	26	27	28	29	30	
요일		土	日	月	火	水	木	金	土	日	月	火	水	木	金	土	日	月	火	水	木	金	土	日	月	火	水	木	金	土	日	
음력	월	2	3	4	5	6	7	8	9	10	11	12	13	14	15	16	17	18	19	20	21	22	23	24	25	26	27	28	29	六	2	
일진		壬子	癸丑	戊寅	己卯	甲辰	乙巳	丙午	丁未	庚申	辛酉	壬戌	癸亥	戊子	己丑	甲寅	乙卯	丙辰	丁巳	庚午	辛未	壬申	癸酉	戊戌	己亥	甲子	乙丑	丙寅	丁卯	庚辰	辛巳	
대운	男	2	1	1	1	1	大	10	10	10	9	9	9	8	8	8	7	7	7	6	6	6	5	5	5	4	4	4	3	3	3	
	女	9	9	9	10	10	雪	1	1	1	1	2	2	2	3	3	3	4	4	4	5	5	5	6	6	6	7	7	7	8	8	

7月 (1일 四綠 +) **辛丑 (一白)** 절기: 小寒(8일 03:11) 大寒(23일 20:37)

양력		1	2	3	4	5	6	7	8	9	10	11	12	13	14	15	16	17	18	19	20	21	22	23	24	25	26	27	28	29	30	31
요일		月	火	水	木	金	土	日	月	火	水	木	金	土	日	月	火	水	木	金	土	日	月	火	水	木	金	土	日	月	火	水
음력	월	3	4	5	6	7	8	9	10	11	12	13	14	15	16	17	18	19	20	21	22	23	24	25	26	27	28	29	七	2	3	4
일진		壬午	癸未	戊申	己酉	甲戌	乙亥	丙子	丁丑	庚寅	辛卯	壬辰	癸巳	戊午	己未	甲申	乙酉	丙戌	丁亥	庚子	辛丑	壬寅	癸卯	戊辰	己巳	甲午	乙未	丙申	丁酉	庚戌	辛亥	壬子
대운	男	2	2	2	1	1	1	1	小	10	10	9	9	9	8	8	8	7	7	7	6	6	6	5	5	5	4	4	4	3	3	3
	女	8	9	9	9	10	10	10	寒	1	1	1	1	2	2	2	3	3	3	4	4	4	5	5	5	6	6	6	7	7	7	8

8月 (1일 八白 +) **壬寅 (二黑)** 절기: 立春(8일 12:52) 雨水(24일 03:26)

양력		1	2	3	4	5	6	7	8	9	10	11	12	13	14	15	16	17	18	19	20	21	22	23	24	25	26	27	28	29	30	31
요일		木	金	土	日	月	火	水	木	金	土	日	月	火	水	木	金	土	日	月	火	水	木	金	土	日	月	火	水	木	金	土
음력	월	5	6	7	8	9	10	11	12	13	14	15	16	17	18	19	20	21	22	23	24	25	26	27	28	29	30	八	2	3	4	5
일진		癸丑	戊寅	己卯	甲辰	乙巳	丙午	丁未	庚申	辛酉	壬戌	癸亥	戊子	己丑	甲寅	乙卯	丙辰	丁巳	庚午	辛未	壬申	癸酉	戊戌	己亥	甲子	乙丑	丙寅	丁卯	庚辰	辛巳	壬午	癸未
대운	男	2	2	2	1	1	1	1	立	10	10	9	9	9	8	8	8	7	7	7	6	6	6	5	5	5	4	4	4	3	3	3
	女	8	8	9	9	9	10	10	春	1	1	1	1	2	2	2	3	3	3	4	4	4	5	5	5	6	6	6	7	7	7	8

9月 (1일 三碧 +) **癸卯 (三碧)** 절기: 驚蟄(8일 15:27) 春分 (24일 00:41)

양력		1	2	3	4	5	6	7	8	9	10	11	12	13	14	15	16	17	18	19	20	21	22	23	24	25	26	27	28	29	30	
요일		日	月	火	水	木	金	土	日	月	火	水	木	金	土	日	月	火	水	木	金	土	日	月	火	水	木	金	土	日	月	
음력	월	6	7	8	9	10	11	12	13	14	15	16	17	18	19	20	21	22	23	24	25	26	27	28	29	九	2	3	4	5	6	
일진		戊申	己酉	甲戌	乙亥	丙子	丁丑	庚寅	辛卯	壬辰	癸巳	戊午	己未	甲申	乙酉	丙戌	丁亥	庚子	辛丑	壬寅	癸卯	戊辰	己巳	甲午	乙未	丙申	丁酉	庚戌	辛亥	壬子	癸丑	
대운	男	2	2	2	1	1	1	1	驚	10	10	9	9	9	8	8	8	7	7	7	6	6	6	5	5	5	4	4	4	3	3	
	女	8	8	9	9	9	10	10	蟄	1	1	1	1	2	2	2	3	3	3	4	4	4	5	5	5	6	6	6	7	7	7	

10月 (1일 六白 +) **戊辰 (四綠)** 절기: 清明(9일 06:41) 穀雨(24일 09:35)

양력		1	2	3	4	5	6	7	8	9	10	11	12	13	14	15	16	17	18	19	20	21	22	23	24	25	26	27	28	29	30	31
요일		火	水	木	金	土	日	月	火	水	木	金	土	日	月	火	水	木	金	土	日	月	火	水	木	金	土	日	月	火	水	木
음력	월	7	8	9	10	11	12	13	14	15	16	17	18	19	20	21	22	23	24	25	26	27	28	29	30	十	2	3	4	5	6	7
일진		戊寅	己卯	甲辰	乙巳	丙午	丁未	庚申	辛酉	壬戌	癸亥	戊子	己丑	甲寅	乙卯	丙辰	丁巳	庚午	辛未	壬申	癸酉	戊戌	己亥	甲子	乙丑	丙寅	丁卯	庚辰	辛巳	壬午	癸未	戊申
대운	男	3	2	2	2	1	1	1	1	清	10	9	9	9	8	8	8	7	7	7	6	6	6	5	5	5	4	4	4	3	3	3
	女	8	8	8	9	9	9	10	10	明	1	1	1	1	2	2	2	3	3	3	4	4	4	5	5	5	6	6	6	7	7	7

11月 (1일 一白 +) **己巳 (五黃)** 절기: 立夏(8일 09:27) 小滿 (23일 06:46)

양력		1	2	3	4	5	6	7	8	9	10	11	12	13	14	15	16	17	18	19	20	21	22	23	24	25	26	27	28	29	30	
요일		金	土	日	月	火	水	木	金	土	日	月	火	水	木	金	土	日	月	火	水	木	金	土	日	月	火	水	木	金	土	
음력	월	8	9	10	11	12	13	14	15	16	17	18	19	20	21	22	23	24	25	26	27	28	29	30	十一	2	3	4	5	6	7	
일진		己酉	甲戌	乙亥	丙子	丁丑	庚寅	辛卯	壬辰	癸巳	戊午	己未	甲申	乙酉	丙戌	丁亥	庚子	辛丑	壬寅	癸卯	戊辰	己巳	甲午	乙未	丙申	丁酉	庚戌	辛亥	壬子	癸丑	戊寅	
대운	男	2	2	2	1	1	1	1	立	10	9	9	9	8	8	8	7	7	7	6	6	6	5	5	5	4	4	4	3	3	3	
	女	8	8	8	9	9	9	10	夏	1	1	1	1	2	2	2	3	3	3	4	4	4	5	5	5	6	6	6	7	7	7	

12月 (1일 四綠 + 16일 九紫 -) **甲午 (六白)** 절기: 芒種(8일 02:00) 夏至(22일 19:53)

양력		1	2	3	4	5	6	7	8	9	10	11	12	13	14	15	16	17	18	19	20	21	22	23	24	25	26	27	28	29	30	31
요일		日	月	火	水	木	金	土	日	月	火	水	木	金	土	日	月	火	水	木	金	土	日	月	火	水	木	金	土	日	月	火
음력	월	8	9	10	11	12	13	14	15	16	17	18	19	20	21	22	23	24	25	26	27	28	29	十二	2	3	4	5	6	7	8	9
일진		己卯	甲辰	乙巳	丙午	丁未	庚申	辛酉	壬戌	癸亥	戊子	己丑	甲寅	乙卯	丙辰	丁巳	庚午	辛未	壬申	癸酉	戊戌	己亥	甲子	乙丑	丙寅	丁卯	庚辰	辛巳	壬午	癸未	戊申	己酉
대운	男	2	2	2	1	1	1	1	芒	9	9	9	8	8	8	7	7	7	6	6	6	5	5	5	4	4	4	3	3	3	2	2
	女	8	8	8	9	9	9	10	種	1	1	1	1	2	2	2	3	3	3	4	4	4	5	5	5	6	6	6	7	7	7	8

서기1947년

癸巳年 (二黑土星) 閏二月

1月 (1일 二黑 -) **乙未 (七赤)** 절기: 小暑 (6일 13:06) 大暑 (21일 06:32)

양력		1	2	3	4	5	6	7	8	9	10	11	12	13	14	15	16	17	18	19	20	21	22	23	24	25	26	27	28	29	30	31
요일		水	木	金	土	日	月	火	水	木	金	土	日	月	火	水	木	金	土	日	月	火	水	木	金	土	日	月	火	水	木	金
음력	월	10	11	12	13	14	15	16	17	18	19	20	21	22	23	24	25	26	27	28	29	30	一	2	3	4	5	6	7	8	9	10
일진		甲戌	乙亥	丙子	丁丑	庚寅	辛卯	壬辰	癸巳	戊午	己未	甲申	乙酉	丙戌	丁亥	庚子	辛丑	壬寅	癸卯	戊辰	己巳	甲午	乙未	丙申	丁酉	庚戌	辛亥	壬子	癸丑	戊寅	己卯	甲辰
대운	男	2	1	1	1	1	小	10	9	9	9	8	8	8	7	7	7	6	6	6	5	5	5	4	4	4	3	3	3	2	2	2
	女	8	8	9	9	9	暑	1	1	1	1	2	2	2	3	3	3	4	4	4	5	5	5	6	6	6	7	7	7	8	8	8

2月 (1일 七赤 -) **丙申 (八白)** 절기: 立秋 (5일 00:50) 處暑 (19일 20:52)

양력		1	2	3	4	5	6	7	8	9	10	11	12	13	14	15	16	17	18	19	20	21	22	23	24	25	26	27	28			
요일		土	日	月	火	水	木	金	土	日	月	火	水	木	金	土	日	月	火	水	木	金	土	日	月	火	水	木	金			
음력	월	11	12	13	14	15	16	17	18	19	20	21	22	23	24	25	26	27	28	29	30	二	2	3	4	5	6	7	8			
일진		乙巳	丙午	丁未	庚申	辛酉	壬戌	癸亥	戊子	己丑	甲寅	乙卯	丙辰	丁巳	庚午	辛未	壬申	癸酉	戊戌	己亥	甲子	乙丑	丙寅	丁卯	庚辰	辛巳	壬午	癸未	戊申			
대운	男	1	1	1	1	立	1	1	1	1	2	2	2	3	3	3	4	4	4	5	5	5	6	6	6	7	7	7	8			
	女	9	9	9	10	秋	9	9	9	8	8	8	7	7	7	6	6	6	5	5	5	4	4	4	3	3	3	2	2			

3月 (1일 六白 -) **丁酉 (九紫)** 절기: 白露 (6일 19:08) 秋分 (21일 20:13)

양력		1	2	3	4	5	6	7	8	9	10	11	12	13	14	15	16	17	18	19	20	21	22	23	24	25	26	27	28	29	30	31
요일		土	日	月	火	水	木	金	土	日	月	火	水	木	金	土	日	月	火	水	木	金	土	日	月	火	水	木	金	土	日	月
음력	월	9	10	11	12	13	14	15	16	17	18	19	20	21	22	23	24	25	26	27	28	29	30	閏二		3	4	5	6	7	8	9
일진		己酉	甲戌	乙亥	丙子	丁丑	庚寅	辛卯	壬辰	癸巳	戊午	己未	甲申	乙酉	丙戌	丁亥	庚子	辛丑	壬寅	癸卯	戊辰	己巳	甲午	乙未	丙申	丁酉	庚戌	辛亥	壬子	癸丑	戊寅	己卯
대운	男	8	8	9	9	9	白	1	1	1	1	2	2	2	3	3	3	4	4	4	5	5	5	6	6	6	7	7	7	8	8	8
	女	2	1	1	1	1	露	10	10	9	9	9	8	8	8	7	7	7	6	6	6	5	5	5	4	4	4	3	3	3	2	2

4月 (1일 二黑 -) **庚戌 (一白)** 절기: 寒露 (6일 00:20) 霜降 (21일 07:39)

양력		1	2	3	4	5	6	7	8	9	10	11	12	13	14	15	16	17	18	19	20	21	22	23	24	25	26	27	28	29	30	
요일		火	水	木	金	土	日	月	火	水	木	金	土	日	月	火	水	木	金	土	日	月	火	水	木	金	土	日	月	火	水	
음력	월	10	11	12	13	14	15	16	17	18	19	20	21	22	23	24	25	26	27	28	29	三	2	3	4	5	6	7	8	9	10	
일진		甲辰	乙巳	丙午	丁未	庚申	辛酉	壬戌	癸亥	戊子	己丑	甲寅	乙卯	丙辰	丁巳	庚午	辛未	壬申	癸酉	戊戌	己亥	甲子	乙丑	丙寅	丁卯	庚辰	辛巳	壬午	癸未	戊申	己酉	
대운	男	9	9	9	10	10	寒	1	1	1	1	2	2	2	3	3	3	4	4	4	5	5	5	6	6	6	7	7	7	8	8	
	女	2	1	1	1	1	露	10	9	9	9	8	8	8	7	7	7	6	6	6	5	5	5	4	4	4	3	3	3	2	2	

5月 (1일 八白 -) **辛亥 (二黑)** 절기: 立冬 (6일 18:03) 小雪 (22일 07:09)

양력		1	2	3	4	5	6	7	8	9	10	11	12	13	14	15	16	17	18	19	20	21	22	23	24	25	26	27	28	29	30	31
요일		木	金	土	日	月	火	水	木	金	土	日	月	火	水	木	金	土	日	月	火	水	木	金	土	日	月	火	水	木	金	土
음력	월	11	12	13	14	15	16	17	18	19	20	21	22	23	24	25	26	27	28	29	四	2	3	4	5	6	7	8	9	10	11	12
일진		甲戌	乙亥	丙子	丁丑	庚寅	辛卯	壬辰	癸巳	戊午	己未	甲申	乙酉	丙戌	丁亥	庚子	辛丑	壬寅	癸卯	戊辰	己巳	甲午	乙未	丙申	丁酉	庚戌	辛亥	壬子	癸丑	戊寅	己卯	甲辰
대운	男	8	9	9	9	10	立	1	1	1	1	2	2	2	3	3	3	4	4	4	5	5	5	6	6	6	7	7	7	8	8	8
	女	2	1	1	1	1	冬	10	10	9	9	9	8	8	8	7	7	7	6	6	6	5	5	5	4	4	4	3	3	3	2	2

6月 (1일 四綠 - 14일 一白 +) **壬子 (三碧)** 절기: 大雪 (6일 22:31) 冬至 (22일 15:19)

양력		1	2	3	4	5	6	7	8	9	10	11	12	13	14	15	16	17	18	19	20	21	22	23	24	25	26	27	28	29	30
요일		日	月	火	水	木	金	土	日	月	火	水	木	金	土	日	月	火	水	木	金	土	日	月	火	水	木	金	土	日	月
음력	월	13	14	15	16	17	18	19	20	21	22	23	24	25	26	27	28	29	30	五	2	3	4	5	6	7	8	9	10	11	12
일진		乙巳	丙午	丁未	庚申	辛酉	壬戌	癸亥	戊子	己丑	甲寅	乙卯	丙辰	丁巳	庚午	辛未	壬申	癸酉	戊戌	己亥	甲子	乙丑	丙寅	丁卯	庚辰	辛巳	壬午	癸未	戊申	己酉	甲戌
대운	男	9	9	9	10	10	大	1	1	1	1	2	2	2	3	3	3	4	4	4	5	5	5	6	6	6	7	7	7	8	8
	女	2	1	1	1	1	雪	10	10	10	9	9	9	8	8	8	7	7	7	6	6	6	5	5	5	4	4	4	3	3	3

7月 (1일 九紫 +) **癸丑 (四綠)** 절기: 小寒(8일 08:56) 大寒(24일 02:14)

양력	1	2	3	4	5	6	7	8	9	10	11	12	13	14	15	16	17	18	19	20	21	22	23	24	25	26	27	28	29	30	31
요일	火	水	木	金	土	日	月	火	水	木	金	土	日	月	火	水	木	金	土	日	月	火	水	木	金	土	日	月	火	水	木
음력 월	13	14	15	16	17	18	19	20	21	22	23	24	25	26	27	28	29	六	2	3	4	5	6	7	8	9	10	11	12	13	14
일진	乙亥	丙子	丁丑	庚寅	辛卯	壬辰	癸巳	戊午	己未	甲申	乙酉	丙戌	丁亥	庚子	辛丑	壬寅	癸卯	戊辰	己巳	甲午	乙未	丙申	丁酉	庚戌	辛亥	壬子	癸丑	戊寅	己卯	甲辰	乙巳
대운 男	8	9	9	9	10	10	10	小	1	1	1	1	2	2	2	3	3	3	4	4	4	5	5	5	6	6	6	7	7	7	8
대운 女	2	2	2	1	1	1	1	寒	10	10	9	9	9	8	8	8	7	7	7	6	6	6	5	5	5	4	4	4	3	3	3

8月 (1일 四綠 +) **戊寅 (五黃)** 절기: 立春(8일 18:41) 雨水(24일 09:09)

양력	1	2	3	4	5	6	7	8	9	10	11	12	13	14	15	16	17	18	19	20	21	22	23	24	25	26	27	28	29	30	31
요일	金	土	日	月	火	水	木	金	土	日	月	火	水	木	金	土	日	月	火	水	木	金	土	日	月	火	水	木	金	土	日
음력 월	15	16	17	18	19	20	21	22	23	24	25	26	27	28	29	七	2	3	4	5	6	7	8	9	10	11	12	13	14	15	16
일진	丙午	丁未	庚申	辛酉	壬戌	癸亥	戊子	己丑	甲寅	乙卯	丙辰	丁巳	庚午	辛未	壬申	癸酉	戊戌	己亥	甲子	乙丑	丙寅	丁卯	庚辰	辛巳	壬午	癸未	戊申	己酉	甲戌	乙亥	丙子
대운 男	8	8	9	9	9	10	10	立	1	1	1	1	2	2	2	3	3	3	4	4	4	5	5	5	6	6	6	7	7	7	8
대운 女	2	2	2	1	1	1	1	春	10	10	9	9	9	8	8	8	7	7	7	6	6	6	5	5	5	4	4	4	3	3	3

9月 (1일 八白 +) **己卯 (六白)** 절기: 驚蟄(8일 21:21) 春分 (24일 06:29)

양력	1	2	3	4	5	6	7	8	9	10	11	12	13	14	15	16	17	18	19	20	21	22	23	24	25	26	27	28	29	30	
요일	月	火	水	木	金	土	日	月	火	水	木	金	土	日	月	火	水	木	金	土	日	月	火	水	木	金	土	日	月	火	
음력 월	17	18	19	20	21	22	23	24	25	26	27	28	29	30	八	2	3	4	5	6	7	8	9	10	11	12	13	14	15	16	
일진	丁丑	庚寅	辛卯	壬辰	癸巳	戊午	己未	甲申	乙酉	丙戌	丁亥	庚子	辛丑	壬寅	癸卯	戊辰	己巳	甲午	乙未	丙申	丁酉	庚戌	辛亥	壬子	癸丑	戊寅	己卯	甲辰	乙巳	丙午	
대운 男	8	8	9	9	9	10	10	驚	1	1	1	1	2	2	2	3	3	3	4	4	4	5	5	5	6	6	6	7	7	7	
대운 女	2	2	2	1	1	1	1	蟄	10	10	9	9	9	8	8	8	7	7	7	6	6	6	5	5	5	4	4	4	3	3	

10月 (1일 二黑 +) **甲辰 (七赤)** 절기: 淸明(9일 12:37) 穀雨(24일 15:26)

양력	1	2	3	4	5	6	7	8	9	10	11	12	13	14	15	16	17	18	19	20	21	22	23	24	25	26	27	28	29	30	31
요일	水	木	金	土	日	月	火	水	木	金	土	日	月	火	水	木	金	土	日	月	火	水	木	金	土	日	月	火	水	木	金
음력 월	17	18	19	20	21	22	23	24	25	26	27	28	29	九	2	3	4	5	6	7	8	9	10	11	12	13	14	15	16	17	18
일진	丁未	庚申	辛酉	壬戌	癸亥	戊子	己丑	甲寅	乙卯	丙辰	丁巳	庚午	辛未	壬申	癸酉	戊戌	己亥	甲子	乙丑	丙寅	丁卯	庚辰	辛巳	壬午	癸未	戊申	己酉	甲戌	乙亥	丙子	丁丑
대운 男	8	8	8	9	9	9	10	10	淸	1	1	1	1	2	2	2	3	3	3	4	4	4	5	5	5	6	6	6	7	7	7
대운 女	3	2	2	2	1	1	1	1	明	10	9	9	9	8	8	8	7	7	7	6	6	6	5	5	5	4	4	4	3	3	3

11月 (1일 六白 +) **乙巳 (八白)** 절기: 立夏(8일 15:24) 小滿 (23일 12:38)

양력	1	2	3	4	5	6	7	8	9	10	11	12	13	14	15	16	17	18	19	20	21	22	23	24	25	26	27	28	29	30	
요일	土	日	月	火	水	木	金	土	日	月	火	水	木	金	土	日	月	火	水	木	金	土	日	月	火	水	木	金	土	日	
음력 월	19	20	21	22	23	24	25	26	27	28	29	30	十	2	3	4	5	6	7	8	9	10	11	12	13	14	15	16	17	18	
일진	庚寅	辛卯	壬辰	癸巳	戊午	己未	甲申	乙酉	丙戌	丁亥	庚子	辛丑	壬寅	癸卯	戊辰	己巳	甲午	乙未	丙申	丁酉	庚戌	辛亥	壬子	癸丑	戊寅	己卯	甲辰	乙巳	丙午	丁未	
대운 男	8	8	8	9	9	9	10	立	1	1	1	1	2	2	2	3	3	3	4	4	4	5	5	5	6	6	6	7	7	7	
대운 女	2	2	2	1	1	1	1	夏	10	9	9	9	8	8	8	7	7	7	6	6	6	5	5	5	4	4	4	3	3	3	

12月 (1일 九紫 + 11일 九紫 -) **丙午 (九紫)** 절기: 芒種(8일 07:56) 夏至(23일 01:43)

양력	1	2	3	4	5	6	7	8	9	10	11	12	13	14	15	16	17	18	19	20	21	22	23	24	25	26	27	28	29	30	31
요일	月	火	水	木	金	土	日	月	火	水	木	金	土	日	月	火	水	木	金	土	日	月	火	水	木	金	土	日	月	火	水
음력 월	19	20	21	22	23	24	25	26	27	28	29	十一	2	3	4	5	6	7	8	9	10	11	12	13	14	15	16	17	18	19	20
일진	庚申	辛酉	壬戌	癸亥	戊子	己丑	甲寅	乙卯	丙辰	丁巳	庚午	辛未	壬申	癸酉	戊戌	己亥	甲子	乙丑	丙寅	丁卯	庚辰	辛巳	壬午	癸未	戊申	己酉	甲戌	乙亥	丙子	丁丑	庚寅
대운 男	8	8	8	9	9	9	10	芒	1	1	1	1	2	2	2	3	3	3	4	4	4	5	5	5	6	6	6	7	7	7	8
대운 女	2	2	2	1	1	1	1	種	9	9	9	8	8	8	7	7	7	6	6	6	5	5	5	4	4	4	3	3	3	2	2

서기1948년 **戊午年** (三碧木星)

1月 (1일 六白 -) **丁未 (一白)** 절기: 小暑 (6일 19:00) 大暑 (21일 12:18)

양력		1	2	3	4	5	6	7	8	9	10	11	12	13	14	15	16	17	18	19	20	21	22	23	24	25	26	27	28	29	30	31
요일		木	金	土	日	月	火	水	木	金	土	日	月	火	水	木	金	土	日	月	火	水	木	金	土	日	月	火	水	木	金	土
음력	월	21	22	23	24	25	26	27	28	29	30	十二	2	3	4	5	6	7	8	9	10	11	12	13	14	15	16	17	18	19	20	21
일진		辛卯	壬辰	癸巳	戊午	己未	甲申	乙酉	丙戌	丁亥	庚子	辛丑	壬寅	癸卯	戊辰	己巳	甲午	乙未	丙申	丁酉	庚戌	辛亥	壬子	癸丑	戊寅	己卯	甲辰	乙巳	丙午	丁未	庚申	辛酉
대운	男	8	8	9	9	9	小	1	1	1	1	2	2	2	3	3	3	4	4	4	5	5	5	6	6	6	7	7	7	8	8	8
	女	2	1	1	1	1	暑	10	9	9	9	8	8	8	7	7	7	6	6	6	5	5	5	4	4	4	3	3	3	2	2	2

2月 閏 (1일 二黑 -) **庚申 (二黑)** 절기: 立秋 (5일 06:42) 處暑 (20일 02:37)

양력		1	2	3	4	5	6	7	8	9	10	11	12	13	14	15	16	17	18	19	20	21	22	23	24	25	26	27	28	29		
요일		日	月	火	水	木	金	土	日	月	火	水	木	金	土	日	月	火	水	木	金	土	日	月	火	水	木	金	土	日		
음력	월	22	23	24	25	26	27	28	29	30	一	2	3	4	5	6	7	8	9	10	11	12	13	14	15	16	17	18	19	20		
일진		壬戌	癸亥	戊子	己丑	甲寅	乙卯	丙辰	丁巳	庚午	辛未	壬申	癸酉	戊戌	己亥	甲子	乙丑	丙寅	丁卯	庚辰	辛巳	壬午	癸未	戊申	己酉	甲戌	乙亥	丙子	丁丑	庚寅		
대운	男	9	9	9	10	立	10	9	9	9	8	8	8	7	7	7	6	6	6	5	5	5	4	4	4	3	3	3	2	2		
	女	1	1	1	1	秋	1	1	1	1	2	2	2	3	3	3	4	4	4	5	5	5	6	6	6	7	7	7	8	8		

3月 (1일 九紫 -) **辛酉 (三碧)** 절기: 白露 (6일 00:58) 秋分 (21일 01:57)

양력		1	2	3	4	5	6	7	8	9	10	11	12	13	14	15	16	17	18	19	20	21	22	23	24	25	26	27	28	29	30	31
요일		月	火	水	木	金	土	日	月	火	水	木	金	土	日	月	火	水	木	金	土	日	月	火	水	木	金	土	日	月	火	水
음력	월	21	22	23	24	25	26	27	28	29	30	二	2	3	4	5	6	7	8	9	10	11	12	13	14	15	16	17	18	19	20	21
일진		辛卯	壬辰	癸巳	戊午	己未	甲申	乙酉	丙戌	丁亥	庚子	辛丑	壬寅	癸卯	戊辰	己巳	甲午	乙未	丙申	丁酉	庚戌	辛亥	壬子	癸丑	戊寅	己卯	甲辰	乙巳	丙午	丁未	庚申	辛酉
대운	男	2	1	1	1	1	白	10	9	9	9	8	8	8	7	7	7	6	6	6	5	5	5	4	4	4	3	3	3	2	2	2
	女	8	9	9	9	10	露	1	1	1	1	2	2	2	3	3	3	4	4	4	5	5	5	6	6	6	7	7	7	8	8	8

4月 (1일 五黃 -) **壬戌 (四綠)** 절기: 寒露 (5일 06:09) 霜降 (20일 13:25)

양력		1	2	3	4	5	6	7	8	9	10	11	12	13	14	15	16	17	18	19	20	21	22	23	24	25	26	27	28	29	30	
요일		木	金	土	日	月	火	水	木	金	土	日	月	火	水	木	金	土	日	月	火	水	木	金	土	日	月	火	水	木	金	
음력	월	22	23	24	25	26	27	28	29	三	2	3	4	5	6	7	8	9	10	11	12	13	14	15	16	17	18	19	20	21	22	
일진		壬戌	癸亥	戊子	己丑	甲寅	乙卯	丙辰	丁巳	庚午	辛未	壬申	癸酉	戊戌	己亥	甲子	乙丑	丙寅	丁卯	庚辰	辛巳	壬午	癸未	戊申	己酉	甲戌	乙亥	丙子	丁丑	庚寅	辛卯	
대운	男	1	1	1	1	寒	10	9	9	9	8	8	8	7	7	7	6	6	6	5	5	5	4	4	4	3	3	3	2	2	2	
	女	9	9	9	10	露	1	1	1	1	2	2	2	3	3	3	4	4	4	5	5	5	6	6	6	7	7	7	8	8	8	

5月 (1일 二黑 -) **癸亥 (五黃)** 절기: 立冬 (5일 23:52) 小雪 (21일 12:58)

양력		1	2	3	4	5	6	7	8	9	10	11	12	13	14	15	16	17	18	19	20	21	22	23	24	25	26	27	28	29	30	31
요일		土	日	月	火	水	木	金	土	日	月	火	水	木	金	土	日	月	火	水	木	金	土	日	月	火	水	木	金	土	日	月
음력	월	23	24	25	26	27	28	29	30	四	2	3	4	5	6	7	8	9	10	11	12	13	14	15	16	17	18	19	20	21	22	23
일진		壬辰	癸巳	戊午	己未	甲申	乙酉	丙戌	丁亥	庚子	辛丑	壬寅	癸卯	戊辰	己巳	甲午	乙未	丙申	丁酉	庚戌	辛亥	壬子	癸丑	戊寅	己卯	甲辰	乙巳	丙午	丁未	庚申	辛酉	壬戌
대운	男	1	1	1	1	立	10	10	10	9	9	9	8	8	8	7	7	7	6	6	6	5	5	5	4	4	4	3	3	3	2	2
	女	9	9	9	10	冬	1	1	1	1	2	2	2	3	3	3	4	4	4	5	5	5	6	6	6	7	7	7	8	8	8	9

6月 (1일 七赤 - 8일 一白 +) **戊子 (六白)** 절기: 大雪 (6일 04:20) 冬至 (21일 21:11)

양력		1	2	3	4	5	6	7	8	9	10	11	12	13	14	15	16	17	18	19	20	21	22	23	24	25	26	27	28	29	30	
요일		火	水	木	金	土	日	月	火	水	木	金	土	日	月	火	水	木	金	土	日	月	火	水	木	金	土	日	月	火	水	
음력	월	24	25	26	27	28	29	五	2	3	4	5	6	7	8	9	10	11	12	13	14	15	16	17	18	19	20	21	22	23	24	
일진		癸亥	戊子	己丑	甲寅	乙卯	丙辰	丁巳	庚午	辛未	壬申	癸酉	戊戌	己亥	甲子	乙丑	丙寅	丁卯	庚辰	辛巳	壬午	癸未	戊申	己酉	甲戌	乙亥	丙子	丁丑	庚寅	辛卯	壬辰	
대운	男	2	1	1	1	1	大	10	10	9	9	9	8	8	8	7	7	7	6	6	6	5	5	5	4	4	4	3	3	3	2	
	女	9	9	10	10	10	雪	1	1	1	1	2	2	2	3	3	3	4	4	4	5	5	5	6	6	6	7	7	7	8	8	

7月 (1일 六白 +) **己丑 (七赤)** 절기: 小寒(7일 14:44) 大寒(23일 08:08)

양력		1	2	3	4	5	6	7	8	9	10	11	12	13	14	15	16	17	18	19	20	21	22	23	24	25	26	27	28	29	30	31
요일		木	金	土	日	月	火	水	木	金	土	日	月	火	水	木	金	土	日	月	火	水	木	金	土	日	月	火	水	木	金	土
음력	월	25	26	27	28	29	30	六	2	3	4	5	6	7	8	9	10	11	12	13	14	15	16	17	18	19	20	21	22	23	24	25
일진		癸巳	戊午	己未	甲申	乙酉	丙戌	丁亥	庚子	辛丑	壬寅	癸卯	戊辰	己巳	甲午	乙未	丙申	丁酉	庚戌	辛亥	壬子	癸丑	戊寅	己卯	甲辰	乙巳	丙午	丁未	庚申	辛酉	壬戌	癸亥
대운	男	2	2	1	1	1	1	小	10	10	10	9	9	9	8	8	8	7	7	7	6	6	6	5	5	5	4	4	4	3	3	3
	女	8	9	9	9	10	10	寒	1	1	1	1	2	2	2	3	3	3	4	4	4	5	5	5	6	6	6	7	7	7	8	8

8月 (1일 一白 +) **甲寅 (八白)** 절기: 立春(8일 00:26) 雨水(23일 15:03)

양력		1	2	3	4	5	6	7	8	9	10	11	12	13	14	15	16	17	18	19	20	21	22	23	24	25	26	27	28	29	30	31
요일		日	月	火	水	木	金	土	日	月	火	水	木	金	土	日	月	火	水	木	金	土	日	月	火	水	木	金	土	日	月	火
음력	월	26	27	28	29	七	2	3	4	5	6	7	8	9	10	11	12	13	14	15	16	17	18	19	20	21	22	23	24	25	26	27
일진		戊子	己丑	甲寅	乙卯	丙辰	丁巳	庚午	辛未	壬申	癸酉	戊戌	己亥	甲子	乙丑	丙寅	丁卯	庚辰	辛巳	壬午	癸未	戊申	己酉	甲戌	乙亥	丙子	丁丑	庚寅	辛卯	壬辰	癸巳	戊午
대운	男	2	2	2	1	1	1	1	立	10	10	9	9	9	8	8	8	7	7	7	6	6	6	5	5	5	4	4	4	3	3	3
	女	8	9	9	9	10	10	10	春	1	1	1	1	2	2	2	3	3	3	4	4	4	5	5	5	6	6	6	7	7	7	8

9月 (1일 五黃 +) **乙卯 (九紫)** 절기: 驚蟄(8일 03:05) 春分 (23일 12:22)

양력		1	2	3	4	5	6	7	8	9	10	11	12	13	14	15	16	17	18	19	20	21	22	23	24	25	26	27	28	29	30	
요일		水	木	金	土	日	月	火	水	木	金	土	日	月	火	水	木	金	土	日	月	火	水	木	金	土	日	月	火	水	木	
음력	월	28	29	八	2	3	4	5	6	7	8	9	10	11	12	13	14	15	16	17	18	19	20	21	22	23	24	25	26	27	28	
일진		己未	甲申	乙酉	丙戌	丁亥	庚子	辛丑	壬寅	癸卯	戊辰	己巳	甲午	乙未	丙申	丁酉	庚戌	辛亥	壬子	癸丑	戊寅	己卯	甲辰	乙巳	丙午	丁未	庚申	辛酉	壬戌	癸亥	戊子	
대운	男	2	2	2	1	1	1	1	驚	10	9	9	9	8	8	8	7	7	7	6	6	6	5	5	5	4	4	4	3	3	3	
	女	8	8	9	9	9	10	10	蟄	1	1	1	1	2	2	2	3	3	3	4	4	4	5	5	5	6	6	6	7	7	7	

10月 (1일 八白 +) **丙辰 (一白)** 절기: 清明(8일 18:20) 穀雨(23일 21:18)

양력		1	2	3	4	5	6	7	8	9	10	11	12	13	14	15	16	17	18	19	20	21	22	23	24	25	26	27	28	29	30	31
요일		金	土	日	月	火	水	木	金	土	日	月	火	水	木	金	土	日	月	火	水	木	金	土	日	月	火	水	木	金	土	日
음력	월	29	30	九	2	3	4	5	6	7	8	9	10	11	12	13	14	15	16	17	18	19	20	21	22	23	24	25	26	27	28	29
일진		己丑	甲寅	乙卯	丙辰	丁巳	庚午	辛未	壬申	癸酉	戊戌	己亥	甲子	乙丑	丙寅	丁卯	庚辰	辛巳	壬午	癸未	戊申	己酉	甲戌	乙亥	丙子	丁丑	庚寅	辛卯	壬辰	癸巳	戊午	己未
대운	男	2	2	2	1	1	1	1	清	10	9	9	9	8	8	8	7	7	7	6	6	6	5	5	5	4	4	4	3	3	3	2
	女	8	8	8	9	9	9	10	明	1	1	1	1	2	2	2	3	3	3	4	4	4	5	5	5	6	6	6	7	7	7	8

11月 (1일 三碧 +) **丁巳 (二黑)** 절기: 立夏(7일 21:07) 小滿 (22일 18:29)

양력		1	2	3	4	5	6	7	8	9	10	11	12	13	14	15	16	17	18	19	20	21	22	23	24	25	26	27	28	29	30	
요일		月	火	水	木	金	土	日	月	火	水	木	金	土	日	月	火	水	木	金	土	日	月	火	水	木	金	土	日	月	火	
음력	월	十	2	3	4	5	6	7	8	9	10	11	12	13	14	15	16	17	18	19	20	21	22	23	24	25	26	27	28	29	30	
일진		甲申	乙酉	丙戌	丁亥	庚子	辛丑	壬寅	癸卯	戊辰	己巳	甲午	乙未	丙申	丁酉	庚戌	辛亥	壬子	癸丑	戊寅	己卯	甲辰	乙巳	丙午	丁未	庚申	辛酉	壬戌	癸亥	戊子	己丑	
대운	男	2	2	1	1	1	1	立	10	9	9	9	8	8	8	7	7	7	6	6	6	5	5	5	4	4	4	3	3	3	2	
	女	8	8	9	9	9	10	夏	1	1	1	1	2	2	2	3	3	3	4	4	4	5	5	5	6	6	6	7	7	7	8	

12月 (1일 六白 + 4일 九紫 -) **庚午 (三碧)** 절기: 芒種(7일 13:38) 夏至(22일 07:33)

양력		1	2	3	4	5	6	7	8	9	10	11	12	13	14	15	16	17	18	19	20	21	22	23	24	25	26	27	28	29	30	31
요일		水	木	金	土	日	月	火	水	木	金	土	日	月	火	水	木	金	土	日	月	火	水	木	金	土	日	月	火	水	木	金
음력	월	十一	2	3	4	5	6	7	8	9	10	11	12	13	14	15	16	17	18	19	20	21	22	23	24	25	26	27	28	29	十二	2
일진		甲寅	乙卯	丙辰	丁巳	庚午	辛未	壬申	癸酉	戊戌	己亥	甲子	乙丑	丙寅	丁卯	庚辰	辛巳	壬午	癸未	戊申	己酉	甲戌	乙亥	丙子	丁丑	庚寅	辛卯	壬辰	癸巳	戊午	己未	甲申
대운	男	2	2	1	1	1	1	芒	10	9	9	9	8	8	8	7	7	7	6	6	6	5	5	5	4	4	4	3	3	3	2	2
	女	8	8	9	9	9	10	種	1	1	1	1	2	2	2	3	3	3	4	4	4	5	5	5	6	6	6	7	7	7	8	8

서기1949년

己未年 (四綠木星) 閏七月

1月 (1일 九紫 -) **辛未 (四綠)** 절기: 小暑 (6일 00:41) 大暑 (20일 18:09)

양력	1	2	3	4	5	6	7	8	9	10	11	12	13	14	15	16	17	18	19	20	21	22	23	24	25	26	27	28	29	30	31
요일	土	日	月	火	水	木	金	土	日	月	火	水	木	金	土	日	月	火	水	木	金	土	日	月	火	水	木	金	土	日	月
음력 월	3	4	5	6	7	8	9	10	11	12	13	14	15	16	17	18	19	20	21	22	23	24	25	26	27	28	29	30	一	2	3
일진	乙酉	丙戌	丁亥	庚子	辛丑	壬寅	癸卯	戊辰	己巳	甲午	乙未	丙申	丁酉	庚戌	辛亥	壬子	癸丑	戊寅	己卯	甲辰	乙巳	丙午	丁未	庚申	辛酉	壬戌	癸亥	戊子	己丑	甲寅	乙卯
대운 男	2	1	1	1	1	小	9	9	9	8	8	8	7	7	7	6	6	6	5	5	5	4	4	4	3	3	3	2	2	2	1
대운 女	8	9	9	9	10	暑	1	1	1	1	2	2	2	3	3	3	4	4	4	5	5	5	6	6	6	7	7	7	8	8	8

2月 (1일 五黃 -) **壬申 (五黃)** 절기: 立秋 (4일 12:23) 處暑 (19일 08:27)

양력	1	2	3	4	5	6	7	8	9	10	11	12	13	14	15	16	17	18	19	20	21	22	23	24	25	26	27	28			
요일	火	水	木	金	土	日	月	火	水	木	金	土	日	月	火	水	木	金	土	日	月	火	水	木	金	土	日	月			
음력 월	4	5	6	7	8	9	10	11	12	13	14	15	16	17	18	19	20	21	22	23	24	25	26	27	28	29	30	二			
일진	丙辰	丁巳	庚午	辛未	壬申	癸酉	戊戌	己亥	甲子	乙丑	丙寅	丁卯	庚辰	辛巳	壬午	癸未	戊申	己酉	甲戌	乙亥	丙子	丁丑	庚寅	辛卯	壬辰	癸巳	戊午	己未			
대운 男	1	1	1	立	1	1	1	1	2	2	2	3	3	3	4	4	4	5	5	5	6	6	6	7	7	7	8	8			
대운 女	9	9	9	秋	10	9	9	9	8	8	8	7	7	7	6	6	6	5	5	5	4	4	4	3	3	3	2	2			

3月 (1일 四綠 -) **癸酉 (六白)** 절기: 白露 (6일 06:39) 秋分 (21일 07:48)

양력	1	2	3	4	5	6	7	8	9	10	11	12	13	14	15	16	17	18	19	20	21	22	23	24	25	26	27	28	29	30	31
요일	火	水	木	金	土	日	月	火	水	木	金	土	日	月	火	水	木	金	土	日	月	火	水	木	金	土	日	月	火	水	木
음력 월	2	3	4	5	6	7	8	9	10	11	12	13	14	15	16	17	18	19	20	21	22	23	24	25	26	27	28	29	30	三	2
일진	甲申	乙酉	丙戌	丁亥	庚子	辛丑	壬寅	癸卯	戊辰	己巳	甲午	乙未	丙申	丁酉	庚戌	辛亥	壬子	癸丑	戊寅	己卯	甲辰	乙巳	丙午	丁未	庚申	辛酉	壬戌	癸亥	戊子	己丑	甲寅
대운 男	8	9	9	9	10	白	1	1	1	1	2	2	2	3	3	3	4	4	4	5	5	5	6	6	6	7	7	7	8	8	8
대운 女	2	1	1	1	1	露	10	9	9	9	8	8	8	7	7	7	6	6	6	5	5	5	4	4	4	3	3	3	2	2	2

4月 (1일 九紫 -) **戊戌 (七赤)** 절기: 寒露 (5일 11:52) 霜降 (20일 19:17)

양력	1	2	3	4	5	6	7	8	9	10	11	12	13	14	15	16	17	18	19	20	21	22	23	24	25	26	27	28	29	30	
요일	金	土	日	月	火	水	木	金	土	日	月	火	水	木	金	土	日	月	火	水	木	金	土	日	月	火	水	木	金	土	
음력 월	3	4	5	6	7	8	9	10	11	12	13	14	15	16	17	18	19	20	21	22	23	24	25	26	27	28	29	四	2	3	
일진	乙卯	丙辰	丁巳	庚午	辛未	壬申	癸酉	戊戌	己亥	甲子	乙丑	丙寅	丁卯	庚辰	辛巳	壬午	癸未	戊申	己酉	甲戌	乙亥	丙子	丁丑	庚寅	辛卯	壬辰	癸巳	戊午	己未	甲申	
대운 男	9	9	9	10	寒	1	1	1	1	2	2	2	3	3	3	4	4	4	5	5	5	6	6	6	7	7	7	8	8	8	
대운 女	1	1	1	1	露	10	10	9	9	9	8	8	8	7	7	7	6	6	6	5	5	5	4	4	4	3	3	3	2	2	

5月 (1일 六白 -) **己亥 (八白)** 절기: 立冬 (6일 05:37) 小雪 (21일 18:51)

양력	1	2	3	4	5	6	7	8	9	10	11	12	13	14	15	16	17	18	19	20	21	22	23	24	25	26	27	28	29	30	31
요일	日	月	火	水	木	金	土	日	月	火	水	木	金	土	日	月	火	水	木	金	土	日	月	火	水	木	金	土	日	月	火
음력 월	4	5	6	7	8	9	10	11	12	13	14	15	16	17	18	19	20	21	22	23	24	25	26	27	28	29	30	五	2	3	4
일진	乙酉	丙戌	丁亥	庚子	辛丑	壬寅	癸卯	戊辰	己巳	甲午	乙未	丙申	丁酉	庚戌	辛亥	壬子	癸丑	戊寅	己卯	甲辰	乙巳	丙午	丁未	庚申	辛酉	壬戌	癸亥	戊子	己丑	甲寅	乙卯
대운 男	9	9	9	10	10	立	1	1	1	1	2	2	2	3	3	3	4	4	4	5	5	5	6	6	6	7	7	7	8	8	8
대운 女	2	1	1	1	1	冬	10	10	9	9	9	8	8	8	7	7	7	6	6	6	5	5	5	4	4	4	3	3	3	2	2

6月 (1일 二黑 - 3일 一白 +) **甲子 (九紫)** 절기: 大雪 (6일 10:07) 冬至 (22일 03:03)

양력	1	2	3	4	5	6	7	8	9	10	11	12	13	14	15	16	17	18	19	20	21	22	23	24	25	26	27	28	29	30	
요일	水	木	金	土	日	月	火	水	木	金	土	日	月	火	水	木	金	土	日	月	火	水	木	金	土	日	月	火	水	木	
음력 월	5	6	7	8	9	10	11	12	13	14	15	16	17	18	19	20	21	22	23	24	25	26	27	28	29	六	2	3	4	5	
일진	丙辰	丁巳	庚午	辛未	壬申	癸酉	戊戌	己亥	甲子	乙丑	丙寅	丁卯	庚辰	辛巳	壬午	癸未	戊申	己酉	甲戌	乙亥	丙子	丁丑	庚寅	辛卯	壬辰	癸巳	戊午	己未	甲申	乙酉	
대운 男	9	9	9	10	10	大	1	1	1	1	2	2	2	3	3	3	4	4	4	5	5	5	6	6	6	7	7	7	8	8	
대운 女	2	1	1	1	1	雪	10	10	9	9	9	8	8	8	7	7	7	6	6	6	5	5	5	4	4	4	3	3	3	2	

7月 (1일 二黑 +) **乙丑 (一白)** 절기: 小寒(7일 20:32) 大寒(23일 13:57)

양력	1	2	3	4	5	6	7	8	9	10	11	12	13	14	15	16	17	18	19	20	21	22	23	24	25	26	27	28	29	30	31
요일	金	土	日	月	火	水	木	金	土	日	月	火	水	木	金	土	日	月	火	水	木	金	土	日	月	火	水	木	金	土	日
음력 월	6	7	8	9	10	11	12	13	14	15	16	17	18	19	20	21	22	23	24	25	26	27	28	29	30	七	2	3	4	5	6
일진	丙戌	丁亥	庚子	辛丑	壬寅	癸卯	戊辰	己巳	甲午	乙未	丙申	丁酉	庚戌	辛亥	壬子	癸丑	戊寅	己卯	甲辰	乙巳	丙午	丁未	庚申	辛酉	壬戌	癸亥	戊子	己丑	甲寅	乙卯	丙辰
대운 男	8	9	9	9	10	10	小	1	1	1	1	2	2	2	3	3	3	4	4	4	5	5	5	6	6	6	7	7	7	8	8
대운 女	2	2	1	1	1	1	寒	10	10	10	9	9	9	8	8	8	7	7	7	6	6	6	5	5	5	4	4	4	3	3	3

8月 (1일 六白 +) **丙寅 (二黑)** 절기: 立春(8일 06:15) 雨水(23일 20:48)

양력	1	2	3	4	5	6	7	8	9	10	11	12	13	14	15	16	17	18	19	20	21	22	23	24	25	26	27	28	29	30	31
요일	月	火	水	木	金	土	日	月	火	水	木	金	土	日	月	火	水	木	金	土	日	月	火	水	木	金	土	日	月	火	水
음력 월	7	8	9	10	11	12	13	14	15	16	17	18	19	20	21	22	23	24	25	26	27	28	29	閏七		3	4	5	6	7	8
일진	丁巳	庚午	辛未	壬申	癸酉	戊戌	己亥	甲子	乙丑	丙寅	丁卯	庚辰	辛巳	壬午	癸未	戊申	己酉	甲戌	乙亥	丙子	丁丑	庚寅	辛卯	壬辰	癸巳	戊午	己未	甲申	乙酉	丙戌	丁亥
대운 男	8	9	9	9	10	10	10	立	1	1	1	1	2	2	2	3	3	3	4	4	4	5	5	5	6	6	6	7	7	7	8
대운 女	2	2	2	1	1	1	1	春	10	10	9	9	9	8	8	8	7	7	7	6	6	6	5	5	5	4	4	4	3	3	3

9月 (1일 一白 +) **丁卯 (三碧)** 절기: 驚蟄(8일 08:54) 春分 (23일 18:06)

양력	1	2	3	4	5	6	7	8	9	10	11	12	13	14	15	16	17	18	19	20	21	22	23	24	25	26	27	28	29	30	
요일	木	金	土	日	月	火	水	木	金	土	日	月	火	水	木	金	土	日	月	火	水	木	金	土	日	月	火	水	木	金	
음력 월	9	10	11	12	13	14	15	16	17	18	19	20	21	22	23	24	25	26	27	28	29	八	2	3	4	5	6	7	8	9	
일진	庚子	辛丑	壬寅	癸卯	戊辰	己巳	甲午	乙未	丙申	丁酉	庚戌	辛亥	壬子	癸丑	戊寅	己卯	甲辰	乙巳	丙午	丁未	庚申	辛酉	壬戌	癸亥	戊子	己丑	甲寅	乙卯	丙辰	丁巳	
대운 男	8	8	9	9	9	10	10	驚	1	1	1	1	2	2	2	3	3	3	4	4	4	5	5	5	6	6	6	7	7	7	
대운 女	2	2	2	1	1	1	1	蟄	10	10	9	9	9	8	8	8	7	7	7	6	6	6	5	5	5	4	4	4	3	3	

10月 (1일 四綠 +) **庚辰 (四綠)** 절기: 清明(9일 00:11) 穀雨(24일 03:03)

양력	1	2	3	4	5	6	7	8	9	10	11	12	13	14	15	16	17	18	19	20	21	22	23	24	25	26	27	28	29	30	31
요일	土	日	月	火	水	木	金	土	日	月	火	水	木	金	土	日	月	火	水	木	金	土	日	月	火	水	木	金	土	日	月
음력 월	10	11	12	13	14	15	16	17	18	19	20	21	22	23	24	25	26	27	28	29	30	九	2	3	4	5	6	7	8	9	10
일진	庚午	辛未	壬申	癸酉	戊戌	己亥	甲子	乙丑	丙寅	丁卯	庚辰	辛巳	壬午	癸未	戊申	己酉	甲戌	乙亥	丙子	丁丑	庚寅	辛卯	壬辰	癸巳	戊午	己未	甲申	乙酉	丙戌	丁亥	庚子
대운 男	8	8	8	9	9	9	10	10	清	1	1	1	1	2	2	2	3	3	3	4	4	4	5	5	5	6	6	6	7	7	7
대운 女	3	2	2	2	1	1	1	1	明	10	9	9	9	8	8	8	7	7	7	6	6	6	5	5	5	4	4	4	3	3	3

11月 (1일 八白 + 30일 九紫 -) **辛巳 (五黃)** 절기: 立夏(8일 03:00) 小滿 (23일 00:16)

양력	1	2	3	4	5	6	7	8	9	10	11	12	13	14	15	16	17	18	19	20	21	22	23	24	25	26	27	28	29	30	
요일	火	水	木	金	土	日	月	火	水	木	金	土	日	月	火	水	木	金	土	日	月	火	水	木	金	土	日	月	火	水	
음력 월	11	12	13	14	15	16	17	18	19	20	21	22	23	24	25	26	27	28	29	十	2	3	4	5	6	7	8	9	10	11	
일진	辛丑	壬寅	癸卯	戊辰	己巳	甲午	乙未	丙申	丁酉	庚戌	辛亥	壬子	癸丑	戊寅	己卯	甲辰	乙巳	丙午	丁未	庚申	辛酉	壬戌	癸亥	戊子	己丑	甲寅	乙卯	丙辰	丁巳	庚午	
대운 男	8	8	8	9	9	9	10	立	1	1	1	1	2	2	2	3	3	3	4	4	4	5	5	5	6	6	6	7	7	7	
대운 女	2	2	2	1	1	1	1	夏	9	9	9	8	8	8	7	7	7	6	6	6	5	5	5	4	4	4	3	3	3	2	

12月 (1일 八白 -) **壬午 (六白)** 절기: 芒種(7일 19:33) 夏至(22일 13:23)

양력	1	2	3	4	5	6	7	8	9	10	11	12	13	14	15	16	17	18	19	20	21	22	23	24	25	26	27	28	29	30	31
요일	木	金	土	日	月	火	水	木	金	土	日	月	火	水	木	金	土	日	月	火	水	木	金	土	日	月	火	水	木	金	土
음력 월	12	13	14	15	16	17	18	19	20	21	22	23	24	25	26	27	28	29	30	十一	2	3	4	5	6	7	8	9	10	11	12
일진	辛未	壬申	癸酉	戊戌	己亥	甲子	乙丑	丙寅	丁卯	庚辰	辛巳	壬午	癸未	戊申	己酉	甲戌	乙亥	丙子	丁丑	庚寅	辛卯	壬辰	癸巳	戊午	己未	甲申	乙酉	丙戌	丁亥	庚子	辛丑
대운 男	8	8	8	9	9	9	芒	1	1	1	1	2	2	2	3	3	3	4	4	4	5	5	5	6	6	6	7	7	7	8	8
대운 女	2	2	1	1	1	1	種	10	9	9	9	8	8	8	7	7	7	6	6	6	5	5	5	4	4	4	3	3	3	2	2

서기1950년

甲申年 (五黃土星)

1月 (1일 四綠 -) **癸未 (七赤)** 절기: 小暑 (6일 06:39) 大暑 (21일 00:00)

양력		1	2	3	4	5	6	7	8	9	10	11	12	13	14	15	16	17	18	19	20	21	22	23	24	25	26	27	28	29	30	31
요일		日	月	火	水	木	金	土	日	月	火	水	木	金	土	日	月	火	水	木	金	土	日	月	火	水	木	金	土	日	月	火
음력	월	13	14	15	16	17	18	19	20	21	22	23	24	25	26	27	28	29	十二	2	3	4	5	6	7	8	9	10	11	12	13	14
일진		壬寅	癸卯	戊辰	己巳	甲午	乙未	丙申	丁酉	庚戌	辛亥	壬子	癸丑	戊寅	己卯	甲辰	乙巳	丙午	丁未	庚申	辛酉	壬戌	癸亥	戊子	己丑	甲寅	乙卯	丙辰	丁巳	庚午	辛未	壬申
대운	男	8	9	9	9	10	小	1	1	1	1	2	2	2	3	3	3	4	4	4	5	5	5	6	6	6	7	7	7	8	8	8
	女	2	1	1	1	1	暑	9	9	9	8	8	8	7	7	7	6	6	6	5	5	5	4	4	4	3	3	3	2	2	2	1

2月 (1일 九紫 -) **戊申 (八白)** 절기: 立秋 (4일 18:21) 處暑 (19일 14:18)

양력		1	2	3	4	5	6	7	8	9	10	11	12	13	14	15	16	17	18	19	20	21	22	23	24	25	26	27	28			
요일		水	木	金	土	日	月	火	水	木	金	土	日	月	火	水	木	金	土	日	月	火	水	木	金	土	日	月	火			
음력	월	15	16	17	18	19	20	21	22	23	24	25	26	27	28	29	30	一	2	3	4	5	6	7	8	9	10	11	12			
일진		癸酉	戊戌	己亥	甲子	乙丑	丙寅	丁卯	庚辰	辛巳	壬午	癸未	戊申	己酉	甲戌	乙亥	丙子	丁丑	庚寅	辛卯	壬辰	癸巳	戊午	己未	甲申	乙酉	丙戌	丁亥	庚子			
대운	男	9	9	9	立	10	9	9	9	8	8	8	7	7	7	6	6	6	5	5	5	4	4	4	3	3	3	2	2			
	女	1	1	1	秋	1	1	1	1	2	2	2	3	3	3	4	4	4	5	5	5	6	6	6	7	7	7	8	8			

3月 (1일 八白 -) **己酉 (九紫)** 절기: 白露 (6일 12:35) 秋分 (21일 13:35)

양력		1	2	3	4	5	6	7	8	9	10	11	12	13	14	15	16	17	18	19	20	21	22	23	24	25	26	27	28	29	30	31
요일		水	木	金	土	日	月	火	水	木	金	土	日	月	火	水	木	金	土	日	月	火	水	木	金	土	日	月	火	水	木	金
음력	월	13	14	15	16	17	18	19	20	21	22	23	24	25	26	27	28	29	30	二	2	3	4	5	6	7	8	9	10	11	12	13
일진		辛丑	壬寅	癸卯	戊辰	己巳	甲午	乙未	丙申	丁酉	庚戌	辛亥	壬子	癸丑	戊寅	己卯	甲辰	乙巳	丙午	丁未	庚申	辛酉	壬戌	癸亥	戊子	己丑	甲寅	乙卯	丙辰	丁巳	庚午	辛未
대운	男	2	1	1	1	1	白	10	9	9	9	8	8	8	7	7	7	6	6	6	5	5	5	4	4	4	3	3	3	2	2	2
	女	8	9	9	9	10	露	1	1	1	1	2	2	2	3	3	3	4	4	4	5	5	5	6	6	6	7	7	7	8	8	8

4月 (1일 四綠 -) **甲戌 (一白)** 절기: 寒露 (5일 17:44) 霜降 (21일 00:59)

양력		1	2	3	4	5	6	7	8	9	10	11	12	13	14	15	16	17	18	19	20	21	22	23	24	25	26	27	28	29	30	
요일		土	日	月	火	水	木	金	土	日	月	火	水	木	金	土	日	月	火	水	木	金	土	日	月	火	水	木	金	土	日	
음력	월	14	15	16	17	18	19	20	21	22	23	24	25	26	27	28	29	三	2	3	4	5	6	7	8	9	10	11	12	13	14	
일진		壬申	癸酉	戊戌	己亥	甲子	乙丑	丙寅	丁卯	庚辰	辛巳	壬午	癸未	戊申	己酉	甲戌	乙亥	丙子	丁丑	庚寅	辛卯	壬辰	癸巳	戊午	己未	甲申	乙酉	丙戌	丁亥	庚子	辛丑	
대운	男	1	1	1	1	寒	10	10	9	9	9	8	8	8	7	7	7	6	6	6	5	5	5	4	4	4	3	3	3	2	2	
	女	9	9	9	10	露	1	1	1	1	2	2	2	3	3	3	4	4	4	5	5	5	6	6	6	7	7	7	8	8	8	

5月 (1일 一白 - 29일 一白 +) **乙亥 (二黑)** 절기: 立冬 (6일 11:25) 小雪 (22일 00:27)

양력		1	2	3	4	5	6	7	8	9	10	11	12	13	14	15	16	17	18	19	20	21	22	23	24	25	26	27	28	29	30	31
요일		月	火	水	木	金	土	日	月	火	水	木	金	土	日	月	火	水	木	金	土	日	月	火	水	木	金	土	日	月	火	水
음력	월	15	16	17	18	19	20	21	22	23	24	25	26	27	28	29	30	四	2	3	4	5	6	7	8	9	10	11	12	13	14	15
일진		壬寅	癸卯	戊辰	己巳	甲午	乙未	丙申	丁酉	庚戌	辛亥	壬子	癸丑	戊寅	己卯	甲辰	乙巳	丙午	丁未	庚申	辛酉	壬戌	癸亥	戊子	己丑	甲寅	乙卯	丙辰	丁巳	庚午	辛未	壬申
대운	男	2	1	1	1	1	立	10	10	9	9	9	8	8	8	7	7	7	6	6	6	5	5	5	4	4	4	3	3	3	2	2
	女	9	9	9	10	10	冬	1	1	1	1	2	2	2	3	3	3	4	4	4	5	5	5	6	6	6	7	7	7	8	8	8

6月 (1일 四綠 +) **丙子 (三碧)** 절기: 大雪 (6일 15:51) 冬至 (22일 08:36)

양력		1	2	3	4	5	6	7	8	9	10	11	12	13	14	15	16	17	18	19	20	21	22	23	24	25	26	27	28	29	30
요일		木	金	土	日	月	火	水	木	金	土	日	月	火	水	木	金	土	日	月	火	水	木	金	土	日	月	火	水	木	金
음력	월	16	17	18	19	20	21	22	23	24	25	26	27	28	29	30	五	2	3	4	5	6	7	8	9	10	11	12	13	14	15
일진		癸酉	戊戌	己亥	甲子	乙丑	丙寅	丁卯	庚辰	辛巳	壬午	癸未	戊申	己酉	甲戌	乙亥	丙子	丁丑	庚寅	辛卯	壬辰	癸巳	戊午	己未	甲申	乙酉	丙戌	丁亥	庚子	辛丑	壬寅
대운	男	2	1	1	1	1	大	10	10	10	9	9	9	8	8	8	7	7	7	6	6	6	5	5	5	4	4	4	3	3	3
	女	9	9	9	10	10	雪	1	1	1	1	2	2	2	3	3	3	4	4	4	5	5	5	6	6	6	7	7	7	8	8

7月 (1일 七赤 +) **丁丑 (四綠)** 절기: 小寒(8일 02:13) 大寒(23일 19:30)

양력		1	2	3	4	5	6	7	8	9	10	11	12	13	14	15	16	17	18	19	20	21	22	23	24	25	26	27	28	29	30	31
요일		土	日	月	火	水	木	金	土	日	月	火	水	木	金	土	日	月	火	水	木	金	土	日	月	火	水	木	金	土	日	月
음력	월	16	17	18	19	20	21	22	23	24	25	26	27	28	29	六	2	3	4	5	6	7	8	9	10	11	12	13	14	15	16	17
일진		癸卯	戊辰	己巳	甲午	乙未	丙申	丁酉	庚戌	辛亥	壬子	癸丑	戊寅	己卯	甲辰	乙巳	丙午	丁未	庚申	辛酉	壬戌	癸亥	戊子	己丑	甲寅	乙卯	丙辰	丁巳	庚午	辛未	壬申	癸酉
대운	男	2	2	2	1	1	1	1	小	10	10	9	9	9	8	8	8	7	7	7	6	6	6	5	5	5	4	4	4	3	3	3
	女	8	9	9	9	10	10	10	寒	1	1	1	1	2	2	2	3	3	3	4	4	4	5	5	5	6	6	6	7	7	7	8

8月 (1일 二黑 +) **庚寅 (五黃)** 절기: 立春(8일 11:55) 雨水(24일 02:23)

양력		1	2	3	4	5	6	7	8	9	10	11	12	13	14	15	16	17	18	19	20	21	22	23	24	25	26	27	28	29	30	31
요일		火	水	木	金	土	日	月	火	水	木	金	土	日	月	火	水	木	金	土	日	月	火	水	木	金	土	日	月	火	水	木
음력	월	18	19	20	21	22	23	24	25	26	27	28	29	30	七	2	3	4	5	6	7	8	9	10	11	12	13	14	15	16	17	18
일진		戊戌	己亥	甲子	乙丑	丙寅	丁卯	庚辰	辛巳	壬午	癸未	戊申	己酉	甲戌	乙亥	丙子	丁丑	庚寅	辛卯	壬辰	癸巳	戊午	己未	甲申	乙酉	丙戌	丁亥	庚子	辛丑	壬寅	癸卯	戊辰
대운	男	2	2	2	1	1	1	1	立	10	10	9	9	9	8	8	8	7	7	7	6	6	6	5	5	5	4	4	4	3	3	3
	女	8	8	9	9	9	10	10	春	1	1	1	1	2	2	2	3	3	3	4	4	4	5	5	5	6	6	6	7	7	7	8

9月 (1일 六白 +) **辛卯 (六白)** 절기: 驚蟄(8일 14:34) 春分 (23일 23:44)

양력		1	2	3	4	5	6	7	8	9	10	11	12	13	14	15	16	17	18	19	20	21	22	23	24	25	26	27	28	29	30	
요일		金	土	日	月	火	水	木	金	土	日	月	火	水	木	金	土	日	月	火	水	木	金	土	日	月	火	水	木	金	土	
음력	월	19	20	21	22	23	24	25	26	27	28	29	八	2	3	4	5	6	7	8	9	10	11	12	13	14	15	16	17	18	19	
일진		己巳	甲午	乙未	丙申	丁酉	庚戌	辛亥	壬子	癸丑	戊寅	己卯	甲辰	乙巳	丙午	丁未	庚申	辛酉	壬戌	癸亥	戊子	己丑	甲寅	乙卯	丙辰	丁巳	庚午	辛未	壬申	癸酉	戊戌	
대운	男	2	2	2	1	1	1	1	驚	10	10	9	9	9	8	8	8	7	7	7	6	6	6	5	5	5	4	4	4	3	3	
	女	8	8	9	9	9	10	10	蟄	1	1	1	1	2	2	2	3	3	3	4	4	4	5	5	5	6	6	6	7	7	7	

10月 (1일 九紫 +) **壬辰 (七赤)** 절기: 清明(9일 05:52) 穀雨(24일 08:45)

양력		1	2	3	4	5	6	7	8	9	10	11	12	13	14	15	16	17	18	19	20	21	22	23	24	25	26	27	28	29	30	31
요일		日	月	火	水	木	金	土	日	月	火	水	木	金	土	日	月	火	水	木	金	土	日	月	火	水	木	金	土	日	月	火
음력	월	20	21	22	23	24	25	26	27	28	29	九	2	3	4	5	6	7	8	9	10	11	12	13	14	15	16	17	18	19	20	21
일진		己亥	甲子	乙丑	丙寅	丁卯	庚辰	辛巳	壬午	癸未	戊申	己酉	甲戌	乙亥	丙子	丁丑	庚寅	辛卯	壬辰	癸巳	戊午	己未	甲申	乙酉	丙戌	丁亥	庚子	辛丑	壬寅	癸卯	戊辰	己巳
대운	男	3	2	2	2	1	1	1	1	清	10	9	9	9	8	8	8	7	7	7	6	6	6	5	5	5	4	4	4	3	3	3
	女	8	8	8	9	9	9	10	10	明	1	1	1	1	2	2	2	3	3	3	4	4	4	5	5	5	6	6	6	7	7	7

11月 (1일 四綠 + 25일 九紫 -) **癸巳 (八白)** 절기: 立夏(8일 08:44) 小滿(23일 06:03)

양력		1	2	3	4	5	6	7	8	9	10	11	12	13	14	15	16	17	18	19	20	21	22	23	24	25	26	27	28	29	30	
요일		水	木	金	土	日	月	火	水	木	金	土	日	月	火	水	木	金	土	日	月	火	水	木	金	土	日	月	火	水	木	
음력	월	22	23	24	25	26	27	28	29	30	十	2	3	4	5	6	7	8	9	10	11	12	13	14	15	16	17	18	19	20	21	
일진		甲午	乙未	丙申	丁酉	庚戌	辛亥	壬子	癸丑	戊寅	己卯	甲辰	乙巳	丙午	丁未	庚申	辛酉	壬戌	癸亥	戊子	己丑	甲寅	乙卯	丙辰	丁巳	庚午	辛未	壬申	癸酉	戊戌	己亥	
대운	男	2	2	2	1	1	1	1	立	10	9	9	9	8	8	8	7	7	7	6	6	6	5	5	5	4	4	4	3	3	3	
	女	8	8	8	9	9	9	10	夏	1	1	1	1	2	2	2	3	3	3	4	4	4	5	5	5	6	6	6	7	7	7	

12月 (1일 三碧 -) **戊午 (九紫)** 절기: 芒種(8일 01:22) 夏至(22일 19:13)

양력		1	2	3	4	5	6	7	8	9	10	11	12	13	14	15	16	17	18	19	20	21	22	23	24	25	26	27	28	29	30	31
요일		金	土	日	月	火	水	木	金	土	日	月	火	水	木	金	土	日	月	火	水	木	金	土	日	月	火	水	木	金	土	日
음력	월	22	23	24	25	26	27	28	29	十一	2	3	4	5	6	7	8	9	10	11	12	13	14	15	16	17	18	19	20	21	22	23
일진		甲子	乙丑	丙寅	丁卯	庚辰	辛巳	壬午	癸未	戊申	己酉	甲戌	乙亥	丙子	丁丑	庚寅	辛卯	壬辰	癸巳	戊午	己未	甲申	乙酉	丙戌	丁亥	庚子	辛丑	壬寅	癸卯	戊辰	己巳	甲午
대운	男	2	2	2	1	1	1	1	芒	9	9	9	8	8	8	7	7	7	6	6	6	5	5	5	4	4	4	3	3	3	2	2
	女	8	8	8	9	9	9	10	種	1	1	1	1	2	2	2	3	3	3	4	4	4	5	5	5	6	6	6	7	7	7	8

서기1951년

乙酉年 (六白金星)

1月 (1일 八白 -) 己未 (一白) 절기: 小暑 (6일 12:30) 大暑 (21일 05:52)

양력		1	2	3	4	5	6	7	8	9	10	11	12	13	14	15	16	17	18	19	20	21	22	23	24	25	26	27	28	29	30	31
요일		月	火	水	木	金	土	日	月	火	水	木	金	土	日	月	火	水	木	金	土	日	月	火	水	木	金	土	日	月	火	水
음력	월	24	25	26	27	28	29	30	十二	2	3	4	5	6	7	8	9	10	11	12	13	14	15	16	17	18	19	20	21	22	23	24
일진		乙未	丙申	丁酉	庚戌	辛亥	壬子	癸丑	戊寅	己卯	甲辰	乙巳	丙午	丁未	庚申	辛酉	壬戌	癸亥	戊子	己丑	甲寅	乙卯	丙辰	丁巳	庚午	辛未	壬申	癸酉	戊戌	己亥	甲子	乙丑
대운	男	2	1	1	1	1	小	10	9	9	9	8	8	8	7	7	7	6	6	6	5	5	5	4	4	4	3	3	3	2	2	2
	女	8	8	9	9	9	暑	1	1	1	1	2	2	2	3	3	3	4	4	4	5	5	5	6	6	6	7	7	7	8	8	8

2月 (1일 四綠 -) 甲申 (二黑) 절기: 立秋 (5일 00:13) 處暑 (19일 20:10)

양력		1	2	3	4	5	6	7	8	9	10	11	12	13	14	15	16	17	18	19	20	21	22	23	24	25	26	27	28			
요일		木	金	土	日	月	火	水	木	金	土	日	月	火	水	木	金	土	日	月	火	水	木	金	土	日	月	火	水			
음력	월	25	26	27	28	29	一	2	3	4	5	6	7	8	9	10	11	12	13	14	15	16	17	18	19	20	21	22	23			
일진		丙寅	丁卯	庚辰	辛巳	壬午	癸未	戊申	己酉	甲戌	乙亥	丙子	丁丑	庚寅	辛卯	壬辰	癸巳	戊午	己未	甲申	乙酉	丙戌	丁亥	庚子	辛丑	壬寅	癸卯	戊辰	己巳			
대운	男	1	1	1	1	立	1	1	1	1	2	2	2	3	3	3	4	4	4	5	5	5	6	6	6	7	7	7	8			
	女	9	9	9	10	秋	9	9	9	8	8	8	7	7	7	6	6	6	5	5	5	4	4	4	3	3	3	2	2			

3月 (1일 三碧 -) 乙酉 (三碧) 절기: 白露 (6일 18:27) 秋分 (21일 19:26)

양력		1	2	3	4	5	6	7	8	9	10	11	12	13	14	15	16	17	18	19	20	21	22	23	24	25	26	27	28	29	30	31
요일		木	金	土	日	月	火	水	木	金	土	日	月	火	水	木	金	土	日	月	火	水	木	金	土	日	月	火	水	木	金	土
음력	월	24	25	26	27	28	29	30	二	2	3	4	5	6	7	8	9	10	11	12	13	14	15	16	17	18	19	20	21	22	23	24
일진		甲午	乙未	丙申	丁酉	庚戌	辛亥	壬子	癸丑	戊寅	己卯	甲辰	乙巳	丙午	丁未	庚申	辛酉	壬戌	癸亥	戊子	己丑	甲寅	乙卯	丙辰	丁巳	庚午	辛未	壬申	癸酉	戊戌	己亥	甲子
대운	男	8	8	9	9	9	白	1	1	1	1	2	2	2	3	3	3	4	4	4	5	5	5	6	6	6	7	7	7	8	8	8
	女	2	1	1	1	1	露	10	9	9	9	8	8	8	7	7	7	6	6	6	5	5	5	4	4	4	3	3	3	2	2	2

4月 (1일 八白 -) 丙戌 (四綠) 절기: 寒露 (5일 23:33) 霜降 (21일 06:48)

양력		1	2	3	4	5	6	7	8	9	10	11	12	13	14	15	16	17	18	19	20	21	22	23	24	25	26	27	28	29	30	
요일		日	月	火	水	木	金	土	日	月	火	水	木	金	土	日	月	火	水	木	金	土	日	月	火	水	木	金	土	日	月	
음력	월	25	26	27	28	29	三	2	3	4	5	6	7	8	9	10	11	12	13	14	15	16	17	18	19	20	21	22	23	24	25	
일진		乙丑	丙寅	丁卯	庚辰	辛巳	壬午	癸未	戊申	己酉	甲戌	乙亥	丙子	丁丑	庚寅	辛卯	壬辰	癸巳	戊午	己未	甲申	乙酉	丙戌	丁亥	庚子	辛丑	壬寅	癸卯	戊辰	己巳	甲午	
대운	男	9	9	9	10	寒	1	1	1	1	2	2	2	3	3	3	4	4	4	5	5	5	6	6	6	7	7	7	8	8	8	
	女	1	1	1	1	露	10	10	9	9	9	8	8	8	7	7	7	6	6	6	5	5	5	4	4	4	3	3	3	2	2	

5月 (1일 五黃 - 24일 九紫 -) 丁亥 (五黃) 절기: 立冬 (6일 17:09) 小雪 (22일 06:15)

양력		1	2	3	4	5	6	7	8	9	10	11	12	13	14	15	16	17	18	19	20	21	22	23	24	25	26	27	28	29	30	31
요일		火	水	木	金	土	日	月	火	水	木	金	土	日	月	火	水	木	金	土	日	月	火	水	木	金	土	日	月	火	水	木
음력	월	26	27	28	29	30	四	2	3	4	5	6	7	8	9	10	11	12	13	14	15	16	17	18	19	20	21	22	23	24	25	26
일진		乙未	丙申	丁酉	庚戌	辛亥	壬子	癸丑	戊寅	己卯	甲辰	乙巳	丙午	丁未	庚申	辛酉	壬戌	癸亥	戊子	己丑	甲寅	乙卯	丙辰	丁巳	庚午	辛未	壬申	癸酉	戊戌	己亥	甲子	乙丑
대운	男	9	9	9	10	10	立	1	1	1	1	2	2	2	3	3	3	4	4	4	5	5	5	6	6	6	7	7	7	8	8	8
	女	2	1	1	1	1	冬	10	10	9	9	9	8	8	8	7	7	7	6	6	6	5	5	5	4	4	4	3	3	3	2	2

6月 (1일 一白 - 26일 一白 +) 庚子 (六白) 절기: 大雪 (6일 21:33) 冬至 (22일 14:25)

양력		1	2	3	4	5	6	7	8	9	10	11	12	13	14	15	16	17	18	19	20	21	22	23	24	25	26	27	28	29	30	
요일		金	土	日	月	火	水	木	金	土	日	月	火	水	木	金	土	日	月	火	水	木	金	土	日	月	火	水	木	金	土	
음력	월	27	28	29	30	五	2	3	4	5	6	7	8	9	10	11	12	13	14	15	16	17	18	19	20	21	22	23	24	25	26	
일진		丙寅	丁卯	庚辰	辛巳	壬午	癸未	戊申	己酉	甲戌	乙亥	丙子	丁丑	庚寅	辛卯	壬辰	癸巳	戊午	己未	甲申	乙酉	丙戌	丁亥	庚子	辛丑	壬寅	癸卯	戊辰	己巳	甲午	乙未	
대운	男	9	9	9	10	10	大	1	1	1	1	2	2	2	3	3	3	4	4	4	5	5	5	6	6	6	7	7	7	8	8	
	女	2	1	1	1	1	雪	10	10	10	9	9	9	8	8	8	7	7	7	6	6	6	5	5	5	4	4	4	3	3	3	

7月 (1일 六白 +) **辛丑 (七赤)** 절기: 小寒(8일 07:54) 大寒(24일 01:21)

양력		1	2	3	4	5	6	7	8	9	10	11	12	13	14	15	16	17	18	19	20	21	22	23	24	25	26	27	28	29	30	31
요일		日	月	火	水	木	金	土	日	月	火	水	木	金	土	日	月	火	水	木	金	土	日	月	火	水	木	金	土	日	月	火
음력	월	27	28	29	六	2	3	4	5	6	7	8	9	10	11	12	13	14	15	16	17	18	19	20	21	22	23	24	25	26	27	28
일진		丙申	丁酉	庚戌	辛亥	壬子	癸丑	戊寅	己卯	甲辰	乙巳	丙午	丁未	庚申	辛酉	壬戌	癸亥	戊子	己丑	甲寅	乙卯	丙辰	丁巳	庚午	辛未	壬申	癸酉	戊戌	己亥	甲子	乙丑	丙寅
대운	男	8	9	9	9	10	10	10	小	1	1	1	1	2	2	2	3	3	3	4	4	4	5	5	5	6	6	6	7	7	7	8
	女	2	2	2	1	1	1	1	寒	10	10	9	9	9	8	8	8	7	7	7	6	6	6	5	5	5	4	4	4	3	3	3

8月 (1일 一白 +) **壬寅 (八白)** 절기: 立春(8일 17:37) 雨水(24일 08:16)

양력		1	2	3	4	5	6	7	8	9	10	11	12	13	14	15	16	17	18	19	20	21	22	23	24	25	26	27	28	29	30	31
요일		水	木	金	土	日	月	火	水	木	金	土	日	月	火	水	木	金	土	日	月	火	水	木	金	土	日	月	火	水	木	金
음력	월	29	30	七	2	3	4	5	6	7	8	9	10	11	12	13	14	15	16	17	18	19	20	21	22	23	24	25	26	27	28	29
일진		丁卯	庚辰	辛巳	壬午	癸未	戊申	己酉	甲戌	乙亥	丙子	丁丑	庚寅	辛卯	壬辰	癸巳	戊午	己未	甲申	乙酉	丙戌	丁亥	庚子	辛丑	壬寅	癸卯	戊辰	己巳	甲午	乙未	丙申	丁酉
대운	男	8	8	9	9	9	10	10	立	1	1	1	1	2	2	2	3	3	3	4	4	4	5	5	5	6	6	6	7	7	7	8
	女	2	2	2	1	1	1	1	春	10	10	9	9	9	8	8	8	7	7	7	6	6	6	5	5	5	4	4	4	3	3	3

9月 (1일 五黃 +) **癸卯 (九紫)** 절기: 驚蟄(8일 20:18) 春分 (24일 05:37)

양력		1	2	3	4	5	6	7	8	9	10	11	12	13	14	15	16	17	18	19	20	21	22	23	24	25	26	27	28	29	30	
요일		土	日	月	火	水	木	金	土	日	月	火	水	木	金	土	日	月	火	水	木	金	土	日	月	火	水	木	金	土	日	
음력	월	八	2	3	4	5	6	7	8	9	10	11	12	13	14	15	16	17	18	19	20	21	22	23	24	25	26	27	28	29	30	
일진		庚戌	辛亥	壬子	癸丑	戊寅	己卯	甲辰	乙巳	丙午	丁未	庚申	辛酉	壬戌	癸亥	戊子	己丑	甲寅	乙卯	丙辰	丁巳	庚午	辛未	壬申	癸酉	戊戌	己亥	甲子	乙丑	丙寅	丁卯	
대운	男	8	8	9	9	9	10	10	驚	1	1	1	1	2	2	2	3	3	3	4	4	4	5	5	5	6	6	6	7	7	7	
	女	2	2	2	1	1	1	1	蟄	10	10	9	9	9	8	8	8	7	7	7	6	6	6	5	5	5	4	4	4	3	3	

10月 (1일 八白 +) **戊辰 (一白)** 절기: 清明(9일 11:36) 穀雨(24일 14:36)

양력		1	2	3	4	5	6	7	8	9	10	11	12	13	14	15	16	17	18	19	20	21	22	23	24	25	26	27	28	29	30	31
요일		月	火	水	木	金	土	日	月	火	水	木	金	土	日	月	火	水	木	金	土	日	月	火	水	木	金	土	日	月	火	水
음력	월	九	2	3	4	5	6	7	8	9	10	11	12	13	14	15	16	17	18	19	20	21	22	23	24	25	26	27	28	29	十	2
일진		庚辰	辛巳	壬午	癸未	戊申	己酉	甲戌	乙亥	丙子	丁丑	庚寅	辛卯	壬辰	癸巳	戊午	己未	甲申	乙酉	丙戌	丁亥	庚子	辛丑	壬寅	癸卯	戊辰	己巳	甲午	乙未	丙申	丁酉	庚戌
대운	男	8	8	8	9	9	9	10	10	清	1	1	1	1	2	2	2	3	3	3	4	4	4	5	5	5	6	6	6	7	7	7
	女	3	2	2	2	1	1	1	1	明	10	9	9	9	8	8	8	7	7	7	6	6	6	5	5	5	4	4	4	3	3	3

11月 (1일 三碧 +) **己巳 (二黑)** 절기: 立夏(8일 14:27) 小滿 (23일 11:51)

양력		1	2	3	4	5	6	7	8	9	10	11	12	13	14	15	16	17	18	19	20	21	22	23	24	25	26	27	28	29	30	
요일		木	金	土	日	月	火	水	木	金	土	日	月	火	水	木	金	土	日	月	火	水	木	金	土	日	月	火	水	木	金	
음력	월	3	4	5	6	7	8	9	10	11	12	13	14	15	16	17	18	19	20	21	22	23	24	25	26	27	28	29	30	十一	2	
일진		辛亥	壬子	癸丑	戊寅	己卯	甲辰	乙巳	丙午	丁未	庚申	辛酉	壬戌	癸亥	戊子	己丑	甲寅	乙卯	丙辰	丁巳	庚午	辛未	壬申	癸酉	戊戌	己亥	甲子	乙丑	丙寅	丁卯	庚辰	
대운	男	8	8	8	9	9	9	10	立	1	1	1	1	2	2	2	3	3	3	4	4	4	5	5	5	6	6	6	7	7	7	
	女	2	2	2	1	1	1	1	夏	10	9	9	9	8	8	8	7	7	7	6	6	6	5	5	5	4	4	4	3	3	3	

12月 (1일 六白 +) **甲午 (三碧)** 절기: 芒種(8일 07:02) 夏至(23일 01:00)

양력		1	2	3	4	5	6	7	8	9	10	11	12	13	14	15	16	17	18	19	20	21	22	23	24	25	26	27	28	29	30	31
요일		土	日	月	火	水	木	金	土	日	月	火	水	木	金	土	日	月	火	水	木	金	土	日	月	火	水	木	金	土	日	月
음력	월	3	4	5	6	7	8	9	10	11	12	13	14	15	16	17	18	19	20	21	22	23	24	25	26	27	28	29	十二	2	3	4
일진		辛巳	壬午	癸未	戊申	己酉	甲戌	乙亥	丙子	丁丑	庚寅	辛卯	壬辰	癸巳	戊午	己未	甲申	乙酉	丙戌	丁亥	庚子	辛丑	壬寅	癸卯	戊辰	己巳	甲午	乙未	丙申	丁酉	庚戌	辛亥
대운	男	8	8	8	9	9	9	10	芒	1	1	1	1	2	2	2	3	3	3	4	4	4	5	5	5	6	6	6	7	7	7	8
	女	2	2	2	1	1	1	1	種	9	9	9	8	8	8	7	7	7	6	6	6	5	5	5	4	4	4	3	3	3	2	2

서기1952년

丙戌年 (七赤金星) 閏五月

1月 (1일 一白 + 19일 九紫 -) **乙未 (四綠)** 절기: 小暑 (6일 18:10) 大暑 (21일 11:38)

양력		1	2	3	4	5	6	7	8	9	10	11	12	13	14	15	16	17	18	19	20	21	22	23	24	25	26	27	28	29	30	31
요일		火	水	木	金	土	日	月	火	水	木	金	土	日	月	火	水	木	金	土	日	月	火	水	木	金	土	日	月	火	水	木
음력	월	5	6	7	8	9	10	11	12	13	14	15	16	17	18	19	20	21	22	23	24	25	26	27	28	29	30	一	2	3	4	5
일진		壬子	癸丑	戊寅	己卯	甲辰	乙巳	丙午	丁未	庚申	辛酉	壬戌	癸亥	戊子	己丑	甲寅	乙卯	丙辰	丁巳	庚午	辛未	壬申	癸酉	戊戌	己亥	甲子	乙丑	丙寅	丁卯	庚辰	辛巳	壬午
대운	男	8	8	9	9	9	小	1	1	1	1	2	2	2	3	3	3	4	4	4	5	5	5	6	6	6	7	7	7	8	8	8
	女	2	1	1	1	1	暑	10	9	9	9	8	8	8	7	7	7	6	6	6	5	5	5	4	4	4	3	3	3	2	2	2

2月 閏 (1일 五黃 -) **丙申 (五黃)** 절기: 立秋 (5일 05:53) 處暑 (20일 01:57)

양력		1	2	3	4	5	6	7	8	9	10	11	12	13	14	15	16	17	18	19	20	21	22	23	24	25	26	27	28	29		
요일		金	土	日	月	火	水	木	金	土	日	月	火	水	木	金	土	日	月	火	水	木	金	土	日	月	火	水	木	金		
음력	월	6	7	8	9	10	11	12	13	14	15	16	17	18	19	20	21	22	23	24	25	26	27	28	29	二	2	3	4	5		
일진		癸未	戊申	己酉	甲戌	乙亥	丙子	丁丑	庚寅	辛卯	壬辰	癸巳	戊午	己未	甲申	乙酉	丙戌	丁亥	庚子	辛丑	壬寅	癸卯	戊辰	己巳	甲午	乙未	丙申	丁酉	庚戌	辛亥		
대운	男	9	9	9	10	立	10	9	9	9	8	8	8	7	7	7	6	6	6	5	5	5	4	4	4	3	3	3	2	2		
	女	1	1	1	1	秋	1	1	1	1	2	2	2	3	3	3	4	4	4	5	5	5	6	6	6	7	7	7	8	8		

3月 (1일 三碧 -) **丁酉 (六白)** 절기: 白露 (6일 00:07) 秋分 (21일 01:14)

양력		1	2	3	4	5	6	7	8	9	10	11	12	13	14	15	16	17	18	19	20	21	22	23	24	25	26	27	28	29	30	31
요일		土	日	月	火	水	木	金	土	日	月	火	水	木	金	土	日	月	火	水	木	金	土	日	月	火	水	木	金	土	日	月
음력	월	6	7	8	9	10	11	12	13	14	15	16	17	18	19	20	21	22	23	24	25	26	27	28	29	30	三	2	3	4	5	6
일진		壬子	癸丑	戊寅	己卯	甲辰	乙巳	丙午	丁未	庚申	辛酉	壬戌	癸亥	戊子	己丑	甲寅	乙卯	丙辰	丁巳	庚午	辛未	壬申	癸酉	戊戌	己亥	甲子	乙丑	丙寅	丁卯	庚辰	辛巳	壬午
대운	男	2	1	1	1	1	白	10	9	9	9	8	8	8	7	7	7	6	6	6	5	5	5	4	4	4	3	3	3	2	2	2
	女	8	9	9	9	10	露	1	1	1	1	2	2	2	3	3	3	4	4	4	5	5	5	6	6	6	7	7	7	8	8	8

4月 (1일 八白 -) **庚戌 (七赤)** 절기: 寒露 (5일 05:15) 霜降 (20일 12:37)

양력		1	2	3	4	5	6	7	8	9	10	11	12	13	14	15	16	17	18	19	20	21	22	23	24	25	26	27	28	29	30	
요일		火	水	木	金	土	日	月	火	水	木	金	土	日	月	火	水	木	金	土	日	月	火	水	木	金	土	日	月	火	水	
음력	월	7	8	9	10	11	12	13	14	15	16	17	18	19	20	21	22	23	24	25	26	27	28	29	四	2	3	4	5	6	7	
일진		癸未	戊申	己酉	甲戌	乙亥	丙子	丁丑	庚寅	辛卯	壬辰	癸巳	戊午	己未	甲申	乙酉	丙戌	丁亥	庚子	辛丑	壬寅	癸卯	戊辰	己巳	甲午	乙未	丙申	丁酉	庚戌	辛亥	壬子	
대운	男	1	1	1	1	寒	10	9	9	9	8	8	8	7	7	7	6	6	6	5	5	5	4	4	4	3	3	3	2	2	2	
	女	9	9	9	10	露	1	1	1	1	2	2	2	3	3	3	4	4	4	5	5	5	6	6	6	7	7	7	8	8	8	

5月 (1일 五黃 -) **辛亥 (八白)** 절기: 立冬 (5일 22:54) 小雪 (21일 12:04)

양력		1	2	3	4	5	6	7	8	9	10	11	12	13	14	15	16	17	18	19	20	21	22	23	24	25	26	27	28	29	30	31
요일		木	金	土	日	月	火	水	木	金	土	日	月	火	水	木	金	土	日	月	火	水	木	金	土	日	月	火	水	木	金	土
음력	월	8	9	10	11	12	13	14	15	16	17	18	19	20	21	22	23	24	25	26	27	28	29	30	五	2	3	4	5	6	7	8
일진		癸丑	戊寅	己卯	甲辰	乙巳	丙午	丁未	庚申	辛酉	壬戌	癸亥	戊子	己丑	甲寅	乙卯	丙辰	丁巳	庚午	辛未	壬申	癸酉	戊戌	己亥	甲子	乙丑	丙寅	丁卯	庚辰	辛巳	壬午	癸未
대운	男	1	1	1	1	立	10	10	10	9	9	9	8	8	8	7	7	7	6	6	6	5	5	5	4	4	4	3	3	3	2	2
	女	9	9	9	10	冬	1	1	1	1	2	2	2	3	3	3	4	4	4	5	5	5	6	6	6	7	7	7	8	8	8	9

6月 (1일 一白 -) **壬子 (九紫)** 절기: 大雪 (6일 03:20) 冬至 (21일 20:13)

양력		1	2	3	4	5	6	7	8	9	10	11	12	13	14	15	16	17	18	19	20	21	22	23	24	25	26	27	28	29	30	
요일		日	月	火	水	木	金	土	日	月	火	水	木	金	土	日	月	火	水	木	金	土	日	月	火	水	木	金	土	日	月	
음력	월	9	10	11	12	13	14	15	16	17	18	19	20	21	22	23	24	25	26	27	28	29	閏五		3	4	5	6	7	8	9	
일진		戊申	己酉	甲戌	乙亥	丙子	丁丑	庚寅	辛卯	壬辰	癸巳	戊午	己未	甲申	乙酉	丙戌	丁亥	庚子	辛丑	壬寅	癸卯	戊辰	己巳	甲午	乙未	丙申	丁酉	庚戌	辛亥	壬子	癸丑	
대운	男	2	1	1	1	1	大	10	10	9	9	9	8	8	8	7	7	7	6	6	6	5	5	5	4	4	4	3	3	3	2	
	女	9	9	10	10	10	雪	1	1	1	1	2	2	2	3	3	3	4	4	4	5	5	5	6	6	6	7	7	7	8	8	

7月 (1일 七赤 - 17일 一白 +) **癸丑 (一白)** 절기: 小寒(7일 13:45) 大寒(23일 07:07)

양력		1	2	3	4	5	6	7	8	9	10	11	12	13	14	15	16	17	18	19	20	21	22	23	24	25	26	27	28	29	30	31
요일		火	水	木	金	土	日	月	火	水	木	金	土	日	月	火	水	木	金	土	日	月	火	水	木	金	土	日	月	火	水	木
음력	월	10	11	12	13	14	15	16	17	18	19	20	21	22	23	24	25	26	27	28	29	30	六	2	3	4	5	6	7	8	9	10
일진		戊寅	己卯	甲辰	乙巳	丙午	丁未	庚申	辛酉	壬戌	癸亥	戊子	己丑	甲寅	乙卯	丙辰	丁巳	庚午	辛未	壬申	癸酉	戊戌	己亥	甲子	乙丑	丙寅	丁卯	庚辰	辛巳	壬午	癸未	戊申
대운	男	2	2	1	1	1	1	小	10	10	9	9	9	8	8	8	7	7	7	6	6	6	5	5	5	4	4	4	3	3	3	2
	女	8	9	9	9	10	10	寒	1	1	1	1	2	2	2	3	3	3	4	4	4	5	5	5	6	6	6	7	7	7	8	8

8月 (1일 七赤 +) **戊寅 (二黑)** 절기: 立春(7일 23:31) 雨水(23일 14:03)

양력		1	2	3	4	5	6	7	8	9	10	11	12	13	14	15	16	17	18	19	20	21	22	23	24	25	26	27	28	29	30	31
요일		金	土	日	月	火	水	木	金	土	日	月	火	水	木	金	土	日	月	火	水	木	金	土	日	月	火	水	木	金	土	日
음력	월	11	12	13	14	15	16	17	18	19	20	21	22	23	24	25	26	27	28	29	30	七	2	3	4	5	6	7	8	9	10	11
일진		己酉	甲戌	乙亥	丙子	丁丑	庚寅	辛卯	壬辰	癸巳	戊午	己未	甲申	乙酉	丙戌	丁亥	庚子	辛丑	壬寅	癸卯	戊辰	己巳	甲午	乙未	丙申	丁酉	庚戌	辛亥	壬子	癸丑	戊寅	己卯
대운	男	2	2	1	1	1	1	立	10	10	10	9	9	9	8	8	8	7	7	7	6	6	6	5	5	5	4	4	4	3	3	3
	女	8	9	9	9	10	10	春	1	1	1	1	2	2	2	3	3	3	4	4	4	5	5	5	6	6	6	7	7	7	8	8

9月 (1일 二黑 +) **己卯 (三碧)** 절기: 驚蟄(8일 02:14) 春分 (23일 11:24)

양력		1	2	3	4	5	6	7	8	9	10	11	12	13	14	15	16	17	18	19	20	21	22	23	24	25	26	27	28	29	30	
요일		月	火	水	木	金	土	日	月	火	水	木	金	土	日	月	火	水	木	金	土	日	月	火	水	木	金	土	日	月	火	
음력	월	12	13	14	15	16	17	18	19	20	21	22	23	24	25	26	27	28	29	八	2	3	4	5	6	7	8	9	10	11	12	
일진		甲辰	乙巳	丙午	丁未	庚申	辛酉	壬戌	癸亥	戊子	己丑	甲寅	乙卯	丙辰	丁巳	庚午	辛未	壬申	癸酉	戊戌	己亥	甲子	乙丑	丙寅	丁卯	庚辰	辛巳	壬午	癸未	戊申	己酉	
대운	男	2	2	2	1	1	1	1	驚	10	9	9	9	8	8	8	7	7	7	6	6	6	5	5	5	4	4	4	3	3	3	
	女	8	9	9	9	10	10	10	蟄	1	1	1	1	2	2	2	3	3	3	4	4	4	5	5	5	6	6	6	7	7	7	

10月 (1일 五黃 +) **甲辰 (四綠)** 절기: 清明(8일 17:32) 穀雨(23일 20:22)

양력		1	2	3	4	5	6	7	8	9	10	11	12	13	14	15	16	17	18	19	20	21	22	23	24	25	26	27	28	29	30	31
요일		水	木	金	土	日	月	火	水	木	金	土	日	月	火	水	木	金	土	日	月	火	水	木	金	土	日	月	火	水	木	金
음력	월	13	14	15	16	17	18	19	20	21	22	23	24	25	26	27	28	29	30	九	2	3	4	5	6	7	8	9	10	11	12	13
일진		甲戌	乙亥	丙子	丁丑	庚寅	辛卯	壬辰	癸巳	戊午	己未	甲申	乙酉	丙戌	丁亥	庚子	辛丑	壬寅	癸卯	戊辰	己巳	甲午	乙未	丙申	丁酉	庚戌	辛亥	壬子	癸丑	戊寅	己卯	甲辰
대운	男	2	2	2	1	1	1	1	清	10	9	9	9	8	8	8	7	7	7	6	6	6	5	5	5	4	4	4	3	3	3	2
	女	8	8	8	9	9	9	10	明	1	1	1	1	2	2	2	3	3	3	4	4	4	5	5	5	6	6	6	7	7	7	8

11月 (1일 九紫 +) **乙巳 (五黃)** 절기: 立夏(7일 20:22) 小滿 (22일 17:36)

양력		1	2	3	4	5	6	7	8	9	10	11	12	13	14	15	16	17	18	19	20	21	22	23	24	25	26	27	28	29	30	
요일		土	日	月	火	水	木	金	土	日	月	火	水	木	金	土	日	月	火	水	木	金	土	日	月	火	水	木	金	土	日	
음력	월	14	15	16	17	18	19	20	21	22	23	24	25	26	27	28	29	十	2	3	4	5	6	7	8	9	10	11	12	13	14	
일진		乙巳	丙午	丁未	庚申	辛酉	壬戌	癸亥	戊子	己丑	甲寅	乙卯	丙辰	丁巳	庚午	辛未	壬申	癸酉	戊戌	己亥	甲子	乙丑	丙寅	丁卯	庚辰	辛巳	壬午	癸未	戊申	己酉	甲戌	
대운	男	2	2	1	1	1	1	立	10	9	9	9	8	8	8	7	7	7	6	6	6	5	5	5	4	4	4	3	3	3	2	
	女	8	8	9	9	9	10	夏	1	1	1	1	2	2	2	3	3	3	4	4	4	5	5	5	6	6	6	/	/	7	8	

12月 (1일 三碧 +) **丙午 (六白)** 절기: 芒種(7일 12:56) 夏至(22일 06:43)

양력		1	2	3	4	5	6	7	8	9	10	11	12	13	14	15	16	17	18	19	20	21	22	23	24	25	26	27	28	29	30	31
요일		月	火	水	木	金	土	日	月	火	水	木	金	土	日	月	火	水	木	金	土	日	月	火	水	木	金	土	日	月	火	水
음력	월	15	16	17	18	19	20	21	22	23	24	25	26	27	28	29	30	十一	2	3	4	5	6	7	8	9	10	11	12	13	14	15
일진		乙亥	丙子	丁丑	庚寅	辛卯	壬辰	癸巳	戊午	己未	甲申	乙酉	丙戌	丁亥	庚子	辛丑	壬寅	癸卯	戊辰	己巳	甲午	乙未	丙申	丁酉	庚戌	辛亥	壬子	癸丑	戊寅	己卯	甲辰	乙巳
대운	男	2	2	1	1	1	1	芒	10	9	9	9	8	8	8	7	7	7	6	6	6	5	5	5	4	4	4	3	3	3	2	2
	女	8	8	9	9	9	10	種	1	1	1	1	2	2	2	3	3	3	4	4	4	5	5	5	6	6	6	7	7	7	8	8

서기1953년

丁亥年 (八白土星)

1月 (1일 七赤 + 13일 九紫 -) **丁未 (七赤)** 절기: 小暑 (6일 00:02) 大暑 (20일 17:21)

양력		1	2	3	4	5	6	7	8	9	10	11	12	13	14	15	16	17	18	19	20	21	22	23	24	25	26	27	28	29	30	31
요일		木	金	土	日	月	火	水	木	金	土	日	月	火	水	木	金	土	日	月	火	水	木	金	土	日	月	火	水	木	金	土
음력	월	16	17	18	19	20	21	22	23	24	25	26	27	28	29	十二	2	3	4	5	6	7	8	9	10	11	12	13	14	15	16	17
일진		丙午	丁未	庚申	辛酉	壬戌	癸亥	戊子	己丑	甲寅	乙卯	丙辰	丁巳	庚午	辛未	壬申	癸酉	戊戌	己亥	甲子	乙丑	丙寅	丁卯	庚辰	辛巳	壬午	癸未	戊申	己酉	甲戌	乙亥	丙子
대운	男	2	1	1	1	1	小	9	9	9	8	8	8	7	7	7	6	6	6	5	5	5	4	4	4	3	3	3	2	2	2	1
	女	8	9	9	9	10	暑	1	1	1	1	2	2	2	3	3	3	4	4	4	5	5	5	6	6	6	7	7	7	8	8	8

2月 (1일 八白 -) **庚申 (八白)** 절기: 立秋 (4일 11:46) 處暑 (19일 07:41)

양력		1	2	3	4	5	6	7	8	9	10	11	12	13	14	15	16	17	18	19	20	21	22	23	24	25	26	27	28			
요일		日	月	火	水	木	金	土	日	月	火	水	木	金	土	日	月	火	水	木	金	土	日	月	火	水	木	金	土			
음력	월	18	19	20	21	22	23	24	25	26	27	28	29	30	一	2	3	4	5	6	7	8	9	10	11	12	13	14	15			
일진		丁丑	庚寅	辛卯	壬辰	癸巳	戊午	己未	甲申	乙酉	丙戌	丁亥	庚子	辛丑	壬寅	癸卯	戊辰	己巳	甲午	乙未	丙申	丁酉	庚戌	辛亥	壬子	癸丑	戊寅	己卯	甲辰			
대운	男	1	1	1	立	1	1	1	1	2	2	2	3	3	3	4	4	4	5	5	5	6	6	6	7	7	7	8	8			
	女	9	9	9	秋	10	9	9	9	8	8	8	7	7	7	6	6	6	5	5	5	4	4	4	3	3	3	2	2			

3月 (1일 七赤 -) **辛酉 (九紫)** 절기: 白露 (6일 06:02) 秋分 (21일 07:01)

양력		1	2	3	4	5	6	7	8	9	10	11	12	13	14	15	16	17	18	19	20	21	22	23	24	25	26	27	28	29	30	31
요일		日	月	火	水	木	金	土	日	月	火	水	木	金	土	日	月	火	水	木	金	土	日	月	火	水	木	金	土	日	月	火
음력	월	16	17	18	19	20	21	22	23	24	25	26	27	28	29	二	2	3	4	5	6	7	8	9	10	11	12	13	14	15	16	17
일진		乙巳	丙午	丁未	庚申	辛酉	壬戌	癸亥	戊子	己丑	甲寅	乙卯	丙辰	丁巳	庚午	辛未	壬申	癸酉	戊戌	己亥	甲子	乙丑	丙寅	丁卯	庚辰	辛巳	壬午	癸未	戊申	己酉	甲戌	乙亥
대운	男	8	9	9	9	10	白	1	1	1	1	2	2	2	3	3	3	4	4	4	5	5	5	6	6	6	7	7	7	8	8	8
	女	2	1	1	1	1	露	10	9	9	9	8	8	8	7	7	7	6	6	6	5	5	5	4	4	4	3	3	3	2	2	2

4月 (1일 三碧 -) **壬戌 (一白)** 절기: 寒露 (5일 11:13) 霜降 (20일 18:25)

양력		1	2	3	4	5	6	7	8	9	10	11	12	13	14	15	16	17	18	19	20	21	22	23	24	25	26	27	28	29	30	
요일		水	木	金	土	日	月	火	水	木	金	土	日	月	火	水	木	金	土	日	月	火	水	木	金	土	日	月	火	水	木	
음력	월	18	19	20	21	22	23	24	25	26	27	28	29	30	三	2	3	4	5	6	7	8	9	10	11	12	13	14	15	16	17	
일진		丙子	丁丑	庚寅	辛卯	壬辰	癸巳	戊午	己未	甲申	乙酉	丙戌	丁亥	庚子	辛丑	壬寅	癸卯	戊辰	己巳	甲午	乙未	丙申	丁酉	庚戌	辛亥	壬子	癸丑	戊寅	己卯	甲辰	乙巳	
대운	男	9	9	9	10	寒	1	1	1	1	2	2	2	3	3	3	4	4	4	5	5	5	6	6	6	7	7	7	8	8	8	
	女	1	1	1	1	露	10	10	9	9	9	8	8	8	7	7	7	6	6	6	5	5	5	4	4	4	3	3	3	2	2	

5月 (1일 九紫 -) **癸亥 (二黑)** 절기: 立冬 (6일 04:52) 小雪 (21일 17:53)

양력		1	2	3	4	5	6	7	8	9	10	11	12	13	14	15	16	17	18	19	20	21	22	23	24	25	26	27	28	29	30	31
요일		金	土	日	月	火	水	木	金	土	日	月	火	水	木	金	土	日	月	火	水	木	金	土	日	月	火	水	木	金	土	日
음력	월	18	19	20	21	22	23	24	25	26	27	28	29	四	2	3	4	5	6	7	8	9	10	11	12	13	14	15	16	17	18	19
일진		丙午	丁未	庚申	辛酉	壬戌	癸亥	戊子	己丑	甲寅	乙卯	丙辰	丁巳	庚午	辛未	壬申	癸酉	戊戌	己亥	甲子	乙丑	丙寅	丁卯	庚辰	辛巳	壬午	癸未	戊申	己酉	甲戌	乙亥	丙子
대운	男	9	9	9	10	10	立	1	1	1	1	2	2	2	3	3	3	4	4	4	5	5	5	6	6	6	7	7	7	8	8	8
	女	2	1	1	1	1	冬	10	10	9	9	9	8	8	8	7	7	7	6	6	6	5	5	5	4	4	4	3	3	3	2	2

6月 (1일 五黃 -) **戊子 (三碧)** 절기: 大雪 (6일 09:16) 冬至 (22일 02:00)

양력		1	2	3	4	5	6	7	8	9	10	11	12	13	14	15	16	17	18	19	20	21	22	23	24	25	26	27	28	29	30	
요일		月	火	水	木	金	土	日	月	火	水	木	金	土	日	月	火	水	木	金	土	日	月	火	水	木	金	土	日	月	火	
음력	월	20	21	22	23	24	25	26	27	28	29	五	2	3	4	5	6	7	8	9	10	11	12	13	14	15	16	17	18	19	20	
일진		丁丑	庚寅	辛卯	壬辰	癸巳	戊午	己未	甲申	乙酉	丙戌	丁亥	庚子	辛丑	壬寅	癸卯	戊辰	己巳	甲午	乙未	丙申	丁酉	庚戌	辛亥	壬子	癸丑	戊寅	己卯	甲辰	乙巳	丙午	
대운	男	9	9	9	10	10	大	1	1	1	1	2	2	2	3	3	3	4	4	4	5	5	5	6	6	6	7	7	7	8	8	
	女	2	1	1	1	1	雪	10	10	9	9	9	8	8	8	7	7	7	6	6	6	5	5	5	4	4	4	3	3	3	2	

7月 (1일 二黑 - 12일 一白 +) **己丑 (四綠)** 절기: 小寒(7일 19:35) 大寒(23일 12:52)

양력	1	2	3	4	5	6	7	8	9	10	11	12	13	14	15	16	17	18	19	20	21	22	23	24	25	26	27	28	29	30	31
요일	水	木	金	土	日	月	火	水	木	金	土	日	月	火	水	木	金	土	日	月	火	水	木	金	土	日	月	火	水	木	金
음력 월	21	22	23	24	25	26	27	28	29	30	六	2	3	4	5	6	7	8	9	10	11	12	13	14	15	16	17	18	19	20	21
일진	丁未	庚申	辛酉	壬戌	癸亥	戊子	己丑	甲寅	乙卯	丙辰	丁巳	庚午	辛未	壬申	癸酉	戊戌	己亥	甲子	乙丑	丙寅	丁卯	庚辰	辛巳	壬午	癸未	戊申	己酉	甲戌	乙亥	丙子	丁丑
대운 男	8	9	9	9	10	10	小	1	1	1	1	2	2	2	3	3	3	4	4	4	5	5	5	6	6	6	7	7	7	8	8
대운 女	2	2	1	1	1	1	寒	10	10	10	9	9	9	8	8	8	7	7	7	6	6	6	5	5	5	4	4	4	3	3	3

8月 (1일 三碧 +) **甲寅 (五黃)** 절기: 立春(8일 05:15) 雨水(23일 19:45)

양력	1	2	3	4	5	6	7	8	9	10	11	12	13	14	15	16	17	18	19	20	21	22	23	24	25	26	27	28	29	30	31
요일	土	日	月	火	水	木	金	土	日	月	火	水	木	金	土	日	月	火	水	木	金	土	日	月	火	水	木	金	土	日	月
음력 월	22	23	24	25	26	27	28	29	30	七	2	3	4	5	6	7	8	9	10	11	12	13	14	15	16	17	18	19	20	21	22
일진	庚寅	辛卯	壬辰	癸巳	戊午	己未	甲申	乙酉	丙戌	丁亥	庚子	辛丑	壬寅	癸卯	戊辰	己巳	甲午	乙未	丙申	丁酉	庚戌	辛亥	壬子	癸丑	戊寅	己卯	甲辰	乙巳	丙午	丁未	庚申
대운 男	8	9	9	9	10	10	10	立	1	1	1	1	2	2	2	3	3	3	4	4	4	5	5	5	6	6	6	7	7	7	8
대운 女	2	2	2	1	1	1	1	春	10	10	9	9	9	8	8	8	7	7	7	6	6	6	5	5	5	4	4	4	3	3	3

9月 (1일 七赤 +) **乙卯 (六白)** 절기: 驚蟄(8일 07:53) 春分 (23일 17:06)

양력	1	2	3	4	5	6	7	8	9	10	11	12	13	14	15	16	17	18	19	20	21	22	23	24	25	26	27	28	29	30	
요일	火	水	木	金	土	日	月	火	水	木	金	土	日	月	火	水	木	金	土	日	月	火	水	木	金	土	日	月	火	水	
음력 월	23	24	25	26	27	28	29	八	2	3	4	5	6	7	8	9	10	11	12	13	14	15	16	17	18	19	20	21	22	23	
일진	辛酉	壬戌	癸亥	戊子	己丑	甲寅	乙卯	丙辰	丁巳	庚午	辛未	壬申	癸酉	戊戌	己亥	甲子	乙丑	丙寅	丁卯	庚辰	辛巳	壬午	癸未	戊申	己酉	甲戌	乙亥	丙子	丁丑	庚寅	
대운 男	8	8	9	9	9	10	10	驚	1	1	1	1	2	2	2	3	3	3	4	4	4	5	5	5	6	6	6	7	7	7	
대운 女	2	2	2	1	1	1	1	蟄	10	9	9	9	8	8	8	7	7	7	6	6	6	5	5	5	4	4	4	3	3	3	

10月 (1일 一白 +) **丙辰 (七赤)** 절기: 清明(8일 23:10) 穀雨(24일 02:06)

양력	1	2	3	4	5	6	7	8	9	10	11	12	13	14	15	16	17	18	19	20	21	22	23	24	25	26	27	28	29	30	31
요일	木	金	土	日	月	火	水	木	金	土	日	月	火	水	木	金	土	日	月	火	水	木	金	土	日	月	火	水	木	金	土
음력 월	24	25	26	27	28	29	30	九	2	3	4	5	6	7	8	9	10	11	12	13	14	15	16	17	18	19	20	21	22	23	24
일진	辛卯	壬辰	癸巳	戊午	己未	甲申	乙酉	丙戌	丁亥	庚子	辛丑	壬寅	癸卯	戊辰	己巳	甲午	乙未	丙申	丁酉	庚戌	辛亥	壬子	癸丑	戊寅	己卯	甲辰	乙巳	丙午	丁未	庚申	辛酉
대운 男	8	8	8	9	9	9	10	清	1	1	1	1	2	2	2	3	3	3	4	4	4	5	5	5	6	6	6	7	7	7	8
대운 女	2	2	2	1	1	1	1	明	10	10	9	9	9	8	8	8	7	7	7	6	6	6	5	5	5	4	4	4	3	3	3

11月 (1일 五黃 +) **丁巳 (八白)** 절기: 立夏(8일 02:01) 小滿 (22일 23:22)

양력	1	2	3	4	5	6	7	8	9	10	11	12	13	14	15	16	17	18	19	20	21	22	23	24	25	26	27	28	29	30	
요일	日	月	火	水	木	金	土	日	月	火	水	木	金	土	日	月	火	水	木	金	土	日	月	火	水	木	金	土	日	月	
음력 월	25	26	27	28	29	30	十	2	3	4	5	6	7	8	9	10	11	12	13	14	15	16	17	18	19	20	21	22	23	24	
일진	壬戌	癸亥	戊子	己丑	甲寅	乙卯	丙辰	丁巳	庚午	辛未	壬申	癸酉	戊戌	己亥	甲子	乙丑	丙寅	丁卯	庚辰	辛巳	壬午	癸未	戊申	己酉	甲戌	乙亥	丙子	丁丑	庚寅	辛卯	
대운 男	8	8	9	9	9	10	10	立	1	1	1	1	2	2	2	3	3	3	4	4	4	5	5	5	6	6	6	7	7	7	
대운 女	2	2	2	1	1	1	1	夏	9	9	9	8	8	8	7	7	7	6	6	6	5	5	5	4	4	4	3	3	3	2	

12月 (1일 八白 +) **庚午 (九紫)** 절기: 芒種(7일 18:37) 夏至(22일 12:31)

양력	1	2	3	4	5	6	7	8	9	10	11	12	13	14	15	16	17	18	19	20	21	22	23	24	25	26	27	28	29	30	31
요일	火	水	木	金	土	日	月	火	水	木	金	土	日	月	火	水	木	金	土	日	月	火	水	木	金	土	日	月	火	水	木
음력 월	25	26	27	28	29	十一	2	3	4	5	6	7	8	9	10	11	12	13	14	15	16	17	18	19	20	21	22	23	24	25	26
일진	壬辰	癸巳	戊午	己未	甲申	乙酉	丙戌	丁亥	庚子	辛丑	壬寅	癸卯	戊辰	己巳	甲午	乙未	丙申	丁酉	庚戌	辛亥	壬子	癸丑	戊寅	己卯	甲辰	乙巳	丙午	丁未	庚申	辛酉	壬戌
대운 男	8	8	8	9	9	9	芒	1	1	1	1	2	2	2	3	3	3	4	4	4	5	5	5	6	6	6	7	7	7	8	8
대운 女	2	2	1	1	1	1	種	10	9	9	9	8	8	8	7	7	7	6	6	6	5	5	5	4	4	4	3	3	3	2	2

서기1954년 **庚子年** (九紫火星)

1月 (1일 三碧 + 8일 九紫 -) **辛未 (一白)** 절기: 小暑 (6일 05:45) 大暑 (20일 23:11)

양력		1	2	3	4	5	6	7	8	9	10	11	12	13	14	15	16	17	18	19	20	21	22	23	24	25	26	27	28	29	30	31
요일		金	土	日	月	火	水	木	金	土	日	月	火	水	木	金	土	日	月	火	水	木	金	土	日	月	火	水	木	金	土	日
음력	월	27	28	29	30	十二	2	3	4	5	6	7	8	9	10	11	12	13	14	15	16	17	18	19	20	21	22	23	24	25	26	27
일진		癸亥	戊子	己丑	甲寅	乙卯	丙辰	丁巳	庚午	辛未	壬申	癸酉	戊戌	己亥	甲子	乙丑	丙寅	丁卯	庚辰	辛巳	壬午	癸未	戊申	己酉	甲戌	乙亥	丙子	丁丑	庚寅	辛卯	壬辰	癸巳
대운	男	8	9	9	9	10	小	1	1	1	1	2	2	2	3	3	3	4	4	4	5	5	5	6	6	6	7	7	7	8	8	8
	女	2	1	1	1	1	暑	9	9	9	8	8	8	7	7	7	6	6	6	5	5	5	4	4	4	3	3	3	2	2	2	1

2月 (1일 三碧 -) **壬申 (二黑)** 절기: 立秋 (4일 17:31) 處暑 (19일 13:32)

양력		1	2	3	4	5	6	7	8	9	10	11	12	13	14	15	16	17	18	19	20	21	22	23	24	25	26	27	28			
요일		月	火	水	木	金	土	日	月	火	水	木	金	土	日	月	火	水	木	金	土	日	月	火	水	木	金	土	日			
음력	월	28	29	30	一	2	3	4	5	6	7	8	9	10	11	12	13	14	15	16	17	18	19	20	21	22	23	24	25			
일진		戊午	己未	甲申	乙酉	丙戌	丁亥	庚子	辛丑	壬寅	癸卯	戊辰	己巳	甲午	乙未	丙申	丁酉	庚戌	辛亥	壬子	癸丑	戊寅	己卯	甲辰	乙巳	丙午	丁未	庚申	辛酉			
대운	男	9	9	9	立	10	9	9	9	8	8	8	7	7	7	6	6	6	5	5	5	4	4	4	3	3	3	2	2			
	女	1	1	1	秋	1	1	1	1	2	2	2	3	3	3	4	4	4	5	5	5	6	6	6	7	7	7	8	8			

3月 (1일 二黑 -) **癸酉 (三碧)** 절기: 白露 (6일 11:49) 秋分 (21일 12:53)

양력		1	2	3	4	5	6	7	8	9	10	11	12	13	14	15	16	17	18	19	20	21	22	23	24	25	26	27	28	29	30	31
요일		月	火	水	木	金	土	日	月	火	水	木	金	土	日	月	火	水	木	金	土	日	月	火	水	木	金	土	日	月	火	水
음력	월	26	27	28	29	二	2	3	4	5	6	7	8	9	10	11	12	13	14	15	16	17	18	19	20	21	22	23	24	25	26	27
일진		壬戌	癸亥	戊子	己丑	甲寅	乙卯	丙辰	丁巳	庚午	辛未	壬申	癸酉	戊戌	己亥	甲子	乙丑	丙寅	丁卯	庚辰	辛巳	壬午	癸未	戊申	己酉	甲戌	乙亥	丙子	丁丑	庚寅	辛卯	壬辰
대운	男	2	1	1	1	1	白	10	9	9	9	8	8	8	7	7	7	6	6	6	5	5	5	4	4	4	3	3	3	2	2	2
	女	8	9	9	9	10	露	1	1	1	1	2	2	2	3	3	3	4	4	4	5	5	5	6	6	6	7	7	7	8	8	8

4月 (1일 七赤 -) **戊戌 (四綠)** 절기: 寒露 (5일 16:59) 霜降 (21일 00:20)

양력		1	2	3	4	5	6	7	8	9	10	11	12	13	14	15	16	17	18	19	20	21	22	23	24	25	26	27	28	29	30	
요일		木	金	土	日	月	火	水	木	金	土	日	月	火	水	木	金	土	日	月	火	水	木	金	土	日	月	火	水	木	金	
음력	월	28	29	三	2	3	4	5	6	7	8	9	10	11	12	13	14	15	16	17	18	19	20	21	22	23	24	25	26	27	28	
일진		癸巳	戊午	己未	甲申	乙酉	丙戌	丁亥	庚子	辛丑	壬寅	癸卯	戊辰	己巳	甲午	乙未	丙申	丁酉	庚戌	辛亥	壬子	癸丑	戊寅	己卯	甲辰	乙巳	丙午	丁未	庚申	辛酉	壬戌	
대운	男	1	1	1	1	寒	10	10	9	9	9	8	8	8	7	7	7	6	6	6	5	5	5	4	4	4	3	3	3	2	2	
	女	9	9	9	10	露	1	1	1	1	2	2	2	3	3	3	4	4	4	5	5	5	6	6	6	7	7	7	8	8	8	

5月 (1일 四綠 -) **己亥 (五黃)** 절기: 立冬 (6일 10:38) 小雪 (21일 23:47)

양력		1	2	3	4	5	6	7	8	9	10	11	12	13	14	15	16	17	18	19	20	21	22	23	24	25	26	27	28	29	30	31
요일		土	日	月	火	水	木	金	土	日	月	火	水	木	金	土	日	月	火	水	木	金	土	日	月	火	水	木	金	土	日	月
음력	월	29	30	四	2	3	4	5	6	7	8	9	10	11	12	13	14	15	16	17	18	19	20	21	22	23	24	25	26	27	28	29
일진		癸亥	戊子	己丑	甲寅	乙卯	丙辰	丁巳	庚午	辛未	壬申	癸酉	戊戌	己亥	甲子	乙丑	丙寅	丁卯	庚辰	辛巳	壬午	癸未	戊申	己酉	甲戌	乙亥	丙子	丁丑	庚寅	辛卯	壬辰	癸巳
대운	男	2	1	1	1	1	立	10	10	9	9	9	8	8	8	7	7	7	6	6	6	5	5	5	4	4	4	3	3	3	2	2
	女	9	9	9	10	10	冬	1	1	1	1	2	2	2	3	3	3	4	4	4	5	5	5	6	6	6	7	7	7	8	8	8

6月 (1일 九紫 -) **甲子 (六白)** 절기: 大雪 (6일 15:01) 冬至 (22일 07:54)

양력		1	2	3	4	5	6	7	8	9	10	11	12	13	14	15	16	17	18	19	20	21	22	23	24	25	26	27	28	29	30	
요일		火	水	木	金	土	日	月	火	水	木	金	土	日	月	火	水	木	金	土	日	月	火	水	木	金	土	日	月	火	水	
음력	월	五	2	3	4	5	6	7	8	9	10	11	12	13	14	15	16	17	18	19	20	21	22	23	24	25	26	27	28	29	六	
일진		戊午	己未	甲申	乙酉	丙戌	丁亥	庚子	辛丑	壬寅	癸卯	戊辰	己巳	甲午	乙未	丙申	丁酉	庚戌	辛亥	壬子	癸丑	戊寅	己卯	甲辰	乙巳	丙午	丁未	庚申	辛酉	壬戌	癸亥	
대운	男	2	1	1	1	1	大	10	10	10	9	9	9	8	8	8	7	7	7	6	6	6	5	5	5	4	4	4	3	3	3	
	女	9	9	9	10	10	雪	1	1	1	1	2	2	2	3	3	3	4	4	4	5	5	5	6	6	6	7	7	7	8	8	

7月 (1일 六白 - 7일 一白 +) **乙丑 (七赤)** 절기: 小寒(8일 01:19) 大寒(23일 18:45)

양력		1	2	3	4	5	6	7	8	9	10	11	12	13	14	15	16	17	18	19	20	21	22	23	24	25	26	27	28	29	30	31
요일		木	金	土	日	月	火	水	木	金	土	日	月	火	水	木	金	土	日	月	火	水	木	金	土	日	月	火	水	木	金	土
음력	월	2	3	4	5	6	7	8	9	10	11	12	13	14	15	16	17	18	19	20	21	22	23	24	25	26	27	28	29	30	七	2
일진		戊子	己丑	甲寅	乙卯	丙辰	丁巳	庚午	辛未	壬申	癸酉	戊戌	己亥	甲子	乙丑	丙寅	丁卯	庚辰	辛巳	壬午	癸未	戊申	己酉	甲戌	乙亥	丙子	丁丑	庚寅	辛卯	壬辰	癸巳	戊午
대운	男	2	2	2	1	1	1	1	小	10	10	9	9	9	8	8	8	7	7	7	6	6	6	5	5	5	4	4	4	3	3	3
	女	8	9	9	9	10	10	10	寒	1	1	1	1	2	2	2	3	3	3	4	4	4	5	5	5	6	6	6	7	7	7	8

8月 (1일 八白 +) **丙寅 (八白)** 절기: 立春(8일 10:59) 雨水(24일 01:36)

양력		1	2	3	4	5	6	7	8	9	10	11	12	13	14	15	16	17	18	19	20	21	22	23	24	25	26	27	28	29	30	31
요일		日	月	火	水	木	金	土	日	月	火	水	木	金	土	日	月	火	水	木	金	土	日	月	火	水	木	金	土	日	月	火
음력	월	3	4	5	6	7	8	9	10	11	12	13	14	15	16	17	18	19	20	21	22	23	24	25	26	27	28	29	八	2	3	4
일진		己未	甲申	乙酉	丙戌	丁亥	庚子	辛丑	壬寅	癸卯	戊辰	己巳	甲午	乙未	丙申	丁酉	庚戌	辛亥	壬子	癸丑	戊寅	己卯	甲辰	乙巳	丙午	丁未	庚申	辛酉	壬戌	癸亥	戊子	己丑
대운	男	2	2	2	1	1	1	1	立	10	10	9	9	9	8	8	8	7	7	7	6	6	6	5	5	5	4	4	4	3	3	3
	女	8	8	9	9	9	10	10	春	1	1	1	1	2	2	2	3	3	3	4	4	4	5	5	5	6	6	6	7	7	7	8

9月 (1일 三碧 +) **丁卯 (九紫)** 절기: 驚蟄(8일 13:38) 春分 (23일 22:55)

양력		1	2	3	4	5	6	7	8	9	10	11	12	13	14	15	16	17	18	19	20	21	22	23	24	25	26	27	28	29	30	
요일		水	木	金	土	日	月	火	水	木	金	土	日	月	火	水	木	金	土	日	月	火	水	木	金	土	日	月	火	水	木	
음력	월	5	6	7	8	9	10	11	12	13	14	15	16	17	18	19	20	21	22	23	24	25	26	27	28	29	30	九	2	3	4	
일진		甲寅	乙卯	丙辰	丁巳	庚午	辛未	壬申	癸酉	戊戌	己亥	甲子	乙丑	丙寅	丁卯	庚辰	辛巳	壬午	癸未	戊申	己酉	甲戌	乙亥	丙子	丁丑	庚寅	辛卯	壬辰	癸巳	戊午	己未	
대운	男	2	2	2	1	1	1	1	驚	10	10	9	9	9	8	8	8	7	7	7	6	6	6	5	5	5	4	4	4	3	3	
	女	8	8	9	9	9	10	10	蟄	1	1	1	1	2	2	2	3	3	3	4	4	4	5	5	5	6	6	6	7	7	7	

10月 (1일 六白 +) **庚辰 (一白)** 절기: 清明(9일 04:57) 穀雨(24일 07:56)

양력		1	2	3	4	5	6	7	8	9	10	11	12	13	14	15	16	17	18	19	20	21	22	23	24	25	26	27	28	29	30	31
요일		金	土	日	月	火	水	木	金	土	日	月	火	水	木	金	土	日	月	火	水	木	金	土	日	月	火	水	木	金	土	日
음력	월	5	6	7	8	9	10	11	12	13	14	15	16	17	18	19	20	21	22	23	24	25	26	27	28	29	30	十	2	3	4	5
일진		甲申	乙酉	丙戌	丁亥	庚子	辛丑	壬寅	癸卯	戊辰	己巳	甲午	乙未	丙申	丁酉	庚戌	辛亥	壬子	癸丑	戊寅	己卯	甲辰	乙巳	丙午	丁未	庚申	辛酉	壬戌	癸亥	戊子	己丑	甲寅
대운	男	3	2	2	2	1	1	1	1	清	10	9	9	9	8	8	8	7	7	7	6	6	6	5	5	5	4	4	4	3	3	3
	女	8	8	8	9	9	9	10	10	明	1	1	1	1	2	2	2	3	3	3	4	4	4	5	5	5	6	6	6	7	7	7

11月 (1일 一白 +) **辛巳 (二黑)** 절기: 立夏(8일 07:51) 小滿 (23일 05:14)

양력		1	2	3	4	5	6	7	8	9	10	11	12	13	14	15	16	17	18	19	20	21	22	23	24	25	26	27	28	29	30	
요일		月	火	水	木	金	土	日	月	火	水	木	金	土	日	月	火	水	木	金	土	日	月	火	水	木	金	土	日	月	火	
음력	월	6	7	8	9	10	11	12	13	14	15	16	17	18	19	20	21	22	23	24	25	26	27	28	29	十一	2	3	4	5	6	
일진		乙卯	丙辰	丁巳	庚午	辛未	壬申	癸酉	戊戌	己亥	甲子	乙丑	丙寅	丁卯	庚辰	辛巳	壬午	癸未	戊申	己酉	甲戌	乙亥	丙子	丁丑	庚寅	辛卯	壬辰	癸巳	戊午	己未	甲申	
대운	男	2	2	2	1	1	1	1	立	10	9	9	9	8	8	8	7	7	7	6	6	6	5	5	5	4	4	4	3	3	3	
	女	8	8	8	9	9	9	10	夏	1	1	1	1	2	2	2	3	3	3	4	4	4	5	5	5	6	6	6	7	7	7	

12月 (1일 四綠 +) **壬午 (三碧)** 절기: 芒種(8일 00:29) 夏至(22일 18:24)

양력		1	2	3	4	5	6	7	8	9	10	11	12	13	14	15	16	17	18	19	20	21	22	23	24	25	26	27	28	29	30	31
요일		水	木	金	土	日	月	火	水	木	金	土	日	月	火	水	木	金	土	日	月	火	水	木	金	土	日	月	火	水	木	金
음력	월	7	8	9	10	11	12	13	14	15	16	17	18	19	20	21	22	23	24	25	26	27	28	29	30	十二	2	3	4	5	6	7
일진		乙酉	丙戌	丁亥	庚子	辛丑	壬寅	癸卯	戊辰	己巳	甲午	乙未	丙申	丁酉	庚戌	辛亥	壬子	癸丑	戊寅	己卯	甲辰	乙巳	丙午	丁未	庚申	辛酉	壬戌	癸亥	戊子	己丑	甲寅	乙卯
대운	男	2	2	2	1	1	1	1	芒	9	9	9	8	8	8	7	7	7	6	6	6	5	5	5	4	4	4	3	3	3	2	2
	女	8	8	8	9	9	9	10	種	1	1	1	1	2	2	2	3	3	3	4	4	4	5	5	5	6	6	6	7	7	7	8

서기1955년

辛丑年 (一白水星) 閏三月

1月 (1일 八白 + 3일 九紫 -) **癸未 (四綠)** 절기: 小暑 (6일 11:36) 大暑 (21일 05:02)

양력		1	2	3	4	5	6	7	8	9	10	11	12	13	14	15	16	17	18	19	20	21	22	23	24	25	26	27	28	29	30	31
요일		土	日	月	火	水	木	金	土	日	月	火	水	木	金	土	日	月	火	水	木	金	土	日	月	火	水	木	金	土	日	月
음력	월	8	9	10	11	12	13	14	15	16	17	18	19	20	21	22	23	24	25	26	27	28	29	30	一	2	3	4	5	6	7	8
일진		丙辰	丁巳	庚午	辛未	壬申	癸酉	戊戌	己亥	甲子	乙丑	丙寅	丁卯	庚辰	辛巳	壬午	癸未	戊申	己酉	甲戌	乙亥	丙子	丁丑	庚寅	辛卯	壬辰	癸巳	戊午	己未	甲申	乙酉	丙戌
대운	男	2	1	1	1	1	小	9	9	9	8	8	8	7	7	7	6	6	6	5	5	5	4	4	4	3	3	3	2	2	2	1
	女	8	8	9	9	9	暑	1	1	1	1	2	2	2	3	3	3	4	4	4	5	5	5	6	6	6	7	7	7	8	8	8

2月 (1일 七赤 -) **戊申 (五黃)** 절기: 立秋 (4일 23:18) 處暑 (19일 19:19)

양력		1	2	3	4	5	6	7	8	9	10	11	12	13	14	15	16	17	18	19	20	21	22	23	24	25	26	27	28			
요일		火	水	木	金	土	日	月	火	水	木	金	土	日	月	火	水	木	金	土	日	月	火	水	木	金	土	日	月			
음력	월	9	10	11	12	13	14	15	16	17	18	19	20	21	22	23	24	25	26	27	28	29	30	二	2	3	4	5	6			
일진		丁亥	庚子	辛丑	壬寅	癸卯	戊辰	己巳	甲午	乙未	丙申	丁酉	庚戌	辛亥	壬子	癸丑	戊寅	己卯	甲辰	乙巳	丙午	丁未	庚申	辛酉	壬戌	癸亥	戊子	己丑	甲寅			
대운	男	1	1	1	立	1	1	1	1	2	2	2	3	3	3	4	4	4	5	5	5	6	6	6	7	7	7	8	8			
	女	9	9	9	秋	10	9	9	9	8	8	8	7	7	7	6	6	6	5	5	5	4	4	4	3	3	3	2	2			

3月 (1일 六白 -) **己酉 (六白)** 절기: 白露 (6일 17:31) 秋分 (21일 18:35)

양력		1	2	3	4	5	6	7	8	9	10	11	12	13	14	15	16	17	18	19	20	21	22	23	24	25	26	27	28	29	30	31
요일		火	水	木	金	土	日	月	火	水	木	金	土	日	月	火	水	木	金	土	日	月	火	水	木	金	土	日	月	火	水	木
음력	월	7	8	9	10	11	12	13	14	15	16	17	18	19	20	21	22	23	24	25	26	27	28	29	三	2	3	4	5	6	7	8
일진		乙卯	丙辰	丁巳	庚午	辛未	壬申	癸酉	戊戌	己亥	甲子	乙丑	丙寅	丁卯	庚辰	辛巳	壬午	癸未	戊申	己酉	甲戌	乙亥	丙子	丁丑	庚寅	辛卯	壬辰	癸巳	戊午	己未	甲申	乙酉
대운	男	8	9	9	9	10	白	1	1	1	1	2	2	2	3	3	3	4	4	4	5	5	5	6	6	6	7	7	7	8	8	8
	女	2	1	1	1	1	露	10	9	9	9	8	8	8	7	7	7	6	6	6	5	5	5	4	4	4	3	3	3	2	2	2

4月 (1일 二黑 -) **甲戌 (七赤)** 절기: 寒露 (5일 22:39) 霜降 (21일 05:58)

양력		1	2	3	4	5	6	7	8	9	10	11	12	13	14	15	16	17	18	19	20	21	22	23	24	25	26	27	28	29	30	
요일		金	土	日	月	火	水	木	金	土	日	月	火	水	木	金	土	日	月	火	水	木	金	土	日	月	火	水	木	金	土	
음력	월	9	10	11	12	13	14	15	16	17	18	19	20	21	22	23	24	25	26	27	28	29	閏三		3	4	5	6	7	8	9	
일진		丙戌	丁亥	庚子	辛丑	壬寅	癸卯	戊辰	己巳	甲午	乙未	丙申	丁酉	庚戌	辛亥	壬子	癸丑	戊寅	己卯	甲辰	乙巳	丙午	丁未	庚申	辛酉	壬戌	癸亥	戊子	己丑	甲寅	乙卯	
대운	男	9	9	9	10	寒	1	1	1	1	2	2	2	3	3	3	4	4	4	5	5	5	6	6	6	7	7	7	8	8	8	
	女	1	1	1	1	露	10	10	9	9	9	8	8	8	7	7	7	6	6	6	5	5	5	4	4	4	3	3	3	2	2	

5月 (1일 八白 -) **乙亥 (八白)** 절기: 立冬 (6일 16:18) 小雪 (22일 05:24)

양력		1	2	3	4	5	6	7	8	9	10	11	12	13	14	15	16	17	18	19	20	21	22	23	24	25	26	27	28	29	30	31
요일		日	月	火	水	木	金	土	日	月	火	水	木	金	土	日	月	火	水	木	金	土	日	月	火	水	木	金	土	日	月	火
음력	월	10	11	12	13	14	15	16	17	18	19	20	21	22	23	24	25	26	27	28	29	30	四	2	3	4	5	6	7	8	9	10
일진		丙辰	丁巳	庚午	辛未	壬申	癸酉	戊戌	己亥	甲子	乙丑	丙寅	丁卯	庚辰	辛巳	壬午	癸未	戊申	己酉	甲戌	乙亥	丙子	丁丑	庚寅	辛卯	壬辰	癸巳	戊午	己未	甲申	乙酉	丙戌
대운	男	9	9	9	10	10	立	1	1	1	1	2	2	2	3	3	3	4	4	4	5	5	5	6	6	6	7	7	7	8	8	8
	女	2	1	1	1	1	冬	10	10	9	9	9	8	8	8	7	7	7	6	6	6	5	5	5	4	4	4	3	3	3	2	2

6月 (1일 四綠 -) **丙子 (九紫)** 절기: 大雪 (6일 20:43) 冬至 (22일 13:31)

양력		1	2	3	4	5	6	7	8	9	10	11	12	13	14	15	16	17	18	19	20	21	22	23	24	25	26	27	28	29	30	
요일		水	木	金	土	日	月	火	水	木	金	土	日	月	火	水	木	金	土	日	月	火	水	木	金	土	日	月	火	水	木	
음력	월	11	12	13	14	15	16	17	18	19	20	21	22	23	24	25	26	27	28	29	五	2	3	4	5	6	7	8	9	10	11	
일진		丁亥	庚子	辛丑	壬寅	癸卯	戊辰	己巳	甲午	乙未	丙申	丁酉	庚戌	辛亥	壬子	癸丑	戊寅	己卯	甲辰	乙巳	丙午	丁未	庚申	辛酉	壬戌	癸亥	戊子	己丑	甲寅	乙卯	丙辰	
대운	男	9	9	9	10	10	大	1	1	1	1	2	2	2	3	3	3	4	4	4	5	5	5	6	6	6	7	7	7	8	8	
	女	2	1	1	1	1	雪	10	10	10	9	9	9	8	8	8	7	7	7	6	6	6	5	5	5	4	4	4	3	3	3	

7月 (1일 一白 - 2일 一白 +)　丁丑 (一白)　절기: 小寒(8일 07:06) 大寒(24일 00:25)

양력		1	2	3	4	5	6	7	8	9	10	11	12	13	14	15	16	17	18	19	20	21	22	23	24	25	26	27	28	29	30	31
요일		金	土	日	月	火	水	木	金	土	日	月	火	水	木	金	土	日	月	火	水	木	金	土	日	月	火	水	木	金	土	日
음력	월	12	13	14	15	16	17	18	19	20	21	22	23	24	25	26	27	28	29	六	2	3	4	5	6	7	8	9	10	11	12	13
일진		丁巳	庚午	辛未	壬申	癸酉	戊戌	己亥	甲子	乙丑	丙寅	丁卯	庚辰	辛巳	壬午	癸未	戊申	己酉	甲戌	乙亥	丙子	丁丑	庚寅	辛卯	壬辰	癸巳	戊午	己未	甲申	乙酉	丙戌	丁亥
대운	男	8	9	9	9	10	10	10	小	1	1	1	1	2	2	2	3	3	3	4	4	4	5	5	5	6	6	6	7	7	7	8
	女	2	2	2	1	1	1	1	寒	10	10	9	9	9	8	8	8	7	7	7	6	6	6	5	5	5	4	4	4	3	3	3

8月 (1일 四綠 +)　庚寅 (二黑)　절기: 立春(8일 16:50) 雨水(24일 07:19)

양력		1	2	3	4	5	6	7	8	9	10	11	12	13	14	15	16	17	18	19	20	21	22	23	24	25	26	27	28	29	30	31
요일		月	火	水	木	金	土	日	月	火	水	木	金	土	日	月	火	水	木	金	土	日	月	火	水	木	金	土	日	月	火	水
음력	월	14	15	16	17	18	19	20	21	22	23	24	25	26	27	28	29	30	七	2	3	4	5	6	7	8	9	10	11	12	13	14
일진		庚子	辛丑	壬寅	癸卯	戊辰	己巳	甲午	乙未	丙申	丁酉	庚戌	辛亥	壬子	癸丑	戊寅	己卯	甲辰	乙巳	丙午	丁未	庚申	辛酉	壬戌	癸亥	戊子	己丑	甲寅	乙卯	丙辰	丁巳	庚午
대운	男	8	8	9	9	9	10	10	立	1	1	1	1	2	2	2	3	3	3	4	4	4	5	5	5	6	6	6	7	7	7	8
	女	2	2	2	1	1	1	1	春	10	10	9	9	9	8	8	8	7	7	7	6	6	6	5	5	5	4	4	4	3	3	3

9月 (1일 八白 +)　辛卯 (三碧)　절기: 驚蟄(8일 19:32) 春分 (24일 04:41)

양력		1	2	3	4	5	6	7	8	9	10	11	12	13	14	15	16	17	18	19	20	21	22	23	24	25	26	27	28	29	30	
요일		木	金	土	日	月	火	水	木	金	土	日	月	火	水	木	金	土	日	月	火	水	木	金	土	日	月	火	水	木	金	
음력	월	15	16	17	18	19	20	21	22	23	24	25	26	27	28	29	八	2	3	4	5	6	7	8	9	10	11	12	13	14	15	
일진		辛未	壬申	癸酉	戊戌	己亥	甲子	乙丑	丙寅	丁卯	庚辰	辛巳	壬午	癸未	戊申	己酉	甲戌	乙亥	丙子	丁丑	庚寅	辛卯	壬辰	癸巳	戊午	己未	甲申	乙酉	丙戌	丁亥	庚子	
대운	男	8	8	9	9	9	10	10	驚	1	1	1	1	2	2	2	3	3	3	4	4	4	5	5	5	6	6	6	7	7	7	
	女	2	2	2	1	1	1	1	蟄	10	10	9	9	9	8	8	8	7	7	7	6	6	6	5	5	5	4	4	4	3	3	

10月 (1일 二黑 +)　壬辰 (四綠)　절기: 清明(9일 10:52) 穀雨(24일 13:43)

양력		1	2	3	4	5	6	7	8	9	10	11	12	13	14	15	16	17	18	19	20	21	22	23	24	25	26	27	28	29	30	31
요일		土	日	月	火	水	木	金	土	日	月	火	水	木	金	土	日	月	火	水	木	金	土	日	月	火	水	木	金	土	日	月
음력	월	16	17	18	19	20	21	22	23	24	25	26	27	28	29	30	九	2	3	4	5	6	7	8	9	10	11	12	13	14	15	16
일진		辛丑	壬寅	癸卯	戊辰	己巳	甲午	乙未	丙申	丁酉	庚戌	辛亥	壬子	癸丑	戊寅	己卯	甲辰	乙巳	丙午	丁未	庚申	辛酉	壬戌	癸亥	戊子	己丑	甲寅	乙卯	丙辰	丁巳	庚午	辛未
대운	男	8	8	8	9	9	9	10	10	清	1	1	1	1	2	2	2	3	3	3	4	4	4	5	5	5	6	6	6	7	7	7
	女	3	2	2	2	1	1	1	1	明	10	9	9	9	8	8	8	7	7	7	6	6	6	5	5	5	4	4	4	3	3	3

11月 (1일 六白 +)　癸巳 (五黃)　절기: 立夏(8일 13:45) 小滿 (23일 11:01)

양력		1	2	3	4	5	6	7	8	9	10	11	12	13	14	15	16	17	18	19	20	21	22	23	24	25	26	27	28	29	30	
요일		火	水	木	金	土	日	月	火	水	木	金	土	日	月	火	水	木	金	土	日	月	火	水	木	金	土	日	月	火	水	
음력	월	17	18	19	20	21	22	23	24	25	26	27	28	29	十	2	3	4	5	6	7	8	9	10	11	12	13	14	15	16	17	
일진		壬申	癸酉	戊戌	己亥	甲子	乙丑	丙寅	丁卯	庚辰	辛巳	壬午	癸未	戊申	己酉	甲戌	乙亥	丙子	丁丑	庚寅	辛卯	壬辰	癸巳	戊午	己未	甲申	乙酉	丙戌	丁亥	庚子	辛丑	
대운	男	8	8	8	9	9	9	10	立	1	1	1	1	2	2	2	3	3	3	4	4	4	5	5	5	6	6	6	7	7	7	
	女	2	2	2	1	1	1	1	夏	10	9	9	9	8	8	8	7	7	7	6	6	6	5	5	5	4	4	4	3	3	3	

12月 (1일 九紫 + 29일 九紫 -)　戊午 (六白)　절기: 芒種(8일 06:23) 夏至(23일 00:11)

양력		1	2	3	4	5	6	7	8	9	10	11	12	13	14	15	16	17	18	19	20	21	22	23	24	25	26	27	28	29	30	31
요일		木	金	土	日	月	火	水	木	金	土	日	月	火	水	木	金	土	日	月	火	水	木	金	土	日	月	火	水	木	金	土
음력	월	18	19	20	21	22	23	24	25	26	27	28	29	30	十一	2	3	4	5	6	7	8	9	10	11	12	13	14	15	16	17	18
일진		壬寅	癸卯	戊辰	己巳	甲午	乙未	丙申	丁酉	庚戌	辛亥	壬子	癸丑	戊寅	己卯	甲辰	乙巳	丙午	丁未	庚申	辛酉	壬戌	癸亥	戊子	己丑	甲寅	乙卯	丙辰	丁巳	庚午	辛未	壬申
대운	男	8	8	8	9	9	9	10	芒	1	1	1	1	2	2	2	3	3	3	4	4	4	5	5	5	6	6	6	7	7	7	8
	女	2	2	2	1	1	1	1	種	9	9	9	8	8	8	7	7	7	6	6	6	5	5	5	4	4	4	3	3	3	2	2

서기1956년

壬寅年 (二黑土星)

1月 (1일 六白 -) **己未 (七赤)** 절기: 小暑 (6일 17:30) 大暑 (21일 10:48)

양력		1	2	3	4	5	6	7	8	9	10	11	12	13	14	15	16	17	18	19	20	21	22	23	24	25	26	27	28	29	30	31
요일		日	月	火	水	木	金	土	日	月	火	水	木	金	土	日	月	火	水	木	金	土	日	月	火	水	木	金	土	日	月	火
음력	월	19	20	21	22	23	24	25	26	27	28	29	30	十二	2	3	4	5	6	7	8	9	10	11	12	13	14	15	16	17	18	19
일진		癸酉	戊戌	己亥	甲子	乙丑	丙寅	丁卯	庚辰	辛巳	壬午	癸未	戊申	己酉	甲戌	乙亥	丙子	丁丑	庚寅	辛卯	壬辰	癸巳	戊午	己未	甲申	乙酉	丙戌	丁亥	庚子	辛丑	壬寅	癸卯
대운	男	8	8	9	9	9	小	1	1	1	1	2	2	2	3	3	3	4	4	4	5	5	5	6	6	6	7	7	7	8	8	8
	女	2	1	1	1	1	暑	10	9	9	9	8	8	8	7	7	7	6	6	6	5	5	5	4	4	4	3	3	3	2	2	2

2月 閏 (1일 二黑 -) **甲申 (八白)** 절기: 立秋 (5일 05:12) 處暑 (20일 01:05)

양력		1	2	3	4	5	6	7	8	9	10	11	12	13	14	15	16	17	18	19	20	21	22	23	24	25	26	27	28	29		
요일		水	木	金	土	日	月	火	水	木	金	土	日	月	火	水	木	金	土	日	月	火	水	木	金	土	日	月	火	水		
음력	월	20	21	22	23	24	25	26	27	28	29	30	一	2	3	4	5	6	7	8	9	10	11	12	13	14	15	16	17	18		
일진		戊辰	己巳	甲午	乙未	丙申	丁酉	庚戌	辛亥	壬子	癸丑	戊寅	己卯	甲辰	乙巳	丙午	丁未	庚申	辛酉	壬戌	癸亥	戊子	己丑	甲寅	乙卯	丙辰	丁巳	庚午	辛未	壬申		
대운	男	9	9	9	10	立	9	9	9	8	8	8	7	7	7	6	6	6	5	5	5	4	4	4	3	3	3	2	2	2		
	女	1	1	1	1	秋	1	1	1	1	2	2	2	3	3	3	4	4	4	5	5	5	6	6	6	7	7	7	8	8		

3月 (1일 九紫 -) **乙酉 (九紫)** 절기: 白露 (5일 23:24) 秋分 (21일 00:20)

양력		1	2	3	4	5	6	7	8	9	10	11	12	13	14	15	16	17	18	19	20	21	22	23	24	25	26	27	28	29	30	31
요일		木	金	土	日	月	火	水	木	金	土	日	月	火	水	木	金	土	日	月	火	水	木	金	土	日	月	火	水	木	金	土
음력	월	19	20	21	22	23	24	25	26	27	28	29	二	2	3	4	5	6	7	8	9	10	11	12	13	14	15	16	17	18	19	20
일진		癸酉	戊戌	己亥	甲子	乙丑	丙寅	丁卯	庚辰	辛巳	壬午	癸未	戊申	己酉	甲戌	乙亥	丙子	丁丑	庚寅	辛卯	壬辰	癸巳	戊午	己未	甲申	乙酉	丙戌	丁亥	庚子	辛丑	壬寅	癸卯
대운	男	1	1	1	1	白	10	10	9	9	9	8	8	8	7	7	7	6	6	6	5	5	5	4	4	4	3	3	3	2	2	2
	女	8	9	9	9	露	1	1	1	1	2	2	2	3	3	3	4	4	4	5	5	5	6	6	6	7	7	7	8	8	8	9

4月 (1일 五黃 -) **丙戌 (一白)** 절기: 寒露 (5일 04:31) 霜降 (20일 11:43)

양력		1	2	3	4	5	6	7	8	9	10	11	12	13	14	15	16	17	18	19	20	21	22	23	24	25	26	27	28	29	30	
요일		日	月	火	水	木	金	土	日	月	火	水	木	金	土	日	月	火	水	木	金	土	日	月	火	水	木	金	土	日	月	
음력	월	21	22	23	24	25	26	27	28	29	30	三	2	3	4	5	6	7	8	9	10	11	12	13	14	15	16	17	18	19	20	
일진		戊辰	己巳	甲午	乙未	丙申	丁酉	庚戌	辛亥	壬子	癸丑	戊寅	己卯	甲辰	乙巳	丙午	丁未	庚申	辛酉	壬戌	癸亥	戊子	己丑	甲寅	乙卯	丙辰	丁巳	庚午	辛未	壬申	癸酉	
대운	男	1	1	1	1	寒	10	9	9	9	8	8	8	7	7	7	6	6	6	5	5	5	4	4	4	3	3	3	2	2	2	
	女	9	9	10	10	露	1	1	1	1	2	2	2	3	3	3	4	4	4	5	5	5	6	6	6	7	7	7	8	8	8	

5月 (1일 二黑 -) **丁亥 (二黑)** 절기: 立冬 (5일 22:10) 小雪 (21일 11:13)

양력		1	2	3	4	5	6	7	8	9	10	11	12	13	14	15	16	17	18	19	20	21	22	23	24	25	26	27	28	29	30	31
요일		火	水	木	金	土	日	月	火	水	木	金	土	日	月	火	水	木	金	土	日	月	火	水	木	金	土	日	月	火	水	木
음력	월	21	22	23	24	25	26	27	28	29	四	2	3	4	5	6	7	8	9	10	11	12	13	14	15	16	17	18	19	20	21	22
일진		戊戌	己亥	甲子	乙丑	丙寅	丁卯	庚辰	辛巳	壬午	癸未	戊申	己酉	甲戌	乙亥	丙子	丁丑	庚寅	辛卯	壬辰	癸巳	戊午	己未	甲申	乙酉	丙戌	丁亥	庚子	辛丑	壬寅	癸卯	戊辰
대운	男	1	1	1	1	立	10	10	10	9	9	9	8	8	8	7	7	7	6	6	6	5	5	5	4	4	4	3	3	3	2	2
	女	9	9	9	10	冬	1	1	1	1	2	2	2	3	3	3	4	4	4	5	5	5	6	6	6	7	7	7	8	8	8	9

6月 (1일 七赤 - 26일 一白 +) **庚子 (三碧)** 절기: 大雪 (6일 02:36) 冬至 (21일 19:24)

양력		1	2	3	4	5	6	7	8	9	10	11	12	13	14	15	16	17	18	19	20	21	22	23	24	25	26	27	28	29	30	
요일		金	土	日	月	火	水	木	金	土	日	月	火	水	木	金	土	日	月	火	水	木	金	土	日	月	火	水	木	金	土	
음력	월	23	24	25	26	27	28	29	30	五	2	3	4	5	6	7	8	9	10	11	12	13	14	15	16	17	18	19	20	21	22	
일진		己巳	甲午	乙未	丙申	丁酉	庚戌	辛亥	壬子	癸丑	戊寅	己卯	甲辰	乙巳	丙午	丁未	庚申	辛酉	壬戌	癸亥	戊子	己丑	甲寅	乙卯	丙辰	丁巳	庚午	辛未	壬申	癸酉	戊戌	
대운	男	2	1	1	1	1	大	10	10	9	9	9	8	8	8	7	7	7	6	6	6	5	5	5	4	4	4	3	3	3	2	
	女	9	9	10	10	10	雪	1	1	1	1	2	2	2	3	3	3	4	4	4	5	5	5	6	6	6	7	7	7	8	8	

7月 (1일 六白 +) **辛丑 (四綠)** 절기: 小寒(7일 12:58) 大寒(23일 06:20)

양력		1	2	3	4	5	6	7	8	9	10	11	12	13	14	15	16	17	18	19	20	21	22	23	24	25	26	27	28	29	30	31
요일		日	月	火	水	木	金	土	日	月	火	水	木	金	土	日	月	火	水	木	金	土	日	月	火	水	木	金	土	日	月	火
음력	월	23	24	25	26	27	28	29	六	2	3	4	5	6	7	8	9	10	11	12	13	14	15	16	17	18	19	20	21	22	23	24
일진		己亥	甲子	乙丑	丙寅	丁卯	庚辰	辛巳	壬午	癸未	戊申	己酉	甲戌	乙亥	丙子	丁丑	庚寅	辛卯	壬辰	癸巳	戊午	己未	甲申	乙酉	丙戌	丁亥	庚子	辛丑	壬寅	癸卯	戊辰	己巳
대운	男	2	2	1	1	1	1	小	10	10	9	9	9	8	8	8	7	7	7	6	6	6	5	5	5	4	4	4	3	3	3	2
	女	8	9	9	9	10	10	寒	1	1	1	1	2	2	2	3	3	3	4	4	4	5	5	5	6	6	6	7	7	7	8	8

8月 (1일 一白 +) **壬寅 (五黃)** 절기: 立春(7일 22:40) 雨水(23일 13:15)

양력		1	2	3	4	5	6	7	8	9	10	11	12	13	14	15	16	17	18	19	20	21	22	23	24	25	26	27	28	29	30	31
요일		水	木	金	土	日	月	火	水	木	金	土	日	月	火	水	木	金	土	日	月	火	水	木	金	土	日	月	火	水	木	金
음력	월	25	26	27	28	29	七	2	3	4	5	6	7	8	9	10	11	12	13	14	15	16	17	18	19	20	21	22	23	24	25	26
일진		甲午	乙未	丙申	丁酉	庚戌	辛亥	壬子	癸丑	戊寅	己卯	甲辰	乙巳	丙午	丁未	庚申	辛酉	壬戌	癸亥	戊子	己丑	甲寅	乙卯	丙辰	丁巳	庚午	辛未	壬申	癸酉	戊戌	己亥	甲子
대운	男	2	2	1	1	1	1	立	10	10	10	9	9	9	8	8	8	7	7	7	6	6	6	5	5	5	4	4	4	3	3	3
	女	8	9	9	9	10	10	春	1	1	1	1	2	2	2	3	3	3	4	4	4	5	5	5	6	6	6	7	7	7	8	8

9月 (1일 五黃 +) **癸卯 (六白)** 절기: 驚蟄(8일 01:19) 春分 (23일10:35)

양력		1	2	3	4	5	6	7	8	9	10	11	12	13	14	15	16	17	18	19	20	21	22	23	24	25	26	27	28	29	30	
요일		土	日	月	火	水	木	金	土	日	月	火	水	木	金	土	日	月	火	水	木	金	土	日	月	火	水	木	金	土	日	
음력	월	27	28	29	30	八	2	3	4	5	6	7	8	9	10	11	12	13	14	15	16	17	18	19	20	21	22	23	24	25	26	
일진		乙丑	丙寅	丁卯	庚辰	辛巳	壬午	癸未	戊申	己酉	甲戌	乙亥	丙子	丁丑	庚寅	辛卯	壬辰	癸巳	戊午	己未	甲申	乙酉	丙戌	丁亥	庚子	辛丑	壬寅	癸卯	戊辰	己巳	甲午	
대운	男	2	2	2	1	1	1	1	驚	10	9	9	9	8	8	8	7	7	7	6	6	6	5	5	5	4	4	4	3	3	3	
	女	8	9	9	9	10	10	10	蟄	1	1	1	1	2	2	2	3	3	3	4	4	4	5	5	5	6	6	6	7	7	7	

10月 (1일 八白 +) **戊辰 (七赤)** 절기: 清明(8일 16:36) 穀雨(23일 19:34)

양력		1	2	3	4	5	6	7	8	9	10	11	12	13	14	15	16	17	18	19	20	21	22	23	24	25	26	27	28	29	30	31
요일		月	火	水	木	金	土	日	月	火	水	木	金	土	日	月	火	水	木	金	土	日	月	火	水	木	金	土	日	月	火	水
음력	월	27	28	29	九	2	3	4	5	6	7	8	9	10	11	12	13	14	15	16	17	18	19	20	21	22	23	24	25	26	27	28
일진		乙未	丙申	丁酉	庚戌	辛亥	壬子	癸丑	戊寅	己卯	甲辰	乙巳	丙午	丁未	庚申	辛酉	壬戌	癸亥	戊子	己丑	甲寅	乙卯	丙辰	丁巳	庚午	辛未	壬申	癸酉	戊戌	己亥	甲子	乙丑
대운	男	2	2	2	1	1	1	1	清	10	9	9	9	8	8	8	7	7	7	6	6	6	5	5	5	4	4	4	3	3	3	2
	女	8	8	8	9	9	9	10	明	1	1	1	1	2	2	2	3	3	3	4	4	4	5	5	5	6	6	6	7	7	7	8

11月 (1일 三碧 +) **己巳 (八白)** 절기: 立夏(7일 19:26) 小滿 (22일 16:50)

양력		1	2	3	4	5	6	7	8	9	10	11	12	13	14	15	16	17	18	19	20	21	22	23	24	25	26	27	28	29	30	
요일		木	金	土	日	月	火	水	木	金	土	日	月	火	水	木	金	土	日	月	火	水	木	金	土	日	月	火	水	木	金	
음력	월	29	30	十	2	3	4	5	6	7	8	9	10	11	12	13	14	15	16	17	18	19	20	21	22	23	24	25	26	27	28	
일진		丙寅	丁卯	庚辰	辛巳	壬午	癸未	戊申	己酉	甲戌	乙亥	丙子	丁丑	庚寅	辛卯	壬辰	癸巳	戊午	己未	甲申	乙酉	丙戌	丁亥	庚子	辛丑	壬寅	癸卯	戊辰	己巳	甲午	乙未	
대운	男	2	2	1	1	1	1	立	10	9	9	9	8	8	8	7	7	7	6	6	6	5	5	5	4	4	4	3	3	3	2	
	女	8	8	9	9	9	10	夏	1	1	1	1	2	2	2	3	3	3	4	4	4	5	5	5	6	6	6	7	7	7	8	

12月 (1일 六白 + 23일 九紫 -) **甲午 (九紫)** 절기: 芒種(7일 12:02) 夏至(22일 05:59)

양력		1	2	3	4	5	6	7	8	9	10	11	12	13	14	15	16	17	18	19	20	21	22	23	24	25	26	27	28	29	30	31
요일		土	日	月	火	水	木	金	土	日	月	火	水	木	金	土	日	月	火	水	木	金	土	日	月	火	水	木	金	土	日	月
음력	월	29	十一	2	3	4	5	6	7	8	9	10	11	12	13	14	15	16	17	18	19	20	21	22	23	24	25	26	27	28	29	30
일진		丙申	丁酉	庚戌	辛亥	壬子	癸丑	戊寅	己卯	甲辰	乙巳	丙午	丁未	庚申	辛酉	壬戌	癸亥	戊子	己丑	甲寅	乙卯	丙辰	丁巳	庚午	辛未	壬申	癸酉	戊戌	己亥	甲子	乙丑	丙寅
대운	男	2	2	1	1	1	1	芒	9	9	9	8	8	8	7	7	7	6	6	6	5	5	5	4	4	4	3	3	3	2	2	2
	女	8	8	9	9	9	10	種	1	1	1	1	2	2	2	3	3	3	4	4	4	5	5	5	6	6	6	7	7	7	8	8

서기1957년

癸卯年 (三碧木星) 閏八月

1月 (1일 九紫 -) **乙未 (一白)** 절기: 小暑 (5일 23:10) 大暑 (20일 16:39)

양력		1	2	3	4	5	6	7	8	9	10	11	12	13	14	15	16	17	18	19	20	21	22	23	24	25	26	27	28	29	30	31
요일		火	水	木	金	土	日	月	火	水	木	金	土	日	月	火	水	木	金	土	日	月	火	水	木	金	土	日	月	火	水	木
음력	월	十二	2	3	4	5	6	7	8	9	10	11	12	13	14	15	16	17	18	19	20	21	22	23	24	25	26	27	28	29	30	一
일진		丁卯	庚辰	辛巳	壬午	癸未	戊申	己酉	甲戌	乙亥	丙子	丁丑	庚寅	辛卯	壬辰	癸巳	戊午	己未	甲申	乙酉	丙戌	丁亥	庚子	辛丑	壬寅	癸卯	戊辰	己巳	甲午	乙未	丙申	丁酉
대운	男	1	1	1	1	小	10	9	9	9	8	8	8	7	7	7	6	6	6	5	5	5	4	4	4	3	3	3	2	2	2	1
	女	8	9	9	9	暑	1	1	1	1	2	2	2	3	3	3	4	4	4	5	5	5	6	6	6	7	7	7	8	8	8	9

2月 (1일 五黃 -) **丙申 (二黑)** 절기: 立秋 (4일 10:55) 處暑 (19일 06:58)

양력		1	2	3	4	5	6	7	8	9	10	11	12	13	14	15	16	17	18	19	20	21	22	23	24	25	26	27	28			
요일		金	土	日	月	火	水	木	金	土	日	月	火	水	木	金	土	日	月	火	水	木	金	土	日	月	火	水	木			
음력	월	2	3	4	5	6	7	8	9	10	11	12	13	14	15	16	17	18	19	20	21	22	23	24	25	26	27	28	29			
일진		庚戌	辛亥	壬子	癸丑	戊寅	己卯	甲辰	乙巳	丙午	丁未	庚申	辛酉	壬戌	癸亥	戊子	己丑	甲寅	乙卯	丙辰	丁巳	庚午	辛未	壬申	癸酉	戊戌	己亥	甲子	乙丑			
대운	男	1	1	1	立	1	1	1	1	2	2	2	3	3	3	4	4	4	5	5	5	6	6	6	7	7	7	8	8			
	女	9	9	10	秋	10	9	9	9	8	8	8	7	7	7	6	6	6	5	5	5	4	4	4	3	3	3	2	2			

3月 (1일 四綠 -) **丁酉 (三碧)** 절기: 白露 (6일 05:10) 秋分 (21일 06:16)

양력		1	2	3	4	5	6	7	8	9	10	11	12	13	14	15	16	17	18	19	20	21	22	23	24	25	26	27	28	29	30	31
요일		金	土	日	月	火	水	木	金	土	日	月	火	水	木	金	土	日	月	火	水	木	金	土	日	月	火	水	木	金	土	日
음력	월	30	二	2	3	4	5	6	7	8	9	10	11	12	13	14	15	16	17	18	19	20	21	22	23	24	25	26	27	28	29	三
일진		丙寅	丁卯	庚辰	辛巳	壬午	癸未	戊申	己酉	甲戌	乙亥	丙子	丁丑	庚寅	辛卯	壬辰	癸巳	戊午	己未	甲申	乙酉	丙戌	丁亥	庚子	辛丑	壬寅	癸卯	戊辰	己巳	甲午	乙未	丙申
대운	男	8	9	9	9	10	白	1	1	1	1	2	2	2	3	3	3	4	4	4	5	5	5	6	6	6	7	7	7	8	8	8
	女	2	1	1	1	1	露	10	9	9	9	8	8	8	7	7	7	6	6	6	5	5	5	4	4	4	3	3	3	2	2	2

4月 (1일 九紫 -) **庚戌 (四綠)** 절기: 寒露 (5일 10:19) 霜降 (20일 17:41)

양력		1	2	3	4	5	6	7	8	9	10	11	12	13	14	15	16	17	18	19	20	21	22	23	24	25	26	27	28	29	30	
요일		月	火	水	木	金	土	日	月	火	水	木	金	土	日	月	火	水	木	金	土	日	月	火	水	木	金	土	日	月	火	
음력	월	2	3	4	5	6	7	8	9	10	11	12	13	14	15	16	17	18	19	20	21	22	23	24	25	26	27	28	29	30	四	
일진		丁酉	庚戌	辛亥	壬子	癸丑	戊寅	己卯	甲辰	乙巳	丙午	丁未	庚申	辛酉	壬戌	癸亥	戊子	己丑	甲寅	乙卯	丙辰	丁巳	庚午	辛未	壬申	癸酉	戊戌	己亥	甲子	乙丑	丙寅	
대운	男	9	9	9	10	寒	1	1	1	1	2	2	2	3	3	3	4	4	4	5	5	5	6	6	6	7	7	7	8	8	8	
	女	1	1	1	1	露	10	10	9	9	9	8	8	8	7	7	7	6	6	6	5	5	5	4	4	4	3	3	3	2	2	

5月 (1일 六白 -) **辛亥 (五黃)** 절기: 立冬 (6일 03:58) 小雪 (21일 17:10)

양력		1	2	3	4	5	6	7	8	9	10	11	12	13	14	15	16	17	18	19	20	21	22	23	24	25	26	27	28	29	30	31
요일		水	木	金	土	日	月	火	水	木	金	土	日	月	火	水	木	金	土	日	月	火	水	木	金	土	日	月	火	水	木	金
음력	월	2	3	4	5	6	7	8	9	10	11	12	13	14	15	16	17	18	19	20	21	22	23	24	25	26	27	28	29	五	2	3
일진		丁卯	庚辰	辛巳	壬午	癸未	戊申	己酉	甲戌	乙亥	丙子	丁丑	庚寅	辛卯	壬辰	癸巳	戊午	己未	甲申	乙酉	丙戌	丁亥	庚子	辛丑	壬寅	癸卯	戊辰	己巳	甲午	乙未	丙申	丁酉
대운	男	9	9	9	10	10	立	1	1	1	1	2	2	2	3	3	3	4	4	4	5	5	5	6	6	6	7	7	7	8	8	8
	女	2	1	1	1	1	冬	10	10	9	9	9	8	8	8	7	7	7	6	6	6	5	5	5	4	4	4	3	3	3	2	2

6月 (1일 二黑 - 21일 一白 +) **壬子 (六白)** 절기: 大雪 (6일 08:25) 冬至 (22일 01:21)

양력		1	2	3	4	5	6	7	8	9	10	11	12	13	14	15	16	17	18	19	20	21	22	23	24	25	26	27	28	29	30	
요일		土	日	月	火	水	木	金	土	日	月	火	水	木	金	土	日	月	火	水	木	金	土	日	月	火	水	木	金	土	日	
음력	월	4	5	6	7	8	9	10	11	12	13	14	15	16	17	18	19	20	21	22	23	24	25	26	27	28	29	30	六	2	3	
일진		庚戌	辛亥	壬子	癸丑	戊寅	己卯	甲辰	乙巳	丙午	丁未	庚申	辛酉	壬戌	癸亥	戊子	己丑	甲寅	乙卯	丙辰	丁巳	庚午	辛未	壬申	癸酉	戊戌	己亥	甲子	乙丑	丙寅	丁卯	
대운	男	9	9	9	10	10	大	1	1	1	1	2	2	2	3	3	3	4	4	4	5	5	5	6	6	6	7	7	7	8	8	
	女	2	1	1	1	1	雪	10	10	9	9	9	8	8	8	7	7	7	6	6	6	5	5	5	4	4	4	3	3	3	2	

7月 (1일 二黑 +) **癸丑 (七赤)** 절기: 小寒(7일 18:48) 大寒(23일 12:15)

양력	1	2	3	4	5	6	7	8	9	10	11	12	13	14	15	16	17	18	19	20	21	22	23	24	25	26	27	28	29	30	31
요일	月	火	水	木	金	土	日	月	火	水	木	金	土	日	月	火	水	木	金	土	日	月	火	水	木	金	土	日	月	火	水
음력 월	4	5	6	7	8	9	10	11	12	13	14	15	16	17	18	19	20	21	22	23	24	25	26	27	28	29	七	2	3	4	5
일진	庚辰	辛巳	壬午	癸未	戊申	己酉	甲戌	乙亥	丙子	丁丑	庚寅	辛卯	壬辰	癸巳	戊午	己未	甲申	乙酉	丙戌	丁亥	庚子	辛丑	壬寅	癸卯	戊辰	己巳	甲午	乙未	丙申	丁酉	庚戌
대운 男	8	9	9	9	10	10	小	1	1	1	1	2	2	2	3	3	3	4	4	4	5	5	5	6	6	6	7	7	7	8	8
대운 女	2	2	1	1	1	1	寒	10	10	10	9	9	9	8	8	8	7	7	7	6	6	6	5	5	5	4	4	4	3	3	3

8月 (1일 六白 +) **戊寅 (八白)** 절기: 立春(8일 04:32) 雨水(23일 19:08)

양력	1	2	3	4	5	6	7	8	9	10	11	12	13	14	15	16	17	18	19	20	21	22	23	24	25	26	27	28	29	30	31
요일	木	金	土	日	月	火	水	木	金	土	日	月	火	水	木	金	土	日	月	火	水	木	金	土	日	月	火	水	木	金	土
음력 월	6	7	8	9	10	11	12	13	14	15	16	17	18	19	20	21	22	23	24	25	26	27	28	29	八	2	3	4	5	6	7
일진	辛亥	壬子	癸丑	戊寅	己卯	甲辰	乙巳	丙午	丁未	庚申	辛酉	壬戌	癸亥	戊子	己丑	甲寅	乙卯	丙辰	丁巳	庚午	辛未	壬申	癸酉	戊戌	己亥	甲子	乙丑	丙寅	丁卯	庚辰	辛巳
대운 男	8	9	9	9	10	10	10	立	1	1	1	1	2	2	2	3	3	3	4	4	4	5	5	5	6	6	6	7	7	7	8
대운 女	2	2	2	1	1	1	1	春	10	10	9	9	9	8	8	8	7	7	7	6	6	6	5	5	5	4	4	4	3	3	3

9月 (1일 一白 +) **己卯 (九紫)** 절기: 驚蟄(8일 07:12) 春分 (23일 16:26)

양력	1	2	3	4	5	6	7	8	9	10	11	12	13	14	15	16	17	18	19	20	21	22	23	24	25	26	27	28	29	30	
요일	日	月	火	水	木	金	土	日	月	火	水	木	金	土	日	月	火	水	木	金	土	日	月	火	水	木	金	土	日	月	
음력 월	8	9	10	11	12	13	14	15	16	17	18	19	20	21	22	23	24	25	26	27	28	29	30	閏八		3	4	5	6	7	
일진	壬午	癸未	戊申	己酉	甲戌	乙亥	丙子	丁丑	庚寅	辛卯	壬辰	癸巳	戊午	己未	甲申	乙酉	丙戌	丁亥	庚子	辛丑	壬寅	癸卯	戊辰	己巳	甲午	乙未	丙申	丁酉	庚戌	辛亥	
대운 男	8	8	9	9	9	10	10	驚	1	1	1	1	2	2	2	3	3	3	4	4	4	5	5	5	6	6	6	7	7	7	
대운 女	2	2	2	1	1	1	1	蟄	10	9	9	9	8	8	8	7	7	7	6	6	6	5	5	5	4	4	4	3	3	3	

10月 (1일 四綠 +) **甲辰 (一白)** 절기: 清明(8일 22:30) 穀雨(24일 01:24)

양력	1	2	3	4	5	6	7	8	9	10	11	12	13	14	15	16	17	18	19	20	21	22	23	24	25	26	27	28	29	30	31
요일	火	水	木	金	土	日	月	火	水	木	金	土	日	月	火	水	木	金	土	日	月	火	水	木	金	土	日	月	火	水	木
음력 월	8	9	10	11	12	13	14	15	16	17	18	19	20	21	22	23	24	25	26	27	28	29	九	2	3	4	5	6	7	8	9
일진	壬子	癸丑	戊寅	己卯	甲辰	乙巳	丙午	丁未	庚申	辛酉	壬戌	癸亥	戊子	己丑	甲寅	乙卯	丙辰	丁巳	庚午	辛未	壬申	癸酉	戊戌	己亥	甲子	乙丑	丙寅	丁卯	庚辰	辛巳	壬午
대운 男	8	8	8	9	9	9	10	清	1	1	1	1	2	2	2	3	3	3	4	4	4	5	5	5	6	6	6	7	7	7	8
대운 女	2	2	2	1	1	1	1	明	10	10	9	9	9	8	8	8	7	7	7	6	6	6	5	5	5	4	4	4	3	3	3

11月 (1일 八白 +) **乙巳 (二黑)** 절기: 立夏(8일 01:20) 小滿 (22일 22:39)

양력	1	2	3	4	5	6	7	8	9	10	11	12	13	14	15	16	17	18	19	20	21	22	23	24	25	26	27	28	29	30	
요일	金	土	日	月	火	水	木	金	土	日	月	火	水	木	金	土	日	月	火	水	木	金	土	日	月	火	水	木	金	土	
음력 월	10	11	12	13	14	15	16	17	18	19	20	21	22	23	24	25	26	27	28	29	30	十	2	3	4	5	6	7	8	9	
일진	癸未	戊申	己酉	甲戌	乙亥	丙子	丁丑	庚寅	辛卯	壬辰	癸巳	戊午	己未	甲申	乙酉	丙戌	丁亥	庚子	辛丑	壬寅	癸卯	戊辰	己巳	甲午	乙未	丙申	丁酉	庚戌	辛亥	壬子	
대운 男	8	8	9	9	9	10	10	立	1	1	1	1	2	2	2	3	3	3	4	4	4	5	5	5	6	6	6	7	7	7	
대운 女	2	2	2	1	1	1	1	夏	9	9	9	8	8	8	7	7	7	6	6	6	5	5	5	4	4	4	3	3	3	2	

12月 (1일 二黑 + 18일 九紫 -) **丙午 (三碧)** 절기: 芒種(7일 17:56) 夏至(22일 11:49)

양력	1	2	3	4	5	6	7	8	9	10	11	12	13	14	15	16	17	18	19	20	21	22	23	24	25	26	27	28	29	30	31
요일	日	月	火	水	木	金	土	日	月	火	水	木	金	土	日	月	火	水	木	金	土	日	月	火	水	木	金	土	日	月	火
음력 월	10	11	12	13	14	15	16	17	18	19	20	21	22	23	24	25	26	27	28	29	十一	2	3	4	5	6	7	8	9	10	11
일진	癸丑	戊寅	己卯	甲辰	乙巳	丙午	丁未	庚申	辛酉	壬戌	癸亥	戊子	己丑	甲寅	乙卯	丙辰	丁巳	庚午	辛未	壬申	癸酉	戊戌	己亥	甲子	乙丑	丙寅	丁卯	庚辰	辛巳	壬午	癸未
대운 男	8	8	8	9	9	9	芒	1	1	1	1	2	2	2	3	3	3	4	4	4	5	5	5	6	6	6	7	7	7	8	8
대운 女	2	2	1	1	1	1	種	10	9	9	9	8	8	8	7	7	7	6	6	6	5	5	5	4	4	4	3	3	3	2	2

서기1958년

戊辰年 (四綠木星)

1月 (1일 四綠 -) **丁未 (四綠)** 절기: 小暑 (6일 05:04) 大暑 (20일 22:28)

양력	1	2	3	4	5	6	7	8	9	10	11	12	13	14	15	16	17	18	19	20	21	22	23	24	25	26	27	28	29	30	31
요일	水	木	金	土	日	月	火	水	木	金	土	日	月	火	水	木	金	土	日	月	火	水	木	金	土	日	月	火	水	木	金
음력 월	12	13	14	15	16	17	18	19	20	21	22	23	24	25	26	27	28	29	30	十二	2	3	4	5	6	7	8	9	10	11	12
일진	戊申	己酉	甲戌	乙亥	丙子	丁丑	庚寅	辛卯	壬辰	癸巳	戊午	己未	甲申	乙酉	丙戌	丁亥	庚子	辛丑	壬寅	癸卯	戊辰	己巳	甲午	乙未	丙申	丁酉	庚戌	辛亥	壬子	癸丑	戊寅
대운 男	8	9	9	9	10	小	1	1	1	1	2	2	2	3	3	3	4	4	4	5	5	5	6	6	6	7	7	7	8	8	8
대운 女	2	1	1	1	1	暑	9	9	9	8	8	8	7	7	7	6	6	6	5	5	5	4	4	4	3	3	3	2	2	2	1

2月 (1일 九紫 -) **庚申 (五黃)** 절기: 立秋 (4일 16:49) 處暑 (19일 12:48)

양력	1	2	3	4	5	6	7	8	9	10	11	12	13	14	15	16	17	18	19	20	21	22	23	24	25	26	27	28			
요일	土	日	月	火	水	木	金	土	日	月	火	水	木	金	土	日	月	火	水	木	金	土	日	月	火	水	木	金			
음력 월	13	14	15	16	17	18	19	20	21	22	23	24	25	26	27	28	29	30	一	2	3	4	5	6	7	8	9	10			
일진	己卯	甲辰	乙巳	丙午	丁未	庚申	辛酉	壬戌	癸亥	戊子	己丑	甲寅	乙卯	丙辰	丁巳	庚午	辛未	壬申	癸酉	戊戌	己亥	甲子	乙丑	丙寅	丁卯	庚辰	辛巳	壬午			
대운 男	9	9	9	立	10	9	9	9	8	8	8	7	7	7	6	6	6	5	5	5	4	4	4	3	3	3	2	2			
대운 女	1	1	1	秋	1	1	1	1	2	2	2	3	3	3	4	4	4	5	5	5	6	6	6	7	7	7	8	8			

3月 (1일 八白 -) **辛酉 (六白)** 절기: 白露 (6일 11:05) 秋分 (21일 12:06)

양력	1	2	3	4	5	6	7	8	9	10	11	12	13	14	15	16	17	18	19	20	21	22	23	24	25	26	27	28	29	30	31
요일	土	日	月	火	水	木	金	土	日	月	火	水	木	金	土	日	月	火	水	木	金	土	日	月	火	水	木	金	土	日	月
음력 월	11	12	13	14	15	16	17	18	19	20	21	22	23	24	25	26	27	28	29	二	2	3	4	5	6	7	8	9	10	11	12
일진	癸未	戊申	己酉	甲戌	乙亥	丙子	丁丑	庚寅	辛卯	壬辰	癸巳	戊午	己未	甲申	乙酉	丙戌	丁亥	庚子	辛丑	壬寅	癸卯	戊辰	己巳	甲午	乙未	丙申	丁酉	庚戌	辛亥	壬子	癸丑
대운 男	2	1	1	1	1	白	10	9	9	9	8	8	8	7	7	7	6	6	6	5	5	5	4	4	4	3	3	3	2	2	2
대운 女	8	9	9	9	10	露	1	1	1	1	2	2	2	3	3	3	4	4	4	5	5	5	6	6	6	7	7	7	8	8	8

4月 (1일 四綠 -) **壬戌 (七赤)** 절기: 寒露 (5일 16:12) 霜降 (20일 23:27)

양력	1	2	3	4	5	6	7	8	9	10	11	12	13	14	15	16	17	18	19	20	21	22	23	24	25	26	27	28	29	30	
요일	火	水	木	金	土	日	月	火	水	木	金	土	日	月	火	水	木	金	土	日	月	火	水	木	金	土	日	月	火	水	
음력 월	13	14	15	16	17	18	19	20	21	22	23	24	25	26	27	28	29	30	三	2	3	4	5	6	7	8	9	10	11	12	
일진	戊寅	己卯	甲辰	乙巳	丙午	丁未	庚申	辛酉	壬戌	癸亥	戊子	己丑	甲寅	乙卯	丙辰	丁巳	庚午	辛未	壬申	癸酉	戊戌	己亥	甲子	乙丑	丙寅	丁卯	庚辰	辛巳	壬午	癸未	
대운 男	1	1	1	1	寒	10	10	9	9	9	8	8	8	7	7	7	6	6	6	5	5	5	4	4	4	3	3	3	2	2	
대운 女	9	9	9	10	露	1	1	1	1	2	2	2	3	3	3	4	4	4	5	5	5	6	6	6	7	7	7	8	8	8	

5月 (1일 一白 -) **癸亥 (八白)** 절기: 立冬 (6일 09:49) 小雪 (21일 22:51)

양력	1	2	3	4	5	6	7	8	9	10	11	12	13	14	15	16	17	18	19	20	21	22	23	24	25	26	27	28	29	30	31
요일	木	金	土	日	月	火	水	木	金	土	日	月	火	水	木	金	土	日	月	火	水	木	金	土	日	月	火	水	木	金	土
음력 월	13	14	15	16	17	18	19	20	21	22	23	24	25	26	27	28	29	30	四	2	3	4	5	6	7	8	9	10	11	12	13
일진	戊申	己酉	甲戌	乙亥	丙子	丁丑	庚寅	辛卯	壬辰	癸巳	戊午	己未	甲申	乙酉	丙戌	丁亥	庚子	辛丑	壬寅	癸卯	戊辰	己巳	甲午	乙未	丙申	丁酉	庚戌	辛亥	壬子	癸丑	戊寅
대운 男	2	1	1	1	1	立	10	10	9	9	9	8	8	8	7	7	7	6	6	6	5	5	5	4	4	4	3	3	3	2	2
대운 女	9	9	9	10	10	冬	1	1	1	1	2	2	2	3	3	3	4	4	4	5	5	5	6	6	6	7	7	7	8	8	8

6月 (1일 六白 - 16일 一白 +) **戊子 (九紫)** 절기: 大雪 (6일 14:12) 冬至 (22일 06:57)

양력	1	2	3	4	5	6	7	8	9	10	11	12	13	14	15	16	17	18	19	20	21	22	23	24	25	26	27	28	29	30
요일	日	月	火	水	木	金	土	日	月	火	水	木	金	土	日	月	火	水	木	金	土	日	月	火	水	木	金	土	日	月
음력 월	14	15	16	17	18	19	20	21	22	23	24	25	26	27	28	29	五	2	3	4	5	6	7	8	9	10	11	12	13	14
일진	己卯	甲辰	乙巳	丙午	丁未	庚申	辛酉	壬戌	癸亥	戊子	己丑	甲寅	乙卯	丙辰	丁巳	庚午	辛未	壬申	癸酉	戊戌	己亥	甲子	乙丑	丙寅	丁卯	庚辰	辛巳	壬午	癸未	戊申
대운 男	2	1	1	1	1	大	10	10	10	9	9	9	8	8	8	7	7	7	6	6	6	5	5	5	4	4	4	3	3	3
대운 女	9	9	9	10	10	雪	1	1	1	1	2	2	2	3	3	3	4	4	4	5	5	5	6	6	6	7	7	7	8	8

7月 (1일 七赤 +) **己丑 (一白)** 절기: 小寒(8일 00:33) 大寒(23일 17:50)

양력		1	2	3	4	5	6	7	8	9	10	11	12	13	14	15	16	17	18	19	20	21	22	23	24	25	26	27	28	29	30	31
요일		火	水	木	金	土	日	月	火	水	木	金	土	日	月	火	水	木	金	土	日	月	火	水	木	金	土	日	月	火	水	木
음력	월	15	16	17	18	19	20	21	22	23	24	25	26	27	28	29	30	六	2	3	4	5	6	7	8	9	10	11	12	13	14	15
일진		己酉	甲戌	乙亥	丙子	丁丑	庚寅	辛卯	壬辰	癸巳	戊午	己未	甲申	乙酉	丙戌	丁亥	庚子	辛丑	壬寅	癸卯	戊辰	己巳	甲午	乙未	丙申	丁酉	庚戌	辛亥	壬子	癸丑	戊寅	己卯
대운	男	2	2	2	1	1	1	1	小	10	10	9	9	9	8	8	8	7	7	7	6	6	6	5	5	5	4	4	4	3	3	3
	女	8	9	9	9	10	10	10	寒	1	1	1	1	2	2	2	3	3	3	4	4	4	5	5	5	6	6	6	7	7	7	8

8月 (1일 二黑 +) **甲寅 (二黑)** 절기: 立春(8일 10:17) 雨水(24일 00:46)

양력		1	2	3	4	5	6	7	8	9	10	11	12	13	14	15	16	17	18	19	20	21	22	23	24	25	26	27	28	29	30	31
요일		金	土	日	月	火	水	木	金	土	日	月	火	水	木	金	土	日	月	火	水	木	金	土	日	月	火	水	木	金	土	日
음력	월	16	17	18	19	20	21	22	23	24	25	26	27	28	29	七	2	3	4	5	6	7	8	9	10	11	12	13	14	15	16	17
일진		甲辰	乙巳	丙午	丁未	庚申	辛酉	壬戌	癸亥	戊子	己丑	甲寅	乙卯	丙辰	丁巳	庚午	辛未	壬申	癸酉	戊戌	己亥	甲子	乙丑	丙寅	丁卯	庚辰	辛巳	壬午	癸未	戊申	己酉	甲戌
대운	男	2	2	2	1	1	1	1	立	10	10	9	9	9	8	8	8	7	7	7	6	6	6	5	5	5	4	4	4	3	3	3
	女	8	8	9	9	9	10	10	春	1	1	1	1	2	2	2	3	3	3	4	4	4	5	5	5	6	6	6	7	7	7	8

9月 (1일 六白 +) **乙卯 (三碧)** 절기: 驚蟄(8일 12:59) 春分 (23일 22:09)

양력		1	2	3	4	5	6	7	8	9	10	11	12	13	14	15	16	17	18	19	20	21	22	23	24	25	26	27	28	29	30	
요일		月	火	水	木	金	土	日	月	火	水	木	金	土	日	月	火	水	木	金	土	日	月	火	水	木	金	土	日	月	火	
음력	월	18	19	20	21	22	23	24	25	26	27	28	29	八	2	3	4	5	6	7	8	9	10	11	12	13	14	15	16	17	18	
일진		乙亥	丙子	丁丑	庚寅	辛卯	壬辰	癸巳	戊午	己未	甲申	乙酉	丙戌	丁亥	庚子	辛丑	壬寅	癸卯	戊辰	己巳	甲午	乙未	丙申	丁酉	庚戌	辛亥	壬子	癸丑	戊寅	己卯	甲辰	
대운	男	2	2	2	1	1	1	1	驚	10	10	9	9	9	8	8	8	7	7	7	6	6	6	5	5	5	4	4	4	3	3	
	女	8	8	9	9	9	10	10	蟄	1	1	1	1	2	2	2	3	3	3	4	4	4	5	5	5	6	6	6	7	7	7	

10月 (1일 九紫 +) **丙辰 (四綠)** 절기: 清明(9일 04:19) 穀雨(24일 07:11)

양력		1	2	3	4	5	6	7	8	9	10	11	12	13	14	15	16	17	18	19	20	21	22	23	24	25	26	27	28	29	30	31
요일		水	木	金	土	日	月	火	水	木	金	土	日	月	火	水	木	金	土	日	月	火	水	木	金	土	日	月	火	水	木	金
음력	월	19	20	21	22	23	24	25	26	27	28	29	30	九	2	3	4	5	6	7	8	9	10	11	12	13	14	15	16	17	18	19
일진		乙巳	丙午	丁未	庚申	辛酉	壬戌	癸亥	戊子	己丑	甲寅	乙卯	丙辰	丁巳	庚午	辛未	壬申	癸酉	戊戌	己亥	甲子	乙丑	丙寅	丁卯	庚辰	辛巳	壬午	癸未	戊申	己酉	甲戌	乙亥
대운	男	3	2	2	2	1	1	1	1	清	10	9	9	9	8	8	8	7	7	7	6	6	6	5	5	5	4	4	4	3	3	3
	女	8	8	8	9	9	9	10	10	明	1	1	1	1	2	2	2	3	3	3	4	4	4	5	5	5	6	6	6	7	7	7

11月 (1일 四綠 +) **丁巳 (五黃)** 절기: 立夏(8일 07:12) 小滿 (23일 04:29)

양력		1	2	3	4	5	6	7	8	9	10	11	12	13	14	15	16	17	18	19	20	21	22	23	24	25	26	27	28	29	30	
요일		土	日	月	火	水	木	金	土	日	月	火	水	木	金	土	日	月	火	水	木	金	土	日	月	火	水	木	金	土	日	
음력	월	20	21	22	23	24	25	26	27	28	29	十	2	3	4	5	6	7	8	9	10	11	12	13	14	15	16	17	18	19	20	
일진		丙子	丁丑	庚寅	辛卯	壬辰	癸巳	戊午	己未	甲申	乙酉	丙戌	丁亥	庚子	辛丑	壬寅	癸卯	戊辰	己巳	甲午	乙未	丙申	丁酉	庚戌	辛亥	壬子	癸丑	戊寅	己卯	甲辰	乙巳	
대운	男	2	2	2	1	1	1	1	立	9	9	9	8	8	8	7	7	7	6	6	6	5	5	5	4	4	4	3	3	3	2	
	女	8	8	8	9	9	9	10	夏	1	1	1	1	2	2	2	3	3	3	4	4	4	5	5	5	6	6	6	7	7	7	

12月 (1일 七赤 + 13일 九紫 -) **庚午 (六白)** 절기: 芒種(7일 23:50) 夏至(22일 17:40)

양력		1	2	3	4	5	6	7	8	9	10	11	12	13	14	15	16	17	18	19	20	21	22	23	24	25	26	27	28	29	30	31
요일		月	火	水	木	金	土	日	月	火	水	木	金	土	日	月	火	水	木	金	土	日	月	火	水	木	金	土	日	月	火	水
음력	월	21	22	23	24	25	26	27	28	29	30	十一	2	3	4	5	6	7	8	9	10	11	12	13	14	15	16	17	18	19	20	21
일진		丙午	丁未	庚申	辛酉	壬戌	癸亥	戊子	己丑	甲寅	乙卯	丙辰	丁巳	庚午	辛未	壬申	癸酉	戊戌	己亥	甲子	乙丑	丙寅	丁卯	庚辰	辛巳	壬午	癸未	戊申	己酉	甲戌	乙亥	丙子
대운	男	2	2	1	1	1	1	芒	10	9	9	9	8	8	8	7	7	7	6	6	6	5	5	5	4	4	4	3	3	3	2	2
	女	8	8	8	9	9	9	種	1	1	1	1	2	2	2	3	3	3	4	4	4	5	5	5	6	6	6	7	7	7	8	8

서기1959년

己巳年 (五黃土星)

1月 (1일 八白 -) 辛未 (七赤) 절기: 小暑 (6일 10:58) 大暑 (21일 04:19)

양력		1	2	3	4	5	6	7	8	9	10	11	12	13	14	15	16	17	18	19	20	21	22	23	24	25	26	27	28	29	30	31
요일		木	金	土	日	月	火	水	木	金	土	日	月	火	水	木	金	土	日	月	火	水	木	金	土	日	月	火	水	木	金	土
음력	월	22	23	24	25	26	27	28	29	十二	2	3	4	5	6	7	8	9	10	11	12	13	14	15	16	17	18	19	20	21	22	23
일진		丁丑	庚寅	辛卯	壬辰	癸巳	戊午	己未	甲申	乙酉	丙戌	丁亥	庚子	辛丑	壬寅	癸卯	戊辰	己巳	甲午	乙未	丙申	丁酉	庚戌	辛亥	壬子	癸丑	戊寅	己卯	甲辰	乙巳	丙午	丁未
대운	男	2	1	1	1	1	小	9	9	9	8	8	8	7	7	7	6	6	6	5	5	5	4	4	4	3	3	3	2	2	2	1
	女	8	9	9	9	10	暑	1	1	1	1	2	2	2	3	3	3	4	4	4	5	5	5	6	6	6	7	7	7	8	8	8

2月 (1일 四綠 -) 壬申 (八白) 절기: 立秋 (4일 22:42) 處暑 (19일 18:38)

양력		1	2	3	4	5	6	7	8	9	10	11	12	13	14	15	16	17	18	19	20	21	22	23	24	25	26	27	28			
요일		日	月	火	水	木	金	土	日	月	火	水	木	金	土	日	月	火	水	木	金	土	日	月	火	水	木	金	土			
음력	월	24	25	26	27	28	29	30	一	2	3	4	5	6	7	8	9	10	11	12	13	14	15	16	17	18	19	20	21			
일진		庚申	辛酉	壬戌	癸亥	戊子	己丑	甲寅	乙卯	丙辰	丁巳	庚午	辛未	壬申	癸酉	戊戌	己亥	甲子	乙丑	丙寅	丁卯	庚辰	辛巳	壬午	癸未	戊申	己酉	甲戌	乙亥			
대운	男	1	1	1	立	1	1	1	1	2	2	2	3	3	3	4	4	4	5	5	5	6	6	6	7	7	7	8	8			
	女	9	9	9	秋	10	9	9	9	8	8	8	7	7	7	6	6	6	5	5	5	4	4	4	3	3	3	2	2			

3月 (1일 三碧 -) 癸酉 (九紫) 절기: 白露 (6일 16:57) 秋分 (21일 17:55)

양력		1	2	3	4	5	6	7	8	9	10	11	12	13	14	15	16	17	18	19	20	21	22	23	24	25	26	27	28	29	30	31
요일		日	月	火	水	木	金	土	日	月	火	水	木	金	土	日	月	火	水	木	金	土	日	月	火	水	木	金	土	日	月	火
음력	월	22	23	24	25	26	27	28	29	二	2	3	4	5	6	7	8	9	10	11	12	13	14	15	16	17	18	19	20	21	22	23
일진		丙子	丁丑	庚寅	辛卯	壬辰	癸巳	戊午	己未	甲申	乙酉	丙戌	丁亥	庚子	辛丑	壬寅	癸卯	戊辰	己巳	甲午	乙未	丙申	丁酉	庚戌	辛亥	壬子	癸丑	戊寅	己卯	甲辰	乙巳	丙午
대운	男	8	9	9	9	10	白	1	1	1	1	2	2	2	3	3	3	4	4	4	5	5	5	6	6	6	7	7	7	8	8	8
	女	2	1	1	1	1	露	10	9	9	9	8	8	8	7	7	7	6	6	6	5	5	5	4	4	4	3	3	3	2	2	2

4月 (1일 八白 -) 戊戌 (一白) 절기: 寒露 (5일 22:03) 霜降 (21일 05:16)

양력		1	2	3	4	5	6	7	8	9	10	11	12	13	14	15	16	17	18	19	20	21	22	23	24	25	26	27	28	29	30	
요일		水	木	金	土	日	月	火	水	木	金	土	日	月	火	水	木	金	土	日	月	火	水	木	金	土	日	月	火	水	木	
음력	월	24	25	26	27	28	29	30	三	2	3	4	5	6	7	8	9	10	11	12	13	14	15	16	17	18	19	20	21	22	23	
일진		丁未	庚申	辛酉	壬戌	癸亥	戊子	己丑	甲寅	乙卯	丙辰	丁巳	庚午	辛未	壬申	癸酉	戊戌	己亥	甲子	乙丑	丙寅	丁卯	庚辰	辛巳	壬午	癸未	戊申	己酉	甲戌	乙亥	丙子	
대운	男	9	9	9	10	寒	1	1	1	1	2	2	2	3	3	3	4	4	4	5	5	5	6	6	6	7	7	7	8	8	8	
	女	1	1	1	1	露	10	10	9	9	9	8	8	8	7	7	7	6	6	6	5	5	5	4	4	4	3	3	3	2	2	

5月 (1일 五黃 -) 己亥 (二黑) 절기: 立冬 (6일 15:39) 小雪 (22일 04:42)

양력		1	2	3	4	5	6	7	8	9	10	11	12	13	14	15	16	17	18	19	20	21	22	23	24	25	26	27	28	29	30	31
요일		金	土	日	月	火	水	木	金	土	日	月	火	水	木	金	土	日	月	火	水	木	金	土	日	月	火	水	木	金	土	日
음력	월	24	25	26	27	28	29	30	四	2	3	4	5	6	7	8	9	10	11	12	13	14	15	16	17	18	19	20	21	22	23	24
일진		丁丑	庚寅	辛卯	壬辰	癸巳	戊午	己未	甲申	乙酉	丙戌	丁亥	庚子	辛丑	壬寅	癸卯	戊辰	己巳	甲午	乙未	丙申	丁酉	庚戌	辛亥	壬子	癸丑	戊寅	己卯	甲辰	乙巳	丙午	丁未
대운	男	9	9	9	10	10	立	1	1	1	1	2	2	2	3	3	3	4	4	4	5	5	5	6	6	6	7	7	7	8	8	8
	女	2	1	1	1	1	冬	10	10	9	9	9	8	8	8	7	7	7	6	6	6	5	5	5	4	4	4	3	3	3	2	2

6月 (1일 一白 - 11일 一白 +) 甲子 (三碧) 절기: 大雪 (6일 20:00) 冬至 (22일 12:50)

양력		1	2	3	4	5	6	7	8	9	10	11	12	13	14	15	16	17	18	19	20	21	22	23	24	25	26	27	28	29	30	
요일		月	火	水	木	金	土	日	月	火	水	木	金	土	日	月	火	水	木	金	土	日	月	火	水	木	金	土	日	月	火	
음력	월	25	26	27	28	29	五	2	3	4	5	6	7	8	9	10	11	12	13	14	15	16	17	18	19	20	21	22	23	24	25	
일진		庚申	辛酉	壬戌	癸亥	戊子	己丑	甲寅	乙卯	丙辰	丁巳	庚午	辛未	壬申	癸酉	戊戌	己亥	甲子	乙丑	丙寅	丁卯	庚辰	辛巳	壬午	癸未	戊申	己酉	甲戌	乙亥	丙子	丁丑	
대운	男	9	9	9	10	10	大	1	1	1	1	2	2	2	3	3	3	4	4	4	5	5	5	6	6	6	7	7	7	8	8	
	女	2	1	1	1	1	雪	10	10	10	9	9	9	8	8	8	7	7	7	6	6	6	5	5	5	4	4	4	3	3	3	

7月 (1일 三碧 +) **乙丑 (四綠)** 절기: 小寒(8일 06:20) 大寒(23일 23:45)

양력		1	2	3	4	5	6	7	8	9	10	11	12	13	14	15	16	17	18	19	20	21	22	23	24	25	26	27	28	29	30	31
요일		水	木	金	土	日	月	火	水	木	金	土	日	月	火	水	木	金	土	日	月	火	水	木	金	土	日	月	火	水	木	金
음력	월	26	27	28	29	30	六	2	3	4	5	6	7	8	9	10	11	12	13	14	15	16	17	18	19	20	21	22	23	24	25	26
일진		庚寅	辛卯	壬辰	癸巳	戊午	己未	甲申	乙酉	丙戌	丁亥	庚子	辛丑	壬寅	癸卯	戊辰	己巳	甲午	乙未	丙申	丁酉	庚戌	辛亥	壬子	癸丑	戊寅	己卯	甲辰	乙巳	丙午	丁未	庚申
대운	男	8	9	9	9	10	10	10	小	1	1	1	1	2	2	2	3	3	3	4	4	4	5	5	5	6	6	6	7	7	7	8
	女	2	2	2	1	1	1	1	寒	10	10	9	9	9	8	8	8	7	7	7	6	6	6	5	5	5	4	4	4	3	3	3

8月 (1일 七赤 +) **丙寅 (五黃)** 절기: 立春(8일 16:04) 雨水(24일 06:44)

양력		1	2	3	4	5	6	7	8	9	10	11	12	13	14	15	16	17	18	19	20	21	22	23	24	25	26	27	28	29	30	31
요일		土	日	月	火	水	木	金	土	日	月	火	水	木	金	土	日	月	火	水	木	金	土	日	月	火	水	木	金	土	日	月
음력	월	27	28	29	七	2	3	4	5	6	7	8	9	10	11	12	13	14	15	16	17	18	19	20	21	22	23	24	25	26	27	28
일진		辛酉	壬戌	癸亥	戊子	己丑	甲寅	乙卯	丙辰	丁巳	庚午	辛未	壬申	癸酉	戊戌	己亥	甲子	乙丑	丙寅	丁卯	庚辰	辛巳	壬午	癸未	戊申	己酉	甲戌	乙亥	丙子	丁丑	庚寅	辛卯
대운	男	8	8	9	9	9	10	10	立	1	1	1	1	2	2	2	3	3	3	4	4	4	5	5	5	6	6	6	7	7	7	8
	女	2	2	2	1	1	1	1	春	10	10	9	9	9	8	8	8	7	7	7	6	6	6	5	5	5	4	4	4	3	3	3

9月 (1일 二黑 +) **丁卯 (六白)** 절기: 驚蟄(8일 18:48) 春分 (24일 04:08)

양력		1	2	3	4	5	6	7	8	9	10	11	12	13	14	15	16	17	18	19	20	21	22	23	24	25	26	27	28	29	30	
요일		火	水	木	金	土	日	月	火	水	木	金	土	日	月	火	水	木	金	土	日	月	火	水	木	金	土	日	月	火	水	
음력	월	29	30	八	2	3	4	5	6	7	8	9	10	11	12	13	14	15	16	17	18	19	20	21	22	23	24	25	26	27	28	
일진		壬辰	癸巳	戊午	己未	甲申	乙酉	丙戌	丁亥	庚子	辛丑	壬寅	癸卯	戊辰	己巳	甲午	乙未	丙申	丁酉	庚戌	辛亥	壬子	癸丑	戊寅	己卯	甲辰	乙巳	丙午	丁未	庚申	辛酉	
대운	男	8	8	9	9	9	10	10	驚	1	1	1	1	2	2	2	3	3	3	4	4	4	5	5	5	6	6	6	7	7	7	
	女	2	2	2	1	1	1	1	蟄	10	10	9	9	9	8	8	8	7	7	7	6	6	6	5	5	5	4	4	4	3	3	

10月 (1일 五黃 +) **庚辰 (七赤)** 절기: 清明(9일 10:10) 穀雨(24일 13:11)

양력		1	2	3	4	5	6	7	8	9	10	11	12	13	14	15	16	17	18	19	20	21	22	23	24	25	26	27	28	29	30	31
요일		木	金	土	日	月	火	水	木	金	土	日	月	火	水	木	金	土	日	月	火	水	木	金	土	日	月	火	水	木	金	土
음력	월	29	九	2	3	4	5	6	7	8	9	10	11	12	13	14	15	16	17	18	19	20	21	22	23	24	25	26	27	28	29	30
일진		壬戌	癸亥	戊子	己丑	甲寅	乙卯	丙辰	丁巳	庚午	辛未	壬申	癸酉	戊戌	己亥	甲子	乙丑	丙寅	丁卯	庚辰	辛巳	壬午	癸未	戊申	己酉	甲戌	乙亥	丙子	丁丑	庚寅	辛卯	壬辰
대운	男	8	8	8	9	9	9	10	10	清	1	1	1	1	2	2	2	3	3	3	4	4	4	5	5	5	6	6	6	7	7	7
	女	3	2	2	2	1	1	1	1	明	10	9	9	9	8	8	8	7	7	7	6	6	6	5	5	5	4	4	4	3	3	3

11月 (1일 九紫 +) **辛巳 (八白)** 절기: 立夏(8일 13:02) 小滿 (23일 10:27)

양력		1	2	3	4	5	6	7	8	9	10	11	12	13	14	15	16	17	18	19	20	21	22	23	24	25	26	27	28	29	30	
요일		日	月	火	水	木	金	土	日	月	火	水	木	金	土	日	月	火	水	木	金	土	日	月	火	水	木	金	土	日	月	
음력	월	十	2	3	4	5	6	7	8	9	10	11	12	13	14	15	16	17	18	19	20	21	22	23	24	25	26	27	28	29	十一	
일진		癸巳	戊午	己未	甲申	乙酉	丙戌	丁亥	庚子	辛丑	壬寅	癸卯	戊辰	己巳	甲午	乙未	丙申	丁酉	庚戌	辛亥	壬子	癸丑	戊寅	己卯	甲辰	乙巳	丙午	丁未	庚申	辛酉	壬戌	
대운	男	8	8	8	9	9	9	10	立	1	1	1	1	2	2	2	3	3	3	4	4	4	5	5	5	6	6	6	7	7	7	
	女	2	2	2	1	1	1	1	夏	10	9	9	9	8	8	8	7	7	7	6	6	6	5	5	5	4	4	4	3	3	3	

12月 (1일 三碧 + 8일 九紫 -) **壬午 (九紫)** 절기: 芒種(8일 05:37) 夏至(22일 23:34)

양력		1	2	3	4	5	6	7	8	9	10	11	12	13	14	15	16	17	18	19	20	21	22	23	24	25	26	27	28	29	30	31
요일		火	水	木	金	土	日	月	火	水	木	金	土	日	月	火	水	木	金	土	日	月	火	水	木	金	土	日	月	火	水	木
음력	월	2	3	4	5	6	7	8	9	10	11	12	13	14	15	16	17	18	19	20	21	22	23	24	25	26	27	28	29	30	十二	2
일진		癸亥	戊子	己丑	甲寅	乙卯	丙辰	丁巳	庚午	辛未	壬申	癸酉	戊戌	己亥	甲子	乙丑	丙寅	丁卯	庚辰	辛巳	壬午	癸未	戊申	己酉	甲戌	乙亥	丙子	丁丑	庚寅	辛卯	壬辰	癸巳
대운	男	8	8	8	9	9	9	10	芒	1	1	1	1	2	2	2	3	3	3	4	4	4	5	5	5	6	6	6	7	7	7	8
	女	2	2	2	1	1	1	1	種	9	9	9	8	8	8	7	7	7	6	6	6	5	5	5	4	4	4	3	3	3	2	2

서기1960년

甲午年 (六白金星) 閏六月

1月 (1일 三碧 -) **癸未 (一白)** 절기: 小暑 (6일 16:42) 大暑 (21일 10:10)

양력		1	2	3	4	5	6	7	8	9	10	11	12	13	14	15	16	17	18	19	20	21	22	23	24	25	26	27	28	29	30	31
요일		金	土	日	月	火	水	木	金	土	日	月	火	水	木	金	土	日	月	火	水	木	金	土	日	月	火	水	木	金	土	日
음력	월	3	4	5	6	7	8	9	10	11	12	13	14	15	16	17	18	19	20	21	22	23	24	25	26	27	28	29	一	2	3	4
일진		戊午	己未	甲申	乙酉	丙戌	丁亥	庚子	辛丑	壬寅	癸卯	戊辰	己巳	甲午	乙未	丙申	丁酉	庚戌	辛亥	壬子	癸丑	戊寅	己卯	甲辰	乙巳	丙午	丁未	庚申	辛酉	壬戌	癸亥	戊子
대운	男	8	8	9	9	9	小	1	1	1	1	2	2	2	3	3	3	4	4	4	5	5	5	6	6	6	7	7	7	8	8	8
	女	2	1	1	1	1	暑	10	9	9	9	8	8	8	7	7	7	6	6	6	5	5	5	4	4	4	3	3	3	2	2	2

2月 閏 (1일 八白 -) **戊申 (二黑)** 절기: 立秋 (5일 04:23) 處暑 (19일 00:26)

양력		1	2	3	4	5	6	7	8	9	10	11	12	13	14	15	16	17	18	19	20	21	22	23	24	25	26	27	28	29		
요일		月	火	水	木	金	土	日	月	火	水	木	金	土	日	月	火	水	木	金	土	日	月	火	水	木	金	土	日	月		
음력	월	5	6	7	8	9	10	11	12	13	14	15	16	17	18	19	20	21	22	23	24	25	26	27	28	29	30	二	2	3		
일진		己丑	甲寅	乙卯	丙辰	丁巳	庚午	辛未	壬申	癸酉	戊戌	己亥	甲子	乙丑	丙寅	丁卯	庚辰	辛巳	壬午	癸未	戊申	己酉	甲戌	乙亥	丙子	丁丑	庚寅	辛卯	壬辰	癸巳		
대운	男	9	9	9	10	立	9	9	9	8	8	8	7	7	7	6	6	6	5	5	5	4	4	4	3	3	3	2	2	2		
	女	1	1	1	1	秋	1	1	1	1	2	2	2	3	3	3	4	4	4	5	5	5	6	6	6	7	7	7	8	8		

3月 (1일 六白 -) **己酉 (三碧)** 절기: 白露 (5일 22:36) 秋分 (20일 23:43)

양력		1	2	3	4	5	6	7	8	9	10	11	12	13	14	15	16	17	18	19	20	21	22	23	24	25	26	27	28	29	30	31
요일		火	水	木	金	土	日	月	火	水	木	金	土	日	月	火	水	木	金	土	日	月	火	水	木	金	土	日	月	火	水	木
음력	월	4	5	6	7	8	9	10	11	12	13	14	15	16	17	18	19	20	21	22	23	24	25	26	27	28	29	三	2	3	4	5
일진		戊午	己未	甲申	乙酉	丙戌	丁亥	庚子	辛丑	壬寅	癸卯	戊辰	己巳	甲午	乙未	丙申	丁酉	庚戌	辛亥	壬子	癸丑	戊寅	己卯	甲辰	乙巳	丙午	丁未	庚申	辛酉	壬戌	癸亥	戊子
대운	男	1	1	1	1	白	10	10	9	9	9	8	8	8	7	7	7	6	6	6	5	5	5	4	4	4	3	3	3	2	2	2
	女	8	9	9	9	露	1	1	1	1	2	2	2	3	3	3	4	4	4	5	5	5	6	6	6	7	7	7	8	8	8	9

4月 (1일 二黑 -) **甲戌 (四綠)** 절기: 寒露 (5일 03:44) 霜降 (20일 11:06)

양력		1	2	3	4	5	6	7	8	9	10	11	12	13	14	15	16	17	18	19	20	21	22	23	24	25	26	27	28	29	30	
요일		金	土	日	月	火	水	木	金	土	日	月	火	水	木	金	土	日	月	火	水	木	金	土	日	月	火	水	木	金	土	
음력	월	6	7	8	9	10	11	12	13	14	15	16	17	18	19	20	21	22	23	24	25	26	27	28	29	30	四	2	3	4	5	
일진		己丑	甲寅	乙卯	丙辰	丁巳	庚午	辛未	壬申	癸酉	戊戌	己亥	甲子	乙丑	丙寅	丁卯	庚辰	辛巳	壬午	癸未	戊申	己酉	甲戌	乙亥	丙子	丁丑	庚寅	辛卯	壬辰	癸巳	戊午	
대운	男	1	1	1	1	寒	10	9	9	9	8	8	8	7	7	7	6	6	6	5	5	5	4	4	4	3	3	3	2	2	2	
	女	9	9	10	10	露	1	1	1	1	2	2	2	3	3	3	4	4	4	5	5	5	6	6	6	7	7	7	8	8	8	

5月 (1일 八白 -) **乙亥 (五黃)** 절기: 立冬 (5일 21:23) 小雪 (21일 10:34)

양력		1	2	3	4	5	6	7	8	9	10	11	12	13	14	15	16	17	18	19	20	21	22	23	24	25	26	27	28	29	30	31
요일		日	月	火	水	木	金	土	日	月	火	水	木	金	土	日	月	火	水	木	金	土	日	月	火	水	木	金	土	日	月	火
음력	월	6	7	8	9	10	11	12	13	14	15	16	17	18	19	20	21	22	23	24	25	26	27	28	29	五	2	3	4	5	6	7
일진		己未	甲申	乙酉	丙戌	丁亥	庚子	辛丑	壬寅	癸卯	戊辰	己巳	甲午	乙未	丙申	丁酉	庚戌	辛亥	壬子	癸丑	戊寅	己卯	甲辰	乙巳	丙午	丁未	庚申	辛酉	壬戌	癸亥	戊子	己丑
대운	男	1	1	1	1	立	10	10	10	9	9	9	8	8	8	7	7	7	6	6	6	5	5	5	4	4	4	3	3	3	2	2
	女	9	9	9	10	冬	1	1	1	1	2	2	2	3	3	3	4	4	4	5	5	5	6	6	6	7	7	7	8	8	8	9

6月 (1일 四綠 - 5일 一白 +) **丙子 (六白)** 절기: 大雪 (6일 01:49) 冬至 (21일 18:42)

양력		1	2	3	4	5	6	7	8	9	10	11	12	13	14	15	16	17	18	19	20	21	22	23	24	25	26	27	28	29	30	
요일		水	木	金	土	日	月	火	水	木	金	土	日	月	火	水	木	金	土	日	月	火	水	木	金	土	日	月	火	水	木	
음력	월	8	9	10	11	12	13	14	15	16	17	18	19	20	21	22	23	24	25	26	27	28	29	30	六	2	3	4	5	6	7	
일진		甲寅	乙卯	丙辰	丁巳	庚午	辛未	壬申	癸酉	戊戌	己亥	甲子	乙丑	丙寅	丁卯	庚辰	辛巳	壬午	癸未	戊申	己酉	甲戌	乙亥	丙子	丁丑	庚寅	辛卯	壬辰	癸巳	戊午	己未	
대운	男	2	1	1	1	1	大	10	10	9	9	9	8	8	8	7	7	7	6	6	6	5	5	5	4	4	4	3	3	3	2	
	女	9	9	10	10	10	雪	1	1	1	1	2	2	2	3	3	3	4	4	4	5	5	5	6	6	6	7	7	7	8	8	

7月 (1일 九紫 +) **丁丑 (七赤)** 절기: 小寒(7일 12:13) 大寒(23일 05:37)

양력		1	2	3	4	5	6	7	8	9	10	11	12	13	14	15	16	17	18	19	20	21	22	23	24	25	26	27	28	29	30	31
요일		金	土	日	月	火	水	木	金	土	日	月	火	水	木	金	土	日	月	火	水	木	金	土	日	月	火	水	木	金	土	日
음력	월	8	9	10	11	12	13	14	15	16	17	18	19	20	21	22	23	24	25	26	27	28	29	30	閏六		3	4	5	6	7	8
일진		甲申	乙酉	丙戌	丁亥	庚子	辛丑	壬寅	癸卯	戊辰	己巳	甲午	乙未	丙申	丁酉	庚戌	辛亥	壬子	癸丑	戊寅	己卯	甲辰	乙巳	丙午	丁未	庚申	辛酉	壬戌	癸亥	戊子	己丑	甲寅
대운	男	2	2	1	1	1	1	小	10	10	9	9	9	8	8	8	7	7	7	6	6	6	5	5	5	4	4	4	3	3	3	2
	女	8	9	9	9	10	10	寒	1	1	1	1	2	2	2	3	3	3	4	4	4	5	5	5	6	6	6	7	7	7	8	8

8月 (1일 四綠 +) **庚寅 (八白)** 절기: 立春(7일 22:00) 雨水(23일 12:34)

양력		1	2	3	4	5	6	7	8	9	10	11	12	13	14	15	16	17	18	19	20	21	22	23	24	25	26	27	28	29	30	31
요일		月	火	水	木	金	土	日	月	火	水	木	金	土	日	月	火	水	木	金	土	日	月	火	水	木	金	土	日	月	火	水
음력	월	9	10	11	12	13	14	15	16	17	18	19	20	21	22	23	24	25	26	27	28	29	七	2	3	4	5	6	7	8	9	10
일진		乙卯	丙辰	丁巳	庚午	辛未	壬申	癸酉	戊戌	己亥	甲子	乙丑	丙寅	丁卯	庚辰	辛巳	壬午	癸未	戊申	己酉	甲戌	乙亥	丙子	丁丑	庚寅	辛卯	壬辰	癸巳	戊午	己未	甲申	乙酉
대운	男	2	2	1	1	1	1	立	10	10	10	9	9	9	8	8	8	7	7	7	6	6	6	5	5	5	4	4	4	3	3	3
	女	8	9	9	9	10	10	春	1	1	1	1	2	2	2	3	3	3	4	4	4	5	5	5	6	6	6	7	7	7	8	8

9月 (1일 八白 +) **辛卯 (九紫)** 절기: 驚蟄(8일 00:45) 春分 (23일 09:59)

양력		1	2	3	4	5	6	7	8	9	10	11	12	13	14	15	16	17	18	19	20	21	22	23	24	25	26	27	28	29	30	
요일		木	金	土	日	月	火	水	木	金	土	日	月	火	水	木	金	土	日	月	火	水	木	金	土	日	月	火	水	木	金	
음력	월	11	12	13	14	15	16	17	18	19	20	21	22	23	24	25	26	27	28	29	30	八	2	3	4	5	6	7	8	9	10	
일진		丙戌	丁亥	庚子	辛丑	壬寅	癸卯	戊辰	己巳	甲午	乙未	丙申	丁酉	庚戌	辛亥	壬子	癸丑	戊寅	己卯	甲辰	乙巳	丙午	丁未	庚申	辛酉	壬戌	癸亥	戊子	己丑	甲寅	乙卯	
대운	男	2	2	2	1	1	1	1	驚	10	9	9	9	8	8	8	7	7	7	6	6	6	5	5	5	4	4	4	3	3	3	
	女	8	9	9	9	10	10	10	蟄	1	1	1	1	2	2	2	3	3	3	4	4	4	5	5	5	6	6	6	7	7	7	

10月 (1일 二黑 +) **壬辰 (一白)** 절기: 淸明(8일 16:09) 穀雨(23일 19:02)

양력		1	2	3	4	5	6	7	8	9	10	11	12	13	14	15	16	17	18	19	20	21	22	23	24	25	26	27	28	29	30	31
요일		土	日	月	火	水	木	金	土	日	月	火	水	木	金	土	日	月	火	水	木	金	土	日	月	火	水	木	金	土	日	月
음력	월	11	12	13	14	15	16	17	18	19	20	21	22	23	24	25	26	27	28	29	九	2	3	4	5	6	7	8	9	10	11	12
일진		丙辰	丁巳	庚午	辛未	壬申	癸酉	戊戌	己亥	甲子	乙丑	丙寅	丁卯	庚辰	辛巳	壬午	癸未	戊申	己酉	甲戌	乙亥	丙子	丁丑	庚寅	辛卯	壬辰	癸巳	戊午	己未	甲申	乙酉	丙戌
대운	男	2	2	2	1	1	1	1	淸	10	9	9	9	8	8	8	7	7	7	6	6	6	5	5	5	4	4	4	3	3	3	2
	女	8	8	8	9	9	9	10	明	1	1	1	1	2	2	2	3	3	3	4	4	4	5	5	5	6	6	6	7	7	7	8

11月 (1일 六白 +) **癸巳 (二黑)** 절기: 立夏(7일 19:02) 小滿 (22일 16:18)

양력		1	2	3	4	5	6	7	8	9	10	11	12	13	14	15	16	17	18	19	20	21	22	23	24	25	26	27	28	29	30	
요일		火	水	木	金	土	日	月	火	水	木	金	土	日	月	火	水	木	金	土	日	月	火	水	木	金	土	日	月	火	水	
음력	월	13	14	15	16	17	18	19	20	21	22	23	24	25	26	27	28	29	30	十	2	3	4	5	6	7	8	9	10	11	12	
일진		丁亥	庚子	辛丑	壬寅	癸卯	戊辰	己巳	甲午	乙未	丙申	丁酉	庚戌	辛亥	壬子	癸丑	戊寅	己卯	甲辰	乙巳	丙午	丁未	庚申	辛酉	壬戌	癸亥	戊子	己丑	甲寅	乙卯	丙辰	
대운	男	2	2	1	1	1	1	立	10	9	9	9	8	8	8	7	7	7	6	6	6	5	5	5	4	4	4	3	3	3	2	
	女	8	8	9	9	9	10	夏	1	1	1	1	2	2	2	3	3	3	4	4	4	5	5	5	6	6	6	7	7	7	8	

12月 (1일 九紫 + 2일 九紫 -) **戊午 (三碧)** 절기: 芒種(7일 11:38) 夏至(22일 05:26)

양력		1	2	3	4	5	6	7	8	9	10	11	12	13	14	15	16	17	18	19	20	21	22	23	24	25	26	27	28	29	30	31
요일		木	金	土	日	月	火	水	木	金	土	日	月	火	水	木	金	土	日	月	火	水	木	金	土	日	月	火	水	木	金	土
음력	월	13	14	15	16	17	18	19	20	21	22	23	24	25	26	27	28	29	十一	2	3	4	5	6	7	8	9	10	11	12	13	14
일진		丁巳	庚午	辛未	壬申	癸酉	戊戌	己亥	甲子	乙丑	丙寅	丁卯	庚辰	辛巳	壬午	癸未	戊申	己酉	甲戌	乙亥	丙子	丁丑	庚寅	辛卯	壬辰	癸巳	戊午	己未	甲申	乙酉	丙戌	丁亥
대운	男	2	2	1	1	1	1	芒	9	9	9	8	8	8	7	7	7	6	6	6	5	5	5	4	4	4	3	3	3	2	2	2
	女	8	8	9	9	9	10	種	1	1	1	1	2	2	2	3	3	3	4	4	4	5	5	5	6	6	6	7	7	7	8	8

乙未年 (七赤金星)

1月 (1일 六白 -) **己未 (四綠)** 절기: 小暑 (5일 22:43) 大暑 (20일 16:01)

양력		1	2	3	4	5	6	7	8	9	10	11	12	13	14	15	16	17	18	19	20	21	22	23	24	25	26	27	28	29	30	31
요일		日	月	火	水	木	金	土	日	月	火	水	木	金	土	日	月	火	水	木	金	土	日	月	火	水	木	金	土	日	月	火
음력	월	15	16	17	18	19	20	21	22	23	24	25	26	27	28	29	30	十二	2	3	4	5	6	7	8	9	10	11	12	13	14	15
일진		庚子	辛丑	壬寅	癸卯	戊辰	己巳	甲午	乙未	丙申	丁酉	庚戌	辛亥	壬子	癸丑	戊寅	己卯	甲辰	乙巳	丙午	丁未	庚申	辛酉	壬戌	癸亥	戊子	己丑	甲寅	乙卯	丙辰	丁巳	庚午
대운	男	1	1	1	1	小	10	9	9	9	8	8	8	7	7	7	6	6	6	5	5	5	4	4	4	3	3	3	2	2	2	1
	女	8	9	9	9	暑	1	1	1	1	2	2	2	3	3	3	4	4	4	5	5	5	6	6	6	7	7	7	8	8	8	9

2月 (1일 二黑 -) **甲申 (五黃)** 절기: 立秋 (4일 10:22) 處暑 (19일 06:16)

양력		1	2	3	4	5	6	7	8	9	10	11	12	13	14	15	16	17	18	19	20	21	22	23	24	25	26	27	28			
요일		水	木	金	土	日	月	火	水	木	金	土	日	月	火	水	木	金	土	日	月	火	水	木	金	土	日	月	火			
음력	월	16	17	18	19	20	21	22	23	24	25	26	27	28	29	一	2	3	4	5	6	7	8	9	10	11	12	13	14			
일진		辛未	壬申	癸酉	戊戌	己亥	甲子	乙丑	丙寅	丁卯	庚辰	辛巳	壬午	癸未	戊申	己酉	甲戌	乙亥	丙子	丁丑	庚寅	辛卯	壬辰	癸巳	戊午	己未	甲申	乙酉	丙戌			
대운	男	1	1	1	立	1	1	1	1	2	2	2	3	3	3	4	4	4	5	5	5	6	6	6	7	7	7	8	8			
	女	9	9	10	秋	10	9	9	9	8	8	8	7	7	7	6	6	6	5	5	5	4	4	4	3	3	3	2	2			

3月 (1일 一白 -) **乙酉 (六白)** 절기: 白露 (6일 04:35) 秋分 (21일 05:32)

양력		1	2	3	4	5	6	7	8	9	10	11	12	13	14	15	16	17	18	19	20	21	22	23	24	25	26	27	28	29	30	31
요일		水	木	金	土	日	月	火	水	木	金	土	日	月	火	水	木	金	土	日	月	火	水	木	金	土	日	月	火	水	木	金
음력	월	15	16	17	18	19	20	21	22	23	24	25	26	27	28	29	30	二	2	3	4	5	6	7	8	9	10	11	12	13	14	15
일진		丁亥	庚子	辛丑	壬寅	癸卯	戊辰	己巳	甲午	乙未	丙申	丁酉	庚戌	辛亥	壬子	癸丑	戊寅	己卯	甲辰	乙巳	丙午	丁未	庚申	辛酉	壬戌	癸亥	戊子	己丑	甲寅	乙卯	丙辰	丁巳
대운	男	8	9	9	9	10	白	1	1	1	1	2	2	2	3	3	3	4	4	4	5	5	5	6	6	6	7	7	7	8	8	8
	女	2	1	1	1	1	露	10	9	9	9	8	8	8	7	7	7	6	6	6	5	5	5	4	4	4	3	3	3	2	2	2

4月 (1일 六白 -) **丙戌 (七赤)** 절기: 寒露 (5일 09:42) 霜降 (20일 16:55)

양력		1	2	3	4	5	6	7	8	9	10	11	12	13	14	15	16	17	18	19	20	21	22	23	24	25	26	27	28	29	30	
요일		土	日	月	火	水	木	金	土	日	月	火	水	木	金	土	日	月	火	水	木	金	土	日	月	火	水	木	金	土	日	
음력	월	16	17	18	19	20	21	22	23	24	25	26	27	28	29	三	2	3	4	5	6	7	8	9	10	11	12	13	14	15	16	
일진		庚午	辛未	壬申	癸酉	戊戌	己亥	甲子	乙丑	丙寅	丁卯	庚辰	辛巳	壬午	癸未	戊申	己酉	甲戌	乙亥	丙子	丁丑	庚寅	辛卯	壬辰	癸巳	戊午	己未	甲申	乙酉	丙戌	丁亥	
대운	男	9	9	9	10	寒	1	1	1	1	2	2	2	3	3	3	4	4	4	5	5	5	6	6	6	7	7	7	8	8	8	
	女	1	1	1	1	露	10	10	9	9	9	8	8	8	7	7	7	6	6	6	5	5	5	4	4	4	3	3	3	2	2	

5月 (1일 三碧 - 31일 一白 +) **丁亥 (八白)** 절기: 立冬 (6일 03:21) 小雪 (21일 16:22)

양력		1	2	3	4	5	6	7	8	9	10	11	12	13	14	15	16	17	18	19	20	21	22	23	24	25	26	27	28	29	30	31
요일		月	火	水	木	金	土	日	月	火	水	木	金	土	日	月	火	水	木	金	土	日	月	火	水	木	金	土	日	月	火	水
음력	월	17	18	19	20	21	22	23	24	25	26	27	28	29	30	四	2	3	4	5	6	7	8	9	10	11	12	13	14	15	16	17
일진		庚子	辛丑	壬寅	癸卯	戊辰	己巳	甲午	乙未	丙申	丁酉	庚戌	辛亥	壬子	癸丑	戊寅	己卯	甲辰	乙巳	丙午	丁未	庚申	辛酉	壬戌	癸亥	戊子	己丑	甲寅	乙卯	丙辰	丁巳	庚午
대운	男	9	9	9	10	10	立	1	1	1	1	2	2	2	3	3	3	4	4	4	5	5	5	6	6	6	7	7	7	8	8	8
	女	2	1	1	1	1	冬	10	10	9	9	9	8	8	8	7	7	7	6	6	6	5	5	5	4	4	4	3	3	3	2	2

6月 (1일 二黑 +) **庚子 (九紫)** 절기: 大雪 (6일 07:46) 冬至 (22일 00:30)

양력		1	2	3	4	5	6	7	8	9	10	11	12	13	14	15	16	17	18	19	20	21	22	23	24	25	26	27	28	29	30	
요일		木	金	土	日	月	火	水	木	金	土	日	月	火	水	木	金	土	日	月	火	水	木	金	土	日	月	火	水	木	金	
음력	월	18	19	20	21	22	23	24	25	26	27	28	29	五	2	3	4	5	6	7	8	9	10	11	12	13	14	15	16	17	18	
일진		辛未	壬申	癸酉	戊戌	己亥	甲子	乙丑	丙寅	丁卯	庚辰	辛巳	壬午	癸未	戊申	己酉	甲戌	乙亥	丙子	丁丑	庚寅	辛卯	壬辰	癸巳	戊午	己未	甲申	乙酉	丙戌	丁亥	庚子	
대운	男	9	9	9	10	10	大	1	1	1	1	2	2	2	3	3	3	4	4	4	5	5	5	6	6	6	7	7	7	8	8	
	女	2	1	1	1	1	雪	10	10	9	9	9	8	8	8	7	7	7	6	6	6	5	5	5	4	4	4	3	3	3	2	

7月 (1일 五黃 +) **辛丑 (一白)** 절기: 小寒(7일 18:07) 大寒(23일 11:24)

양력		1	2	3	4	5	6	7	8	9	10	11	12	13	14	15	16	17	18	19	20	21	22	23	24	25	26	27	28	29	30	31
요일		土	日	月	火	水	木	金	土	日	月	火	水	木	金	土	日	月	火	水	木	金	土	日	月	火	水	木	金	土	日	月
음력	월	19	20	21	22	23	24	25	26	27	28	29	30	六	2	3	4	5	6	7	8	9	10	11	12	13	14	15	16	17	18	19
일진		辛丑	壬寅	癸卯	戊辰	己巳	甲午	乙未	丙申	丁酉	庚戌	辛亥	壬子	癸丑	戊寅	己卯	甲辰	乙巳	丙午	丁未	庚申	辛酉	壬戌	癸亥	戊子	己丑	甲寅	乙卯	丙辰	丁巳	庚午	辛未
대운	男	8	9	9	9	10	10	小	1	1	1	1	2	2	2	3	3	3	4	4	4	5	5	5	6	6	6	7	7	7	8	8
	女	2	2	1	1	1	1	寒	10	10	10	9	9	9	8	8	8	7	7	7	6	6	6	5	5	5	4	4	4	3	3	3

8月 (1일 九紫 +) **壬寅 (二黑)** 절기: 立春(8일 03:48) 雨水(23일 18:19)

양력		1	2	3	4	5	6	7	8	9	10	11	12	13	14	15	16	17	18	19	20	21	22	23	24	25	26	27	28	29	30	31
요일		火	水	木	金	土	日	月	火	水	木	金	土	日	月	火	水	木	金	土	日	月	火	水	木	金	土	日	月	火	水	木
음력	월	20	21	22	23	24	25	26	27	28	29	七	2	3	4	5	6	7	8	9	10	11	12	13	14	15	16	17	18	19	20	21
일진		壬申	癸酉	戊戌	己亥	甲子	乙丑	丙寅	丁卯	庚辰	辛巳	壬午	癸未	戊申	己酉	甲戌	乙亥	丙子	丁丑	庚寅	辛卯	壬辰	癸巳	戊午	己未	甲申	乙酉	丙戌	丁亥	庚子	辛丑	壬寅
대운	男	8	9	9	9	10	10	10	立	1	1	1	1	2	2	2	3	3	3	4	4	4	5	5	5	6	6	6	7	7	7	8
	女	2	2	2	1	1	1	1	春	10	10	9	9	9	8	8	8	7	7	7	6	6	6	5	5	5	4	4	4	3	3	3

9月 (1일 四綠 +) **癸卯 (三碧)** 절기: 驚蟄(8일 06:29) 春分 (23일 15:42)

양력		1	2	3	4	5	6	7	8	9	10	11	12	13	14	15	16	17	18	19	20	21	22	23	24	25	26	27	28	29	30	
요일		金	土	日	月	火	水	木	金	土	日	月	火	水	木	金	土	日	月	火	水	木	金	土	日	月	火	水	木	金	土	
음력	월	22	23	24	25	26	27	28	29	30	八	2	3	4	5	6	7	8	9	10	11	12	13	14	15	16	17	18	19	20	21	
일진		癸卯	戊辰	己巳	甲午	乙未	丙申	丁酉	庚戌	辛亥	壬子	癸丑	戊寅	己卯	甲辰	乙巳	丙午	丁未	庚申	辛酉	壬戌	癸亥	戊子	己丑	甲寅	乙卯	丙辰	丁巳	庚午	辛未	壬申	
대운	男	8	8	9	9	9	10	10	驚	1	1	1	1	2	2	2	3	3	3	4	4	4	5	5	5	6	6	6	7	7	7	
	女	2	2	2	1	1	1	1	蟄	10	9	9	9	8	8	8	7	7	7	6	6	6	5	5	5	4	4	4	3	3	3	

10月 (1일 七赤 +) **戊辰 (四綠)** 절기: 清明(8일 21:51) 穀雨(24일 00:47)

양력		1	2	3	4	5	6	7	8	9	10	11	12	13	14	15	16	17	18	19	20	21	22	23	24	25	26	27	28	29	30	31
요일		日	月	火	水	木	金	土	日	月	火	水	木	金	土	日	月	火	水	木	金	土	日	月	火	水	木	金	土	日	月	火
음력	월	22	23	24	25	26	27	28	29	30	九	2	3	4	5	6	7	8	9	10	11	12	13	14	15	16	17	18	19	20	21	22
일진		癸酉	戊戌	己亥	甲子	乙丑	丙寅	丁卯	庚辰	辛巳	壬午	癸未	戊申	己酉	甲戌	乙亥	丙子	丁丑	庚寅	辛卯	壬辰	癸巳	戊午	己未	甲申	乙酉	丙戌	丁亥	庚子	辛丑	壬寅	癸卯
대운	男	8	8	8	9	9	9	10	清	1	1	1	1	2	2	2	3	3	3	4	4	4	5	5	5	6	6	6	7	7	7	8
	女	2	2	2	1	1	1	1	明	10	10	9	9	9	8	8	8	7	7	7	6	6	6	5	5	5	4	4	4	3	3	3

11月 (1일 二黑 + 27일 九紫 -) **己巳 (五黃)** 절기: 立夏(8일 00:46) 小滿 (22일 22:08)

양력		1	2	3	4	5	6	7	8	9	10	11	12	13	14	15	16	17	18	19	20	21	22	23	24	25	26	27	28	29	30	
요일		水	木	金	土	日	月	火	水	木	金	土	日	月	火	水	木	金	土	日	月	火	水	木	金	土	日	月	火	水	木	
음력	월	23	24	25	26	27	28	29	十	2	3	4	5	6	7	8	9	10	11	12	13	14	15	16	17	18	19	20	21	22	23	
일진		戊辰	己巳	甲午	乙未	丙申	丁酉	庚戌	辛亥	壬子	癸丑	戊寅	己卯	甲辰	乙巳	丙午	丁未	庚申	辛酉	壬戌	癸亥	戊子	己丑	甲寅	乙卯	丙辰	丁巳	庚午	辛未	壬申	癸酉	
대운	男	8	8	9	9	9	10	10	立	1	1	1	1	2	2	2	3	3	3	4	4	4	5	5	5	6	6	6	7	7	7	
	女	2	2	2	1	1	1	1	夏	9	9	9	8	8	8	7	7	7	6	6	6	5	5	5	4	4	4	3	3	3	2	

12月 (1일 五黃 -) **甲午 (六白)** 절기: 芒種(7일 17:26) 夏至(22일 11:19)

양력		1	2	3	4	5	6	7	8	9	10	11	12	13	14	15	16	17	18	19	20	21	22	23	24	25	26	27	28	29	30	31
요일		金	土	日	月	火	水	木	金	土	日	月	火	水	木	金	土	日	月	火	水	木	金	土	日	月	火	水	木	金	土	日
음력	월	24	25	26	27	28	29	30	十一	2	3	4	5	6	7	8	9	10	11	12	13	14	15	16	17	18	19	20	21	22	23	24
일진		戊戌	己亥	甲子	乙丑	丙寅	丁卯	庚辰	辛巳	壬午	癸未	戊申	己酉	甲戌	乙亥	丙子	丁丑	庚寅	辛卯	壬辰	癸巳	戊午	己未	甲申	乙酉	丙戌	丁亥	庚子	辛丑	壬寅	癸卯	戊辰
대운	男	8	8	8	9	9	9	芒	1	1	1	1	2	2	2	3	3	3	4	4	4	5	5	5	6	6	6	7	7	7	8	8
	女	2	2	1	1	1	1	種	10	9	9	9	8	8	8	7	7	7	6	6	6	5	5	5	4	4	4	3	3	3	2	2

서기1962년

丙申年 (八白土星)

1月 (1일 一白 -) 乙未 (七赤) 절기: 小暑 (6일 04:35) 大暑 (20일 21:58)

양력		1	2	3	4	5	6	7	8	9	10	11	12	13	14	15	16	17	18	19	20	21	22	23	24	25	26	27	28	29	30	31
요일		月	火	水	木	金	土	日	月	火	水	木	金	土	日	月	火	水	木	金	土	日	月	火	水	木	金	土	日	月	火	水
음력	월	25	26	27	28	29	十二	2	3	4	5	6	7	8	9	10	11	12	13	14	15	16	17	18	19	20	21	22	23	24	25	26
일진		己巳	甲午	乙未	丙申	丁酉	庚戌	辛亥	壬子	癸丑	戊寅	己卯	甲辰	乙巳	丙午	丁未	庚申	辛酉	壬戌	癸亥	戊子	己丑	甲寅	乙卯	丙辰	丁巳	庚午	辛未	壬申	癸酉	戊戌	己亥
대운	男	8	9	9	9	10	小	1	1	1	1	2	2	2	3	3	3	4	4	4	5	5	5	6	6	6	7	7	7	8	8	8
	女	2	1	1	1	1	暑	9	9	9	8	8	8	7	7	7	6	6	6	5	5	5	4	4	4	3	3	3	2	2	2	1

2月 (1일 六白 -) 丙申 (八白) 절기: 立秋 (4일 16:17) 處暑 (19일 12:15)

양력		1	2	3	4	5	6	7	8	9	10	11	12	13	14	15	16	17	18	19	20	21	22	23	24	25	26	27	28			
요일		木	金	土	日	月	火	水	木	金	土	日	月	火	水	木	金	土	日	月	火	水	木	金	土	日	月	火	水			
음력	월	27	28	29	30	一	2	3	4	5	6	7	8	9	10	11	12	13	14	15	16	17	18	19	20	21	22	23	24			
일진		甲子	乙丑	丙寅	丁卯	庚辰	辛巳	壬午	癸未	戊申	己酉	甲戌	乙亥	丙子	丁丑	庚寅	辛卯	壬辰	癸巳	戊午	己未	甲申	乙酉	丙戌	丁亥	庚子	辛丑	壬寅	癸卯			
대운	男	9	9	9	立	10	9	9	9	8	8	8	7	7	7	6	6	6	5	5	5	4	4	4	3	3	3	2	2			
	女	1	1	1	秋	1	1	1	1	2	2	2	3	3	3	4	4	4	5	5	5	6	6	6	7	7	7	8	8			

3月 (1일 五黃 -) 丁酉 (九紫) 절기: 白露 (6일 10:30) 秋分 (21일 11:30)

양력		1	2	3	4	5	6	7	8	9	10	11	12	13	14	15	16	17	18	19	20	21	22	23	24	25	26	27	28	29	30	31
요일		木	金	土	日	月	火	水	木	金	土	日	月	火	水	木	金	土	日	月	火	水	木	金	土	日	月	火	水	木	金	土
음력	월	25	26	27	28	29	二	2	3	4	5	6	7	8	9	10	11	12	13	14	15	16	17	18	19	20	21	22	23	24	25	26
일진		戊辰	己巳	甲午	乙未	丙申	丁酉	庚戌	辛亥	壬子	癸丑	戊寅	己卯	甲辰	乙巳	丙午	丁未	庚申	辛酉	壬戌	癸亥	戊子	己丑	甲寅	乙卯	丙辰	丁巳	庚午	辛未	壬申	癸酉	戊戌
대운	男	2	1	1	1	1	白	10	9	9	9	8	8	8	7	7	7	6	6	6	5	5	5	4	4	4	3	3	3	2	2	2
	女	8	9	9	9	10	露	1	1	1	1	2	2	2	3	3	3	4	4	4	5	5	5	6	6	6	7	7	7	8	8	8

4月 (1일 一白 -) 庚戌 (一白) 절기: 寒露 (5일 15:34) 霜降 (20일 22:51)

양력		1	2	3	4	5	6	7	8	9	10	11	12	13	14	15	16	17	18	19	20	21	22	23	24	25	26	27	28	29	30	
요일		日	月	火	水	木	金	土	日	月	火	水	木	金	土	日	月	火	水	木	金	土	日	月	火	水	木	金	土	日	月	
음력	월	27	28	29	30	三	2	3	4	5	6	7	8	9	10	11	12	13	14	15	16	17	18	19	20	21	22	23	24	25	26	
일진		己亥	甲子	乙丑	丙寅	丁卯	庚辰	辛巳	壬午	癸未	戊申	己酉	甲戌	乙亥	丙子	丁丑	庚寅	辛卯	壬辰	癸巳	戊午	己未	甲申	乙酉	丙戌	丁亥	庚子	辛丑	壬寅	癸卯	戊辰	
대운	男	1	1	1	1	寒	10	10	9	9	9	8	8	8	7	7	7	6	6	6	5	5	5	4	4	4	3	3	3	2	2	
	女	9	9	9	10	露	1	1	1	1	2	2	2	3	3	3	4	4	4	5	5	5	6	6	6	7	7	7	8	8	8	

5月 (1일 七赤 - 26일 一白 +) 辛亥 (二黑) 절기: 立冬 (6일 09:10) 小雪 (21일 22:17)

양력		1	2	3	4	5	6	7	8	9	10	11	12	13	14	15	16	17	18	19	20	21	22	23	24	25	26	27	28	29	30	31
요일		火	水	木	金	土	日	月	火	水	木	金	土	日	月	火	水	木	金	土	日	月	火	水	木	金	土	日	月	火	水	木
음력	월	27	28	29	四	2	3	4	5	6	7	8	9	10	11	12	13	14	15	16	17	18	19	20	21	22	23	24	25	26	27	28
일진		己巳	甲午	乙未	丙申	丁酉	庚戌	辛亥	壬子	癸丑	戊寅	己卯	甲辰	乙巳	丙午	丁未	庚申	辛酉	壬戌	癸亥	戊子	己丑	甲寅	乙卯	丙辰	丁巳	庚午	辛未	壬申	癸酉	戊戌	己亥
대운	男	2	1	1	1	1	立	10	10	9	9	9	8	8	8	7	7	7	6	6	6	5	5	5	4	4	4	3	3	3	2	2
	女	9	9	9	10	10	冬	1	1	1	1	2	2	2	3	3	3	4	4	4	5	5	5	6	6	6	7	7	7	8	8	8

6月 (1일 七赤 +) 壬子 (三碧) 절기: 大雪 (6일 13:31) 冬至 (22일 06:24)

양력		1	2	3	4	5	6	7	8	9	10	11	12	13	14	15	16	17	18	19	20	21	22	23	24	25	26	27	28	29	30	
요일		金	土	日	月	火	水	木	金	土	日	月	火	水	木	金	土	日	月	火	水	木	金	土	日	月	火	水	木	金	土	
음력	월	29	五	2	3	4	5	6	7	8	9	10	11	12	13	14	15	16	17	18	19	20	21	22	23	24	25	26	27	28	29	
일진		甲子	乙丑	丙寅	丁卯	庚辰	辛巳	壬午	癸未	戊申	己酉	甲戌	乙亥	丙子	丁丑	庚寅	辛卯	壬辰	癸巳	戊午	己未	甲申	乙酉	丙戌	丁亥	庚子	辛丑	壬寅	癸卯	戊辰	己巳	
대운	男	2	1	1	1	1	大	10	10	9	9	9	8	8	8	7	7	7	6	6	6	5	5	5	4	4	4	3	3	3	2	
	女	9	9	9	10	10	雪	1	1	1	1	2	2	2	3	3	3	4	4	4	5	5	5	6	6	6	7	7	7	8	8	

7月 (1일 一白 +) **癸丑 (四綠)** 절기: 小寒(7일 23:51) 大寒(23일 17:18)

양력		1	2	3	4	5	6	7	8	9	10	11	12	13	14	15	16	17	18	19	20	21	22	23	24	25	26	27	28	29	30	31
요일		日	月	火	水	木	金	土	日	月	火	水	木	金	土	日	月	火	水	木	金	土	日	月	火	水	木	金	土	日	月	火
음력	월	30	六	2	3	4	5	6	7	8	9	10	11	12	13	14	15	16	17	18	19	20	21	22	23	24	25	26	27	28	29	七
일진		甲午	乙未	丙申	丁酉	庚戌	辛亥	壬子	癸丑	戊寅	己卯	甲辰	乙巳	丙午	丁未	庚申	辛酉	壬戌	癸亥	戊子	己丑	甲寅	乙卯	丙辰	丁巳	庚午	辛未	壬申	癸酉	戊戌	己亥	甲子
대운	男	2	2	1	1	1	1	小	10	10	10	9	9	9	8	8	8	7	7	7	6	6	6	5	5	5	4	4	4	3	3	3
	女	8	9	9	9	10	10	寒	1	1	1	1	2	2	2	3	3	3	4	4	4	5	5	5	6	6	6	7	7	7	8	8

8月 (1일 五黃 +) **戊寅 (五黃)** 절기: 立春(8일 09:34) 雨水(24일 00:12)

양력		1	2	3	4	5	6	7	8	9	10	11	12	13	14	15	16	17	18	19	20	21	22	23	24	25	26	27	28	29	30	31
요일		水	木	金	土	日	月	火	水	木	金	土	日	月	火	水	木	金	土	日	月	火	水	木	金	土	日	月	火	水	木	金
음력	월	2	3	4	5	6	7	8	9	10	11	12	13	14	15	16	17	18	19	20	21	22	23	24	25	26	27	28	29	30	八	2
일진		乙丑	丙寅	丁卯	庚辰	辛巳	壬午	癸未	戊申	己酉	甲戌	乙亥	丙子	丁丑	庚寅	辛卯	壬辰	癸巳	戊午	己未	甲申	乙酉	丙戌	丁亥	庚子	辛丑	壬寅	癸卯	戊辰	己巳	甲午	乙未
대운	男	2	2	2	1	1	1	1	立	10	10	9	9	9	8	8	8	7	7	7	6	6	6	5	5	5	4	4	4	3	3	3
	女	8	9	9	9	10	10	10	春	1	1	1	1	2	2	2	3	3	3	4	4	4	5	5	5	6	6	6	7	7	7	8

9月 (1일 九紫 +) **己卯 (六白)** 절기: 驚蟄(8일 12:15) 春分 (23일 21:35)

양력		1	2	3	4	5	6	7	8	9	10	11	12	13	14	15	16	17	18	19	20	21	22	23	24	25	26	27	28	29	30	
요일		土	日	月	火	水	木	金	土	日	月	火	水	木	金	土	日	月	火	水	木	金	土	日	月	火	水	木	金	土	日	
음력	월	3	4	5	6	7	8	9	10	11	12	13	14	15	16	17	18	19	20	21	22	23	24	25	26	27	28	29	30	九	2	
일진		丙申	丁酉	庚戌	辛亥	壬子	癸丑	戊寅	己卯	甲辰	乙巳	丙午	丁未	庚申	辛酉	壬戌	癸亥	戊子	己丑	甲寅	乙卯	丙辰	丁巳	庚午	辛未	壬申	癸酉	戊戌	己亥	甲子	乙丑	
대운	男	2	2	2	1	1	1	1	驚	10	10	9	9	9	8	8	8	7	7	7	6	6	6	5	5	5	4	4	4	3	3	
	女	8	8	9	9	9	10	10	蟄	1	1	1	1	2	2	2	3	3	3	4	4	4	5	5	5	6	6	6	7	7	7	

10月 (1일 三碧 +) **甲辰 (七赤)** 절기: 清明(9일 03:38) 穀雨(24일 06:40)

양력		1	2	3	4	5	6	7	8	9	10	11	12	13	14	15	16	17	18	19	20	21	22	23	24	25	26	27	28	29	30	31
요일		月	火	水	木	金	土	日	月	火	水	木	金	土	日	月	火	水	木	金	土	日	月	火	水	木	金	土	日	月	火	水
음력	월	3	4	5	6	7	8	9	10	11	12	13	14	15	16	17	18	19	20	21	22	23	24	25	26	27	28	29	十	2	3	4
일진		丙寅	丁卯	庚辰	辛巳	壬午	癸未	戊申	己酉	甲戌	乙亥	丙子	丁丑	庚寅	辛卯	壬辰	癸巳	戊午	己未	甲申	乙酉	丙戌	丁亥	庚子	辛丑	壬寅	癸卯	戊辰	己巳	甲午	乙未	丙申
대운	男	3	2	2	2	1	1	1	1	清	10	9	9	9	8	8	8	7	7	7	6	6	6	5	5	5	4	4	4	3	3	3
	女	8	8	8	9	9	9	10	10	明	1	1	1	1	2	2	2	3	3	3	4	4	4	5	5	5	6	6	6	7	7	7

11月 (1일 七赤 +) **乙巳 (八白)** 절기: 立夏(8일 06:35) 小滿 (23일 04:02)

양력		1	2	3	4	5	6	7	8	9	10	11	12	13	14	15	16	17	18	19	20	21	22	23	24	25	26	27	28	29	30	
요일		木	金	土	日	月	火	水	木	金	土	日	月	火	水	木	金	土	日	月	火	水	木	金	土	日	月	火	水	木	金	
음력	월	5	6	7	8	9	10	11	12	13	14	15	16	17	18	19	20	21	22	23	24	25	26	27	28	29	30	十一	2	3	4	
일진		丁酉	庚戌	辛亥	壬子	癸丑	戊寅	己卯	甲辰	乙巳	丙午	丁未	庚申	辛酉	壬戌	癸亥	戊子	己丑	甲寅	乙卯	丙辰	丁巳	庚午	辛未	壬申	癸酉	戊戌	己亥	甲子	乙丑	丙寅	
대운	男	2	2	2	1	1	1	1	立	9	9	9	8	8	8	7	7	7	6	6	6	5	5	5	4	4	4	3	3	3	2	
	女	8	8	8	9	9	9	10	夏	1	1	1	1	2	2	2	3	3	3	4	4	4	5	5	5	6	6	6	7	7	7	

12月 (1일 一白 + 25일 九紫 -) **丙午 (九紫)** 절기: 芒種(7일 23:17) 夏至(22일 17:15)

양력		1	2	3	4	5	6	7	8	9	10	11	12	13	14	15	16	17	18	19	20	21	22	23	24	25	26	27	28	29	30	31
요일		土	日	月	火	水	木	金	土	日	月	火	水	木	金	土	日	月	火	水	木	金	土	日	月	火	水	木	金	土	日	月
음력	월	5	6	7	8	9	10	11	12	13	14	15	16	17	18	19	20	21	22	23	24	25	26	27	28	29	30	十二	2	3	4	5
일진		丁卯	庚辰	辛巳	壬午	癸未	戊申	己酉	甲戌	乙亥	丙子	丁丑	庚寅	辛卯	壬辰	癸巳	戊午	己未	甲申	乙酉	丙戌	丁亥	庚子	辛丑	壬寅	癸卯	戊辰	己巳	甲午	乙未	丙申	丁酉
대운	男	2	2	1	1	1	1	芒	10	9	9	9	8	8	8	7	7	7	6	6	6	5	5	5	4	4	4	3	3	3	2	2
	女	8	8	8	9	9	9	種	1	1	1	1	2	2	2	3	3	3	4	4	4	5	5	5	6	6	6	7	7	7	8	8

서기1963년

丁酉年 (九紫火星) 閏四月

1月 (1일 二黑 -) **丁未 (一白)** 절기: 小暑 (6일 10:26) 大暑 (21일 03:54)

양력		1	2	3	4	5	6	7	8	9	10	11	12	13	14	15	16	17	18	19	20	21	22	23	24	25	26	27	28	29	30	31
요일		火	水	木	金	土	日	月	火	水	木	金	土	日	月	火	水	木	金	土	日	月	火	水	木	金	土	日	月	火	水	木
음력	월	6	7	8	9	10	11	12	13	14	15	16	17	18	19	20	21	22	23	24	25	26	27	28	29	一	2	3	4	5	6	7
일진		庚戌	辛亥	壬子	癸丑	戊寅	己卯	甲辰	乙巳	丙午	丁未	庚申	辛酉	壬戌	癸亥	戊子	己丑	甲寅	乙卯	丙辰	丁巳	庚午	辛未	壬申	癸酉	戊戌	己亥	甲子	乙丑	丙寅	丁卯	庚辰
대운	男	2	1	1	1	1	小	9	9	9	8	8	8	7	7	7	6	6	6	5	5	5	4	4	4	3	3	3	2	2	2	1
	女	8	9	9	9	10	暑	1	1	1	1	2	2	2	3	3	3	4	4	4	5	5	5	6	6	6	7	7	7	8	8	8

2月 (1일 七赤 -) **庚申 (二黑)** 절기: 立秋 (4일 22:08) 處暑 (19일 18:09)

양력		1	2	3	4	5	6	7	8	9	10	11	12	13	14	15	16	17	18	19	20	21	22	23	24	25	26	27	28			
요일		金	土	日	月	火	水	木	金	土	日	月	火	水	木	金	土	日	月	火	水	木	金	土	日	月	火	水	木			
음력	월	8	9	10	11	12	13	14	15	16	17	18	19	20	21	22	23	24	25	26	27	28	29	30	二	2	3	4	5			
일진		辛巳	壬午	癸未	戊申	己酉	甲戌	乙亥	丙子	丁丑	庚寅	辛卯	壬辰	癸巳	戊午	己未	甲申	乙酉	丙戌	丁亥	庚子	辛丑	壬寅	癸卯	戊辰	己巳	甲午	乙未	丙申			
대운	男	1	1	1	立	1	1	1	1	2	2	2	3	3	3	4	4	4	5	5	5	6	6	6	7	7	7	8	8			
	女	9	9	9	秋	10	9	9	9	8	8	8	7	7	7	6	6	6	5	5	5	4	4	4	3	3	3	2	2			

3月 (1일 六白 -) **辛酉 (三碧)** 절기: 白露 (6일 16:17) 秋分 (21일 17:20)

양력		1	2	3	4	5	6	7	8	9	10	11	12	13	14	15	16	17	18	19	20	21	22	23	24	25	26	27	28	29	30	31
요일		金	土	日	月	火	水	木	金	土	日	月	火	水	木	金	土	日	月	火	水	木	金	土	日	月	火	水	木	金	土	日
음력	월	6	7	8	9	10	11	12	13	14	15	16	17	18	19	20	21	22	23	24	25	26	27	28	29	三	2	3	4	5	6	7
일진		丁酉	庚戌	辛亥	壬子	癸丑	戊寅	己卯	甲辰	乙巳	丙午	丁未	庚申	辛酉	壬戌	癸亥	戊子	己丑	甲寅	乙卯	丙辰	丁巳	庚午	辛未	壬申	癸酉	戊戌	己亥	甲子	乙丑	丙寅	丁卯
대운	男	8	9	9	9	10	白	1	1	1	1	2	2	2	3	3	3	4	4	4	5	5	5	6	6	6	7	7	7	8	8	8
	女	2	1	1	1	1	露	10	9	9	9	8	8	8	7	7	7	6	6	6	5	5	5	4	4	4	3	3	3	2	2	2

4月 (1일 二黑 -) **壬戌 (四綠)** 절기: 寒露 (5일 21:19) 霜降 (21일 04:36)

양력		1	2	3	4	5	6	7	8	9	10	11	12	13	14	15	16	17	18	19	20	21	22	23	24	25	26	27	28	29	30	
요일		月	火	水	木	金	土	日	月	火	水	木	金	土	日	月	火	水	木	金	土	日	月	火	水	木	金	土	日	月	火	
음력	월	8	9	10	11	12	13	14	15	16	17	18	19	20	21	22	23	24	25	26	27	28	29	30	四	2	3	4	5	6	7	
일진		庚辰	辛巳	壬午	癸未	戊申	己酉	甲戌	乙亥	丙子	丁丑	庚寅	辛卯	壬辰	癸巳	戊午	己未	甲申	乙酉	丙戌	丁亥	庚子	辛丑	壬寅	癸卯	戊辰	己巳	甲午	乙未	丙申	丁酉	
대운	男	9	9	9	10	寒	1	1	1	1	2	2	2	3	3	3	4	4	4	5	5	5	6	6	6	7	7	7	8	8	8	
	女	1	1	1	1	露	10	10	9	9	9	8	8	8	7	7	7	6	6	6	5	5	5	4	4	4	3	3	3	2	2	

5月 (1일 八白 -) **癸亥 (五黃)** 절기: 立冬 (6일 14:52) 小雪 (22일 03:58)

양력		1	2	3	4	5	6	7	8	9	10	11	12	13	14	15	16	17	18	19	20	21	22	23	24	25	26	27	28	29	30	31
요일		水	木	金	土	日	月	火	水	木	金	土	日	月	火	水	木	金	土	日	月	火	水	木	金	土	日	月	火	水	木	金
음력	월	8	9	10	11	12	13	14	15	16	17	18	19	20	21	22	23	24	25	26	27	28	29	閏四		3	4	5	6	7	8	9
일진		庚戌	辛亥	壬子	癸丑	戊寅	己卯	甲辰	乙巳	丙午	丁未	庚申	辛酉	壬戌	癸亥	戊子	己丑	甲寅	乙卯	丙辰	丁巳	庚午	辛未	壬申	癸酉	戊戌	己亥	甲子	乙丑	丙寅	丁卯	庚辰
대운	男	9	9	9	10	10	立	1	1	1	1	2	2	2	3	3	3	4	4	4	5	5	5	6	6	6	7	7	7	8	8	8
	女	2	1	1	1	1	冬	10	10	9	9	9	8	8	8	7	7	7	6	6	6	5	5	5	4	4	4	3	3	3	2	2

6月 (1일 四綠 -) **戊子 (六白)** 절기: 大雪 (6일 19:14) 冬至 (22일 12:04)

양력		1	2	3	4	5	6	7	8	9	10	11	12	13	14	15	16	17	18	19	20	21	22	23	24	25	26	27	28	29	30	
요일		土	日	月	火	水	木	金	土	日	月	火	水	木	金	土	日	月	火	水	木	金	土	日	月	火	水	木	金	土	日	
음력	월	10	11	12	13	14	15	16	17	18	19	20	21	22	23	24	25	26	27	28	29	五	2	3	4	5	6	7	8	9	10	
일진		辛巳	壬午	癸未	戊申	己酉	甲戌	乙亥	丙子	丁丑	庚寅	辛卯	壬辰	癸巳	戊午	己未	甲申	乙酉	丙戌	丁亥	庚子	辛丑	壬寅	癸卯	戊辰	己巳	甲午	乙未	丙申	丁酉	庚戌	
대운	男	9	9	9	10	10	大	1	1	1	1	2	2	2	3	3	3	4	4	4	5	5	5	6	6	6	7	7	7	8	8	
	女	2	1	1	1	1	雪	10	10	10	9	9	9	8	8	8	7	7	7	6	6	6	5	5	5	4	4	4	3	3	3	

7月 (1일 一白 - 20일 一白 +) **己丑 (七赤)** 절기: 小寒(8일 05:38) 大寒(23일 22:59)

양력		1	2	3	4	5	6	7	8	9	10	11	12	13	14	15	16	17	18	19	20	21	22	23	24	25	26	27	28	29	30	31
요일		月	火	水	木	金	土	日	月	火	水	木	金	土	日	月	火	水	木	金	土	日	月	火	水	木	金	土	日	月	火	水
음력	월	11	12	13	14	15	16	17	18	19	20	21	22	23	24	25	26	27	28	29	30	六	2	3	4	5	6	7	8	9	10	11
일진		辛亥	壬子	癸丑	戊寅	己卯	甲辰	乙巳	丙午	丁未	庚申	辛酉	壬戌	癸亥	戊子	己丑	甲寅	乙卯	丙辰	丁巳	庚午	辛未	壬申	癸酉	戊戌	己亥	甲子	乙丑	丙寅	丁卯	庚辰	辛巳
대운	男	8	9	9	9	10	10	10	小	1	1	1	1	2	2	2	3	3	3	4	4	4	5	5	5	6	6	6	7	7	7	8
	女	2	2	2	1	1	1	1	寒	10	10	9	9	9	8	8	8	7	7	7	6	6	6	5	5	5	4	4	4	3	3	3

8月 (1일 四綠 +) **甲寅 (八白)** 절기: 立春(8일 15:25) 雨水(24일 05:58)

양력		1	2	3	4	5	6	7	8	9	10	11	12	13	14	15	16	17	18	19	20	21	22	23	24	25	26	27	28	29	30	31
요일		木	金	土	日	月	火	水	木	金	土	日	月	火	水	木	金	土	日	月	火	水	木	金	土	日	月	火	水	木	金	土
음력	월	12	13	14	15	16	17	18	19	20	21	22	23	24	25	26	27	28	29	七	2	3	4	5	6	7	8	9	10	11	12	13
일진		壬午	癸未	戊申	己酉	甲戌	乙亥	丙子	丁丑	庚寅	辛卯	壬辰	癸巳	戊午	己未	甲申	乙酉	丙戌	丁亥	庚子	辛丑	壬寅	癸卯	戊辰	己巳	甲午	乙未	丙申	丁酉	庚戌	辛亥	壬子
대운	男	8	8	9	9	9	10	10	立	1	1	1	1	2	2	2	3	3	3	4	4	4	5	5	5	6	6	6	7	7	7	8
	女	2	2	2	1	1	1	1	春	10	10	9	9	9	8	8	8	7	7	7	6	6	6	5	5	5	4	4	4	3	3	3

9月 (1일 八白 +) **乙卯 (九紫)** 절기: 驚蟄(8일 18:12) 春分 (24일 03:24)

양력		1	2	3	4	5	6	7	8	9	10	11	12	13	14	15	16	17	18	19	20	21	22	23	24	25	26	27	28	29	30	
요일		日	月	火	水	木	金	土	日	月	火	水	木	金	土	日	月	火	水	木	金	土	日	月	火	水	木	金	土	日	月	
음력	월	14	15	16	17	18	19	20	21	22	23	24	25	26	27	28	29	30	八	2	3	4	5	6	7	8	9	10	11	12	13	
일진		癸丑	戊寅	己卯	甲辰	乙巳	丙午	丁未	庚申	辛酉	壬戌	癸亥	戊子	己丑	甲寅	乙卯	丙辰	丁巳	庚午	辛未	壬申	癸酉	戊戌	己亥	甲子	乙丑	丙寅	丁卯	庚辰	辛巳	壬午	
대운	男	8	8	9	9	9	10	10	驚	1	1	1	1	2	2	2	3	3	3	4	4	4	5	5	5	6	6	6	7	7	7	
	女	2	2	2	1	1	1	1	蟄	10	10	9	9	9	8	8	8	7	7	7	6	6	6	5	5	5	4	4	4	3	3	

10月 (1일 二黑 +) **丙辰 (一白)** 절기: 清明(9일 09:36) 穀雨(24일 12:29)

양력		1	2	3	4	5	6	7	8	9	10	11	12	13	14	15	16	17	18	19	20	21	22	23	24	25	26	27	28	29	30	31
요일		火	水	木	金	土	日	月	火	水	木	金	土	日	月	火	水	木	金	土	日	月	火	水	木	金	土	日	月	火	水	木
음력	월	14	15	16	17	18	19	20	21	22	23	24	25	26	27	28	29	九	2	3	4	5	6	7	8	9	10	11	12	13	14	15
일진		癸未	戊申	己酉	甲戌	乙亥	丙子	丁丑	庚寅	辛卯	壬辰	癸巳	戊午	己未	甲申	乙酉	丙戌	丁亥	庚子	辛丑	壬寅	癸卯	戊辰	己巳	甲午	乙未	丙申	丁酉	庚戌	辛亥	壬子	癸丑
대운	男	8	8	8	9	9	9	10	10	清	1	1	1	1	2	2	2	3	3	3	4	4	4	5	5	5	6	6	6	7	7	7
	女	3	2	2	2	1	1	1	1	明	10	9	9	9	8	8	8	7	7	7	6	6	6	5	5	5	4	4	4	3	3	3

11月 (1일 六白 +) **丁巳 (二黑)** 절기: 立夏(8일 12:32) 小滿 (23일 09:49)

양력		1	2	3	4	5	6	7	8	9	10	11	12	13	14	15	16	17	18	19	20	21	22	23	24	25	26	27	28	29	30	
요일		金	土	日	月	火	水	木	金	土	日	月	火	水	木	金	土	日	月	火	水	木	金	土	日	月	火	水	木	金	土	
음력	월	16	17	18	19	20	21	22	23	24	25	26	27	28	29	30	十	2	3	4	5	6	7	8	9	10	11	12	13	14	15	
일진		戊寅	己卯	甲辰	乙巳	丙午	丁未	庚申	辛酉	壬戌	癸亥	戊子	己丑	甲寅	乙卯	丙辰	丁巳	庚午	辛未	壬申	癸酉	戊戌	己亥	甲子	乙丑	丙寅	丁卯	庚辰	辛巳	壬午	癸未	
대운	男	8	8	8	9	9	9	10	立	1	1	1	1	2	2	2	3	3	3	4	4	4	5	5	5	6	6	6	7	7	7	
	女	2	2	2	1	1	1	1	夏	10	9	9	9	8	8	8	7	7	7	6	6	6	5	5	5	4	4	4	3	3	3	

12月 (1일 九紫 +) **庚午 (三碧)** 절기: 芒種(8일 05:13) 夏至(22일 23:02)

양력		1	2	3	4	5	6	7	8	9	10	11	12	13	14	15	16	17	18	19	20	21	22	23	24	25	26	27	28	29	30	31
요일		日	月	火	水	木	金	土	日	月	火	水	木	金	土	日	月	火	水	木	金	土	日	月	火	水	木	金	土	日	月	火
음력	월	16	17	18	19	20	21	22	23	24	25	26	27	28	29	30	十一	2	3	4	5	6	7	8	9	10	11	12	13	14	15	16
일진		戊申	己酉	甲戌	乙亥	丙子	丁丑	庚寅	辛卯	壬辰	癸巳	戊午	己未	甲申	乙酉	丙戌	丁亥	庚子	辛丑	壬寅	癸卯	戊辰	己巳	甲午	乙未	丙申	丁酉	庚戌	辛亥	壬子	癸丑	戊寅
대운	男	8	8	8	9	9	9	10	芒	1	1	1	1	2	2	2	3	3	3	4	4	4	5	5	5	6	6	6	7	7	7	8
	女	2	2	2	1	1	1	1	種	9	9	9	8	8	8	7	7	7	6	6	6	5	5	5	4	4	4	3	3	3	2	2

서기1964년

庚戌年 (一白水星)

1月 (1일 四綠 + 16일 九紫 -) **辛未 (四綠)** 절기: 小暑 (6일 16:22) 大暑 (21일 09:41)

양력		1	2	3	4	5	6	7	8	9	10	11	12	13	14	15	16	17	18	19	20	21	22	23	24	25	26	27	28	29	30	31
요일		水	木	金	土	日	月	火	水	木	金	土	日	月	火	水	木	金	土	日	月	火	水	木	金	土	日	月	火	水	木	金
음력	월	17	18	19	20	21	22	23	24	25	26	27	28	29	30	十二	2	3	4	5	6	7	8	9	10	11	12	13	14	15	16	17
일진		己卯	甲辰	乙巳	丙午	丁未	庚申	辛酉	壬戌	癸亥	戊子	己丑	甲寅	乙卯	丙辰	丁巳	庚午	辛未	壬申	癸酉	戊戌	己亥	甲子	乙丑	丙寅	丁卯	庚辰	辛巳	壬午	癸未	戊申	己酉
대운	男	8	8	9	9	9	小	1	1	1	1	2	2	2	3	3	3	4	4	4	5	5	5	6	6	6	7	7	7	8	8	8
	女	2	1	1	1	1	暑	10	9	9	9	8	8	8	7	7	7	6	6	6	5	5	5	4	4	4	3	3	3	2	2	2

2月 閏 (1일 二黑 -) **壬申 (五黃)** 절기: 立秋 (5일 04:05) 處暑 (19일 23:57)

양력		1	2	3	4	5	6	7	8	9	10	11	12	13	14	15	16	17	18	19	20	21	22	23	24	25	26	27	28	29		
요일		土	日	月	火	水	木	金	土	日	月	火	水	木	金	土	日	月	火	水	木	金	土	日	月	火	水	木	金	土		
음력	월	18	19	20	21	22	23	24	25	26	27	28	29	一	2	3	4	5	6	7	8	9	10	11	12	13	14	15	16	17		
일진		甲戌	乙亥	丙子	丁丑	庚寅	辛卯	壬辰	癸巳	戊午	己未	甲申	乙酉	丙戌	丁亥	庚子	辛丑	壬寅	癸卯	戊辰	己巳	甲午	乙未	丙申	丁酉	庚戌	辛亥	壬子	癸丑	戊寅		
대운	男	9	9	9	10	立	9	9	9	8	8	8	7	7	7	6	6	6	5	5	5	4	4	4	3	3	3	2	2	2		
	女	1	1	1	1	秋	1	1	1	1	2	2	2	3	3	3	4	4	4	5	5	5	6	6	6	7	7	7	8	8		

3月 (1일 九紫 -) **癸酉 (六白)** 절기: 白露 (5일 22:16) 秋分 (20일 23:10)

양력		1	2	3	4	5	6	7	8	9	10	11	12	13	14	15	16	17	18	19	20	21	22	23	24	25	26	27	28	29	30	31
요일		日	月	火	水	木	金	土	日	月	火	水	木	金	土	日	月	火	水	木	金	土	日	月	火	水	木	金	土	日	月	火
음력	월	18	19	20	21	22	23	24	25	26	27	28	29	30	二	2	3	4	5	6	7	8	9	10	11	12	13	14	15	16	17	18
일진		己卯	甲辰	乙巳	丙午	丁未	庚申	辛酉	壬戌	癸亥	戊子	己丑	甲寅	乙卯	丙辰	丁巳	庚午	辛未	壬申	癸酉	戊戌	己亥	甲子	乙丑	丙寅	丁卯	庚辰	辛巳	壬午	癸未	戊申	己酉
대운	男	1	1	1	1	白	10	10	9	9	9	8	8	8	7	7	7	6	6	6	5	5	5	4	4	4	3	3	3	2	2	2
	女	8	9	9	9	露	1	1	1	1	2	2	2	3	3	3	4	4	4	5	5	5	6	6	6	7	7	7	8	8	8	9

4月 (1일 五黃 -) **戊戌 (七赤)** 절기: 寒露 (5일 03:18) 霜降 (20일 10:27)

양력		1	2	3	4	5	6	7	8	9	10	11	12	13	14	15	16	17	18	19	20	21	22	23	24	25	26	27	28	29	30	
요일		水	木	金	土	日	月	火	水	木	金	土	日	月	火	水	木	金	土	日	月	火	水	木	金	土	日	月	火	水	木	
음력	월	19	20	21	22	23	24	25	26	27	28	29	三	2	3	4	5	6	7	8	9	10	11	12	13	14	15	16	17	18	19	
일진		甲戌	乙亥	丙子	丁丑	庚寅	辛卯	壬辰	癸巳	戊午	己未	甲申	乙酉	丙戌	丁亥	庚子	辛丑	壬寅	癸卯	戊辰	己巳	甲午	乙未	丙申	丁酉	庚戌	辛亥	壬子	癸丑	戊寅	己卯	
대운	男	1	1	1	1	寒	10	9	9	9	8	8	8	7	7	7	6	6	6	5	5	5	4	4	4	3	3	3	2	2	2	
	女	9	9	10	10	露	1	1	1	1	2	2	2	3	3	3	4	4	4	5	5	5	6	6	6	7	7	7	8	8	8	

5月 (1일 二黑 -) **己亥 (八白)** 절기: 立冬 (5일 20:51) 小雪 (21일 09:50)

양력		1	2	3	4	5	6	7	8	9	10	11	12	13	14	15	16	17	18	19	20	21	22	23	24	25	26	27	28	29	30	31
요일		金	土	日	月	火	水	木	金	土	日	月	火	水	木	金	土	日	月	火	水	木	金	土	日	月	火	水	木	金	土	日
음력	월	20	21	22	23	24	25	26	27	28	29	30	四	2	3	4	5	6	7	8	9	10	11	12	13	14	15	16	17	18	19	20
일진		甲辰	乙巳	丙午	丁未	庚申	辛酉	壬戌	癸亥	戊子	己丑	甲寅	乙卯	丙辰	丁巳	庚午	辛未	壬申	癸酉	戊戌	己亥	甲子	乙丑	丙寅	丁卯	庚辰	辛巳	壬午	癸未	戊申	己酉	甲戌
대운	男	1	1	1	1	立	10	10	10	9	9	9	8	8	8	7	7	7	6	6	6	5	5	5	4	4	4	3	3	3	2	2
	女	9	9	9	10	冬	1	1	1	1	2	2	2	3	3	3	4	4	4	5	5	5	6	6	6	7	7	7	8	8	8	9

6月 (1일 七赤 -) **甲子 (九紫)** 절기: 大雪 (6일 01:12) 冬至 (21일 17:57)

양력		1	2	3	4	5	6	7	8	9	10	11	12	13	14	15	16	17	18	19	20	21	22	23	24	25	26	27	28	29	30	
요일		月	火	水	木	金	土	日	月	火	水	木	金	土	日	月	火	水	木	金	土	日	月	火	水	木	金	土	日	月	火	
음력	월	21	22	23	24	25	26	27	28	29	五	2	3	4	5	6	7	8	9	10	11	12	13	14	15	16	17	18	19	20	21	
일진		乙亥	丙子	丁丑	庚寅	辛卯	壬辰	癸巳	戊午	己未	甲申	乙酉	丙戌	丁亥	庚子	辛丑	壬寅	癸卯	戊辰	己巳	甲午	乙未	丙申	丁酉	庚戌	辛亥	壬子	癸丑	戊寅	己卯	甲辰	
대운	男	2	1	1	1	1	大	10	10	9	9	9	8	8	8	7	7	7	6	6	6	5	5	5	4	4	4	3	3	3	2	
	女	9	9	10	10	10	雪	1	1	1	1	2	2	2	3	3	3	4	4	4	5	5	5	6	6	6	7	7	7	8	8	

7月 (1일 四綠 - 14일 一白 +) 乙丑 (一白) 절기: 小寒(7일 11:32) 大寒(23일 04:53)

구분		1	2	3	4	5	6	7	8	9	10	11	12	13	14	15	16	17	18	19	20	21	22	23	24	25	26	27	28	29	30	31
요일		水	木	金	土	日	月	火	水	木	金	土	日	月	火	水	木	金	土	日	月	火	水	木	金	土	日	月	火	水	木	金
음력	월	22	23	24	25	26	27	28	29	六	2	3	4	5	6	7	8	9	10	11	12	13	14	15	16	17	18	19	20	21	22	23
일진		乙巳	丙午	丁未	庚申	辛酉	壬戌	癸亥	戊子	己丑	甲寅	乙卯	丙辰	丁巳	庚午	辛未	壬申	癸酉	戊戌	己亥	甲子	乙丑	丙寅	丁卯	庚辰	辛巳	壬午	癸未	戊申	己酉	甲戌	乙亥
대운	男	2	2	1	1	1	1	小	10	10	9	9	9	8	8	8	7	7	7	6	6	6	5	5	5	4	4	4	3	3	3	2
	女	8	9	9	9	10	10	寒	1	1	1	1	2	2	2	3	3	3	4	4	4	5	5	5	6	6	6	7	7	7	8	8

8月 (1일 一白 +) 丙寅 (二黑) 절기: 立春(7일 21:16) 雨水(23일 11:51)

양력		1	2	3	4	5	6	7	8	9	10	11	12	13	14	15	16	17	18	19	20	21	22	23	24	25	26	27	28	29	30	31
요일		土	日	月	火	水	木	金	土	日	月	火	水	木	金	土	日	月	火	水	木	金	土	日	月	火	水	木	金	土	日	月
음력	월	24	25	26	27	28	29	30	七	2	3	4	5	6	7	8	9	10	11	12	13	14	15	16	17	18	19	20	21	22	23	24
일진		丙子	丁丑	庚寅	辛卯	壬辰	癸巳	戊午	己未	甲申	乙酉	丙戌	丁亥	庚子	辛丑	壬寅	癸卯	戊辰	己巳	甲午	乙未	丙申	丁酉	庚戌	辛亥	壬子	癸丑	戊寅	己卯	甲辰	乙巳	丙午
대운	男	2	2	1	1	1	1	立	10	10	9	9	9	8	8	8	7	7	7	6	6	6	5	5	5	4	4	4	3	3	3	2
	女	8	9	9	9	10	10	春	1	1	1	1	2	2	2	3	3	3	4	4	4	5	5	5	6	6	6	7	7	7	8	8

9月 (1일 五黃 +) 丁卯 (三碧) 절기: 驚蟄(7일 23:59) 春分 (23일 09:17)

양력		1	2	3	4	5	6	7	8	9	10	11	12	13	14	15	16	17	18	19	20	21	22	23	24	25	26	27	28	29	30	
요일		火	水	木	金	土	日	月	火	水	木	金	土	日	月	火	水	木	金	土	日	月	火	水	木	金	土	日	月	火	水	
음력	월	25	26	27	28	29	八	2	3	4	5	6	7	8	9	10	11	12	13	14	15	16	17	18	19	20	21	22	23	24	25	
일진		丁未	庚申	辛酉	壬戌	癸亥	戊子	己丑	甲寅	乙卯	丙辰	丁巳	庚午	辛未	壬申	癸酉	戊戌	己亥	甲子	乙丑	丙寅	丁卯	庚辰	辛巳	壬午	癸未	戊申	己酉	甲戌	乙亥	丙子	
대운	男	2	2	1	1	1	1	驚	10	10	9	9	9	8	8	8	7	7	7	6	6	6	5	5	5	4	4	4	3	3	3	
	女	8	9	9	9	10	10	蟄	1	1	1	1	2	2	2	3	3	3	4	4	4	5	5	5	6	6	6	7	7	7	8	

10月 (1일 八白 +) 庚辰 (四綠) 절기: 清明(8일 15:22) 穀雨(23일 18:21)

양력		1	2	3	4	5	6	7	8	9	10	11	12	13	14	15	16	17	18	19	20	21	22	23	24	25	26	27	28	29	30	31
요일		木	金	土	日	月	火	水	木	金	土	日	月	火	水	木	金	土	日	月	火	水	木	金	土	日	月	火	水	木	金	土
음력	월	26	27	28	29	30	九	2	3	4	5	6	7	8	9	10	11	12	13	14	15	16	17	18	19	20	21	22	23	24	25	26
일진		丁丑	庚寅	辛卯	壬辰	癸巳	戊午	己未	甲申	乙酉	丙戌	丁亥	庚子	辛丑	壬寅	癸卯	戊辰	己巳	甲午	乙未	丙申	丁酉	庚戌	辛亥	壬子	癸丑	戊寅	己卯	甲辰	乙巳	丙午	丁未
대운	男	2	2	2	1	1	1	1	清	10	9	9	9	8	8	8	7	7	7	6	6	6	5	5	5	4	4	4	3	3	3	2
	女	8	8	9	9	9	10	10	明	1	1	1	1	2	2	2	3	3	3	4	4	4	5	5	5	6	6	6	7	7	7	8

11月 (1일 三碧 +) 辛巳 (五黃) 절기: 立夏(7일 18:15) 小滿 (22일 15:39)

양력		1	2	3	4	5	6	7	8	9	10	11	12	13	14	15	16	17	18	19	20	21	22	23	24	25	26	27	28	29	30	
요일		日	月	火	水	木	金	土	日	月	火	水	木	金	土	日	月	火	水	木	金	土	日	月	火	水	木	金	土	日	月	
음력	월	27	28	29	十	2	3	4	5	6	7	8	9	10	11	12	13	14	15	16	17	18	19	20	21	22	23	24	25	26	27	
일진		庚申	辛酉	壬戌	癸亥	戊子	己丑	甲寅	乙卯	丙辰	丁巳	庚午	辛未	壬申	癸酉	戊戌	己亥	甲子	乙丑	丙寅	丁卯	庚辰	辛巳	壬午	癸未	戊申	己酉	甲戌	乙亥	丙子	丁丑	
대운	男	2	2	1	1	1	1	立	10	9	9	9	8	8	8	7	7	7	6	6	6	5	5	5	4	4	4	3	3	3	2	
	女	8	8	9	9	9	10	夏	1	1	1	1	2	2	2	3	3	3	4	4	4	5	5	5	6	6	6	7	7	7	8	

12月 (1일 六白 +) 壬午 (六白) 절기: 芒種(7일 10:53) 夏至(22일 04:50)

양력		1	2	3	4	5	6	7	8	9	10	11	12	13	14	15	16	17	18	19	20	21	22	23	24	25	26	27	28	29	30	31
요일		火	水	木	金	土	日	月	火	水	木	金	土	日	月	火	水	木	金	土	日	月	火	水	木	金	土	日	月	火	水	木
음력	월	28	29	30	十一	2	3	4	5	6	7	8	9	10	11	12	13	14	15	16	17	18	19	20	21	22	23	24	25	26	27	28
일진		庚寅	辛卯	壬辰	癸巳	戊午	己未	甲申	乙酉	丙戌	丁亥	庚子	辛丑	壬寅	癸卯	戊辰	己巳	甲午	乙未	丙申	丁酉	庚戌	辛亥	壬子	癸丑	戊寅	己卯	甲辰	乙巳	丙午	丁未	庚申
대운	男	2	2	1	1	1	1	芒	9	9	9	8	8	8	7	7	7	6	6	6	5	5	5	4	4	4	3	3	3	2	2	2
	女	8	8	9	9	9	10	種	1	1	1	1	2	2	2	3	3	3	4	4	4	5	5	5	6	6	6	7	7	7	8	8

辛亥年 (二黑土星)

1月 (1일 一白 + 10일 九紫 -) **癸未 (七赤)** 절기: 小暑 (5일 22:02) 大暑 (20일 15:29)

양력		1	2	3	4	5	6	7	8	9	10	11	12	13	14	15	16	17	18	19	20	21	22	23	24	25	26	27	28	29	30	31
요일		金	土	日	月	火	水	木	金	土	日	月	火	水	木	金	土	日	月	火	水	木	金	土	日	月	火	水	木	金	土	日
음력	월	29	30	十二	2	3	4	5	6	7	8	9	10	11	12	13	14	15	16	17	18	19	20	21	22	23	24	25	26	27	28	29
일진		辛酉	壬戌	癸亥	戊子	己丑	甲寅	乙卯	丙辰	丁巳	庚午	辛未	壬申	癸酉	戊戌	己亥	甲子	乙丑	丙寅	丁卯	庚辰	辛巳	壬午	癸未	戊申	己酉	甲戌	乙亥	丙子	丁丑	庚寅	辛卯
대운	男	1	1	1	1	小	10	9	9	9	8	8	8	7	7	7	6	6	6	5	5	5	4	4	4	3	3	3	2	2	2	1
	女	8	9	9	9	暑	1	1	1	1	2	2	2	3	3	3	4	4	4	5	5	5	6	6	6	7	7	7	8	8	8	9

2月 (1일 五黃 -) **戊申 (八白)** 절기: 立秋 (4일 09:46) 處暑 (19일 05:48)

양력		1	2	3	4	5	6	7	8	9	10	11	12	13	14	15	16	17	18	19	20	21	22	23	24	25	26	27	28			
요일		月	火	水	木	金	土	日	月	火	水	木	金	土	日	月	火	水	木	金	土	日	月	火	水	木	金	土	日			
음력	월	30	一	2	3	4	5	6	7	8	9	10	11	12	13	14	15	16	17	18	19	20	21	22	23	24	25	26	27			
일진		壬辰	癸巳	戊午	己未	甲申	乙酉	丙戌	丁亥	庚子	辛丑	壬寅	癸卯	戊辰	己巳	甲午	乙未	丙申	丁酉	庚戌	辛亥	壬子	癸丑	戊寅	己卯	甲辰	乙巳	丙午	丁未			
대운	男	1	1	1	立	1	1	1	1	2	2	2	3	3	3	4	4	4	5	5	5	6	6	6	7	7	7	8	8			
	女	9	9	10	秋	10	9	9	9	8	8	8	7	7	7	6	6	6	5	5	5	4	4	4	3	3	3	2	2			

3月 (1일 四綠 -) **己酉 (九紫)** 절기: 白露 (6일 04:01) 秋分 (21일 05:05)

양력		1	2	3	4	5	6	7	8	9	10	11	12	13	14	15	16	17	18	19	20	21	22	23	24	25	26	27	28	29	30	31
요일		月	火	水	木	金	土	日	月	火	水	木	金	土	日	月	火	水	木	金	土	日	月	火	水	木	金	土	日	月	火	水
음력	월	28	29	二	2	3	4	5	6	7	8	9	10	11	12	13	14	15	16	17	18	19	20	21	22	23	24	25	26	27	28	29
일진		庚申	辛酉	壬戌	癸亥	戊子	己丑	甲寅	乙卯	丙辰	丁巳	庚午	辛未	壬申	癸酉	戊戌	己亥	甲子	乙丑	丙寅	丁卯	庚辰	辛巳	壬午	癸未	戊申	己酉	甲戌	乙亥	丙子	丁丑	庚寅
대운	男	8	9	9	9	10	白	1	1	1	1	2	2	2	3	3	3	4	4	4	5	5	5	6	6	6	7	7	7	8	8	8
	女	2	1	1	1	1	露	10	9	9	9	8	8	8	7	7	7	6	6	6	5	5	5	4	4	4	3	3	3	2	2	2

4月 (1일 九紫 -) **甲戌 (一白)** 절기: 寒露 (5일 09:07) 霜降 (20일 16:26)

양력		1	2	3	4	5	6	7	8	9	10	11	12	13	14	15	16	17	18	19	20	21	22	23	24	25	26	27	28	29	30	
요일		木	金	土	日	月	火	水	木	金	土	日	月	火	水	木	金	土	日	月	火	水	木	金	土	日	月	火	水	木	金	
음력	월	30	三	2	3	4	5	6	7	8	9	10	11	12	13	14	15	16	17	18	19	20	21	22	23	24	25	26	27	28	29	
일진		辛卯	壬辰	癸巳	戊午	己未	甲申	乙酉	丙戌	丁亥	庚子	辛丑	壬寅	癸卯	戊辰	己巳	甲午	乙未	丙申	丁酉	庚戌	辛亥	壬子	癸丑	戊寅	己卯	甲辰	乙巳	丙午	丁未	庚申	
대운	男	9	9	9	10	寒	1	1	1	1	2	2	2	3	3	3	4	4	4	5	5	5	6	6	6	7	7	7	8	8	8	
	女	1	1	1	1	露	10	10	9	9	9	8	8	8	7	7	7	6	6	6	5	5	5	4	4	4	3	3	3	2	2	

5月 (1일 六白 -) **乙亥 (二黑)** 절기: 立冬 (6일 02:42) 小雪 (21일 15:50)

양력		1	2	3	4	5	6	7	8	9	10	11	12	13	14	15	16	17	18	19	20	21	22	23	24	25	26	27	28	29	30	31
요일		土	日	月	火	水	木	金	土	日	月	火	水	木	金	土	日	月	火	水	木	金	土	日	月	火	水	木	金	土	日	月
음력	월	四	2	3	4	5	6	7	8	9	10	11	12	13	14	15	16	17	18	19	20	21	22	23	24	25	26	27	28	29	30	五
일진		辛酉	壬戌	癸亥	戊子	己丑	甲寅	乙卯	丙辰	丁巳	庚午	辛未	壬申	癸酉	戊戌	己亥	甲子	乙丑	丙寅	丁卯	庚辰	辛巳	壬午	癸未	戊申	己酉	甲戌	乙亥	丙子	丁丑	庚寅	辛卯
대운	男	9	9	9	10	10	立	1	1	1	1	2	2	2	3	3	3	4	4	4	5	5	5	6	6	6	7	7	7	8	8	8
	女	2	1	1	1	1	冬	10	10	9	9	9	8	8	8	7	7	7	6	6	6	5	5	5	4	4	4	3	3	3	2	2

6月 (1일 二黑 -) **丙子 (三碧)** 절기: 大雪 (6일 07:02) 冬至 (21일 23:56)

양력		1	2	3	4	5	6	7	8	9	10	11	12	13	14	15	16	17	18	19	20	21	22	23	24	25	26	27	28	29	30	
요일		火	水	木	金	土	日	月	火	水	木	金	土	日	月	火	水	木	金	土	日	月	火	水	木	金	土	日	月	火	水	
음력	월	2	3	4	5	6	7	8	9	10	11	12	13	14	15	16	17	18	19	20	21	22	23	24	25	26	27	28	29	六	2	
일진		壬辰	癸巳	戊午	己未	甲申	乙酉	丙戌	丁亥	庚子	辛丑	壬寅	癸卯	戊辰	己巳	甲午	乙未	丙申	丁酉	庚戌	辛亥	壬子	癸丑	戊寅	己卯	甲辰	乙巳	丙午	丁未	庚申	辛酉	
대운	男	9	9	9	10	10	大	1	1	1	1	2	2	2	3	3	3	4	4	4	5	5	5	6	6	6	7	7	7	8	8	
	女	2	2	1	1	1	雪	10	10	9	9	9	8	8	8	7	7	7	6	6	6	5	5	5	4	4	4	3	3	3	2	

7月 (1일 八白 - 9일 一白 +) **丁丑 (四綠)** 절기: 小寒(7일 17:21) 大寒(23일 10:48)

양력		1	2	3	4	5	6	7	8	9	10	11	12	13	14	15	16	17	18	19	20	21	22	23	24	25	26	27	28	29	30	31
요일		木	金	土	日	月	火	水	木	金	土	日	月	火	水	木	金	土	日	月	火	水	木	金	土	日	月	火	水	木	金	土
음력	월	3	4	5	6	7	8	9	10	11	12	13	14	15	16	17	18	19	20	21	22	23	24	25	26	27	28	29	七	2	3	4
일진		壬戌	癸亥	戊子	己丑	甲寅	乙卯	丙辰	丁巳	庚午	辛未	壬申	癸酉	戊戌	己亥	甲子	乙丑	丙寅	丁卯	庚辰	辛巳	壬午	癸未	戊申	己酉	甲戌	乙亥	丙子	丁丑	庚寅	辛卯	壬辰
대운	男	8	9	9	9	10	10	小	1	1	1	1	2	2	2	3	3	3	4	4	4	5	5	5	6	6	6	7	7	7	8	8
	女	2	2	1	1	1	1	寒	10	10	10	9	9	9	8	8	8	7	7	7	6	6	6	5	5	5	4	4	4	3	3	3

8月 (1일 六白 +) **庚寅 (五黃)** 절기: 立春(8일 03:05) 雨水(23일 17:43)

양력		1	2	3	4	5	6	7	8	9	10	11	12	13	14	15	16	17	18	19	20	21	22	23	24	25	26	27	28	29	30	31
요일		日	月	火	水	木	金	土	日	月	火	水	木	金	土	日	月	火	水	木	金	土	日	月	火	水	木	金	土	日	月	火
음력	월	5	6	7	8	9	10	11	12	13	14	15	16	17	18	19	20	21	22	23	24	25	26	27	28	29	30	八	2	3	4	5
일진		癸巳	戊午	己未	甲申	乙酉	丙戌	丁亥	庚子	辛丑	壬寅	癸卯	戊辰	己巳	甲午	乙未	丙申	丁酉	庚戌	辛亥	壬子	癸丑	戊寅	己卯	甲辰	乙巳	丙午	丁未	庚申	辛酉	壬戌	癸亥
대운	男	8	9	9	9	10	10	10	立	1	1	1	1	2	2	2	3	3	3	4	4	4	5	5	5	6	6	6	7	7	7	8
	女	2	2	2	1	1	1	1	春	10	10	9	9	9	8	8	8	7	7	7	6	6	6	5	5	5	4	4	4	3	3	3

9月 (1일 一白 +) **辛卯 (六白)** 절기: 驚蟄(8일 05:48) 春分 (23일 15:06)

양력		1	2	3	4	5	6	7	8	9	10	11	12	13	14	15	16	17	18	19	20	21	22	23	24	25	26	27	28	29	30	
요일		水	木	金	土	日	月	火	水	木	金	土	日	月	火	水	木	金	土	日	月	火	水	木	金	土	日	月	火	水	木	
음력	월	6	7	8	9	10	11	12	13	14	15	16	17	18	19	20	21	22	23	24	25	26	27	28	29	九	2	3	4	5	6	
일진		戊子	己丑	甲寅	乙卯	丙辰	丁巳	庚午	辛未	壬申	癸酉	戊戌	己亥	甲子	乙丑	丙寅	丁卯	庚辰	辛巳	壬午	癸未	戊申	己酉	甲戌	乙亥	丙子	丁丑	庚寅	辛卯	壬辰	癸巳	
대운	男	8	8	9	9	9	10	10	驚	1	1	1	1	2	2	2	3	3	3	4	4	4	5	5	5	6	6	6	7	7	7	
	女	2	2	2	1	1	1	1	蟄	10	9	9	9	8	8	8	7	7	7	6	6	6	5	5	5	4	4	4	3	3	3	

10月 (1일 四綠 +) **壬辰 (七赤)** 절기: 淸明(8일 21:11) 穀雨(24일 00:10)

양력		1	2	3	4	5	6	7	8	9	10	11	12	13	14	15	16	17	18	19	20	21	22	23	24	25	26	27	28	29	30	31
요일		金	土	日	月	火	水	木	金	土	日	月	火	水	木	金	土	日	月	火	水	木	金	土	日	月	火	水	木	金	土	日
음력	월	7	8	9	10	11	12	13	14	15	16	17	18	19	20	21	22	23	24	25	26	27	28	29	十	2	3	4	5	6	7	8
일진		戊午	己未	甲申	乙酉	丙戌	丁亥	庚子	辛丑	壬寅	癸卯	戊辰	己巳	甲午	乙未	丙申	丁酉	庚戌	辛亥	壬子	癸丑	戊寅	己卯	甲辰	乙巳	丙午	丁未	庚申	辛酉	壬戌	癸亥	戊子
대운	男	8	8	8	9	9	9	10	淸	1	1	1	1	2	2	2	3	3	3	4	4	4	5	5	5	6	6	6	7	7	7	8
	女	2	2	2	1	1	1	1	明	10	10	9	9	9	8	8	8	7	7	7	6	6	6	5	5	5	4	4	4	3	3	3

11月 (1일 八白 +) **癸巳 (八白)** 절기: 立夏(8일 00:07) 小滿 (22일 21:29)

양력		1	2	3	4	5	6	7	8	9	10	11	12	13	14	15	16	17	18	19	20	21	22	23	24	25	26	27	28	29	30	
요일		月	火	水	木	金	土	日	月	火	水	木	金	土	日	月	火	水	木	金	土	日	月	火	水	木	金	土	日	月	火	
음력	월	9	10	11	12	13	14	15	16	17	18	19	20	21	22	23	24	25	26	27	28	29	30	十一	2	3	4	5	6	7	8	
일진		己丑	甲寅	乙卯	丙辰	丁巳	庚午	辛未	壬申	癸酉	戊戌	己亥	甲子	乙丑	丙寅	丁卯	庚辰	辛巳	壬午	癸未	戊申	己酉	甲戌	乙亥	丙子	丁丑	庚寅	辛卯	壬辰	癸巳	戊午	
대운	男	8	8	9	9	9	10	10	立	1	1	1	1	2	2	2	3	3	3	4	4	4	5	5	5	6	6	6	7	7	7	
	女	2	2	2	1	1	1	1	夏	9	9	9	8	8	8	7	7	7	6	6	6	5	5	5	4	4	4	3	3	3	2	

12月 (1일 二黑 +) **戊午 (九紫)** 절기: 芒種(7일 16:46) 夏至(22일 10:40)

양력		1	2	3	4	5	6	7	8	9	10	11	12	13	14	15	16	17	18	19	20	21	22	23	24	25	26	27	28	29	30	31
요일		水	木	金	土	日	月	火	水	木	金	土	日	月	火	水	木	金	土	日	月	火	水	木	金	土	日	月	火	水	木	金
음력	월	9	10	11	12	13	14	15	16	17	18	19	20	21	22	23	24	25	26	27	28	29	30	十二	2	3	4	5	6	7	8	9
일진		己未	甲申	乙酉	丙戌	丁亥	庚子	辛丑	壬寅	癸卯	戊辰	己巳	甲午	乙未	丙申	丁酉	庚戌	辛亥	壬子	癸丑	戊寅	己卯	甲辰	乙巳	丙午	丁未	庚申	辛酉	壬戌	癸亥	戊子	己丑
대운	男	8	8	8	9	9	9	芒	1	1	1	1	2	2	2	3	3	3	4	4	4	5	5	5	6	6	6	7	7	7	8	8
	女	2	2	1	1	1	1	種	10	9	9	9	8	8	8	7	7	7	6	6	6	5	5	5	4	4	4	3	3	3	2	2

서기1966년

壬子年 (三碧木星) 閏三月

1月 (1일 六白 + 5일 九紫 -) **己未 (一白)** 절기: 小暑 (6일 03:54) 大暑 (20일 21:20)

양력		1	2	3	4	5	6	7	8	9	10	11	12	13	14	15	16	17	18	19	20	21	22	23	24	25	26	27	28	29	30	31
요일		土	日	月	火	水	木	金	土	日	月	火	水	木	金	土	日	月	火	水	木	金	土	日	月	火	水	木	金	土	日	月
음력	월	10	11	12	13	14	15	16	17	18	19	20	21	22	23	24	25	26	27	28	29	30	一	2	3	4	5	6	7	8	9	10
일진		甲寅	乙卯	丙辰	丁巳	庚午	辛未	壬申	癸酉	戊戌	己亥	甲子	乙丑	丙寅	丁卯	庚辰	辛巳	壬午	癸未	戊申	己酉	甲戌	乙亥	丙子	丁丑	庚寅	辛卯	壬辰	癸巳	戊午	己未	甲申
대운	男	8	9	9	9	10	小	1	1	1	1	2	2	2	3	3	3	4	4	4	5	5	5	6	6	6	7	7	7	8	8	8
	女	2	1	1	1	1	暑	9	9	9	8	8	8	7	7	7	6	6	6	5	5	5	4	4	4	3	3	3	2	2	2	1

2月 (1일 九紫 -) **甲申 (二黑)** 절기: 立秋 (4일 15:38) 處暑 (19일 11:38)

양력		1	2	3	4	5	6	7	8	9	10	11	12	13	14	15	16	17	18	19	20	21	22	23	24	25	26	27	28			
요일		火	水	木	金	土	日	月	火	水	木	金	土	日	月	火	水	木	金	土	日	月	火	水	木	金	土	日	月			
음력	월	11	12	13	14	15	16	17	18	19	20	21	22	23	24	25	26	27	28	29	二	2	3	4	5	6	7	8	9			
일진		乙酉	丙戌	丁亥	庚子	辛丑	壬寅	癸卯	戊辰	己巳	甲午	乙未	丙申	丁酉	庚戌	辛亥	壬子	癸丑	戊寅	己卯	甲辰	乙巳	丙午	丁未	庚申	辛酉	壬戌	癸亥	戊子			
대운	男	9	9	9	立	10	9	9	9	8	8	8	7	7	7	6	6	6	5	5	5	4	4	4	3	3	3	2	2			
	女	1	1	1	秋	1	1	1	1	2	2	2	3	3	3	4	4	4	5	5	5	6	6	6	7	7	7	8	8			

3月 (1일 八白 -) **乙酉 (三碧)** 절기: 白露 (6일 09:51) 秋分 (21일 10:53)

양력		1	2	3	4	5	6	7	8	9	10	11	12	13	14	15	16	17	18	19	20	21	22	23	24	25	26	27	28	29	30	31
요일		火	水	木	金	土	日	月	火	水	木	金	土	日	月	火	水	木	金	土	日	月	火	水	木	金	土	日	月	火	水	木
음력	월	10	11	12	13	14	15	16	17	18	19	20	21	22	23	24	25	26	27	28	29	30	三	2	3	4	5	6	7	8	9	10
일진		己丑	甲寅	乙卯	丙辰	丁巳	庚午	辛未	壬申	癸酉	戊戌	己亥	甲子	乙丑	丙寅	丁卯	庚辰	辛巳	壬午	癸未	戊申	己酉	甲戌	乙亥	丙子	丁丑	庚寅	辛卯	壬辰	癸巳	戊午	己未
대운	男	2	1	1	1	1	白	10	9	9	9	8	8	8	7	7	7	6	6	6	5	5	5	4	4	4	3	3	3	2	2	2
	女	8	9	9	9	10	露	1	1	1	1	2	2	2	3	3	3	4	4	4	5	5	5	6	6	6	7	7	7	8	8	8

4月 (1일 四綠 -) **丙戌 (四綠)** 절기: 寒露 (5일 14:57) 霜降 (20일 22:12)

양력		1	2	3	4	5	6	7	8	9	10	11	12	13	14	15	16	17	18	19	20	21	22	23	24	25	26	27	28	29	30	
요일		金	土	日	月	火	水	木	金	土	日	月	火	水	木	金	土	日	月	火	水	木	金	土	日	月	火	水	木	金	土	
음력	월	11	12	13	14	15	16	17	18	19	20	21	22	23	24	25	26	27	28	29	30	閏三		3	4	5	6	7	8	9	10	
일진		甲申	乙酉	丙戌	丁亥	庚子	辛丑	壬寅	癸卯	戊辰	己巳	甲午	乙未	丙申	丁酉	庚戌	辛亥	壬子	癸丑	戊寅	己卯	甲辰	乙巳	丙午	丁未	庚申	辛酉	壬戌	癸亥	戊子	己丑	
대운	男	1	1	1	1	寒	10	10	9	9	9	8	8	8	7	7	7	6	6	6	5	5	5	4	4	4	3	3	3	2	2	
	女	9	9	9	10	露	1	1	1	1	2	2	2	3	3	3	4	4	4	5	5	5	6	6	6	7	7	7	8	8	8	

5月 (1일 一白 -) **丁亥 (五黃)** 절기: 立冬 (6일 08:30) 小雪 (21일 21:32)

양력		1	2	3	4	5	6	7	8	9	10	11	12	13	14	15	16	17	18	19	20	21	22	23	24	25	26	27	28	29	30	31
요일		日	月	火	水	木	金	土	日	月	火	水	木	金	土	日	月	火	水	木	金	土	日	月	火	水	木	金	土	日	月	火
음력	월	11	12	13	14	15	16	17	18	19	20	21	22	23	24	25	26	27	28	29	四	2	3	4	5	6	7	8	9	10	11	12
일진		甲寅	乙卯	丙辰	丁巳	庚午	辛未	壬申	癸酉	戊戌	己亥	甲子	乙丑	丙寅	丁卯	庚辰	辛巳	壬午	癸未	戊申	己酉	甲戌	乙亥	丙子	丁丑	庚寅	辛卯	壬辰	癸巳	戊午	己未	甲申
대운	男	2	1	1	1	1	立	10	10	9	9	9	8	8	8	7	7	7	6	6	6	5	5	5	4	4	4	3	3	3	2	2
	女	9	9	9	10	10	冬	1	1	1	1	2	2	2	3	3	3	4	4	4	5	5	5	6	6	6	7	7	7	8	8	8

6月 (1일 六白 -) **庚子 (六白)** 절기: 大雪 (6일 12:50) 冬至 (22일 05:33)

양력		1	2	3	4	5	6	7	8	9	10	11	12	13	14	15	16	17	18	19	20	21	22	23	24	25	26	27	28	29	30	
요일		水	木	金	土	日	月	火	水	木	金	土	日	月	火	水	木	金	土	日	月	火	水	木	金	土	日	月	火	水	木	
음력	월	13	14	15	16	17	18	19	20	21	22	23	24	25	26	27	28	29	30	五	2	3	4	5	6	7	8	9	10	11	12	
일진		乙酉	丙戌	丁亥	庚子	辛丑	壬寅	癸卯	戊辰	己巳	甲午	乙未	丙申	丁酉	庚戌	辛亥	壬子	癸丑	戊寅	己卯	甲辰	乙巳	丙午	丁未	庚申	辛酉	壬戌	癸亥	戊子	己丑	甲寅	
대운	男	2	1	1	1	1	大	10	10	9	9	9	8	8	8	7	7	7	6	6	6	5	5	5	4	4	4	3	3	3	2	
	女	9	9	9	10	10	雪	1	1	1	1	2	2	2	3	3	3	4	4	4	5	5	5	6	6	6	7	7	7	8	8	

7月 (1일 三碧 - 4일 一白 +) **辛丑 (七赤)** 절기: 小寒(7일 23:07) 大寒(23일 16:23)

양력		1	2	3	4	5	6	7	8	9	10	11	12	13	14	15	16	17	18	19	20	21	22	23	24	25	26	27	28	29	30	31
요일		金	土	日	月	火	水	木	金	土	日	月	火	水	木	金	土	日	月	火	水	木	金	土	日	月	火	水	木	金	土	日
음력	월	13	14	15	16	17	18	19	20	21	22	23	24	25	26	27	28	29	六	2	3	4	5	6	7	8	9	10	11	12	13	14
일진		乙卯	丙辰	丁巳	庚午	辛未	壬申	癸酉	戊戌	己亥	甲子	乙丑	丙寅	丁卯	庚辰	辛巳	壬午	癸未	戊申	己酉	甲戌	乙亥	丙子	丁丑	庚寅	辛卯	壬辰	癸巳	戊午	己未	甲申	乙酉
대운	男	2	2	1	1	1	1	小	10	10	10	9	9	9	8	8	8	7	7	7	6	6	6	5	5	5	4	4	4	3	3	3
	女	8	9	9	9	10	10	寒	1	1	1	1	2	2	2	3	3	3	4	4	4	5	5	5	6	6	6	7	7	7	8	8

8月 (1일 二黑 +) **壬寅 (八白)** 절기: 立春(8일 08:49) 雨水(23일 23:18)

양력		1	2	3	4	5	6	7	8	9	10	11	12	13	14	15	16	17	18	19	20	21	22	23	24	25	26	27	28	29	30	31
요일		月	火	水	木	金	土	日	月	火	水	木	金	土	日	月	火	水	木	金	土	日	月	火	水	木	金	土	日	月	火	水
음력	월	15	16	17	18	19	20	21	22	23	24	25	26	27	28	29	七	2	3	4	5	6	7	8	9	10	11	12	13	14	15	16
일진		丙戌	丁亥	庚子	辛丑	壬寅	癸卯	戊辰	己巳	甲午	乙未	丙申	丁酉	庚戌	辛亥	壬子	癸丑	戊寅	己卯	甲辰	乙巳	丙午	丁未	庚申	辛酉	壬戌	癸亥	戊子	己丑	甲寅	乙卯	丙辰
대운	男	2	2	2	1	1	1	1	立	10	10	9	9	9	8	8	8	7	7	7	6	6	6	5	5	5	4	4	4	3	3	3
	女	8	9	9	9	10	10	10	春	1	1	1	1	2	2	2	3	3	3	4	4	4	5	5	5	6	6	6	7	7	7	8

9月 (1일 六白 +) **癸卯 (九紫)** 절기: 驚蟄(8일 11:32) 春分 (23일 20:43)

양력		1	2	3	4	5	6	7	8	9	10	11	12	13	14	15	16	17	18	19	20	21	22	23	24	25	26	27	28	29	30	
요일		木	金	土	日	月	火	水	木	金	土	日	月	火	水	木	金	土	日	月	火	水	木	金	土	日	月	火	水	木	金	
음력	월	17	18	19	20	21	22	23	24	25	26	27	28	29	30	八	2	3	4	5	6	7	8	9	10	11	12	13	14	15	16	
일진		丁巳	庚午	辛未	壬申	癸酉	戊戌	己亥	甲子	乙丑	丙寅	丁卯	庚辰	辛巳	壬午	癸未	戊申	己酉	甲戌	乙亥	丙子	丁丑	庚寅	辛卯	壬辰	癸巳	戊午	己未	甲申	乙酉	丙戌	
대운	男	2	2	2	1	1	1	1	驚	10	10	9	9	9	8	8	8	7	7	7	6	6	6	5	5	5	4	4	4	3	3	
	女	8	8	9	9	9	10	10	蟄	1	1	1	1	2	2	2	3	3	3	4	4	4	5	5	5	6	6	6	7	7	7	

10月 (1일 九紫 +) **戊辰 (一白)** 절기: 清明(9일 02:57) 穀雨(24일 05:51)

양력		1	2	3	4	5	6	7	8	9	10	11	12	13	14	15	16	17	18	19	20	21	22	23	24	25	26	27	28	29	30	31
요일		土	日	月	火	水	木	金	土	日	月	火	水	木	金	土	日	月	火	水	木	金	土	日	月	火	水	木	金	土	日	月
음력	월	17	18	19	20	21	22	23	24	25	26	27	28	29	九	2	3	4	5	6	7	8	9	10	11	12	13	14	15	16	17	18
일진		丁亥	庚子	辛丑	壬寅	癸卯	戊辰	己巳	甲午	乙未	丙申	丁酉	庚戌	辛亥	壬子	癸丑	戊寅	己卯	甲辰	乙巳	丙午	丁未	庚申	辛酉	壬戌	癸亥	戊子	己丑	甲寅	乙卯	丙辰	丁巳
대운	男	3	2	2	2	1	1	1	1	清	10	9	9	9	8	8	8	7	7	7	6	6	6	5	5	5	4	4	4	3	3	3
	女	8	8	8	9	9	9	10	10	明	1	1	1	1	2	2	2	3	3	3	4	4	4	5	5	5	6	6	6	7	7	7

11月 (1일 四綠 +) **己巳 (二黑)** 절기: 立夏(8일 05:55) 小滿 (23일 03:14)

양력		1	2	3	4	5	6	7	8	9	10	11	12	13	14	15	16	17	18	19	20	21	22	23	24	25	26	27	28	29	30	
요일		火	水	木	金	土	日	月	火	水	木	金	土	日	月	火	水	木	金	土	日	月	火	水	木	金	土	日	月	火	水	
음력	월	19	20	21	22	23	24	25	26	27	28	29	十	2	3	4	5	6	7	8	9	10	11	12	13	14	15	16	17	18	19	
일진		庚午	辛未	壬申	癸酉	戊戌	己亥	甲子	乙丑	丙寅	丁卯	庚辰	辛巳	壬午	癸未	戊申	己酉	甲戌	乙亥	丙子	丁丑	庚寅	辛卯	壬辰	癸巳	戊午	己未	甲申	乙酉	丙戌	丁亥	
대운	男	2	2	2	1	1	1	1	立	9	9	9	8	8	8	7	7	7	6	6	6	5	5	5	4	4	4	3	3	3	2	
	女	8	8	8	9	9	9	10	夏	1	1	1	1	2	2	2	3	3	3	4	4	4	5	5	5	6	6	6	7	7	7	

12月 (1일 七赤 + 31일 九紫 -) **甲午 (三碧)** 절기: 芒種(7일 22:38) 夏至(22일 16:28)

양력		1	2	3	4	5	6	7	8	9	10	11	12	13	14	15	16	17	18	19	20	21	22	23	24	25	26	27	28	29	30	31
요일		木	金	土	日	月	火	水	木	金	土	日	月	火	水	木	金	土	日	月	火	水	木	金	土	日	月	火	水	木	金	土
음력	월	20	21	22	23	24	25	26	27	28	29	30	十一	2	3	4	5	6	7	8	9	10	11	12	13	14	15	16	17	18	19	20
일진		庚子	辛丑	壬寅	癸卯	戊辰	己巳	甲午	乙未	丙申	丁酉	庚戌	辛亥	壬子	癸丑	戊寅	己卯	甲辰	乙巳	丙午	丁未	庚申	辛酉	壬戌	癸亥	戊子	己丑	甲寅	乙卯	丙辰	丁巳	庚午
대운	男	2	2	1	1	1	1	芒	10	9	9	9	8	8	8	7	7	7	6	6	6	5	5	5	4	4	4	3	3	3	2	2
	女	8	8	8	9	9	9	種	1	1	1	1	2	2	2	3	3	3	4	4	4	5	5	5	6	6	6	7	7	7	8	8

癸丑年 (四綠木星)

1月 (1일 八白 -) 乙未 (四綠) 절기: 小暑 (6일 09:48) 大暑 (21일 03:08)

양력		1	2	3	4	5	6	7	8	9	10	11	12	13	14	15	16	17	18	19	20	21	22	23	24	25	26	27	28	29	30	31
요일		日	月	火	水	木	金	土	日	月	火	水	木	金	土	日	月	火	水	木	金	土	日	月	火	水	木	金	土	日	月	火
음력	월	21	22	23	24	25	26	27	28	29	30	十二	2	3	4	5	6	7	8	9	10	11	12	13	14	15	16	17	18	19	20	21
일진		辛未	壬申	癸酉	戊戌	己亥	甲子	乙丑	丙寅	丁卯	庚辰	辛巳	壬午	癸未	戊申	己酉	甲戌	乙亥	丙子	丁丑	庚寅	辛卯	壬辰	癸巳	戊午	己未	甲申	乙酉	丙戌	丁亥	庚子	辛丑
대운	男	2	1	1	1	1	小	9	9	9	8	8	8	7	7	7	6	6	6	5	5	5	4	4	4	3	3	3	2	2	2	1
	女	8	9	9	9	10	暑	1	1	1	1	2	2	2	3	3	3	4	4	4	5	5	5	6	6	6	7	7	7	8	8	8

2月 (1일 四綠 -) 丙申 (五黃) 절기: 立秋 (4일 21:31) 處暑 (19일 17:24)

양력		1	2	3	4	5	6	7	8	9	10	11	12	13	14	15	16	17	18	19	20	21	22	23	24	25	26	27	28			
요일		水	木	金	土	日	月	火	水	木	金	土	日	月	火	水	木	金	土	日	月	火	水	木	金	土	日	月	火			
음력	월	22	23	24	25	26	27	28	29	一	2	3	4	5	6	7	8	9	10	11	12	13	14	15	16	17	18	19	20			
일진		壬寅	癸卯	戊辰	己巳	甲午	乙未	丙申	丁酉	庚戌	辛亥	壬子	癸丑	戊寅	己卯	甲辰	乙巳	丙午	丁未	庚申	辛酉	壬戌	癸亥	戊子	己丑	甲寅	乙卯	丙辰	丁巳			
대운	男	1	1	1	立	1	1	1	1	2	2	2	3	3	3	4	4	4	5	5	5	6	6	6	7	7	7	8	8			
	女	9	9	9	秋	10	9	9	9	8	8	8	7	7	7	6	6	6	5	5	5	4	4	4	3	3	3	2	2			

3月 (1일 三碧 -) 丁酉 (六白) 절기: 白露 (6일 15:42) 秋分 (21일 16:37)

양력		1	2	3	4	5	6	7	8	9	10	11	12	13	14	15	16	17	18	19	20	21	22	23	24	25	26	27	28	29	30	31
요일		水	木	金	土	日	月	火	水	木	金	土	日	月	火	水	木	金	土	日	月	火	水	木	金	土	日	月	火	水	木	金
음력	월	21	22	23	24	25	26	27	28	29	30	二	2	3	4	5	6	7	8	9	10	11	12	13	14	15	16	17	18	19	20	21
일진		庚午	辛未	壬申	癸酉	戊戌	己亥	甲子	乙丑	丙寅	丁卯	庚辰	辛巳	壬午	癸未	戊申	己酉	甲戌	乙亥	丙子	丁丑	庚寅	辛卯	壬辰	癸巳	戊午	己未	甲申	乙酉	丙戌	丁亥	庚子
대운	男	8	9	9	9	10	白	1	1	1	1	2	2	2	3	3	3	4	4	4	5	5	5	6	6	6	7	7	7	8	8	8
	女	2	1	1	1	1	露	10	9	9	9	8	8	8	7	7	7	6	6	6	5	5	5	4	4	4	3	3	3	2	2	2

4月 (1일 八白 -) 庚戌 (七赤) 절기: 寒露 (5일 20:45) 霜降 (21일 03:55)

양력		1	2	3	4	5	6	7	8	9	10	11	12	13	14	15	16	17	18	19	20	21	22	23	24	25	26	27	28	29	30	
요일		土	日	月	火	水	木	金	土	日	月	火	水	木	金	土	日	月	火	水	木	金	土	日	月	火	水	木	金	土	日	
음력	월	22	23	24	25	26	27	28	29	30	三	2	3	4	5	6	7	8	9	10	11	12	13	14	15	16	17	18	19	20	21	
일진		辛丑	壬寅	癸卯	戊辰	己巳	甲午	乙未	丙申	丁酉	庚戌	辛亥	壬子	癸丑	戊寅	己卯	甲辰	乙巳	丙午	丁未	庚申	辛酉	壬戌	癸亥	戊子	己丑	甲寅	乙卯	丙辰	丁巳	庚午	
대운	男	9	9	9	10	寒	1	1	1	1	2	2	2	3	3	3	4	4	4	5	5	5	6	6	6	7	7	7	8	8	8	
	女	1	1	1	1	露	10	10	9	9	9	8	8	8	7	7	7	6	6	6	5	5	5	4	4	4	3	3	3	2	2	

5月 (1일 五黃 -) 辛亥 (八白) 절기: 立冬 (6일 14:17) 小雪 (22일 03:18)

양력		1	2	3	4	5	6	7	8	9	10	11	12	13	14	15	16	17	18	19	20	21	22	23	24	25	26	27	28	29	30	31
요일		月	火	水	木	金	土	日	月	火	水	木	金	土	日	月	火	水	木	金	土	日	月	火	水	木	金	土	日	月	火	水
음력	월	22	23	24	25	26	27	28	29	四	2	3	4	5	6	7	8	9	10	11	12	13	14	15	16	17	18	19	20	21	22	23
일진		辛未	壬申	癸酉	戊戌	己亥	甲子	乙丑	丙寅	丁卯	庚辰	辛巳	壬午	癸未	戊申	己酉	甲戌	乙亥	丙子	丁丑	庚寅	辛卯	壬辰	癸巳	戊午	己未	甲申	乙酉	丙戌	丁亥	庚子	辛丑
대운	男	9	9	9	10	10	立	1	1	1	1	2	2	2	3	3	3	4	4	4	5	5	5	6	6	6	7	7	7	8	8	8
	女	2	1	1	1	1	冬	10	10	9	9	9	8	8	8	7	7	7	6	6	6	5	5	5	4	4	4	3	3	3	2	2

6月 (1일 一白 - 29일 一白 +) 壬子 (九紫) 절기: 大雪 (6일 18:36) 冬至 (22일 11:23)

양력		1	2	3	4	5	6	7	8	9	10	11	12	13	14	15	16	17	18	19	20	21	22	23	24	25	26	27	28	29	30	
요일		木	金	土	日	月	火	水	木	金	土	日	月	火	水	木	金	土	日	月	火	水	木	金	土	日	月	火	水	木	金	
음력	월	24	25	26	27	28	29	30	五	2	3	4	5	6	7	8	9	10	11	12	13	14	15	16	17	18	19	20	21	22	23	
일진		壬寅	癸卯	戊辰	己巳	甲午	乙未	丙申	丁酉	庚戌	辛亥	壬子	癸丑	戊寅	己卯	甲辰	乙巳	丙午	丁未	庚申	辛酉	壬戌	癸亥	戊子	己丑	甲寅	乙卯	丙辰	丁巳	庚午	辛未	
대운	男	9	9	9	10	10	大	1	1	1	1	2	2	2	3	3	3	4	4	4	5	5	5	6	6	6	7	7	7	8	8	
	女	2	1	1	1	1	雪	10	10	10	9	9	9	8	8	8	7	7	7	6	6	6	5	5	5	4	4	4	3	3	3	

7月 (1일 三碧 +) **癸丑 (一白)** 절기: 小寒(8일 04:53) 大寒(23일 22:16)

양력		1	2	3	4	5	6	7	8	9	10	11	12	13	14	15	16	17	18	19	20	21	22	23	24	25	26	27	28	29	30	31
요일		土	日	月	火	水	木	金	土	日	月	火	水	木	金	土	日	月	火	水	木	金	土	日	月	火	水	木	金	土	日	月
음력	월	24	25	26	27	28	29	30	六	2	3	4	5	6	7	8	9	10	11	12	13	14	15	16	17	18	19	20	21	22	23	24
일진		壬申	癸酉	戊戌	己亥	甲子	乙丑	丙寅	丁卯	庚辰	辛巳	壬午	癸未	戊申	己酉	甲戌	乙亥	丙子	丁丑	庚寅	辛卯	壬辰	癸巳	戊午	己未	甲申	乙酉	丙戌	丁亥	庚子	辛丑	壬寅
대운	男	8	9	9	9	10	10	10	小	1	1	1	1	2	2	2	3	3	3	4	4	4	5	5	5	6	6	6	7	7	7	8
	女	2	2	2	1	1	1	1	寒	10	10	9	9	9	8	8	8	7	7	7	6	6	6	5	5	5	4	4	4	3	3	3

8月 (1일 七赤 +) **戊寅 (二黑)** 절기: 立春(8일 14:35) 雨水(24일 05:12)

양력		1	2	3	4	5	6	7	8	9	10	11	12	13	14	15	16	17	18	19	20	21	22	23	24	25	26	27	28	29	30	31
요일		火	水	木	金	土	日	月	火	水	木	金	土	日	月	火	水	木	金	土	日	月	火	水	木	金	土	日	月	火	水	木
음력	월	25	26	27	28	29	七	2	3	4	5	6	7	8	9	10	11	12	13	14	15	16	17	18	19	20	21	22	23	24	25	26
일진		癸卯	戊辰	己巳	甲午	乙未	丙申	丁酉	庚戌	辛亥	壬子	癸丑	戊寅	己卯	甲辰	乙巳	丙午	丁未	庚申	辛酉	壬戌	癸亥	戊子	己丑	甲寅	乙卯	丙辰	丁巳	庚午	辛未	壬申	癸酉
대운	男	8	8	9	9	9	10	10	立	1	1	1	1	2	2	2	3	3	3	4	4	4	5	5	5	6	6	6	7	7	7	8
	女	2	2	2	1	1	1	1	春	10	10	9	9	9	8	8	8	7	7	7	6	6	6	5	5	5	4	4	4	3	3	3

9月 (1일 二黑 +) **己卯 (三碧)** 절기: 驚蟄(8일 17:18) 春分 (24일 02:38)

양력		1	2	3	4	5	6	7	8	9	10	11	12	13	14	15	16	17	18	19	20	21	22	23	24	25	26	27	28	29	30	
요일		金	土	日	月	火	水	木	金	土	日	月	火	水	木	金	土	日	月	火	水	木	金	土	日	月	火	水	木	金	土	
음력	월	27	28	29	八	2	3	4	5	6	7	8	9	10	11	12	13	14	15	16	17	18	19	20	21	22	23	24	25	26	27	
일진		戊戌	己亥	甲子	乙丑	丙寅	丁卯	庚辰	辛巳	壬午	癸未	戊申	己酉	甲戌	乙亥	丙子	丁丑	庚寅	辛卯	壬辰	癸巳	戊午	己未	甲申	乙酉	丙戌	丁亥	庚子	辛丑	壬寅	癸卯	
대운	男	8	8	9	9	9	10	10	驚	1	1	1	1	2	2	2	3	3	3	4	4	4	5	5	5	6	6	6	7	7	7	
	女	2	2	2	1	1	1	1	蟄	10	10	9	9	9	8	8	8	7	7	7	6	6	6	5	5	5	4	4	4	3	3	

10月 (1일 五黃 +) **甲辰 (四綠)** 절기: 清明(9일 08:41) 穀雨(24일 11:44)

양력		1	2	3	4	5	6	7	8	9	10	11	12	13	14	15	16	17	18	19	20	21	22	23	24	25	26	27	28	29	30	31
요일		日	月	火	水	木	金	土	日	月	火	水	木	金	土	日	月	火	水	木	金	土	日	月	火	水	木	金	土	日	月	火
음력	월	28	29	30	九	2	3	4	5	6	7	8	9	10	11	12	13	14	15	16	17	18	19	20	21	22	23	24	25	26	27	28
일진		戊辰	己巳	甲午	乙未	丙申	丁酉	庚戌	辛亥	壬子	癸丑	戊寅	己卯	甲辰	乙巳	丙午	丁未	庚申	辛酉	壬戌	癸亥	戊子	己丑	甲寅	乙卯	丙辰	丁巳	庚午	辛未	壬申	癸酉	戊戌
대운	男	8	8	8	9	9	9	10	10	清	1	1	1	1	2	2	2	3	3	3	4	4	4	5	5	5	6	6	6	7	7	7
	女	3	2	2	2	1	1	1	1	明	10	9	9	9	8	8	8	7	7	7	6	6	6	5	5	5	4	4	4	3	3	3

11月 (1일 九紫 +) **乙巳 (五黃)** 절기: 立夏(8일 11:37) 小滿 (23일 09:04)

양력		1	2	3	4	5	6	7	8	9	10	11	12	13	14	15	16	17	18	19	20	21	22	23	24	25	26	27	28	29	30	
요일		水	木	金	土	日	月	火	水	木	金	土	日	月	火	水	木	金	土	日	月	火	水	木	金	土	日	月	火	水	木	
음력	월	29	十	2	3	4	5	6	7	8	9	10	11	12	13	14	15	16	17	18	19	20	21	22	23	24	25	26	27	28	29	
일진		己亥	甲子	乙丑	丙寅	丁卯	庚辰	辛巳	壬午	癸未	戊申	己酉	甲戌	乙亥	丙子	丁丑	庚寅	辛卯	壬辰	癸巳	戊午	己未	甲申	乙酉	丙戌	丁亥	庚子	辛丑	壬寅	癸卯	戊辰	
대운	男	8	8	8	9	9	9	10	立	1	1	1	1	2	2	2	3	3	3	4	4	4	5	5	5	6	6	6	7	7	7	
	女	2	2	2	1	1	1	1	夏	10	9	9	9	8	8	8	7	7	7	6	6	6	5	5	5	4	4	4	3	3	3	

12月 (1일 三碧 + 26일 九紫 -) **丙午 (六白)** 절기: 芒種(8일 04:18) 夏至(22일 22:16)

양력		1	2	3	4	5	6	7	8	9	10	11	12	13	14	15	16	17	18	19	20	21	22	23	24	25	26	27	28	29	30	31
요일		金	土	日	月	火	水	木	金	土	日	月	火	水	木	金	土	日	月	火	水	木	金	土	日	月	火	水	木	金	土	日
음력	월	30	十一	2	3	4	5	6	7	8	9	10	11	12	13	14	15	16	17	18	19	20	21	22	23	24	25	26	27	28	29	十二
일진		己巳	甲午	乙未	丙申	丁酉	庚戌	辛亥	壬子	癸丑	戊寅	己卯	甲辰	乙巳	丙午	丁未	庚申	辛酉	壬戌	癸亥	戊子	己丑	甲寅	乙卯	丙辰	丁巳	庚午	辛未	壬申	癸酉	戊戌	己亥
대운	男	8	8	8	9	9	9	10	芒	1	1	1	1	2	2	2	3	3	3	4	4	4	5	5	5	6	6	6	7	7	7	8
	女	2	2	2	1	1	1	1	種	9	9	9	8	8	8	7	7	7	6	6	6	5	5	5	4	4	4	3	3	3	2	2

戊寅年 (五黃土星) 閏七月

1月 (1일 三碧 -) 丁未 (七赤) 절기: 小暑 (6일 15:26) 大暑 (21일 08:54)

양력	1	2	3	4	5	6	7	8	9	10	11	12	13	14	15	16	17	18	19	20	21	22	23	24	25	26	27	28	29	30	31
요일	月	火	水	木	金	土	日	月	火	水	木	金	土	日	月	火	水	木	金	土	日	月	火	水	木	金	土	日	月	火	水
음력 월	2	3	4	5	6	7	8	9	10	11	12	13	14	15	16	17	18	19	20	21	22	23	24	25	26	27	28	29	30	一	2
일진	甲子	乙丑	丙寅	丁卯	庚辰	辛巳	壬午	癸未	戊申	己酉	甲戌	乙亥	丙子	丁丑	庚寅	辛卯	壬辰	癸巳	戊午	己未	甲申	乙酉	丙戌	丁亥	庚子	辛丑	壬寅	癸卯	戊辰	己巳	甲午
대운 男	8	8	9	9	9	小	1	1	1	1	2	2	2	3	3	3	4	4	4	5	5	5	6	6	6	7	7	7	8	8	8
대운 女	2	1	1	1	1	暑	10	9	9	9	8	8	8	7	7	7	6	6	6	5	5	5	4	4	4	3	3	3	2	2	2

2月 閏 (1일 八白 -) 庚申 (八白) 절기: 立秋 (5일 03:07) 處暑 (19일 23:09)

양력	1	2	3	4	5	6	7	8	9	10	11	12	13	14	15	16	17	18	19	20	21	22	23	24	25	26	27	28	29
요일	木	金	土	日	月	火	水	木	金	土	日	月	火	水	木	金	土	日	月	火	水	木	金	土	日	月	火	水	木
음력 월	3	4	5	6	7	8	9	10	11	12	13	14	15	16	17	18	19	20	21	22	23	24	25	26	27	28	29	二	2
일진	乙未	丙申	丁酉	庚戌	辛亥	壬子	癸丑	戊寅	己卯	甲辰	乙巳	丙午	丁未	庚申	辛酉	壬戌	癸亥	戊子	己丑	甲寅	乙卯	丙辰	丁巳	庚午	辛未	壬申	癸酉	戊戌	己亥
대운 男	9	9	9	10	立	9	9	9	8	8	8	7	7	7	6	6	6	5	5	5	4	4	4	3	3	3	2	2	2
대운 女	1	1	1	1	秋	1	1	1	1	2	2	2	3	3	3	4	4	4	5	5	5	6	6	6	7	7	7	8	8

3月 (1일 六白 -) 辛酉 (九紫) 절기: 白露 (5일 21:18) 秋分 (20일 22:22)

양력	1	2	3	4	5	6	7	8	9	10	11	12	13	14	15	16	17	18	19	20	21	22	23	24	25	26	27	28	29	30	31
요일	金	土	日	月	火	水	木	金	土	日	月	火	水	木	金	土	日	月	火	水	木	金	土	日	月	火	水	木	金	土	日
음력 월	3	4	5	6	7	8	9	10	11	12	13	14	15	16	17	18	19	20	21	22	23	24	25	26	27	28	29	30	三	2	3
일진	甲子	乙丑	丙寅	丁卯	庚辰	辛巳	壬午	癸未	戊申	己酉	甲戌	乙亥	丙子	丁丑	庚寅	辛卯	壬辰	癸巳	戊午	己未	甲申	乙酉	丙戌	丁亥	庚子	辛丑	壬寅	癸卯	戊辰	己巳	甲午
대운 男	1	1	1	1	白	10	10	9	9	9	8	8	8	7	7	7	6	6	6	5	5	5	4	4	4	3	3	3	2	2	2
대운 女	8	9	9	9	露	1	1	1	1	2	2	2	3	3	3	4	4	4	5	5	5	6	6	6	7	7	7	8	8	8	9

4月 (1일 二黑 -) 壬戌 (一白) 절기: 寒露 (5일 02:21) 霜降 (20일 09:41)

양력	1	2	3	4	5	6	7	8	9	10	11	12	13	14	15	16	17	18	19	20	21	22	23	24	25	26	27	28	29	30
요일	月	火	水	木	金	土	日	月	火	水	木	金	土	日	月	火	水	木	金	土	日	月	火	水	木	金	土	日	月	火
음력 월	4	5	6	7	8	9	10	11	12	13	14	15	16	17	18	19	20	21	22	23	24	25	26	27	28	29	30	四	2	3
일진	乙未	丙申	丁酉	庚戌	辛亥	壬子	癸丑	戊寅	己卯	甲辰	乙巳	丙午	丁未	庚申	辛酉	壬戌	癸亥	戊子	己丑	甲寅	乙卯	丙辰	丁巳	庚午	辛未	壬申	癸酉	戊戌	己亥	甲子
대운 男	1	1	1	1	寒	10	9	9	9	8	8	8	7	7	7	6	6	6	5	5	5	4	4	4	3	3	3	2	2	2
대운 女	9	9	10	10	露	1	1	1	1	2	2	2	3	3	3	4	4	4	5	5	5	6	6	6	7	7	7	8	8	8

5月 (1일 八白 -) 癸亥 (二黑) 절기: 立冬 (5일 19:56) 小雪 (21일 09:06)

양력	1	2	3	4	5	6	7	8	9	10	11	12	13	14	15	16	17	18	19	20	21	22	23	24	25	26	27	28	29	30	31
요일	水	木	金	土	日	月	火	水	木	金	土	日	月	火	水	木	金	土	日	月	火	水	木	金	土	日	月	火	水	木	金
음력 월	4	5	6	7	8	9	10	11	12	13	14	15	16	17	18	19	20	21	22	23	24	25	26	27	28	29	五	2	3	4	5
일진	乙丑	丙寅	丁卯	庚辰	辛巳	壬午	癸未	戊申	己酉	甲戌	乙亥	丙子	丁丑	庚寅	辛卯	壬辰	癸巳	戊午	己未	甲申	乙酉	丙戌	丁亥	庚子	辛丑	壬寅	癸卯	戊辰	己巳	甲午	乙未
대운 男	1	1	1	1	立	10	10	10	9	9	9	8	8	8	7	7	7	6	6	6	5	5	5	4	4	4	3	3	3	2	2
대운 女	9	9	9	10	冬	1	1	1	1	2	2	2	3	3	3	4	4	4	5	5	5	6	6	6	7	7	7	8	8	8	9

6月 (1일 四綠 - 23일 一白 +) 戊子 (三碧) 절기: 大雪 (6일 00:19) 冬至 (21일 17:13)

양력	1	2	3	4	5	6	7	8	9	10	11	12	13	14	15	16	17	18	19	20	21	22	23	24	25	26	27	28	29	30
요일	土	日	月	火	水	木	金	土	日	月	火	水	木	金	土	日	月	火	水	木	金	土	日	月	火	水	木	金	土	日
음력 월	6	7	8	9	10	11	12	13	14	15	16	17	18	19	20	21	22	23	24	25	26	27	28	29	30	六	2	3	4	5
일진	丙申	丁酉	庚戌	辛亥	壬子	癸丑	戊寅	己卯	甲辰	乙巳	丙午	丁未	庚申	辛酉	壬戌	癸亥	戊子	己丑	甲寅	乙卯	丙辰	丁巳	庚午	辛未	壬申	癸酉	戊戌	己亥	甲子	乙丑
대운 男	2	1	1	1	1	大	10	10	9	9	9	8	8	8	7	7	7	6	6	6	5	5	5	4	4	4	3	3	3	2
대운 女	9	9	10	10	10	雪	1	1	1	1	2	2	2	3	3	3	4	4	4	5	5	5	6	6	6	7	7	7	8	8

7月 (1일 九紫 +) **己丑 (四綠)** 절기: 小寒(7일 10:42) 大寒(23일 04:07)

양력	1	2	3	4	5	6	7	8	9	10	11	12	13	14	15	16	17	18	19	20	21	22	23	24	25	26	27	28	29	30	31
요일	月	火	水	木	金	土	日	月	火	水	木	金	土	日	月	火	水	木	金	土	日	月	火	水	木	金	土	日	月	火	水
음력 월	6	7	8	9	10	11	12	13	14	15	16	17	18	19	20	21	22	23	24	25	26	27	28	29	七	2	3	4	5	6	7
일진	丙寅	丁卯	庚辰	辛巳	壬午	癸未	戊申	己酉	甲戌	乙亥	丙子	丁丑	庚寅	辛卯	壬辰	癸巳	戊午	己未	甲申	乙酉	丙戌	丁亥	庚子	辛丑	壬寅	癸卯	戊辰	己巳	甲午	乙未	丙申
대운 男	2	2	1	1	1	1	小	10	10	9	9	9	8	8	8	7	7	7	6	6	6	5	5	5	4	4	4	3	3	3	2
대운 女	8	9	9	9	10	10	寒	1	1	1	1	2	2	2	3	3	3	4	4	4	5	5	5	6	6	6	7	7	7	8	8

8月 (1일 四綠 +) **甲寅 (五黃)** 절기: 立春(7일 20:27) 雨水(23일 11:03)

양력	1	2	3	4	5	6	7	8	9	10	11	12	13	14	15	16	17	18	19	20	21	22	23	24	25	26	27	28	29	30	31
요일	木	金	土	日	月	火	水	木	金	土	日	月	火	水	木	金	土	日	月	火	水	木	金	土	日	月	火	水	木	金	土
음력 월	8	9	10	11	12	13	14	15	16	17	18	19	20	21	22	23	24	25	26	27	28	29	30	閏七		3	4	5	6	7	8
일진	丁酉	庚戌	辛亥	壬子	癸丑	戊寅	己卯	甲辰	乙巳	丙午	丁未	庚申	辛酉	壬戌	癸亥	戊子	己丑	甲寅	乙卯	丙辰	丁巳	庚午	辛未	壬申	癸酉	戊戌	己亥	甲子	乙丑	丙寅	丁卯
대운 男	2	2	1	1	1	1	立	10	10	9	9	9	8	8	8	7	7	7	6	6	6	5	5	5	4	4	4	3	3	3	2
대운 女	8	9	9	9	10	10	春	1	1	1	1	2	2	2	3	3	3	4	4	4	5	5	5	6	6	6	7	7	7	8	8

9月 (1일 八白 +) **乙卯 (六白)** 절기: 驚蟄(7일 23:11) 春分 (23일 08:26)

양력	1	2	3	4	5	6	7	8	9	10	11	12	13	14	15	16	17	18	19	20	21	22	23	24	25	26	27	28	29	30	
요일	日	月	火	水	木	金	土	日	月	火	水	木	金	土	日	月	火	水	木	金	土	日	月	火	水	木	金	土	日	月	
음력 월	9	10	11	12	13	14	15	16	17	18	19	20	21	22	23	24	25	26	27	28	29	八	2	3	4	5	6	7	8	9	
일진	庚辰	辛巳	壬午	癸未	戊申	己酉	甲戌	乙亥	丙子	丁丑	庚寅	辛卯	壬辰	癸巳	戊午	己未	甲申	乙酉	丙戌	丁亥	庚子	辛丑	壬寅	癸卯	戊辰	己巳	甲午	乙未	丙申	丁酉	
대운 男	2	2	1	1	1	1	驚	10	10	9	9	9	8	8	8	7	7	7	6	6	6	5	5	5	4	4	4	3	3	3	
대운 女	8	9	9	9	10	10	蟄	1	1	1	1	2	2	2	3	3	3	4	4	4	5	5	5	6	6	6	7	7	7	8	

10月 (1일 二黑 +) **丙辰 (七赤)** 절기: 清明(8일 14:34) 穀雨(23일 17:30)

양력	1	2	3	4	5	6	7	8	9	10	11	12	13	14	15	16	17	18	19	20	21	22	23	24	25	26	27	28	29	30	31
요일	火	水	木	金	土	日	月	火	水	木	金	土	日	月	火	水	木	金	土	日	月	火	水	木	金	土	日	月	火	水	木
음력 월	10	11	12	13	14	15	16	17	18	19	20	21	22	23	24	25	26	27	28	29	30	九	2	3	4	5	6	7	8	9	10
일진	庚戌	辛亥	壬子	癸丑	戊寅	己卯	甲辰	乙巳	丙午	丁未	庚申	辛酉	壬戌	癸亥	戊子	己丑	甲寅	乙卯	丙辰	丁巳	庚午	辛未	壬申	癸酉	戊戌	己亥	甲子	乙丑	丙寅	丁卯	庚辰
대운 男	2	2	2	1	1	1	1	清	10	9	9	9	8	8	8	7	7	7	6	6	6	5	5	5	4	4	4	3	3	3	2
대운 女	8	8	9	9	9	10	10	明	1	1	1	1	2	2	2	3	3	3	4	4	4	5	5	5	6	6	6	7	7	7	8

11月 (1일 六白 +) **丁巳 (八白)** 절기: 立夏(7일 17:29) 小滿 (22일 14:49)

양력	1	2	3	4	5	6	7	8	9	10	11	12	13	14	15	16	17	18	19	20	21	22	23	24	25	26	27	28	29	30	
요일	金	土	日	月	火	水	木	金	土	日	月	火	水	木	金	土	日	月	火	水	木	金	土	日	月	火	水	木	金	土	
음력 월	11	12	13	14	15	16	17	18	19	20	21	22	23	24	25	26	27	28	29	十	2	3	4	5	6	7	8	9	10	11	
일진	辛巳	壬午	癸未	戊申	己酉	甲戌	乙亥	丙子	丁丑	庚寅	辛卯	壬辰	癸巳	戊午	己未	甲申	乙酉	丙戌	丁亥	庚子	辛丑	壬寅	癸卯	戊辰	己巳	甲午	乙未	丙申	丁酉	庚戌	
대운 男	2	2	1	1	1	1	立	10	9	9	9	8	8	8	7	7	7	6	6	6	5	5	5	4	4	4	3	3	3	2	
대운 女	8	8	9	9	9	10	夏	1	1	1	1	2	2	2	3	3	3	4	4	4	5	5	5	6	6	6	7	7	7	8	

12月 (1일 九紫 + 20일 九紫 -) **庚午 (九紫)** 절기: 芒種(7일 10:08) 夏至(22일 04:00)

양력	1	2	3	4	5	6	7	8	9	10	11	12	13	14	15	16	17	18	19	20	21	22	23	24	25	26	27	28	29	30	31
요일	日	月	火	水	木	金	土	日	月	火	水	木	金	土	日	月	火	水	木	金	土	日	月	火	水	木	金	土	日	月	火
음력 월	12	13	14	15	16	17	18	19	20	21	22	23	24	25	26	27	28	29	30	十一	2	3	4	5	6	7	8	9	10	11	12
일진	辛亥	壬子	癸丑	戊寅	己卯	甲辰	乙巳	丙午	丁未	庚申	辛酉	壬戌	癸亥	戊子	己丑	甲寅	乙卯	丙辰	丁巳	庚午	辛未	壬申	癸酉	戊戌	己亥	甲子	乙丑	丙寅	丁卯	庚辰	辛巳
대운 男	2	2	1	1	1	1	芒	9	9	9	8	8	8	7	7	7	6	6	6	5	5	5	4	4	4	3	3	3	2	2	2
대운 女	8	8	9	9	9	10	種	1	1	1	1	2	2	2	3	3	3	4	4	4	5	5	5	6	6	6	7	7	7	8	8

己卯年 (六白金星)

1月 (1일 六白 -) **辛未 (一白)** 절기: 小暑 (5일 21:17) 大暑 (20일 14:38)

양력		1	2	3	4	5	6	7	8	9	10	11	12	13	14	15	16	17	18	19	20	21	22	23	24	25	26	27	28	29	30	31
요일		水	木	金	土	日	月	火	水	木	金	土	日	月	火	水	木	金	土	日	月	火	水	木	金	土	日	月	火	水	木	金
음력	월	13	14	15	16	17	18	19	20	21	22	23	24	25	26	27	28	29	十二	2	3	4	5	6	7	8	9	10	11	12	13	14
일진		壬午	癸未	戊申	己酉	甲戌	乙亥	丙子	丁丑	庚寅	辛卯	壬辰	癸巳	戊午	己未	甲申	乙酉	丙戌	丁亥	庚子	辛丑	壬寅	癸卯	戊辰	己巳	甲午	乙未	丙申	丁酉	庚戌	辛亥	壬子
대운	男	1	1	1	1	小	10	9	9	9	8	8	8	7	7	7	6	6	6	5	5	5	4	4	4	3	3	3	2	2	2	1
	女	8	9	9	9	暑	1	1	1	1	2	2	2	3	3	3	4	4	4	5	5	5	6	6	6	7	7	7	8	8	8	9

2月 (1일 二黑 +) **壬申 (二黑)** 절기: 立秋 (4일 08:59) 處暑 (19일 04:55)

양력		1	2	3	4	5	6	7	8	9	10	11	12	13	14	15	16	17	18	19	20	21	22	23	24	25	26	27	28			
요일		土	日	月	火	水	木	金	土	日	月	火	水	木	金	土	日	月	火	水	木	金	土	日	月	火	水	木	金			
음력	월	15	16	17	18	19	20	21	22	23	24	25	26	27	28	29	30	一	2	3	4	5	6	7	8	9	10	11	12			
일진		癸丑	戊寅	己卯	甲辰	乙巳	丙午	丁未	庚申	辛酉	壬戌	癸亥	戊子	己丑	甲寅	乙卯	丙辰	丁巳	庚午	辛未	壬申	癸酉	戊戌	己亥	甲子	乙丑	丙寅	丁卯	庚辰			
대운	男	1	1	1	立	1	1	1	1	2	2	2	3	3	3	4	4	4	5	5	5	6	6	6	7	7	7	8	8			
	女	9	9	10	秋	10	9	9	9	8	8	8	7	7	7	6	6	6	5	5	5	4	4	4	3	3	3	2	2			

3月 (1일 一白 -) **癸酉 (三碧)** 절기: 白露 (6일 03:11) 秋分 (21일 04:08)

양력		1	2	3	4	5	6	7	8	9	10	11	12	13	14	15	16	17	18	19	20	21	22	23	24	25	26	27	28	29	30	31
요일		土	日	月	火	水	木	金	土	日	月	火	水	木	金	土	日	月	火	水	木	金	土	日	月	火	水	木	金	土	日	月
음력	월	13	14	15	16	17	18	19	20	21	22	23	24	25	26	27	28	29	二	2	3	4	5	6	7	8	9	10	11	12	13	14
일진		辛巳	壬午	癸未	戊申	己酉	甲戌	乙亥	丙子	丁丑	庚寅	辛卯	壬辰	癸巳	戊午	己未	甲申	乙酉	丙戌	丁亥	庚子	辛丑	壬寅	癸卯	戊辰	己巳	甲午	乙未	丙申	丁酉	庚戌	辛亥
대운	男	8	9	9	9	10	白	1	1	1	1	2	2	2	3	3	3	4	4	4	5	5	5	6	6	6	7	7	7	8	8	8
	女	2	1	1	1	1	露	10	9	9	9	8	8	8	7	7	7	6	6	6	5	5	5	4	4	4	3	3	3	2	2	2

4月 (1일 六白 -) **戊戌 (四綠)** 절기: 寒露 (5일 08:15) 霜降 (20일 15:27)

양력		1	2	3	4	5	6	7	8	9	10	11	12	13	14	15	16	17	18	19	20	21	22	23	24	25	26	27	28	29	30	
요일		火	水	木	金	土	日	月	火	水	木	金	土	日	月	火	水	木	金	土	日	月	火	水	木	金	土	日	月	火	水	
음력	월	15	16	17	18	19	20	21	22	23	24	25	26	27	28	29	30	三	2	3	4	5	6	7	8	9	10	11	12	13	14	
일진		壬子	癸丑	戊寅	己卯	甲辰	乙巳	丙午	丁未	庚申	辛酉	壬戌	癸亥	戊子	己丑	甲寅	乙卯	丙辰	丁巳	庚午	辛未	壬申	癸酉	戊戌	己亥	甲子	乙丑	丙寅	丁卯	庚辰	辛巳	
대운	男	9	9	9	10	寒	1	1	1	1	2	2	2	3	3	3	4	4	4	5	5	5	6	6	6	7	7	7	8	8	8	
	女	1	1	1	1	露	10	10	9	9	9	8	8	8	7	7	7	6	6	6	5	5	5	4	4	4	3	3	3	2	2	

5月 (1일 三碧 -) **己亥 (五黃)** 절기: 立冬 (6일 01:50) 小雪 (21일 14:50)

양력		1	2	3	4	5	6	7	8	9	10	11	12	13	14	15	16	17	18	19	20	21	22	23	24	25	26	27	28	29	30	31
요일		木	金	土	日	月	火	水	木	金	土	日	月	火	水	木	金	土	日	月	火	水	木	金	土	日	月	火	水	木	金	土
음력	월	15	16	17	18	19	20	21	22	23	24	25	26	27	28	29	四	2	3	4	5	6	7	8	9	10	11	12	13	14	15	16
일진		壬午	癸未	戊申	己酉	甲戌	乙亥	丙子	丁丑	庚寅	辛卯	壬辰	癸巳	戊午	己未	甲申	乙酉	丙戌	丁亥	庚子	辛丑	壬寅	癸卯	戊辰	己巳	甲午	乙未	丙申	丁酉	庚戌	辛亥	壬子
대운	男	9	9	9	10	10	立	1	1	1	1	2	2	2	3	3	3	4	4	4	5	5	5	6	6	6	7	7	7	8	8	8
	女	2	1	1	1	1	冬	10	10	9	9	9	8	8	8	7	7	7	6	6	6	5	5	5	4	4	4	3	3	3	2	2

6月 (1일 八白 - 18일 一白 +) **甲子 (六白)** 절기: 大雪 (6일 06:12) 冬至 (21일 22:55)

양력		1	2	3	4	5	6	7	8	9	10	11	12	13	14	15	16	17	18	19	20	21	22	23	24	25	26	27	28	29	30	
요일		日	月	火	水	木	金	土	日	月	火	水	木	金	土	日	月	火	水	木	金	土	日	月	火	水	木	金	土	日	月	
음력	월	17	18	19	20	21	22	23	24	25	26	27	28	29	30	五	2	3	4	5	6	7	8	9	10	11	12	13	14	15	16	
일진		癸丑	戊寅	己卯	甲辰	乙巳	丙午	丁未	庚申	辛酉	壬戌	癸亥	戊子	己丑	甲寅	乙卯	丙辰	丁巳	庚午	辛未	壬申	癸酉	戊戌	己亥	甲子	乙丑	丙寅	丁卯	庚辰	辛巳	壬午	
대운	男	9	9	9	10	10	大	1	1	1	1	2	2	2	3	3	3	4	4	4	5	5	5	6	6	6	7	7	7	8	8	
	女	2	1	1	1	1	雪	10	10	9	9	9	8	8	8	7	7	7	6	6	6	5	5	5	4	4	4	3	3	3	2	

7月 (1일 五黃 +) **乙丑 (七赤)** 절기: 小寒(7일 16:32) 大寒(23일 09:48)

양력	1	2	3	4	5	6	7	8	9	10	11	12	13	14	15	16	17	18	19	20	21	22	23	24	25	26	27	28	29	30	31
요일	火	水	木	金	土	日	月	火	水	木	金	土	日	月	火	水	木	金	土	日	月	火	水	木	金	土	日	月	火	水	木
음력 월	17	18	19	20	21	22	23	24	25	26	27	28	29	六	2	3	4	5	6	7	8	9	10	11	12	13	14	15	16	17	18
일진	癸未	戊申	己酉	甲戌	乙亥	丙子	丁丑	庚寅	辛卯	壬辰	癸巳	戊午	己未	甲申	乙酉	丙戌	丁亥	庚子	辛丑	壬寅	癸卯	戊辰	己巳	甲午	乙未	丙申	丁酉	庚戌	辛亥	壬子	癸丑
대운 男	8	9	9	9	10	10	小	1	1	1	1	2	2	2	3	3	3	4	4	4	5	5	5	6	6	6	7	7	7	8	8
대운 女	2	2	1	1	1	1	寒	10	10	10	9	9	9	8	8	8	7	7	7	6	6	6	5	5	5	4	4	4	3	3	3

8月 (1일 九紫 +) **丙寅 (八白)** 절기: 立春(8일 02:14) 雨水(23일 16:43)

양력	1	2	3	4	5	6	7	8	9	10	11	12	13	14	15	16	17	18	19	20	21	22	23	24	25	26	27	28	29	30	31
요일	金	土	日	月	火	水	木	金	土	日	月	火	水	木	金	土	日	月	火	水	木	金	土	日	月	火	水	木	金	土	日
음력 월	19	20	21	22	23	24	25	26	27	28	29	30	七	2	3	4	5	6	7	8	9	10	11	12	13	14	15	16	17	18	19
일진	戊寅	己卯	甲辰	乙巳	丙午	丁未	庚申	辛酉	壬戌	癸亥	戊子	己丑	甲寅	乙卯	丙辰	丁巳	庚午	辛未	壬申	癸酉	戊戌	己亥	甲子	乙丑	丙寅	丁卯	庚辰	辛巳	壬午	癸未	戊申
대운 男	8	9	9	9	10	10	10	立	1	1	1	1	2	2	2	3	3	3	4	4	4	5	5	5	6	6	6	7	7	7	8
대운 女	2	2	2	1	1	1	1	春	10	10	9	9	9	8	8	8	7	7	7	6	6	6	5	5	5	4	4	4	3	3	3

9月 (1일 四綠 +) **丁卯 (九紫)** 절기: 驚蟄(8일 04:55) 春分 (23일 14:07)

양력	1	2	3	4	5	6	7	8	9	10	11	12	13	14	15	16	17	18	19	20	21	22	23	24	25	26	27	28	29	30	
요일	月	火	水	木	金	土	日	月	火	水	木	金	土	日	月	火	水	木	金	土	日	月	火	水	木	金	土	日	月	火	
음력 월	20	21	22	23	24	25	26	27	28	29	30	八	2	3	4	5	6	7	8	9	10	11	12	13	14	15	16	17	18	19	
일진	己酉	甲戌	乙亥	丙子	丁丑	庚寅	辛卯	壬辰	癸巳	戊午	己未	甲申	乙酉	丙戌	丁亥	庚子	辛丑	壬寅	癸卯	戊辰	己巳	甲午	乙未	丙申	丁酉	庚戌	辛亥	壬子	癸丑	戊寅	
대운 男	8	8	9	9	9	10	10	驚	1	1	1	1	2	2	2	3	3	3	4	4	4	5	5	5	6	6	6	7	7	7	
대운 女	2	2	2	1	1	1	1	蟄	10	9	9	9	8	8	8	7	7	7	6	6	6	5	5	5	4	4	4	3	3	3	

10月 (1일 七赤 +) **庚辰 (一白)** 절기: 清明(8일 20:17) 穀雨(23일 23:11)

양력	1	2	3	4	5	6	7	8	9	10	11	12	13	14	15	16	17	18	19	20	21	22	23	24	25	26	27	28	29	30	31
요일	水	木	金	土	日	月	火	水	木	金	土	日	月	火	水	木	金	土	日	月	火	水	木	金	土	日	月	火	水	木	金
음력 월	20	21	22	23	24	25	26	27	28	29	九	2	3	4	5	6	7	8	9	10	11	12	13	14	15	16	17	18	19	20	21
일진	己卯	甲辰	乙巳	丙午	丁未	庚申	辛酉	壬戌	癸亥	戊子	己丑	甲寅	乙卯	丙辰	丁巳	庚午	辛未	壬申	癸酉	戊戌	己亥	甲子	乙丑	丙寅	丁卯	庚辰	辛巳	壬午	癸未	戊申	己酉
대운 男	8	8	8	9	9	9	10	清	1	1	1	1	2	2	2	3	3	3	4	4	4	5	5	5	6	6	6	7	7	7	8
대운 女	2	2	2	1	1	1	1	明	10	9	9	9	8	8	8	7	7	7	6	6	6	5	5	5	4	4	4	3	3	3	2

11月 (1일 二黑 +) **辛巳 (二黑)** 절기: 立夏(7일 23:11) 小滿 (22일 20:31)

양력	1	2	3	4	5	6	7	8	9	10	11	12	13	14	15	16	17	18	19	20	21	22	23	24	25	26	27	28	29	30	
요일	土	日	月	火	水	木	金	土	日	月	火	水	木	金	土	日	月	火	水	木	金	土	日	月	火	水	木	金	土	日	
음력 월	22	23	24	25	26	27	28	29	30	十	2	3	4	5	6	7	8	9	10	11	12	13	14	15	16	17	18	19	20	21	
일진	甲戌	乙亥	丙子	丁丑	庚寅	辛卯	壬辰	癸巳	戊午	己未	甲申	乙酉	丙戌	丁亥	庚子	辛丑	壬寅	癸卯	戊辰	己巳	甲午	乙未	丙申	丁酉	庚戌	辛亥	壬子	癸丑	戊寅	己卯	
대운 男	8	8	9	9	9	10	立	1	1	1	1	2	2	2	3	3	3	4	4	4	5	5	5	6	6	6	7	7	7	8	
대운 女	2	2	1	1	1	1	夏	10	9	9	9	8	8	8	7	7	7	6	6	6	5	5	5	4	4	4	3	3	3	2	

12月 (1일 五黃 + 15일 九紫 -) **壬午(三碧)**

양력	1	2	3	4	5	6	7	8	9	10	11	12	13	14	15	16	17	18	19	20	21	22	23	24	25	26	27	28	29	30	31
요일	月	火	水	木	金	土	日	月	火	水	木	金	土	日	月	火	水	木	金	土	日	月	火	水	木	金	土	日	月	火	水
음력 월	22	23	24	25	26	27	28	29	十一	2	3	4	5	6	7	8	9	10	11	12	13	14	15	16	17	18	19	20	21	22	23
일진	甲辰	乙巳	丙午	丁未	庚申	辛酉	壬戌	癸亥	戊子	己丑	甲寅	乙卯	丙辰	丁巳	庚午	辛未	壬申	癸酉	戊戌	己亥	甲子	乙丑	丙寅	丁卯	庚辰	辛巳	壬午	癸未	戊申	己酉	甲戌
대운 男	8	8	9	9	9	10	芒	1	1	1	1	2	2	2	3	3	3	4	4	4	5	5	5	6	6	6	7	7	7	8	8
대운 女	2	2	1	1	1	1	種	10	9	9	9	8	8	8	7	7	7	6	6	6	5	5	5	4	4	4	3	3	3	2	2

서기1970년

甲辰年 (七赤金星)

1月 (1일 一白 -) **癸未 (四綠)** 절기: 小暑 (6일 03:02) 大暑 (20일 20:24)

양력		1	2	3	4	5	6	7	8	9	10	11	12	13	14	15	16	17	18	19	20	21	22	23	24	25	26	27	28	29	30	31
요일		木	金	土	日	月	火	水	木	金	土	日	月	火	水	木	金	土	日	月	火	水	木	金	土	日	月	火	水	木	金	土
음력	월	24	25	26	27	28	29	30	十二	2	3	4	5	6	7	8	9	10	11	12	13	14	15	16	17	18	19	20	21	22	23	24
일진		乙亥	丙子	丁丑	庚寅	辛卯	壬辰	癸巳	戊午	己未	甲申	乙酉	丙戌	丁亥	庚子	辛丑	壬寅	癸卯	戊辰	己巳	甲午	乙未	丙申	丁酉	庚戌	辛亥	壬子	癸丑	戊寅	己卯	甲辰	乙巳
대운	男	8	9	9	9	10	小	1	1	1	1	2	2	2	3	3	3	4	4	4	5	5	5	6	6	6	7	7	7	8	8	8
	女	2	1	1	1	1	寒	9	9	9	8	8	8	7	7	7	6	6	6	5	5	5	4	4	4	3	3	3	2	2	2	1

2月 (1일 六白 -) **戊申 (五黃)** 절기: 立秋 (4일 14:46) 處暑 (19일 10:42)

양력		1	2	3	4	5	6	7	8	9	10	11	12	13	14	15	16	17	18	19	20	21	22	23	24	25	26	27	28			
요일		日	月	火	水	木	金	土	日	月	火	水	木	金	土	日	月	火	水	木	金	土	日	月	火	水	木	金	土			
음력	월	25	26	27	28	29	一	2	3	4	5	6	7	8	9	10	11	12	13	14	15	16	17	18	19	20	21	22	23			
일진		丙午	丁未	庚申	辛酉	壬戌	癸亥	戊子	己丑	甲寅	乙卯	丙辰	丁巳	庚午	辛未	壬申	癸酉	戊戌	己亥	甲子	乙丑	丙寅	丁卯	庚辰	辛巳	壬午	癸未	戊申	己酉			
대운	男	9	9	9	立	10	9	9	9	8	8	8	7	7	7	6	6	6	5	5	5	4	4	4	3	3	3	2	2			
	女	1	1	1	秋	1	1	1	1	2	2	2	3	3	3	4	4	4	5	5	5	6	6	6	7	7	7	8	8			

3月 (1일 五黃 -) **己酉 (六白)** 절기: 白露 (6일 08:58) 秋分 (21일 09:56)

양력		1	2	3	4	5	6	7	8	9	10	11	12	13	14	15	16	17	18	19	20	21	22	23	24	25	26	27	28	29	30	31
요일		日	月	火	水	木	金	土	日	月	火	水	木	金	土	日	月	火	水	木	金	土	日	月	火	水	木	金	土	日	月	火
음력	월	24	25	26	27	28	29	30	二	2	3	4	5	6	7	8	9	10	11	12	13	14	15	16	17	18	19	20	21	22	23	24
일진		甲戌	乙亥	丙子	丁丑	庚寅	辛卯	壬辰	癸巳	戊午	己未	甲申	乙酉	丙戌	丁亥	庚子	辛丑	壬寅	癸卯	戊辰	己巳	甲午	乙未	丙申	丁酉	庚戌	辛亥	壬子	癸丑	戊寅	己卯	甲辰
대운	男	2	1	1	1	1	白	10	9	9	9	8	8	8	7	7	7	6	6	6	5	5	5	4	4	4	3	3	3	2	2	2
	女	8	9	9	9	10	露	1	1	1	1	2	2	2	3	3	3	4	4	4	5	5	5	6	6	6	7	7	7	8	8	8

4月 (1일 一白 -) **甲戌 (七赤)** 절기: 寒露 (5일 14:02) 霜降 (20일 21:15)

양력		1	2	3	4	5	6	7	8	9	10	11	12	13	14	15	16	17	18	19	20	21	22	23	24	25	26	27	28	29	30	
요일		水	木	金	土	日	月	火	水	木	金	土	日	月	火	水	木	金	土	日	月	火	水	木	金	土	日	月	火	水	木	
음력	월	25	26	27	28	29	三	2	3	4	5	6	7	8	9	10	11	12	13	14	15	16	17	18	19	20	21	22	23	24	25	
일진		乙巳	丙午	丁未	庚申	辛酉	壬戌	癸亥	戊子	己丑	甲寅	乙卯	丙辰	丁巳	庚午	辛未	壬申	癸酉	戊戌	己亥	甲子	乙丑	丙寅	丁卯	庚辰	辛巳	壬午	癸未	戊申	己酉	甲戌	
대운	男	1	1	1	1	寒	10	10	9	9	9	8	8	8	7	7	7	6	6	6	5	5	5	4	4	4	3	3	3	2	2	
	女	9	9	9	10	露	1	1	1	1	2	2	2	3	3	3	4	4	4	5	5	5	6	6	6	7	7	7	8	8	8	

5月 (1일 七赤 -) **乙亥 (八白)** 절기: 立冬 (6일 07:34) 小雪 (21일 20:37)

양력		1	2	3	4	5	6	7	8	9	10	11	12	13	14	15	16	17	18	19	20	21	22	23	24	25	26	27	28	29	30	31
요일		金	土	日	月	火	水	木	金	土	日	月	火	水	木	金	土	日	月	火	水	木	金	土	日	月	火	水	木	金	土	日
음력	월	26	27	28	29	四	2	3	4	5	6	7	8	9	10	11	12	13	14	15	16	17	18	19	20	21	22	23	24	25	26	27
일진		乙亥	丙子	丁丑	庚寅	辛卯	壬辰	癸巳	戊午	己未	甲申	乙酉	丙戌	丁亥	庚子	辛丑	壬寅	癸卯	戊辰	己巳	甲午	乙未	丙申	丁酉	庚戌	辛亥	壬子	癸丑	戊寅	己卯	甲辰	乙巳
대운	男	2	1	1	1	1	立	10	10	9	9	9	8	8	8	7	7	7	6	6	6	5	5	5	4	4	4	3	3	3	2	2
	女	9	9	9	10	10	冬	1	1	1	1	2	2	2	3	3	3	4	4	4	5	5	5	6	6	6	7	7	7	8	8	8

6月 (1일 三碧 - 13일 一白 +) **丙子 (九紫)** 절기: 大雪 (6일 11:52) 冬至 (22일 04:43)

양력		1	2	3	4	5	6	7	8	9	10	11	12	13	14	15	16	17	18	19	20	21	22	23	24	25	26	27	28	29	30	
요일		月	火	水	木	金	土	日	月	火	水	木	金	土	日	月	火	水	木	金	土	日	月	火	水	木	金	土	日	月	火	
음력	월	28	29	30	五	2	3	4	5	6	7	8	9	10	11	12	13	14	15	16	17	18	19	20	21	22	23	24	25	26	27	
일진		丙午	丁未	庚申	辛酉	壬戌	癸亥	戊子	己丑	甲寅	乙卯	丙辰	丁巳	庚午	辛未	壬申	癸酉	戊戌	己亥	甲子	乙丑	丙寅	丁卯	庚辰	辛巳	壬午	癸未	戊申	己酉	甲戌	乙亥	
대운	男	2	1	1	1	1	大	10	10	9	9	9	8	8	8	7	7	7	6	6	6	5	5	5	4	4	4	3	3	3	2	
	女	9	9	9	10	10	雪	1	1	1	1	2	2	2	3	3	3	4	4	4	5	5	5	6	6	6	7	7	7	8	8	

7月 (1일 一白 -) **丁丑 (一白)** 절기: 小寒(7일 22:11) 大寒(23일 15:37)

양력		1	2	3	4	5	6	7	8	9	10	11	12	13	14	15	16	17	18	19	20	21	22	23	24	25	26	27	28	29	30	31
요일		水	木	金	土	日	月	火	水	木	金	土	日	月	火	水	木	金	土	日	月	火	水	木	金	土	日	月	火	水	木	金
음력	월	28	29	30	六	2	3	4	5	6	7	8	9	10	11	12	13	14	15	16	17	18	19	20	21	22	23	24	25	26	27	28
일진		丙子	丁丑	庚寅	辛卯	壬辰	癸巳	戊午	己未	甲申	乙酉	丙戌	丁亥	庚子	辛丑	壬寅	癸卯	戊辰	己巳	甲午	乙未	丙申	丁酉	庚戌	辛亥	壬子	癸丑	戊寅	己卯	甲辰	乙巳	丙午
대운	男	2	2	1	1	1	1	小	10	10	10	9	9	9	8	8	8	7	7	7	6	6	6	5	5	5	4	4	4	3	3	3
	女	8	9	9	9	10	10	寒	1	1	1	1	2	2	2	3	3	3	4	4	4	5	5	5	6	6	6	7	7	7	8	8

8月 (1일 五黃 +) **庚寅 (二黑)** 절기: 立春(8일 07:54) 雨水(23일 22:34)

양력		1	2	3	4	5	6	7	8	9	10	11	12	13	14	15	16	17	18	19	20	21	22	23	24	25	26	27	28	29	30	31
요일		土	日	月	火	水	木	金	土	日	月	火	水	木	金	土	日	月	火	水	木	金	土	日	月	火	水	木	金	土	日	月
음력	월	29	七	2	3	4	5	6	7	8	9	10	11	12	13	14	15	16	17	18	19	20	21	22	23	24	25	26	27	28	29	30
일진		丁未	庚申	辛酉	壬戌	癸亥	戊子	己丑	甲寅	乙卯	丙辰	丁巳	庚午	辛未	壬申	癸酉	戊戌	己亥	甲子	乙丑	丙寅	丁卯	庚辰	辛巳	壬午	癸未	戊申	己酉	甲戌	乙亥	丙子	丁丑
대운	男	2	2	2	1	1	1	1	立	10	10	9	9	9	8	8	8	7	7	7	6	6	6	5	5	5	4	4	4	3	3	3
	女	8	9	9	9	10	10	10	春	1	1	1	1	2	2	2	3	3	3	4	4	4	5	5	5	6	6	6	7	7	7	8

9月 (1일 九紫 +) **辛卯 (三碧)** 절기: 驚蟄(8일 10:38) 春分 (23일 19:59)

양력		1	2	3	4	5	6	7	8	9	10	11	12	13	14	15	16	17	18	19	20	21	22	23	24	25	26	27	28	29	30	
요일		火	水	木	金	土	日	月	火	水	木	金	土	日	月	火	水	木	金	土	日	月	火	水	木	金	土	日	月	火	水	
음력	월	八	2	3	4	5	6	7	8	9	10	11	12	13	14	15	16	17	18	19	20	21	22	23	24	25	26	27	28	29	九	
일진		庚寅	辛卯	壬辰	癸巳	戊午	己未	甲申	乙酉	丙戌	丁亥	庚子	辛丑	壬寅	癸卯	戊辰	己巳	甲午	乙未	丙申	丁酉	庚戌	辛亥	壬子	癸丑	戊寅	己卯	甲辰	乙巳	丙午	丁未	
대운	男	2	2	2	1	1	1	1	驚	10	10	9	9	9	8	8	8	7	7	7	6	6	6	5	5	5	4	4	4	3	3	
	女	8	8	9	9	9	10	10	蟄	1	1	1	1	2	2	2	3	3	3	4	4	4	5	5	5	6	6	6	7	7	7	

10月 (1일 三碧 +) **壬辰 (四綠)** 절기: 清明(9일 02:02) 穀雨(24일 05:04)

양력		1	2	3	4	5	6	7	8	9	10	11	12	13	14	15	16	17	18	19	20	21	22	23	24	25	26	27	28	29	30	31
요일		木	金	土	日	月	火	水	木	金	土	日	月	火	水	木	金	土	日	月	火	水	木	金	土	日	月	火	水	木	金	土
음력	월	2	3	4	5	6	7	8	9	10	11	12	13	14	15	16	17	18	19	20	21	22	23	24	25	26	27	28	29	30	十	2
일진		庚申	辛酉	壬戌	癸亥	戊子	己丑	甲寅	乙卯	丙辰	丁巳	庚午	辛未	壬申	癸酉	戊戌	己亥	甲子	乙丑	丙寅	丁卯	庚辰	辛巳	壬午	癸未	戊申	己酉	甲戌	乙亥	丙子	丁丑	庚寅
대운	男	3	2	2	2	1	1	1	1	清	10	9	9	9	8	8	8	7	7	7	6	6	6	5	5	5	4	4	4	3	3	3
	女	8	8	8	9	9	9	10	10	明	1	1	1	1	2	2	2	3	3	3	4	4	4	5	5	5	6	6	6	7	7	7

11月 (1일 七赤 +) **癸巳 (五黃)** 절기: 立夏(8일 04:58) 小滿 (23일 02:25)

양력		1	2	3	4	5	6	7	8	9	10	11	12	13	14	15	16	17	18	19	20	21	22	23	24	25	26	27	28	29	30	
요일		日	月	火	水	木	金	土	日	月	火	水	木	金	土	日	月	火	水	木	金	土	日	月	火	水	木	金	土	日	月	
음력	월	3	4	5	6	7	8	9	10	11	12	13	14	15	16	17	18	19	20	21	22	23	24	25	26	27	28	29	30	十一	2	
일진		辛卯	壬辰	癸巳	戊午	己未	甲申	乙酉	丙戌	丁亥	庚子	辛丑	壬寅	癸卯	戊辰	己巳	甲午	乙未	丙申	丁酉	庚戌	辛亥	壬子	癸丑	戊寅	己卯	甲辰	乙巳	丙午	丁未	庚申	
대운	男	2	2	2	1	1	1	1	立	9	9	9	8	8	8	7	7	7	6	6	6	5	5	5	4	4	4	3	3	3	2	
	女	8	8	8	9	9	9	10	夏	1	1	1	1	2	2	2	3	3	3	4	4	4	5	5	5	6	6	6	7	7	7	

12月 (1일 一白 + 10일 九紫 -) **戊午 (六白)** 절기: 芒種(7일 21:37) 夏至(22일 15:36)

양력		1	2	3	4	5	6	7	8	9	10	11	12	13	14	15	16	17	18	19	20	21	22	23	24	25	26	27	28	29	30	31
요일		火	水	木	金	土	日	月	火	水	木	金	土	日	月	火	水	木	金	土	日	月	火	水	木	金	土	日	月	火	水	木
음력	월	3	4	5	6	7	8	9	10	11	12	13	14	15	16	17	18	19	20	21	22	23	24	25	26	27	28	29	十二	2	3	4
일진		辛酉	壬戌	癸亥	戊子	己丑	甲寅	乙卯	丙辰	丁巳	庚午	辛未	壬申	癸酉	戊戌	己亥	甲子	乙丑	丙寅	丁卯	庚辰	辛巳	壬午	癸未	戊申	己酉	甲戌	乙亥	丙子	丁丑	庚寅	辛卯
대운	男	2	2	1	1	1	1	芒	10	9	9	9	8	8	8	7	7	7	6	6	6	5	5	5	4	4	4	3	3	3	2	2
	女	8	8	8	9	9	9	種	1	1	1	1	2	2	2	3	3	3	4	4	4	5	5	5	6	6	6	7	7	7	8	8

乙巳年 (八白土星) 閏五月

1月 (1일 五黃 -) **己未 (七赤)** 절기: 小暑 (6일 08:45) 大暑 (21일 02:13)

양력	1	2	3	4	5	6	7	8	9	10	11	12	13	14	15	16	17	18	19	20	21	22	23	24	25	26	27	28	29	30	31
요일	金	土	日	月	火	水	木	金	土	日	月	火	水	木	金	土	日	月	火	水	木	金	土	日	月	火	水	木	金	土	日
음력 월	5	6	7	8	9	10	11	12	13	14	15	16	17	18	19	20	21	22	23	24	25	26	27	28	29	30	一	2	3	4	5
일진	壬辰	癸巳	戊午	己未	甲申	乙酉	丙戌	丁亥	庚子	辛丑	壬寅	癸卯	戊辰	己巳	甲午	乙未	丙申	丁酉	庚戌	辛亥	壬子	癸丑	戊寅	己卯	甲辰	乙巳	丙午	丁未	庚申	辛酉	壬戌
대운 男	2	1	1	1	1	小	9	9	9	8	8	8	7	7	7	6	6	6	5	5	5	4	4	4	3	3	3	2	2	2	1
대운 女	8	9	9	9	10	暑	1	1	1	1	2	2	2	3	3	3	4	4	4	5	5	5	6	6	6	7	7	7	8	8	8

2月 (1일 一白 -) **甲申 (八白)** 절기: 立秋 (4일 20:25) 處暑 (19일 16:27)

양력	1	2	3	4	5	6	7	8	9	10	11	12	13	14	15	16	17	18	19	20	21	22	23	24	25	26	27	28			
요일	月	火	水	木	金	土	日	月	火	水	木	金	土	日	月	火	水	木	金	土	日	月	火	水	木	金	土	日			
음력 월	6	7	8	9	10	11	12	13	14	15	16	17	18	19	20	21	22	23	24	25	26	27	28	29	二	2	3	4			
일진	癸亥	戊子	己丑	甲寅	乙卯	丙辰	丁巳	庚午	辛未	壬申	癸酉	戊戌	己亥	甲子	乙丑	丙寅	丁卯	庚辰	辛巳	壬午	癸未	戊申	己酉	甲戌	乙亥	丙子	丁丑	庚寅			
대운 男	1	1	1	立	1	1	1	1	2	2	2	3	3	3	4	4	4	5	5	5	6	6	6	7	7	7	8	8			
대운 女	9	9	9	秋	10	9	9	9	8	8	8	7	7	7	6	6	6	5	5	5	4	4	4	3	3	3	2	2			

3月 (1일 九紫 -) **乙酉 (九紫)** 절기: 白露 (6일 14:35) 秋分 (21일 15:38)

양력	1	2	3	4	5	6	7	8	9	10	11	12	13	14	15	16	17	18	19	20	21	22	23	24	25	26	27	28	29	30	31
요일	月	火	水	木	金	土	日	月	火	水	木	金	土	日	月	火	水	木	金	土	日	月	火	水	木	金	土	日	月	火	水
음력 월	5	6	7	8	9	10	11	12	13	14	15	16	17	18	19	20	21	22	23	24	25	26	27	28	29	30	三	2	3	4	5
일진	辛卯	壬辰	癸巳	戊午	己未	甲申	乙酉	丙戌	丁亥	庚子	辛丑	壬寅	癸卯	戊辰	己巳	甲午	乙未	丙申	丁酉	庚戌	辛亥	壬子	癸丑	戊寅	己卯	甲辰	乙巳	丙午	丁未	庚申	辛酉
대운 男	8	9	9	9	10	白	1	1	1	1	2	2	2	3	3	3	4	4	4	5	5	5	6	6	6	7	7	7	8	8	8
대운 女	2	1	1	1	1	露	10	9	9	9	8	8	8	7	7	7	6	6	6	5	5	5	4	4	4	3	3	3	2	2	2

4月 (1일 五黃 -) **丙戌 (一白)** 절기: 寒露 (5일 19:36) 霜降 (21일 02:54)

양력	1	2	3	4	5	6	7	8	9	10	11	12	13	14	15	16	17	18	19	20	21	22	23	24	25	26	27	28	29	30	
요일	木	金	土	日	月	火	水	木	金	土	日	月	火	水	木	金	土	日	月	火	水	木	金	土	日	月	火	水	木	金	
음력 월	6	7	8	9	10	11	12	13	14	15	16	17	18	19	20	21	22	23	24	25	26	27	28	29	四	2	3	4	5	6	
일진	壬戌	癸亥	戊子	己丑	甲寅	乙卯	丙辰	丁巳	庚午	辛未	壬申	癸酉	戊戌	己亥	甲子	乙丑	丙寅	丁卯	庚辰	辛巳	壬午	癸未	戊申	己酉	甲戌	乙亥	丙子	丁丑	庚寅	辛卯	
대운 男	9	9	9	10	寒	1	1	1	1	2	2	2	3	3	3	4	4	4	5	5	5	6	6	6	7	7	7	8	8	8	
대운 女	1	1	1	1	露	10	10	9	9	9	8	8	8	7	7	7	6	6	6	5	5	5	4	4	4	3	3	3	2	2	

5月 (1일 二黑 -) **丁亥 (二黑)** 절기: 立冬 (6일 13:08) 小雪 (22일 02:15)

양력	1	2	3	4	5	6	7	8	9	10	11	12	13	14	15	16	17	18	19	20	21	22	23	24	25	26	27	28	29	30	31
요일	土	日	月	火	水	木	金	土	日	月	火	水	木	金	土	日	月	火	水	木	金	土	日	月	火	水	木	金	土	日	月
음력 월	7	8	9	10	11	12	13	14	15	16	17	18	19	20	21	22	23	24	25	26	27	28	29	五	2	3	4	5	6	7	8
일진	壬辰	癸巳	戊午	己未	甲申	乙酉	丙戌	丁亥	庚子	辛丑	壬寅	癸卯	戊辰	己巳	甲午	乙未	丙申	丁酉	庚戌	辛亥	壬子	癸丑	戊寅	己卯	甲辰	乙巳	丙午	丁未	庚申	辛酉	壬戌
대운 男	9	9	9	10	10	立	1	1	1	1	2	2	2	3	3	3	4	4	4	5	5	5	6	6	6	7	7	7	8	8	8
대운 女	2	1	1	1	1	冬	10	10	9	9	9	8	8	8	7	7	7	6	6	6	5	5	5	4	4	4	3	3	3	2	2

6月 (1일 七赤 - 8일 一白 +) **庚子 (三碧)** 절기: 大雪 (6일 17:29) 冬至 (22일 10:20)

양력	1	2	3	4	5	6	7	8	9	10	11	12	13	14	15	16	17	18	19	20	21	22	23	24	25	26	27	28	29	30	
요일	火	水	木	金	土	日	月	火	水	木	金	土	日	月	火	水	木	金	土	日	月	火	水	木	金	土	日	月	火	水	
음력 월	9	10	11	12	13	14	15	16	17	18	19	20	21	22	23	24	25	26	27	28	29	30	閏五		3	4	5	6	7	8	
일진	癸亥	戊子	己丑	甲寅	乙卯	丙辰	丁巳	庚午	辛未	壬申	癸酉	戊戌	己亥	甲子	乙丑	丙寅	丁卯	庚辰	辛巳	壬午	癸未	戊申	己酉	甲戌	乙亥	丙子	丁丑	庚寅	辛卯	壬辰	
대운 男	9	9	9	10	10	大	1	1	1	1	2	2	2	3	3	3	4	4	4	5	5	5	6	6	6	7	7	7	8	8	
대운 女	2	1	1	1	1	雪	10	10	10	9	9	9	8	8	8	7	7	7	6	6	6	5	5	5	4	4	4	3	3	3	

7月 (1일 六白 +) **辛丑 (四綠)** 절기: 小寒(8일 03:51) 大寒(23일 21:15)

양력		1	2	3	4	5	6	7	8	9	10	11	12	13	14	15	16	17	18	19	20	21	22	23	24	25	26	27	28	29	30	31
요일		木	金	土	日	月	火	水	木	金	土	日	月	火	水	木	金	土	日	月	火	水	木	金	土	日	月	火	水	木	金	土
음력	월	9	10	11	12	13	14	15	16	17	18	19	20	21	22	23	24	25	26	27	28	29	六	2	3	4	5	6	7	8	9	10
일진		癸巳	戊午	己未	甲申	乙酉	丙戌	丁亥	庚子	辛丑	壬寅	癸卯	戊辰	己巳	甲午	乙未	丙申	丁酉	庚戌	辛亥	壬子	癸丑	戊寅	己卯	甲辰	乙巳	丙午	丁未	庚申	辛酉	壬戌	癸亥
대운	男	8	9	9	9	10	10	10	小	1	1	1	1	2	2	2	3	3	3	4	4	4	5	5	5	6	6	6	7	7	7	8
	女	2	2	2	1	1	1	1	寒	10	10	9	9	9	8	8	8	7	7	7	6	6	6	5	5	5	4	4	4	3	3	3

8月 (1일 一白 +) **壬寅 (五黃)** 절기: 立春(8일 13:40) 雨水(24일 04:15)

양력		1	2	3	4	5	6	7	8	9	10	11	12	13	14	15	16	17	18	19	20	21	22	23	24	25	26	27	28	29	30	31
요일		日	月	火	水	木	金	土	日	月	火	水	木	金	土	日	月	火	水	木	金	土	日	月	火	水	木	金	土	日	月	火
음력	월	11	12	13	14	15	16	17	18	19	20	21	22	23	24	25	26	27	28	29	30	七	2	3	4	5	6	7	8	9	10	11
일진		戊子	己丑	甲寅	乙卯	丙辰	丁巳	庚午	辛未	壬申	癸酉	戊戌	己亥	甲子	乙丑	丙寅	丁卯	庚辰	辛巳	壬午	癸未	戊申	己酉	甲戌	乙亥	丙子	丁丑	庚寅	辛卯	壬辰	癸巳	戊午
대운	男	8	8	9	9	9	10	10	立	1	1	1	1	2	2	2	3	3	3	4	4	4	5	5	5	6	6	6	7	7	7	8
	女	2	2	2	1	1	1	1	春	10	10	9	9	9	8	8	8	7	7	7	6	6	6	5	5	5	4	4	4	3	3	3

9月 (1일 五黃 +) **癸卯 (六白)** 절기: 驚蟄(8일 16:30) 春分 (24일 01:45)

양력		1	2	3	4	5	6	7	8	9	10	11	12	13	14	15	16	17	18	19	20	21	22	23	24	25	26	27	28	29	30	
요일		水	木	金	土	日	月	火	水	木	金	土	日	月	火	水	木	金	土	日	月	火	水	木	金	土	日	月	火	水	木	
음력	월	12	13	14	15	16	17	18	19	20	21	22	23	24	25	26	27	28	29	八	2	3	4	5	6	7	8	9	10	11	12	
일진		己未	甲申	乙酉	丙戌	丁亥	庚子	辛丑	壬寅	癸卯	戊辰	己巳	甲午	乙未	丙申	丁酉	庚戌	辛亥	壬子	癸丑	戊寅	己卯	甲辰	乙巳	丙午	丁未	庚申	辛酉	壬戌	癸亥	戊子	
대운	男	8	8	9	9	9	10	10	驚	1	1	1	1	2	2	2	3	3	3	4	4	4	5	5	5	6	6	6	7	7	7	
	女	2	2	2	1	1	1	1	蟄	10	10	9	9	9	8	8	8	7	7	7	6	6	6	5	5	5	4	4	4	3	3	

10月 (1일 八白 +) **戊辰 (七赤)** 절기: 清明(9일 07:59) 穀雨(24일 10:53)

양력		1	2	3	4	5	6	7	8	9	10	11	12	13	14	15	16	17	18	19	20	21	22	23	24	25	26	27	28	29	30	31
요일		金	土	日	月	火	水	木	金	土	日	月	火	水	木	金	土	日	月	火	水	木	金	土	日	月	火	水	木	金	土	日
음력	월	13	14	15	16	17	18	19	20	21	22	23	24	25	26	27	28	29	30	九	2	3	4	5	6	7	8	9	10	11	12	13
일진		己丑	甲寅	乙卯	丙辰	丁巳	庚午	辛未	壬申	癸酉	戊戌	己亥	甲子	乙丑	丙寅	丁卯	庚辰	辛巳	壬午	癸未	戊申	己酉	甲戌	乙亥	丙子	丁丑	庚寅	辛卯	壬辰	癸巳	戊午	己未
대운	男	8	8	8	9	9	9	10	10	清	1	1	1	1	2	2	2	3	3	3	4	4	4	5	5	5	6	6	6	7	7	7
	女	3	2	2	2	1	1	1	1	明	10	9	9	9	8	8	8	7	7	7	6	6	6	5	5	5	4	4	4	3	3	3

11月 (1일 三碧 +) **己巳 (八白)** 절기: 立夏(8일 10:57) 小滿 (23일 08:14)

양력		1	2	3	4	5	6	7	8	9	10	11	12	13	14	15	16	17	18	19	20	21	22	23	24	25	26	27	28	29	30	
요일		月	火	水	木	金	土	日	月	火	水	木	金	土	日	月	火	水	木	金	土	日	月	火	水	木	金	土	日	月	火	
음력	월	14	15	16	17	18	19	20	21	22	23	24	25	26	27	28	29	30	十	2	3	4	5	6	7	8	9	10	11	12	13	
일진		甲申	乙酉	丙戌	丁亥	庚子	辛丑	壬寅	癸卯	戊辰	己巳	甲午	乙未	丙申	丁酉	庚戌	辛亥	壬子	癸丑	戊寅	己卯	甲辰	乙巳	丙午	丁未	庚申	辛酉	壬戌	癸亥	戊子	己丑	
대운	男	8	8	8	9	9	9	10	立	1	1	1	1	2	2	2	3	3	3	4	4	4	5	5	5	6	6	6	7	7	7	
	女	2	2	2	1	1	1	1	夏	10	9	9	9	8	8	8	7	7	7	6	6	6	5	5	5	4	4	4	3	3	3	

12月 (1일 六白 + 5일 九紫 -) **甲午 (九紫)** 절기: 芒種(8일 03:36) 夏至(22일 21:24)

양력		1	2	3	4	5	6	7	8	9	10	11	12	13	14	15	16	17	18	19	20	21	22	23	24	25	26	27	28	29	30	31
요일		水	木	金	土	日	月	火	水	木	金	土	日	月	火	水	木	金	土	日	月	火	水	木	金	土	日	月	火	水	木	金
음력	월	14	15	16	17	18	19	20	21	22	23	24	25	26	27	28	29	30	十一	2	3	4	5	6	7	8	9	10	11	12	13	14
일진		甲寅	乙卯	丙辰	丁巳	庚午	辛未	壬申	癸酉	戊戌	己亥	甲子	乙丑	丙寅	丁卯	庚辰	辛巳	壬午	癸未	戊申	己酉	甲戌	乙亥	丙子	丁丑	庚寅	辛卯	壬辰	癸巳	戊午	己未	甲申
대운	男	8	8	8	9	9	9	10	芒	1	1	1	1	2	2	2	3	3	3	4	4	4	5	5	5	6	6	6	7	7	7	8
	女	2	2	2	1	1	1	1	種	9	9	9	8	8	8	7	7	7	6	6	6	5	5	5	4	4	4	3	3	3	2	2

서기1972년

丙午年 (九紫火星)

1月 (1일 九紫 -) 乙未 (一白) 절기: 小暑 (6일 14:42) 大暑 (21일 07:59)

양력		1	2	3	4	5	6	7	8	9	10	11	12	13	14	15	16	17	18	19	20	21	22	23	24	25	26	27	28	29	30	31
요일		土	日	月	火	水	木	金	土	日	月	火	水	木	金	土	日	月	火	水	木	金	土	日	月	火	水	木	金	土	日	月
음력	월	15	16	17	18	19	20	21	22	23	24	25	26	27	28	29	十二	2	3	4	5	6	7	8	9	10	11	12	13	14	15	16
일진		乙酉	丙戌	丁亥	庚子	辛丑	壬寅	癸卯	戊辰	己巳	甲午	乙未	丙申	丁酉	庚戌	辛亥	壬子	癸丑	戊寅	己卯	甲辰	乙巳	丙午	丁未	庚申	辛酉	壬戌	癸亥	戊子	己丑	甲寅	乙卯
대운	男	8	8	9	9	9	小	1	1	1	1	2	2	2	3	3	3	4	4	4	5	5	5	6	6	6	7	7	7	8	8	8
	女	2	1	1	1	1	暑	10	9	9	9	8	8	8	7	7	7	6	6	6	5	5	5	4	4	4	3	3	3	2	2	2

2月 閏 (1일 五黃 -) 丙申 (二黑) 절기: 立秋 (5일 02:20) 處暑 (19일 22:11)

양력		1	2	3	4	5	6	7	8	9	10	11	12	13	14	15	16	17	18	19	20	21	22	23	24	25	26	27	28	29		
요일		火	水	木	金	土	日	月	火	水	木	金	土	日	月	火	水	木	金	土	日	月	火	水	木	金	土	日	月	火		
음력	월	17	18	19	20	21	22	23	24	25	26	27	28	29	30	一	2	3	4	5	6	7	8	9	10	11	12	13	14	15		
일진		丙辰	丁巳	庚午	辛未	壬申	癸酉	戊戌	己亥	甲子	乙丑	丙寅	丁卯	庚辰	辛巳	壬午	癸未	戊申	己酉	甲戌	乙亥	丙子	丁丑	庚寅	辛卯	壬辰	癸巳	戊午	己未	甲申		
대운	男	9	9	9	10	立	9	9	9	8	8	8	7	7	7	6	6	6	5	5	5	4	4	4	3	3	3	2	2	2		
	女	1	1	1	1	秋	1	1	1	1	2	2	2	3	3	3	4	4	4	5	5	5	6	6	6	7	7	7	8	8		

3月 (1일 三碧 -) 丁酉 (三碧) 절기: 白露 (5일 20:28) 秋分 (20일 21:21)

양력		1	2	3	4	5	6	7	8	9	10	11	12	13	14	15	16	17	18	19	20	21	22	23	24	25	26	27	28	29	30	31
요일		水	木	金	土	日	月	火	水	木	金	土	日	月	火	水	木	金	土	日	月	火	水	木	金	土	日	月	火	水	木	金
음력	월	16	17	18	19	20	21	22	23	24	25	26	27	28	29	二	2	3	4	5	6	7	8	9	10	11	12	13	14	15	16	17
일진		乙酉	丙戌	丁亥	庚子	辛丑	壬寅	癸卯	戊辰	己巳	甲午	乙未	丙申	丁酉	庚戌	辛亥	壬子	癸丑	戊寅	己卯	甲辰	乙巳	丙午	丁未	庚申	辛酉	壬戌	癸亥	戊子	己丑	甲寅	乙卯
대운	男	1	1	1	1	白	10	10	9	9	9	8	8	8	7	7	7	6	6	6	5	5	5	4	4	4	3	3	3	2	2	2
	女	8	9	9	9	露	1	1	1	1	2	2	2	3	3	3	4	4	4	5	5	5	6	6	6	7	7	7	8	8	8	9

4月 (1일 八白 -) 庚戌 (四綠) 절기: 寒露 (5일 01:29) 霜降 (20일 08:37)

양력		1	2	3	4	5	6	7	8	9	10	11	12	13	14	15	16	17	18	19	20	21	22	23	24	25	26	27	28	29	30	
요일		土	日	月	火	水	木	金	土	日	月	火	水	木	金	土	日	月	火	水	木	金	土	日	月	火	水	木	金	土	日	
음력	월	18	19	20	21	22	23	24	25	26	27	28	29	30	三	2	3	4	5	6	7	8	9	10	11	12	13	14	15	16	17	
일진		丙辰	丁巳	庚午	辛未	壬申	癸酉	戊戌	己亥	甲子	乙丑	丙寅	丁卯	庚辰	辛巳	壬午	癸未	戊申	己酉	甲戌	乙亥	丙子	丁丑	庚寅	辛卯	壬辰	癸巳	戊午	己未	甲申	乙酉	
대운	男	1	1	1	1	寒	10	9	9	9	8	8	8	7	7	7	6	6	6	5	5	5	4	4	4	3	3	3	2	2	2	
	女	9	9	10	10	露	1	1	1	1	2	2	2	3	3	3	4	4	4	5	5	5	6	6	6	7	7	7	8	8	8	

5月 (1일 五黃 -) 辛亥 (五黃) 절기: 立冬 (5일 19:01) 小雪 (21일 08:00)

양력		1	2	3	4	5	6	7	8	9	10	11	12	13	14	15	16	17	18	19	20	21	22	23	24	25	26	27	28	29	30	31
요일		月	火	水	木	金	土	日	月	火	水	木	金	土	日	月	火	水	木	金	土	日	月	火	水	木	金	土	日	月	火	水
음력	월	18	19	20	21	22	23	24	25	26	27	28	29	四	2	3	4	5	6	7	8	9	10	11	12	13	14	15	16	17	18	19
일진		丙戌	丁亥	庚子	辛丑	壬寅	癸卯	戊辰	己巳	甲午	乙未	丙申	丁酉	庚戌	辛亥	壬子	癸丑	戊寅	己卯	甲辰	乙巳	丙午	丁未	庚申	辛酉	壬戌	癸亥	戊子	己丑	甲寅	乙卯	丙辰
대운	男	1	1	1	1	立	10	10	9	9	9	8	8	8	7	7	7	6	6	6	5	5	5	4	4	4	3	3	3	2	2	2
	女	9	9	9	10	冬	1	1	1	1	2	2	2	3	3	3	4	4	4	5	5	5	6	6	6	7	7	7	8	8	8	9

6月 (1일 一白 - 2일 一白 +) 壬子 (六白) 절기: 大雪 (5일 23:22) 冬至 (21일 16:06)

양력		1	2	3	4	5	6	7	8	9	10	11	12	13	14	15	16	17	18	19	20	21	22	23	24	25	26	27	28	29	30	
요일		木	金	土	日	月	火	水	木	金	土	日	月	火	水	木	金	土	日	月	火	水	木	金	土	日	月	火	水	木	金	
음력	월	20	21	22	23	24	25	26	27	28	29	五	2	3	4	5	6	7	8	9	10	11	12	13	14	15	16	17	18	19	20	
일진		丁巳	庚午	辛未	壬申	癸酉	戊戌	己亥	甲子	乙丑	丙寅	丁卯	庚辰	辛巳	壬午	癸未	戊申	己酉	甲戌	乙亥	丙子	丁丑	庚寅	辛卯	壬辰	癸巳	戊午	己未	甲申	乙酉	丙戌	
대운	男	1	1	1	1	大	10	10	10	9	9	9	8	8	8	7	7	7	6	6	6	5	5	5	4	4	4	3	3	3	2	
	女	9	9	10	10	雪	1	1	1	1	2	2	2	3	3	3	4	4	4	5	5	5	6	6	6	7	7	7	8	8	8	

7月 (1일 三碧 +) **癸丑 (七赤)** 절기: 小寒(7일 09:43) 大寒(23일 03:03)

		1	2	3	4	5	6	7	8	9	10	11	12	13	14	15	16	17	18	19	20	21	22	23	24	25	26	27	28	29	30	31
양력		1	2	3	4	5	6	7	8	9	10	11	12	13	14	15	16	17	18	19	20	21	22	23	24	25	26	27	28	29	30	31
요일		土	日	月	火	水	木	金	土	日	月	火	水	木	金	土	日	月	火	水	木	金	土	日	月	火	水	木	金	土	日	月
음력	월	21	22	23	24	25	26	27	28	29	30	六	2	3	4	5	6	7	8	9	10	11	12	13	14	15	16	17	18	19	20	21
일진		丁亥	庚子	辛丑	壬寅	癸卯	戊辰	己巳	甲午	乙未	丙申	丁酉	庚戌	辛亥	壬子	癸丑	戊寅	己卯	甲辰	乙巳	丙午	丁未	庚申	辛酉	壬戌	癸亥	戊子	己丑	甲寅	乙卯	丙辰	丁巳
대운	男	2	2	1	1	1	1	小	10	10	9	9	9	8	8	8	7	7	7	6	6	6	5	5	5	4	4	4	3	3	3	2
	女	9	9	9	10	10	10	寒	1	1	1	1	2	2	2	3	3	3	4	4	4	5	5	5	6	6	6	7	7	7	8	8

8月 (1일 七赤 +) **戊寅 (八白)** 절기: 立春(7일 19:29) 雨水(23일 10:03)

		1	2	3	4	5	6	7	8	9	10	11	12	13	14	15	16	17	18	19	20	21	22	23	24	25	26	27	28	29	30	31
양력		1	2	3	4	5	6	7	8	9	10	11	12	13	14	15	16	17	18	19	20	21	22	23	24	25	26	27	28	29	30	31
요일		火	水	木	金	土	日	月	火	水	木	金	土	日	月	火	水	木	金	土	日	月	火	水	木	金	土	日	月	火	水	木
음력	월	22	23	24	25	26	27	28	29	七	2	3	4	5	6	7	8	9	10	11	12	13	14	15	16	17	18	19	20	21	22	23
일진		庚午	辛未	壬申	癸酉	戊戌	己亥	甲子	乙丑	丙寅	丁卯	庚辰	辛巳	壬午	癸未	戊申	己酉	甲戌	乙亥	丙子	丁丑	庚寅	辛卯	壬辰	癸巳	戊午	己未	甲申	乙酉	丙戌	丁亥	庚子
대운	男	2	2	1	1	1	1	立	10	10	9	9	9	8	8	8	7	7	7	6	6	6	5	5	5	4	4	4	3	3	3	2
	女	8	9	9	9	10	10	春	1	1	1	1	2	2	2	3	3	3	4	4	4	5	5	5	6	6	6	7	7	7	8	8

9月 (1일 二黑 +) **己卯 (九紫)** 절기: 驚蟄(7일 22:15) 春分 (23일 07:33)

		1	2	3	4	5	6	7	8	9	10	11	12	13	14	15	16	17	18	19	20	21	22	23	24	25	26	27	28	29	30	
양력		1	2	3	4	5	6	7	8	9	10	11	12	13	14	15	16	17	18	19	20	21	22	23	24	25	26	27	28	29	30	
요일		金	土	日	月	火	水	木	金	土	日	月	火	水	木	金	土	日	月	火	水	木	金	土	日	月	火	水	木	金	土	
음력	월	24	25	26	27	28	29	30	八	2	3	4	5	6	7	8	9	10	11	12	13	14	15	16	17	18	19	20	21	22	23	
일진		辛丑	壬寅	癸卯	戊辰	己巳	甲午	乙未	丙申	丁酉	庚戌	辛亥	壬子	癸丑	戊寅	己卯	甲辰	乙巳	丙午	丁未	庚申	辛酉	壬戌	癸亥	戊子	己丑	甲寅	乙卯	丙辰	丁巳	庚午	
대운	男	2	2	1	1	1	1	驚	10	10	9	9	9	8	8	8	7	7	7	6	6	6	5	5	5	4	4	4	3	3	3	
	女	8	9	9	9	10	10	蟄	1	1	1	1	2	2	2	3	3	3	4	4	4	5	5	5	6	6	6	7	7	7	8	

10月 (1일 五黃 +) **甲辰 (一白)** 절기: 清明(8일 13:42) 穀雨(23일 16:41)

		1	2	3	4	5	6	7	8	9	10	11	12	13	14	15	16	17	18	19	20	21	22	23	24	25	26	27	28	29	30	31
양력		1	2	3	4	5	6	7	8	9	10	11	12	13	14	15	16	17	18	19	20	21	22	23	24	25	26	27	28	29	30	31
요일		日	月	火	水	木	金	土	日	月	火	水	木	金	土	日	月	火	水	木	金	土	日	月	火	水	木	金	土	日	月	火
음력	월	24	25	26	27	28	29	九	2	3	4	5	6	7	8	9	10	11	12	13	14	15	16	17	18	19	20	21	22	23	24	25
일진		辛未	壬申	癸酉	戊戌	己亥	甲子	乙丑	丙寅	丁卯	庚辰	辛巳	壬午	癸未	戊申	己酉	甲戌	乙亥	丙子	丁丑	庚寅	辛卯	壬辰	癸巳	戊午	己未	甲申	乙酉	丙戌	丁亥	庚子	辛丑
대운	男	2	2	2	1	1	1	1	清	10	9	9	9	8	8	8	7	7	7	6	6	6	5	5	5	4	4	4	3	3	3	2
	女	8	8	9	9	9	10	10	明	1	1	1	1	2	2	2	3	3	3	4	4	4	5	5	5	6	6	6	7	7	7	8

11月 (1일 九紫 + 29일 九紫 -) **乙巳 (二黑)** 절기: 立夏(7일 16:39) 小滿 (22일 14:03)

		1	2	3	4	5	6	7	8	9	10	11	12	13	14	15	16	17	18	19	20	21	22	23	24	25	26	27	28	29	30	
양력		1	2	3	4	5	6	7	8	9	10	11	12	13	14	15	16	17	18	19	20	21	22	23	24	25	26	27	28	29	30	
요일		水	木	金	土	日	月	火	水	木	金	土	日	月	火	水	木	金	土	日	月	火	水	木	金	土	日	月	火	水	木	
음력	월	26	27	28	29	30	十	2	3	4	5	6	7	8	9	10	11	12	13	14	15	16	17	18	19	20	21	22	23	24	25	
일진		壬寅	癸卯	戊辰	己巳	甲午	乙未	丙申	丁酉	庚戌	辛亥	壬子	癸丑	戊寅	己卯	甲辰	乙巳	丙午	丁未	庚申	辛酉	壬戌	癸亥	戊子	己丑	甲寅	乙卯	丙辰	丁巳	庚午	辛未	
대운	男	2	2	1	1	1	1	立	10	9	9	9	8	8	8	7	7	7	6	6	6	5	5	5	4	4	4	3	3	3	2	
	女	8	8	9	9	9	10	夏	1	1	1	1	2	2	2	3	3	3	4	4	4	5	5	5	6	6	6	7	7	7	8	

12月 (1일 七赤 -) **丙午 (三碧)** 절기: 芒種(7일 09:19) 夏至(22일 03:13)

		1	2	3	4	5	6	7	8	9	10	11	12	13	14	15	16	17	18	19	20	21	22	23	24	25	26	27	28	29	30	31
양력		1	2	3	4	5	6	7	8	9	10	11	12	13	14	15	16	17	18	19	20	21	22	23	24	25	26	27	28	29	30	31
요일		金	土	日	月	火	水	木	金	土	日	月	火	水	木	金	土	日	月	火	水	木	金	土	日	月	火	水	木	金	土	日
음력	월	26	27	28	29	30	十一	2	3	4	5	6	7	8	9	10	11	12	13	14	15	16	17	18	19	20	21	22	23	24	25	26
일진		壬申	癸酉	戊戌	己亥	甲子	乙丑	丙寅	丁卯	庚辰	辛巳	壬午	癸未	戊申	己酉	甲戌	乙亥	丙子	丁丑	庚寅	辛卯	壬辰	癸巳	戊午	己未	甲申	乙酉	丙戌	丁亥	庚子	辛丑	壬寅
대운	男	2	2	1	1	1	1	芒	9	9	9	8	8	8	7	7	7	6	6	6	5	5	5	4	4	4	3	3	3	2	2	2
	女	8	8	9	9	9	10	種	1	1	1	1	2	2	2	3	3	3	4	4	4	5	5	5	6	6	6	7	7	7	8	8

서기1973년

丁未年 (一白水星)

1月 (1일 三碧 -) 丁未 (四綠) 절기: 小暑 (5일 20:25) 大暑 (20일 13:48)

양력		1	2	3	4	5	6	7	8	9	10	11	12	13	14	15	16	17	18	19	20	21	22	23	24	25	26	27	28	29	30	31
요일		月	火	水	木	金	土	日	月	火	水	木	金	土	日	月	火	水	木	金	土	日	月	火	水	木	金	土	日	月	火	水
음력	월	27	28	29	30	十二	2	3	4	5	6	7	8	9	10	11	12	13	14	15	16	17	18	19	20	21	22	23	24	25	26	27
일진		癸卯	戊辰	己巳	甲午	乙未	丙申	丁酉	庚戌	辛亥	壬子	癸丑	戊寅	己卯	甲辰	乙巳	丙午	丁未	庚申	辛酉	壬戌	癸亥	戊子	己丑	甲寅	乙卯	丙辰	丁巳	庚午	辛未	壬申	癸酉
대운	男	1	1	1	1	小	10	9	9	9	8	8	8	7	7	7	6	6	6	5	5	5	4	4	4	3	3	3	2	2	2	1
	女	8	9	9	9	暑	1	1	1	1	2	2	2	3	3	3	4	4	4	5	5	5	6	6	6	7	7	7	8	8	8	9

2月 (1일 八白 -) 庚申 (五黃) 절기: 立秋 (4일 08:04) 處暑 (19일 04:01)

양력		1	2	3	4	5	6	7	8	9	10	11	12	13	14	15	16	17	18	19	20	21	22	23	24	25	26	27	28			
요일		木	金	土	日	月	火	水	木	金	土	日	月	火	水	木	金	土	日	月	火	水	木	金	土	日	月	火	水			
음력	월	28	29	一	2	3	4	5	6	7	8	9	10	11	12	13	14	15	16	17	18	19	20	21	22	23	24	25	26			
일진		戊戌	己亥	甲子	乙丑	丙寅	丁卯	庚辰	辛巳	壬午	癸未	戊申	己酉	甲戌	乙亥	丙子	丁丑	庚寅	辛卯	壬辰	癸巳	戊午	己未	甲申	乙酉	丙戌	丁亥	庚子	辛丑			
대운	男	1	1	1	立	1	1	1	1	2	2	2	3	3	3	4	4	4	5	5	5	6	6	6	7	7	7	8	8			
	女	9	9	10	秋	10	9	9	9	8	8	8	7	7	7	6	6	6	5	5	5	4	4	4	3	3	3	2	2			

3月 (1일 七赤 -) 辛酉 (六白) 절기: 白露 (6일 02:13) 秋分 (21일 03:12)

양력		1	2	3	4	5	6	7	8	9	10	11	12	13	14	15	16	17	18	19	20	21	22	23	24	25	26	27	28	29	30	31
요일		木	金	土	日	月	火	水	木	金	土	日	月	火	水	木	金	土	日	月	火	水	木	金	土	日	月	火	水	木	金	土
음력	월	27	28	29	30	二	2	3	4	5	6	7	8	9	10	11	12	13	14	15	16	17	18	19	20	21	22	23	24	25	26	27
일진		壬寅	癸卯	戊辰	己巳	甲午	乙未	丙申	丁酉	庚戌	辛亥	壬子	癸丑	戊寅	己卯	甲辰	乙巳	丙午	丁未	庚申	辛酉	壬戌	癸亥	戊子	己丑	甲寅	乙卯	丙辰	丁巳	庚午	辛未	壬申
대운	男	8	9	9	9	10	白	1	1	1	1	2	2	2	3	3	3	4	4	4	5	5	5	6	6	6	7	7	7	8	8	8
	女	2	1	1	1	1	露	10	9	9	9	8	8	8	7	7	7	6	6	6	5	5	5	4	4	4	3	3	3	2	2	2

4月 (1일 三碧 -) 壬戌 (七赤) 절기: 寒露 (5일 07:14) 霜降 (20일 14:30)

양력		1	2	3	4	5	6	7	8	9	10	11	12	13	14	15	16	17	18	19	20	21	22	23	24	25	26	27	28	29	30	
요일		日	月	火	水	木	金	土	日	月	火	水	木	金	土	日	月	火	水	木	金	土	日	月	火	水	木	金	土	日	月	
음력	월	28	29	三	2	3	4	5	6	7	8	9	10	11	12	13	14	15	16	17	18	19	20	21	22	23	24	25	26	27	28	
일진		癸酉	戊戌	己亥	甲子	乙丑	丙寅	丁卯	庚辰	辛巳	壬午	癸未	戊申	己酉	甲戌	乙亥	丙子	丁丑	庚寅	辛卯	壬辰	癸巳	戊午	己未	甲申	乙酉	丙戌	丁亥	庚子	辛丑	壬寅	
대운	男	9	9	9	10	寒	1	1	1	1	2	2	2	3	3	3	4	4	4	5	5	5	6	6	6	7	7	7	8	8	8	
	女	1	1	1	1	露	10	10	9	9	9	8	8	8	7	7	7	6	6	6	5	5	5	4	4	4	3	3	3	2	2	

5月 (1일 九紫 - 28일 一白 +) 癸亥 (八白) 절기: 立冬 (6일 00:46) 小雪 (21일 13:54)

양력		1	2	3	4	5	6	7	8	9	10	11	12	13	14	15	16	17	18	19	20	21	22	23	24	25	26	27	28	29	30	31
요일		火	水	木	金	土	日	月	火	水	木	金	土	日	月	火	水	木	金	土	日	月	火	水	木	金	土	日	月	火	水	木
음력	월	29	30	四	2	3	4	5	6	7	8	9	10	11	12	13	14	15	16	17	18	19	20	21	22	23	24	25	26	27	28	29
일진		癸卯	戊辰	己巳	甲午	乙未	丙申	丁酉	庚戌	辛亥	壬子	癸丑	戊寅	己卯	甲辰	乙巳	丙午	丁未	庚申	辛酉	壬戌	癸亥	戊子	己丑	甲寅	乙卯	丙辰	丁巳	庚午	辛未	壬申	癸酉
대운	男	9	9	9	10	10	立	1	1	1	1	2	2	2	3	3	3	4	4	4	5	5	5	6	6	6	7	7	7	8	8	8
	女	2	1	1	1	1	冬	10	10	9	9	9	8	8	8	7	7	7	6	6	6	5	5	5	4	4	4	3	3	3	2	2

6月 (1일 五黃 +) 戊子 (九紫) 절기: 大雪 (6일 05:07) 冬至 (21일 22:01)

양력		1	2	3	4	5	6	7	8	9	10	11	12	13	14	15	16	17	18	19	20	21	22	23	24	25	26	27	28	29	30	
요일		金	土	日	月	火	水	木	金	土	日	月	火	水	木	金	土	日	月	火	水	木	金	土	日	月	火	水	木	金	土	
음력	월	五	2	3	4	5	6	7	8	9	10	11	12	13	14	15	16	17	18	19	20	21	22	23	24	25	26	27	28	29	六	
일진		戊戌	己亥	甲子	乙丑	丙寅	丁卯	庚辰	辛巳	壬午	癸未	戊申	己酉	甲戌	乙亥	丙子	丁丑	庚寅	辛卯	壬辰	癸巳	戊午	己未	甲申	乙酉	丙戌	丁亥	庚子	辛丑	壬寅	癸卯	
대운	男	9	9	9	10	10	大	1	1	1	1	2	2	2	3	3	3	4	4	4	5	5	5	6	6	6	7	7	7	8	8	
	女	2	1	1	1	1	雪	10	10	9	9	9	8	8	8	7	7	7	6	6	6	5	5	5	4	4	4	3	3	3	2	

7月 (1일 八白 +) **己丑 (一白)** 절기: 小寒(7일 15:27) 大寒(23일 08:56)

양력		1	2	3	4	5	6	7	8	9	10	11	12	13	14	15	16	17	18	19	20	21	22	23	24	25	26	27	28	29	30	31
요일		日	月	火	水	木	金	土	日	月	火	水	木	金	土	日	月	火	水	木	金	土	日	月	火	水	木	金	土	日	月	火
음력	월	2	3	4	5	6	7	8	9	10	11	12	13	14	15	16	17	18	19	20	21	22	23	24	25	26	27	28	29	30	七	2
일진		戊辰	己巳	甲午	乙未	丙申	丁酉	庚戌	辛亥	壬子	癸丑	戊寅	己卯	甲辰	乙巳	丙午	丁未	庚申	辛酉	壬戌	癸亥	戊子	己丑	甲寅	乙卯	丙辰	丁巳	庚午	辛未	壬申	癸酉	戊戌
대운	男	8	9	9	9	10	10	小	1	1	1	1	2	2	2	3	3	3	4	4	4	5	5	5	6	6	6	7	7	7	8	8
	女	2	2	1	1	1	1	寒	10	10	10	9	9	9	8	8	8	7	7	7	6	6	6	5	5	5	4	4	4	3	3	3

8月 (1일 三碧 +) **甲寅 (二黑)** 절기: 立春(8일 01:13) 雨水(23일 15:53)

양력		1	2	3	4	5	6	7	8	9	10	11	12	13	14	15	16	17	18	19	20	21	22	23	24	25	26	27	28	29	30	31
요일		水	木	金	土	日	月	火	水	木	金	土	日	月	火	水	木	金	土	日	月	火	水	木	金	土	日	月	火	水	木	金
음력	월	3	4	5	6	7	8	9	10	11	12	13	14	15	16	17	18	19	20	21	22	23	24	25	26	27	28	29	八	2	3	4
일진		己亥	甲子	乙丑	丙寅	丁卯	庚辰	辛巳	壬午	癸未	戊申	己酉	甲戌	乙亥	丙子	丁丑	庚寅	辛卯	壬辰	癸巳	戊午	己未	甲申	乙酉	丙戌	丁亥	庚子	辛丑	壬寅	癸卯	戊辰	己巳
대운	男	8	9	9	9	10	10	10	立	1	1	1	1	2	2	2	3	3	3	4	4	4	5	5	5	6	6	6	7	7	7	8
	女	2	2	2	1	1	1	1	春	10	10	9	9	9	8	8	8	7	7	7	6	6	6	5	5	5	4	4	4	3	3	3

9月 (1일 七赤 +) **乙卯 (三碧)** 절기: 驚蟄(8일 03:59) 春分 (23일 13:21)

양력		1	2	3	4	5	6	7	8	9	10	11	12	13	14	15	16	17	18	19	20	21	22	23	24	25	26	27	28	29	30	
요일		土	日	月	火	水	木	金	土	日	月	火	水	木	金	土	日	月	火	水	木	金	土	日	月	火	水	木	金	土	日	
음력	월	5	6	7	8	9	10	11	12	13	14	15	16	17	18	19	20	21	22	23	24	25	26	27	28	29	九	2	3	4	5	
일진		甲午	乙未	丙申	丁酉	庚戌	辛亥	壬子	癸丑	戊寅	己卯	甲辰	乙巳	丙午	丁未	庚申	辛酉	壬戌	癸亥	戊子	己丑	甲寅	乙卯	丙辰	丁巳	庚午	辛未	壬申	癸酉	戊戌	己亥	
대운	男	8	8	9	9	9	10	10	驚	1	1	1	1	2	2	2	3	3	3	4	4	4	5	5	5	6	6	6	7	7	7	
	女	2	2	2	1	1	1	1	蟄	10	9	9	9	8	8	8	7	7	7	6	6	6	5	5	5	4	4	4	3	3	3	

10月 (1일 一白 +) **丙辰 (四綠)** 절기: 清明(8일 19:27) 穀雨(23일 22:30)

양력		1	2	3	4	5	6	7	8	9	10	11	12	13	14	15	16	17	18	19	20	21	22	23	24	25	26	27	28	29	30	31
요일		月	火	水	木	金	土	日	月	火	水	木	金	土	日	月	火	水	木	金	土	日	月	火	水	木	金	土	日	月	火	水
음력	월	6	7	8	9	10	11	12	13	14	15	16	17	18	19	20	21	22	23	24	25	26	27	28	29	30	十	2	3	4	5	6
일진		甲子	乙丑	丙寅	丁卯	庚辰	辛巳	壬午	癸未	戊申	己酉	甲戌	乙亥	丙子	丁丑	庚寅	辛卯	壬辰	癸巳	戊午	己未	甲申	乙酉	丙戌	丁亥	庚子	辛丑	壬寅	癸卯	戊辰	己巳	甲午
대운	男	8	8	8	9	9	9	10	清	1	1	1	1	2	2	2	3	3	3	4	4	4	5	5	5	6	6	6	7	7	7	8
	女	2	2	2	1	1	1	1	明	10	9	9	9	8	8	8	7	7	7	6	6	6	5	5	5	4	4	4	3	3	3	2

11月 (1일 五黃 + 24일 九紫 -) **丁巳 (五黃)** 절기: 立夏(7일 22:28) 小滿 (22일 19:54)

양력		1	2	3	4	5	6	7	8	9	10	11	12	13	14	15	16	17	18	19	20	21	22	23	24	25	26	27	28	29	30	
요일		木	金	土	日	月	火	水	木	金	土	日	月	火	水	木	金	土	日	月	火	水	木	金	土	日	月	火	水	木	金	
음력	월	7	8	9	10	11	12	13	14	15	16	17	18	19	20	21	22	23	24	25	26	27	28	29	30	十一	2	3	4	5	6	
일진		乙未	丙申	丁酉	庚戌	辛亥	壬子	癸丑	戊寅	己卯	甲辰	乙巳	丙午	丁未	庚申	辛酉	壬戌	癸亥	戊子	己丑	甲寅	乙卯	丙辰	丁巳	庚午	辛未	壬申	癸酉	戊戌	己亥	甲子	
대운	男	8	8	9	9	9	10	立	1	1	1	1	2	2	2	3	3	3	4	4	4	5	5	5	6	6	6	7	7	7	8	
	女	2	2	1	1	1	1	夏	10	9	9	9	8	8	8	7	7	7	6	6	6	5	5	5	4	4	4	3	3	3	2	

12月 (1일 二黑 -) **庚午 (六白)** 절기: 芒種(7일 15:10) 夏至(22일 09:08)

양력		1	2	3	4	5	6	7	8	9	10	11	12	13	14	15	16	17	18	19	20	21	22	23	24	25	26	27	28	29	30	31
요일		土	日	月	火	水	木	金	土	日	月	火	水	木	金	土	日	月	火	水	木	金	土	日	月	火	水	木	金	土	日	月
음력	월	7	8	9	10	11	12	13	14	15	16	17	18	19	20	21	22	23	24	25	26	27	28	29	30	十二	2	3	4	5	6	7
일진		乙丑	丙寅	丁卯	庚辰	辛巳	壬午	癸未	戊申	己酉	甲戌	乙亥	丙子	丁丑	庚寅	辛卯	壬辰	癸巳	戊午	己未	甲申	乙酉	丙戌	丁亥	庚子	辛丑	壬寅	癸卯	戊辰	己巳	甲午	乙未
대운	男	8	8	9	9	9	10	芒	1	1	1	1	2	2	2	3	3	3	4	4	4	5	5	5	6	6	6	7	7	7	8	8
	女	2	2	1	1	1	1	種	10	9	9	9	8	8	8	7	7	7	6	6	6	5	5	5	4	4	4	3	3	3	2	2

서기1974년

庚申年 (二黑土星) 閏四月

1月 (1일 七赤 -) **辛未 (七赤)** 절기: 小暑 (6일 02:20) 大暑 (20일 19:46)

양력		1	2	3	4	5	6	7	8	9	10	11	12	13	14	15	16	17	18	19	20	21	22	23	24	25	26	27	28	29	30	31
요일		火	水	木	金	土	日	月	火	水	木	金	土	日	月	火	水	木	金	土	日	月	火	水	木	金	土	日	月	火	水	木
음력	월	8	9	10	11	12	13	14	15	16	17	18	19	20	21	22	23	24	25	26	27	28	29	一	2	3	4	5	6	7	8	9
일진		丙申	丁酉	庚戌	辛亥	壬子	癸丑	戊寅	己卯	甲辰	乙巳	丙午	丁未	庚申	辛酉	壬戌	癸亥	戊子	己丑	甲寅	乙卯	丙辰	丁巳	庚午	辛未	壬申	癸酉	戊戌	己亥	甲子	乙丑	丙寅
대운	男	8	9	9	9	10	小	1	1	1	1	2	2	2	3	3	3	4	4	4	5	5	5	6	6	6	7	7	7	8	8	8
	女	2	1	1	1	1	暑	9	9	9	8	8	8	7	7	7	6	6	6	5	5	5	4	4	4	3	3	3	2	2	2	1

2月 (1일 三碧 -) **壬申 (八白)** 절기: 立秋 (4일 14:00) 處暑 (19일 09:59)

양력		1	2	3	4	5	6	7	8	9	10	11	12	13	14	15	16	17	18	19	20	21	22	23	24	25	26	27	28			
요일		金	土	日	月	火	水	木	金	土	日	月	火	水	木	金	土	日	月	火	水	木	金	土	日	月	火	水	木			
음력	월	10	11	12	13	14	15	16	17	18	19	20	21	22	23	24	25	26	27	28	29	30	二	2	3	4	5	6	7			
일진		丁卯	庚辰	辛巳	壬午	癸未	戊申	己酉	甲戌	乙亥	丙子	丁丑	庚寅	辛卯	壬辰	癸巳	戊午	己未	甲申	乙酉	丙戌	丁亥	庚子	辛丑	壬寅	癸卯	戊辰	己巳	甲午			
대운	男	9	9	9	立	10	9	9	9	8	8	8	7	7	7	6	6	6	5	5	5	4	4	4	3	3	3	2	2			
	女	1	1	1	秋	1	1	1	1	2	2	2	3	3	3	4	4	4	5	5	5	6	6	6	7	7	7	8	8			

3月 (1일 二黑 -) **癸酉 (九紫)** 절기: 白露 (6일 08:07) 秋分 (21일 09:07)

양력		1	2	3	4	5	6	7	8	9	10	11	12	13	14	15	16	17	18	19	20	21	22	23	24	25	26	27	28	29	30	31
요일		金	土	日	月	火	水	木	金	土	日	月	火	水	木	金	土	日	月	火	水	木	金	土	日	月	火	水	木	金	土	日
음력	월	8	9	10	11	12	13	14	15	16	17	18	19	20	21	22	23	24	25	26	27	28	29	30	三	2	3	4	5	6	7	8
일진		乙未	丙申	丁酉	庚戌	辛亥	壬子	癸丑	戊寅	己卯	甲辰	乙巳	丙午	丁未	庚申	辛酉	壬戌	癸亥	戊子	己丑	甲寅	乙卯	丙辰	丁巳	庚午	辛未	壬申	癸酉	戊戌	己亥	甲子	乙丑
대운	男	2	1	1	1	1	白	10	9	9	9	8	8	8	7	7	7	6	6	6	5	5	5	4	4	4	3	3	3	2	2	2
	女	8	9	9	9	10	露	1	1	1	1	2	2	2	3	3	3	4	4	4	5	5	5	6	6	6	7	7	7	8	8	8

4月 (1일 七赤 -) **戊戌 (一白)** 절기: 寒露 (5일 13:05) 霜降 (20일 20:19)

양력		1	2	3	4	5	6	7	8	9	10	11	12	13	14	15	16	17	18	19	20	21	22	23	24	25	26	27	28	29	30	
요일		月	火	水	木	金	土	日	月	火	水	木	金	土	日	月	火	水	木	金	土	日	月	火	水	木	金	土	日	月	火	
음력	월	9	10	11	12	13	14	15	16	17	18	19	20	21	22	23	24	25	26	27	28	29	四	2	3	4	5	6	7	8	9	
일진		丙寅	丁卯	庚辰	辛巳	壬午	癸未	戊申	己酉	甲戌	乙亥	丙子	丁丑	庚寅	辛卯	壬辰	癸巳	戊午	己未	甲申	乙酉	丙戌	丁亥	庚子	辛丑	壬寅	癸卯	戊辰	己巳	甲午	乙未	
대운	男	1	1	1	1	寒	10	10	9	9	9	8	8	8	7	7	7	6	6	6	5	5	5	4	4	4	3	3	3	2	2	
	女	9	9	9	10	露	1	1	1	1	2	2	2	3	3	3	4	4	4	5	5	5	6	6	6	7	7	7	8	8	8	

5月 (1일 四綠 - 23일 九紫 -) **己亥 (二黑)** 절기: 立冬 (6일 06:34) 小雪 (21일 19:36)

양력		1	2	3	4	5	6	7	8	9	10	11	12	13	14	15	16	17	18	19	20	21	22	23	24	25	26	27	28	29	30	31
요일		水	木	金	土	日	月	火	水	木	金	土	日	月	火	水	木	金	土	日	月	火	水	木	金	土	日	月	火	水	木	金
음력	월	10	11	12	13	14	15	16	17	18	19	20	21	22	23	24	25	26	27	28	29	30	閏四		3	4	5	6	7	8	9	10
일진		丙申	丁酉	庚戌	辛亥	壬子	癸丑	戊寅	己卯	甲辰	乙巳	丙午	丁未	庚申	辛酉	壬戌	癸亥	戊子	己丑	甲寅	乙卯	丙辰	丁巳	庚午	辛未	壬申	癸酉	戊戌	己亥	甲子	乙丑	丙寅
대운	男	2	1	1	1	1	立	10	10	9	9	9	8	8	8	7	7	7	6	6	6	5	5	5	4	4	4	3	3	3	2	2
	女	9	9	9	10	10	冬	1	1	1	1	2	2	2	3	3	3	4	4	4	5	5	5	6	6	6	7	7	7	8	8	8

6月 (1일 九紫 - 25일 一白 +) **甲子 (三碧)** 절기: 大雪 (6일 10:52) 冬至 (22일 03:38)

양력		1	2	3	4	5	6	7	8	9	10	11	12	13	14	15	16	17	18	19	20	21	22	23	24	25	26	27	28	29	30
요일		土	日	月	火	水	木	金	土	日	月	火	水	木	金	土	日	月	火	水	木	金	土	日	月	火	水	木	金	土	日
음력	월	11	12	13	14	15	16	17	18	19	20	21	22	23	24	25	26	27	28	29	五	2	3	4	5	6	7	8	9	10	11
일진		丁卯	庚辰	辛巳	壬午	癸未	戊申	己酉	甲戌	乙亥	丙子	丁丑	庚寅	辛卯	壬辰	癸巳	戊午	己未	甲申	乙酉	丙戌	丁亥	庚子	辛丑	壬寅	癸卯	戊辰	己巳	甲午	乙未	丙申
대운	男	2	1	1	1	1	大	10	10	9	9	9	8	8	8	7	7	7	6	6	6	5	5	5	4	4	4	3	3	3	2
	女	9	9	9	10	10	雪	1	1	1	1	2	2	2	3	3	3	4	4	4	5	5	5	6	6	6	7	7	7	8	8

7月 (1일 七赤 + 22일 一白 +) **乙丑 (四綠)** 절기: 小寒(7일 21:11) 大寒(23일 14:30)

양력		1	2	3	4	5	6	7	8	9	10	11	12	13	14	15	16	17	18	19	20	21	22	23	24	25	26	27	28	29	30	31
요일		月	火	水	木	金	土	日	月	火	水	木	金	土	日	月	火	水	木	金	土	日	月	火	水	木	金	土	日	月	火	水
음력	월	12	13	14	15	16	17	18	19	20	21	22	23	24	25	26	27	28	29	六	2	3	4	5	6	7	8	9	10	11	12	13
일진		丁酉	庚戌	辛亥	壬子	癸丑	戊寅	己卯	甲辰	乙巳	丙午	丁未	庚申	辛酉	壬戌	癸亥	戊子	己丑	甲寅	乙卯	丙辰	丁巳	庚午	辛未	壬申	癸酉	戊戌	己亥	甲子	乙丑	丙寅	丁卯
대운	男	2	2	1	1	1	1	小	10	10	10	9	9	9	8	8	8	7	7	7	6	6	6	5	5	5	4	4	4	3	3	3
	女	8	9	9	9	10	10	寒	1	1	1	1	2	2	2	3	3	3	4	4	4	5	5	5	6	6	6	7	7	7	8	8

8月 (1일 二黑 +) **丙寅 (五黃)** 절기: 立春(8일 06:57) 雨水(23일 21:29)

양력		1	2	3	4	5	6	7	8	9	10	11	12	13	14	15	16	17	18	19	20	21	22	23	24	25	26	27	28	29	30	31
요일		木	金	土	日	月	火	水	木	金	土	日	月	火	水	木	金	土	日	月	火	水	木	金	土	日	月	火	水	木	金	土
음력	월	14	15	16	17	18	19	20	21	22	23	24	25	26	27	28	29	30	七	2	3	4	5	6	7	8	9	10	11	12	13	14
일진		庚辰	辛巳	壬午	癸未	戊申	己酉	甲戌	乙亥	丙子	丁丑	庚寅	辛卯	壬辰	癸巳	戊午	己未	甲申	乙酉	丙戌	丁亥	庚子	辛丑	壬寅	癸卯	戊辰	己巳	甲午	乙未	丙申	丁酉	庚戌
대운	男	2	2	2	1	1	1	1	立	10	10	9	9	9	8	8	8	7	7	7	6	6	6	5	5	5	4	4	4	3	3	3
	女	8	9	9	9	10	10	10	春	1	1	1	1	2	2	2	3	3	3	4	4	4	5	5	5	6	6	6	7	7	7	8

9月 (1일 六白 +) **丁卯 (六白)** 절기: 驚蟄(8일 09:45) 春分 (23일 18:58)

양력		1	2	3	4	5	6	7	8	9	10	11	12	13	14	15	16	17	18	19	20	21	22	23	24	25	26	27	28	29	30	
요일		日	月	火	水	木	金	土	日	月	火	水	木	金	土	日	月	火	水	木	金	土	日	月	火	水	木	金	土	日	月	
음력	월	15	16	17	18	19	20	21	22	23	24	25	26	27	28	29	八	2	3	4	5	6	7	8	9	10	11	12	13	14	15	
일진		辛亥	壬子	癸丑	戊寅	己卯	甲辰	乙巳	丙午	丁未	庚申	辛酉	壬戌	癸亥	戊子	己丑	甲寅	乙卯	丙辰	丁巳	庚午	辛未	壬申	癸酉	戊戌	己亥	甲子	乙丑	丙寅	丁卯	庚辰	
대운	男	2	2	2	1	1	1	1	驚	10	10	9	9	9	8	8	8	7	7	7	6	6	6	5	5	5	4	4	4	3	3	
	女	8	8	9	9	9	10	10	蟄	1	1	1	1	2	2	2	3	3	3	4	4	4	5	5	5	6	6	6	7	7	7	

10月 (1일 九紫 +) **庚辰 (七赤)** 절기: 清明(9일 01:15) 穀雨(24일 04:11)

양력		1	2	3	4	5	6	7	8	9	10	11	12	13	14	15	16	17	18	19	20	21	22	23	24	25	26	27	28	29	30	31
요일		火	水	木	金	土	日	月	火	水	木	金	土	日	月	火	水	木	金	土	日	月	火	水	木	金	土	日	月	火	水	木
음력	월	16	17	18	19	20	21	22	23	24	25	26	27	28	29	九	2	3	4	5	6	7	8	9	10	11	12	13	14	15	16	17
일진		辛巳	壬午	癸未	戊申	己酉	甲戌	乙亥	丙子	丁丑	庚寅	辛卯	壬辰	癸巳	戊午	己未	甲申	乙酉	丙戌	丁亥	庚子	辛丑	壬寅	癸卯	戊辰	己巳	甲午	乙未	丙申	丁酉	庚戌	辛亥
대운	男	3	2	2	2	1	1	1	1	清	10	9	9	9	8	8	8	7	7	7	6	6	6	5	5	5	4	4	4	3	3	3
	女	8	8	8	9	9	9	10	10	明	1	1	1	1	2	2	2	3	3	3	4	4	4	5	5	5	6	6	6	7	7	7

11月 (1일 四綠 +) **辛巳 (八白)** 절기: 立夏(8일 04:18) 小滿 (23일 01:38)

양력		1	2	3	4	5	6	7	8	9	10	11	12	13	14	15	16	17	18	19	20	21	22	23	24	25	26	27	28	29	30	
요일		金	土	日	月	火	水	木	金	土	日	月	火	水	木	金	土	日	月	火	水	木	金	土	日	月	火	水	木	金	土	
음력	월	18	19	20	21	22	23	24	25	26	27	28	29	30	十	2	3	4	5	6	7	8	9	10	11	12	13	14	15	16	17	
일진		壬子	癸丑	戊寅	己卯	甲辰	乙巳	丙午	丁未	庚申	辛酉	壬戌	癸亥	戊子	己丑	甲寅	乙卯	丙辰	丁巳	庚午	辛未	壬申	癸酉	戊戌	己亥	甲子	乙丑	丙寅	丁卯	庚辰	辛巳	
대운	男	2	2	2	1	1	1	1	立	9	9	9	8	8	8	7	7	7	6	6	6	5	5	5	4	4	4	3	3	3	2	
	女	8	8	8	9	9	9	10	夏	1	1	1	1	2	2	2	3	3	3	4	4	4	5	5	5	6	6	6	7	7	7	

12月 (1일 七赤 +) **壬午 (九紫)** 절기: 芒種(7일 21:05) 夏至(22일 14:56)

양력		1	2	3	4	5	6	7	8	9	10	11	12	13	14	15	16	17	18	19	20	21	22	23	24	25	26	27	28	29	30	31
요일		日	月	火	水	木	金	土	日	月	火	水	木	金	土	日	月	火	水	木	金	土	日	月	火	水	木	金	土	日	月	火
음력	월	18	19	20	21	22	23	24	25	26	27	28	29	30	十一	2	3	4	5	6	7	8	9	10	11	12	13	14	15	16	17	18
일진		壬午	癸未	戊申	己酉	甲戌	乙亥	丙子	丁丑	庚寅	辛卯	壬辰	癸巳	戊午	己未	甲申	乙酉	丙戌	丁亥	庚子	辛丑	壬寅	癸卯	戊辰	己巳	甲午	乙未	丙申	丁酉	庚戌	辛亥	壬子
대운	男	2	2	1	1	1	1	芒	10	9	9	9	8	8	8	7	7	7	6	6	6	5	5	5	4	4	4	3	3	3	2	2
	女	8	8	8	9	9	9	種	1	1	1	1	2	2	2	3	3	3	4	4	4	5	5	5	6	6	6	7	7	7	8	8

서기1975년

辛酉年 (三碧木星)

1月 (1일 二黑 + 18일 九紫 -) 癸未 (一白) 절기: 小暑 (6일 08:18) 大暑 (21일 01:36)

양력		1	2	3	4	5	6	7	8	9	10	11	12	13	14	15	16	17	18	19	20	21	22	23	24	25	26	27	28	29	30	31
요일		水	木	金	土	日	月	火	水	木	金	土	日	月	火	水	木	金	土	日	月	火	水	木	金	土	日	月	火	水	木	金
음력	월	19	20	21	22	23	24	25	26	27	28	29	十二	2	3	4	5	6	7	8	9	10	11	12	13	14	15	16	17	18	19	20
일진		癸丑	戊寅	己卯	甲辰	乙巳	丙午	丁未	庚申	辛酉	壬戌	癸亥	戊子	己丑	甲寅	乙卯	丙辰	丁巳	庚午	辛未	壬申	癸酉	戊戌	己亥	甲子	乙丑	丙寅	丁卯	庚辰	辛巳	壬午	癸未
대운	男	2	1	1	1	1	小	9	9	9	8	8	8	7	7	7	6	6	6	5	5	5	4	4	4	3	3	3	2	2	2	1
	女	8	9	9	9	10	暑	1	1	1	1	2	2	2	3	3	3	4	4	4	5	5	5	6	6	6	7	7	7	8	8	8

2月 (1일 二黑 -) 戊申 (二黑) 절기: 立秋 (4일 19:59) 處暑 (19일 15:50)

양력		1	2	3	4	5	6	7	8	9	10	11	12	13	14	15	16	17	18	19	20	21	22	23	24	25	26	27	28			
요일		土	日	月	火	水	木	金	土	日	月	火	水	木	金	土	日	月	火	水	木	金	土	日	月	火	水	木	金			
음력	월	21	22	23	24	25	26	27	28	29	30	一	2	3	4	5	6	7	8	9	10	11	12	13	14	15	16	17	18			
일진		戊申	己酉	甲戌	乙亥	丙子	丁丑	庚寅	辛卯	壬辰	癸巳	戊午	己未	甲申	乙酉	丙戌	丁亥	庚子	辛丑	壬寅	癸卯	戊辰	己巳	甲午	乙未	丙申	丁酉	庚戌	辛亥			
대운	男	1	1	1	立	1	1	1	1	2	2	2	3	3	3	4	4	4	5	5	5	6	6	6	7	7	7	8	8			
	女	9	9	9	秋	10	9	9	9	8	8	8	7	7	7	6	6	6	5	5	5	4	4	4	3	3	3	2	2			

3月 (1일 三碧 -) 己酉 (三碧) 절기: 白露 (6일 14:06) 秋分 (21일 14:57)

양력		1	2	3	4	5	6	7	8	9	10	11	12	13	14	15	16	17	18	19	20	21	22	23	24	25	26	27	28	29	30	31
요일		土	日	月	火	水	木	金	土	日	月	火	水	木	金	土	日	月	火	水	木	金	土	日	月	火	水	木	金	土	日	月
음력	월	19	20	21	22	23	24	25	26	27	28	29	30	二	2	3	4	5	6	7	8	9	10	11	12	13	14	15	16	17	18	19
일진		壬子	癸丑	戊寅	己卯	甲辰	乙巳	丙午	丁未	庚申	辛酉	壬戌	癸亥	戊子	己丑	甲寅	乙卯	丙辰	丁巳	庚午	辛未	壬申	癸酉	戊戌	己亥	甲子	乙丑	丙寅	丁卯	庚辰	辛巳	壬午
대운	男	8	9	9	9	10	白	1	1	1	1	2	2	2	3	3	3	4	4	4	5	5	5	6	6	6	7	7	7	8	8	8
	女	2	1	1	1	1	露	10	9	9	9	8	8	8	7	7	7	6	6	6	5	5	5	4	4	4	3	3	3	2	2	2

4月 (1일 八白 -) 甲戌 (四綠) 절기: 寒露 (5일 19:02) 霜降 (21일 02:07)

양력		1	2	3	4	5	6	7	8	9	10	11	12	13	14	15	16	17	18	19	20	21	22	23	24	25	26	27	28	29	30	
요일		火	水	木	金	土	日	月	火	水	木	金	土	日	月	火	水	木	金	土	日	月	火	水	木	金	土	日	月	火	水	
음력	월	20	21	22	23	24	25	26	27	28	29	30	三	2	3	4	5	6	7	8	9	10	11	12	13	14	15	16	17	18	19	
일진		癸未	戊申	己酉	甲戌	乙亥	丙子	丁丑	庚寅	辛卯	壬辰	癸巳	戊午	己未	甲申	乙酉	丙戌	丁亥	庚子	辛丑	壬寅	癸卯	戊辰	己巳	甲午	乙未	丙申	丁酉	庚戌	辛亥	壬子	
대운	男	9	9	9	10	寒	1	1	1	1	2	2	2	3	3	3	4	4	4	5	5	5	6	6	6	7	7	7	8	8	8	
	女	1	1	1	1	露	10	10	9	9	9	8	8	8	7	7	7	6	6	6	5	5	5	4	4	4	3	3	3	2	2	

5月 (1일 五黃 -) 乙亥 (五黃) 절기: 立冬 (6일 12:27) 小雪 (22일 01:24)

양력		1	2	3	4	5	6	7	8	9	10	11	12	13	14	15	16	17	18	19	20	21	22	23	24	25	26	27	28	29	30	31
요일		木	金	土	日	月	火	水	木	金	土	日	月	火	水	木	金	土	日	月	火	水	木	金	土	日	月	火	水	木	金	土
음력	월	20	21	22	23	24	25	26	27	28	29	四	2	3	4	5	6	7	8	9	10	11	12	13	14	15	16	17	18	19	20	21
일진		癸丑	戊寅	己卯	甲辰	乙巳	丙午	丁未	庚申	辛酉	壬戌	癸亥	戊子	己丑	甲寅	乙卯	丙辰	丁巳	庚午	辛未	壬申	癸酉	戊戌	己亥	甲子	乙丑	丙寅	丁卯	庚辰	辛巳	壬午	癸未
대운	男	9	9	9	10	10	立	1	1	1	1	2	2	2	3	3	3	4	4	4	5	5	5	6	6	6	7	7	7	8	8	8
	女	2	1	1	1	1	冬	10	10	9	9	9	8	8	8	7	7	7	6	6	6	5	5	5	4	4	4	3	3	3	2	2

6月 (1일 一白 -) 丙子 (六白) 절기: 大雪 (6일 16:42) 冬至 (22일 09:26)

양력		1	2	3	4	5	6	7	8	9	10	11	12	13	14	15	16	17	18	19	20	21	22	23	24	25	26	27	28	29	30	
요일		日	月	火	水	木	金	土	日	月	火	水	木	金	土	日	月	火	水	木	金	土	日	月	火	水	木	金	土	日	月	
음력	월	22	23	24	25	26	27	28	29	30	五	2	3	4	5	6	7	8	9	10	11	12	13	14	15	16	17	18	19	20	21	
일진		戊申	己酉	甲戌	乙亥	丙子	丁丑	庚寅	辛卯	壬辰	癸巳	戊午	己未	甲申	乙酉	丙戌	丁亥	庚子	辛丑	壬寅	癸卯	戊辰	己巳	甲午	乙未	丙申	丁酉	庚戌	辛亥	壬子	癸丑	
대운	男	9	9	9	10	10	大	1	1	1	1	2	2	2	3	3	3	4	4	4	5	5	5	6	6	6	7	7	7	8	8	
	女	2	1	1	1	1	雪	10	10	10	9	9	9	8	8	8	7	7	7	6	6	6	5	5	5	4	4	4	3	3	3	

7月 (1일 七赤 - 17일 一白 +) **丁丑 (七赤)** 절기: 小寒(8일 02:59) 大寒(23일 20:22)

양력		1	2	3	4	5	6	7	8	9	10	11	12	13	14	15	16	17	18	19	20	21	22	23	24	25	26	27	28	29	30	31
요일		火	水	木	金	土	日	月	火	水	木	金	土	日	月	火	水	木	金	土	日	月	火	水	木	金	土	日	月	火	水	木
음력	월	22	23	24	25	26	27	28	29	六	2	3	4	5	6	7	8	9	10	11	12	13	14	15	16	17	18	19	20	21	22	23
일진		戊寅	己卯	甲辰	乙巳	丙午	丁未	庚申	辛酉	壬戌	癸亥	戊子	己丑	甲寅	乙卯	丙辰	丁巳	庚午	辛未	壬申	癸酉	戊戌	己亥	甲子	乙丑	丙寅	丁卯	庚辰	辛巳	壬午	癸未	戊申
대운	男	8	9	9	9	10	10	10	小	1	1	1	1	2	2	2	3	3	3	4	4	4	5	5	5	6	6	6	7	7	7	8
	女	2	2	2	1	1	1	1	寒	10	10	9	9	9	8	8	8	7	7	7	6	6	6	5	5	5	4	4	4	3	3	3

8月 (1일 七赤 +) **庚寅 (八白)** 절기: 立春(8일 12:45) 雨水(24일 03:24)

양력		1	2	3	4	5	6	7	8	9	10	11	12	13	14	15	16	17	18	19	20	21	22	23	24	25	26	27	28	29	30	31
요일		金	土	日	月	火	水	木	金	土	日	月	火	水	木	金	土	日	月	火	水	木	金	土	日	月	火	水	木	金	土	日
음력	월	24	25	26	27	28	29	七	2	3	4	5	6	7	8	9	10	11	12	13	14	15	16	17	18	19	20	21	22	23	24	25
일진		己酉	甲戌	乙亥	丙子	丁丑	庚寅	辛卯	壬辰	癸巳	戊午	己未	甲申	乙酉	丙戌	丁亥	庚子	辛丑	壬寅	癸卯	戊辰	己巳	甲午	乙未	丙申	丁酉	庚戌	辛亥	壬子	癸丑	戊寅	己卯
대운	男	8	8	9	9	9	10	10	立	1	1	1	1	2	2	2	3	3	3	4	4	4	5	5	5	6	6	6	7	7	7	8
	女	2	2	2	1	1	1	1	春	10	10	9	9	9	8	8	8	7	7	7	6	6	6	5	5	5	4	4	4	3	3	3

9月 (1일 二黑 +) **辛卯 (九紫)** 절기: 驚蟄(8일 15:33) 春分 (24일 00:55)

양력		1	2	3	4	5	6	7	8	9	10	11	12	13	14	15	16	17	18	19	20	21	22	23	24	25	26	27	28	29	30	
요일		月	火	水	木	金	土	日	月	火	水	木	金	土	日	月	火	水	木	金	土	日	月	火	水	木	金	土	日	月	火	
음력	월	26	27	28	29	30	八	2	3	4	5	6	7	8	9	10	11	12	13	14	15	16	17	18	19	20	21	22	23	24	25	
일진		甲辰	乙巳	丙午	丁未	庚申	辛酉	壬戌	癸亥	戊子	己丑	甲寅	乙卯	丙辰	丁巳	庚午	辛未	壬申	癸酉	戊戌	己亥	甲子	乙丑	丙寅	丁卯	庚辰	辛巳	壬午	癸未	戊申	己酉	
대운	男	8	8	9	9	9	10	10	驚	1	1	1	1	2	2	2	3	3	3	4	4	4	5	5	5	6	6	6	7	7	7	
	女	2	2	2	1	1	1	1	蟄	10	10	9	9	9	8	8	8	7	7	7	6	6	6	5	5	5	4	4	4	3	3	

10月 (1일 五黃 +) **壬辰 (一白)** 절기: 清明(9일 07:02) 穀雨(24일 10:06)

양력		1	2	3	4	5	6	7	8	9	10	11	12	13	14	15	16	17	18	19	20	21	22	23	24	25	26	27	28	29	30	31
요일		水	木	金	土	日	月	火	水	木	金	土	日	月	火	水	木	金	土	日	月	火	水	木	金	土	日	月	火	水	木	金
음력	월	26	27	28	29	九	2	3	4	5	6	7	8	9	10	11	12	13	14	15	16	17	18	19	20	21	22	23	24	25	26	27
일진		甲戌	乙亥	丙子	丁丑	庚寅	辛卯	壬辰	癸巳	戊午	己未	甲申	乙酉	丙戌	丁亥	庚子	辛丑	壬寅	癸卯	戊辰	己巳	甲午	乙未	丙申	丁酉	庚戌	辛亥	壬子	癸丑	戊寅	己卯	甲辰
대운	男	8	8	8	9	9	9	10	10	清	1	1	1	1	2	2	2	3	3	3	4	4	4	5	5	5	6	6	6	7	7	7
	女	3	2	2	2	1	1	1	1	明	10	9	9	9	8	8	8	7	7	7	6	6	6	5	5	5	4	4	4	3	3	3

11月 (1일 九紫 +) **癸巳 (二黑)** 절기: 立夏(8일 10:03) 小滿 (23일 07:31)

양력		1	2	3	4	5	6	7	8	9	10	11	12	13	14	15	16	17	18	19	20	21	22	23	24	25	26	27	28	29	30	
요일		土	日	月	火	水	木	金	土	日	月	火	水	木	金	土	日	月	火	水	木	金	土	日	月	火	水	木	金	土	日	
음력	월	28	29	十	2	3	4	5	6	7	8	9	10	11	12	13	14	15	16	17	18	19	20	21	22	23	24	25	26	27	28	
일진		乙巳	丙午	丁未	庚申	辛酉	壬戌	癸亥	戊子	己丑	甲寅	乙卯	丙辰	丁巳	庚午	辛未	壬申	癸酉	戊戌	己亥	甲子	乙丑	丙寅	丁卯	庚辰	辛巳	壬午	癸未	戊申	己酉	甲戌	
대운	男	8	8	8	9	9	9	10	立	1	1	1	1	2	2	2	3	3	3	4	4	4	5	5	5	6	6	6	7	7	7	
	女	2	2	2	1	1	1	1	夏	10	9	9	9	8	8	8	7	7	7	6	6	6	5	5	5	4	4	4	3	3	3	

12月 (1일 三碧 +) **戊午 (三碧)** 절기: 芒種(8일 02:46) 夏至(22일 20:46)

양력		1	2	3	4	5	6	7	8	9	10	11	12	13	14	15	16	17	18	19	20	21	22	23	24	25	26	27	28	29	30	31
요일		月	火	水	木	金	土	日	月	火	水	木	金	土	日	月	火	水	木	金	土	日	月	火	水	木	金	土	日	月	火	水
음력	월	29	30	十一	2	3	4	5	6	7	8	9	10	11	12	13	14	15	16	17	18	19	20	21	22	23	24	25	26	27	28	29
일진		乙亥	丙子	丁丑	庚寅	辛卯	壬辰	癸巳	戊午	己未	甲申	乙酉	丙戌	丁亥	庚子	辛丑	壬寅	癸卯	戊辰	己巳	甲午	乙未	丙申	丁酉	庚戌	辛亥	壬子	癸丑	戊寅	己卯	甲辰	乙巳
대운	男	8	8	8	9	9	9	10	芒	1	1	1	1	2	2	2	3	3	3	4	4	4	5	5	5	6	6	6	7	7	7	8
	女	2	2	2	1	1	1	1	種	9	9	9	8	8	8	7	7	7	6	6	6	5	5	5	4	4	4	3	3	3	2	2

壬戌年 (四綠木星) 閏八月

1月 (1일 七赤 + 13일 九紫 -) **己未 (四綠)** 절기: 小暑 (6일 13:57) 大暑 (21일 07:25)

양력		1	2	3	4	5	6	7	8	9	10	11	12	13	14	15	16	17	18	19	20	21	22	23	24	25	26	27	28	29	30	31
요일		木	金	土	日	月	火	水	木	金	土	日	月	火	水	木	金	土	日	月	火	水	木	金	土	日	月	火	水	木	金	土
음력	월	十二	2	3	4	5	6	7	8	9	10	11	12	13	14	15	16	17	18	19	20	21	22	23	24	25	26	27	28	29	30	一
일진		丙午	丁未	庚申	辛酉	壬戌	癸亥	戊子	己丑	甲寅	乙卯	丙辰	丁巳	庚午	辛未	壬申	癸酉	戊戌	己亥	甲子	乙丑	丙寅	丁卯	庚辰	辛巳	壬午	癸未	戊申	己酉	甲戌	乙亥	丙子
대운	男	8	8	9	9	9	小	1	1	1	1	2	2	2	3	3	3	4	4	4	5	5	5	6	6	6	7	7	7	8	8	8
	女	2	1	1	1	1	暑	10	9	9	9	8	8	8	7	7	7	6	6	6	5	5	5	4	4	4	3	3	3	2	2	2

2月 閏 (1일 八白 -) **甲申 (五黃)** 절기: 立秋 (5일 01:39) 處暑 (19일 21:40)

양력		1	2	3	4	5	6	7	8	9	10	11	12	13	14	15	16	17	18	19	20	21	22	23	24	25	26	27	28	29		
요일		日	月	火	水	木	金	土	日	月	火	水	木	金	土	日	月	火	水	木	金	土	日	月	火	水	木	金	土	日		
음력	월	2	3	4	5	6	7	8	9	10	11	12	13	14	15	16	17	18	19	20	21	22	23	24	25	26	27	28	29	30		
일진		丁丑	庚寅	辛卯	壬辰	癸巳	戊午	己未	甲申	乙酉	丙戌	丁亥	庚子	辛丑	壬寅	癸卯	戊辰	己巳	甲午	乙未	丙申	丁酉	庚戌	辛亥	壬子	癸丑	戊寅	己卯	甲辰	乙巳		
대운	男	9	9	9	10	立	9	9	9	8	8	8	7	7	7	6	6	6	5	5	5	4	4	4	3	3	3	2	2	2		
	女	1	1	1	1	秋	1	1	1	1	2	2	2	3	3	3	4	4	4	5	5	5	6	6	6	7	7	7	8	8		

3月 (1일 六白 -) **乙酉 (六白)** 절기: 白露 (5일 19:48) 秋分 (20일 20:50)

양력		1	2	3	4	5	6	7	8	9	10	11	12	13	14	15	16	17	18	19	20	21	22	23	24	25	26	27	28	29	30	31
요일		月	火	水	木	金	土	日	月	火	水	木	金	土	日	月	火	水	木	金	土	日	月	火	水	木	金	土	日	月	火	水
음력	월	二	2	3	4	5	6	7	8	9	10	11	12	13	14	15	16	17	18	19	20	21	22	23	24	25	26	27	28	29	30	三
일진		丙午	丁未	庚申	辛酉	壬戌	癸亥	戊子	己丑	甲寅	乙卯	丙辰	丁巳	庚午	辛未	壬申	癸酉	戊戌	己亥	甲子	乙丑	丙寅	丁卯	庚辰	辛巳	壬午	癸未	戊申	己酉	甲戌	乙亥	丙子
대운	男	1	1	1	1	白	10	10	9	9	9	8	8	8	7	7	7	6	6	6	5	5	5	4	4	4	3	3	3	2	2	2
	女	8	9	9	9	露	1	1	1	1	2	2	2	3	3	3	4	4	4	5	5	5	6	6	6	7	7	7	8	8	8	9

4月 (1일 二黑 -) **丙戌 (七赤)** 절기: 寒露 (5일 00:46) 霜降 (20일 08:03)

양력		1	2	3	4	5	6	7	8	9	10	11	12	13	14	15	16	17	18	19	20	21	22	23	24	25	26	27	28	29	30	
요일		木	金	土	日	月	火	水	木	金	土	日	月	火	水	木	金	土	日	月	火	水	木	金	土	日	月	火	水	木	金	
음력	월	2	3	4	5	6	7	8	9	10	11	12	13	14	15	16	17	18	19	20	21	22	23	24	25	26	27	28	29	四	2	
일진		丁丑	庚寅	辛卯	壬辰	癸巳	戊午	己未	甲申	乙酉	丙戌	丁亥	庚子	辛丑	壬寅	癸卯	戊辰	己巳	甲午	乙未	丙申	丁酉	庚戌	辛亥	壬子	癸丑	戊寅	己卯	甲辰	乙巳	丙午	
대운	男	1	1	1	1	寒	10	9	9	9	8	8	8	7	7	7	6	6	6	5	5	5	4	4	4	3	3	3	2	2	2	
	女	9	9	10	10	露	1	1	1	1	2	2	2	3	3	3	4	4	4	5	5	5	6	6	6	7	7	7	8	8	8	

5月 (1일 八白 -) **丁亥 (八白)** 절기: 立冬 (5일 18:14) 小雪 (21일 07:21)

양력		1	2	3	4	5	6	7	8	9	10	11	12	13	14	15	16	17	18	19	20	21	22	23	24	25	26	27	28	29	30	31
요일		土	日	月	火	水	木	金	土	日	月	火	水	木	金	土	日	月	火	水	木	金	土	日	月	火	水	木	金	土	日	月
음력	월	3	4	5	6	7	8	9	10	11	12	13	14	15	16	17	18	19	20	21	22	23	24	25	26	27	28	29	30	五	2	3
일진		丁未	庚申	辛酉	壬戌	癸亥	戊子	己丑	甲寅	乙卯	丙辰	丁巳	庚午	辛未	壬申	癸酉	戊戌	己亥	甲子	乙丑	丙寅	丁卯	庚辰	辛巳	壬午	癸未	戊申	己酉	甲戌	乙亥	丙子	丁丑
대운	男	1	1	1	1	立	10	10	9	9	9	8	8	8	7	7	7	6	6	6	5	5	5	4	4	4	3	3	3	2	2	2
	女	9	9	9	10	冬	1	1	1	1	2	2	2	3	3	3	4	4	4	5	5	5	6	6	6	7	7	7	8	8	8	9

6月 (1일 四綠 -) **庚子 (九紫)** 절기: 大雪 (5일 22:31) 冬至 (21일 15:24)

양력		1	2	3	4	5	6	7	8	9	10	11	12	13	14	15	16	17	18	19	20	21	22	23	24	25	26	27	28	29	30	
요일		火	水	木	金	土	日	月	火	水	木	金	土	日	月	火	水	木	金	土	日	月	火	水	木	金	土	日	月	火	水	
음력	월	4	5	6	7	8	9	10	11	12	13	14	15	16	17	18	19	20	21	22	23	24	25	26	27	28	29	六	2	3	4	
일진		庚寅	辛卯	壬辰	癸巳	戊午	己未	甲申	乙酉	丙戌	丁亥	庚子	辛丑	壬寅	癸卯	戊辰	己巳	甲午	乙未	丙申	丁酉	庚戌	辛亥	壬子	癸丑	戊寅	己卯	甲辰	乙巳	丙午	丁未	
대운	男	1	1	1	1	大	10	10	10	9	9	9	8	8	8	7	7	7	6	6	6	5	5	5	4	4	4	3	3	3	2	
	女	9	9	10	10	雪	1	1	1	1	2	2	2	3	3	3	4	4	4	5	5	5	6	6	6	7	7	7	8	8	8	

7月 (1일 一白 - 11일 一白 +) **辛丑 (一白)** 절기: 小寒(7일 08:51) 大寒(23일 02:18)

양력		1	2	3	4	5	6	7	8	9	10	11	12	13	14	15	16	17	18	19	20	21	22	23	24	25	26	27	28	29	30	31
요일		木	金	土	日	月	火	水	木	金	土	日	月	火	水	木	金	土	日	月	火	水	木	金	土	日	月	火	水	木	金	土
음력	월	5	6	7	8	9	10	11	12	13	14	15	16	17	18	19	20	21	22	23	24	25	26	27	28	29	30	七	2	3	4	5
일진		庚申	辛酉	壬戌	癸亥	戊子	己丑	甲寅	乙卯	丙辰	丁巳	庚午	辛未	壬申	癸酉	戊戌	己亥	甲子	乙丑	丙寅	丁卯	庚辰	辛巳	壬午	癸未	戊申	己酉	甲戌	乙亥	丙子	丁丑	庚寅
대운	男	2	2	1	1	1	1	小	10	10	9	9	9	8	8	8	7	7	7	6	6	6	5	5	5	4	4	4	3	3	3	2
	女	9	9	9	10	10	10	寒	1	1	1	1	2	2	2	3	3	3	4	4	4	5	5	5	6	6	6	7	7	7	8	8

8月 (1일 四綠 +) **壬寅 (二黑)** 절기: 立春(7일 18:38) 雨水(23일 09:18)

양력		1	2	3	4	5	6	7	8	9	10	11	12	13	14	15	16	17	18	19	20	21	22	23	24	25	26	27	28	29	30	31
요일		日	月	火	水	木	金	土	日	月	火	水	木	金	土	日	月	火	水	木	金	土	日	月	火	水	木	金	土	日	月	火
음력	월	6	7	8	9	10	11	12	13	14	15	16	17	18	19	20	21	22	23	24	25	26	27	28	29	八	2	3	4	5	6	7
일진		辛卯	壬辰	癸巳	戊午	己未	甲申	乙酉	丙戌	丁亥	庚子	辛丑	壬寅	癸卯	戊辰	己巳	甲午	乙未	丙申	丁酉	庚戌	辛亥	壬子	癸丑	戊寅	己卯	甲辰	乙巳	丙午	丁未	庚申	辛酉
대운	男	2	2	1	1	1	1	立	10	10	9	9	9	8	8	8	7	7	7	6	6	6	5	5	5	4	4	4	3	3	3	2
	女	8	9	9	9	10	10	春	1	1	1	1	2	2	2	3	3	3	4	4	4	5	5	5	6	6	6	7	7	7	8	8

9月 (1일 八白 +) **癸卯 (三碧)** 절기: 驚蟄(7일 21:28) 春分 (23일 06:48)

양력		1	2	3	4	5	6	7	8	9	10	11	12	13	14	15	16	17	18	19	20	21	22	23	24	25	26	27	28	29	30	
요일		水	木	金	土	日	月	火	水	木	金	土	日	月	火	水	木	金	土	日	月	火	水	木	金	土	日	月	火	水	木	
음력	월	8	9	10	11	12	13	14	15	16	17	18	19	20	21	22	23	24	25	26	27	28	29	30	閏八		3	4	5	6	7	
일진		壬戌	癸亥	戊子	己丑	甲寅	乙卯	丙辰	丁巳	庚午	辛未	壬申	癸酉	戊戌	己亥	甲子	乙丑	丙寅	丁卯	庚辰	辛巳	壬午	癸未	戊申	己酉	甲戌	乙亥	丙子	丁丑	庚寅	辛卯	
대운	男	2	2	1	1	1	1	驚	10	10	9	9	9	8	8	8	7	7	7	6	6	6	5	5	5	4	4	4	3	3	3	
	女	8	9	9	9	10	10	蟄	1	1	1	1	2	2	2	3	3	3	4	4	4	5	5	5	6	6	6	7	7	7	8	

10月 (1일 二黑 +) **戊辰 (四綠)** 절기: 清明(8일 12:58) 穀雨(23일 15:58)

양력		1	2	3	4	5	6	7	8	9	10	11	12	13	14	15	16	17	18	19	20	21	22	23	24	25	26	27	28	29	30	31
요일		金	土	日	月	火	水	木	金	土	日	月	火	水	木	金	土	日	月	火	水	木	金	土	日	月	火	水	木	金	土	日
음력	월	8	9	10	11	12	13	14	15	16	17	18	19	20	21	22	23	24	25	26	27	28	29	九	2	3	4	5	6	7	8	9
일진		壬辰	癸巳	戊午	己未	甲申	乙酉	丙戌	丁亥	庚子	辛丑	壬寅	癸卯	戊辰	己巳	甲午	乙未	丙申	丁酉	庚戌	辛亥	壬子	癸丑	戊寅	己卯	甲辰	乙巳	丙午	丁未	庚申	辛酉	壬戌
대운	男	2	2	2	1	1	1	1	清	10	9	9	9	8	8	8	7	7	7	6	6	6	5	5	5	4	4	4	3	3	3	2
	女	8	8	9	9	9	10	10	明	1	1	1	1	2	2	2	3	3	3	4	4	4	5	5	5	6	6	6	7	7	7	8

11月 (1일 六白 +) **己巳 (五黃)** 절기: 立夏(7일 15:59) 小滿 (22일 13:22)

양력		1	2	3	4	5	6	7	8	9	10	11	12	13	14	15	16	17	18	19	20	21	22	23	24	25	26	27	28	29	30	
요일		月	火	水	木	金	土	日	月	火	水	木	金	土	日	月	火	水	木	金	土	日	月	火	水	木	金	土	日	月	火	
음력	월	10	11	12	13	14	15	16	17	18	19	20	21	22	23	24	25	26	27	28	29	30	十	2	3	4	5	6	7	8	9	
일진		癸亥	戊子	己丑	甲寅	乙卯	丙辰	丁巳	庚午	辛未	壬申	癸酉	戊戌	己亥	甲子	乙丑	丙寅	丁卯	庚辰	辛巳	壬午	癸未	戊申	己酉	甲戌	乙亥	丙子	丁丑	庚寅	辛卯	壬辰	
대운	男	2	2	1	1	1	1	立	10	9	9	9	8	8	8	7	7	7	6	6	6	5	5	5	4	4	4	3	3	3	2	
	女	8	8	9	9	9	10	夏	1	1	1	1	2	2	2	3	3	3	4	4	4	5	5	5	6	6	6	7	7	7	8	

12月 (1일 九紫 +) **甲午 (六白)** 절기: 芒種(7일 08:41) 夏至(22일 02:35)

양력		1	2	3	4	5	6	7	8	9	10	11	12	13	14	15	16	17	18	19	20	21	22	23	24	25	26	27	28	29	30	31
요일		水	木	金	土	日	月	火	水	木	金	土	日	月	火	水	木	金	土	日	月	火	水	木	金	土	日	月	火	水	木	金
음력	월	10	11	12	13	14	15	16	17	18	19	20	21	22	23	24	25	26	27	28	29	十一	2	3	4	5	6	7	8	9	10	11
일진		癸巳	戊午	己未	甲申	乙酉	丙戌	丁亥	庚子	辛丑	壬寅	癸卯	戊辰	己巳	甲午	乙未	丙申	丁酉	庚戌	辛亥	壬子	癸丑	戊寅	己卯	甲辰	乙巳	丙午	丁未	庚申	辛酉	壬戌	癸亥
대운	男	2	2	1	1	1	1	芒	9	9	9	8	8	8	7	7	7	6	6	6	5	5	5	4	4	4	3	3	3	2	2	2
	女	8	8	9	9	9	10	種	1	1	1	1	2	2	2	3	3	3	4	4	4	5	5	5	6	6	6	7	7	7	8	8

서기1977년

癸亥年 (五黃土星)

1月 (1일 四綠 + 7일 九紫 -) **乙未 (七赤)** 절기: 小暑 (5일 19:51) 大暑 (20일 13:14)

양력		1	2	3	4	5	6	7	8	9	10	11	12	13	14	15	16	17	18	19	20	21	22	23	24	25	26	27	28	29	30	31
요일		土	日	月	火	水	木	金	土	日	月	火	水	木	金	土	日	月	火	水	木	金	土	日	月	火	水	木	金	土	日	月
음력	월	12	13	14	15	16	17	18	19	20	21	22	23	24	25	26	27	28	29	十二	2	3	4	5	6	7	8	9	10	11	12	13
일진		戊子	己丑	甲寅	乙卯	丙辰	丁巳	庚午	辛未	壬申	癸酉	戊戌	己亥	甲子	乙丑	丙寅	丁卯	庚辰	辛巳	壬午	癸未	戊申	己酉	甲戌	乙亥	丙子	丁丑	庚寅	辛卯	壬辰	癸巳	戊午
대운	男	1	1	1	1	小	10	9	9	9	8	8	8	7	7	7	6	6	6	5	5	5	4	4	4	3	3	3	2	2	2	1
	女	8	9	9	9	暑	1	1	1	1	2	2	2	3	3	3	4	4	4	5	5	5	6	6	6	7	7	7	8	8	8	9

2月 (1일 二黑 -) **丙申 (八白)** 절기: 立秋 (4일 07:33) 處暑 (19일 03:30)

양력		1	2	3	4	5	6	7	8	9	10	11	12	13	14	15	16	17	18	19	20	21	22	23	24	25	26	27	28			
요일		火	水	木	金	土	日	月	火	水	木	金	土	日	月	火	水	木	金	土	日	月	火	水	木	金	土	日	月			
음력	월	14	15	16	17	18	19	20	21	22	23	24	25	26	27	28	29	30	一	2	3	4	5	6	7	8	9	10	11			
일진		己未	甲申	乙酉	丙戌	丁亥	庚子	辛丑	壬寅	癸卯	戊辰	己巳	甲午	乙未	丙申	丁酉	庚戌	辛亥	壬子	癸丑	戊寅	己卯	甲辰	乙巳	丙午	丁未	庚申	辛酉	壬戌			
대운	男	1	1	1	立	1	1	1	1	2	2	2	3	3	3	4	4	4	5	5	5	6	6	6	7	7	7	8	8			
	女	9	9	10	秋	10	9	9	9	8	8	8	7	7	7	6	6	6	5	5	5	4	4	4	3	3	3	2	2			

3月 (1일 一白 -) **丁酉 (九紫)** 절기: 白露 (6일 01:44) 秋分 (21일 02:42)

양력		1	2	3	4	5	6	7	8	9	10	11	12	13	14	15	16	17	18	19	20	21	22	23	24	25	26	27	28	29	30	31
요일		火	水	木	金	土	日	月	火	水	木	金	土	日	月	火	水	木	金	土	日	月	火	水	木	金	土	日	月	火	水	木
음력	월	12	13	14	15	16	17	18	19	20	21	22	23	24	25	26	27	28	29	30	二	2	3	4	5	6	7	8	9	10	11	12
일진		癸亥	戊子	己丑	甲寅	乙卯	丙辰	丁巳	庚午	辛未	壬申	癸酉	戊戌	己亥	甲子	乙丑	丙寅	丁卯	庚辰	辛巳	壬午	癸未	戊申	己酉	甲戌	乙亥	丙子	丁丑	庚寅	辛卯	壬辰	癸巳
대운	男	8	9	9	9	10	白	1	1	1	1	2	2	2	3	3	3	4	4	4	5	5	5	6	6	6	7	7	7	8	8	8
	女	2	1	1	1	1	露	10	9	9	9	8	8	8	7	7	7	6	6	6	5	5	5	4	4	4	3	3	3	2	2	2

4月 (1일 六白 -) **庚戌 (一白)** 절기: 寒露 (5일 06:46) 霜降 (20일 13:57)

양력		1	2	3	4	5	6	7	8	9	10	11	12	13	14	15	16	17	18	19	20	21	22	23	24	25	26	27	28	29	30	
요일		金	土	日	月	火	水	木	金	土	日	月	火	水	木	金	土	日	月	火	水	木	金	土	日	月	火	水	木	金	土	
음력	월	13	14	15	16	17	18	19	20	21	22	23	24	25	26	27	28	29	三	2	3	4	5	6	7	8	9	10	11	12	13	
일진		戊午	己未	甲申	乙酉	丙戌	丁亥	庚子	辛丑	壬寅	癸卯	戊辰	己巳	甲午	乙未	丙申	丁酉	庚戌	辛亥	壬子	癸丑	戊寅	己卯	甲辰	乙巳	丙午	丁未	庚申	辛酉	壬戌	癸亥	
대운	男	9	9	9	10	寒	1	1	1	1	2	2	2	3	3	3	4	4	4	5	5	5	6	6	6	7	7	7	8	8	8	
	女	1	1	1	1	露	10	10	9	9	9	8	8	8	7	7	7	6	6	6	5	5	5	4	4	4	3	3	3	2	2	

5月 (1일 三碧 -) **辛亥 (二黑)** 절기: 立冬 (6일 00:16) 小雪 (21일 13:14)

양력		1	2	3	4	5	6	7	8	9	10	11	12	13	14	15	16	17	18	19	20	21	22	23	24	25	26	27	28	29	30	31
요일		日	月	火	水	木	金	土	日	月	火	水	木	金	土	日	月	火	水	木	金	土	日	月	火	水	木	金	土	日	月	火
음력	월	14	15	16	17	18	19	20	21	22	23	24	25	26	27	28	29	30	四	2	3	4	5	6	7	8	9	10	11	12	13	14
일진		戊子	己丑	甲寅	乙卯	丙辰	丁巳	庚午	辛未	壬申	癸酉	戊戌	己亥	甲子	乙丑	丙寅	丁卯	庚辰	辛巳	壬午	癸未	戊申	己酉	甲戌	乙亥	丙子	丁丑	庚寅	辛卯	壬辰	癸巳	戊午
대운	男	9	9	9	10	10	立	1	1	1	1	2	2	2	3	3	3	4	4	4	5	5	5	6	6	6	7	7	7	8	8	8
	女	2	1	1	1	1	冬	10	10	9	9	9	8	8	8	7	7	7	6	6	6	5	5	5	4	4	4	3	3	3	2	2

6月 (1일 八白 -) **壬子 (三碧)** 절기: 大雪 (6일 04:32) 冬至 (21일 21:14)

양력		1	2	3	4	5	6	7	8	9	10	11	12	13	14	15	16	17	18	19	20	21	22	23	24	25	26	27	28	29	30	
요일		水	木	金	土	日	月	火	水	木	金	土	日	月	火	水	木	金	土	日	月	火	水	木	金	土	日	月	火	水	木	
음력	월	15	16	17	18	19	20	21	22	23	24	25	26	27	28	29	30	五	2	3	4	5	6	7	8	9	10	11	12	13	14	
일진		己未	甲申	乙酉	丙戌	丁亥	庚子	辛丑	壬寅	癸卯	戊辰	己巳	甲午	乙未	丙申	丁酉	庚戌	辛亥	壬子	癸丑	戊寅	己卯	甲辰	乙巳	丙午	丁未	庚申	辛酉	壬戌	癸亥	戊子	
대운	男	9	9	9	10	10	大	1	1	1	1	2	2	2	3	3	3	4	4	4	5	5	5	6	6	6	7	7	7	8	8	
	女	2	1	1	1	1	雪	10	10	9	9	9	8	8	8	7	7	7	6	6	6	5	5	5	4	4	4	3	3	3	2	

7月 (1일 五黃 - 6일 一白 +) **癸丑 (四綠)** 절기: 小寒(7일 14:48) 大寒(23일 08:04)

양력	1	2	3	4	5	6	7	8	9	10	11	12	13	14	15	16	17	18	19	20	21	22	23	24	25	26	27	28	29	30	31
요일	金	土	日	月	火	水	木	金	土	日	月	火	水	木	金	土	日	月	火	水	木	金	土	日	月	火	水	木	金	土	日
음력 월	15	16	17	18	19	20	21	22	23	24	25	26	27	28	29	六	2	3	4	5	6	7	8	9	10	11	12	13	14	15	16
일진	己丑	甲寅	乙卯	丙辰	丁巳	庚午	辛未	壬申	癸酉	戊戌	己亥	甲子	乙丑	丙寅	丁卯	庚辰	辛巳	壬午	癸未	戊申	己酉	甲戌	乙亥	丙子	丁丑	庚寅	辛卯	壬辰	癸巳	戊午	己未
대운 男	8	9	9	9	10	10	小	1	1	1	1	2	2	2	3	3	3	4	4	4	5	5	5	6	6	6	7	7	7	8	8
대운 女	2	2	1	1	1	1	寒	10	10	10	9	9	9	8	8	8	7	7	7	6	6	6	5	5	5	4	4	4	3	3	3

8月 (1일 九紫 +) **戊寅 (五黃)** 절기: 立春(8일 00:30) 雨水(23일 15:00)

양력	1	2	3	4	5	6	7	8	9	10	11	12	13	14	15	16	17	18	19	20	21	22	23	24	25	26	27	28	29	30	31
요일	月	火	水	木	金	土	日	月	火	水	木	金	土	日	月	火	水	木	金	土	日	月	火	水	木	金	土	日	月	火	水
음력 월	17	18	19	20	21	22	23	24	25	26	27	28	29	30	七	2	3	4	5	6	7	8	9	10	11	12	13	14	15	16	17
일진	甲申	乙酉	丙戌	丁亥	庚子	辛丑	壬寅	癸卯	戊辰	己巳	甲午	乙未	丙申	丁酉	庚戌	辛亥	壬子	癸丑	戊寅	己卯	甲辰	乙巳	丙午	丁未	庚申	辛酉	壬戌	癸亥	戊子	己丑	甲寅
대운 男	8	9	9	9	10	10	10	立	1	1	1	1	2	2	2	3	3	3	4	4	4	5	5	5	6	6	6	7	7	7	8
대운 女	2	2	2	1	1	1	1	春	10	10	9	9	9	8	8	8	7	7	7	6	6	6	5	5	5	4	4	4	3	3	3

9月 (1일 四綠 +) **己卯 (六白)** 절기: 驚蟄(8일 03:16) 春分 (23일 12:29)

양력	1	2	3	4	5	6	7	8	9	10	11	12	13	14	15	16	17	18	19	20	21	22	23	24	25	26	27	28	29	30	
요일	木	金	土	日	月	火	水	木	金	土	日	月	火	水	木	金	土	日	月	火	水	木	金	土	日	月	火	水	木	金	
음력 월	18	19	20	21	22	23	24	25	26	27	28	29	八	2	3	4	5	6	7	8	9	10	11	12	13	14	15	16	17	18	
일진	乙卯	丙辰	丁巳	庚午	辛未	壬申	癸酉	戊戌	己亥	甲子	乙丑	丙寅	丁卯	庚辰	辛巳	壬午	癸未	戊申	己酉	甲戌	乙亥	丙子	丁丑	庚寅	辛卯	壬辰	癸巳	戊午	己未	甲申	
대운 男	8	8	9	9	9	10	10	驚	1	1	1	1	2	2	2	3	3	3	4	4	4	5	5	5	6	6	6	7	7	7	
대운 女	2	2	2	1	1	1	1	蟄	10	9	9	9	8	8	8	7	7	7	6	6	6	5	5	5	4	4	4	3	3	3	

10月 (1일 七赤 +) **甲辰 (七赤)** 절기: 清明(8일 18:44) 穀雨(23일 21:41)

양력	1	2	3	4	5	6	7	8	9	10	11	12	13	14	15	16	17	18	19	20	21	22	23	24	25	26	27	28	29	30	31
요일	土	日	月	火	水	木	金	土	日	月	火	水	木	金	土	日	月	火	水	木	金	土	日	月	火	水	木	金	土	日	月
음력 월	19	20	21	22	23	24	25	26	27	28	29	30	九	2	3	4	5	6	7	8	9	10	11	12	13	14	15	16	17	18	19
일진	乙酉	丙戌	丁亥	庚子	辛丑	壬寅	癸卯	戊辰	己巳	甲午	乙未	丙申	丁酉	庚戌	辛亥	壬子	癸丑	戊寅	己卯	甲辰	乙巳	丙午	丁未	庚申	辛酉	壬戌	癸亥	戊子	己丑	甲寅	乙卯
대운 男	8	8	8	9	9	9	10	清	1	1	1	1	2	2	2	3	3	3	4	4	4	5	5	5	6	6	6	7	7	7	8
대운 女	2	2	2	1	1	1	1	明	10	9	9	9	8	8	8	7	7	7	6	6	6	5	5	5	4	4	4	3	3	3	2

11月 (1일 二黑 +) **乙巳 (八白)** 절기: 立夏(7일 21:46) 小滿 (22일 19:07)

양력	1	2	3	4	5	6	7	8	9	10	11	12	13	14	15	16	17	18	19	20	21	22	23	24	25	26	27	28	29	30	
요일	火	水	木	金	土	日	月	火	水	木	金	土	日	月	火	水	木	金	土	日	月	火	水	木	金	土	日	月	火	水	
음력 월	20	21	22	23	24	25	26	27	28	29	十	2	3	4	5	6	7	8	9	10	11	12	13	14	15	16	17	18	19	20	
일진	丙辰	丁巳	庚午	辛未	壬申	癸酉	戊戌	己亥	甲子	乙丑	丙寅	丁卯	庚辰	辛巳	壬午	癸未	戊申	己酉	甲戌	乙亥	丙子	丁丑	庚寅	辛卯	壬辰	癸巳	戊午	己未	甲申	乙酉	
대운 男	8	8	9	9	9	10	立	1	1	1	1	2	2	2	3	3	3	4	4	4	5	5	5	6	6	6	7	7	7	8	
대운 女	2	2	1	1	1	1	夏	10	9	9	9	8	8	8	7	7	7	6	6	6	5	5	5	4	4	4	3	3	3	2	

12月 (1일 五黃 +) **丙午 (九紫)** 절기: 芒種(7일 14:31) 夏至(22일 08:23)

양력	1	2	3	4	5	6	7	8	9	10	11	12	13	14	15	16	17	18	19	20	21	22	23	24	25	26	27	28	29	30	31
요일	木	金	土	日	月	火	水	木	金	土	日	月	火	水	木	金	土	日	月	火	水	木	金	土	日	月	火	水	木	金	土
음력 월	21	22	23	24	25	26	27	28	29	30	十一	2	3	4	5	6	7	8	9	10	11	12	13	14	15	16	17	18	19	20	21
일진	丙戌	丁亥	庚子	辛丑	壬寅	癸卯	戊辰	己巳	甲午	乙未	丙申	丁酉	庚戌	辛亥	壬子	癸丑	戊寅	己卯	甲辰	乙巳	丙午	丁未	庚申	辛酉	壬戌	癸亥	戊子	己丑	甲寅	乙卯	丙辰
대운 男	8	8	9	9	9	10	芒	1	1	1	1	2	2	2	3	3	3	4	4	4	5	5	5	6	6	6	7	7	7	8	8
대운 女	2	2	1	1	1	1	種	10	9	9	9	8	8	8	7	7	7	6	6	6	5	5	5	4	4	4	3	3	3	2	2

서기1978년

戊子年 (六白金星)

1月 (1일 九紫 + 2일 九紫 -) **丁未 (一白)** 절기: 小暑 (6일 01:43) 大暑 (20일 19:04)

양력		1	2	3	4	5	6	7	8	9	10	11	12	13	14	15	16	17	18	19	20	21	22	23	24	25	26	27	28	29	30	31
요일		日	月	火	水	木	金	土	日	月	火	水	木	金	土	日	月	火	水	木	金	土	日	月	火	水	木	金	土	日	月	火
음력	월	22	23	24	25	26	27	28	29	十二	2	3	4	5	6	7	8	9	10	11	12	13	14	15	16	17	18	19	20	21	22	23
일진		丁巳	庚午	辛未	壬申	癸酉	戊戌	己亥	甲子	乙丑	丙寅	丁卯	庚辰	辛巳	壬午	癸未	戊申	己酉	甲戌	乙亥	丙子	丁丑	庚寅	辛卯	壬辰	癸巳	戊午	己未	甲申	乙酉	丙戌	丁亥
대운	男	8	9	9	9	10	小	1	1	1	1	2	2	2	3	3	3	4	4	4	5	5	5	6	6	6	7	7	7	8	8	8
	女	2	1	1	1	1	暑	9	9	9	8	8	8	7	7	7	6	6	6	5	5	5	4	4	4	3	3	3	2	2	2	1

2月 (1일 六白 -) **庚申 (二黑)** 절기: 立秋 (4일 13:27) 處暑 (19일 09:21)

양력		1	2	3	4	5	6	7	8	9	10	11	12	13	14	15	16	17	18	19	20	21	22	23	24	25	26	27	28			
요일		水	木	金	土	日	月	火	水	木	金	土	日	月	火	水	木	金	土	日	月	火	水	木	金	土	日	月	火			
음력	월	24	25	26	27	28	29	一	2	3	4	5	6	7	8	9	10	11	12	13	14	15	16	17	18	19	20	21	22			
일진		庚子	辛丑	壬寅	癸卯	戊辰	己巳	甲午	乙未	丙申	丁酉	庚戌	辛亥	壬子	癸丑	戊寅	己卯	甲辰	乙巳	丙午	丁未	庚申	辛酉	壬戌	癸亥	戊子	己丑	甲寅	乙卯			
대운	男	9	9	9	立	10	9	9	9	8	8	8	7	7	7	6	6	6	5	5	5	4	4	4	3	3	3	2	2			
	女	1	1	1	秋	1	1	1	1	2	2	2	3	3	3	4	4	4	5	5	5	6	6	6	7	7	7	8	8			

3月 (1일 五黃 -) **辛酉 (三碧)** 절기: 白露 (6일 07:38) 秋分 (21일 08:34)

양력		1	2	3	4	5	6	7	8	9	10	11	12	13	14	15	16	17	18	19	20	21	22	23	24	25	26	27	28	29	30	31
요일		水	木	金	土	日	月	火	水	木	金	土	日	月	火	水	木	金	土	日	月	火	水	木	金	土	日	月	火	水	木	金
음력	월	23	24	25	26	27	28	29	30	二	2	3	4	5	6	7	8	9	10	11	12	13	14	15	16	17	18	19	20	21	22	23
일진		丙辰	丁巳	庚午	辛未	壬申	癸酉	戊戌	己亥	甲子	乙丑	丙寅	丁卯	庚辰	辛巳	壬午	癸未	戊申	己酉	甲戌	乙亥	丙子	丁丑	庚寅	辛卯	壬辰	癸巳	戊午	己未	甲申	乙酉	丙戌
대운	男	2	1	1	1	1	白	10	9	9	9	8	8	8	7	7	7	6	6	6	5	5	5	4	4	4	3	3	3	2	2	2
	女	8	9	9	9	10	露	1	1	1	1	2	2	2	3	3	3	4	4	4	5	5	5	6	6	6	7	7	7	8	8	8

4月 (1일 一白 -) **壬戌 (四綠)** 절기: 寒露 (5일 12:39) 霜降 (20일 19:50)

양력		1	2	3	4	5	6	7	8	9	10	11	12	13	14	15	16	17	18	19	20	21	22	23	24	25	26	27	28	29	30	
요일		土	日	月	火	水	木	金	土	日	月	火	水	木	金	土	日	月	火	水	木	金	土	日	月	火	水	木	金	土	日	
음력	월	24	25	26	27	28	29	30	三	2	3	4	5	6	7	8	9	10	11	12	13	14	15	16	17	18	19	20	21	22	23	
일진		丁亥	庚子	辛丑	壬寅	癸卯	戊辰	己巳	甲午	乙未	丙申	丁酉	庚戌	辛亥	壬子	癸丑	戊寅	己卯	甲辰	乙巳	丙午	丁未	庚申	辛酉	壬戌	癸亥	戊子	己丑	甲寅	乙卯	丙辰	
대운	男	1	1	1	1	寒	10	10	9	9	9	8	8	8	7	7	7	6	6	6	5	5	5	4	4	4	3	3	3	2	2	
	女	9	9	9	10	露	1	1	1	1	2	2	2	3	3	3	4	4	4	5	5	5	6	6	6	7	7	7	8	8	8	

5月 (1일 七赤 -) **癸亥 (五黃)** 절기: 立冬 (6일 06:09) 小雪 (21일 19:08)

양력		1	2	3	4	5	6	7	8	9	10	11	12	13	14	15	16	17	18	19	20	21	22	23	24	25	26	27	28	29	30	31
요일		月	火	水	木	金	土	日	月	火	水	木	金	土	日	月	火	水	木	金	土	日	月	火	水	木	金	土	日	月	火	水
음력	월	24	25	26	27	28	29	四	2	3	4	5	6	7	8	9	10	11	12	13	14	15	16	17	18	19	20	21	22	23	24	25
일진		丁巳	庚午	辛未	壬申	癸酉	戊戌	己亥	甲子	乙丑	丙寅	丁卯	庚辰	辛巳	壬午	癸未	戊申	己酉	甲戌	乙亥	丙子	丁丑	庚寅	辛卯	壬辰	癸巳	戊午	己未	甲申	乙酉	丙戌	丁亥
대운	男	2	1	1	1	1	立	10	10	9	9	9	8	8	8	7	7	7	6	6	6	5	5	5	4	4	4	3	3	3	2	2
	女	9	9	9	10	10	冬	1	1	1	1	2	2	2	3	3	3	4	4	4	5	5	5	6	6	6	7	7	7	8	8	8

6月 (1일 三碧 -) **戊子 (六白)** 절기: 大雪 (6일 10:23) 冬至 (22일 03:10)

양력		1	2	3	4	5	6	7	8	9	10	11	12	13	14	15	16	17	18	19	20	21	22	23	24	25	26	27	28	29	30	
요일		木	金	土	日	月	火	水	木	金	土	日	月	火	水	木	金	土	日	月	火	水	木	金	土	日	月	火	水	木	金	
음력	월	26	27	28	29	30	五	2	3	4	5	6	7	8	9	10	11	12	13	14	15	16	17	18	19	20	21	22	23	24	25	
일진		庚子	辛丑	壬寅	癸卯	戊辰	己巳	甲午	乙未	丙申	丁酉	庚戌	辛亥	壬子	癸丑	戊寅	己卯	甲辰	乙巳	丙午	丁未	庚申	辛酉	壬戌	癸亥	戊子	己丑	甲寅	乙卯	丙辰	丁巳	
대운	男	2	1	1	1	1	大	10	10	9	9	9	8	8	8	7	7	7	6	6	6	5	5	5	4	4	4	3	3	3	2	
	女	9	9	9	10	10	雪	1	1	1	1	2	2	2	3	3	3	4	4	4	5	5	5	6	6	6	7	7	7	8	8	

7月 (1일 一白 +) **己丑 (七赤)** 절기: 小寒(7일 20:37) 大寒(23일 14:00)

양력		1	2	3	4	5	6	7	8	9	10	11	12	13	14	15	16	17	18	19	20	21	22	23	24	25	26	27	28	29	30	31
요일		土	日	月	火	水	木	金	土	日	月	火	水	木	金	土	日	月	火	水	木	金	土	日	月	火	水	木	金	土	日	月
음력	월	26	27	28	29	六	2	3	4	5	6	7	8	9	10	11	12	13	14	15	16	17	18	19	20	21	22	23	24	25	26	27
일진		庚午	辛未	壬申	癸酉	戊戌	己亥	甲子	乙丑	丙寅	丁卯	庚辰	辛巳	壬午	癸未	戊申	己酉	甲戌	乙亥	丙子	丁丑	庚寅	辛卯	壬辰	癸巳	戊午	己未	甲申	乙酉	丙戌	丁亥	庚子
대운	男	2	2	1	1	1	1	小	10	10	10	9	9	9	8	8	8	7	7	7	6	6	6	5	5	5	4	4	4	3	3	3
	女	8	9	9	9	10	10	寒	1	1	1	1	2	2	2	3	3	3	4	4	4	5	5	5	6	6	6	7	7	7	8	8

8月 (1일 五黃 +) **甲寅 (八白)** 절기: 立春(8일 06:18) 雨水(23일 20:57)

양력		1	2	3	4	5	6	7	8	9	10	11	12	13	14	15	16	17	18	19	20	21	22	23	24	25	26	27	28	29	30	31
요일		火	水	木	金	土	日	月	火	水	木	金	土	日	月	火	水	木	金	土	日	月	火	水	木	金	土	日	月	火	水	木
음력	월	28	29	30	七	2	3	4	5	6	7	8	9	10	11	12	13	14	15	16	17	18	19	20	21	22	23	24	25	26	27	28
일진		辛丑	壬寅	癸卯	戊辰	己巳	甲午	乙未	丙申	丁酉	庚戌	辛亥	壬子	癸丑	戊寅	己卯	甲辰	乙巳	丙午	丁未	庚申	辛酉	壬戌	癸亥	戊子	己丑	甲寅	乙卯	丙辰	丁巳	庚午	辛未
대운	男	2	2	2	1	1	1	1	立	10	10	9	9	9	8	8	8	7	7	7	6	6	6	5	5	5	4	4	4	3	3	3
	女	8	9	9	9	10	10	10	春	1	1	1	1	2	2	2	3	3	3	4	4	4	5	5	5	6	6	6	7	7	7	8

9月 (1일 九紫 +) **乙卯 (九紫)** 절기: 驚蟄(8일 09:02) 春分 (23일 18:25)

양력		1	2	3	4	5	6	7	8	9	10	11	12	13	14	15	16	17	18	19	20	21	22	23	24	25	26	27	28	29	30	
요일		金	土	日	月	火	水	木	金	土	日	月	火	水	木	金	土	日	月	火	水	木	金	土	日	月	火	水	木	金	土	
음력	월	29	30	八	2	3	4	5	6	7	8	9	10	11	12	13	14	15	16	17	18	19	20	21	22	23	24	25	26	27	28	
일진		壬申	癸酉	戊戌	己亥	甲子	乙丑	丙寅	丁卯	庚辰	辛巳	壬午	癸未	戊申	己酉	甲戌	乙亥	丙子	丁丑	庚寅	辛卯	壬辰	癸巳	戊午	己未	甲申	乙酉	丙戌	丁亥	庚子	辛丑	
대운	男	2	2	2	1	1	1	1	驚	10	10	9	9	9	8	8	8	7	7	7	6	6	6	5	5	5	4	4	4	3	3	
	女	8	8	9	9	9	10	10	蟄	1	1	1	1	2	2	2	3	3	3	4	4	4	5	5	5	6	6	6	7	7	7	

10月 (1일 三碧 +) **丙辰 (一白)** 절기: 清明(9일 00:31) 穀雨(24일 03:37)

양력		1	2	3	4	5	6	7	8	9	10	11	12	13	14	15	16	17	18	19	20	21	22	23	24	25	26	27	28	29	30	31
요일		日	月	火	水	木	金	土	日	月	火	水	木	金	土	日	月	火	水	木	金	土	日	月	火	水	木	金	土	日	月	火
음력	월	29	九	2	3	4	5	6	7	8	9	10	11	12	13	14	15	16	17	18	19	20	21	22	23	24	25	26	27	28	29	30
일진		壬寅	癸卯	戊辰	己巳	甲午	乙未	丙申	丁酉	庚戌	辛亥	壬子	癸丑	戊寅	己卯	甲辰	乙巳	丙午	丁未	庚申	辛酉	壬戌	癸亥	戊子	己丑	甲寅	乙卯	丙辰	丁巳	庚午	辛未	壬申
대운	男	3	2	2	2	1	1	1	1	清	10	9	9	9	8	8	8	7	7	7	6	6	6	5	5	5	4	4	4	3	3	3
	女	8	8	8	9	9	9	10	10	明	1	1	1	1	2	2	2	3	3	3	4	4	4	5	5	5	6	6	6	7	7	7

11月 (1일 七赤 +) **丁巳 (二黑)** 절기: 立夏(8일 03:34) 小滿 (23일 01:05)

양력		1	2	3	4	5	6	7	8	9	10	11	12	13	14	15	16	17	18	19	20	21	22	23	24	25	26	27	28	29	30	
요일		水	木	金	土	日	月	火	水	木	金	土	日	月	火	水	木	金	土	日	月	火	水	木	金	土	日	月	火	水	木	
음력	월	十	2	3	4	5	6	7	8	9	10	11	12	13	14	15	16	17	18	19	20	21	22	23	24	25	26	27	28	29	十一	
일진		癸酉	戊戌	己亥	甲子	乙丑	丙寅	丁卯	庚辰	辛巳	壬午	癸未	戊申	己酉	甲戌	乙亥	丙子	丁丑	庚寅	辛卯	壬辰	癸巳	戊午	己未	甲申	乙酉	丙戌	丁亥	庚子	辛丑	壬寅	
대운	男	2	2	2	1	1	1	1	立	9	9	9	8	8	8	7	7	7	6	6	6	5	5	5	4	4	4	3	3	3	2	
	女	8	8	8	9	9	9	10	夏	1	1	1	1	2	2	2	3	3	3	4	4	4	5	5	5	6	6	6	7	7	7	

12月 (1일 一白 + 28일 九紫 -) **庚午 (三碧)** 절기: 芒種(7일 20:20) 夏至(22일 14:21)

양력		1	2	3	4	5	6	7	8	9	10	11	12	13	14	15	16	17	18	19	20	21	22	23	24	25	26	27	28	29	30	31
요일		金	土	日	月	火	水	木	金	土	日	月	火	水	木	金	土	日	月	火	水	木	金	土	日	月	火	水	木	金	土	日
음력	월	2	3	4	5	6	7	8	9	10	11	12	13	14	15	16	17	18	19	20	21	22	23	24	25	26	27	28	29	30	十二	2
일진		癸卯	戊辰	己巳	甲午	乙未	丙申	丁酉	庚戌	辛亥	壬子	癸丑	戊寅	己卯	甲辰	乙巳	丙午	丁未	庚申	辛酉	壬戌	癸亥	戊子	己丑	甲寅	乙卯	丙辰	丁巳	庚午	辛未	壬申	癸酉
대운	男	2	2	1	1	1	1	芒	10	9	9	9	8	8	8	7	7	7	6	6	6	5	5	5	4	4	4	3	3	3	2	2
	女	8	8	8	9	9	9	種	1	1	1	1	2	2	2	3	3	3	4	4	4	5	5	5	6	6	6	7	7	7	8	8

서기1979년

己丑年 (七赤金星) 閏六月

1月 (1일 五黃 -) **辛未 (四綠)** 절기: 小暑 (6일 07:32) 大暑 (21일 01:00)

양력		1	2	3	4	5	6	7	8	9	10	11	12	13	14	15	16	17	18	19	20	21	22	23	24	25	26	27	28	29	30	31
요일		月	火	水	木	金	土	日	月	火	水	木	金	土	日	月	火	水	木	金	土	日	月	火	水	木	金	土	日	月	火	水
음력	월	3	4	5	6	7	8	9	10	11	12	13	14	15	16	17	18	19	20	21	22	23	24	25	26	27	28	29	一	2	3	4
일진		戊戌	己亥	甲子	乙丑	丙寅	丁卯	庚辰	辛巳	壬午	癸未	戊申	己酉	甲戌	乙亥	丙子	丁丑	庚寅	辛卯	壬辰	癸巳	戊午	己未	甲申	乙酉	丙戌	丁亥	庚子	辛丑	壬寅	癸卯	戊辰
대운	男	2	1	1	1	1	小	9	9	9	8	8	8	7	7	7	6	6	6	5	5	5	4	4	4	3	3	3	2	2	2	1
	女	8	9	9	9	10	暑	1	1	1	1	2	2	2	3	3	3	4	4	4	5	5	5	6	6	6	7	7	7	8	8	8

2月 (1일 一白 -) **壬申 (五黃)** 절기: 立秋 (4일 19:12) 處暑 (19일 15:13)

양력		1	2	3	4	5	6	7	8	9	10	11	12	13	14	15	16	17	18	19	20	21	22	23	24	25	26	27	28			
요일		木	金	土	日	月	火	水	木	金	土	日	月	火	水	木	金	土	日	月	火	水	木	金	土	日	月	火	水			
음력	월	5	6	7	8	9	10	11	12	13	14	15	16	17	18	19	20	21	22	23	24	25	26	27	28	29	30	二	2			
일진		己巳	甲午	乙未	丙申	丁酉	庚戌	辛亥	壬子	癸丑	戊寅	己卯	甲辰	乙巳	丙午	丁未	庚申	辛酉	壬戌	癸亥	戊子	己丑	甲寅	乙卯	丙辰	丁巳	庚午	辛未	壬申			
대운	男	1	1	1	立	1	1	1	1	2	2	2	3	3	3	4	4	4	5	5	5	6	6	6	7	7	7	8	8			
	女	9	9	9	秋	10	9	9	9	8	8	8	7	7	7	6	6	6	5	5	5	4	4	4	3	3	3	2	2			

3月 (1일 九紫 -) **癸酉 (六白)** 절기: 白露 (6일 13:20) 秋分 (21일 14:22)

양력		1	2	3	4	5	6	7	8	9	10	11	12	13	14	15	16	17	18	19	20	21	22	23	24	25	26	27	28	29	30	31
요일		木	金	土	日	月	火	水	木	金	土	日	月	火	水	木	金	土	日	月	火	水	木	金	土	日	月	火	水	木	金	土
음력	월	3	4	5	6	7	8	9	10	11	12	13	14	15	16	17	18	19	20	21	22	23	24	25	26	27	28	29	三	2	3	4
일진		癸酉	戊戌	己亥	甲子	乙丑	丙寅	丁卯	庚辰	辛巳	壬午	癸未	戊申	己酉	甲戌	乙亥	丙子	丁丑	庚寅	辛卯	壬辰	癸巳	戊午	己未	甲申	乙酉	丙戌	丁亥	庚子	辛丑	壬寅	癸卯
대운	男	8	9	9	9	10	白	1	1	1	1	2	2	2	3	3	3	4	4	4	5	5	5	6	6	6	7	7	7	8	8	8
	女	2	1	1	1	1	露	10	9	9	9	8	8	8	7	7	7	6	6	6	5	5	5	4	4	4	3	3	3	2	2	2

4月 (1일 五黃 -) **戊戌 (七赤)** 절기: 寒露 (5일 18:18) 霜降 (21일 01:35)

양력		1	2	3	4	5	6	7	8	9	10	11	12	13	14	15	16	17	18	19	20	21	22	23	24	25	26	27	28	29	30	
요일		日	月	火	水	木	金	土	日	月	火	水	木	金	土	日	月	火	水	木	金	土	日	月	火	水	木	金	土	日	月	
음력	월	5	6	7	8	9	10	11	12	13	14	15	16	17	18	19	20	21	22	23	24	25	26	27	28	29	四	2	3	4	5	
일진		戊辰	己巳	甲午	乙未	丙申	丁酉	庚戌	辛亥	壬子	癸丑	戊寅	己卯	甲辰	乙巳	丙午	丁未	庚申	辛酉	壬戌	癸亥	戊子	己丑	甲寅	乙卯	丙辰	丁巳	庚午	辛未	壬申	癸酉	
대운	男	9	9	9	10	寒	1	1	1	1	2	2	2	3	3	3	4	4	4	5	5	5	6	6	6	7	7	7	8	8	8	
	女	1	1	1	1	露	10	10	9	9	9	8	8	8	7	7	7	6	6	6	5	5	5	4	4	4	3	3	3	2	2	

5月 (1일 二黑 -) **己亥 (八白)** 절기: 立冬 (6일 11:47) 小雪 (22일 00:54)

양력		1	2	3	4	5	6	7	8	9	10	11	12	13	14	15	16	17	18	19	20	21	22	23	24	25	26	27	28	29	30	31
요일		火	水	木	金	土	日	月	火	水	木	金	土	日	月	火	水	木	金	土	日	月	火	水	木	金	土	日	月	火	水	木
음력	월	6	7	8	9	10	11	12	13	14	15	16	17	18	19	20	21	22	23	24	25	26	27	28	29	30	五	2	3	4	5	6
일진		戊戌	己亥	甲子	乙丑	丙寅	丁卯	庚辰	辛巳	壬午	癸未	戊申	己酉	甲戌	乙亥	丙子	丁丑	庚寅	辛卯	壬辰	癸巳	戊午	己未	甲申	乙酉	丙戌	丁亥	庚子	辛丑	壬寅	癸卯	戊辰
대운	男	9	9	9	10	10	立	1	1	1	1	2	2	2	3	3	3	4	4	4	5	5	5	6	6	6	7	7	7	8	8	8
	女	2	1	1	1	1	冬	10	10	9	9	9	8	8	8	7	7	7	6	6	6	5	5	5	4	4	4	3	3	3	2	2

6月 (1일 七赤 - 26일 一白 +) **甲子 (九紫)** 절기: 大雪 (6일 16:05) 冬至 (22일 08:56)

양력		1	2	3	4	5	6	7	8	9	10	11	12	13	14	15	16	17	18	19	20	21	22	23	24	25	26	27	28	29	30	
요일		金	土	日	月	火	水	木	金	土	日	月	火	水	木	金	土	日	月	火	水	木	金	土	日	月	火	水	木	金	土	
음력	월	7	8	9	10	11	12	13	14	15	16	17	18	19	20	21	22	23	24	25	26	27	28	29	六	2	3	4	5	6	7	
일진		己巳	甲午	乙未	丙申	丁酉	庚戌	辛亥	壬子	癸丑	戊寅	己卯	甲辰	乙巳	丙午	丁未	庚申	辛酉	壬戌	癸亥	戊子	己丑	甲寅	乙卯	丙辰	丁巳	庚午	辛未	壬申	癸酉	戊戌	
대운	男	9	9	9	10	10	大	1	1	1	1	2	2	2	3	3	3	4	4	4	5	5	5	6	6	6	7	7	7	8	8	
	女	2	1	1	1	1	雪	10	10	10	9	9	9	8	8	8	7	7	7	6	6	6	5	5	5	4	4	4	3	3	3	

7月 (1일 六白 +) **乙丑 (一白)** 절기: 小寒(8일 02:25) 大寒(23일 19:49)

양력		1	2	3	4	5	6	7	8	9	10	11	12	13	14	15	16	17	18	19	20	21	22	23	24	25	26	27	28	29	30	31
요일		日	月	火	水	木	金	土	日	月	火	水	木	金	土	日	月	火	水	木	金	土	日	月	火	水	木	金	土	日	月	火
음력	월	8	9	10	11	12	13	14	15	16	17	18	19	20	21	22	23	24	25	26	27	28	29	30	閏六		3	4	5	6	7	8
일진		己亥	甲子	乙丑	丙寅	丁卯	庚辰	辛巳	壬午	癸未	戊申	己酉	甲戌	乙亥	丙子	丁丑	庚寅	辛卯	壬辰	癸巳	戊午	己未	甲申	乙酉	丙戌	丁亥	庚子	辛丑	壬寅	癸卯	戊辰	己巳
대운	男	8	9	9	9	10	10	10	小	1	1	1	1	2	2	2	3	3	3	4	4	4	5	5	5	6	6	6	7	7	7	8
	女	2	2	2	1	1	1	1	寒	10	10	9	9	9	8	8	8	7	7	7	6	6	6	5	5	5	4	4	4	3	3	3

8月 (1일 一白 +) **丙寅 (二黑)** 절기: 立春(8일 12:11) 雨水(24일 02:47)

양력		1	2	3	4	5	6	7	8	9	10	11	12	13	14	15	16	17	18	19	20	21	22	23	24	25	26	27	28	29	30	31
요일		水	木	金	土	日	月	火	水	木	金	土	日	月	火	水	木	金	土	日	月	火	水	木	金	土	日	月	火	水	木	金
음력	월	9	10	11	12	13	14	15	16	17	18	19	20	21	22	23	24	25	26	27	28	29	30	七	2	3	4	5	6	7	8	9
일진		甲午	乙未	丙申	丁酉	庚戌	辛亥	壬子	癸丑	戊寅	己卯	甲辰	乙巳	丙午	丁未	庚申	辛酉	壬戌	癸亥	戊子	己丑	甲寅	乙卯	丙辰	丁巳	庚午	辛未	壬申	癸酉	戊戌	己亥	甲子
대운	男	8	8	9	9	9	10	10	立	1	1	1	1	2	2	2	3	3	3	4	4	4	5	5	5	6	6	6	7	7	7	8
	女	2	2	2	1	1	1	1	春	10	10	9	9	9	8	8	8	7	7	7	6	6	6	5	5	5	4	4	4	3	3	3

9月 (1일 五黃 +) **丁卯 (三碧)** 절기: 驚蟄(8일 15:00) 春分 (24일 00:16)

양력		1	2	3	4	5	6	7	8	9	10	11	12	13	14	15	16	17	18	19	20	21	22	23	24	25	26	27	28	29	30	
요일		土	日	月	火	水	木	金	土	日	月	火	水	木	金	土	日	月	火	水	木	金	土	日	月	火	水	木	金	土	日	
음력	월	10	11	12	13	14	15	16	17	18	19	20	21	22	23	24	25	26	27	28	29	八	2	3	4	5	6	7	8	9	10	
일진		乙丑	丙寅	丁卯	庚辰	辛巳	壬午	癸未	戊申	己酉	甲戌	乙亥	丙子	丁丑	庚寅	辛卯	壬辰	癸巳	戊午	己未	甲申	乙酉	丙戌	丁亥	庚子	辛丑	壬寅	癸卯	戊辰	己巳	甲午	
대운	男	8	8	8	9	9	9	10	驚	1	1	1	1	2	2	2	3	3	3	4	4	4	5	5	5	6	6	6	7	7	7	
	女	2	2	2	1	1	1	1	蟄	10	10	9	9	9	8	8	8	7	7	7	6	6	6	5	5	5	4	4	4	3	3	

10月 (1일 八白 +) **庚辰 (四綠)** 절기: 清明(9일 06:30) 穀雨(24일 09:28)

양력		1	2	3	4	5	6	7	8	9	10	11	12	13	14	15	16	17	18	19	20	21	22	23	24	25	26	27	28	29	30	31
요일		月	火	水	木	金	土	日	月	火	水	木	金	土	日	月	火	水	木	金	土	日	月	火	水	木	金	土	日	月	火	水
음력	월	11	12	13	14	15	16	17	18	19	20	21	22	23	24	25	26	27	28	29	30	九	2	3	4	5	6	7	8	9	10	11
일진		乙未	丙申	丁酉	庚戌	辛亥	壬子	癸丑	戊寅	己卯	甲辰	乙巳	丙午	丁未	庚申	辛酉	壬戌	癸亥	戊子	己丑	甲寅	乙卯	丙辰	丁巳	庚午	辛未	壬申	癸酉	戊戌	己亥	甲子	乙丑
대운	男	8	8	8	9	9	9	10	10	清	1	1	1	1	2	2	2	3	3	3	4	4	4	5	5	5	6	6	6	7	7	7
	女	3	2	2	2	1	1	1	1	明	10	9	9	9	8	8	8	7	7	7	6	6	6	5	5	5	4	4	4	3	3	3

11月 (1일 三碧 +) **辛巳 (五黃)** 절기: 立夏(8일 09:33) 小滿 (23일 06:54)

양력		1	2	3	4	5	6	7	8	9	10	11	12	13	14	15	16	17	18	19	20	21	22	23	24	25	26	27	28	29	30	
요일		木	金	土	日	月	火	水	木	金	土	日	月	火	水	木	金	土	日	月	火	水	木	金	土	日	月	火	水	木	金	
음력	월	12	13	14	15	16	17	18	19	20	21	22	23	24	25	26	27	28	29	30	十	2	3	4	5	6	7	8	9	10	11	
일진		丙寅	丁卯	庚辰	辛巳	壬午	癸未	戊申	己酉	甲戌	乙亥	丙子	丁丑	庚寅	辛卯	壬辰	癸巳	戊午	己未	甲申	乙酉	丙戌	丁亥	庚子	辛丑	壬寅	癸卯	戊辰	己巳	甲午	乙未	
대운	男	8	8	8	9	9	9	10	立	1	1	1	1	2	2	2	3	3	3	4	4	4	5	5	5	6	6	6	7	7	7	
	女	2	2	2	1	1	1	1	夏	10	9	9	9	8	8	8	7	7	7	6	6	6	5	5	5	4	4	4	3	3	3	

12月 (1일 六白 + 23일 九紫 -) **壬午 (六白)** 절기: 芒種(8일 02:18) 夏至(22일 20:10)

양력		1	2	3	4	5	6	7	8	9	10	11	12	13	14	15	16	17	18	19	20	21	22	23	24	25	26	27	28	29	30	31
요일		土	日	月	火	水	木	金	土	日	月	火	水	木	金	土	日	月	火	水	木	金	土	日	月	火	水	木	金	土	日	月
음력	월	12	13	14	15	16	17	18	19	20	21	22	23	24	25	26	27	28	29	十一	2	3	4	5	6	7	8	9	10	11	12	13
일진		丙申	丁酉	庚戌	辛亥	壬子	癸丑	戊寅	己卯	甲辰	乙巳	丙午	丁未	庚申	辛酉	壬戌	癸亥	戊子	己丑	甲寅	乙卯	丙辰	丁巳	庚午	辛未	壬申	癸酉	戊戌	己亥	甲子	乙丑	丙寅
대운	男	8	8	8	9	9	9	10	芒	1	1	1	1	2	2	2	3	3	3	4	4	4	5	5	5	6	6	6	7	7	7	8
	女	2	2	2	1	1	1	1	種	9	9	9	8	8	8	7	7	7	6	6	6	5	5	5	4	4	4	3	3	3	2	2

甲寅年 (八白土星)

1月 (1일 九紫 -) **癸未 (七赤)** 절기: 小暑 (6일 13:29) 大暑 (21일 06:49)

		1	2	3	4	5	6	7	8	9	10	11	12	13	14	15	16	17	18	19	20	21	22	23	24	25	26	27	28	29	30	31
양력		1	2	3	4	5	6	7	8	9	10	11	12	13	14	15	16	17	18	19	20	21	22	23	24	25	26	27	28	29	30	31
요일		火	水	木	金	土	日	月	火	水	木	金	土	日	月	火	水	木	金	土	日	月	火	水	木	金	土	日	月	火	水	木
음력	월	14	15	16	17	18	19	20	21	22	23	24	25	26	27	28	29	30	十二	2	3	4	5	6	7	8	9	10	11	12	13	14
일진		丁卯	庚辰	辛巳	壬午	癸未	戊申	己酉	甲戌	乙亥	丙子	丁丑	庚寅	辛卯	壬辰	癸巳	戊午	己未	甲申	乙酉	丙戌	丁亥	庚子	辛丑	壬寅	癸卯	戊辰	己巳	甲午	乙未	丙申	丁酉
대운	男	8	8	9	9	9	小	1	1	1	1	2	2	2	3	3	3	4	4	4	5	5	5	6	6	6	7	7	7	8	8	8
	女	2	1	1	1	1	暑	10	9	9	9	8	8	8	7	7	7	6	6	6	5	5	5	4	4	4	3	3	3	2	2	2

2月 閏 (1일 五黃 -) **戊申 (八白)** 절기: 立秋 (5일 01:09) 處暑 (19일 21:02)

		1	2	3	4	5	6	7	8	9	10	11	12	13	14	15	16	17	18	19	20	21	22	23	24	25	26	27	28	29		
양력		1	2	3	4	5	6	7	8	9	10	11	12	13	14	15	16	17	18	19	20	21	22	23	24	25	26	27	28	29		
요일		金	土	日	月	火	水	木	金	土	日	月	火	水	木	金	土	日	月	火	水	木	金	土	日	月	火	水	木	金		
음력	월	15	16	17	18	19	20	21	22	23	24	25	26	27	28	29	一	2	3	4	5	6	7	8	9	10	11	12	13	14		
일진		庚戌	辛亥	壬子	癸丑	戊寅	己卯	甲辰	乙巳	丙午	丁未	庚申	辛酉	壬戌	癸亥	戊子	己丑	甲寅	乙卯	丙辰	丁巳	庚午	辛未	壬申	癸酉	戊戌	己亥	甲子	乙丑	丙寅		
대운	男	9	9	9	10	立	9	9	9	8	8	8	7	7	7	6	6	6	5	5	5	4	4	4	3	3	3	2	2	2		
	女	1	1	1	1	秋	1	1	1	1	2	2	2	3	3	3	4	4	4	5	5	5	6	6	6	7	7	7	8	8		

3月 (1일 三碧 -) **己酉 (九紫)** 절기: 白露 (5일 19:17) 秋分 (20일 20:10)

		1	2	3	4	5	6	7	8	9	10	11	12	13	14	15	16	17	18	19	20	21	22	23	24	25	26	27	28	29	30	31
양력		1	2	3	4	5	6	7	8	9	10	11	12	13	14	15	16	17	18	19	20	21	22	23	24	25	26	27	28	29	30	31
요일		土	日	月	火	水	木	金	土	日	月	火	水	木	金	土	日	月	火	水	木	金	土	日	月	火	水	木	金	土	日	月
음력	월	15	16	17	18	19	20	21	22	23	24	25	26	27	28	29	30	二	2	3	4	5	6	7	8	9	10	11	12	13	14	15
일진		丁卯	庚辰	辛巳	壬午	癸未	戊申	己酉	甲戌	乙亥	丙子	丁丑	庚寅	辛卯	壬辰	癸巳	戊午	己未	甲申	乙酉	丙戌	丁亥	庚子	辛丑	壬寅	癸卯	戊辰	己巳	甲午	乙未	丙申	丁酉
대운	男	1	1	1	1	白	10	10	9	9	9	8	8	8	7	7	7	6	6	6	5	5	5	4	4	4	3	3	3	2	2	2
	女	8	9	9	9	露	1	1	1	1	2	2	2	3	3	3	4	4	4	5	5	5	6	6	6	7	7	7	8	8	8	9

4月 (1일 八白 -) **甲戌 (一白)** 절기: 寒露 (5일 00:15) 霜降 (20일 07:23)

		1	2	3	4	5	6	7	8	9	10	11	12	13	14	15	16	17	18	19	20	21	22	23	24	25	26	27	28	29	30	
양력		1	2	3	4	5	6	7	8	9	10	11	12	13	14	15	16	17	18	19	20	21	22	23	24	25	26	27	28	29	30	
요일		火	水	木	金	土	日	月	火	水	木	金	土	日	月	火	水	木	金	土	日	月	火	水	木	金	土	日	月	火	水	
음력	월	16	17	18	19	20	21	22	23	24	25	26	27	28	29	三	2	3	4	5	6	7	8	9	10	11	12	13	14	15	16	
일진		庚戌	辛亥	壬子	癸丑	戊寅	己卯	甲辰	乙巳	丙午	丁未	庚申	辛酉	壬戌	癸亥	戊子	己丑	甲寅	乙卯	丙辰	丁巳	庚午	辛未	壬申	癸酉	戊戌	己亥	甲子	乙丑	丙寅	丁卯	
대운	男	1	1	1	1	寒	10	9	9	9	8	8	8	7	7	7	6	6	6	5	5	5	4	4	4	3	3	3	2	2	2	
	女	9	9	10	10	露	1	1	1	1	2	2	2	3	3	3	4	4	4	5	5	5	6	6	6	7	7	7	8	8	8	

5月 (1일 五黃 -) **乙亥 (二黑)** 절기: 立冬 (5일 17:45) 小雪 (21일 06:42)

		1	2	3	4	5	6	7	8	9	10	11	12	13	14	15	16	17	18	19	20	21	22	23	24	25	26	27	28	29	30	31
양력		1	2	3	4	5	6	7	8	9	10	11	12	13	14	15	16	17	18	19	20	21	22	23	24	25	26	27	28	29	30	31
요일		木	金	土	日	月	火	水	木	金	土	日	月	火	水	木	金	土	日	月	火	水	木	金	土	日	月	火	水	木	金	土
음력	월	17	18	19	20	21	22	23	24	25	26	27	28	29	四	2	3	4	5	6	7	8	9	10	11	12	13	14	15	16	17	18
일진		庚辰	辛巳	壬午	癸未	戊申	己酉	甲戌	乙亥	丙子	丁丑	庚寅	辛卯	壬辰	癸巳	戊午	己未	甲申	乙酉	丙戌	丁亥	庚子	辛丑	壬寅	癸卯	戊辰	己巳	甲午	乙未	丙申	丁酉	庚戌
대운	男	1	1	1	1	立	10	10	9	9	9	8	8	8	7	7	7	6	6	6	5	5	5	4	4	4	3	3	3	2	2	2
	女	9	9	9	10	冬	1	1	1	1	2	2	2	3	3	3	4	4	4	5	5	5	6	6	6	7	7	7	8	8	8	9

6月 (1일 一白 - 20일 一白 +) **丙子 (三碧)** 절기: 大雪 (5일 22:04) 冬至 (21일 14:47)

		1	2	3	4	5	6	7	8	9	10	11	12	13	14	15	16	17	18	19	20	21	22	23	24	25	26	27	28	29	30	
양력		1	2	3	4	5	6	7	8	9	10	11	12	13	14	15	16	17	18	19	20	21	22	23	24	25	26	27	28	29	30	
요일		日	月	火	水	木	金	土	日	月	火	水	木	金	土	日	月	火	水	木	金	土	日	月	火	水	木	金	土	日	月	
음력	월	19	20	21	22	23	24	25	26	27	28	29	30	五	2	3	4	5	6	7	8	9	10	11	12	13	14	15	16	17	18	
일진		辛亥	壬子	癸丑	戊寅	己卯	甲辰	乙巳	丙午	丁未	庚申	辛酉	壬戌	癸亥	戊子	己丑	甲寅	乙卯	丙辰	丁巳	庚午	辛未	壬申	癸酉	戊戌	己亥	甲子	乙丑	丙寅	丁卯	庚辰	
대운	男	1	1	1	1	大	10	10	10	9	9	9	8	8	8	7	7	7	6	6	6	5	5	5	4	4	4	3	3	3	2	
	女	9	9	10	10	雪	1	1	1	1	2	2	2	3	3	3	4	4	4	5	5	5	6	6	6	7	7	7	8	8	8	

7月 (1일 三碧 +) **丁丑 (四綠)** 절기: 小寒(7일 08:24) 大寒(23일 01:42)

양력		1	2	3	4	5	6	7	8	9	10	11	12	13	14	15	16	17	18	19	20	21	22	23	24	25	26	27	28	29	30	31
요일		火	水	木	金	土	日	月	火	水	木	金	土	日	月	火	水	木	金	土	日	月	火	水	木	金	土	日	月	火	水	木
음력	월	19	20	21	22	23	24	25	26	27	28	29	六	2	3	4	5	6	7	8	9	10	11	12	13	14	15	16	17	18	19	20
일진		辛巳	壬午	癸未	戊申	己酉	甲戌	乙亥	丙子	丁丑	庚寅	辛卯	壬辰	癸巳	戊午	己未	甲申	乙酉	丙戌	丁亥	庚子	辛丑	壬寅	癸卯	戊辰	己巳	甲午	乙未	丙申	丁酉	庚戌	辛亥
대운	男	2	2	1	1	1	1	小	10	10	9	9	9	8	8	8	7	7	7	6	6	6	5	5	5	4	4	4	3	3	3	2
	女	9	9	9	10	10	10	寒	1	1	1	1	2	2	2	3	3	3	4	4	4	5	5	5	6	6	6	7	7	7	8	8

8月 (1일 三璧 +) **庚寅 (五黃)** 절기: 立春(7일 18:09) 雨水(23일 08:41)

양력		1	2	3	4	5	6	7	8	9	10	11	12	13	14	15	16	17	18	19	20	21	22	23	24	25	26	27	28	29	30	31
요일		金	土	日	月	火	水	木	金	土	日	月	火	水	木	金	土	日	月	火	水	木	金	土	日	月	火	水	木	金	土	日
음력	월	21	22	23	24	25	26	27	28	29	30	七	2	3	4	5	6	7	8	9	10	11	12	13	14	15	16	17	18	19	20	21
일진		壬子	癸丑	戊寅	己卯	甲辰	乙巳	丙午	丁未	庚申	辛酉	壬戌	癸亥	戊子	己丑	甲寅	乙卯	丙辰	丁巳	庚午	辛未	壬申	癸酉	戊戌	己亥	甲子	乙丑	丙寅	丁卯	庚辰	辛巳	壬午
대운	男	2	2	1	1	1	1	立	10	10	9	9	9	8	8	8	7	7	7	6	6	6	5	5	5	4	4	4	3	3	3	2
	女	8	9	9	9	10	10	春	1	1	1	1	2	2	2	3	3	3	4	4	4	5	5	5	6	6	6	7	7	7	8	8

9月 (1일 二黑 +) **辛卯 (六白)** 절기: 驚蟄(7일 20:53) 春分 (23일 06:09)

양력		1	2	3	4	5	6	7	8	9	10	11	12	13	14	15	16	17	18	19	20	21	22	23	24	25	26	27	28	29	30	
요일		月	火	水	木	金	土	日	月	火	水	木	金	土	日	月	火	水	木	金	土	日	月	火	水	木	金	土	日	月	火	
음력	월	22	23	24	25	26	27	28	29	八	2	3	4	5	6	7	8	9	10	11	12	13	14	15	16	17	18	19	20	21	22	
일진		癸未	戊申	己酉	甲戌	乙亥	丙子	丁丑	庚寅	辛卯	壬辰	癸巳	戊午	己未	甲申	乙酉	丙戌	丁亥	庚子	辛丑	壬寅	癸卯	戊辰	己巳	甲午	乙未	丙申	丁酉	庚戌	辛亥	壬子	
대운	男	2	2	1	1	1	1	驚	10	10	9	9	9	8	8	8	7	7	7	6	6	6	5	5	5	4	4	4	3	3	3	
	女	8	9	9	9	10	10	蟄	1	1	1	1	2	2	2	3	3	3	4	4	4	5	5	5	6	6	6	7	7	7	8	

10月 (1일 五黃 +) **壬辰 (七赤)** 절기: 清明(8일 12:19) 穀雨(23일 15:18)

양력		1	2	3	4	5	6	7	8	9	10	11	12	13	14	15	16	17	18	19	20	21	22	23	24	25	26	27	28	29	30	31
요일		水	木	金	土	日	月	火	水	木	金	土	日	月	火	水	木	金	土	日	月	火	水	木	金	土	日	月	火	水	木	金
음력	월	23	24	25	26	27	28	29	30	九	2	3	4	5	6	7	8	9	10	11	12	13	14	15	16	17	18	19	20	21	22	23
일진		癸丑	戊寅	己卯	甲辰	乙巳	丙午	丁未	庚申	辛酉	壬戌	癸亥	戊子	己丑	甲寅	乙卯	丙辰	丁巳	庚午	辛未	壬申	癸酉	戊戌	己亥	甲子	乙丑	丙寅	丁卯	庚辰	辛巳	壬午	癸未
대운	男	2	2	2	1	1	1	1	清	10	9	9	9	8	8	8	7	7	7	6	6	6	5	5	5	4	4	4	3	3	3	2
	女	8	8	9	9	9	10	10	明	1	1	1	1	2	2	2	3	3	3	4	4	4	5	5	5	6	6	6	7	7	7	8

11月 (1일 九紫 +) **癸巳 (八白)** 절기: 立夏(7일 15:18) 小滿 (22일 12:41)

양력		1	2	3	4	5	6	7	8	9	10	11	12	13	14	15	16	17	18	19	20	21	22	23	24	25	26	27	28	29	30	
요일		土	日	月	火	水	木	金	土	日	月	火	水	木	金	土	日	月	火	水	木	金	土	日	月	火	水	木	金	土	日	
음력	월	24	25	26	27	28	29	30	十	2	3	4	5	6	7	8	9	10	11	12	13	14	15	16	17	18	19	20	21	22	23	
일진		戊申	己酉	甲戌	乙亥	丙子	丁丑	庚寅	辛卯	壬辰	癸巳	戊午	己未	甲申	乙酉	丙戌	丁亥	庚子	辛丑	壬寅	癸卯	戊辰	己巳	甲午	乙未	丙申	丁酉	庚戌	辛亥	壬子	癸丑	
대운	男	2	2	1	1	1	1	立	10	9	9	9	8	8	8	7	7	7	6	6	6	5	5	5	4	4	4	3	3	3	2	
	女	8	8	9	9	9	10	夏	1	1	1	1	2	2	2	3	3	3	4	4	4	5	5	5	6	6	6	7	7	7	8	

12月 (1일 三碧 + 17일 九紫 -) **戊午 (九紫)** 절기: 芒種(7일 08:01) 夏至(22일 01:56)

양력		1	2	3	4	5	6	7	8	9	10	11	12	13	14	15	16	17	18	19	20	21	22	23	24	25	26	27	28	29	30	31
요일		月	火	水	木	金	土	日	月	火	水	木	金	土	日	月	火	水	木	金	土	日	月	火	水	木	金	土	日	月	火	水
음력	월	24	25	26	27	28	29	十一	2	3	4	5	6	7	8	9	10	11	12	13	14	15	16	17	18	19	20	21	22	23	24	25
일진		戊寅	己卯	甲辰	乙巳	丙午	丁未	庚申	辛酉	壬戌	癸亥	戊子	己丑	甲寅	乙卯	丙辰	丁巳	庚午	辛未	壬申	癸酉	戊戌	己亥	甲子	乙丑	丙寅	丁卯	庚辰	辛巳	壬午	癸未	戊申
대운	男	2	2	1	1	1	1	芒	9	9	9	8	8	8	7	7	7	6	6	6	5	5	5	4	4	4	3	3	3	2	2	2
	女	8	8	9	9	9	10	種	1	1	1	1	2	2	2	3	3	3	4	4	4	5	5	5	6	6	6	7	7	7	8	8

서기1981년

乙卯年 (九紫火星)

1月 (1일 三碧 -) **己未 (一白)** 절기: 小暑 (5일 19:13) 大暑 (20일 12:36)

양력		1	2	3	4	5	6	7	8	9	10	11	12	13	14	15	16	17	18	19	20	21	22	23	24	25	26	27	28	29	30	31
요일		木	金	土	日	月	火	水	木	金	土	日	月	火	水	木	金	土	日	月	火	水	木	金	土	日	月	火	水	木	金	土
음력	월	26	27	28	29	30	十二	2	3	4	5	6	7	8	9	10	11	12	13	14	15	16	17	18	19	20	21	22	23	24	25	26
일진		己酉	甲戌	乙亥	丙子	丁丑	庚寅	辛卯	壬辰	癸巳	戊午	己未	甲申	乙酉	丙戌	丁亥	庚子	辛丑	壬寅	癸卯	戊辰	己巳	甲午	乙未	丙申	丁酉	庚戌	辛亥	壬子	癸丑	戊寅	己卯
대운	男	1	1	1	1	小	10	9	9	9	8	8	8	7	7	7	6	6	6	5	5	5	4	4	4	3	3	3	2	2	2	1
	女	8	9	9	9	暑	1	1	1	1	2	2	2	3	3	3	4	4	4	5	5	5	6	6	6	7	7	7	8	8	8	9

2月 (1일 八白 -) **甲申 (二黑)** 절기: 立秋 (4일 06:55) 處暑 (19일 02:52)

양력		1	2	3	4	5	6	7	8	9	10	11	12	13	14	15	16	17	18	19	20	21	22	23	24	25	26	27	28			
요일		日	月	火	水	木	金	土	日	月	火	水	木	金	土	日	月	火	水	木	金	土	日	月	火	水	木	金	土			
음력	월	27	28	29	30	一	2	3	4	5	6	7	8	9	10	11	12	13	14	15	16	17	18	19	20	21	22	23	24			
일진		甲辰	乙巳	丙午	丁未	庚申	辛酉	壬戌	癸亥	戊子	己丑	甲寅	乙卯	丙辰	丁巳	庚午	辛未	壬申	癸酉	戊戌	己亥	甲子	乙丑	丙寅	丁卯	庚辰	辛巳	壬午	癸未			
대운	男	1	1	1	立	1	1	1	1	2	2	2	3	3	3	4	4	4	5	5	5	6	6	6	7	7	7	8	8			
	女	9	9	10	秋	10	9	9	9	8	8	8	7	7	7	6	6	6	5	5	5	4	4	4	3	3	3	2	2			

3月 (1일 七赤 -) **乙酉 (三碧)** 절기: 白露 (6일 01:05) 秋分 (21일 02:03)

양력		1	2	3	4	5	6	7	8	9	10	11	12	13	14	15	16	17	18	19	20	21	22	23	24	25	26	27	28	29	30	31
요일		日	月	火	水	木	金	土	日	月	火	水	木	金	土	日	月	火	水	木	金	土	日	月	火	水	木	金	土	日	月	火
음력	월	25	26	27	28	29	二	2	3	4	5	6	7	8	9	10	11	12	13	14	15	16	17	18	19	20	21	22	23	24	25	26
일진		戊申	己酉	甲戌	乙亥	丙子	丁丑	庚寅	辛卯	壬辰	癸巳	戊午	己未	甲申	乙酉	丙戌	丁亥	庚子	辛丑	壬寅	癸卯	戊辰	己巳	甲午	乙未	丙申	丁酉	庚戌	辛亥	壬子	癸丑	戊寅
대운	男	8	9	9	9	10	白	1	1	1	1	2	2	2	3	3	3	4	4	4	5	5	5	6	6	6	7	7	7	8	8	8
	女	2	1	1	1	1	露	10	9	9	9	8	8	8	7	7	7	6	6	6	5	5	5	4	4	4	3	3	3	2	2	2

4月 (1일 三碧 -) **丙戌 (四綠)** 절기: 寒露 (5일 06:05) 霜降 (20일 13:19)

양력		1	2	3	4	5	6	7	8	9	10	11	12	13	14	15	16	17	18	19	20	21	22	23	24	25	26	27	28	29	30	
요일		水	木	金	土	日	月	火	水	木	金	土	日	月	火	水	木	金	土	日	月	火	水	木	金	土	日	月	火	水	木	
음력	월	27	28	29	30	三	2	3	4	5	6	7	8	9	10	11	12	13	14	15	16	17	18	19	20	21	22	23	24	25	26	
일진		己卯	甲辰	乙巳	丙午	丁未	庚申	辛酉	壬戌	癸亥	戊子	己丑	甲寅	乙卯	丙辰	丁巳	庚午	辛未	壬申	癸酉	戊戌	己亥	甲子	乙丑	丙寅	丁卯	庚辰	辛巳	壬午	癸未	戊申	
대운	男	9	9	9	10	寒	1	1	1	1	2	2	2	3	3	3	4	4	4	5	5	5	6	6	6	7	7	7	8	8	8	
	女	1	1	1	1	露	10	9	9	9	8	8	8	7	7	7	6	6	6	5	5	5	4	4	4	3	3	3	2	2	2	

5月 (1일 九紫 -) **丁亥 (五黃)** 절기: 立冬 (5일 23:35) 小雪 (21일 12:39)

양력		1	2	3	4	5	6	7	8	9	10	11	12	13	14	15	16	17	18	19	20	21	22	23	24	25	26	27	28	29	30	31
요일		金	土	日	月	火	水	木	金	土	日	月	火	水	木	金	土	日	月	火	水	木	金	土	日	月	火	水	木	金	土	日
음력	월	27	28	29	四	2	3	4	5	6	7	8	9	10	11	12	13	14	15	16	17	18	19	20	21	22	23	24	25	26	27	28
일진		己酉	甲戌	乙亥	丙子	丁丑	庚寅	辛卯	壬辰	癸巳	戊午	己未	甲申	乙酉	丙戌	丁亥	庚子	辛丑	壬寅	癸卯	戊辰	己巳	甲午	乙未	丙申	丁酉	庚戌	辛亥	壬子	癸丑	戊寅	己卯
대운	男	9	9	9	10	立	1	1	1	1	2	2	2	3	3	3	4	4	4	5	5	5	6	6	6	7	7	7	8	8	8	9
	女	1	1	1	1	冬	10	10	10	9	9	9	8	8	8	7	7	7	6	6	6	5	5	5	4	4	4	3	3	3	2	2

6月 (1일 五黃 - 15일 一白 +) **庚子 (六白)** 절기: 大雪 (6일 03:53) 冬至 (21일 20:45)

양력		1	2	3	4	5	6	7	8	9	10	11	12	13	14	15	16	17	18	19	20	21	22	23	24	25	26	27	28	29	30	
요일		月	火	水	木	金	土	日	月	火	水	木	金	土	日	月	火	水	木	金	土	日	月	火	水	木	金	土	日	月	火	
음력	월	29	五	2	3	4	5	6	7	8	9	10	11	12	13	14	15	16	17	18	19	20	21	22	23	24	25	26	27	28	29	
일진		甲辰	乙巳	丙午	丁未	庚申	辛酉	壬戌	癸亥	戊子	己丑	甲寅	乙卯	丙辰	丁巳	庚午	辛未	壬申	癸酉	戊戌	己亥	甲子	乙丑	丙寅	丁卯	庚辰	辛巳	壬午	癸未	戊申	己酉	
대운	男	9	9	10	10	10	大	1	1	1	1	2	2	2	3	3	3	4	4	4	5	5	5	6	6	6	7	7	7	8	8	
	女	2	1	1	1	1	雪	10	10	9	9	9	8	8	8	7	7	7	6	6	6	5	5	5	4	4	4	3	3	3	2	

7月 (1일 八白 +) **辛丑 (七赤)** 절기: 小寒(7일 14:12) 大寒(23일 07:40)

양력	1	2	3	4	5	6	7	8	9	10	11	12	13	14	15	16	17	18	19	20	21	22	23	24	25	26	27	28	29	30	31
요일	水	木	金	土	日	月	火	水	木	金	土	日	月	火	水	木	金	土	日	月	火	水	木	金	土	日	月	火	水	木	金
음력 월	30	六	2	3	4	5	6	7	8	9	10	11	12	13	14	15	16	17	18	19	20	21	22	23	24	25	26	27	28	29	七
일진	甲戌	乙亥	丙子	丁丑	庚寅	辛卯	壬辰	癸巳	戊午	己未	甲申	乙酉	丙戌	丁亥	庚子	辛丑	壬寅	癸卯	戊辰	己巳	甲午	乙未	丙申	丁酉	庚戌	辛亥	壬子	癸丑	戊寅	己卯	甲辰
대운 男	8	9	9	9	10	10	小	1	1	1	1	2	2	2	3	3	3	4	4	4	5	5	5	6	6	6	7	7	7	8	8
대운 女	2	2	1	1	1	1	寒	10	10	9	9	9	8	8	8	7	7	7	6	6	6	5	5	5	4	4	4	3	3	3	2

8月 (1일 三碧 +) **壬寅 (八白)** 절기: 立春(7일 23:57) 雨水(23일 14:38)

양력	1	2	3	4	5	6	7	8	9	10	11	12	13	14	15	16	17	18	19	20	21	22	23	24	25	26	27	28	29	30	31
요일	土	日	月	火	水	木	金	土	日	月	火	水	木	金	土	日	月	火	水	木	金	土	日	月	火	水	木	金	土	日	月
음력 월	2	3	4	5	6	7	8	9	10	11	12	13	14	15	16	17	18	19	20	21	22	23	24	25	26	27	28	29	八	2	3
일진	乙巳	丙午	丁未	庚申	辛酉	壬戌	癸亥	戊子	己丑	甲寅	乙卯	丙辰	丁巳	庚午	辛未	壬申	癸酉	戊戌	己亥	甲子	乙丑	丙寅	丁卯	庚辰	辛巳	壬午	癸未	戊申	己酉	甲戌	乙亥
대운 男	8	9	9	9	10	10	立	1	1	1	1	2	2	2	3	3	3	4	4	4	5	5	5	6	6	6	7	7	7	8	8
대운 女	2	2	1	1	1	1	春	10	10	10	9	9	9	8	8	8	7	7	7	6	6	6	5	5	5	4	4	4	3	3	3

9月 (1일 七赤 +) **癸卯 (九紫)** 절기: 驚蟄(8일 02:43) 春分 (23일 12:05)

양력	1	2	3	4	5	6	7	8	9	10	11	12	13	14	15	16	17	18	19	20	21	22	23	24	25	26	27	28	29	30	
요일	火	水	木	金	土	日	月	火	水	木	金	土	日	月	火	水	木	金	土	日	月	火	水	木	金	土	日	月	火	水	
음력 월	4	5	6	7	8	9	10	11	12	13	14	15	16	17	18	19	20	21	22	23	24	25	26	27	28	29	30	九	2	3	
일진	丙子	丁丑	庚寅	辛卯	壬辰	癸巳	戊午	己未	甲申	乙酉	丙戌	丁亥	庚子	辛丑	壬寅	癸卯	戊辰	己巳	甲午	乙未	丙申	丁酉	庚戌	辛亥	壬子	癸丑	戊寅	己卯	甲辰	乙巳	
대운 男	8	9	9	9	10	10	10	驚	1	1	1	1	2	2	2	3	3	3	4	4	4	5	5	5	6	6	6	7	7	7	
대운 女	2	2	2	1	1	1	1	蟄	10	9	9	9	8	8	8	7	7	7	6	6	6	5	5	5	4	4	4	3	3	3	

10月 (1일 一白 +) **戊辰 (一白)** 절기: 清明(8일 18:10) 穀雨(23일 21:13)

양력	1	2	3	4	5	6	7	8	9	10	11	12	13	14	15	16	17	18	19	20	21	22	23	24	25	26	27	28	29	30	31
요일	木	金	土	日	月	火	水	木	金	土	日	月	火	水	木	金	土	日	月	火	水	木	金	土	日	月	火	水	木	金	土
음력 월	4	5	6	7	8	9	10	11	12	13	14	15	16	17	18	19	20	21	22	23	24	25	26	27	28	29	30	十	2	3	4
일진	丙午	丁未	庚申	辛酉	壬戌	癸亥	戊子	己丑	甲寅	乙卯	丙辰	丁巳	庚午	辛未	壬申	癸酉	戊戌	己亥	甲子	乙丑	丙寅	丁卯	庚辰	辛巳	壬午	癸未	戊申	己酉	甲戌	乙亥	丙子
대운 男	8	8	8	9	9	9	10	清	1	1	1	1	2	2	2	3	3	3	4	4	4	5	5	5	6	6	6	7	7	7	8
대운 女	2	2	2	1	1	1	1	明	10	9	9	9	8	8	8	7	7	7	6	6	6	5	5	5	4	4	4	3	3	3	2

11月 (1일 五黃 +) **己巳 (二黑)** 절기: 立夏(7일 21:09) 小滿 (22일 18:36)

양력	1	2	3	4	5	6	7	8	9	10	11	12	13	14	15	16	17	18	19	20	21	22	23	24	25	26	27	28	29	30	
요일	日	月	火	水	木	金	土	日	月	火	水	木	金	土	日	月	火	水	木	金	土	日	月	火	水	木	金	土	日	月	
음력 월	5	6	7	8	9	10	11	12	13	14	15	16	17	18	19	20	21	22	23	24	25	26	27	28	29	十一	2	3	4	5	
일진	丁丑	庚寅	辛卯	壬辰	癸巳	戊午	己未	甲申	乙酉	丙戌	丁亥	庚子	辛丑	壬寅	癸卯	戊辰	己巳	甲午	乙未	丙申	丁酉	庚戌	辛亥	壬子	癸丑	戊寅	己卯	甲辰	乙巳	丙午	
대운 男	8	8	9	9	9	10	立	1	1	1	1	2	2	2	3	3	3	4	4	4	5	5	5	6	6	6	7	7	7	8	
대운 女	2	2	1	1	1	1	夏	10	9	9	9	8	8	8	7	7	7	6	6	6	5	5	5	4	4	4	3	3	3	2	

12月 (1일 八白 + 12일 九紫 -) **甲午 (三碧)** 절기: 芒種(7일 13:51) 夏至(22일 07:51)

양력	1	2	3	4	5	6	7	8	9	10	11	12	13	14	15	16	17	18	19	20	21	22	23	24	25	26	27	28	29	30	31
요일	火	水	木	金	土	日	月	火	水	木	金	土	日	月	火	水	木	金	土	日	月	火	水	木	金	土	日	月	火	水	木
음력 월	6	7	8	9	10	11	12	13	14	15	16	17	18	19	20	21	22	23	24	25	26	27	28	29	30	十二	2	3	4	5	6
일진	丁未	庚申	辛酉	壬戌	癸亥	戊子	己丑	甲寅	乙卯	丙辰	丁巳	庚午	辛未	壬申	癸酉	戊戌	己亥	甲子	乙丑	丙寅	丁卯	庚辰	辛巳	壬午	癸未	戊申	己酉	甲戌	乙亥	丙子	丁丑
대운 男	8	8	9	9	9	10	芒	1	1	1	1	2	2	2	3	3	3	4	4	4	5	5	5	6	6	6	7	7	7	8	8
대운 女	2	2	1	1	1	1	種	10	9	9	9	8	8	8	7	7	7	6	6	6	5	5	5	4	4	4	3	3	3	2	2

丙辰年 (一白水星) 閏四月

1月 (1일 七赤 -) **乙未 (四綠)** 절기: 小暑 (6일 01:03) 大暑 (20일 18:31)

양력		1	2	3	4	5	6	7	8	9	10	11	12	13	14	15	16	17	18	19	20	21	22	23	24	25	26	27	28	29	30	31
요일		金	土	日	月	火	水	木	金	土	日	月	火	水	木	金	土	日	月	火	水	木	金	土	日	月	火	水	木	金	土	日
음력	월	7	8	9	10	11	12	13	14	15	16	17	18	19	20	21	22	23	24	25	26	27	28	29	30	一	2	3	4	5	6	7
일진		庚寅	辛卯	壬辰	癸巳	戊午	己未	甲申	乙酉	丙戌	丁亥	庚子	辛丑	壬寅	癸卯	戊辰	己巳	甲午	乙未	丙申	丁酉	庚戌	辛亥	壬子	癸丑	戊寅	己卯	甲辰	乙巳	丙午	丁未	庚申
대운	男	8	9	9	9	10	小	1	1	1	1	2	2	2	3	3	3	4	4	4	5	5	5	6	6	6	7	7	7	8	8	8
	女	2	1	1	1	1	暑	9	9	9	8	8	8	7	7	7	6	6	6	5	5	5	4	4	4	3	3	3	2	2	2	1

2月 (1일 三碧 -) **丙申 (五黃)** 절기: 立秋 (4일 12:45) 處暑 (19일 08:47)

양력		1	2	3	4	5	6	7	8	9	10	11	12	13	14	15	16	17	18	19	20	21	22	23	24	25	26	27	28			
요일		月	火	水	木	金	土	日	月	火	水	木	金	土	日	月	火	水	木	金	土	日	月	火	水	木	金	土	日			
음력	월	8	9	10	11	12	13	14	15	16	17	18	19	20	21	22	23	24	25	26	27	28	29	30	二	2	3	4	5			
일진		辛酉	壬戌	癸亥	戊子	己丑	甲寅	乙卯	丙辰	丁巳	庚午	辛未	壬申	癸酉	戊戌	己亥	甲子	乙丑	丙寅	丁卯	庚辰	辛巳	壬午	癸未	戊申	己酉	甲戌	乙亥	丙子			
대운	男	9	9	9	立	10	9	9	9	8	8	8	7	7	7	6	6	6	5	5	5	4	4	4	3	3	3	2	2			
	女	1	1	1	秋	1	1	1	1	2	2	2	3	3	3	4	4	4	5	5	5	6	6	6	7	7	7	8	8			

3月 (1일 二黑 -) **丁酉 (六白)** 절기: 白露 (6일 06:55) 秋分 (21일 07:56)

양력		1	2	3	4	5	6	7	8	9	10	11	12	13	14	15	16	17	18	19	20	21	22	23	24	25	26	27	28	29	30	31
요일		月	火	水	木	金	土	日	月	火	水	木	金	土	日	月	火	水	木	金	土	日	月	火	水	木	金	土	日	月	火	水
음력	월	6	7	8	9	10	11	12	13	14	15	16	17	18	19	20	21	22	23	24	25	26	27	28	29	三	2	3	4	5	6	7
일진		丁丑	庚寅	辛卯	壬辰	癸巳	戊午	己未	甲申	乙酉	丙戌	丁亥	庚子	辛丑	壬寅	癸卯	戊辰	己巳	甲午	乙未	丙申	丁酉	庚戌	辛亥	壬子	癸丑	戊寅	己卯	甲辰	乙巳	丙午	丁未
대운	男	2	1	1	1	1	白	10	9	9	9	8	8	8	7	7	7	6	6	6	5	5	5	4	4	4	3	3	3	2	2	2
	女	8	9	9	9	10	露	1	1	1	1	2	2	2	3	3	3	4	4	4	5	5	5	6	6	6	7	7	7	8	8	8

4月 (1일 七赤 -) **庚戌 (七赤)** 절기: 寒露 (5일 11:53) 霜降 (20일 19:07)

양력		1	2	3	4	5	6	7	8	9	10	11	12	13	14	15	16	17	18	19	20	21	22	23	24	25	26	27	28	29	30	
요일		木	金	土	日	月	火	水	木	金	土	日	月	火	水	木	金	土	日	月	火	水	木	金	土	日	月	火	水	木	金	
음력	월	8	9	10	11	12	13	14	15	16	17	18	19	20	21	22	23	24	25	26	27	28	29	30	四	2	3	4	5	6	7	
일진		庚申	辛酉	壬戌	癸亥	戊子	己丑	甲寅	乙卯	丙辰	丁巳	庚午	辛未	壬申	癸酉	戊戌	己亥	甲子	乙丑	丙寅	丁卯	庚辰	辛巳	壬午	癸未	戊申	己酉	甲戌	乙亥	丙子	丁丑	
대운	男	1	1	1	1	寒	10	10	9	9	9	8	8	8	7	7	7	6	6	6	5	5	5	4	4	4	3	3	3	2	2	
	女	9	9	9	10	露	1	1	1	1	2	2	2	3	3	3	4	4	4	5	5	5	6	6	6	7	7	7	8	8	8	

5月 (1일 四綠 -) **辛亥 (八白)** 절기: 立冬 (6일 05:20) 小雪 (21일 18:23)

양력		1	2	3	4	5	6	7	8	9	10	11	12	13	14	15	16	17	18	19	20	21	22	23	24	25	26	27	28	29	30	31
요일		土	日	月	火	水	木	金	土	日	月	火	水	木	金	土	日	月	火	水	木	金	土	日	月	火	水	木	金	土	日	月
음력	월	8	9	10	11	12	13	14	15	16	17	18	19	20	21	22	23	24	25	26	27	28	29	閏四		3	4	5	6	7	8	9
일진		庚寅	辛卯	壬辰	癸巳	戊午	己未	甲申	乙酉	丙戌	丁亥	庚子	辛丑	壬寅	癸卯	戊辰	己巳	甲午	乙未	丙申	丁酉	庚戌	辛亥	壬子	癸丑	戊寅	己卯	甲辰	乙巳	丙午	丁未	庚申
대운	男	2	1	1	1	1	立	10	10	9	9	9	8	8	8	7	7	7	6	6	6	5	5	5	4	4	4	3	3	3	2	2
	女	9	9	9	10	10	冬	1	1	1	1	2	2	2	3	3	3	4	4	4	5	5	5	6	6	6	7	7	7	8	8	8

6月 (1일 九紫 - 10일 一白 +) **壬子 (九紫)** 절기: 大雪 (6일 09:36) 冬至 (22일 02:23)

양력		1	2	3	4	5	6	7	8	9	10	11	12	13	14	15	16	17	18	19	20	21	22	23	24	25	26	27	28	29	30	
요일		火	水	木	金	土	日	月	火	水	木	金	土	日	月	火	水	木	金	土	日	月	火	水	木	金	土	日	月	火	水	
음력	월	10	11	12	13	14	15	16	17	18	19	20	21	22	23	24	25	26	27	28	29	五	2	3	4	5	6	7	8	9	10	
일진		辛酉	壬戌	癸亥	戊子	己丑	甲寅	乙卯	丙辰	丁巳	庚午	辛未	壬申	癸酉	戊戌	己亥	甲子	乙丑	丙寅	丁卯	庚辰	辛巳	壬午	癸未	戊申	己酉	甲戌	乙亥	丙子	丁丑	庚寅	
대운	男	2	1	1	1	1	大	10	10	9	9	9	8	8	8	7	7	7	6	6	6	5	5	5	4	4	4	3	3	3	2	
	女	9	9	9	10	10	雪	1	1	1	1	2	2	2	3	3	3	4	4	4	5	5	5	6	6	6	7	7	7	8	8	

7月 (1일 四綠 +) **癸丑 (一白)** 절기: 小寒(7일 19:55) 大寒(23일 13:15)

양력		1	2	3	4	5	6	7	8	9	10	11	12	13	14	15	16	17	18	19	20	21	22	23	24	25	26	27	28	29	30	31
요일		木	金	土	日	月	火	水	木	金	土	日	月	火	水	木	金	土	日	月	火	水	木	金	土	日	月	火	水	木	金	土
음력	월	11	12	13	14	15	16	17	18	19	20	21	22	23	24	25	26	27	28	29	30	六	2	3	4	5	6	7	8	9	10	11
일진		辛卯	壬辰	癸巳	戊午	己未	甲申	乙酉	丙戌	丁亥	庚子	辛丑	壬寅	癸卯	戊辰	己巳	甲午	乙未	丙申	丁酉	庚戌	辛亥	壬子	癸丑	戊寅	己卯	甲辰	乙巳	丙午	丁未	庚申	辛酉
대운	男	2	2	1	1	1	1	小	10	10	10	9	9	9	8	8	8	7	7	7	6	6	6	5	5	5	4	4	4	3	3	3
	女	8	9	9	9	10	10	寒	1	1	1	1	2	2	2	3	3	3	4	4	4	5	5	5	6	6	6	7	7	7	8	8

8月 (1일 八白 +) **戊寅 (二黑)** 절기: 立春(8일 05:42) 雨水(23일 20:15)

양력		1	2	3	4	5	6	7	8	9	10	11	12	13	14	15	16	17	18	19	20	21	22	23	24	25	26	27	28	29	30	31
요일		日	月	火	水	木	金	土	日	月	火	水	木	金	土	日	月	火	水	木	金	土	日	月	火	水	木	金	土	日	月	火
음력	월	12	13	14	15	16	17	18	19	20	21	22	23	24	25	26	27	28	29	七	2	3	4	5	6	7	8	9	10	11	12	13
일진		壬戌	癸亥	戊子	己丑	甲寅	乙卯	丙辰	丁巳	庚午	辛未	壬申	癸酉	戊戌	己亥	甲子	乙丑	丙寅	丁卯	庚辰	辛巳	壬午	癸未	戊申	己酉	甲戌	乙亥	丙子	丁丑	庚寅	辛卯	壬辰
대운	男	2	2	2	1	1	1	1	立	10	10	9	9	9	8	8	8	7	7	7	6	6	6	5	5	5	4	4	4	3	3	3
	女	8	9	9	9	10	10	10	春	1	1	1	1	2	2	2	3	3	3	4	4	4	5	5	5	6	6	6	7	7	7	8

9月 (1일 三碧 +) **己卯 (三碧)** 절기: 驚蟄(8일 08:32) 春分 (23일 17:46)

양력		1	2	3	4	5	6	7	8	9	10	11	12	13	14	15	16	17	18	19	20	21	22	23	24	25	26	27	28	29	30	
요일		水	木	金	土	日	月	火	水	木	金	土	日	月	火	水	木	金	土	日	月	火	水	木	金	土	日	月	火	水	木	
음력	월	14	15	16	17	18	19	20	21	22	23	24	25	26	27	28	29	八	2	3	4	5	6	7	8	9	10	11	12	13	14	
일진		癸巳	戊午	己未	甲申	乙酉	丙戌	丁亥	庚子	辛丑	壬寅	癸卯	戊辰	己巳	甲午	乙未	丙申	丁酉	庚戌	辛亥	壬子	癸丑	戊寅	己卯	甲辰	乙巳	丙午	丁未	庚申	辛酉	壬戌	
대운	男	2	2	2	1	1	1	1	驚	10	10	9	9	9	8	8	8	7	7	7	6	6	6	5	5	5	4	4	4	3	3	
	女	8	8	9	9	9	10	10	蟄	1	1	1	1	2	2	2	3	3	3	4	4	4	5	5	5	6	6	6	7	7	7	

10月 (1일 六白 +) **甲辰 (四綠)** 절기: 清明(9일 00:02) 穀雨(24일 02:58)

양력		1	2	3	4	5	6	7	8	9	10	11	12	13	14	15	16	17	18	19	20	21	22	23	24	25	26	27	28	29	30	31
요일		金	土	日	月	火	水	木	金	土	日	月	火	水	木	金	土	日	月	火	水	木	金	土	日	月	火	水	木	金	土	日
음력	월	15	16	17	18	19	20	21	22	23	24	25	26	27	28	29	30	九	2	3	4	5	6	7	8	9	10	11	12	13	14	15
일진		癸亥	戊子	己丑	甲寅	乙卯	丙辰	丁巳	庚午	辛未	壬申	癸酉	戊戌	己亥	甲子	乙丑	丙寅	丁卯	庚辰	辛巳	壬午	癸未	戊申	己酉	甲戌	乙亥	丙子	丁丑	庚寅	辛卯	壬辰	癸巳
대운	男	3	2	2	2	1	1	1	1	清	10	9	9	9	8	8	8	7	7	7	6	6	6	5	5	5	4	4	4	3	3	3
	女	8	8	8	9	9	9	10	10	明	1	1	1	1	2	2	2	3	3	3	4	4	4	5	5	5	6	6	6	7	7	7

11月 (1일 一白 +) **乙巳 (五黃)** 절기: 立夏(8일 03:04) 小滿 (23일 00:23)

양력		1	2	3	4	5	6	7	8	9	10	11	12	13	14	15	16	17	18	19	20	21	22	23	24	25	26	27	28	29	30	
요일		月	火	水	木	金	土	日	月	火	水	木	金	土	日	月	火	水	木	金	土	日	月	火	水	木	金	土	日	月	火	
음력	월	16	17	18	19	20	21	22	23	24	25	26	27	28	29	30	十	2	3	4	5	6	7	8	9	10	11	12	13	14	15	
일진		戊午	己未	甲申	乙酉	丙戌	丁亥	庚子	辛丑	壬寅	癸卯	戊辰	己巳	甲午	乙未	丙申	丁酉	庚戌	辛亥	壬子	癸丑	戊寅	己卯	甲辰	乙巳	丙午	丁未	庚申	辛酉	壬戌	癸亥	
대운	男	2	2	2	1	1	1	1	立	9	9	9	8	8	8	7	7	7	6	6	6	5	5	5	4	4	4	3	3	3	2	
	女	8	8	8	9	9	9	10	夏	1	1	1	1	2	2	2	3	3	3	4	4	4	5	5	5	6	6	6	7	7	7	

12月 (1일 四綠 + 7일 九紫 -) **丙午 (六白)** 절기: 芒種(7일 19:48) 夏至(22일 13:38)

양력		1	2	3	4	5	6	7	8	9	10	11	12	13	14	15	16	17	18	19	20	21	22	23	24	25	26	27	28	29	30	31
요일		水	木	金	土	日	月	火	水	木	金	土	日	月	火	水	木	金	土	日	月	火	水	木	金	土	日	月	火	水	木	金
음력	월	16	17	18	19	20	21	22	23	24	25	26	27	28	29	十一	2	3	4	5	6	7	8	9	10	11	12	13	14	15	16	17
일진		戊子	己丑	甲寅	乙卯	丙辰	丁巳	庚午	辛未	壬申	癸酉	戊戌	己亥	甲子	乙丑	丙寅	丁卯	庚辰	辛巳	壬午	癸未	戊申	己酉	甲戌	乙亥	丙子	丁丑	庚寅	辛卯	壬辰	癸巳	戊午
대운	男	2	2	1	1	1	1	芒	10	9	9	9	8	8	8	7	7	7	6	6	6	5	5	5	4	4	4	3	3	3	2	2
	女	8	8	8	9	9	9	種	1	1	1	1	2	2	2	3	3	3	4	4	4	5	5	5	6	6	6	7	7	7	8	8

서기1983년

丁巳年 (二黑土星)

1月 (1일 七赤 -) **丁未 (七赤)** 절기: 小暑 (6일 06:59) 大暑 (21일 00:17)

양력		1	2	3	4	5	6	7	8	9	10	11	12	13	14	15	16	17	18	19	20	21	22	23	24	25	26	27	28	29	30	31
요일		土	日	月	火	水	木	金	土	日	月	火	水	木	金	土	日	月	火	水	木	金	土	日	月	火	水	木	金	土	日	月
음력	월	18	19	20	21	22	23	24	25	26	27	28	29	30	十二	2	3	4	5	6	7	8	9	10	11	12	13	14	15	16	17	18
일진		己未	甲申	乙酉	丙戌	丁亥	庚子	辛丑	壬寅	癸卯	戊辰	己巳	甲午	乙未	丙申	丁酉	庚戌	辛亥	壬子	癸丑	戊寅	己卯	甲辰	乙巳	丙午	丁未	庚申	辛酉	壬戌	癸亥	戊子	己丑
대운	男	2	1	1	1	1	小	9	9	9	8	8	8	7	7	7	6	6	6	5	5	5	4	4	4	3	3	3	2	2	2	1
	女	8	9	9	9	10	暑	1	1	1	1	2	2	2	3	3	3	4	4	4	5	5	5	6	6	6	7	7	7	8	8	8

2月 (1일 七赤 -) **庚申 (八白)** 절기: 立秋 (4일 18:40) 處暑 (19일 14:31)

양력		1	2	3	4	5	6	7	8	9	10	11	12	13	14	15	16	17	18	19	20	21	22	23	24	25	26	27	28			
요일		火	水	木	金	土	日	月	火	水	木	金	土	日	月	火	水	木	金	土	日	月	火	水	木	金	土	日	月			
음력	월	19	20	21	22	23	24	25	26	27	28	29	30	一	2	3	4	5	6	7	8	9	10	11	12	13	14	15	16			
일진		甲寅	乙卯	丙辰	丁巳	庚午	辛未	壬申	癸酉	戊戌	己亥	甲子	乙丑	丙寅	丁卯	庚辰	辛巳	壬午	癸未	戊申	己酉	甲戌	乙亥	丙子	丁丑	庚寅	辛卯	壬辰	癸巳			
대운	男	1	1	1	立	1	1	1	1	2	2	2	3	3	3	4	4	4	5	5	5	6	6	6	7	7	7	8	8			
	女	9	9	9	秋	10	9	9	9	8	8	8	7	7	7	6	6	6	5	5	5	4	4	4	3	3	3	2	2			

3月 (1일 六白 -) **辛酉 (九紫)** 절기: 白露 (6일 12:47) 秋分 (21일 13:39)

양력		1	2	3	4	5	6	7	8	9	10	11	12	13	14	15	16	17	18	19	20	21	22	23	24	25	26	27	28	29	30	31
요일		火	水	木	金	土	日	月	火	水	木	金	土	日	月	火	水	木	金	土	日	月	火	水	木	金	土	日	月	火	水	木
음력	월	17	18	19	20	21	22	23	24	25	26	27	28	29	30	二	2	3	4	5	6	7	8	9	10	11	12	13	14	15	16	17
일진		戊午	己未	甲申	乙酉	丙戌	丁亥	庚子	辛丑	壬寅	癸卯	戊辰	己巳	甲午	乙未	丙申	丁酉	庚戌	辛亥	壬子	癸丑	戊寅	己卯	甲辰	乙巳	丙午	丁未	庚申	辛酉	壬戌	癸亥	戊子
대운	男	8	9	9	9	10	白	1	1	1	1	2	2	2	3	3	3	4	4	4	5	5	5	6	6	6	7	7	7	8	8	8
	女	2	1	1	1	1	露	10	9	9	9	8	8	8	7	7	7	6	6	6	5	5	5	4	4	4	3	3	3	2	2	2

4月 (1일 二黑 -) **壬戌 (一白)** 절기: 寒露 (5일 17:44) 霜降 (21일 00:50)

양력		1	2	3	4	5	6	7	8	9	10	11	12	13	14	15	16	17	18	19	20	21	22	23	24	25	26	27	28	29	30	
요일		金	土	日	月	火	水	木	金	土	日	月	火	水	木	金	土	日	月	火	水	木	金	土	日	月	火	水	木	金	土	
음력	월	18	19	20	21	22	23	24	25	26	27	28	29	三	2	3	4	5	6	7	8	9	10	11	12	13	14	15	16	17	18	
일진		己丑	甲寅	乙卯	丙辰	丁巳	庚午	辛未	壬申	癸酉	戊戌	己亥	甲子	乙丑	丙寅	丁卯	庚辰	辛巳	壬午	癸未	戊申	己酉	甲戌	乙亥	丙子	丁丑	庚寅	辛卯	壬辰	癸巳	戊午	
대운	男	9	9	9	10	寒	1	1	1	1	2	2	2	3	3	3	4	4	4	5	5	5	6	6	6	7	7	7	8	8	8	
	女	1	1	1	1	露	10	10	9	9	9	8	8	8	7	7	7	6	6	6	5	5	5	4	4	4	3	3	3	2	2	

5月 (1일 八白 -) **癸亥 (二黑)** 절기: 立冬 (6일 11:11) 小雪 (22일 00:06)

양력		1	2	3	4	5	6	7	8	9	10	11	12	13	14	15	16	17	18	19	20	21	22	23	24	25	26	27	28	29	30	31
요일		日	月	火	水	木	金	土	日	月	火	水	木	金	土	日	月	火	水	木	金	土	日	月	火	水	木	金	土	日	月	火
음력	월	19	20	21	22	23	24	25	26	27	28	29	30	四	2	3	4	5	6	7	8	9	10	11	12	13	14	15	16	17	18	19
일진		己未	甲申	乙酉	丙戌	丁亥	庚子	辛丑	壬寅	癸卯	戊辰	己巳	甲午	乙未	丙申	丁酉	庚戌	辛亥	壬子	癸丑	戊寅	己卯	甲辰	乙巳	丙午	丁未	庚申	辛酉	壬戌	癸亥	戊子	己丑
대운	男	9	9	9	10	10	立	1	1	1	1	2	2	2	3	3	3	4	4	4	5	5	5	6	6	6	7	7	7	8	8	8
	女	2	1	1	1	1	冬	10	10	9	9	9	8	8	8	7	7	7	6	6	6	5	5	5	4	4	4	3	3	3	2	2

6月 (1일 四綠 - 5일 一白 +) **戊子 (三碧)** 절기: 大雪 (6일 15:26) 冬至 (22일 08:09)

양력		1	2	3	4	5	6	7	8	9	10	11	12	13	14	15	16	17	18	19	20	21	22	23	24	25	26	27	28	29	30	
요일		水	木	金	土	日	月	火	水	木	金	土	日	月	火	水	木	金	土	日	月	火	水	木	金	土	日	月	火	水	木	
음력	월	20	21	22	23	24	25	26	27	28	29	五	2	3	4	5	6	7	8	9	10	11	12	13	14	15	16	17	18	19	20	
일진		甲寅	乙卯	丙辰	丁巳	庚午	辛未	壬申	癸酉	戊戌	己亥	甲子	乙丑	丙寅	丁卯	庚辰	辛巳	壬午	癸未	戊申	己酉	甲戌	乙亥	丙子	丁丑	庚寅	辛卯	壬辰	癸巳	戊午	己未	
대운	男	9	9	9	10	10	大	1	1	1	1	2	2	2	3	3	3	4	4	4	5	5	5	6	6	6	7	7	7	8	8	
	女	2	1	1	1	1	雪	10	10	10	9	9	9	8	8	8	7	7	7	6	6	6	5	5	5	4	4	4	3	3	3	

7月 (1일 九紫 +) **己丑 (四綠)** 절기: 小寒(8일 01:43) 大寒(23일 19:04)

양력		1	2	3	4	5	6	7	8	9	10	11	12	13	14	15	16	17	18	19	20	21	22	23	24	25	26	27	28	29	30	31
요일		金	土	日	月	火	水	木	金	土	日	月	火	水	木	金	土	日	月	火	水	木	金	土	日	月	火	水	木	金	土	日
음력	월	21	22	23	24	25	26	27	28	29	六	2	3	4	5	6	7	8	9	10	11	12	13	14	15	16	17	18	19	20	21	22
일진		甲申	乙酉	丙戌	丁亥	庚子	辛丑	壬寅	癸卯	戊辰	己巳	甲午	乙未	丙申	丁酉	庚戌	辛亥	壬子	癸丑	戊寅	己卯	甲辰	乙巳	丙午	丁未	庚申	辛酉	壬戌	癸亥	戊子	己丑	甲寅
대운	男	8	9	9	9	10	10	10	小	1	1	1	1	2	2	2	3	3	3	4	4	4	5	5	5	6	6	6	7	7	7	8
	女	2	2	2	1	1	1	1	寒	10	10	9	9	9	8	8	8	7	7	7	6	6	6	5	5	5	4	4	4	3	3	3

8月 (1일 四綠 +) **甲寅 (五黃)** 절기: 立春(8일 11:30) 雨水(24일 02:07)

양력		1	2	3	4	5	6	7	8	9	10	11	12	13	14	15	16	17	18	19	20	21	22	23	24	25	26	27	28	29	30	31
요일		月	火	水	木	金	土	日	月	火	水	木	金	土	日	月	火	水	木	金	土	日	月	火	水	木	金	土	日	月	火	水
음력	월	23	24	25	26	27	28	29	30	七	2	3	4	5	6	7	8	9	10	11	12	13	14	15	16	17	18	19	20	21	22	23
일진		乙卯	丙辰	丁巳	庚午	辛未	壬申	癸酉	戊戌	己亥	甲子	乙丑	丙寅	丁卯	庚辰	辛巳	壬午	癸未	戊申	己酉	甲戌	乙亥	丙子	丁丑	庚寅	辛卯	壬辰	癸巳	戊午	己未	甲申	乙酉
대운	男	8	8	9	9	9	10	10	立	1	1	1	1	2	2	2	3	3	3	4	4	4	5	5	5	6	6	6	7	7	7	8
	女	2	2	2	1	1	1	1	春	10	10	9	9	9	8	8	8	7	7	7	6	6	6	5	5	5	4	4	4	3	3	3

9月 (1일 八白 +) **乙卯 (六白)** 절기: 驚蟄(8일 14:20) 春分 (23일 23:42)

양력		1	2	3	4	5	6	7	8	9	10	11	12	13	14	15	16	17	18	19	20	21	22	23	24	25	26	27	28	29	30	
요일		木	金	土	日	月	火	水	木	金	土	日	月	火	水	木	金	土	日	月	火	水	木	金	土	日	月	火	水	木	金	
음력	월	24	25	26	27	28	29	八	2	3	4	5	6	7	8	9	10	11	12	13	14	15	16	17	18	19	20	21	22	23	24	
일진		丙戌	丁亥	庚子	辛丑	壬寅	癸卯	戊辰	己巳	甲午	乙未	丙申	丁酉	庚戌	辛亥	壬子	癸丑	戊寅	己卯	甲辰	乙巳	丙午	丁未	庚申	辛酉	壬戌	癸亥	戊子	己丑	甲寅	乙卯	
대운	男	8	8	9	9	9	10	10	驚	1	1	1	1	2	2	2	3	3	3	4	4	4	5	5	5	6	6	6	7	7	7	
	女	2	2	2	1	1	1	1	蟄	10	10	9	9	9	8	8	8	7	7	7	6	6	6	5	5	5	4	4	4	3	3	

10月 (1일 二黑 +) **丙辰 (七赤)** 절기: 清明(9일 05:51) 穀雨(24일 08:54)

양력		1	2	3	4	5	6	7	8	9	10	11	12	13	14	15	16	17	18	19	20	21	22	23	24	25	26	27	28	29	30	31
요일		土	日	月	火	水	木	金	土	日	月	火	水	木	金	土	日	月	火	水	木	金	土	日	月	火	水	木	金	土	日	月
음력	월	25	26	27	28	29	九	2	3	4	5	6	7	8	9	10	11	12	13	14	15	16	17	18	19	20	21	22	23	24	25	26
일진		丙辰	丁巳	庚午	辛未	壬申	癸酉	戊戌	己亥	甲子	乙丑	丙寅	丁卯	庚辰	辛巳	壬午	癸未	戊申	己酉	甲戌	乙亥	丙子	丁丑	庚寅	辛卯	壬辰	癸巳	戊午	己未	甲申	乙酉	丙戌
대운	男	8	8	8	9	9	9	10	10	清	1	1	1	1	2	2	2	3	3	3	4	4	4	5	5	5	6	6	6	7	7	7
	女	3	2	2	2	1	1	1	1	明	10	9	9	9	8	8	8	7	7	7	6	6	6	5	5	5	4	4	4	3	3	3

11月 (1일 六白 +) **丁巳 (八白)** 절기: 立夏(8일 08:52) 小滿 (23일 06:18)

양력		1	2	3	4	5	6	7	8	9	10	11	12	13	14	15	16	17	18	19	20	21	22	23	24	25	26	27	28	29	30	
요일		火	水	木	金	土	日	月	火	水	木	金	土	日	月	火	水	木	金	土	日	月	火	水	木	金	土	日	月	火	水	
음력	월	27	28	29	30	十	2	3	4	5	6	7	8	9	10	11	12	13	14	15	16	17	18	19	20	21	22	23	24	25	26	
일진		丁亥	庚子	辛丑	壬寅	癸卯	戊辰	己巳	甲午	乙未	丙申	丁酉	庚戌	辛亥	壬子	癸丑	戊寅	己卯	甲辰	乙巳	丙午	丁未	庚申	辛酉	壬戌	癸亥	戊子	己丑	甲寅	乙卯	丙辰	
대운	男	8	8	8	9	9	9	10	立	1	1	1	1	2	2	2	3	3	3	4	4	4	5	5	5	6	6	6	7	7	7	
	女	2	2	2	1	1	1	1	夏	10	9	9	9	8	8	8	7	7	7	6	6	6	5	5	5	4	4	4	3	3	3	

12月 (1일 九紫 + 2일 九紫 -) **庚午 (九紫)** 절기: 芒種(8일 01:34) 夏至(22일 19:30)

양력		1	2	3	4	5	6	7	8	9	10	11	12	13	14	15	16	17	18	19	20	21	22	23	24	25	26	27	28	29	30	31
요일		木	金	土	日	月	火	水	木	金	土	日	月	火	水	木	金	土	日	月	火	水	木	金	土	日	月	火	水	木	金	土
음력	월	27	28	29	十一	2	3	4	5	6	7	8	9	10	11	12	13	14	15	16	17	18	19	20	21	22	23	24	25	26	27	28
일진		丁巳	庚午	辛未	壬申	癸酉	戊戌	己亥	甲子	乙丑	丙寅	丁卯	庚辰	辛巳	壬午	癸未	戊申	己酉	甲戌	乙亥	丙子	丁丑	庚寅	辛卯	壬辰	癸巳	戊午	己未	甲申	乙酉	丙戌	丁亥
대운	男	8	8	8	9	9	9	10	芒	1	1	1	1	2	2	2	3	3	3	4	4	4	5	5	5	6	6	6	7	7	7	8
	女	2	2	2	1	1	1	1	種	9	9	9	8	8	8	7	7	7	6	6	6	5	5	5	4	4	4	3	3	3	2	2

서기1984년

庚午年 (三碧木星) 閏十月

1月 (1일 六白 -) **辛未 (一白)** 절기: 小暑 (6일 12:41) 大暑 (21일 06:05)

양력		1	2	3	4	5	6	7	8	9	10	11	12	13	14	15	16	17	18	19	20	21	22	23	24	25	26	27	28	29	30	31
요일		日	月	火	水	木	金	土	日	月	火	水	木	金	土	日	月	火	水	木	金	土	日	月	火	水	木	金	土	日	月	火
음력	월	29	30	十二	2	3	4	5	6	7	8	9	10	11	12	13	14	15	16	17	18	19	20	21	22	23	24	25	26	27	28	29
일진		庚子	辛丑	壬寅	癸卯	戊辰	己巳	甲午	乙未	丙申	丁酉	庚戌	辛亥	壬子	癸丑	戊寅	己卯	甲辰	乙巳	丙午	丁未	庚申	辛酉	壬戌	癸亥	戊子	己丑	甲寅	乙卯	丙辰	丁巳	庚午
대운	男	8	8	9	9	9	小	1	1	1	1	2	2	2	3	3	3	4	4	4	5	5	5	6	6	6	7	7	7	8	8	8
	女	2	1	1	1	1	暑	10	9	9	9	8	8	8	7	7	7	6	6	6	5	5	5	4	4	4	3	3	3	2	2	2

2月 閏 (1일 二黑 -) **壬申 (二黑)** 절기: 立秋 (5일 00:19) 處暑 (19일 20:16)

양력		1	2	3	4	5	6	7	8	9	10	11	12	13	14	15	16	17	18	19	20	21	22	23	24	25	26	27	28	29		
요일		水	木	金	土	日	月	火	水	木	金	土	日	月	火	水	木	金	土	日	月	火	水	木	金	土	日	月	火	水		
음력	월	30	一	2	3	4	5	6	7	8	9	10	11	12	13	14	15	16	17	18	19	20	21	22	23	24	25	26	27	28		
일진		辛未	壬申	癸酉	戊戌	己亥	甲子	乙丑	丙寅	丁卯	庚辰	辛巳	壬午	癸未	戊申	己酉	甲戌	乙亥	丙子	丁丑	庚寅	辛卯	壬辰	癸巳	戊午	己未	甲申	乙酉	丙戌	丁亥		
대운	男	9	9	9	10	立	9	9	9	8	8	8	7	7	7	6	6	6	5	5	5	4	4	4	3	3	3	2	2	2		
	女	1	1	1	1	秋	1	1	1	1	2	2	2	3	3	3	4	4	4	5	5	5	6	6	6	7	7	7	8	8		

3月 (1일 九紫 -) **癸酉 (三碧)** 절기: 白露 (5일 18:25) 秋分 (20일 19:24)

양력		1	2	3	4	5	6	7	8	9	10	11	12	13	14	15	16	17	18	19	20	21	22	23	24	25	26	27	28	29	30	31
요일		木	金	土	日	月	火	水	木	金	土	日	月	火	水	木	金	土	日	月	火	水	木	金	土	日	月	火	水	木	金	土
음력	월	29	30	二	2	3	4	5	6	7	8	9	10	11	12	13	14	15	16	17	18	19	20	21	22	23	24	25	26	27	28	29
일진		庚子	辛丑	壬寅	癸卯	戊辰	己巳	甲午	乙未	丙申	丁酉	庚戌	辛亥	壬子	癸丑	戊寅	己卯	甲辰	乙巳	丙午	丁未	庚申	辛酉	壬戌	癸亥	戊子	己丑	甲寅	乙卯	丙辰	丁巳	庚午
대운	男	1	1	1	1	白	10	9	9	9	8	8	8	7	7	7	6	6	6	5	5	5	4	4	4	3	3	3	2	2	2	1
	女	8	9	9	9	露	1	1	1	1	2	2	2	3	3	3	4	4	4	5	5	5	6	6	6	7	7	7	8	8	8	9

4月 (1일 五黃 -) **戊戌 (四綠)** 절기: 寒露 (4일 23:22) 霜降 (20일 06:38)

양력		1	2	3	4	5	6	7	8	9	10	11	12	13	14	15	16	17	18	19	20	21	22	23	24	25	26	27	28	29	30	
요일		日	月	火	水	木	金	土	日	月	火	水	木	金	土	日	月	火	水	木	金	土	日	月	火	水	木	金	土	日	月	
음력	월	三	2	3	4	5	6	7	8	9	10	11	12	13	14	15	16	17	18	19	20	21	22	23	24	25	26	27	28	29	30	
일진		辛未	壬申	癸酉	戊戌	己亥	甲子	乙丑	丙寅	丁卯	庚辰	辛巳	壬午	癸未	戊申	己酉	甲戌	乙亥	丙子	丁丑	庚寅	辛卯	壬辰	癸巳	戊午	己未	甲申	乙酉	丙戌	丁亥	庚子	
대운	男	1	1	1	寒	10	10	9	9	9	8	8	8	7	7	7	6	6	6	5	5	5	4	4	4	3	3	3	2	2	2	
	女	9	9	10	露	1	1	1	1	2	2	2	3	3	3	4	4	4	5	5	5	6	6	6	7	7	7	8	8	8	9	

5月 (1일 二黑 - 30일 一白 +) **己亥 (五黃)** 절기: 立冬 (5일 16:51) 小雪 (21일 05:58)

양력		1	2	3	4	5	6	7	8	9	10	11	12	13	14	15	16	17	18	19	20	21	22	23	24	25	26	27	28	29	30	31
요일		火	水	木	金	土	日	月	火	水	木	金	土	日	月	火	水	木	金	土	日	月	火	水	木	金	土	日	月	火	水	木
음력	월	四	2	3	4	5	6	7	8	9	10	11	12	13	14	15	16	17	18	19	20	21	22	23	24	25	26	27	28	29	30	五
일진		辛丑	壬寅	癸卯	戊辰	己巳	甲午	乙未	丙申	丁酉	庚戌	辛亥	壬子	癸丑	戊寅	己卯	甲辰	乙巳	丙午	丁未	庚申	辛酉	壬戌	癸亥	戊子	己丑	甲寅	乙卯	丙辰	丁巳	庚午	辛未
대운	男	1	1	1	1	立	10	10	9	9	9	8	8	8	7	7	7	6	6	6	5	5	5	4	4	4	3	3	3	2	2	2
	女	9	9	10	10	冬	1	1	1	1	2	2	2	3	3	3	4	4	4	5	5	5	6	6	6	7	7	7	8	8	8	9

6月 (1일 三碧 +) **甲子 (六白)** 절기: 大雪 (5일 21:09) 冬至 (21일 14:02)

양력		1	2	3	4	5	6	7	8	9	10	11	12	13	14	15	16	17	18	19	20	21	22	23	24	25	26	27	28	29	30
요일		金	土	日	月	火	水	木	金	土	日	月	火	水	木	金	土	日	月	火	水	木	金	土	日	月	火	水	木	金	土
음력	월	2	3	4	5	6	7	8	9	10	11	12	13	14	15	16	17	18	19	20	21	22	23	24	25	26	27	28	29	六	2
일진		壬申	癸酉	戊戌	己亥	甲子	乙丑	丙寅	丁卯	庚辰	辛巳	壬午	癸未	戊申	己酉	甲戌	乙亥	丙子	丁丑	庚寅	辛卯	壬辰	癸巳	戊午	己未	甲申	乙酉	丙戌	丁亥	庚子	辛丑
대운	男	1	1	1	1	大	10	10	10	9	9	9	8	8	8	7	7	7	6	6	6	5	5	5	4	4	4	3	3	3	2
	女	9	9	10	10	雪	1	1	1	1	2	2	2	3	3	3	4	4	4	5	5	5	6	6	6	7	7	7	8	8	8

7月 (1일 六白 +) **乙丑 (七赤)** 절기: 小寒(7일 07:29) 大寒(23일 00:58)

양력	1	2	3	4	5	6	7	8	9	10	11	12	13	14	15	16	17	18	19	20	21	22	23	24	25	26	27	28	29	30	31
요일	日	月	火	水	木	金	土	日	月	火	水	木	金	土	日	月	火	水	木	金	土	日	月	火	水	木	金	土	日	月	火
음력 월	3	4	5	6	7	8	9	10	11	12	13	14	15	16	17	18	19	20	21	22	23	24	25	26	27	28	29	七	2	3	4
일진	壬寅	癸卯	戊辰	己巳	甲午	乙未	丙申	丁酉	庚戌	辛亥	壬子	癸丑	戊寅	己卯	甲辰	乙巳	丙午	丁未	庚申	辛酉	壬戌	癸亥	戊子	己丑	甲寅	乙卯	丙辰	丁巳	庚午	辛未	壬申
대운 男	2	2	1	1	1	1	小	10	10	9	9	9	8	8	8	7	7	7	6	6	6	5	5	5	4	4	4	3	3	3	2
대운 女	9	9	9	10	10	10	寒	1	1	1	1	2	2	2	3	3	3	4	4	4	5	5	5	6	6	6	7	7	7	8	8

8月 (1일 一白 +) **丙寅 (八白)** 절기: 立春(7일 17:18) 雨水(23일 08:00)

양력	1	2	3	4	5	6	7	8	9	10	11	12	13	14	15	16	17	18	19	20	21	22	23	24	25	26	27	28	29	30	31
요일	水	木	金	土	日	月	火	水	木	金	土	日	月	火	水	木	金	土	日	月	火	水	木	金	土	日	月	火	水	木	金
음력 월	5	6	7	8	9	10	11	12	13	14	15	16	17	18	19	20	21	22	23	24	25	26	27	28	29	30	八	2	3	4	5
일진	癸酉	戊戌	己亥	甲子	乙丑	丙寅	丁卯	庚辰	辛巳	壬午	癸未	戊申	己酉	甲戌	乙亥	丙子	丁丑	庚寅	辛卯	壬辰	癸巳	戊午	己未	甲申	乙酉	丙戌	丁亥	庚子	辛丑	壬寅	癸卯
대운 男	2	2	1	1	1	1	立	10	10	9	9	9	8	8	8	7	7	7	6	6	6	5	5	5	4	4	4	3	3	3	2
대운 女	8	9	9	9	10	10	春	1	1	1	1	2	2	2	3	3	3	4	4	4	5	5	5	6	6	6	7	7	7	8	8

9月 (1일 五黃 +) **丁卯 (九紫)** 절기: 驚蟄(7일 20:10) 春分 (23일 05:33)

양력	1	2	3	4	5	6	7	8	9	10	11	12	13	14	15	16	17	18	19	20	21	22	23	24	25	26	27	28	29	30	
요일	土	日	月	火	水	木	金	土	日	月	火	水	木	金	土	日	月	火	水	木	金	土	日	月	火	水	木	金	土	日	
음력 월	6	7	8	9	10	11	12	13	14	15	16	17	18	19	20	21	22	23	24	25	26	27	28	29	九	2	3	4	5	6	
일진	戊辰	己巳	甲午	乙未	丙申	丁酉	庚戌	辛亥	壬子	癸丑	戊寅	己卯	甲辰	乙巳	丙午	丁未	庚申	辛酉	壬戌	癸亥	戊子	己丑	甲寅	乙卯	丙辰	丁巳	庚午	辛未	壬申	癸酉	
대운 男	2	2	1	1	1	1	驚	10	10	9	9	9	8	8	8	7	7	7	6	6	6	5	5	5	4	4	4	3	3	3	
대운 女	8	9	9	9	10	10	蟄	1	1	1	1	2	2	2	3	3	3	4	4	4	5	5	5	6	6	6	7	7	7	8	

10月 (1일 八白 +) **庚辰 (一白)** 절기: 清明(8일 11:43) 穀雨(23일 14:46)

양력	1	2	3	4	5	6	7	8	9	10	11	12	13	14	15	16	17	18	19	20	21	22	23	24	25	26	27	28	29	30	31
요일	月	火	水	木	金	土	日	月	火	水	木	金	土	日	月	火	水	木	金	土	日	月	火	水	木	金	土	日	月	火	水
음력 월	7	8	9	10	11	12	13	14	15	16	17	18	19	20	21	22	23	24	25	26	27	28	29	十	2	3	4	5	6	7	8
일진	戊戌	己亥	甲子	乙丑	丙寅	丁卯	庚辰	辛巳	壬午	癸未	戊申	己酉	甲戌	乙亥	丙子	丁丑	庚寅	辛卯	壬辰	癸巳	戊午	己未	甲申	乙酉	丙戌	丁亥	庚子	辛丑	壬寅	癸卯	戊辰
대운 男	2	2	2	1	1	1	1	清	10	9	9	9	8	8	8	7	7	7	6	6	6	5	5	5	4	4	4	3	3	3	2
대운 女	8	8	9	9	9	10	10	明	1	1	1	1	2	2	2	3	3	3	4	4	4	5	5	5	6	6	6	7	7	7	8

11月 (1일 三碧 + 26일 九紫 -) **辛巳 (二黑)** 절기: 立夏(7일 14:46) 小滿 (22일 12:11)

양력	1	2	3	4	5	6	7	8	9	10	11	12	13	14	15	16	17	18	19	20	21	22	23	24	25	26	27	28	29	30	
요일	木	金	土	日	月	火	水	木	金	土	日	月	火	水	木	金	土	日	月	火	水	木	金	土	日	月	火	水	木	金	
음력 월	9	10	11	12	13	14	15	16	17	18	19	20	21	22	23	24	25	26	27	28	29	30	閏十		3	4	5	6	7	8	
일진	己巳	甲午	乙未	丙申	丁酉	庚戌	辛亥	壬子	癸丑	戊寅	己卯	甲辰	乙巳	丙午	丁未	庚申	辛酉	壬戌	癸亥	戊子	己丑	甲寅	乙卯	丙辰	丁巳	庚午	辛未	壬申	癸酉	戊戌	
대운 男	2	2	1	1	1	1	立	10	9	9	9	8	8	8	7	7	7	6	6	6	5	5	5	4	4	4	3	3	3	2	
대운 女	8	8	9	9	9	10	夏	1	1	1	1	2	2	2	3	3	3	4	4	4	5	5	5	6	6	6	7	7	7	8	

12月 (1일 四綠 -) **壬午 (三碧)** 절기: 芒種(7일 07:28) 夏至(22일 01:23)

양력	1	2	3	4	5	6	7	8	9	10	11	12	13	14	15	16	17	18	19	20	21	22	23	24	25	26	27	28	29	30	31
요일	土	日	月	火	水	木	金	土	日	月	火	水	木	金	土	日	月	火	水	木	金	土	日	月	火	水	木	金	土	日	月
음력 월	9	10	11	12	13	14	15	16	17	18	19	20	21	22	23	24	25	26	27	28	29	十一	2	3	4	5	6	7	8	9	10
일진	己亥	甲子	乙丑	丙寅	丁卯	庚辰	辛巳	壬午	癸未	戊申	己酉	甲戌	乙亥	丙子	丁丑	庚寅	辛卯	壬辰	癸巳	戊午	己未	甲申	乙酉	丙戌	丁亥	庚子	辛丑	壬寅	癸卯	戊辰	己巳
대운 男	2	2	1	1	1	1	芒	9	9	9	8	8	8	7	7	7	6	6	6	5	5	5	4	4	4	3	3	3	2	2	2
대운 女	8	8	9	9	9	10	種	1	1	1	1	2	2	2	3	3	3	4	4	4	5	5	5	6	6	6	7	7	7	8	8

서기1985년

辛未年 (四綠木星)

1月 (1일 九紫 -) **癸未 (四綠)** 절기: 小暑 (5일 18:35) 大暑 (20일 11:58)

양력		1	2	3	4	5	6	7	8	9	10	11	12	13	14	15	16	17	18	19	20	21	22	23	24	25	26	27	28	29	30	31
요일		火	水	木	金	土	日	月	火	水	木	金	土	日	月	火	水	木	金	土	日	月	火	水	木	金	土	日	月	火	水	木
음력	월	11	12	13	14	15	16	17	18	19	20	21	22	23	24	25	26	27	28	29	30	十二	2	3	4	5	6	7	8	9	10	11
일진		甲午	乙未	丙申	丁酉	庚戌	辛亥	壬子	癸丑	戊寅	己卯	甲辰	乙巳	丙午	丁未	庚申	辛酉	壬戌	癸亥	戊子	己丑	甲寅	乙卯	丙辰	丁巳	庚午	辛未	壬申	癸酉	戊戌	己亥	甲子
대운	男	1	1	1	1	小	10	9	9	9	8	8	8	7	7	7	6	6	6	5	5	5	4	4	4	3	3	3	2	2	2	1
	女	8	9	9	9	暑	1	1	1	1	2	2	2	3	3	3	4	4	4	5	5	5	6	6	6	7	7	7	8	8	8	9

2月 (1일 五黃 -) **戊申 (五黃)** 절기: 立秋 (4일 06:12) 處暑 (19일 02:07)

양력		1	2	3	4	5	6	7	8	9	10	11	12	13	14	15	16	17	18	19	20	21	22	23	24	25	26	27	28			
요일		金	土	日	月	火	水	木	金	土	日	月	火	水	木	金	土	日	月	火	水	木	金	土	日	月	火	水	木			
음력	월	12	13	14	15	16	17	18	19	20	21	22	23	24	25	26	27	28	29	30	一	2	3	4	5	6	7	8	9			
일진		乙丑	丙寅	丁卯	庚辰	辛巳	壬午	癸未	戊申	己酉	甲戌	乙亥	丙子	丁丑	庚寅	辛卯	壬辰	癸巳	戊午	己未	甲申	乙酉	丙戌	丁亥	庚子	辛丑	壬寅	癸卯	戊辰			
대운	男	1	1	1	立	1	1	1	1	2	2	2	3	3	3	4	4	4	5	5	5	6	6	6	7	7	7	8	8			
	女	9	9	10	秋	10	9	9	9	8	8	8	7	7	7	6	6	6	5	5	5	4	4	4	3	3	3	2	2			

3月 (1일 四綠 -) **己酉 (六白)** 절기: 白露 (6일 00:16) 秋分 (21일 01:14)

양력		1	2	3	4	5	6	7	8	9	10	11	12	13	14	15	16	17	18	19	20	21	22	23	24	25	26	27	28	29	30	31
요일		金	土	日	月	火	水	木	金	土	日	月	火	水	木	金	土	日	月	火	水	木	金	土	日	月	火	水	木	金	土	日
음력	월	10	11	12	13	14	15	16	17	18	19	20	21	22	23	24	25	26	27	28	29	二	2	3	4	5	6	7	8	9	10	11
일진		己巳	甲午	乙未	丙申	丁酉	庚戌	辛亥	壬子	癸丑	戊寅	己卯	甲辰	乙巳	丙午	丁未	庚申	辛酉	壬戌	癸亥	戊子	己丑	甲寅	乙卯	丙辰	丁巳	庚午	辛未	壬申	癸酉	戊戌	己亥
대운	男	8	9	9	9	10	白	1	1	1	1	2	2	2	3	3	3	4	4	4	5	5	5	6	6	6	7	7	7	8	8	8
	女	2	1	1	1	1	露	10	9	9	9	8	8	8	7	7	7	6	6	6	5	5	5	4	4	4	3	3	3	2	2	2

4月 (1일 九紫 -) **甲戌 (七赤)** 절기: 寒露 (5일 05:14) 霜降 (20일 12:26)

양력		1	2	3	4	5	6	7	8	9	10	11	12	13	14	15	16	17	18	19	20	21	22	23	24	25	26	27	28	29	30	
요일		月	火	水	木	金	土	日	月	火	水	木	金	土	日	月	火	水	木	金	土	日	月	火	水	木	金	土	日	月	火	
음력	월	12	13	14	15	16	17	18	19	20	21	22	23	24	25	26	27	28	29	30	三	2	3	4	5	6	7	8	9	10	11	
일진		甲子	乙丑	丙寅	丁卯	庚辰	辛巳	壬午	癸未	戊申	己酉	甲戌	乙亥	丙子	丁丑	庚寅	辛卯	壬辰	癸巳	戊午	己未	甲申	乙酉	丙戌	丁亥	庚子	辛丑	壬寅	癸卯	戊辰	己巳	
대운	男	9	9	9	10	寒	1	1	1	1	2	2	2	3	3	3	4	4	4	5	5	5	6	6	6	7	7	7	8	8	8	
	女	1	1	1	1	露	10	9	9	9	8	8	8	7	7	7	6	6	6	5	5	5	4	4	4	3	3	3	2	2	2	

5月 (1일 六白 - 25일 一白 +) **乙亥 (八白)** 절기: 立冬 (5일 22:43) 小雪 (21일 11:43)

양력		1	2	3	4	5	6	7	8	9	10	11	12	13	14	15	16	17	18	19	20	21	22	23	24	25	26	27	28	29	30	31
요일		水	木	金	土	日	月	火	水	木	金	土	日	月	火	水	木	金	土	日	月	火	水	木	金	土	日	月	火	水	木	金
음력	월	12	13	14	15	16	17	18	19	20	21	22	23	24	25	26	27	28	29	30	四	2	3	4	5	6	7	8	9	10	11	12
일진		甲午	乙未	丙申	丁酉	庚戌	辛亥	壬子	癸丑	戊寅	己卯	甲辰	乙巳	丙午	丁未	庚申	辛酉	壬戌	癸亥	戊子	己丑	甲寅	乙卯	丙辰	丁巳	庚午	辛未	壬申	癸酉	戊戌	己亥	甲子
대운	男	9	9	9	10	立	1	1	1	1	2	2	2	3	3	3	4	4	4	5	5	5	6	6	6	7	7	7	8	8	8	9
	女	1	1	1	1	冬	10	10	10	9	9	9	8	8	8	7	7	7	6	6	6	5	5	5	4	4	4	3	3	3	2	2

6月 (1일 八白 +) **丙子 (九紫)** 절기: 大雪 (6일 03:00) 冬至 (21일 19:44)

양력		1	2	3	4	5	6	7	8	9	10	11	12	13	14	15	16	17	18	19	20	21	22	23	24	25	26	27	28	29	30	
요일		土	日	月	火	水	木	金	土	日	月	火	水	木	金	土	日	月	火	水	木	金	土	日	月	火	水	木	金	土	日	
음력	월	13	14	15	16	17	18	19	20	21	22	23	24	25	26	27	28	29	五	2	3	4	5	6	7	8	9	10	11	12	13	
일진		乙丑	丙寅	丁卯	庚辰	辛巳	壬午	癸未	戊申	己酉	甲戌	乙亥	丙子	丁丑	庚寅	辛卯	壬辰	癸巳	戊午	己未	甲申	乙酉	丙戌	丁亥	庚子	辛丑	壬寅	癸卯	戊辰	己巳	甲午	
대운	男	9	9	10	10	10	大	1	1	1	1	2	2	2	3	3	3	4	4	4	5	5	5	6	6	6	7	7	7	8	8	
	女	2	1	1	1	1	雪	10	10	9	9	9	8	8	8	7	7	7	6	6	6	5	5	5	4	4	4	3	3	3	2	

7月 (1일 二黑 +) **丁丑 (一白)** 절기: 小寒(7일 13:19) 大寒(23일 06:36)

양력		1	2	3	4	5	6	7	8	9	10	11	12	13	14	15	16	17	18	19	20	21	22	23	24	25	26	27	28	29	30	31
요일		月	火	水	木	金	土	日	月	火	水	木	金	土	日	月	火	水	木	金	土	日	月	火	水	木	金	土	日	月	火	水
음력	월	14	15	16	17	18	19	20	21	22	23	24	25	26	27	28	29	30	六	2	3	4	5	6	7	8	9	10	11	12	13	14
일진		乙未	丙申	丁酉	庚戌	辛亥	壬子	癸丑	戊寅	己卯	甲辰	乙巳	丙午	丁未	庚申	辛酉	壬戌	癸亥	戊子	己丑	甲寅	乙卯	丙辰	丁巳	庚午	辛未	壬申	癸酉	戊戌	己亥	甲子	乙丑
대운	男	8	9	9	9	10	10	小	1	1	1	1	2	2	2	3	3	3	4	4	4	5	5	5	6	6	6	7	7	7	8	8
	女	2	2	1	1	1	1	寒	10	10	9	9	9	8	8	8	7	7	7	6	6	6	5	5	5	4	4	4	3	3	3	2

8月 (1일 六白 +) **庚寅 (二黑)** 절기: 立春(7일 23:04) 雨水(23일 13:36)

양력		1	2	3	4	5	6	7	8	9	10	11	12	13	14	15	16	17	18	19	20	21	22	23	24	25	26	27	28	29	30	31
요일		木	金	土	日	月	火	水	木	金	土	日	月	火	水	木	金	土	日	月	火	水	木	金	土	日	月	火	水	木	金	土
음력	월	15	16	17	18	19	20	21	22	23	24	25	26	27	28	29	七	2	3	4	5	6	7	8	9	10	11	12	13	14	15	16
일진		丙寅	丁卯	庚辰	辛巳	壬午	癸未	戊申	己酉	甲戌	乙亥	丙子	丁丑	庚寅	辛卯	壬辰	癸巳	戊午	己未	甲申	乙酉	丙戌	丁亥	庚子	辛丑	壬寅	癸卯	戊辰	己巳	甲午	乙未	丙申
대운	男	8	9	9	9	10	10	立	1	1	1	1	2	2	2	3	3	3	4	4	4	5	5	5	6	6	6	7	7	7	8	8
	女	2	2	1	1	1	1	春	10	10	10	9	9	9	8	8	8	7	7	7	6	6	6	5	5	5	4	4	4	3	3	3

9月 (1일 一白 +) **辛卯 (三碧)** 절기: 驚蟄(8일 01:53) 春分 (23일 11:07)

양력		1	2	3	4	5	6	7	8	9	10	11	12	13	14	15	16	17	18	19	20	21	22	23	24	25	26	27	28	29	30	
요일		日	月	火	水	木	金	土	日	月	火	水	木	金	土	日	月	火	水	木	金	土	日	月	火	水	木	金	土	日	月	
음력	월	17	18	19	20	21	22	23	24	25	26	27	28	29	30	八	2	3	4	5	6	7	8	9	10	11	12	13	14	15	16	
일진		丁酉	庚戌	辛亥	壬子	癸丑	戊寅	己卯	甲辰	乙巳	丙午	丁未	庚申	辛酉	壬戌	癸亥	戊子	己丑	甲寅	乙卯	丙辰	丁巳	庚午	辛未	壬申	癸酉	戊戌	己亥	甲子	乙丑	丙寅	
대운	男	8	9	9	9	10	10	10	驚	1	1	1	1	2	2	2	3	3	3	4	4	4	5	5	5	6	6	6	7	7	7	
	女	2	2	2	1	1	1	1	蟄	10	9	9	9	8	8	8	7	7	7	6	6	6	5	5	5	4	4	4	3	3	3	

10月 (1일 四綠 +) **壬辰 (四綠)** 절기: 淸明(8일 17:25) 穀雨(23일 20:22)

양력		1	2	3	4	5	6	7	8	9	10	11	12	13	14	15	16	17	18	19	20	21	22	23	24	25	26	27	28	29	30	31
요일		火	水	木	金	土	日	月	火	水	木	金	土	日	月	火	水	木	金	土	日	月	火	水	木	金	土	日	月	火	水	木
음력	월	17	18	19	20	21	22	23	24	25	26	27	28	29	九	2	3	4	5	6	7	8	9	10	11	12	13	14	15	16	17	18
일진		丁卯	庚辰	辛巳	壬午	癸未	戊申	己酉	甲戌	乙亥	丙子	丁丑	庚寅	辛卯	壬辰	癸巳	戊午	己未	甲申	乙酉	丙戌	丁亥	庚子	辛丑	壬寅	癸卯	戊辰	己巳	甲午	乙未	丙申	丁酉
대운	男	8	8	8	9	9	9	10	淸	1	1	1	1	2	2	2	3	3	3	4	4	4	5	5	5	6	6	6	7	7	7	8
	女	2	2	2	1	1	1	1	明	10	9	9	9	8	8	8	7	7	7	6	6	6	5	5	5	4	4	4	3	3	3	2

11月 (1일 八白 +) **癸巳 (五黃)** 절기: 立夏(7일 20:29) 小滿 (22일 17:51)

양력		1	2	3	4	5	6	7	8	9	10	11	12	13	14	15	16	17	18	19	20	21	22	23	24	25	26	27	28	29	30	
요일		金	土	日	月	火	水	木	金	土	日	月	火	水	木	金	土	日	月	火	水	木	金	土	日	月	火	水	木	金	土	
음력	월	19	20	21	22	23	24	25	26	27	28	29	十	2	3	4	5	6	7	8	9	10	11	12	13	14	15	16	17	18	19	
일진		庚戌	辛亥	壬子	癸丑	戊寅	己卯	甲辰	乙巳	丙午	丁未	庚申	辛酉	壬戌	癸亥	戊子	己丑	甲寅	乙卯	丙辰	丁巳	庚午	辛未	壬申	癸酉	戊戌	己亥	甲子	乙丑	丙寅	丁卯	
대운	男	8	8	9	9	9	10	立	1	1	1	1	2	2	2	3	3	3	4	4	4	5	5	5	6	6	6	7	7	7	8	
	女	2	2	1	1	1	1	夏	10	9	9	9	8	8	8	7	7	7	6	6	6	5	5	5	4	4	4	3	3	3	2	

12月 (1일 二黑 + 24일 九紫 -) **戊午 (六白)** 절기: 芒種(7일 13:16) 夏至(22일 07:08)

양력		1	2	3	4	5	6	7	8	9	10	11	12	13	14	15	16	17	18	19	20	21	22	23	24	25	26	27	28	29	30	31
요일		日	月	火	水	木	金	土	日	月	火	水	木	金	土	日	月	火	水	木	金	土	日	月	火	水	木	金	土	日	月	火
음력	월	20	21	22	23	24	25	26	27	28	29	30	十一	2	3	4	5	6	7	8	9	10	11	12	13	14	15	16	17	18	19	20
일진		庚辰	辛巳	壬午	癸未	戊申	己酉	甲戌	乙亥	丙子	丁丑	庚寅	辛卯	壬辰	癸巳	戊午	己未	甲申	乙酉	丙戌	丁亥	庚子	辛丑	壬寅	癸卯	戊辰	己巳	甲午	乙未	丙申	丁酉	庚戌
대운	男	8	8	9	9	9	10	芒	1	1	1	1	2	2	2	3	3	3	4	4	4	5	5	5	6	6	6	7	7	7	8	8
	女	2	2	1	1	1	1	種	10	9	9	9	8	8	8	7	7	7	6	6	6	5	5	5	4	4	4	3	3	3	2	2

서기1986년

壬申年 (五黃土星)

1月 (1일 一白 -) **己未 (七赤)** 절기: 小暑 (6일 00:28) 大暑 (20일 17:46)

양력		1	2	3	4	5	6	7	8	9	10	11	12	13	14	15	16	17	18	19	20	21	22	23	24	25	26	27	28	29	30	31
요일		水	木	金	土	日	月	火	水	木	金	土	日	月	火	水	木	金	土	日	月	火	水	木	金	土	日	月	火	水	木	金
음력	월	21	22	23	24	25	26	27	28	29	十二	2	3	4	5	6	7	8	9	10	11	12	13	14	15	16	17	18	19	20	21	22
일진		辛亥	壬子	癸丑	戊寅	己卯	甲辰	乙巳	丙午	丁未	庚申	辛酉	壬戌	癸亥	戊子	己丑	甲寅	乙卯	丙辰	丁巳	庚午	辛未	壬申	癸酉	戊戌	己亥	甲子	乙丑	丙寅	丁卯	庚辰	辛巳
대운	男	8	9	9	9	10	小	1	1	1	1	2	2	2	3	3	3	4	4	4	5	5	5	6	6	6	7	7	7	8	8	8
	女	2	1	1	1	1	暑	9	9	9	8	8	8	7	7	7	6	6	6	5	5	5	4	4	4	3	3	3	2	2	2	1

2月 (1일 六白 -) **甲申 (八白)** 절기: 立秋 (4일 12:08) 處暑 (19일 07:58)

양력		1	2	3	4	5	6	7	8	9	10	11	12	13	14	15	16	17	18	19	20	21	22	23	24	25	26	27	28			
요일		土	日	月	火	水	木	金	土	日	月	火	水	木	金	土	日	月	火	水	木	金	土	日	月	火	水	木	金			
음력	월	23	24	25	26	27	28	29	30	一	2	3	4	5	6	7	8	9	10	11	12	13	14	15	16	17	18	19	20			
일진		壬午	癸未	戊申	己酉	甲戌	乙亥	丙子	丁丑	庚寅	辛卯	壬辰	癸巳	戊午	己未	甲申	乙酉	丙戌	丁亥	庚子	辛丑	壬寅	癸卯	戊辰	己巳	甲午	乙未	丙申	丁酉			
대운	男	9	9	9	立	10	9	9	9	8	8	8	7	7	7	6	6	6	5	5	5	4	4	4	3	3	3	2	2			
	女	1	1	1	秋	1	1	1	1	2	2	2	3	3	3	4	4	4	5	5	5	6	6	6	7	7	7	8	8			

3月 (1일 五黃 -) **乙酉 (九紫)** 절기: 白露 (6일 06:12) 秋分 (21일 07:03)

양력		1	2	3	4	5	6	7	8	9	10	11	12	13	14	15	16	17	18	19	20	21	22	23	24	25	26	27	28	29	30	31
요일		土	日	月	火	水	木	金	土	日	月	火	水	木	金	土	日	月	火	水	木	金	土	日	月	火	水	木	金	土	日	月
음력	월	21	22	23	24	25	26	27	28	29	二	2	3	4	5	6	7	8	9	10	11	12	13	14	15	16	17	18	19	20	21	22
일진		庚戌	辛亥	壬子	癸丑	戊寅	己卯	甲辰	乙巳	丙午	丁未	庚申	辛酉	壬戌	癸亥	戊子	己丑	甲寅	乙卯	丙辰	丁巳	庚午	辛未	壬申	癸酉	戊戌	己亥	甲子	乙丑	丙寅	丁卯	庚辰
대운	男	2	1	1	1	1	白	10	9	9	9	8	8	8	7	7	7	6	6	6	5	5	5	4	4	4	3	3	3	2	2	2
	女	8	9	9	9	10	露	1	1	1	1	2	2	2	3	3	3	4	4	4	5	5	5	6	6	6	7	7	7	8	8	8

4月 (1일 一白 -) **丙戌 (一白)** 절기: 寒露 (5일 11:06) 霜降 (20일 18:12)

양력		1	2	3	4	5	6	7	8	9	10	11	12	13	14	15	16	17	18	19	20	21	22	23	24	25	26	27	28	29	30	
요일		火	水	木	金	土	日	月	火	水	木	金	土	日	月	火	水	木	金	土	日	月	火	水	木	金	土	日	月	火	水	
음력	월	23	24	25	26	27	28	29	30	三	2	3	4	5	6	7	8	9	10	11	12	13	14	15	16	17	18	19	20	21	22	
일진		辛巳	壬午	癸未	戊申	己酉	甲戌	乙亥	丙子	丁丑	庚寅	辛卯	壬辰	癸巳	戊午	己未	甲申	乙酉	丙戌	丁亥	庚子	辛丑	壬寅	癸卯	戊辰	己巳	甲午	乙未	丙申	丁酉	庚戌	
대운	男	1	1	1	1	寒	10	10	9	9	9	8	8	8	7	7	7	6	6	6	5	5	5	4	4	4	3	3	3	2	2	
	女	9	9	9	10	露	1	1	1	1	2	2	2	3	3	3	4	4	4	5	5	5	6	6	6	7	7	7	8	8	8	

5月 (1일 七赤 -) **丁亥 (二黑)** 절기: 立冬 (6일 04:31) 小雪 (21일 17:28)

양력		1	2	3	4	5	6	7	8	9	10	11	12	13	14	15	16	17	18	19	20	21	22	23	24	25	26	27	28	29	30	31
요일		木	金	土	日	月	火	水	木	金	土	日	月	火	水	木	金	土	日	月	火	水	木	金	土	日	月	火	水	木	金	土
음력	월	23	24	25	26	27	28	29	30	四	2	3	4	5	6	7	8	9	10	11	12	13	14	15	16	17	18	19	20	21	22	23
일진		辛亥	壬子	癸丑	戊寅	己卯	甲辰	乙巳	丙午	丁未	庚申	辛酉	壬戌	癸亥	戊子	己丑	甲寅	乙卯	丙辰	丁巳	庚午	辛未	壬申	癸酉	戊戌	己亥	甲子	乙丑	丙寅	丁卯	庚辰	辛巳
대운	男	2	1	1	1	1	立	10	10	9	9	9	8	8	8	7	7	7	6	6	6	5	5	5	4	4	4	3	3	3	2	2
	女	9	9	9	10	10	冬	1	1	1	1	2	2	2	3	3	3	4	4	4	5	5	5	6	6	6	7	7	7	8	8	8

6月 (1일 三碧 -) **庚子 (三碧)** 절기: 大雪 (6일 08:44) 冬至 (22일 01:30)

양력		1	2	3	4	5	6	7	8	9	10	11	12	13	14	15	16	17	18	19	20	21	22	23	24	25	26	27	28	29	30	
요일		日	月	火	水	木	金	土	日	月	火	水	木	金	土	日	月	火	水	木	金	土	日	月	火	水	木	金	土	日	月	
음력	월	24	25	26	27	28	29	五	2	3	4	5	6	7	8	9	10	11	12	13	14	15	16	17	18	19	20	21	22	23	24	
일진		壬午	癸未	戊申	己酉	甲戌	乙亥	丙子	丁丑	庚寅	辛卯	壬辰	癸巳	戊午	己未	甲申	乙酉	丙戌	丁亥	庚子	辛丑	壬寅	癸卯	戊辰	己巳	甲午	乙未	丙申	丁酉	庚戌	辛亥	
대운	男	2	1	1	1	1	大	10	10	9	9	9	8	8	8	7	7	7	6	6	6	5	5	5	4	4	4	3	3	3	2	
	女	9	9	9	10	10	雪	1	1	1	1	2	2	2	3	3	3	4	4	4	5	5	5	6	6	6	7	7	7	8	8	

7月 (1일 九紫 - 19일 一白 +)　**辛丑 (四綠)**　절기: 小寒(7일 19:01) 大寒(23일 12:24)

양력		1	2	3	4	5	6	7	8	9	10	11	12	13	14	15	16	17	18	19	20	21	22	23	24	25	26	27	28	29	30	31
요일		火	水	木	金	土	日	月	火	水	木	金	土	日	月	火	水	木	金	土	日	月	火	水	木	金	土	日	月	火	水	木
음력	월	25	26	27	28	29	30	六	2	3	4	5	6	7	8	9	10	11	12	13	14	15	16	17	18	19	20	21	22	23	24	25
일진		壬子	癸丑	戊寅	己卯	甲辰	乙巳	丙午	丁未	庚申	辛酉	壬戌	癸亥	戊子	己丑	甲寅	乙卯	丙辰	丁巳	庚午	辛未	壬申	癸酉	戊戌	己亥	甲子	乙丑	丙寅	丁卯	庚辰	辛巳	壬午
대운	男	2	2	1	1	1	1	小	10	10	10	9	9	9	8	8	8	7	7	7	6	6	6	5	5	5	4	4	4	3	3	3
	女	8	9	9	9	10	10	寒	1	1	1	1	2	2	2	3	3	3	4	4	4	5	5	5	6	6	6	7	7	7	8	8

8月 (1일 五黃 +)　**壬寅 (五黃)**　절기: 立春(8일 04:46) 雨水(23일 19:26)

양력		1	2	3	4	5	6	7	8	9	10	11	12	13	14	15	16	17	18	19	20	21	22	23	24	25	26	27	28	29	30	31
요일		金	土	日	月	火	水	木	金	土	日	月	火	水	木	金	土	日	月	火	水	木	金	土	日	月	火	水	木	金	土	日
음력	월	26	27	28	29	30	七	2	3	4	5	6	7	8	9	10	11	12	13	14	15	16	17	18	19	20	21	22	23	24	25	26
일진		癸未	戊申	己酉	甲戌	乙亥	丙子	丁丑	庚寅	辛卯	壬辰	癸巳	戊午	己未	甲申	乙酉	丙戌	丁亥	庚子	辛丑	壬寅	癸卯	戊辰	己巳	甲午	乙未	丙申	丁酉	庚戌	辛亥	壬子	癸丑
대운	男	2	2	2	1	1	1	1	立	10	10	9	9	9	8	8	8	7	7	7	6	6	6	5	5	5	4	4	4	3	3	3
	女	8	9	9	9	10	10	10	春	1	1	1	1	2	2	2	3	3	3	4	4	4	5	5	5	6	6	6	7	7	7	8

9月 (1일 九紫 +)　**癸卯 (六白)**　절기: 驚蟄(8일 07:35) 春分 (23일 16:59)

양력		1	2	3	4	5	6	7	8	9	10	11	12	13	14	15	16	17	18	19	20	21	22	23	24	25	26	27	28	29	30	
요일		月	火	水	木	金	土	日	月	火	水	木	金	土	日	月	火	水	木	金	土	日	月	火	水	木	金	土	日	月	火	
음력	월	27	28	29	八	2	3	4	5	6	7	8	9	10	11	12	13	14	15	16	17	18	19	20	21	22	23	24	25	26	27	
일진		戊寅	己卯	甲辰	乙巳	丙午	丁未	庚申	辛酉	壬戌	癸亥	戊子	己丑	甲寅	乙卯	丙辰	丁巳	庚午	辛未	壬申	癸酉	戊戌	己亥	甲子	乙丑	丙寅	丁卯	庚辰	辛巳	壬午	癸未	
대운	男	2	2	2	1	1	1	1	驚	10	9	9	9	8	8	8	7	7	7	6	6	6	5	5	5	4	4	4	3	3	3	
	女	8	8	9	9	9	10	10	蟄	1	1	1	1	2	2	2	3	3	3	4	4	4	5	5	5	6	6	6	7	7	7	

10月 (1일 三碧 +)　**戊辰 (七赤)**　절기: 淸明(8일 23:07) 穀雨(24일 02:14)

양력		1	2	3	4	5	6	7	8	9	10	11	12	13	14	15	16	17	18	19	20	21	22	23	24	25	26	27	28	29	30	31
요일		水	木	金	土	日	月	火	水	木	金	土	日	月	火	水	木	金	土	日	月	火	水	木	金	土	日	月	火	水	木	金
음력	월	28	29	30	九	2	3	4	5	6	7	8	9	10	11	12	13	14	15	16	17	18	19	20	21	22	23	24	25	26	27	28
일진		戊申	己酉	甲戌	乙亥	丙子	丁丑	庚寅	辛卯	壬辰	癸巳	戊午	己未	甲申	乙酉	丙戌	丁亥	庚子	辛丑	壬寅	癸卯	戊辰	己巳	甲午	乙未	丙申	丁酉	庚戌	辛亥	壬子	癸丑	戊寅
대운	男	2	2	2	1	1	1	1	淸	10	10	9	9	9	8	8	8	7	7	7	6	6	6	5	5	5	4	4	4	3	3	3
	女	8	8	8	9	9	9	10	明	1	1	1	1	2	2	2	3	3	3	4	4	4	5	5	5	6	6	6	7	7	7	8

11月 (1일 七赤 +)　**己巳 (八白)**　절기: 立夏(8일 02:13) 小滿 (22일 23:44)

양력		1	2	3	4	5	6	7	8	9	10	11	12	13	14	15	16	17	18	19	20	21	22	23	24	25	26	27	28	29	30	
요일		土	日	月	火	水	木	金	土	日	月	火	水	木	金	土	日	月	火	水	木	金	土	日	月	火	水	木	金	土	日	
음력	월	29	十	2	3	4	5	6	7	8	9	10	11	12	13	14	15	16	17	18	19	20	21	22	23	24	25	26	27	28	29	
일진		己卯	甲辰	乙巳	丙午	丁未	庚申	辛酉	壬戌	癸亥	戊子	己丑	甲寅	乙卯	丙辰	丁巳	庚午	辛未	壬申	癸酉	戊戌	己亥	甲子	乙丑	丙寅	丁卯	庚辰	辛巳	壬午	癸未	戊申	
대운	男	2	2	2	1	1	1	1	立	9	9	9	8	8	8	7	7	7	6	6	6	5	5	5	4	4	4	3	3	3	2	
	女	8	8	9	9	9	10	10	夏	1	1	1	1	2	2	2	3	3	3	4	4	4	5	5	5	6	6	6	7	7	7	

12月 (1일 一白 +)　**甲午 (九紫)**　절기: 芒種(7일 19:01) 夏至(22일 13:02)

양력		1	2	3	4	5	6	7	8	9	10	11	12	13	14	15	16	17	18	19	20	21	22	23	24	25	26	27	28	29	30	31
요일		月	火	水	木	金	土	日	月	火	水	木	金	土	日	月	火	水	木	金	土	日	月	火	水	木	金	土	日	月	火	水
음력	월	30	十一	2	3	4	5	6	7	8	9	10	11	12	13	14	15	16	17	18	19	20	21	22	23	24	25	26	27	28	29	十二
일진		己酉	甲戌	乙亥	丙子	丁丑	庚寅	辛卯	壬辰	癸巳	戊午	己未	甲申	乙酉	丙戌	丁亥	庚子	辛丑	壬寅	癸卯	戊辰	己巳	甲午	乙未	丙申	丁酉	庚戌	辛亥	壬子	癸丑	戊寅	己卯
대운	男	2	2	1	1	1	1	芒	10	9	9	9	8	8	8	7	7	7	6	6	6	5	5	5	4	4	4	3	3	3	2	2
	女	8	8	8	9	9	9	種	1	1	1	1	2	2	2	3	3	3	4	4	4	5	5	5	6	6	6	7	7	7	8	8

癸酉年 (六白金星) 閏六月

1月 (1일 五黃 + 15일 九紫 -) 乙未 (一白) 절기: 小暑 (6일 06:13) 大暑 (20일 23:40)

양력		1	2	3	4	5	6	7	8	9	10	11	12	13	14	15	16	17	18	19	20	21	22	23	24	25	26	27	28	29	30	31
요일		木	金	土	日	月	火	水	木	金	土	日	月	火	水	木	金	土	日	月	火	水	木	金	土	日	月	火	水	木	金	土
음력	월	2	3	4	5	6	7	8	9	10	11	12	13	14	15	16	17	18	19	20	21	22	23	24	25	26	27	28	29	一	2	3
일진		甲辰	乙巳	丙午	丁未	庚申	辛酉	壬戌	癸亥	戊子	己丑	甲寅	乙卯	丙辰	丁巳	庚午	辛未	壬申	癸酉	戊戌	己亥	甲子	乙丑	丙寅	丁卯	庚辰	辛巳	壬午	癸未	戊申	己酉	甲戌
대운	男	2	1	1	1	1	小	9	9	9	8	8	8	7	7	7	6	6	6	5	5	5	4	4	4	3	3	3	2	2	2	1
	女	8	9	9	9	10	暑	1	1	1	1	2	2	2	3	3	3	4	4	4	5	5	5	6	6	6	7	7	7	8	8	8

2月 (1일 一白 -) 丙申 (二黑) 절기: 立秋 (4일 17:52) 處暑 (19일 13:50)

양력		1	2	3	4	5	6	7	8	9	10	11	12	13	14	15	16	17	18	19	20	21	22	23	24	25	26	27	28			
요일		日	月	火	水	木	金	土	日	月	火	水	木	金	土	日	月	火	水	木	金	土	日	月	火	水	木	金	土			
음력	월	4	5	6	7	8	9	10	11	12	13	14	15	16	17	18	19	20	21	22	23	24	25	26	27	28	29	30	二			
일진		乙亥	丙子	丁丑	庚寅	辛卯	壬辰	癸巳	戊午	己未	甲申	乙酉	丙戌	丁亥	庚子	辛丑	壬寅	癸卯	戊辰	己巳	甲午	乙未	丙申	丁酉	庚戌	辛亥	壬子	癸丑	戊寅			
대운	男	1	1	1	立	1	1	1	1	2	2	2	3	3	3	4	4	4	5	5	5	6	6	6	7	7	7	8	8			
	女	9	9	9	秋	10	9	9	9	8	8	8	7	7	7	6	6	6	5	5	5	4	4	4	3	3	3	2	2			

3月 (1일 九紫 -) 丁酉 (三碧) 절기: 白露 (6일 11:54) 秋分 (21일 12:52)

양력		1	2	3	4	5	6	7	8	9	10	11	12	13	14	15	16	17	18	19	20	21	22	23	24	25	26	27	28	29	30	31
요일		日	月	火	水	木	金	土	日	月	火	水	木	金	土	日	月	火	水	木	金	土	日	月	火	水	木	金	土	日	月	火
음력	월	2	3	4	5	6	7	8	9	10	11	12	13	14	15	16	17	18	19	20	21	22	23	24	25	26	27	28	29	三	2	3
일진		己卯	甲辰	乙巳	丙午	丁未	庚申	辛酉	壬戌	癸亥	戊子	己丑	甲寅	乙卯	丙辰	丁巳	庚午	辛未	壬申	癸酉	戊戌	己亥	甲子	乙丑	丙寅	丁卯	庚辰	辛巳	壬午	癸未	戊申	己酉
대운	男	8	9	9	9	10	白	1	1	1	1	2	2	2	3	3	3	4	4	4	5	5	5	6	6	6	7	7	7	8	8	8
	女	2	1	1	1	1	露	10	9	9	9	8	8	8	7	7	7	6	6	6	5	5	5	4	4	4	3	3	3	2	2	2

4月 (1일 五黃 -) 庚戌 (四綠) 절기: 寒露 (5일 16:44) 霜降 (20일 23:58)

양력		1	2	3	4	5	6	7	8	9	10	11	12	13	14	15	16	17	18	19	20	21	22	23	24	25	26	27	28	29	30	
요일		水	木	金	土	日	月	火	水	木	金	土	日	月	火	水	木	金	土	日	月	火	水	木	金	土	日	月	火	水	木	
음력	월	4	5	6	7	8	9	10	11	12	13	14	15	16	17	18	19	20	21	22	23	24	25	26	27	28	29	30	四	2	3	
일진		甲戌	乙亥	丙子	丁丑	庚寅	辛卯	壬辰	癸巳	戊午	己未	甲申	乙酉	丙戌	丁亥	庚子	辛丑	壬寅	癸卯	戊辰	己巳	甲午	乙未	丙申	丁酉	庚戌	辛亥	壬子	癸丑	戊寅	己卯	
대운	男	9	9	9	10	寒	1	1	1	1	2	2	2	3	3	3	4	4	4	5	5	5	6	6	6	7	7	7	8	8	8	
	女	1	1	1	1	露	10	10	9	9	9	8	8	8	7	7	7	6	6	6	5	5	5	4	4	4	3	3	3	2	2	

5月 (1일 二黑 -) 辛亥 (五黃) 절기: 立冬 (6일 10:06) 小雪 (21일 23:10)

양력		1	2	3	4	5	6	7	8	9	10	11	12	13	14	15	16	17	18	19	20	21	22	23	24	25	26	27	28	29	30	31
요일		金	土	日	月	火	水	木	金	土	日	月	火	水	木	金	土	日	月	火	水	木	金	土	日	月	火	水	木	金	土	日
음력	월	4	5	6	7	8	9	10	11	12	13	14	15	16	17	18	19	20	21	22	23	24	25	26	27	28	29	30	五	2	3	4
일진		甲辰	乙巳	丙午	丁未	庚申	辛酉	壬戌	癸亥	戊子	己丑	甲寅	乙卯	丙辰	丁巳	庚午	辛未	壬申	癸酉	戊戌	己亥	甲子	乙丑	丙寅	丁卯	庚辰	辛巳	壬午	癸未	戊申	己酉	甲戌
대운	男	9	9	9	10	10	立	1	1	1	1	2	2	2	3	3	3	4	4	4	5	5	5	6	6	6	7	7	7	8	8	8
	女	2	1	1	1	1	冬	10	10	9	9	9	8	8	8	7	7	7	6	6	6	5	5	5	4	4	4	3	3	3	2	2

6月 (1일 七赤 -) 壬子 (六白) 절기: 大雪 (6일 14:19) 冬至 (22일 07:11)

양력		1	2	3	4	5	6	7	8	9	10	11	12	13	14	15	16	17	18	19	20	21	22	23	24	25	26	27	28	29	30	
요일		月	火	水	木	金	土	日	月	火	水	木	金	土	日	月	火	水	木	金	土	日	月	火	水	木	金	土	日	月	火	
음력	월	5	6	7	8	9	10	11	12	13	14	15	16	17	18	19	20	21	22	23	24	25	26	27	28	29	六	2	3	4	5	
일진		乙亥	丙子	丁丑	庚寅	辛卯	壬辰	癸巳	戊午	己未	甲申	乙酉	丙戌	丁亥	庚子	辛丑	壬寅	癸卯	戊辰	己巳	甲午	乙未	丙申	丁酉	庚戌	辛亥	壬子	癸丑	戊寅	己卯	甲辰	
대운	男	9	9	9	10	10	大	1	1	1	1	2	2	2	3	3	3	4	4	4	5	5	5	6	6	6	7	7	7	8	8	
	女	2	1	1	1	1	雪	10	10	10	9	9	9	8	8	8	7	7	7	6	6	6	5	5	5	4	4	4	3	3	3	

7月 (1일 四綠 - 14일 一白 +) **癸丑 (七赤)** 절기: 小寒(8일 00:39) 大寒(23일 18:06)

양력		1	2	3	4	5	6	7	8	9	10	11	12	13	14	15	16	17	18	19	20	21	22	23	24	25	26	27	28	29	30	31
요일		水	木	金	土	日	月	火	水	木	金	土	日	月	火	水	木	金	土	日	月	火	水	木	金	土	日	月	火	水	木	金
음력	월	6	7	8	9	10	11	12	13	14	15	16	17	18	19	20	21	22	23	24	25	26	27	28	29	30	閏六		3	4	5	6
일진		乙巳	丙午	丁未	庚申	辛酉	壬戌	癸亥	戊子	己丑	甲寅	乙卯	丙辰	丁巳	庚午	辛未	壬申	癸酉	戊戌	己亥	甲子	乙丑	丙寅	丁卯	庚辰	辛巳	壬午	癸未	戊申	己酉	甲戌	乙亥
대운	男	8	9	9	9	10	10	10	小	1	1	1	1	2	2	2	3	3	3	4	4	4	5	5	5	6	6	6	7	7	7	8
	女	2	2	2	1	1	1	1	寒	10	10	9	9	9	8	8	8	7	7	7	6	6	6	5	5	5	4	4	4	3	3	3

8月 (1일 一白 +) **戊寅 (八白)** 절기: 立春(8일 10:29) 雨水(24일 01:10)

양력		1	2	3	4	5	6	7	8	9	10	11	12	13	14	15	16	17	18	19	20	21	22	23	24	25	26	27	28	29	30	31
요일		土	日	月	火	水	木	金	土	日	月	火	水	木	金	土	日	月	火	水	木	金	土	日	月	火	水	木	金	土	日	月
음력	월	7	8	9	10	11	12	13	14	15	16	17	18	19	20	21	22	23	24	25	26	27	28	29	七	2	3	4	5	6	7	8
일진		丙子	丁丑	庚寅	辛卯	壬辰	癸巳	戊午	己未	甲申	乙酉	丙戌	丁亥	庚子	辛丑	壬寅	癸卯	戊辰	己巳	甲午	乙未	丙申	丁酉	庚戌	辛亥	壬子	癸丑	戊寅	己卯	甲辰	乙巳	丙午
대운	男	8	8	9	9	9	10	10	立	1	1	1	1	2	2	2	3	3	3	4	4	4	5	5	5	6	6	6	7	7	7	8
	女	2	2	2	1	1	1	1	春	10	10	9	9	9	8	8	8	7	7	7	6	6	6	5	5	5	4	4	4	3	3	3

9月 (1일 五黃 +) **己卯 (九紫)** 절기: 驚蟄(8일 13:24) 春分 (23일 22:45)

양력		1	2	3	4	5	6	7	8	9	10	11	12	13	14	15	16	17	18	19	20	21	22	23	24	25	26	27	28	29	30	
요일		火	水	木	金	土	日	月	火	水	木	金	土	日	月	火	水	木	金	土	日	月	火	水	木	金	土	日	月	火	水	
음력	월	9	10	11	12	13	14	15	16	17	18	19	20	21	22	23	24	25	26	27	28	29	30	八	2	3	4	5	6	7	8	
일진		丁未	庚申	辛酉	壬戌	癸亥	戊子	己丑	甲寅	乙卯	丙辰	丁巳	庚午	辛未	壬申	癸酉	戊戌	己亥	甲子	乙丑	丙寅	丁卯	庚辰	辛巳	壬午	癸未	戊申	己酉	甲戌	乙亥	丙子	
대운	男	8	8	9	9	9	10	10	驚	1	1	1	1	2	2	2	3	3	3	4	4	4	5	5	5	6	6	6	7	7	7	
	女	2	2	2	1	1	1	1	蟄	10	10	9	9	9	8	8	8	7	7	7	6	6	6	5	5	5	4	4	4	3	3	

10月 (1일 八白 +) **甲辰 (一白)** 절기: 清明(9일 05:00) 穀雨(24일 08:01)

양력		1	2	3	4	5	6	7	8	9	10	11	12	13	14	15	16	17	18	19	20	21	22	23	24	25	26	27	28	29	30	31
요일		木	金	土	日	月	火	水	木	金	土	日	月	火	水	木	金	土	日	月	火	水	木	金	土	日	月	火	水	木	金	土
음력	월	9	10	11	12	13	14	15	16	17	18	19	20	21	22	23	24	25	26	27	28	29	30	九	2	3	4	5	6	7	8	9
일진		丁丑	庚寅	辛卯	壬辰	癸巳	戊午	己未	甲申	乙酉	丙戌	丁亥	庚子	辛丑	壬寅	癸卯	戊辰	己巳	甲午	乙未	丙申	丁酉	庚戌	辛亥	壬子	癸丑	戊寅	己卯	甲辰	乙巳	丙午	丁未
대운	男	8	8	8	9	9	9	10	10	清	1	1	1	1	2	2	2	3	3	3	4	4	4	5	5	5	6	6	6	7	7	7
	女	3	2	2	2	1	1	1	1	明	10	9	9	9	8	8	8	7	7	7	6	6	6	5	5	5	4	4	4	3	3	3

11月 (1일 三碧 +) **乙巳 (二黑)** 절기: 立夏(8일 08:06) 小滿 (23일 05:29)

양력		1	2	3	4	5	6	7	8	9	10	11	12	13	14	15	16	17	18	19	20	21	22	23	24	25	26	27	28	29	30	
요일		日	月	火	水	木	金	土	日	月	火	水	木	金	土	日	月	火	水	木	金	土	日	月	火	水	木	金	土	日	月	
음력	월	10	11	12	13	14	15	16	17	18	19	20	21	22	23	24	25	26	27	28	29	十	2	3	4	5	6	7	8	9	10	
일진		庚申	辛酉	壬戌	癸亥	戊子	己丑	甲寅	乙卯	丙辰	丁巳	庚午	辛未	壬申	癸酉	戊戌	己亥	甲子	乙丑	丙寅	丁卯	庚辰	辛巳	壬午	癸未	戊申	己酉	甲戌	乙亥	丙子	丁丑	
대운	男	8	8	8	9	9	9	10	立	1	1	1	1	2	2	2	3	3	3	4	4	4	5	5	5	6	6	6	7	7	7	
	女	2	2	2	1	1	1	1	夏	10	9	9	9	8	8	8	7	7	7	6	6	6	5	5	5	4	4	4	3	3	3	

12月 (1일 六白 +) **丙午 (三碧)** 절기: 芒種(8일 00:52) 夏至(22일 18:46)

양력		1	2	3	4	5	6	7	8	9	10	11	12	13	14	15	16	17	18	19	20	21	22	23	24	25	26	27	28	29	30	31
요일		火	水	木	金	土	日	月	火	水	木	金	土	日	月	火	水	木	金	土	日	月	火	水	木	金	土	日	月	火	水	木
음력	월	11	12	13	14	15	16	17	18	19	20	21	22	23	24	25	26	27	28	29	30	十一	2	3	4	5	6	7	8	9	10	11
일진		庚寅	辛卯	壬辰	癸巳	戊午	己未	甲申	乙酉	丙戌	丁亥	庚子	辛丑	壬寅	癸卯	戊辰	己巳	甲午	乙未	丙申	丁酉	庚戌	辛亥	壬子	癸丑	戊寅	己卯	甲辰	乙巳	丙午	丁未	庚申
대운	男	8	8	8	9	9	9	10	芒	1	1	1	1	2	2	2	3	3	3	4	4	4	5	5	5	6	6	6	7	7	7	8
	女	2	2	2	1	1	1	1	種	9	9	9	8	8	8	7	7	7	6	6	6	5	5	5	4	4	4	3	3	3	2	2

서기1988년

戊戌年 (七赤金星)

1月 (1일 一白 + 10일 九紫 -) **丁未 (四綠)** 절기: 小暑 (6일 12:04) 大暑 (21일 05:24)

양력		1	2	3	4	5	6	7	8	9	10	11	12	13	14	15	16	17	18	19	20	21	22	23	24	25	26	27	28	29	30	31
요일		金	土	日	月	火	水	木	金	土	日	月	火	水	木	金	土	日	月	火	水	木	金	土	日	月	火	水	木	金	土	日
음력	월	12	13	14	15	16	17	18	19	20	21	22	23	24	25	26	27	28	29	十二	2	3	4	5	6	7	8	9	10	11	12	13
일진		辛酉	壬戌	癸亥	戊子	己丑	甲寅	乙卯	丙辰	丁巳	庚午	辛未	壬申	癸酉	戊戌	己亥	甲子	乙丑	丙寅	丁卯	庚辰	辛巳	壬午	癸未	戊申	己酉	甲戌	乙亥	丙子	丁丑	庚寅	辛卯
대운	男	8	8	9	9	9	小	1	1	1	1	2	2	2	3	3	3	4	4	4	5	5	5	6	6	6	7	7	7	8	8	8
	女	2	1	1	1	1	暑	9	9	9	8	8	8	7	7	7	6	6	6	5	5	5	4	4	4	3	3	3	2	2	2	1

2月 閏 (1일 五黃 -) **庚申 (五黃)** 절기: 立秋 (4일 23:43) 處暑 (19일 19:35)

양력		1	2	3	4	5	6	7	8	9	10	11	12	13	14	15	16	17	18	19	20	21	22	23	24	25	26	27	28	29		
요일		月	火	水	木	金	土	日	月	火	水	木	金	土	日	月	火	水	木	金	土	日	月	火	水	木	金	土	日	月		
음력	월	14	15	16	17	18	19	20	21	22	23	24	25	26	27	28	29	30	一	2	3	4	5	6	7	8	9	10	11	12		
일진		壬辰	癸巳	戊午	己未	甲申	乙酉	丙戌	丁亥	庚子	辛丑	壬寅	癸卯	戊辰	己巳	甲午	乙未	丙申	丁酉	庚戌	辛亥	壬子	癸丑	戊寅	己卯	甲辰	乙巳	丙午	丁未	庚申		
대운	男	9	9	9	立	10	9	9	9	8	8	8	7	7	7	6	6	6	5	5	5	4	4	4	3	3	3	2	2	2		
	女	1	1	1	秋	1	1	1	1	2	2	2	3	3	3	4	4	4	5	5	5	6	6	6	7	7	7	8	8	8		

3月 (1일 三碧 -) **辛酉 (六白)** 절기: 白露 (5일 17:47) 秋分 (20일 18:39)

양력		1	2	3	4	5	6	7	8	9	10	11	12	13	14	15	16	17	18	19	20	21	22	23	24	25	26	27	28	29	30	31
요일		火	水	木	金	土	日	月	火	水	木	金	土	日	月	火	水	木	金	土	日	月	火	水	木	金	土	日	月	火	水	木
음력	월	13	14	15	16	17	18	19	20	21	22	23	24	25	26	27	28	29	二	2	3	4	5	6	7	8	9	10	11	12	13	14
일진		辛酉	壬戌	癸亥	戊子	己丑	甲寅	乙卯	丙辰	丁巳	庚午	辛未	壬申	癸酉	戊戌	己亥	甲子	乙丑	丙寅	丁卯	庚辰	辛巳	壬午	癸未	戊申	己酉	甲戌	乙亥	丙子	丁丑	庚寅	辛卯
대운	男	1	1	1	1	白	10	9	9	9	8	8	8	7	7	7	6	6	6	5	5	5	4	4	4	3	3	3	2	2	2	1
	女	9	9	9	10	露	1	1	1	1	2	2	2	3	3	3	4	4	4	5	5	5	6	6	6	7	7	7	8	8	8	9

4月 (1일 八白 -) **壬戌 (七赤)** 절기: 寒露 (4일 22:39) 霜降 (20일 05:45)

양력		1	2	3	4	5	6	7	8	9	10	11	12	13	14	15	16	17	18	19	20	21	22	23	24	25	26	27	28	29	30	
요일		金	土	日	月	火	水	木	金	土	日	月	火	水	木	金	土	日	月	火	水	木	金	土	日	月	火	水	木	金	土	
음력	월	15	16	17	18	19	20	21	22	23	24	25	26	27	28	29	三	2	3	4	5	6	7	8	9	10	11	12	13	14	15	
일진		壬辰	癸巳	戊午	己未	甲申	乙酉	丙戌	丁亥	庚子	辛丑	壬寅	癸卯	戊辰	己巳	甲午	乙未	丙申	丁酉	庚戌	辛亥	壬子	癸丑	戊寅	己卯	甲辰	乙巳	丙午	丁未	庚申	辛酉	
대운	男	1	1	1	寒	10	10	9	9	9	8	8	8	7	7	7	6	6	6	5	5	5	4	4	4	3	3	3	2	2	2	
	女	9	9	10	露	1	1	1	1	2	2	2	3	3	3	4	4	4	5	5	5	6	6	6	7	7	7	8	8	8	9	

5月 (1일 五黃 -) **癸亥 (八白)** 절기: 立冬 (5일 16:02) 小雪 (21일 04:57)

양력		1	2	3	4	5	6	7	8	9	10	11	12	13	14	15	16	17	18	19	20	21	22	23	24	25	26	27	28	29	30	31
요일		日	月	火	水	木	金	土	日	月	火	水	木	金	土	日	月	火	水	木	金	土	日	月	火	水	木	金	土	日	月	火
음력	월	16	17	18	19	20	21	22	23	24	25	26	27	28	29	30	四	2	3	4	5	6	7	8	9	10	11	12	13	14	15	16
일진		壬戌	癸亥	戊子	己丑	甲寅	乙卯	丙辰	丁巳	庚午	辛未	壬申	癸酉	戊戌	己亥	甲子	乙丑	丙寅	丁卯	庚辰	辛巳	壬午	癸未	戊申	己酉	甲戌	乙亥	丙子	丁丑	庚寅	辛卯	壬辰
대운	男	1	1	1	1	立	10	10	9	9	9	8	8	8	7	7	7	6	6	6	5	5	5	4	4	4	3	3	3	2	2	2
	女	9	9	10	10	冬	1	1	1	1	2	2	2	3	3	3	4	4	4	5	5	5	6	6	6	7	7	7	8	8	8	9

6月 (1일 一白 -) **戊子 (九紫)** 절기: 大雪 (5일 20:15) 冬至 (21일 12:57)

양력		1	2	3	4	5	6	7	8	9	10	11	12	13	14	15	16	17	18	19	20	21	22	23	24	25	26	27	28	29	30	
요일		水	木	金	土	日	月	火	水	木	金	土	日	月	火	水	木	金	土	日	月	火	水	木	金	土	日	月	火	水	木	
음력	월	17	18	19	20	21	22	23	24	25	26	27	28	29	五	2	3	4	5	6	7	8	9	10	11	12	13	14	15	16	17	
일진		癸巳	戊午	己未	甲申	乙酉	丙戌	丁亥	庚子	辛丑	壬寅	癸卯	戊辰	己巳	甲午	乙未	丙申	丁酉	庚戌	辛亥	壬子	癸丑	戊寅	己卯	甲辰	乙巳	丙午	丁未	庚申	辛酉	壬戌	
대운	男	1	1	1	1	大	10	10	9	9	9	8	8	8	7	7	7	6	6	6	5	5	5	4	4	4	3	3	3	2	2	
	女	9	9	10	10	雪	1	1	1	1	2	2	2	3	3	3	4	4	4	5	5	5	6	6	6	7	7	7	8	8	8	

7月 (1일 七赤 - 8일 一白 +) **己丑 (一白)** 절기: 小寒(7일 06:33) 大寒(22일 23:51)

양력		1	2	3	4	5	6	7	8	9	10	11	12	13	14	15	16	17	18	19	20	21	22	23	24	25	26	27	28	29	30	31
요일		金	土	日	月	火	水	木	金	土	日	月	火	水	木	金	土	日	月	火	水	木	金	土	日	月	火	水	木	金	土	日
음력	월	18	19	20	21	22	23	24	25	26	27	28	29	30	六	2	3	4	5	6	7	8	9	10	11	12	13	14	15	16	17	18
일진		癸亥	戊子	己丑	甲寅	乙卯	丙辰	丁巳	庚午	辛未	壬申	癸酉	戊戌	己亥	甲子	乙丑	丙寅	丁卯	庚辰	辛巳	壬午	癸未	戊申	己酉	甲戌	乙亥	丙子	丁丑	庚寅	辛卯	壬辰	癸巳
대운	男	2	2	1	1	1	1	小	10	10	9	9	9	8	8	8	7	7	7	6	6	6	5	5	5	4	4	4	3	3	3	2
	女	9	9	9	10	10	10	寒	1	1	1	1	2	2	2	3	3	3	4	4	4	5	5	5	6	6	6	7	7	7	8	8

8月 (1일 七赤 +) **甲寅 (二黑)** 절기: 立春(7일 16:20) 雨水(23일 06:54)

양력		1	2	3	4	5	6	7	8	9	10	11	12	13	14	15	16	17	18	19	20	21	22	23	24	25	26	27	28	29	30	31
요일		月	火	水	木	金	土	日	月	火	水	木	金	土	日	月	火	水	木	金	土	日	月	火	水	木	金	土	日	月	火	水
음력	월	19	20	21	22	23	24	25	26	27	28	29	七	2	3	4	5	6	7	8	9	10	11	12	13	14	15	16	17	18	19	20
일진		戊午	己未	甲申	乙酉	丙戌	丁亥	庚子	辛丑	壬寅	癸卯	戊辰	己巳	甲午	乙未	丙申	丁酉	庚戌	辛亥	壬子	癸丑	戊寅	己卯	甲辰	乙巳	丙午	丁未	庚申	辛酉	壬戌	癸亥	戊子
대운	男	2	2	1	1	1	1	立	10	10	9	9	9	8	8	8	7	7	7	6	6	6	5	5	5	4	4	4	3	3	3	2
	女	8	9	9	9	10	10	春	1	1	1	1	2	2	2	3	3	3	4	4	4	5	5	5	6	6	6	7	7	7	8	8

9月 (1일 二黑 +) **乙卯 (三碧)** 절기: 驚蟄(7일 19:12) 春分 (23일 04:29)

양력		1	2	3	4	5	6	7	8	9	10	11	12	13	14	15	16	17	18	19	20	21	22	23	24	25	26	27	28	29	30	
요일		木	金	土	日	月	火	水	木	金	土	日	月	火	水	木	金	土	日	月	火	水	木	金	土	日	月	火	水	木	金	
음력	월	21	22	23	24	25	26	27	28	29	30	八	2	3	4	5	6	7	8	9	10	11	12	13	14	15	16	17	18	19	20	
일진		己丑	甲寅	乙卯	丙辰	丁巳	庚午	辛未	壬申	癸酉	戊戌	己亥	甲子	乙丑	丙寅	丁卯	庚辰	辛巳	壬午	癸未	戊申	己酉	甲戌	乙亥	丙子	丁丑	庚寅	辛卯	壬辰	癸巳	戊午	
대운	男	2	2	1	1	1	1	驚	10	10	9	9	9	8	8	8	7	7	7	6	6	6	5	5	5	4	4	4	3	3	3	
	女	8	9	9	9	10	10	蟄	1	1	1	1	2	2	2	3	3	3	4	4	4	5	5	5	6	6	6	7	7	7	8	

10月 (1일 五黃 +) **丙辰 (四綠)** 절기: 清明(8일 10:45) 穀雨(23일 13:44)

양력		1	2	3	4	5	6	7	8	9	10	11	12	13	14	15	16	17	18	19	20	21	22	23	24	25	26	27	28	29	30	31
요일		土	日	月	火	水	木	金	土	日	月	火	水	木	金	土	日	月	火	水	木	金	土	日	月	火	水	木	金	土	日	月
음력	월	21	22	23	24	25	26	27	28	29	30	九	2	3	4	5	6	7	8	9	10	11	12	13	14	15	16	17	18	19	20	21
일진		己未	甲申	乙酉	丙戌	丁亥	庚子	辛丑	壬寅	癸卯	戊辰	己巳	甲午	乙未	丙申	丁酉	庚戌	辛亥	壬子	癸丑	戊寅	己卯	甲辰	乙巳	丙午	丁未	庚申	辛酉	壬戌	癸亥	戊子	己丑
대운	男	2	2	2	1	1	1	1	清	10	9	9	9	8	8	8	7	7	7	6	6	6	5	5	5	4	4	4	3	3	3	2
	女	8	8	9	9	9	10	10	明	1	1	1	1	2	2	2	3	3	3	4	4	4	5	5	5	6	6	6	7	7	7	8

11月 (1일 九紫 +) **丁巳 (五黃)** 절기: 立夏(7일 13:49) 小滿 (22일 11:12)

양력		1	2	3	4	5	6	7	8	9	10	11	12	13	14	15	16	17	18	19	20	21	22	23	24	25	26	27	28	29	30	
요일		火	水	木	金	土	日	月	火	水	木	金	土	日	月	火	水	木	金	土	日	月	火	水	木	金	土	日	月	火	水	
음력	월	22	23	24	25	26	27	28	29	十	2	3	4	5	6	7	8	9	10	11	12	13	14	15	16	17	18	19	20	21	22	
일진		甲寅	乙卯	丙辰	丁巳	庚午	辛未	壬申	癸酉	戊戌	己亥	甲子	乙丑	丙寅	丁卯	庚辰	辛巳	壬午	癸未	戊申	己酉	甲戌	乙亥	丙子	丁丑	庚寅	辛卯	壬辰	癸巳	戊午	己未	
대운	男	2	2	1	1	1	1	立	10	9	9	9	8	8	8	7	7	7	6	6	6	5	5	5	4	4	4	3	3	3	2	
	女	8	8	9	9	9	10	夏	1	1	1	1	2	2	2	3	3	3	4	4	4	5	5	5	6	6	6	7	7	7	8	

12月 (1일 三碧 +) **庚午 (六白)** 절기: 芒種(7일 06:34) 夏至(22일 00:28)

양력		1	2	3	4	5	6	7	8	9	10	11	12	13	14	15	16	17	18	19	20	21	22	23	24	25	26	27	28	29	30	31
요일		木	金	土	日	月	火	水	木	金	土	日	月	火	水	木	金	土	日	月	火	水	木	金	土	日	月	火	水	木	金	土
음력	월	23	24	25	26	27	28	29	30	十一	2	3	4	5	6	7	8	9	10	11	12	13	14	15	16	17	18	19	20	21	22	23
일진		甲申	乙酉	丙戌	丁亥	庚子	辛丑	壬寅	癸卯	戊辰	己巳	甲午	乙未	丙申	丁酉	庚戌	辛亥	壬子	癸丑	戊寅	己卯	甲辰	乙巳	丙午	丁未	庚申	辛酉	壬戌	癸亥	戊子	己丑	甲寅
대운	男	2	2	1	1	1	1	芒	9	9	9	8	8	8	7	7	7	6	6	6	5	5	5	4	4	4	3	3	3	2	2	2
	女	8	8	9	9	9	10	種	1	1	1	1	2	2	2	3	3	3	4	4	4	5	5	5	6	6	6	7	7	7	8	8

서기1989년

己亥年 (八白土星)

1月 (1일 七赤 + 4일 九紫 -) **辛未 (七赤)** 절기: 小暑 (5일 17:46) 大暑 (20일 11:07)

양력		1	2	3	4	5	6	7	8	9	10	11	12	13	14	15	16	17	18	19	20	21	22	23	24	25	26	27	28	29	30	31
요일		日	月	火	水	木	金	土	日	月	火	水	木	金	土	日	月	火	水	木	金	土	日	月	火	水	木	金	土	日	月	火
음력	월	24	25	26	27	28	29	30	十二	2	3	4	5	6	7	8	9	10	11	12	13	14	15	16	17	18	19	20	21	22	23	24
일진		乙卯	丙辰	丁巳	庚午	辛未	壬申	癸酉	戊戌	己亥	甲子	乙丑	丙寅	丁卯	庚辰	辛巳	壬午	癸未	戊申	己酉	甲戌	乙亥	丙子	丁丑	庚寅	辛卯	壬辰	癸巳	戊午	己未	甲申	乙酉
대운	男	1	1	1	1	小	10	9	9	9	8	8	8	7	7	7	6	6	6	5	5	5	4	4	4	3	3	3	2	2	2	1
	女	8	9	9	9	暑	1	1	1	1	2	2	2	3	3	3	4	4	4	5	5	5	6	6	6	7	7	7	8	8	8	9

2月 (1일 八白 -) **壬申 (八白)** 절기: 立秋 (4일 05:27) 處暑 (19일 01:21)

양력		1	2	3	4	5	6	7	8	9	10	11	12	13	14	15	16	17	18	19	20	21	22	23	24	25	26	27	28			
요일		水	木	金	土	日	月	火	水	木	金	土	日	月	火	水	木	金	土	日	月	火	水	木	金	土	日	月	火			
음력	월	25	26	27	28	29	一	2	3	4	5	6	7	8	9	10	11	12	13	14	15	16	17	18	19	20	21	22	23			
일진		丙戌	丁亥	庚子	辛丑	壬寅	癸卯	戊辰	己巳	甲午	乙未	丙申	丁酉	庚戌	辛亥	壬子	癸丑	戊寅	己卯	甲辰	乙巳	丙午	丁未	庚申	辛酉	壬戌	癸亥	戊子	己丑			
대운	男	1	1	1	立	1	1	1	1	2	2	2	3	3	3	4	4	4	5	5	5	6	6	6	7	7	7	8	8			
	女	9	9	10	秋	9	9	9	8	8	8	7	7	7	6	6	6	5	5	5	4	4	4	3	3	3	2	2	2			

3月 (1일 七赤 -) **癸酉 (九紫)** 절기: 白露 (5일 23:34) 秋分 (21일 00:28)

양력		1	2	3	4	5	6	7	8	9	10	11	12	13	14	15	16	17	18	19	20	21	22	23	24	25	26	27	28	29	30	31
요일		水	木	金	土	日	月	火	水	木	金	土	日	月	火	水	木	金	土	日	月	火	水	木	金	土	日	月	火	水	木	金
음력	월	24	25	26	27	28	29	30	二	2	3	4	5	6	7	8	9	10	11	12	13	14	15	16	17	18	19	20	21	22	23	24
일진		甲寅	乙卯	丙辰	丁巳	庚午	辛未	壬申	癸酉	戊戌	己亥	甲子	乙丑	丙寅	丁卯	庚辰	辛巳	壬午	癸未	戊申	己酉	甲戌	乙亥	丙子	丁丑	庚寅	辛卯	壬辰	癸巳	戊午	己未	甲申
대운	男	8	9	9	9	白	1	1	1	1	2	2	2	3	3	3	4	4	4	5	5	5	6	6	6	7	7	7	8	8	8	9
	女	1	1	1	1	露	10	10	9	9	9	8	8	8	7	7	7	6	6	6	5	5	5	4	4	4	3	3	3	2	2	2

4月 (1일 三碧 -) **戊戌 (一白)** 절기: 寒露 (5일 04:30) 霜降 (20일 11:39)

양력		1	2	3	4	5	6	7	8	9	10	11	12	13	14	15	16	17	18	19	20	21	22	23	24	25	26	27	28	29	30	
요일		土	日	月	火	水	木	金	土	日	月	火	水	木	金	土	日	月	火	水	木	金	土	日	月	火	水	木	金	土	日	
음력	월	25	26	27	28	29	三	2	3	4	5	6	7	8	9	10	11	12	13	14	15	16	17	18	19	20	21	22	23	24	25	
일진		乙酉	丙戌	丁亥	庚子	辛丑	壬寅	癸卯	戊辰	己巳	甲午	乙未	丙申	丁酉	庚戌	辛亥	壬子	癸丑	戊寅	己卯	甲辰	乙巳	丙午	丁未	庚申	辛酉	壬戌	癸亥	戊子	己丑	甲寅	
대운	男	9	9	10	10	寒	1	1	1	1	2	2	2	3	3	3	4	4	4	5	5	5	6	6	6	7	7	7	8	8	8	
	女	1	1	1	1	露	10	9	9	9	8	8	8	7	7	7	6	6	6	5	5	5	4	4	4	3	3	3	2	2	2	

5月 (1일 九紫 -) **己亥 (二黑)** 절기: 立冬 (5일 21:54) 小雪 (21일 10:54)

양력		1	2	3	4	5	6	7	8	9	10	11	12	13	14	15	16	17	18	19	20	21	22	23	24	25	26	27	28	29	30	31
요일		月	火	水	木	金	土	日	月	火	水	木	金	土	日	月	火	水	木	金	土	日	月	火	水	木	金	土	日	月	火	水
음력	월	26	27	28	29	四	2	3	4	5	6	7	8	9	10	11	12	13	14	15	16	17	18	19	20	21	22	23	24	25	26	27
일진		乙卯	丙辰	丁巳	庚午	辛未	壬申	癸酉	戊戌	己亥	甲子	乙丑	丙寅	丁卯	庚辰	辛巳	壬午	癸未	戊申	己酉	甲戌	乙亥	丙子	丁丑	庚寅	辛卯	壬辰	癸巳	戊午	己未	甲申	乙酉
대운	男	9	9	9	10	立	1	1	1	1	2	2	2	3	3	3	4	4	4	5	5	5	6	6	6	7	7	7	8	8	8	9
	女	1	1	1	1	冬	10	10	10	9	9	9	8	8	8	7	7	7	6	6	6	5	5	5	4	4	4	3	3	3	2	2

6月 (1일 五黃 -) **甲子 (三碧)** 절기: 大雪 (6일 02:05) 冬至 (21일 18:53)

양력		1	2	3	4	5	6	7	8	9	10	11	12	13	14	15	16	17	18	19	20	21	22	23	24	25	26	27	28	29	30	
요일		木	金	土	日	月	火	水	木	金	土	日	月	火	水	木	金	土	日	月	火	水	木	金	土	日	月	火	水	木	金	
음력	월	28	29	30	五	2	3	4	5	6	7	8	9	10	11	12	13	14	15	16	17	18	19	20	21	22	23	24	25	26	27	
일진		丙戌	丁亥	庚子	辛丑	壬寅	癸卯	戊辰	己巳	甲午	乙未	丙申	丁酉	庚戌	辛亥	壬子	癸丑	戊寅	己卯	甲辰	乙巳	丙午	丁未	庚申	辛酉	壬戌	癸亥	戊子	己丑	甲寅	乙卯	
대운	男	9	9	10	10	10	大	1	1	1	1	2	2	2	3	3	3	4	4	4	5	5	5	6	6	6	7	7	7	8	8	
	女	2	1	1	1	1	雪	10	10	9	9	9	8	8	8	7	7	7	6	6	6	5	5	5	4	4	4	3	3	3	2	

7月 (1일 二黑 - 3일 一白 +) **乙丑 (四綠)** 절기: 小寒(7일 12:19) 大寒(23일 05:45)

양력	1	2	3	4	5	6	7	8	9	10	11	12	13	14	15	16	17	18	19	20	21	22	23	24	25	26	27	28	29	30	31
요일	土	日	月	火	水	木	金	土	日	月	火	水	木	金	土	日	月	火	水	木	金	土	日	月	火	水	木	金	土	日	月
음력 월	28	29	六	2	3	4	5	6	7	8	9	10	11	12	13	14	15	16	17	18	19	20	21	22	23	24	25	26	27	28	29
일진	丙辰	丁巳	庚午	辛未	壬申	癸酉	戊戌	己亥	甲子	乙丑	丙寅	丁卯	庚辰	辛巳	壬午	癸未	戊申	己酉	甲戌	乙亥	丙子	丁丑	庚寅	辛卯	壬辰	癸巳	戊午	己未	甲申	乙酉	丙戌
대운 男	8	9	9	9	10	10	小	1	1	1	1	2	2	2	3	3	3	4	4	4	5	5	5	6	6	6	7	7	7	8	8
대운 女	2	2	1	1	1	1	寒	10	10	9	9	9	8	8	8	7	7	7	6	6	6	5	5	5	4	4	4	3	3	3	2

8月 (1일 三碧 +) **丙寅 (五黃)** 절기: 立春(7일 22:04) 雨水(23일 12:46)

양력	1	2	3	4	5	6	7	8	9	10	11	12	13	14	15	16	17	18	19	20	21	22	23	24	25	26	27	28	29	30	31
요일	火	水	木	金	土	日	月	火	水	木	金	土	日	月	火	水	木	金	土	日	月	火	水	木	金	土	日	月	火	水	木
음력 월	30	七	2	3	4	5	6	7	8	9	10	11	12	13	14	15	16	17	18	19	20	21	22	23	24	25	26	27	28	29	八
일진	丁亥	庚子	辛丑	壬寅	癸卯	戊辰	己巳	甲午	乙未	丙申	丁酉	庚戌	辛亥	壬子	癸丑	戊寅	己卯	甲辰	乙巳	丙午	丁未	庚申	辛酉	壬戌	癸亥	戊子	己丑	甲寅	乙卯	丙辰	丁巳
대운 男	8	9	9	9	10	10	立	1	1	1	1	2	2	2	3	3	3	4	4	4	5	5	5	6	6	6	7	7	7	8	8
대운 女	2	2	1	1	1	1	春	10	10	10	9	9	9	8	8	8	7	7	7	6	6	6	5	5	5	4	4	4	3	3	3

9月 (1일 七赤 +) **丁卯 (六白)** 절기: 驚蟄(8일 00:54) 春分 (23일 10:20)

양력	1	2	3	4	5	6	7	8	9	10	11	12	13	14	15	16	17	18	19	20	21	22	23	24	25	26	27	28	29	30	
요일	金	土	日	月	火	水	木	金	土	日	月	火	水	木	金	土	日	月	火	水	木	金	土	日	月	火	水	木	金	土	
음력 월	2	3	4	5	6	7	8	9	10	11	12	13	14	15	16	17	18	19	20	21	22	23	24	25	26	27	28	29	30	九	
일진	庚午	辛未	壬申	癸酉	戊戌	己亥	甲子	乙丑	丙寅	丁卯	庚辰	辛巳	壬午	癸未	戊申	己酉	甲戌	乙亥	丙子	丁丑	庚寅	辛卯	壬辰	癸巳	戊午	己未	甲申	乙酉	丙戌	丁亥	
대운 男	8	9	9	9	10	10	10	驚	1	1	1	1	2	2	2	3	3	3	4	4	4	5	5	5	3	3	3	7	7	7	
대운 女	2	2	2	1	1	1	1	蟄	10	9	9	9	8	8	8	7	7	7	6	6	6	5	5	5	4	4	4	3	3	3	

10月 (1일 一白 +) **庚辰 (七赤)** 절기: 清明(8일 16:27) 穀雨(23일 19:35)

양력	1	2	3	4	5	6	7	8	9	10	11	12	13	14	15	16	17	18	19	20	21	22	23	24	25	26	27	28	29	30	31
요일	日	月	火	水	木	金	土	日	月	火	水	木	金	土	日	月	火	水	木	金	土	日	月	火	水	木	金	土	日	月	火
음력 월	2	3	4	5	6	7	8	9	10	11	12	13	14	15	16	17	18	19	20	21	22	23	24	25	26	27	28	29	30	十	2
일진	庚子	辛丑	壬寅	癸卯	戊辰	己巳	甲午	乙未	丙申	丁酉	庚戌	辛亥	壬子	癸丑	戊寅	己卯	甲辰	乙巳	丙午	丁未	庚申	辛酉	壬戌	癸亥	戊子	己丑	甲寅	乙卯	丙辰	丁巳	庚午
대운 男	8	8	8	9	9	9	10	清	1	1	1	1	2	2	2	3	3	3	4	4	4	5	5	5	6	6	6	7	7	7	8
대운 女	2	2	2	1	1	1	1	明	10	9	9	9	8	8	8	7	7	7	6	6	6	5	5	5	4	4	4	3	3	3	2

11月 (1일 五黃 +) **辛巳 (八白)** 절기: 立夏(7일 19:34) 小滿 (22일 17:05)

양력	1	2	3	4	5	6	7	8	9	10	11	12	13	14	15	16	17	18	19	20	21	22	23	24	25	26	27	28	29	30	
요일	水	木	金	土	日	月	火	水	木	金	土	日	月	火	水	木	金	土	日	月	火	水	木	金	土	日	月	火	水	木	
음력 월	3	4	5	6	7	8	9	10	11	12	13	14	15	16	17	18	19	20	21	22	23	24	25	26	27	28	29	十一	2	3	
일진	辛未	壬申	癸酉	戊戌	己亥	甲子	乙丑	丙寅	丁卯	庚辰	辛巳	壬午	癸未	戊申	己酉	甲戌	乙亥	丙子	丁丑	庚寅	辛卯	壬辰	癸巳	戊午	己未	甲申	乙酉	丙戌	丁亥	庚子	
대운 男	8	8	9	9	9	10	立	1	1	1	1	2	2	2	3	3	3	4	4	4	5	5	5	6	6	6	7	7	7	8	
대운 女	2	2	1	1	1	1	夏	10	9	9	9	8	8	8	7	7	7	6	6	6	5	5	5	4	4	4	3	3	3	2	

12月 (1일 八白 + 30일 九紫 -) **壬午 (九紫)** 절기: 芒種(7일 12:21) 夏至(22일 06:22)

양력	1	2	3	4	5	6	7	8	9	10	11	12	13	14	15	16	17	18	19	20	21	22	23	24	25	26	27	28	29	30	31
요일	金	土	日	月	火	水	木	金	土	日	月	火	水	木	金	土	日	月	火	水	木	金	土	日	月	火	水	木	金	土	日
음력 월	4	5	6	7	8	9	10	11	12	13	14	15	16	17	18	19	20	21	22	23	24	25	26	27	28	29	30	十二	2	3	4
일진	辛丑	壬寅	癸卯	戊辰	己巳	甲午	乙未	丙申	丁酉	庚戌	辛亥	壬子	癸丑	戊寅	己卯	甲辰	乙巳	丙午	丁未	庚申	辛酉	壬戌	癸亥	戊子	己丑	甲寅	乙卯	丙辰	丁巳	庚午	辛未
대운 男	8	8	9	9	9	10	芒	1	1	1	1	2	2	2	3	3	3	4	4	4	5	5	5	6	6	6	7	7	7	8	8
대운 女	2	2	1	1	1	1	種	9	9	9	8	8	8	7	7	7	6	6	6	5	5	5	4	4	4	3	3	3	2	2	2

서기1990년

甲子年 (九紫火星) 閏五月

1月 (1일 七赤 -) **癸未 (一白)** 절기: 小暑 (5일 23:33) 大暑 (20일 17:02)

양력		1	2	3	4	5	6	7	8	9	10	11	12	13	14	15	16	17	18	19	20	21	22	23	24	25	26	27	28	29	30	31
요일		月	火	水	木	金	土	日	月	火	水	木	金	土	日	月	火	水	木	金	土	日	月	火	水	木	金	土	日	月	火	水
음력	월	5	6	7	8	9	10	11	12	13	14	15	16	17	18	19	20	21	22	23	24	25	26	27	28	29	30	一	2	3	4	5
일진		壬申	癸酉	戊戌	己亥	甲子	乙丑	丙寅	丁卯	庚辰	辛巳	壬午	癸未	戊申	己酉	甲戌	乙亥	丙子	丁丑	庚寅	辛卯	壬辰	癸巳	戊午	己未	甲申	乙酉	丙戌	丁亥	庚子	辛丑	壬寅
대운	男	8	9	9	9	小	1	1	1	1	2	2	2	3	3	3	4	4	4	5	5	5	6	6	6	7	7	7	8	8	8	9
	女	1	1	1	1	暑	10	9	9	9	8	8	8	7	7	7	6	6	6	5	5	5	4	4	4	3	3	3	2	2	2	1

2月 (1일 三碧 -) **戊申 (二黑)** 절기: 立秋 (4일 11:14) 處暑 (19일 07:14)

양력		1	2	3	4	5	6	7	8	9	10	11	12	13	14	15	16	17	18	19	20	21	22	23	24	25	26	27	28			
요일		木	金	土	日	月	火	水	木	金	土	日	月	火	水	木	金	土	日	月	火	水	木	金	土	日	月	火	水			
음력	월	6	7	8	9	10	11	12	13	14	15	16	17	18	19	20	21	22	23	24	25	26	27	28	29	二	2	3	4			
일진		癸卯	戊辰	己巳	甲午	乙未	丙申	丁酉	庚戌	辛亥	壬子	癸丑	戊寅	己卯	甲辰	乙巳	丙午	丁未	庚申	辛酉	壬戌	癸亥	戊子	己丑	甲寅	乙卯	丙辰	丁巳	庚午			
대운	男	9	9	10	立	10	9	9	9	8	8	8	7	7	7	6	6	6	5	5	5	4	4	4	3	3	3	2	2			
	女	1	1	1	秋	1	1	1	1	2	2	2	3	3	3	4	4	4	5	5	5	6	6	6	7	7	7	8	8			

3月 (1일 二黑 -) **己酉 (三碧)** 절기: 白露 (6일 05:19) 秋分 (21일 06:19)

양력		1	2	3	4	5	6	7	8	9	10	11	12	13	14	15	16	17	18	19	20	21	22	23	24	25	26	27	28	29	30	31
요일		木	金	土	日	月	火	水	木	金	土	日	月	火	水	木	金	土	日	月	火	水	木	金	土	日	月	火	水	木	金	土
음력	월	5	6	7	8	9	10	11	12	13	14	15	16	17	18	19	20	21	22	23	24	25	26	27	28	29	30	三	2	3	4	5
일진		辛未	壬申	癸酉	戊戌	己亥	甲子	乙丑	丙寅	丁卯	庚辰	辛巳	壬午	癸未	戊申	己酉	甲戌	乙亥	丙子	丁丑	庚寅	辛卯	壬辰	癸巳	戊午	己未	甲申	乙酉	丙戌	丁亥	庚子	辛丑
대운	男	2	1	1	1	1	白	10	9	9	9	8	8	8	7	7	7	6	6	6	5	5	5	4	4	4	3	3	3	2	2	2
	女	8	9	9	9	10	露	1	1	1	1	2	2	2	3	3	3	4	4	4	5	5	5	6	6	6	7	7	7	8	8	8

4月 (1일 七赤 -) **甲戌 (四綠)** 절기: 寒露 (5일 10:13) 霜降 (20일 17:27)

양력		1	2	3	4	5	6	7	8	9	10	11	12	13	14	15	16	17	18	19	20	21	22	23	24	25	26	27	28	29	30	
요일		日	月	火	水	木	金	土	日	月	火	水	木	金	土	日	月	火	水	木	金	土	日	月	火	水	木	金	土	日	月	
음력	월	6	7	8	9	10	11	12	13	14	15	16	17	18	19	20	21	22	23	24	25	26	27	28	29	四	2	3	4	5	6	
일진		壬寅	癸卯	戊辰	己巳	甲午	乙未	丙申	丁酉	庚戌	辛亥	壬子	癸丑	戊寅	己卯	甲辰	乙巳	丙午	丁未	庚申	辛酉	壬戌	癸亥	戊子	己丑	甲寅	乙卯	丙辰	丁巳	庚午	辛未	
대운	男	1	1	1	1	寒	10	10	9	9	9	8	8	8	7	7	7	6	6	6	5	5	5	4	4	4	3	3	3	2	2	
	女	9	9	9	10	露	1	1	1	1	2	2	2	3	3	3	4	4	4	5	5	5	6	6	6	7	7	7	8	8	8	

5月 (1일 四綠 -) **乙亥 (五黃)** 절기: 立冬 (6일 03:35) 小雪 (21일 16:37)

양력		1	2	3	4	5	6	7	8	9	10	11	12	13	14	15	16	17	18	19	20	21	22	23	24	25	26	27	28	29	30	31
요일		火	水	木	金	土	日	月	火	水	木	金	土	日	月	火	水	木	金	土	日	月	火	水	木	金	土	日	月	火	水	木
음력	월	7	8	9	10	11	12	13	14	15	16	17	18	19	20	21	22	23	24	25	26	27	28	29	五	2	3	4	5	6	7	8
일진		壬申	癸酉	戊戌	己亥	甲子	乙丑	丙寅	丁卯	庚辰	辛巳	壬午	癸未	戊申	己酉	甲戌	乙亥	丙子	丁丑	庚寅	辛卯	壬辰	癸巳	戊午	己未	甲申	乙酉	丙戌	丁亥	庚子	辛丑	壬寅
대운	男	2	1	1	1	1	立	10	10	9	9	9	8	8	8	7	7	7	6	6	6	5	5	5	4	4	4	3	3	3	2	2
	女	9	9	9	10	10	冬	1	1	1	1	2	2	2	3	3	3	4	4	4	5	5	5	6	6	6	7	7	7	8	8	8

6月 (1일 九紫 - 28일 一白 +) **丙子 (六白)** 절기: 大雪 (6일 07:46) 冬至 (22일 00:33)

양력		1	2	3	4	5	6	7	8	9	10	11	12	13	14	15	16	17	18	19	20	21	22	23	24	25	26	27	28	29	30	
요일		金	土	日	月	火	水	木	金	土	日	月	火	水	木	金	土	日	月	火	水	木	金	土	日	月	火	水	木	金	土	
음력	월	9	10	11	12	13	14	15	16	17	18	19	20	21	22	23	24	25	26	27	28	29	30	閏五		3	4	5	6	7	8	
일진		癸卯	戊辰	己巳	甲午	乙未	丙申	丁酉	庚戌	辛亥	壬子	癸丑	戊寅	己卯	甲辰	乙巳	丙午	丁未	庚申	辛酉	壬戌	癸亥	戊子	己丑	甲寅	乙卯	丙辰	丁巳	庚午	辛未	壬申	
대운	男	2	1	1	1	1	大	10	10	9	9	9	8	8	8	7	7	7	6	6	6	5	5	5	4	4	4	3	3	3	2	
	女	9	9	9	10	10	雪	1	1	1	1	2	2	2	3	3	3	4	4	4	5	5	5	6	6	6	7	7	7	8	8	

7月 (1일 四綠 +) **丁丑 (七赤)** 절기: 小寒(7일 18:00) 大寒(23일 11:22)

양력		1	2	3	4	5	6	7	8	9	10	11	12	13	14	15	16	17	18	19	20	21	22	23	24	25	26	27	28	29	30	31
요일		日	月	火	水	木	金	土	日	月	火	水	木	金	土	日	月	火	水	木	金	土	日	月	火	水	木	金	土	日	月	火
음력	월	9	10	11	12	13	14	15	16	17	18	19	20	21	22	23	24	25	26	27	28	29	六	2	3	4	5	6	7	8	9	10
일진		癸酉	戊戌	己亥	甲子	乙丑	丙寅	丁卯	庚辰	辛巳	壬午	癸未	戊申	己酉	甲戌	乙亥	丙子	丁丑	庚寅	辛卯	壬辰	癸巳	戊午	己未	甲申	乙酉	丙戌	丁亥	庚子	辛丑	壬寅	癸卯
대운	男	2	2	1	1	1	1	小	10	10	10	9	9	9	8	8	8	7	7	7	6	6	6	5	5	5	4	4	4	3	3	3
	女	8	9	9	9	10	10	寒	1	1	1	1	2	2	2	3	3	3	4	4	4	5	5	5	6	6	6	7	7	7	8	8

8月 (1일 八白 +) **庚寅 (八白)** 절기: 立春(8일 03:46) 雨水(23일 18:21)

양력		1	2	3	4	5	6	7	8	9	10	11	12	13	14	15	16	17	18	19	20	21	22	23	24	25	26	27	28	29	30	31
요일		水	木	金	土	日	月	火	水	木	金	土	日	月	火	水	木	金	土	日	月	火	水	木	金	土	日	月	火	水	木	金
음력	월	11	12	13	14	15	16	17	18	19	20	21	22	23	24	25	26	27	28	29	七	2	3	4	5	6	7	8	9	10	11	12
일진		戊辰	己巳	甲午	乙未	丙申	丁酉	庚戌	辛亥	壬子	癸丑	戊寅	己卯	甲辰	乙巳	丙午	丁未	庚申	辛酉	壬戌	癸亥	戊子	己丑	甲寅	乙卯	丙辰	丁巳	庚午	辛未	壬申	癸酉	戊戌
대운	男	2	2	2	1	1	1	1	立	10	10	9	9	9	8	8	8	7	7	7	6	6	6	5	5	5	4	4	4	3	3	3
	女	8	9	9	9	10	10	10	春	1	1	1	1	2	2	2	3	3	3	4	4	4	5	5	5	6	6	6	7	7	7	8

9月 (1일 三碧 +) **辛卯 (九紫)** 절기: 驚蟄(8일 06:37) 春分 (23일 15:56)

양력		1	2	3	4	5	6	7	8	9	10	11	12	13	14	15	16	17	18	19	20	21	22	23	24	25	26	27	28	29	30	
요일		土	日	月	火	水	木	金	土	日	月	火	水	木	金	土	日	月	火	水	木	金	土	日	月	火	水	木	金	土	日	
음력	월	13	14	15	16	17	18	19	20	21	22	23	24	25	26	27	28	29	30	八	2	3	4	5	6	7	8	9	10	11	12	
일진		己亥	甲子	乙丑	丙寅	丁卯	庚辰	辛巳	壬午	癸未	戊申	己酉	甲戌	乙亥	丙子	丁丑	庚寅	辛卯	壬辰	癸巳	戊午	己未	甲申	乙酉	丙戌	丁亥	庚子	辛丑	壬寅	癸卯	戊辰	
대운	男	2	2	2	1	1	1	1	驚	10	9	9	9	8	8	8	7	7	7	6	6	6	5	5	5	4	4	4	3	3	3	
	女	8	8	9	9	9	10	10	蟄	1	1	1	1	2	2	2	3	3	3	4	4	4	5	5	5	6	6	6	7	7	7	

10月 (1일 六白 +) **壬辰 (一白)** 절기: 清明(8일 22:14) 穀雨(24일 01:14)

양력		1	2	3	4	5	6	7	8	9	10	11	12	13	14	15	16	17	18	19	20	21	22	23	24	25	26	27	28	29	30	31
요일		月	火	水	木	金	土	日	月	火	水	木	金	土	日	月	火	水	木	金	土	日	月	火	水	木	金	土	日	月	火	水
음력	월	13	14	15	16	17	18	19	20	21	22	23	24	25	26	27	28	29	30	九	2	3	4	5	6	7	8	9	10	11	12	13
일진		己巳	甲午	乙未	丙申	丁酉	庚戌	辛亥	壬子	癸丑	戊寅	己卯	甲辰	乙巳	丙午	丁未	庚申	辛酉	壬戌	癸亥	戊子	己丑	甲寅	乙卯	丙辰	丁巳	庚午	辛未	壬申	癸酉	戊戌	己亥
대운	男	2	2	2	1	1	1	1	清	10	10	9	9	9	8	8	8	7	7	7	6	6	6	5	5	5	4	4	4	3	3	3
	女	8	8	8	9	9	9	10	明	1	1	1	1	2	2	2	3	3	3	4	4	4	5	5	5	6	6	6	7	7	7	8

11月 (1일 一白 +) **癸巳 (二黑)** 절기: 立夏(8일 01:23) 小滿 (22일 22:47)

양력		1	2	3	4	5	6	7	8	9	10	11	12	13	14	15	16	17	18	19	20	21	22	23	24	25	26	27	28	29	30	
요일		木	金	土	日	月	火	水	木	金	土	日	月	火	水	木	金	土	日	月	火	水	木	金	土	日	月	火	水	木	金	
음력	월	14	15	16	17	18	19	20	21	22	23	24	25	26	27	28	29	十	2	3	4	5	6	7	8	9	10	11	12	13	14	
일진		甲子	乙丑	丙寅	丁卯	庚辰	辛巳	壬午	癸未	戊申	己酉	甲戌	乙亥	丙子	丁丑	庚寅	辛卯	壬辰	癸巳	戊午	己未	甲申	乙酉	丙戌	丁亥	庚子	辛丑	壬寅	癸卯	戊辰	己巳	
대운	男	2	2	2	1	1	1	1	立	9	9	9	8	8	8	7	7	7	6	6	6	5	5	5	4	4	4	3	3	3	2	
	女	8	8	8	9	9	10	10	夏	1	1	1	1	2	2	2	3	3	3	4	4	4	5	5	5	6	6	6	7	7	7	

12月 (1일 四綠 + 25일 九紫 -) **戊午 (三碧)** 절기: 芒種(7일 18:14) 夏至(22일 12:07)

양력		1	2	3	4	5	6	7	8	9	10	11	12	13	14	15	16	17	18	19	20	21	22	23	24	25	26	27	28	29	30	31
요일		土	日	月	火	水	木	金	土	日	月	火	水	木	金	土	日	月	火	水	木	金	土	日	月	火	水	木	金	土	日	月
음력	월	15	16	17	18	19	20	21	22	23	24	25	26	27	28	29	30	十一	2	3	4	5	6	7	8	9	10	11	12	13	14	15
일진		甲午	乙未	丙申	丁酉	庚戌	辛亥	壬子	癸丑	戊寅	己卯	甲辰	乙巳	丙午	丁未	庚申	辛酉	壬戌	癸亥	戊子	己丑	甲寅	乙卯	丙辰	丁巳	庚午	辛未	壬申	癸酉	戊戌	己亥	甲子
대운	男	2	2	1	1	1	1	芒	10	9	9	9	8	8	8	7	7	7	6	6	6	5	5	5	4	4	4	3	3	3	2	2
	女	8	8	8	9	9	9	種	1	1	1	1	2	2	2	3	3	3	4	4	4	5	5	5	6	6	6	7	7	7	8	8

서기1991년

乙丑年 (一白水星)

1月 (1일 二黑 -) **己未 (四綠)** 절기: 小暑 (6일 05:28) 大暑 (20일 22:47)

양력		1	2	3	4	5	6	7	8	9	10	11	12	13	14	15	16	17	18	19	20	21	22	23	24	25	26	27	28	29	30	31
요일		火	水	木	金	土	日	月	火	水	木	金	土	日	月	火	水	木	金	土	日	月	火	水	木	金	土	日	月	火	水	木
음력	월	16	17	18	19	20	21	22	23	24	25	26	27	28	29	十二	2	3	4	5	6	7	8	9	10	11	12	13	14	15	16	17
일진		乙丑	丙寅	丁卯	庚辰	辛巳	壬午	癸未	戊申	己酉	甲戌	乙亥	丙子	丁丑	庚寅	辛卯	壬辰	癸巳	戊午	己未	甲申	乙酉	丙戌	丁亥	庚子	辛丑	壬寅	癸卯	戊辰	己巳	甲午	乙未
대운	男	2	1	1	1	1	小	9	9	9	8	8	8	7	7	7	6	6	6	5	5	5	4	4	4	3	3	3	2	2	2	1
	女	8	9	9	9	10	暑	1	1	1	1	2	2	2	3	3	3	4	4	4	5	5	5	6	6	6	7	7	7	8	8	8

2月 (1일 七赤 -) **甲申 (五黃)** 절기: 立秋 (4일 17:08) 處暑 (19일 12:58)

양력		1	2	3	4	5	6	7	8	9	10	11	12	13	14	15	16	17	18	19	20	21	22	23	24	25	26	27	28			
요일		金	土	日	月	火	水	木	金	土	日	月	火	水	木	金	土	日	月	火	水	木	金	土	日	月	火	水	木			
음력	월	18	19	20	21	22	23	24	25	26	27	28	29	30	31	一	2	3	4	5	6	7	8	9	10	11	12	13	14			
일진		丙申	丁酉	庚戌	辛亥	壬子	癸丑	戊寅	己卯	甲辰	乙巳	丙午	丁未	庚申	辛酉	壬戌	癸亥	戊子	己丑	甲寅	乙卯	丙辰	丁巳	庚午	辛未	壬申	癸酉	戊戌	己亥			
대운	男	1	1	1	立	1	1	1	1	2	2	2	3	3	3	4	4	4	5	5	5	6	6	6	7	7	7	8	8			
	女	9	9	9	秋	10	9	9	9	8	8	8	7	7	7	6	6	6	5	5	5	4	4	4	3	3	3	2	2			

3月 (1일 六白 -) **乙酉 (六白)** 절기: 白露 (6일 11:12) 秋分 (21일 12:02)

양력		1	2	3	4	5	6	7	8	9	10	11	12	13	14	15	16	17	18	19	20	21	22	23	24	25	26	27	28	29	30	31
요일		金	土	日	月	火	水	木	金	土	日	月	火	水	木	金	土	日	月	火	水	木	金	土	日	月	火	水	木	金	土	日
음력	월	15	16	17	18	19	20	21	22	23	24	25	26	27	28	29	二	2	3	4	5	6	7	8	9	10	11	12	13	14	15	16
일진		甲子	乙丑	丙寅	丁卯	庚辰	辛巳	壬午	癸未	戊申	己酉	甲戌	乙亥	丙子	丁丑	庚寅	辛卯	壬辰	癸巳	戊午	己未	甲申	乙酉	丙戌	丁亥	庚子	辛丑	壬寅	癸卯	戊辰	己巳	甲午
대운	男	8	9	9	9	10	白	1	1	1	1	2	2	2	3	3	3	4	4	4	5	5	5	6	6	6	7	7	7	8	8	8
	女	2	1	1	1	1	露	10	9	9	9	8	8	8	7	7	7	6	6	6	5	5	5	4	4	4	3	3	3	2	2	2

4月 (1일 二黑 -) **丙戌 (七赤)** 절기: 寒露 (5일 16:05) 霜降 (20일 23:08)

양력		1	2	3	4	5	6	7	8	9	10	11	12	13	14	15	16	17	18	19	20	21	22	23	24	25	26	27	28	29	30	
요일		月	火	水	木	金	土	日	月	火	水	木	金	土	日	月	火	水	木	金	土	日	月	火	水	木	金	土	日	月	火	
음력	월	17	18	19	20	21	22	23	24	25	26	27	28	29	30	三	2	3	4	5	6	7	8	9	10	11	12	13	14	15	16	
일진		乙未	丙申	丁酉	庚戌	辛亥	壬子	癸丑	戊寅	己卯	甲辰	乙巳	丙午	丁未	庚申	辛酉	壬戌	癸亥	戊子	己丑	甲寅	乙卯	丙辰	丁巳	庚午	辛未	壬申	癸酉	戊戌	己亥	甲子	
대운	男	9	9	9	10	寒	1	1	1	1	2	2	2	3	3	3	4	4	4	5	5	5	6	6	6	7	7	7	8	8	8	
	女	1	1	1	1	露	10	10	9	9	9	8	8	8	7	7	7	6	6	6	5	5	5	4	4	4	3	3	3	2	2	

5月 (1일 八白 -) **丁亥 (八白)** 절기: 立冬 (6일 09:27) 小雪 (21일 22:20)

양력		1	2	3	4	5	6	7	8	9	10	11	12	13	14	15	16	17	18	19	20	21	22	23	24	25	26	27	28	29	30	31
요일		水	木	金	土	日	月	火	水	木	金	土	日	月	火	水	木	金	土	日	月	火	水	木	金	土	日	月	火	水	木	金
음력	월	17	18	19	20	21	22	23	24	25	26	27	28	29	四	2	3	4	5	6	7	8	9	10	11	12	13	14	15	16	17	18
일진		乙丑	丙寅	丁卯	庚辰	辛巳	壬午	癸未	戊申	己酉	甲戌	乙亥	丙子	丁丑	庚寅	辛卯	壬辰	癸巳	戊午	己未	甲申	乙酉	丙戌	丁亥	庚子	辛丑	壬寅	癸卯	戊辰	己巳	甲午	乙未
대운	男	9	9	9	10	10	立	1	1	1	1	2	2	2	3	3	3	4	4	4	5	5	5	6	6	6	7	7	7	8	8	8
	女	2	1	1	1	1	冬	10	10	9	9	9	8	8	8	7	7	7	6	6	6	5	5	5	4	4	4	3	3	3	2	2

6月 (1일 四綠 - 23일 一白 +) **庚子 (九紫)** 절기: 大雪 (6일 13:38) 冬至 (22일 06:19)

양력		1	2	3	4	5	6	7	8	9	10	11	12	13	14	15	16	17	18	19	20	21	22	23	24	25	26	27	28	29	30	
요일		土	日	月	火	水	木	金	土	日	月	火	水	木	金	土	日	月	火	水	木	金	土	日	月	火	水	木	金	土	日	
음력	월	19	20	21	22	23	24	25	26	27	28	29	五	2	3	4	5	6	7	8	9	10	11	12	13	14	15	16	17	18	19	
일진		丙申	丁酉	庚戌	辛亥	壬子	癸丑	戊寅	己卯	甲辰	乙巳	丙午	丁未	庚申	辛酉	壬戌	癸亥	戊子	己丑	甲寅	乙卯	丙辰	丁巳	庚午	辛未	壬申	癸酉	戊戌	己亥	甲子	乙丑	
대운	男	9	9	9	10	10	大	1	1	1	1	2	2	2	3	3	3	4	4	4	5	5	5	6	6	6	7	7	7	8	8	
	女	2	1	1	1	1	雪	10	10	9	9	9	8	8	8	7	7	7	6	6	6	5	5	5	4	4	4	3	3	3	2	

7月 (1일 九紫 +) 辛丑 (一白) 절기: 小寒(7일 23:53) 大寒(23일 17:11)

양력		1	2	3	4	5	6	7	8	9	10	11	12	13	14	15	16	17	18	19	20	21	22	23	24	25	26	27	28	29	30	31
요일		月	火	水	木	金	土	日	月	火	水	木	金	土	日	月	火	水	木	金	土	日	月	火	水	木	金	土	日	月	火	水
음력	월	20	21	22	23	24	25	26	27	28	29	30	六	2	3	4	5	6	7	8	9	10	11	12	13	14	15	16	17	18	19	20
일진		丙寅	丁卯	庚辰	辛巳	壬午	癸未	戊申	己酉	甲戌	乙亥	丙子	丁丑	庚寅	辛卯	壬辰	癸巳	戊午	己未	甲申	乙酉	丙戌	丁亥	庚子	辛丑	壬寅	癸卯	戊辰	己巳	甲午	乙未	丙申
대운	男	8	9	9	9	10	10	小	1	1	1	1	2	2	2	3	3	3	4	4	4	5	5	5	6	6	6	7	7	7	8	8
	女	2	2	1	1	1	1	寒	10	10	10	9	9	9	8	8	8	7	7	7	6	6	6	5	5	5	4	4	4	3	3	3

8月 (1일 四綠 +) 壬寅 (二黑) 절기: 立春(8일 09:37) 雨水(24일 00:13)

양력		1	2	3	4	5	6	7	8	9	10	11	12	13	14	15	16	17	18	19	20	21	22	23	24	25	26	27	28	29	30	31
요일		木	金	土	日	月	火	水	木	金	土	日	月	火	水	木	金	土	日	月	火	水	木	金	土	日	月	火	水	木	金	土
음력	월	21	22	23	24	25	26	27	28	29	七	2	3	4	5	6	7	8	9	10	11	12	13	14	15	16	17	18	19	20	21	22
일진		丁酉	庚戌	辛亥	壬子	癸丑	戊寅	己卯	甲辰	乙巳	丙午	丁未	庚申	辛酉	壬戌	癸亥	戊子	己丑	甲寅	乙卯	丙辰	丁巳	庚午	辛未	壬申	癸酉	戊戌	己亥	甲子	乙丑	丙寅	丁卯
대운	男	8	9	9	9	10	10	10	立	1	1	1	1	2	2	2	3	3	3	4	4	4	5	5	5	6	6	6	7	7	7	8
	女	2	2	2	1	1	1	1	春	10	10	9	9	9	8	8	8	7	7	7	6	6	6	5	5	5	4	4	4	3	3	3

9月 (1일 八白 +) 癸卯 (三碧) 절기: 驚蟄(8일 12:27) 春分 (23일 21:48)

양력		1	2	3	4	5	6	7	8	9	10	11	12	13	14	15	16	17	18	19	20	21	22	23	24	25	26	27	28	29	30	
요일		日	月	火	水	木	金	土	日	月	火	水	木	金	土	日	月	火	水	木	金	土	日	月	火	水	木	金	土	日	月	
음력	월	23	24	25	26	27	28	29	八	2	3	4	5	6	7	8	9	10	11	12	13	14	15	16	17	18	19	20	21	22	23	
일진		庚辰	辛巳	壬午	癸未	戊申	己酉	甲戌	乙亥	丙子	丁丑	庚寅	辛卯	壬辰	癸巳	戊午	己未	甲申	乙酉	丙戌	丁亥	庚子	辛丑	壬寅	癸卯	戊辰	己巳	甲午	乙未	丙申	丁酉	
대운	男	8	8	9	9	9	10	10	驚	1	1	1	1	2	2	2	3	3	3	4	4	4	5	5	5	6	6	6	7	7	7	
	女	2	2	2	1	1	1	1	蟄	10	10	9	9	9	8	8	8	7	7	7	6	6	6	5	5	5	4	4	4	3	3	

10月 (1일 二黑 +) 戊辰 (四綠) 절기: 清明(9일 04:01) 穀雨(24일 07:05)

양력		1	2	3	4	5	6	7	8	9	10	11	12	13	14	15	16	17	18	19	20	21	22	23	24	25	26	27	28	29	30	31
요일		火	水	木	金	土	日	月	火	水	木	金	土	日	月	火	水	木	金	土	日	月	火	水	木	金	土	日	月	火	水	木
음력	월	24	25	26	27	28	29	30	九	2	3	4	5	6	7	8	9	10	11	12	13	14	15	16	17	18	19	20	21	22	23	24
일진		庚戌	辛亥	壬子	癸丑	戊寅	己卯	甲辰	乙巳	丙午	丁未	庚申	辛酉	壬戌	癸亥	戊子	己丑	甲寅	乙卯	丙辰	丁巳	庚午	辛未	壬申	癸酉	戊戌	己亥	甲子	乙丑	丙寅	丁卯	庚辰
대운	男	8	8	8	9	9	9	10	10	清	1	1	1	1	2	2	2	3	3	3	4	4	4	5	5	5	6	6	6	7	7	7
	女	3	2	2	2	1	1	1	1	明	10	9	9	9	8	8	8	7	7	7	6	6	6	5	5	5	4	4	4	3	3	3

11月 (1일 六白 +) 己巳 (五黃) 절기: 立夏(8일 07:08) 小滿 (23일 04:36)

양력		1	2	3	4	5	6	7	8	9	10	11	12	13	14	15	16	17	18	19	20	21	22	23	24	25	26	27	28	29	30	
요일		金	土	日	月	火	水	木	金	土	日	月	火	水	木	金	土	日	月	火	水	木	金	土	日	月	火	水	木	金	土	
음력	월	25	26	27	28	29	十	2	3	4	5	6	7	8	9	10	11	12	13	14	15	16	17	18	19	20	21	22	23	24	25	
일진		辛巳	壬午	癸未	戊申	己酉	甲戌	乙亥	丙子	丁丑	庚寅	辛卯	壬辰	癸巳	戊午	己未	甲申	乙酉	丙戌	丁亥	庚子	辛丑	壬寅	癸卯	戊辰	己巳	甲午	乙未	丙申	丁酉	庚戌	
대운	男	8	8	8	9	9	9	10	立	1	1	1	1	2	2	2	3	3	3	4	4	4	5	5	5	6	6	6	7	7	7	
	女	2	2	2	1	1	1	1	夏	9	9	9	8	8	8	7	7	7	6	6	6	5	5	5	4	4	4	3	3	3	2	

12月 (1일 九紫 + 20일 九紫 -) 甲午 (六白) 절기: 芒種(7일 23:56) 夏至(22일 17:54)

양력		1	2	3	4	5	6	7	8	9	10	11	12	13	14	15	16	17	18	19	20	21	22	23	24	25	26	27	28	29	30	31
요일		日	月	火	水	木	金	土	日	月	火	水	木	金	土	日	月	火	水	木	金	土	日	月	火	水	木	金	土	日	月	火
음력	월	26	27	28	29	30	十一	2	3	4	5	6	7	8	9	10	11	12	13	14	15	16	17	18	19	20	21	22	23	24	25	26
일진		辛亥	壬子	癸丑	戊寅	己卯	甲辰	乙巳	丙午	丁未	庚申	辛酉	壬戌	癸亥	戊子	己丑	甲寅	乙卯	丙辰	丁巳	庚午	辛未	壬申	癸酉	戊戌	己亥	甲子	乙丑	丙寅	丁卯	庚辰	辛巳
대운	男	8	8	8	9	9	9	芒	1	1	1	1	2	2	2	3	3	3	4	4	4	5	5	5	6	6	6	7	7	7	8	8
	女	2	2	1	1	1	1	種	10	9	9	9	8	8	8	7	7	7	6	6	6	5	5	5	4	4	4	3	3	3	2	2

서기1992년

丙寅年 (二黑土星)

1月 (1일 六白 -) **乙未 (七赤)** 절기: 小暑 (6일 11:09) 大暑 (21일 04:32)

양력		1	2	3	4	5	6	7	8	9	10	11	12	13	14	15	16	17	18	19	20	21	22	23	24	25	26	27	28	29	30	31
요일		水	木	金	土	日	月	火	水	木	金	土	日	月	火	水	木	金	土	日	月	火	水	木	金	土	日	月	火	水	木	金
음력	월	27	28	29	30	十二	2	3	4	5	6	7	8	9	10	11	12	13	14	15	16	17	18	19	20	21	22	23	24	25	26	27
일진		壬午	癸未	戊申	己酉	甲戌	乙亥	丙子	丁丑	庚寅	辛卯	壬辰	癸巳	戊午	己未	甲申	乙酉	丙戌	丁亥	庚子	辛丑	壬寅	癸卯	戊辰	己巳	甲午	乙未	丙申	丁酉	庚戌	辛亥	壬子
대운	男	8	9	9	9	10	小	1	1	1	1	2	2	2	3	3	3	4	4	4	5	5	5	6	6	6	7	7	7	8	8	8
	女	2	1	1	1	1	暑	9	9	9	8	8	8	7	7	7	6	6	6	5	5	5	4	4	4	3	3	3	2	2	2	1

2月 閏 (1일 二黑 -) **丙申 (八白)** 절기: 立秋 (4일 22:48) 處暑 (19일 18:44)

양력		1	2	3	4	5	6	7	8	9	10	11	12	13	14	15	16	17	18	19	20	21	22	23	24	25	26	27	28	29		
요일		土	日	月	火	水	木	金	土	日	月	火	水	木	金	土	日	月	火	水	木	金	土	日	月	火	水	木	金	土		
음력	월	28	29	30	一	2	3	4	5	6	7	8	9	10	11	12	13	14	15	16	17	18	19	20	21	22	23	24	25	26		
일진		癸丑	戊寅	己卯	甲辰	乙巳	丙午	丁未	庚申	辛酉	壬戌	癸亥	戊子	己丑	甲寅	乙卯	丙辰	丁巳	庚午	辛未	壬申	癸酉	戊戌	己亥	甲子	乙丑	丙寅	丁卯	庚辰	辛巳		
대운	男	9	9	9	立	10	9	9	9	8	8	8	7	7	7	6	6	6	5	5	5	4	4	4	3	3	3	2	2	2		
	女	1	1	1	秋	1	1	1	1	2	2	2	3	3	3	4	4	4	5	5	5	6	6	6	7	7	7	8	8	8		

3月 (1일 九紫 -) **丁酉 (九紫)** 절기: 白露 (5일 16:52) 秋分 (20일 17:48)

양력		1	2	3	4	5	6	7	8	9	10	11	12	13	14	15	16	17	18	19	20	21	22	23	24	25	26	27	28	29	30	31
요일		日	月	火	水	木	金	土	日	月	火	水	木	金	土	日	月	火	水	木	金	土	日	月	火	水	木	金	土	日	月	火
음력	월	27	28	29	二	2	3	4	5	6	7	8	9	10	11	12	13	14	15	16	17	18	19	20	21	22	23	24	25	26	27	28
일진		壬午	癸未	戊申	己酉	甲戌	乙亥	丙子	丁丑	庚寅	辛卯	壬辰	癸巳	戊午	己未	甲申	乙酉	丙戌	丁亥	庚子	辛丑	壬寅	癸卯	戊辰	己巳	甲午	乙未	丙申	丁酉	庚戌	辛亥	壬子
대운	男	1	1	1	1	白	10	9	9	9	8	8	8	7	7	7	6	6	6	5	5	5	4	4	4	3	3	3	2	2	2	1
	女	9	9	9	10	露	1	1	1	1	2	2	2	3	3	3	4	4	4	5	5	5	6	6	6	7	7	7	8	8	8	9

4月 (1일 五黃 -) **庚戌 (一白)** 절기: 寒露 (4일 21:45) 霜降 (20일 04:57)

양력		1	2	3	4	5	6	7	8	9	10	11	12	13	14	15	16	17	18	19	20	21	22	23	24	25	26	27	28	29	30	
요일		水	木	金	土	日	月	火	水	木	金	土	日	月	火	水	木	金	土	日	月	火	水	木	金	土	日	月	火	水	木	
음력	월	29	30	三	2	3	4	5	6	7	8	9	10	11	12	13	14	15	16	17	18	19	20	21	22	23	24	25	26	27	28	
일진		癸丑	戊寅	己卯	甲辰	乙巳	丙午	丁未	庚申	辛酉	壬戌	癸亥	戊子	己丑	甲寅	乙卯	丙辰	丁巳	庚午	辛未	壬申	癸酉	戊戌	己亥	甲子	乙丑	丙寅	丁卯	庚辰	辛巳	壬午	
대운	男	1	1	1	寒	10	10	9	9	9	8	8	8	7	7	7	6	6	6	5	5	5	4	4	4	3	3	3	2	2	2	
	女	9	9	10	露	1	1	1	1	2	2	2	3	3	3	4	4	4	5	5	5	6	6	6	7	7	7	8	8	8	9	

5月 (1일 二黑 -) **辛亥 (二黑)** 절기: 立冬 (5일 15:09) 小雪 (21일 04:12)

양력		1	2	3	4	5	6	7	8	9	10	11	12	13	14	15	16	17	18	19	20	21	22	23	24	25	26	27	28	29	30	31
요일		金	土	日	月	火	水	木	金	土	日	月	火	水	木	金	土	日	月	火	水	木	金	土	日	月	火	水	木	金	土	日
음력	월	29	30	四	2	3	4	5	6	7	8	9	10	11	12	13	14	15	16	17	18	19	20	21	22	23	24	25	26	27	28	29
일진		癸未	戊申	己酉	甲戌	乙亥	丙子	丁丑	庚寅	辛卯	壬辰	癸巳	戊午	己未	甲申	乙酉	丙戌	丁亥	庚子	辛丑	壬寅	癸卯	戊辰	己巳	甲午	乙未	丙申	丁酉	庚戌	辛亥	壬子	癸丑
대운	男	1	1	1	1	立	10	10	9	9	9	8	8	8	7	7	7	6	6	6	5	5	5	4	4	4	3	3	3	2	2	2
	女	9	9	10	10	冬	1	1	1	1	2	2	2	3	3	3	4	4	4	5	5	5	6	6	6	7	7	7	8	8	8	9

6月 (1일 七赤 - 17일 一白 +) **壬子 (三碧)** 절기: 大雪 (5일 19:22) 冬至 (21일 12:14)

양력		1	2	3	4	5	6	7	8	9	10	11	12	13	14	15	16	17	18	19	20	21	22	23	24	25	26	27	28	29	30	
요일		月	火	水	木	金	土	日	月	火	水	木	金	土	日	月	火	水	木	金	土	日	月	火	水	木	金	土	日	月	火	
음력	월	五	2	3	4	5	6	7	8	9	10	11	12	13	14	15	16	17	18	19	20	21	22	23	24	25	26	27	28	29	六	
일진		戊寅	己卯	甲辰	乙巳	丙午	丁未	庚申	辛酉	壬戌	癸亥	戊子	己丑	甲寅	乙卯	丙辰	丁巳	庚午	辛未	壬申	癸酉	戊戌	己亥	甲子	乙丑	丙寅	丁卯	庚辰	辛巳	壬午	癸未	
대운	男	1	1	1	1	大	10	10	10	9	9	9	8	8	8	7	7	7	6	6	6	5	5	5	4	4	4	3	3	3	2	
	女	9	9	10	10	雪	1	1	1	1	2	2	2	3	3	3	4	4	4	5	5	5	6	6	6	7	7	7	8	8	8	

7月 (1일 六白 +) **癸丑 (四綠)** 절기: 小寒(7일 05:40) 大寒(22일 23:09)

양력		1	2	3	4	5	6	7	8	9	10	11	12	13	14	15	16	17	18	19	20	21	22	23	24	25	26	27	28	29	30	31
요일		水	木	金	土	日	月	火	水	木	金	土	日	月	火	水	木	金	土	日	月	火	水	木	金	土	日	月	火	水	木	金
음력	월	2	3	4	5	6	7	8	9	10	11	12	13	14	15	16	17	18	19	20	21	22	23	24	25	26	27	28	29	30	七	2
일진		戊申	己酉	甲戌	乙亥	丙子	丁丑	庚寅	辛卯	壬辰	癸巳	戊午	己未	甲申	乙酉	丙戌	丁亥	庚子	辛丑	壬寅	癸卯	戊辰	己巳	甲午	乙未	丙申	丁酉	庚戌	辛亥	壬子	癸丑	戊寅
대운	男	2	2	1	1	1	1	小	10	10	9	9	9	8	8	8	7	7	7	6	6	6	5	5	5	4	4	4	3	3	3	2
	女	9	9	9	10	10	10	寒	1	1	1	1	2	2	2	3	3	3	4	4	4	5	5	5	6	6	6	7	7	7	8	8

8月 (1일 一白 +) **戊寅 (五黃)** 절기: 立春(7일 15:27) 雨水(23일 06:10)

양력		1	2	3	4	5	6	7	8	9	10	11	12	13	14	15	16	17	18	19	20	21	22	23	24	25	26	27	28	29	30	31
요일		土	日	月	火	水	木	金	土	日	月	火	水	木	金	土	日	月	火	水	木	金	土	日	月	火	水	木	金	土	日	月
음력	월	3	4	5	6	7	8	9	10	11	12	13	14	15	16	17	18	19	20	21	22	23	24	25	26	27	28	29	八	2	3	4
일진		己卯	甲辰	乙巳	丙午	丁未	庚申	辛酉	壬戌	癸亥	戊子	己丑	甲寅	乙卯	丙辰	丁巳	庚午	辛未	壬申	癸酉	戊戌	己亥	甲子	乙丑	丙寅	丁卯	庚辰	辛巳	壬午	癸未	戊申	己酉
대운	男	2	2	1	1	1	1	立	10	10	9	9	9	8	8	8	7	7	7	6	6	6	5	5	5	4	4	4	3	3	3	2
	女	8	9	9	9	10	10	春	1	1	1	1	2	2	2	3	3	3	4	4	4	5	5	5	6	6	6	7	7	7	8	8

9月 (1일 五黃 +) **己卯 (六白)** 절기: 驚蟄(7일 18:18) 春分 (23일 03:43)

양력		1	2	3	4	5	6	7	8	9	10	11	12	13	14	15	16	17	18	19	20	21	22	23	24	25	26	27	28	29	30	
요일		火	水	木	金	土	日	月	火	水	木	金	土	日	月	火	水	木	金	土	日	月	火	水	木	金	土	日	月	火	水	
음력	월	5	6	7	8	9	10	11	12	13	14	15	16	17	18	19	20	21	22	23	24	25	26	27	28	29	九	2	3	4	5	
일진		甲戌	乙亥	丙子	丁丑	庚寅	辛卯	壬辰	癸巳	戊午	己未	甲申	乙酉	丙戌	丁亥	庚子	辛丑	壬寅	癸卯	戊辰	己巳	甲午	乙未	丙申	丁酉	庚戌	辛亥	壬子	癸丑	戊寅	己卯	
대운	男	2	2	1	1	1	1	驚	10	10	9	9	9	8	8	8	7	7	7	6	6	6	5	5	5	4	4	4	3	3	3	
	女	8	9	9	9	10	10	蟄	1	1	1	1	2	2	2	3	3	3	4	4	4	5	5	5	6	6	6	7	7	7	8	

10月 (1일 八白 +) **甲辰 (七赤)** 절기: 清明(8일 09:51) 穀雨(23일 12:57)

양력		1	2	3	4	5	6	7	8	9	10	11	12	13	14	15	16	17	18	19	20	21	22	23	24	25	26	27	28	29	30	31
요일		木	金	土	日	月	火	水	木	金	土	日	月	火	水	木	金	土	日	月	火	水	木	金	土	日	月	火	水	木	金	土
음력	월	6	7	8	9	10	11	12	13	14	15	16	17	18	19	20	21	22	23	24	25	26	27	28	29	30	十	2	3	4	5	6
일진		甲辰	乙巳	丙午	丁未	庚申	辛酉	壬戌	癸亥	戊子	己丑	甲寅	乙卯	丙辰	丁巳	庚午	辛未	壬申	癸酉	戊戌	己亥	甲子	乙丑	丙寅	丁卯	庚辰	辛巳	壬午	癸未	戊申	己酉	甲戌
대운	男	2	2	2	1	1	1	1	清	10	9	9	9	8	8	8	7	7	7	6	6	6	5	5	5	4	4	4	3	3	3	2
	女	8	8	9	9	9	10	10	明	1	1	1	1	2	2	2	3	3	3	4	4	4	5	5	5	6	6	6	7	7	7	8

11月 (1일 三碧 +) **乙巳 (八白)** 절기: 立夏(7일 12:57) 小滿 (22일 10:26)

양력		1	2	3	4	5	6	7	8	9	10	11	12	13	14	15	16	17	18	19	20	21	22	23	24	25	26	27	28	29	30	
요일		日	月	火	水	木	金	土	日	月	火	水	木	金	土	日	月	火	水	木	金	土	日	月	火	水	木	金	土	日	月	
음력	월	7	8	9	10	11	12	13	14	15	16	17	18	19	20	21	22	23	24	25	26	27	28	29	十一	2	3	4	5	6	7	
일진		乙亥	丙子	丁丑	庚寅	辛卯	壬辰	癸巳	戊午	己未	甲申	乙酉	丙戌	丁亥	庚子	辛丑	壬寅	癸卯	戊辰	己巳	甲午	乙未	丙申	丁酉	庚戌	辛亥	壬子	癸丑	戊寅	己卯	甲辰	
대운	男	2	2	1	1	1	1	立	10	9	9	9	8	8	8	7	7	7	6	6	6	5	5	5	4	4	4	3	3	3	2	
	女	8	8	9	9	9	10	夏	1	1	1	1	2	2	2	3	3	3	4	4	4	5	5	5	6	6	6	7	7	7	8	

12月 (1일 六白 + 14일 九紫 -) **丙午 (九紫)** 절기: 芒種(7일 05:44) 夏至(21일 23:43)

양력		1	2	3	4	5	6	7	8	9	10	11	12	13	14	15	16	17	18	19	20	21	22	23	24	25	26	27	28	29	30	31
요일		火	水	木	金	土	日	月	火	水	木	金	土	日	月	火	水	木	金	土	日	月	火	水	木	金	土	日	月	火	水	木
음력	월	8	9	10	11	12	13	14	15	16	17	18	19	20	21	22	23	24	25	26	27	28	29	30	十二	2	3	4	5	6	7	8
일진		乙巳	丙午	丁未	庚申	辛酉	壬戌	癸亥	戊子	己丑	甲寅	乙卯	丙辰	丁巳	庚午	辛未	壬申	癸酉	戊戌	己亥	甲子	乙丑	丙寅	丁卯	庚辰	辛巳	壬午	癸未	戊申	己酉	甲戌	乙亥
대운	男	2	2	1	1	1	1	芒	9	9	9	8	8	8	7	7	7	6	6	6	5	5	5	4	4	4	3	3	3	2	2	2
	女	8	8	9	9	9	10	種	1	1	1	1	2	2	2	3	3	3	4	4	4	5	5	5	6	6	6	7	7	7	8	8

丁卯年 (三碧木星) 閏三月

1月 (1일 九紫 -) 丁未 (一白) 절기: 小暑 (5일 16:57) 大暑 (20일 10:23)

양력	1	2	3	4	5	6	7	8	9	10	11	12	13	14	15	16	17	18	19	20	21	22	23	24	25	26	27	28	29	30	31
요일	金	土	日	月	火	水	木	金	土	日	月	火	水	木	金	土	日	月	火	水	木	金	土	日	月	火	水	木	金	土	日
음력 월	9	10	11	12	13	14	15	16	17	18	19	20	21	22	23	24	25	26	27	28	29	30	一	2	3	4	5	6	7	8	9
일진	丙子	丁丑	庚寅	辛卯	壬辰	癸巳	戊午	己未	甲申	乙酉	丙戌	丁亥	庚子	辛丑	壬寅	癸卯	戊辰	己巳	甲午	乙未	丙申	丁酉	庚戌	辛亥	壬子	癸丑	戊寅	己卯	甲辰	乙巳	丙午
대운 男	1	1	1	1	小	10	9	9	9	8	8	8	7	7	7	6	6	6	5	5	5	4	4	4	3	3	3	2	2	2	1
대운 女	8	9	9	9	暑	1	1	1	1	2	2	2	3	3	3	4	4	4	5	5	5	6	6	6	7	7	7	8	8	8	9

2月 (1일 五黃 -) 庚申 (二黑) 절기: 立秋 (4일 04:37) 處暑 (19일 00:35)

양력	1	2	3	4	5	6	7	8	9	10	11	12	13	14	15	16	17	18	19	20	21	22	23	24	25	26	27	28			
요일	月	火	水	木	金	土	日	月	火	水	木	金	土	日	月	火	水	木	金	土	日	月	火	水	木	金	土	日			
음력 월	10	11	12	13	14	15	16	17	18	19	20	21	22	23	24	25	26	27	28	29	二	2	3	4	5	6	7	8			
일진	丁未	庚申	辛酉	壬戌	癸亥	戊子	己丑	甲寅	乙卯	丙辰	丁巳	庚午	辛未	壬申	癸酉	戊戌	己亥	甲子	乙丑	丙寅	丁卯	庚辰	辛巳	壬午	癸未	戊申	己酉	甲戌			
대운 男	1	1	1	立	1	1	1	1	2	2	2	3	3	3	4	4	4	5	5	5	6	6	6	7	7	7	8	8			
대운 女	9	9	10	秋	9	9	9	8	8	8	7	7	7	6	6	6	5	5	5	4	4	4	3	3	3	2	2	2			

3月 (1일 四綠 -) 辛酉 (三碧) 절기: 白露 (5일 22:43) 秋分 (20일 23:41)

양력	1	2	3	4	5	6	7	8	9	10	11	12	13	14	15	16	17	18	19	20	21	22	23	24	25	26	27	28	29	30	31
요일	月	火	水	木	金	土	日	月	火	水	木	金	土	日	月	火	水	木	金	土	日	月	火	水	木	金	土	日	月	火	水
음력 월	9	10	11	12	13	14	15	16	17	18	19	20	21	22	23	24	25	26	27	28	29	30	三	2	3	4	5	6	7	8	9
일진	乙亥	丙子	丁丑	庚寅	辛卯	壬辰	癸巳	戊午	己未	甲申	乙酉	丙戌	丁亥	庚子	辛丑	壬寅	癸卯	戊辰	己巳	甲午	乙未	丙申	丁酉	庚戌	辛亥	壬子	癸丑	戊寅	己卯	甲辰	乙巳
대운 男	8	9	9	9	白	1	1	1	1	2	2	2	3	3	3	4	4	4	5	5	5	6	6	6	7	7	7	8	8	8	9
대운 女	1	1	1	1	露	10	10	9	9	9	8	8	8	7	7	7	6	6	6	5	5	5	4	4	4	3	3	3	2	2	2

4月 (1일 九紫 -) 壬戌 (四綠) 절기: 寒露 (5일 03:37) 霜降 (20일 10:49)

양력	1	2	3	4	5	6	7	8	9	10	11	12	13	14	15	16	17	18	19	20	21	22	23	24	25	26	27	28	29	30	
요일	木	金	土	日	月	火	水	木	金	土	日	月	火	水	木	金	土	日	月	火	水	木	金	土	日	月	火	水	木	金	
음력 월	10	11	12	13	14	15	16	17	18	19	20	21	22	23	24	25	26	27	28	29	30	閏三		3	4	5	6	7	8	9	
일진	丙午	丁未	庚申	辛酉	壬戌	癸亥	戊子	己丑	甲寅	乙卯	丙辰	丁巳	庚午	辛未	壬申	癸酉	戊戌	己亥	甲子	乙丑	丙寅	丁卯	庚辰	辛巳	壬午	癸未	戊申	己酉	甲戌	乙亥	
대운 男	9	9	10	10	寒	1	1	1	1	2	2	2	3	3	3	4	4	4	5	5	5	6	6	6	7	7	7	8	8	8	
대운 女	1	1	1	1	露	10	9	9	9	8	8	8	7	7	7	6	6	6	5	5	5	4	4	4	3	3	3	2	2	2	

5月 (1일 六白 -) 癸亥 (五黃) 절기: 立冬 (5일 21:02) 小雪 (21일 10:02)

양력	1	2	3	4	5	6	7	8	9	10	11	12	13	14	15	16	17	18	19	20	21	22	23	24	25	26	27	28	29	30	31
요일	土	日	月	火	水	木	金	土	日	月	火	水	木	金	土	日	月	火	水	木	金	土	日	月	火	水	木	金	土	日	月
음력 월	10	11	12	13	14	15	16	17	18	19	20	21	22	23	24	25	26	27	28	29	四	2	3	4	5	6	7	8	9	10	11
일진	丙子	丁丑	庚寅	辛卯	壬辰	癸巳	戊午	己未	甲申	乙酉	丙戌	丁亥	庚子	辛丑	壬寅	癸卯	戊辰	己巳	甲午	乙未	丙申	丁酉	庚戌	辛亥	壬子	癸丑	戊寅	己卯	甲辰	乙巳	丙午
대운 男	9	9	9	10	立	1	1	1	1	2	2	2	3	3	3	4	4	4	5	5	5	6	6	6	7	7	7	8	8	8	9
대운 女	1	1	1	1	冬	10	10	10	9	9	9	8	8	8	7	7	7	6	6	6	5	5	5	4	4	4	3	3	3	2	2

6月 (1일 二黑 - 12일 一白 +) 戊子 (六白) 절기: 大雪 (6일 01:15) 冬至 (21일 18:00)

양력	1	2	3	4	5	6	7	8	9	10	11	12	13	14	15	16	17	18	19	20	21	22	23	24	25	26	27	28	29	30	
요일	火	水	木	金	土	日	月	火	水	木	金	土	日	月	火	水	木	金	土	日	月	火	水	木	金	土	日	月	火	水	
음력 월	12	13	14	15	16	17	18	19	20	21	22	23	24	25	26	27	28	29	30	五	2	3	4	5	6	7	8	9	10	11	
일진	丁未	庚申	辛酉	壬戌	癸亥	戊子	己丑	甲寅	乙卯	丙辰	丁巳	庚午	辛未	壬申	癸酉	戊戌	己亥	甲子	乙丑	丙寅	丁卯	庚辰	辛巳	壬午	癸未	戊申	己酉	甲戌	乙亥	丙子	
대운 男	9	9	10	10	10	大	1	1	1	1	2	2	2	3	3	3	4	4	4	5	5	5	6	6	6	7	7	7	8	8	
대운 女	2	1	1	1	1	雪	10	10	9	9	9	8	8	8	7	7	7	6	6	6	5	5	5	4	4	4	3	3	3	2	

7月 (1일 二黑 +) **己丑 (七赤)** 절기: 小寒(7일 11:32) 大寒(23일 04:51)

양력		1	2	3	4	5	6	7	8	9	10	11	12	13	14	15	16	17	18	19	20	21	22	23	24	25	26	27	28	29	30	31
요일		木	金	土	日	月	火	水	木	金	土	日	月	火	水	木	金	土	日	月	火	水	木	金	土	日	月	火	水	木	金	土
음력	월	12	13	14	15	16	17	18	19	20	21	22	23	24	25	26	27	28	29	六	2	3	4	5	6	7	8	9	10	11	12	13
일진		丁丑	庚寅	辛卯	壬辰	癸巳	戊午	己未	甲申	乙酉	丙戌	丁亥	庚子	辛丑	壬寅	癸卯	戊辰	己巳	甲午	乙未	丙申	丁酉	庚戌	辛亥	壬子	癸丑	戊寅	己卯	甲辰	乙巳	丙午	丁未
대운	男	8	9	9	9	10	10	小	1	1	1	1	2	2	2	3	3	3	4	4	4	5	5	5	6	6	6	7	7	7	8	8
	女	2	2	1	1	1	1	寒	10	10	9	9	9	8	8	8	7	7	7	6	6	6	5	5	5	4	4	4	3	3	3	2

8月 (1일 六白 +) **甲寅 (八白)** 절기: 立春(7일 21:18) 雨水(23일 11:50)

양력		1	2	3	4	5	6	7	8	9	10	11	12	13	14	15	16	17	18	19	20	21	22	23	24	25	26	27	28	29	30	31
요일		日	月	火	水	木	金	土	日	月	火	水	木	金	土	日	月	火	水	木	金	土	日	月	火	水	木	金	土	日	月	火
음력	월	14	15	16	17	18	19	20	21	22	23	24	25	26	27	28	29	30	七	2	3	4	5	6	7	8	9	10	11	12	13	14
일진		庚申	辛酉	壬戌	癸亥	戊子	己丑	甲寅	乙卯	丙辰	丁巳	庚午	辛未	壬申	癸酉	戊戌	己亥	甲子	乙丑	丙寅	丁卯	庚辰	辛巳	壬午	癸未	戊申	己酉	甲戌	乙亥	丙子	丁丑	庚寅
대운	男	8	9	9	9	10	10	立	1	1	1	1	2	2	2	3	3	3	4	4	4	5	5	5	6	6	6	7	7	7	8	8
	女	2	2	1	1	1	1	春	10	10	10	9	9	9	8	8	8	7	7	7	6	6	6	5	5	5	4	4	4	3	3	3

9月 (1일 一白 +) **乙卯 (九紫)** 절기: 驚蟄(8일 00:08) 春分 (23일 09:22)

양력		1	2	3	4	5	6	7	8	9	10	11	12	13	14	15	16	17	18	19	20	21	22	23	24	25	26	27	28	29	30	
요일		水	木	金	土	日	月	火	水	木	金	土	日	月	火	水	木	金	土	日	月	火	水	木	金	土	日	月	火	水	木	
음력	월	15	16	17	18	19	20	21	22	23	24	25	26	27	28	29	八	2	3	4	5	6	7	8	9	10	11	12	13	14	15	
일진		辛卯	壬辰	癸巳	戊午	己未	甲申	乙酉	丙戌	丁亥	庚子	辛丑	壬寅	癸卯	戊辰	己巳	甲午	乙未	丙申	丁酉	庚戌	辛亥	壬子	癸丑	戊寅	己卯	甲辰	乙巳	丙午	丁未	庚申	
대운	男	8	9	9	9	10	10	10	驚	1	1	1	1	2	2	2	3	3	3	4	4	4	5	5	5	6	6	6	7	7	7	
	女	2	2	2	1	1	1	1	蟄	10	9	9	9	8	8	8	7	7	7	6	6	6	5	5	5	4	4	4	3	3	3	

10月 (1일 四綠 +) **丙辰 (一白)** 절기: 清明(8일 15:40) 穀雨(23일 18:37)

양력		1	2	3	4	5	6	7	8	9	10	11	12	13	14	15	16	17	18	19	20	21	22	23	24	25	26	27	28	29	30	31
요일		金	土	日	月	火	水	木	金	土	日	月	火	水	木	金	土	日	月	火	水	木	金	土	日	月	火	水	木	金	土	日
음력	월	16	17	18	19	20	21	22	23	24	25	26	27	28	29	九	2	3	4	5	6	7	8	9	10	11	12	13	14	15	16	17
일진		辛酉	壬戌	癸亥	戊子	己丑	甲寅	乙卯	丙辰	丁巳	庚午	辛未	壬申	癸酉	戊戌	己亥	甲子	乙丑	丙寅	丁卯	庚辰	辛巳	壬午	癸未	戊申	己酉	甲戌	乙亥	丙子	丁丑	庚寅	辛卯
대운	男	8	8	8	9	9	9	10	清	1	1	1	1	2	2	2	3	3	3	4	4	4	5	5	5	6	6	6	7	7	7	8
	女	2	2	2	1	1	1	1	明	10	9	9	9	8	8	8	7	7	7	6	6	6	5	5	5	4	4	4	3	3	3	2

11月 (1일 八白 +) **丁巳 (二黑)** 절기: 立夏(7일 18:46) 小滿 (22일 16:07)

양력		1	2	3	4	5	6	7	8	9	10	11	12	13	14	15	16	17	18	19	20	21	22	23	24	25	26	27	28	29	30	
요일		月	火	水	木	金	土	日	月	火	水	木	金	土	日	月	火	水	木	金	土	日	月	火	水	木	金	土	日	月	火	
음력	월	18	19	20	21	22	23	24	25	26	27	28	29	30	十	2	3	4	5	6	7	8	9	10	11	12	13	14	15	16	17	
일진		壬辰	癸巳	戊午	己未	甲申	乙酉	丙戌	丁亥	庚子	辛丑	壬寅	癸卯	戊辰	己巳	甲午	乙未	丙申	丁酉	庚戌	辛亥	壬子	癸丑	戊寅	己卯	甲辰	乙巳	丙午	丁未	庚申	辛酉	
대운	男	8	8	9	9	9	10	立	1	1	1	1	2	2	2	3	3	3	4	4	4	5	5	5	6	6	6	7	7	7	8	
	女	2	2	1	1	1	1	夏	10	9	9	9	8	8	8	7	7	7	6	6	6	5	5	5	4	4	4	3	3	3	2	

12月 (1일 二黑 + 9일 九紫 -) **庚午 (三碧)** 절기: 芒種(7일 11:34) 夏至(22일 05:26)

양력		1	2	3	4	5	6	7	8	9	10	11	12	13	14	15	16	17	18	19	20	21	22	23	24	25	26	27	28	29	30	31
요일		水	木	金	土	日	月	火	水	木	金	土	日	月	火	水	木	金	土	日	月	火	水	木	金	土	日	月	火	水	木	金
음력	월	18	19	20	21	22	23	24	25	26	27	28	29	十一	2	3	4	5	6	7	8	9	10	11	12	13	14	15	16	17	18	19
일진		壬戌	癸亥	戊子	己丑	甲寅	乙卯	丙辰	丁巳	庚午	辛未	壬申	癸酉	戊戌	己亥	甲子	乙丑	丙寅	丁卯	庚辰	辛巳	壬午	癸未	戊申	己酉	甲戌	乙亥	丙子	丁丑	庚寅	辛卯	壬辰
대운	男	8	8	9	9	9	10	芒	1	1	1	1	2	2	2	3	3	3	4	4	4	5	5	5	6	6	6	7	7	7	8	8
	女	2	2	1	1	1	1	種	9	9	9	8	8	8	7	7	7	6	6	6	5	5	5	4	4	4	3	3	3	2	2	2

서기1994년

庚辰年 (四緣木星)

1月 (1일 四緣 -) **辛未 (四緣)** 절기: 小暑 (5일 22:48) 大暑 (20일 16:07)

양력		1	2	3	4	5	6	7	8	9	10	11	12	13	14	15	16	17	18	19	20	21	22	23	24	25	26	27	28	29	30	31
요일		土	日	月	火	水	木	金	土	日	月	火	水	木	金	土	日	月	火	水	木	金	土	日	月	火	水	木	金	土	日	月
음력	월	20	21	22	23	24	25	26	27	28	29	30	十二	2	3	4	5	6	7	8	9	10	11	12	13	14	15	16	17	18	19	20
일진		癸巳	戊午	己未	甲申	乙酉	丙戌	丁亥	庚子	辛丑	壬寅	癸卯	戊辰	己巳	甲午	乙未	丙申	丁酉	庚戌	辛亥	壬子	癸丑	戊寅	己卯	甲辰	乙巳	丙午	丁未	庚申	辛酉	壬戌	癸亥
대운	男	8	9	9	9	小	1	1	1	1	2	2	2	3	3	3	4	4	4	5	5	5	6	6	6	7	7	7	8	8	8	9
	女	1	1	1	1	暑	10	9	9	9	8	8	8	7	7	7	6	6	6	5	5	5	4	4	4	3	3	3	2	2	2	1

2月 (1일 九紫 -) **壬申 (五黃)** 절기: 立秋 (4일 10:31) 處暑 (19일 06:22)

양력		1	2	3	4	5	6	7	8	9	10	11	12	13	14	15	16	17	18	19	20	21	22	23	24	25	26	27	28
요일		火	水	木	金	土	日	月	火	水	木	金	土	日	月	火	水	木	金	土	日	月	火	水	木	金	土	日	月
음력	월	21	22	23	24	25	26	27	28	29	一	2	3	4	5	6	7	8	9	10	11	12	13	14	15	16	17	18	19
일진		戊子	己丑	甲寅	乙卯	丙辰	丁巳	庚午	辛未	壬申	癸酉	戊戌	己亥	甲子	乙丑	丙寅	丁卯	庚辰	辛巳	壬午	癸未	戊申	己酉	甲戌	乙亥	丙子	丁丑	庚寅	辛卯
대운	男	9	9	10	立	10	9	9	9	8	8	8	7	7	7	6	6	6	5	5	5	4	4	4	3	3	3	2	2
	女	1	1	1	秋	1	1	1	1	2	2	2	3	3	3	4	4	4	5	5	5	6	6	6	7	7	7	8	8

3月 (1일 八白 -) **癸酉 (六白)** 절기: 白露 (6일 04:38) 秋分 (21일 05:28)

양력		1	2	3	4	5	6	7	8	9	10	11	12	13	14	15	16	17	18	19	20	21	22	23	24	25	26	27	28	29	30	31
요일		火	水	木	金	土	日	月	火	水	木	金	土	日	月	火	水	木	金	土	日	月	火	水	木	金	土	日	月	火	水	木
음력	월	20	21	22	23	24	25	26	27	28	29	30	二	2	3	4	5	6	7	8	9	10	11	12	13	14	15	16	17	18	19	20
일진		壬辰	癸巳	戊午	己未	甲申	乙酉	丙戌	丁亥	庚子	辛丑	壬寅	癸卯	戊辰	己巳	甲午	乙未	丙申	丁酉	庚戌	辛亥	壬子	癸丑	戊寅	己卯	甲辰	乙巳	丙午	丁未	庚申	辛酉	壬戌
대운	男	2	1	1	1	1	白	10	9	9	9	8	8	8	7	7	7	6	6	6	5	5	5	4	4	4	3	3	3	2	2	2
	女	8	9	9	9	10	露	1	1	1	1	2	2	2	3	3	3	4	4	4	5	5	5	6	6	6	7	7	7	8	8	8

4月 (1일 四緣 -) **戊戌 (七赤)** 절기: 寒露 (5일 09:32) 霜降 (20일 16:36)

양력		1	2	3	4	5	6	7	8	9	10	11	12	13	14	15	16	17	18	19	20	21	22	23	24	25	26	27	28	29	30
요일		金	土	日	月	火	水	木	金	土	日	月	火	水	木	金	土	日	月	火	水	木	金	土	日	月	火	水	木	金	土
음력	월	21	22	23	24	25	26	27	28	29	30	三	2	3	4	5	6	7	8	9	10	11	12	13	14	15	16	17	18	19	20
일진		癸亥	戊子	己丑	甲寅	乙卯	丙辰	丁巳	庚午	辛未	壬申	癸酉	戊戌	己亥	甲子	乙丑	丙寅	丁卯	庚辰	辛巳	壬午	癸未	戊申	己酉	甲戌	乙亥	丙子	丁丑	庚寅	辛卯	壬辰
대운	男	1	1	1	1	寒	10	10	9	9	9	8	8	8	7	7	7	6	6	6	5	5	5	4	4	4	3	3	3	2	2
	女	9	9	9	10	露	1	1	1	1	2	2	2	3	3	3	4	4	4	5	5	5	6	6	6	7	7	7	8	8	8

5月 (1일 一白 -) **己亥 (八白)** 절기: 立冬 (6일 02:54) 小雪 (21일 15:48)

양력		1	2	3	4	5	6	7	8	9	10	11	12	13	14	15	16	17	18	19	20	21	22	23	24	25	26	27	28	29	30	31
요일		日	月	火	水	木	金	土	日	月	火	水	木	金	土	日	月	火	水	木	金	土	日	月	火	水	木	金	土	日	月	火
음력	월	21	22	23	24	25	26	27	28	29	30	四	2	3	4	5	6	7	8	9	10	11	12	13	14	15	16	17	18	19	20	21
일진		癸巳	戊午	己未	甲申	乙酉	丙戌	丁亥	庚子	辛丑	壬寅	癸卯	戊辰	己巳	甲午	乙未	丙申	丁酉	庚戌	辛亥	壬子	癸丑	戊寅	己卯	甲辰	乙巳	丙午	丁未	庚申	辛酉	壬戌	癸亥
대운	男	2	1	1	1	1	立	10	10	9	9	9	8	8	8	7	7	7	6	6	6	5	5	5	4	4	4	3	3	3	2	2
	女	9	9	9	10	10	冬	1	1	1	1	2	2	2	3	3	3	4	4	4	5	5	5	6	6	6	7	7	7	8	8	8

6月 (1일 六白 - 7일 一白 +) **甲子 (九紫)** 절기: 大雪 (6일 07:05) 冬至 (21일 23:48)

양력		1	2	3	4	5	6	7	8	9	10	11	12	13	14	15	16	17	18	19	20	21	22	23	24	25	26	27	28	29	30
요일		水	木	金	土	日	月	火	水	木	金	土	日	月	火	水	木	金	土	日	月	火	水	木	金	土	日	月	火	水	木
음력	월	22	23	24	25	26	27	28	29	五	2	3	4	5	6	7	8	9	10	11	12	13	14	15	16	17	18	19	20	21	22
일진		戊子	己丑	甲寅	乙卯	丙辰	丁巳	庚午	辛未	壬申	癸酉	戊戌	己亥	甲子	乙丑	丙寅	丁卯	庚辰	辛巳	壬午	癸未	戊申	己酉	甲戌	乙亥	丙子	丁丑	庚寅	辛卯	壬辰	癸巳
대운	男	2	1	1	1	1	大	10	10	9	9	9	8	8	8	7	7	7	6	6	6	5	5	5	4	4	4	3	3	3	2
	女	9	9	9	10	10	雪	1	1	1	1	2	2	2	3	3	3	4	4	4	5	5	5	6	6	6	7	7	7	8	8

7月 (1일 七赤 +) **乙丑 (一白)** 절기: 小寒(7일 17:19) 大寒(23일 10:41)

양력		1	2	3	4	5	6	7	8	9	10	11	12	13	14	15	16	17	18	19	20	21	22	23	24	25	26	27	28	29	30	31
요일		金	土	日	月	火	水	木	金	土	日	月	火	水	木	金	土	日	月	火	水	木	金	土	日	月	火	水	木	金	土	日
음력	월	23	24	25	26	27	28	29	30	六	2	3	4	5	6	7	8	9	10	11	12	13	14	15	16	17	18	19	20	21	22	23
일진		戊午	己未	甲申	乙酉	丙戌	丁亥	庚子	辛丑	壬寅	癸卯	戊辰	己巳	甲午	乙未	丙申	丁酉	庚戌	辛亥	壬子	癸丑	戊寅	己卯	甲辰	乙巳	丙午	丁未	庚申	辛酉	壬戌	癸亥	戊子
대운	男	2	2	1	1	1	1	小	10	10	10	9	9	9	8	8	8	7	7	7	6	6	6	5	5	5	4	4	4	3	3	3
	女	8	9	9	9	10	10	寒	1	1	1	1	2	2	2	3	3	3	4	4	4	5	5	5	6	6	6	7	7	7	8	8

8月 (1일 二黑 +) **丙寅 (二黑)** 절기: 立春(8일 03:04) 雨水(23일 17:44)

양력		1	2	3	4	5	6	7	8	9	10	11	12	13	14	15	16	17	18	19	20	21	22	23	24	25	26	27	28	29	30	31
요일		月	火	水	木	金	土	日	月	火	水	木	金	土	日	月	火	水	木	金	土	日	月	火	水	木	金	土	日	月	火	水
음력	월	24	25	26	27	28	29	七	2	3	4	5	6	7	8	9	10	11	12	13	14	15	16	17	18	19	20	21	22	23	24	25
일진		己丑	甲寅	乙卯	丙辰	丁巳	庚午	辛未	壬申	癸酉	戊戌	己亥	甲子	乙丑	丙寅	丁卯	庚辰	辛巳	壬午	癸未	戊申	己酉	甲戌	乙亥	丙子	丁丑	庚寅	辛卯	壬辰	癸巳	戊午	己未
대운	男	2	2	2	1	1	1	1	立	10	10	9	9	9	8	8	8	7	7	7	6	6	6	5	5	5	4	4	4	3	3	3
	女	8	9	9	9	10	10	10	春	1	1	1	1	2	2	2	3	3	3	4	4	4	5	5	5	6	6	6	7	7	7	8

9月 (1일 六白 +) **丁卯 (三碧)** 절기: 驚蟄(8일 05:55) 春分 (23일 15:19)

양력		1	2	3	4	5	6	7	8	9	10	11	12	13	14	15	16	17	18	19	20	21	22	23	24	25	26	27	28	29	30	
요일		木	金	土	日	月	火	水	木	金	土	日	月	火	水	木	金	土	日	月	火	水	木	金	土	日	月	火	水	木	金	
음력	월	26	27	28	29	30	八	2	3	4	5	6	7	8	9	10	11	12	13	14	15	16	17	18	19	20	21	22	23	24	25	
일진		甲申	乙酉	丙戌	丁亥	庚子	辛丑	壬寅	癸卯	戊辰	己巳	甲午	乙未	丙申	丁酉	庚戌	辛亥	壬子	癸丑	戊寅	己卯	甲辰	乙巳	丙午	丁未	庚申	辛酉	壬戌	癸亥	戊子	己丑	
대운	男	2	2	2	1	1	1	1	驚	10	9	9	9	8	8	8	7	7	7	6	6	6	5	5	5	4	4	4	3	3	3	
	女	8	8	9	9	9	10	10	蟄	1	1	1	1	2	2	2	3	3	3	4	4	4	5	5	5	6	6	6	7	7	7	

10月 (1일 九紫 +) **庚辰 (四綠)** 절기: 清明(8일 21:29) 穀雨(24일 00:36)

양력		1	2	3	4	5	6	7	8	9	10	11	12	13	14	15	16	17	18	19	20	21	22	23	24	25	26	27	28	29	30	31
요일		土	日	月	火	水	木	金	土	日	月	火	水	木	金	土	日	月	火	水	木	金	土	日	月	火	水	木	金	土	日	月
음력	월	26	27	28	29	九	2	3	4	5	6	7	8	9	10	11	12	13	14	15	16	17	18	19	20	21	22	23	24	25	26	27
일진		甲寅	乙卯	丙辰	丁巳	庚午	辛未	壬申	癸酉	戊戌	己亥	甲子	乙丑	丙寅	丁卯	庚辰	辛巳	壬午	癸未	戊申	己酉	甲戌	乙亥	丙子	丁丑	庚寅	辛卯	壬辰	癸巳	戊午	己未	甲申
대운	男	2	2	2	1	1	1	1	清	10	10	9	9	9	8	8	8	7	7	7	6	6	6	5	5	5	4	4	4	3	3	3
	女	8	8	8	9	9	9	10	明	1	1	1	1	2	2	2	3	3	3	4	4	4	5	5	5	6	6	6	7	7	7	8

11月 (1일 四綠 +) **辛巳 (五黃)** 절기: 立夏(8일 00:36) 小滿 (22일 22:06)

양력		1	2	3	4	5	6	7	8	9	10	11	12	13	14	15	16	17	18	19	20	21	22	23	24	25	26	27	28	29	30	
요일		火	水	木	金	土	日	月	火	水	木	金	土	日	月	火	水	木	金	土	日	月	火	水	木	金	土	日	月	火	水	
음력	월	28	29	十	2	3	4	5	6	7	8	9	10	11	12	13	14	15	16	17	18	19	20	21	22	23	24	25	26	27	28	
일진		乙酉	丙戌	丁亥	庚子	辛丑	壬寅	癸卯	戊辰	己巳	甲午	乙未	丙申	丁酉	庚戌	辛亥	壬子	癸丑	戊寅	己卯	甲辰	乙巳	丙午	丁未	庚申	辛酉	壬戌	癸亥	戊子	己丑	甲寅	
대운	男	2	2	2	1	1	1	1	立	9	9	9	8	8	8	7	7	7	6	6	6	5	5	5	4	4	4	3	3	3	2	
	女	8	8	9	9	9	10	10	夏	1	1	1	1	2	2	2	3	3	3	4	4	4	5	5	5	6	6	6	7	7	7	

12月 (1일 七赤 + 4일 九紫 -) **壬午 (六白)** 절기: 芒種(7일 17:23) 夏至(22일 11:23)

양력		1	2	3	4	5	6	7	8	9	10	11	12	13	14	15	16	17	18	19	20	21	22	23	24	25	26	27	28	29	30	31
요일		木	金	土	日	月	火	水	木	金	土	日	月	火	水	木	金	土	日	月	火	水	木	金	土	日	月	火	水	木	金	土
음력	월	29	30	十一	2	3	4	5	6	7	8	9	10	11	12	13	14	15	16	17	18	19	20	21	22	23	24	25	26	27	28	29
일진		乙卯	丙辰	丁巳	庚午	辛未	壬申	癸酉	戊戌	己亥	甲子	乙丑	丙寅	丁卯	庚辰	辛巳	壬午	癸未	戊申	己酉	甲戌	乙亥	丙子	丁丑	庚寅	辛卯	壬辰	癸巳	戊午	己未	甲申	乙酉
대운	男	2	2	1	1	1	1	芒	10	9	9	9	8	8	8	7	7	7	6	6	6	5	5	5	4	4	4	3	3	3	2	2
	女	8	8	8	9	9	9	種	1	1	1	1	2	2	2	3	3	3	4	4	4	5	5	5	6	6	6	7	7	7	8	8

서기1995년

辛巳年 (五黃土星) 閏八月

1月 (1일 八白 -) **癸未 (七赤)** 절기: 小暑 (6일 04:34) 大暑 (20일 22:00)

양력	1	2	3	4	5	6	7	8	9	10	11	12	13	14	15	16	17	18	19	20	21	22	23	24	25	26	27	28	29	30	31
요일	日	月	火	水	木	金	土	日	月	火	水	木	金	土	日	月	火	水	木	金	土	日	月	火	水	木	金	土	日	月	火
음력 월	十二	2	3	4	5	6	7	8	9	10	11	12	13	14	15	16	17	18	19	20	21	22	23	24	25	26	27	28	29	30	一
일진	丙戌	丁亥	庚子	辛丑	壬寅	癸卯	戊辰	己巳	甲午	乙未	丙申	丁酉	庚戌	辛亥	壬子	癸丑	戊寅	己卯	甲辰	乙巳	丙午	丁未	庚申	辛酉	壬戌	癸亥	戊子	己丑	甲寅	乙卯	丙辰
대운 男	2	1	1	1	1	小	9	9	9	8	8	8	7	7	7	6	6	6	5	5	5	4	4	4	3	3	3	2	2	2	1
대운 女	8	9	9	9	10	暑	1	1	1	1	2	2	2	3	3	3	4	4	4	5	5	5	6	6	6	7	7	7	8	8	8

2月 (1일 四綠 -) **戊申 (八白)** 절기: 立秋 (4일 16:13) 處暑 (19일 12:11)

양력	1	2	3	4	5	6	7	8	9	10	11	12	13	14	15	16	17	18	19	20	21	22	23	24	25	26	27	28			
요일	水	木	金	土	日	月	火	水	木	金	土	日	月	火	水	木	金	土	日	月	火	水	木	金	土	日	月	火			
음력 월	2	3	4	5	6	7	8	9	10	11	12	13	14	15	16	17	18	19	20	21	22	23	24	25	26	27	28	29			
일진	丁巳	庚午	辛未	壬申	癸酉	戊戌	己亥	甲子	乙丑	丙寅	丁卯	庚辰	辛巳	壬午	癸未	戊申	己酉	甲戌	乙亥	丙子	丁丑	庚寅	辛卯	壬辰	癸巳	戊午	己未	甲申			
대운 男	1	1	1	立	1	1	1	1	2	2	2	3	3	3	4	4	4	5	5	5	6	6	6	7	7	7	8	8			
대운 女	9	9	9	秋	10	9	9	9	8	8	8	7	7	7	6	6	6	5	5	5	4	4	4	3	3	3	2	2			

3月 (1일 三碧 -) **己酉 (九紫)** 절기: 白露 (6일 10:16) 秋分 (21일 11:14)

양력	1	2	3	4	5	6	7	8	9	10	11	12	13	14	15	16	17	18	19	20	21	22	23	24	25	26	27	28	29	30	31
요일	水	木	金	土	日	月	火	水	木	金	土	日	月	火	水	木	金	土	日	月	火	水	木	金	土	日	月	火	水	木	金
음력 월	二	2	3	4	5	6	7	8	9	10	11	12	13	14	15	16	17	18	19	20	21	22	23	24	25	26	27	28	29	30	三
일진	乙酉	丙戌	丁亥	庚子	辛丑	壬寅	癸卯	戊辰	己巳	甲午	乙未	丙申	丁酉	庚戌	辛亥	壬子	癸丑	戊寅	己卯	甲辰	乙巳	丙午	丁未	庚申	辛酉	壬戌	癸亥	戊子	己丑	甲寅	乙卯
대운 男	8	9	9	9	10	白	1	1	1	1	2	2	2	3	3	3	4	4	4	5	5	5	6	6	6	7	7	7	8	8	8
대운 女	2	1	1	1	1	露	10	9	9	9	8	8	8	7	7	7	6	6	6	5	5	5	4	4	4	3	3	3	2	2	2

4月 (1일 八白 -) **甲戌 (一白)** 절기: 寒露 (5일 15:08) 霜降 (20일 22:21)

양력	1	2	3	4	5	6	7	8	9	10	11	12	13	14	15	16	17	18	19	20	21	22	23	24	25	26	27	28	29	30	
요일	土	日	月	火	水	木	金	土	日	月	火	水	木	金	土	日	月	火	水	木	金	土	日	月	火	水	木	金	土	日	
음력 월	2	3	4	5	6	7	8	9	10	11	12	13	14	15	16	17	18	19	20	21	22	23	24	25	26	27	28	29	30	四	
일진	丙辰	丁巳	庚午	辛未	壬申	癸酉	戊戌	己亥	甲子	乙丑	丙寅	丁卯	庚辰	辛巳	壬午	癸未	戊申	己酉	甲戌	乙亥	丙子	丁丑	庚寅	辛卯	壬辰	癸巳	戊午	己未	甲申	乙酉	
대운 男	9	9	9	10	寒	1	1	1	1	2	2	2	3	3	3	4	4	4	5	5	5	6	6	6	7	7	7	8	8	8	
대운 女	1	1	1	1	露	10	10	9	9	9	8	8	8	7	7	7	6	6	6	5	5	5	4	4	4	3	3	3	2	2	

5月 (1일 五黃 -) **乙亥 (二黑)** 절기: 立冬 (6일 08:30) 小雪 (21일 21:34)

양력	1	2	3	4	5	6	7	8	9	10	11	12	13	14	15	16	17	18	19	20	21	22	23	24	25	26	27	28	29	30	31
요일	月	火	水	木	金	土	日	月	火	水	木	金	土	日	月	火	水	木	金	土	日	月	火	水	木	金	土	日	月	火	水
음력 월	2	3	4	5	6	7	8	9	10	11	12	13	14	15	16	17	18	19	20	21	22	23	24	25	26	27	28	29	五	2	3
일진	丙戌	丁亥	庚子	辛丑	壬寅	癸卯	戊辰	己巳	甲午	乙未	丙申	丁酉	庚戌	辛亥	壬子	癸丑	戊寅	己卯	甲辰	乙巳	丙午	丁未	庚申	辛酉	壬戌	癸亥	戊子	己丑	甲寅	乙卯	丙辰
대운 男	9	9	9	10	10	立	1	1	1	1	2	2	2	3	3	3	4	4	4	5	5	5	6	6	6	7	7	7	8	8	8
대운 女	2	1	1	1	1	冬	10	10	9	9	9	8	8	8	7	7	7	6	6	6	5	5	5	4	4	4	3	3	3	2	2

6月 (1일 一白 - 2일 一白 +) **丙子 (三碧)** 절기: 大雪 (6일 12:43) 冬至 (22일 05:34)

양력	1	2	3	4	5	6	7	8	9	10	11	12	13	14	15	16	17	18	19	20	21	22	23	24	25	26	27	28	29	30	
요일	木	金	土	日	月	火	水	木	金	土	日	月	火	水	木	金	土	日	月	火	水	木	金	土	日	月	火	水	木	金	
음력 월	4	5	6	7	8	9	10	11	12	13	14	15	16	17	18	19	20	21	22	23	24	25	26	27	28	29	30	六	2	3	
일진	丁巳	庚午	辛未	壬申	癸酉	戊戌	己亥	甲子	乙丑	丙寅	丁卯	庚辰	辛巳	壬午	癸未	戊申	己酉	甲戌	乙亥	丙子	丁丑	庚寅	辛卯	壬辰	癸巳	戊午	己未	甲申	乙酉	丙戌	
대운 男	9	9	9	10	10	大	1	1	1	1	2	2	2	3	3	3	4	4	4	5	5	5	6	6	6	7	7	7	8	8	
대운 女	2	1	1	1	1	雪	10	10	9	9	9	8	8	8	7	7	7	6	6	6	5	5	5	4	4	4	3	3	3	2	

7月 (1일 三碧 +) **丁丑 (四綠)** 절기: 小寒(7일 23:01) 大寒(23일 16:30)

양력		1	2	3	4	5	6	7	8	9	10	11	12	13	14	15	16	17	18	19	20	21	22	23	24	25	26	27	28	29	30	31
요일		土	日	月	火	水	木	金	土	日	月	火	水	木	金	土	日	月	火	水	木	金	土	日	月	火	水	木	金	土	日	月
음력	월	4	5	6	7	8	9	10	11	12	13	14	15	16	17	18	19	20	21	22	23	24	25	26	27	28	29	30	七	2	3	4
일진		丁亥	庚子	辛丑	壬寅	癸卯	戊辰	己巳	甲午	乙未	丙申	丁酉	庚戌	辛亥	壬子	癸丑	戊寅	己卯	甲辰	乙巳	丙午	丁未	庚申	辛酉	壬戌	癸亥	戊子	己丑	甲寅	乙卯	丙辰	丁巳
대운	男	8	9	9	9	10	10	小	1	1	1	1	2	2	2	3	3	3	4	4	4	5	5	5	6	6	6	7	7	7	8	8
	女	2	2	1	1	1	1	寒	10	10	10	9	9	9	8	8	8	7	7	7	6	6	6	5	5	5	4	4	4	3	3	3

8月 (1일 七赤 +) **庚寅 (五黃)** 절기: 立春(8일 08:52) 雨水(23일 23:35)

양력		1	2	3	4	5	6	7	8	9	10	11	12	13	14	15	16	17	18	19	20	21	22	23	24	25	26	27	28	29	30	31
요일		火	水	木	金	土	日	月	火	水	木	金	土	日	月	火	水	木	金	土	日	月	火	水	木	金	土	日	月	火	水	木
음력	월	5	6	7	8	9	10	11	12	13	14	15	16	17	18	19	20	21	22	23	24	25	26	27	28	29	八	2	3	4	5	6
일진		庚午	辛未	壬申	癸酉	戊戌	己亥	甲子	乙丑	丙寅	丁卯	庚辰	辛巳	壬午	癸未	戊申	己酉	甲戌	乙亥	丙子	丁丑	庚寅	辛卯	壬辰	癸巳	戊午	己未	甲申	乙酉	丙戌	丁亥	庚子
대운	男	8	9	9	9	10	10	10	立	1	1	1	1	2	2	2	3	3	3	4	4	4	5	5	5	6	6	6	7	7	7	8
	女	2	2	2	1	1	1	1	春	10	10	9	9	9	8	8	8	7	7	7	6	6	6	5	5	5	4	4	4	3	3	3

9月 (1일 二黑 +) **辛卯 (六白)** 절기: 驚蟄(8일 11:49) 春分 (23일 21:13)

양력		1	2	3	4	5	6	7	8	9	10	11	12	13	14	15	16	17	18	19	20	21	22	23	24	25	26	27	28	29	30	
요일		金	土	日	月	火	水	木	金	土	日	月	火	水	木	金	土	日	月	火	水	木	金	土	日	月	火	水	木	金	土	
음력	월	7	8	9	10	11	12	13	14	15	16	17	18	19	20	21	22	23	24	25	26	27	28	29	30	閏八		3	4	5	6	
일진		辛丑	壬寅	癸卯	戊辰	己巳	甲午	乙未	丙申	丁酉	庚戌	辛亥	壬子	癸丑	戊寅	己卯	甲辰	乙巳	丙午	丁未	庚申	辛酉	壬戌	癸亥	戊子	己丑	甲寅	乙卯	丙辰	丁巳	庚午	
대운	男	8	8	9	9	9	10	10	驚	1	1	1	1	2	2	2	3	3	3	4	4	4	5	5	5	6	6	6	7	7	7	
	女	2	2	2	1	1	1	1	蟄	10	10	9	9	9	8	8	8	7	7	7	6	6	6	5	5	5	4	4	4	3	3	

10月 (1일 五黃 +) **壬辰 (七赤)** 절기: 清明(9일 03:27) 穀雨(24일 06:32)

양력		1	2	3	4	5	6	7	8	9	10	11	12	13	14	15	16	17	18	19	20	21	22	23	24	25	26	27	28	29	30	31
요일		日	月	火	水	木	金	土	日	月	火	水	木	金	土	日	月	火	水	木	金	土	日	月	火	水	木	金	土	日	月	火
음력	월	7	8	9	10	11	12	13	14	15	16	17	18	19	20	21	22	23	24	25	26	27	28	29	九	2	3	4	5	6	7	8
일진		辛未	壬申	癸酉	戊戌	己亥	甲子	乙丑	丙寅	丁卯	庚辰	辛巳	壬午	癸未	戊申	己酉	甲戌	乙亥	丙子	丁丑	庚寅	辛卯	壬辰	癸巳	戊午	己未	甲申	乙酉	丙戌	丁亥	庚子	辛丑
대운	男	8	8	8	9	9	9	10	10	清	1	1	1	1	2	2	2	3	3	3	4	4	4	5	5	5	6	6	6	7	7	7
	女	3	2	2	2	1	1	1	1	明	10	9	9	9	8	8	8	7	7	7	6	6	6	5	5	5	4	4	4	3	3	3

11月 (1일 九紫 + 29일 九紫 -) **癸巳 (八白)** 절기: 立夏(8일 06:36) 小滿 (23일 04:01)

양력		1	2	3	4	5	6	7	8	9	10	11	12	13	14	15	16	17	18	19	20	21	22	23	24	25	26	27	28	29	30	
요일		水	木	金	土	日	月	火	水	木	金	土	日	月	火	水	木	金	土	日	月	火	水	木	金	土	日	月	火	水	木	
음력	월	9	10	11	12	13	14	15	16	17	18	19	20	21	22	23	24	25	26	27	28	29	30	十	2	3	4	5	6	7	8	
일진		壬寅	癸卯	戊辰	己巳	甲午	乙未	丙申	丁酉	庚戌	辛亥	壬子	癸丑	戊寅	己卯	甲辰	乙巳	丙午	丁未	庚申	辛酉	壬戌	癸亥	戊子	己丑	甲寅	乙卯	丙辰	丁巳	庚午	辛未	
대운	男	8	8	8	9	9	9	10	立	1	1	1	1	2	2	2	3	3	3	4	4	4	5	5	5	6	6	6	7	7	7	
	女	2	2	2	1	1	1	1	夏	9	9	9	8	8	8	7	7	7	6	6	6	5	5	5	4	4	4	3	3	3	2	

12月 (1일 七赤 -) **戊午 (九紫)** 절기: 芒種(7일 23:22) 夏至(22일 17:17)

양력		1	2	3	4	5	6	7	8	9	10	11	12	13	14	15	16	17	18	19	20	21	22	23	24	25	26	27	28	29	30	31
요일		金	土	日	月	火	水	木	金	土	日	月	火	水	木	金	土	日	月	火	水	木	金	土	日	月	火	水	木	金	土	日
음력	월	9	10	11	12	13	14	15	16	17	18	19	20	21	22	23	24	25	26	27	28	29	十一	2	3	4	5	6	7	8	9	10
일진		壬申	癸酉	戊戌	己亥	甲子	乙丑	丙寅	丁卯	庚辰	辛巳	壬午	癸未	戊申	己酉	甲戌	乙亥	丙子	丁丑	庚寅	辛卯	壬辰	癸巳	戊午	己未	甲申	乙酉	丙戌	丁亥	庚子	辛丑	壬寅
대운	男	8	8	8	9	9	9	芒	1	1	1	1	2	2	2	3	3	3	4	4	4	5	5	5	6	6	6	7	7	7	8	8
	女	2	2	1	1	1	1	種	10	9	9	9	8	8	8	7	7	7	6	6	6	5	5	5	4	4	4	3	3	3	2	2

서기1996년

壬午年 (六白金星)

1月 (1일 三碧 -) **己未 (一白)** 절기: 小暑 (6일 10:31) 大暑 (21일 03:53)

양력		1	2	3	4	5	6	7	8	9	10	11	12	13	14	15	16	17	18	19	20	21	22	23	24	25	26	27	28	29	30	31
요일		月	火	水	木	金	土	日	月	火	水	木	金	土	日	月	火	水	木	金	土	日	月	火	水	木	金	土	日	月	火	水
음력	월	11	12	13	14	15	16	17	18	19	20	21	22	23	24	25	26	27	28	29	十二	2	3	4	5	6	7	8	9	10	11	12
일진		癸卯	戊辰	己巳	甲午	乙未	丙申	丁酉	庚戌	辛亥	壬子	癸丑	戊寅	己卯	甲辰	乙巳	丙午	丁未	庚申	辛酉	壬戌	癸亥	戊子	己丑	甲寅	乙卯	丙辰	丁巳	庚午	辛未	壬申	癸酉
대운	男	8	9	9	9	10	小	1	1	1	1	2	2	2	3	3	3	4	4	4	5	5	5	6	6	6	7	7	7	8	8	8
	女	2	1	1	1	1	暑	9	9	9	8	8	8	7	7	7	6	6	6	5	5	5	4	4	4	3	3	3	2	2	2	1

2月 閏 (1일 八白 -) **甲申 (二黑)** 절기: 立秋 (4일 22:08) 處暑 (19일 18:01)

양력		1	2	3	4	5	6	7	8	9	10	11	12	13	14	15	16	17	18	19	20	21	22	23	24	25	26	27	28	29		
요일		木	金	土	日	月	火	水	木	金	土	日	月	火	水	木	金	土	日	月	火	水	木	金	土	日	月	火	水	木		
음력	월	13	14	15	16	17	18	19	20	21	22	23	24	25	26	27	28	29	30	一	2	3	4	5	6	7	8	9	10	11		
일진		戊戌	己亥	甲子	乙丑	丙寅	丁卯	庚辰	辛巳	壬午	癸未	戊申	己酉	甲戌	乙亥	丙子	丁丑	庚寅	辛卯	壬辰	癸巳	戊午	己未	甲申	乙酉	丙戌	丁亥	庚子	辛丑	壬寅		
대운	男	9	9	9	立	10	9	9	9	8	8	8	7	7	7	6	6	6	5	5	5	4	4	4	3	3	3	2	2	2		
	女	1	1	1	秋	1	1	1	1	2	2	2	3	3	3	4	4	4	5	5	5	6	6	6	7	7	7	8	8	8		

3月 (1일 六白 -) **乙酉 (三碧)** 절기: 白露 (5일 16:10) 秋分 (20일 17:03)

양력		1	2	3	4	5	6	7	8	9	10	11	12	13	14	15	16	17	18	19	20	21	22	23	24	25	26	27	28	29	30	31
요일		金	土	日	月	火	水	木	金	土	日	月	火	水	木	金	土	日	月	火	水	木	金	土	日	月	火	水	木	金	土	日
음력	월	12	13	14	15	16	17	18	19	20	21	22	23	24	25	26	27	28	29	二	2	3	4	5	6	7	8	9	10	11	12	13
일진		癸卯	戊辰	己巳	甲午	乙未	丙申	丁酉	庚戌	辛亥	壬子	癸丑	戊寅	己卯	甲辰	乙巳	丙午	丁未	庚申	辛酉	壬戌	癸亥	戊子	己丑	甲寅	乙卯	丙辰	丁巳	庚午	辛未	壬申	癸酉
대운	男	1	1	1	1	白	10	9	9	9	8	8	8	7	7	7	6	6	6	5	5	5	4	4	4	3	3	3	2	2	2	1
	女	9	9	9	10	露	1	1	1	1	2	2	2	3	3	3	4	4	4	5	5	5	6	6	6	7	7	7	8	8	8	9

4月 (1일 二黑 -) **丙戌 (四綠 -)** 절기: 寒露 (4일 21:02) 霜降 (20일 04:10)

양력		1	2	3	4	5	6	7	8	9	10	11	12	13	14	15	16	17	18	19	20	21	22	23	24	25	26	27	28	29	30	
요일		月	火	水	木	金	土	日	月	火	水	木	金	土	日	月	火	水	木	金	土	日	月	火	水	木	金	土	日	月	火	
음력	월	14	15	16	17	18	19	20	21	22	23	24	25	26	27	28	29	30	三	2	3	4	5	6	7	8	9	10	11	12	13	
일진		戊戌	己亥	甲子	乙丑	丙寅	丁卯	庚辰	辛巳	壬午	癸未	戊申	己酉	甲戌	乙亥	丙子	丁丑	庚寅	辛卯	壬辰	癸巳	戊午	己未	甲申	乙酉	丙戌	丁亥	庚子	辛丑	壬寅	癸卯	
대운	男	1	1	1	寒	10	10	9	9	9	8	8	8	7	7	7	6	6	6	5	5	5	4	4	4	3	3	3	2	2	2	
	女	9	9	10	露	1	1	1	1	2	2	2	3	3	3	4	4	4	5	5	5	6	6	6	7	7	7	8	8	8	9	

5月 (1일 八白 - 27일 一白 +) **丁亥 (五黃)** 절기: 立冬 (5일 14:26) 小雪 (21일 03:23)

양력		1	2	3	4	5	6	7	8	9	10	11	12	13	14	15	16	17	18	19	20	21	22	23	24	25	26	27	28	29	30	31
요일		水	木	金	土	日	月	火	水	木	金	土	日	月	火	水	木	金	土	日	月	火	水	木	金	土	日	月	火	水	木	金
음력	월	14	15	16	17	18	19	20	21	22	23	24	25	26	27	28	29	四	2	3	4	5	6	7	8	9	10	11	12	13	14	15
일진		戊辰	己巳	甲午	乙未	丙申	丁酉	庚戌	辛亥	壬子	癸丑	戊寅	己卯	甲辰	乙巳	丙午	丁未	庚申	辛酉	壬戌	癸亥	戊子	己丑	甲寅	乙卯	丙辰	丁巳	庚午	辛未	壬申	癸酉	戊戌
대운	男	1	1	1	1	立	10	10	9	9	9	8	8	8	7	7	7	6	6	6	5	5	5	4	4	4	3	3	3	2	2	2
	女	9	9	10	10	冬	1	1	1	1	2	2	2	3	3	3	4	4	4	5	5	5	6	6	6	7	7	7	8	8	8	9

6月 (1일 六白 +) **庚子 (六白)** 절기: 大雪 (5일 18:41) 冬至 (21일 11:24)

양력		1	2	3	4	5	6	7	8	9	10	11	12	13	14	15	16	17	18	19	20	21	22	23	24	25	26	27	28	29	30	
요일		土	日	月	火	水	木	金	土	日	月	火	水	木	金	土	日	月	火	水	木	金	土	日	月	火	水	木	金	土	日	
음력	월	16	17	18	19	20	21	22	23	24	25	26	27	28	29	30	五	2	3	4	5	6	7	8	9	10	11	12	13	14	15	
일진		己亥	甲子	乙丑	丙寅	丁卯	庚辰	辛巳	壬午	癸未	戊申	己酉	甲戌	乙亥	丙子	丁丑	庚寅	辛卯	壬辰	癸巳	戊午	己未	甲申	乙酉	丙戌	丁亥	庚子	辛丑	壬寅	癸卯	戊辰	
대운	男	1	1	1	1	大	10	10	10	9	9	9	8	8	8	7	7	7	6	6	6	5	5	5	4	4	4	3	3	3	2	
	女	9	9	10	10	雪	1	1	1	1	2	2	2	3	3	3	4	4	4	5	5	5	6	6	6	7	7	7	8	8	8	

7月 (1일 九紫 +) **辛丑 (七赤)** 절기: 小寒(7일 05:00) 大寒(22일 22:19)

양력		1	2	3	4	5	6	7	8	9	10	11	12	13	14	15	16	17	18	19	20	21	22	23	24	25	26	27	28	29	30	31
요일		月	火	水	木	金	土	日	月	火	水	木	金	土	日	月	火	水	木	金	土	日	月	火	水	木	金	土	日	月	火	水
음력	월	16	17	18	19	20	21	22	23	24	25	26	27	28	29	30	六	2	3	4	5	6	7	8	9	10	11	12	13	14	15	16
일진		己巳	甲午	乙未	丙申	丁酉	庚戌	辛亥	壬子	癸丑	戊寅	己卯	甲辰	乙巳	丙午	丁未	庚申	辛酉	壬戌	癸亥	戊子	己丑	甲寅	乙卯	丙辰	丁巳	庚午	辛未	壬申	癸酉	戊戌	己亥
대운	男	2	2	1	1	1	1	小	10	10	9	9	9	8	8	8	7	7	7	6	6	6	5	5	5	4	4	4	3	3	3	2
	女	9	9	9	10	10	10	寒	1	1	1	1	2	2	2	3	3	3	4	4	4	5	5	5	6	6	6	7	7	7	8	8

8月 (1일 四綠 +) **壬寅 (八白)** 절기: 立春(7일 14:49) 雨水(23일 05:23)

양력		1	2	3	4	5	6	7	8	9	10	11	12	13	14	15	16	17	18	19	20	21	22	23	24	25	26	27	28	29	30	31
요일		木	金	土	日	月	火	水	木	金	土	日	月	火	水	木	金	土	日	月	火	水	木	金	土	日	月	火	水	木	金	土
음력	월	17	18	19	20	21	22	23	24	25	26	27	28	29	七	2	3	4	5	6	7	8	9	10	11	12	13	14	15	16	17	18
일진		甲子	乙丑	丙寅	丁卯	庚辰	辛巳	壬午	癸未	戊申	己酉	甲戌	乙亥	丙子	丁丑	庚寅	辛卯	壬辰	癸巳	戊午	己未	甲申	乙酉	丙戌	丁亥	庚子	辛丑	壬寅	癸卯	戊辰	己巳	甲午
대운	男	2	2	1	1	1	1	立	10	10	9	9	9	8	8	8	7	7	7	6	6	6	5	5	5	4	4	4	3	3	3	2
	女	8	9	9	9	10	10	春	1	1	1	1	2	2	2	3	3	3	4	4	4	5	5	5	6	6	6	7	7	7	8	8

9月 (1일 八白 +) **癸卯 (九紫)** 절기: 驚蟄(7일 17:42) 春分 (23일 03:00)

양력		1	2	3	4	5	6	7	8	9	10	11	12	13	14	15	16	17	18	19	20	21	22	23	24	25	26	27	28	29	30	
요일		日	月	火	水	木	金	土	日	月	火	水	木	金	土	日	月	火	水	木	金	土	日	月	火	水	木	金	土	日	月	
음력	월	19	20	21	22	23	24	25	26	27	28	29	30	八	2	3	4	5	6	7	8	9	10	11	12	13	14	15	16	17	18	
일진		乙未	丙申	丁酉	庚戌	辛亥	壬子	癸丑	戊寅	己卯	甲辰	乙巳	丙午	丁未	庚申	辛酉	壬戌	癸亥	戊子	己丑	甲寅	乙卯	丙辰	丁巳	庚午	辛未	壬申	癸酉	戊戌	己亥	甲子	
대운	男	2	2	1	1	1	1	驚	10	10	9	9	9	8	8	8	7	7	7	6	6	6	5	5	5	4	4	4	3	3	3	
	女	8	9	9	9	10	10	蟄	1	1	1	1	2	2	2	3	3	3	4	4	4	5	5	5	6	6	6	7	7	7	8	

10月 (1일 二黑 +) **戊辰 (一白)** 절기: 清明(8일 09:19) 穀雨(23일 12:19)

양력		1	2	3	4	5	6	7	8	9	10	11	12	13	14	15	16	17	18	19	20	21	22	23	24	25	26	27	28	29	30	31
요일		火	水	木	金	土	日	月	火	水	木	金	土	日	月	火	水	木	金	土	日	月	火	水	木	金	土	日	月	火	水	木
음력	월	19	20	21	22	23	24	25	26	27	28	29	九	2	3	4	5	6	7	8	9	10	11	12	13	14	15	16	17	18	19	20
일진		乙丑	丙寅	丁卯	庚辰	辛巳	壬午	癸未	戊申	己酉	甲戌	乙亥	丙子	丁丑	庚寅	辛卯	壬辰	癸巳	戊午	己未	甲申	乙酉	丙戌	丁亥	庚子	辛丑	壬寅	癸卯	戊辰	己巳	甲午	乙未
대운	男	2	2	2	1	1	1	1	清	10	9	9	9	8	8	8	7	7	7	6	6	6	5	5	5	4	4	4	3	3	3	2
	女	8	8	8	9	9	9	10	明	1	1	1	1	2	2	2	3	3	3	4	4	4	5	5	5	6	6	6	7	7	7	8

11月 (1일 六白 + 23일 九紫 -) **己巳 (二黑)** 절기: 立夏(7일 12:27) 小滿 (22일 09:49)

양력		1	2	3	4	5	6	7	8	9	10	11	12	13	14	15	16	17	18	19	20	21	22	23	24	25	26	27	28	29	30	
요일		金	土	日	月	火	水	木	金	土	日	月	火	水	木	金	土	日	月	火	水	木	金	土	日	月	火	水	木	金	土	
음력	월	21	22	23	24	25	26	27	28	29	30	十	2	3	4	5	6	7	8	9	10	11	12	13	14	15	16	17	18	19	20	
일진		丙申	丁酉	庚戌	辛亥	壬子	癸丑	戊寅	己卯	甲辰	乙巳	丙午	丁未	庚申	辛酉	壬戌	癸亥	戊子	己丑	甲寅	乙卯	丙辰	丁巳	庚午	辛未	壬申	癸酉	戊戌	己亥	甲子	乙丑	
대운	男	2	2	1	1	1	1	立	10	9	9	9	8	8	8	7	7	7	6	6	6	5	5	5	4	4	4	3	3	3	2	
	女	8	8	9	9	9	10	夏	1	1	1	1	2	2	2	3	3	3	4	4	4	5	5	5	6	6	6	7	7	7	8	

12月 (1일 一白 -) **甲午 (三碧)** 절기: 芒種(7일 05:14) 夏至(21일 23:06)

양력		1	2	3	4	5	6	7	8	9	10	11	12	13	14	15	16	17	18	19	20	21	22	23	24	25	26	27	28	29	30	31
요일		日	月	火	水	木	金	土	日	月	火	水	木	金	土	日	月	火	水	木	金	土	日	月	火	水	木	金	土	日	月	火
음력	월	21	22	23	24	25	26	27	28	29	30	十一	2	3	4	5	6	7	8	9	10	11	12	13	14	15	16	17	18	19	20	21
일진		丙寅	丁卯	庚辰	辛巳	壬午	癸未	戊申	己酉	甲戌	乙亥	丙子	丁丑	庚寅	辛卯	壬辰	癸巳	戊午	己未	甲申	乙酉	丙戌	丁亥	庚子	辛丑	壬寅	癸卯	戊辰	己巳	甲午	乙未	丙申
대운	男	2	2	1	1	1	1	芒	9	9	9	8	8	8	7	7	7	6	6	6	5	5	5	4	4	4	3	3	3	2	2	2
	女	8	8	9	9	9	10	種	1	1	1	1	2	2	2	3	3	3	4	4	4	5	5	5	6	6	6	7	7	7	8	8

서기1997년

癸未年 (七赤金星)

1月 (1일 六白 -) 乙未 (四綠) 절기: 小暑 (5일 16:24) 大暑 (20일 09:43)

양력		1	2	3	4	5	6	7	8	9	10	11	12	13	14	15	16	17	18	19	20	21	22	23	24	25	26	27	28	29	30	31
요일		水	木	金	土	日	月	火	水	木	金	土	日	月	火	水	木	金	土	日	月	火	水	木	金	土	日	月	火	水	木	金
음력	월	22	23	24	25	26	27	28	29	十二	2	3	4	5	6	7	8	9	10	11	12	13	14	15	16	17	18	19	20	21	22	23
일진		丁酉	庚戌	辛亥	壬子	癸丑	戊寅	己卯	甲辰	乙巳	丙午	丁未	庚申	辛酉	壬戌	癸亥	戊子	己丑	甲寅	乙卯	丙辰	丁巳	庚午	辛未	壬申	癸酉	戊戌	己亥	甲子	乙丑	丙寅	丁卯
대운	男	1	1	1	1	小	10	9	9	9	8	8	8	7	7	7	6	6	6	5	5	5	4	4	4	3	3	3	2	2	2	1
	女	8	9	9	9	暑	1	1	1	1	2	2	2	3	3	3	4	4	4	5	5	5	6	6	6	7	7	7	8	8	8	9

2月 (1일 二黑 -) 丙申 (五黃) 절기: 立秋 (4일 04:02) 處暑 (18일 23:51)

양력		1	2	3	4	5	6	7	8	9	10	11	12	13	14	15	16	17	18	19	20	21	22	23	24	25	26	27	28
요일		土	日	月	火	水	木	金	土	日	月	火	水	木	金	土	日	月	火	水	木	金	土	日	月	火	水	木	金
음력	월	24	25	26	27	28	29	30	一	2	3	4	5	6	7	8	9	10	11	12	13	14	15	16	17	18	19	20	21
일진		庚辰	辛巳	壬午	癸未	戊申	己酉	甲戌	乙亥	丙子	丁丑	庚寅	辛卯	壬辰	癸巳	戊午	己未	甲申	乙酉	丙戌	丁亥	庚子	辛丑	壬寅	癸卯	戊辰	己巳	甲午	乙未
대운	男	1	1	1	立	1	1	1	1	2	2	2	3	3	3	4	4	4	5	5	5	6	6	6	7	7	7	8	8
	女	9	9	10	秋	9	9	9	8	8	8	7	7	7	6	6	6	5	5	5	4	4	4	3	3	3	2	2	2

3月 (1일 一白 -) 丁酉 (六白) 절기: 白露 (5일 22:04) 秋分 (20일 22:55)

양력		1	2	3	4	5	6	7	8	9	10	11	12	13	14	15	16	17	18	19	20	21	22	23	24	25	26	27	28	29	30	31
요일		土	日	月	火	水	木	金	土	日	月	火	水	木	金	土	日	月	火	水	木	金	土	日	月	火	水	木	金	土	日	月
음력	월	22	23	24	25	26	27	28	29	二	2	3	4	5	6	7	8	9	10	11	12	13	14	15	16	17	18	19	20	21	22	23
일진		丙申	丁酉	庚戌	辛亥	壬子	癸丑	戊寅	己卯	甲辰	乙巳	丙午	丁未	庚申	辛酉	壬戌	癸亥	戊子	己丑	甲寅	乙卯	丙辰	丁巳	庚午	辛未	壬申	癸酉	戊戌	己亥	甲子	乙丑	丙寅
대운	男	8	9	9	9	白	1	1	1	1	2	2	2	3	3	3	4	4	4	5	5	5	6	6	6	7	7	7	8	8	8	9
	女	1	1	1	1	露	10	10	9	9	9	8	8	8	7	7	7	6	6	6	5	5	5	4	4	4	3	3	3	2	2	2

4月 (1일 六白 -) 庚戌 (七赤) 절기: 寒露 (5일 02:56) 霜降 (20일 10:03)

양력		1	2	3	4	5	6	7	8	9	10	11	12	13	14	15	16	17	18	19	20	21	22	23	24	25	26	27	28	29	30
요일		火	水	木	金	土	日	月	火	水	木	金	土	日	月	火	水	木	金	土	日	月	火	水	木	金	土	日	月	火	水
음력	월	24	25	26	27	28	29	三	2	3	4	5	6	7	8	9	10	11	12	13	14	15	16	17	18	19	20	21	22	23	24
일진		丁卯	庚辰	辛巳	壬午	癸未	戊申	己酉	甲戌	乙亥	丙子	丁丑	庚寅	辛卯	壬辰	癸巳	戊午	己未	甲申	乙酉	丙戌	丁亥	庚子	辛丑	壬寅	癸卯	戊辰	己巳	甲午	乙未	丙申
대운	男	9	9	10	10	寒	1	1	1	1	2	2	2	3	3	3	4	4	4	5	5	5	6	6	6	7	7	7	8	8	8
	女	1	1	1	1	露	10	9	9	9	8	8	8	7	7	7	6	6	6	5	5	5	4	4	4	3	3	3	2	2	2

5月 (1일 三碧 - 22일 九紫 +) 辛亥 (八白) 절기: 立冬 (5일 20:19) 小雪 (21일 09:18)

양력		1	2	3	4	5	6	7	8	9	10	11	12	13	14	15	16	17	18	19	20	21	22	23	24	25	26	27	28	29	30	31
요일		木	金	土	日	月	火	水	木	金	土	日	月	火	水	木	金	土	日	月	火	水	木	金	土	日	月	火	水	木	金	土
음력	월	25	26	27	28	29	30	四	2	3	4	5	6	7	8	9	10	11	12	13	14	15	16	17	18	19	20	21	22	23	24	25
일진		丁酉	庚戌	辛亥	壬子	癸丑	戊寅	己卯	甲辰	乙巳	丙午	丁未	庚申	辛酉	壬戌	癸亥	戊子	己丑	甲寅	乙卯	丙辰	丁巳	庚午	辛未	壬申	癸酉	戊戌	己亥	甲子	乙丑	丙寅	丁卯
대운	男	9	9	9	10	立	1	1	1	1	2	2	2	3	3	3	4	4	4	5	5	5	6	6	6	7	7	7	8	8	8	9
	女	1	1	1	1	冬	10	10	10	9	9	9	8	8	8	7	7	7	6	6	6	5	5	5	4	4	4	3	3	3	2	2

6月 (1일 八白 - 24일 一白 +) 壬子 (九紫) 절기: 大雪 (6일 00:33) 冬至 (21일 17:20)

양력		1	2	3	4	5	6	7	8	9	10	11	12	13	14	15	16	17	18	19	20	21	22	23	24	25	26	27	28	29	30
요일		日	月	火	水	木	金	土	日	月	火	水	木	金	土	日	月	火	水	木	金	土	日	月	火	水	木	金	土	日	月
음력	월	26	27	28	29	五	2	3	4	5	6	7	8	9	10	11	12	13	14	15	16	17	18	19	20	21	22	23	24	25	26
일진		庚辰	辛巳	壬午	癸未	戊申	己酉	甲戌	乙亥	丙子	丁丑	庚寅	辛卯	壬辰	癸巳	戊午	己未	甲申	乙酉	丙戌	丁亥	庚子	辛丑	壬寅	癸卯	戊辰	己巳	甲午	乙未	丙申	丁酉
대운	男	9	9	10	10	10	大	1	1	1	1	2	2	2	3	3	3	4	4	4	5	5	5	6	6	6	7	7	7	8	8
	女	2	1	1	1	1	雪	10	10	9	9	9	8	8	8	7	7	7	6	6	6	5	5	5	4	4	4	3	3	3	2

7月 (1일 八白 + 21일 一白 +) **癸丑 (一白)** 절기: 小寒(7일 10:49) 大寒(23일 04:15)

양력		1	2	3	4	5	6	7	8	9	10	11	12	13	14	15	16	17	18	19	20	21	22	23	24	25	26	27	28	29	30	31
요일		火	水	木	金	土	日	月	火	水	木	金	土	日	月	火	水	木	金	土	日	月	火	水	木	金	土	日	月	火	水	木
음력	월	27	28	29	30	六	2	3	4	5	6	7	8	9	10	11	12	13	14	15	16	17	18	19	20	21	22	23	24	25	26	27
일진		庚戌	辛亥	壬子	癸丑	戊寅	己卯	甲辰	乙巳	丙午	丁未	庚申	辛酉	壬戌	癸亥	戊子	己丑	甲寅	乙卯	丙辰	丁巳	庚午	辛未	壬申	癸酉	戊戌	己亥	甲子	乙丑	丙寅	丁卯	庚辰
대운	男	8	9	9	9	10	10	小	1	1	1	1	2	2	2	3	3	3	4	4	4	5	5	5	6	6	6	7	7	7	8	8
	女	2	2	1	1	1	1	寒	10	10	9	9	9	8	8	8	7	7	7	6	6	6	5	5	5	4	4	4	3	3	3	2

8月 (1일 三碧 +) **戊寅 (二黑)** 절기: 立春(7일 20:36) 雨水(23일 11:19)

양력		1	2	3	4	5	6	7	8	9	10	11	12	13	14	15	16	17	18	19	20	21	22	23	24	25	26	27	28	29	30	31
요일		金	土	日	月	火	水	木	金	土	日	月	火	水	木	金	土	日	月	火	水	木	金	土	日	月	火	水	木	金	土	日
음력	월	28	29	七	2	3	4	5	6	7	8	9	10	11	12	13	14	15	16	17	18	19	20	21	22	23	24	25	26	27	28	29
일진		辛巳	壬午	癸未	戊申	己酉	甲戌	乙亥	丙子	丁丑	庚寅	辛卯	壬辰	癸巳	戊午	己未	甲申	乙酉	丙戌	丁亥	庚子	辛丑	壬寅	癸卯	戊辰	己巳	甲午	乙未	丙申	丁酉	庚戌	辛亥
대운	男	8	9	9	9	10	10	立	1	1	1	1	2	2	2	3	3	3	4	4	4	5	5	5	6	6	6	7	7	7	8	8
	女	2	2	1	1	1	1	春	10	10	9	9	9	8	8	8	7	7	7	6	6	6	5	5	5	4	4	4	3	3	3	2

9月 (1일 七赤 +) **己卯 (三碧)** 절기: 驚蟄(7일 23:29) 春分 (23일 08:56)

양력		1	2	3	4	5	6	7	8	9	10	11	12	13	14	15	16	17	18	19	20	21	22	23	24	25	26	27	28	29	30	
요일		月	火	水	木	金	土	日	月	火	水	木	金	土	日	月	火	水	木	金	土	日	月	火	水	木	金	土	日	月	火	
음력	월	30	八	2	3	4	5	6	7	8	9	10	11	12	13	14	15	16	17	18	19	20	21	22	23	24	25	26	27	28	29	
일진		壬子	癸丑	戊寅	己卯	甲辰	乙巳	丙午	丁未	庚申	辛酉	壬戌	癸亥	戊子	己丑	甲寅	乙卯	丙辰	丁巳	庚午	辛未	壬申	癸酉	戊戌	己亥	甲子	乙丑	丙寅	丁卯	庚辰	辛巳	
대운	男	8	9	9	9	10	10	驚	1	1	1	1	2	2	2	3	3	3	4	4	4	5	5	5	6	6	6	7	7	7	8	
	女	2	2	1	1	1	1	蟄	10	10	9	9	9	8	8	8	7	7	7	6	6	6	5	5	5	4	4	4	3	3	3	

10月 (1일 一白 +) **甲辰 (四綠)** 절기: 清明(8일 15:05) 穀雨(23일 18:15)

양력		1	2	3	4	5	6	7	8	9	10	11	12	13	14	15	16	17	18	19	20	21	22	23	24	25	26	27	28	29	30	31
요일		水	木	金	土	日	月	火	水	木	金	土	日	月	火	水	木	金	土	日	月	火	水	木	金	土	日	月	火	水	木	金
음력	월	30	九	2	3	4	5	6	7	8	9	10	11	12	13	14	15	16	17	18	19	20	21	22	23	24	25	26	27	28	29	十
일진		壬午	癸未	戊申	己酉	甲戌	乙亥	丙子	丁丑	庚寅	辛卯	壬辰	癸巳	戊午	己未	甲申	乙酉	丙戌	丁亥	庚子	辛丑	壬寅	癸卯	戊辰	己巳	甲午	乙未	丙申	丁酉	庚戌	辛亥	壬子
대운	男	8	8	9	9	9	10	10	清	1	1	1	1	2	2	2	3	3	3	4	4	4	5	5	5	6	6	6	7	7	7	8
	女	2	2	2	1	1	1	1	明	10	9	9	9	8	8	8	7	7	7	6	6	6	5	5	5	4	4	4	3	3	3	2

11月 (1일 五黃 +) **乙巳 (五黃)** 절기: 立夏(7일 18:15) 小滿 (22일 15:48)

양력		1	2	3	4	5	6	7	8	9	10	11	12	13	14	15	16	17	18	19	20	21	22	23	24	25	26	27	28	29	30	
요일		土	日	月	火	水	木	金	土	日	月	火	水	木	金	土	日	月	火	水	木	金	土	日	月	火	水	木	金	土	日	
음력	월	2	3	4	5	6	7	8	9	10	11	12	13	14	15	16	17	18	19	20	21	22	23	24	25	26	27	28	29	30	十一	
일진		癸丑	戊寅	己卯	甲辰	乙巳	丙午	丁未	庚申	辛酉	壬戌	癸亥	戊子	己丑	甲寅	乙卯	丙辰	丁巳	庚午	辛未	壬申	癸酉	戊戌	己亥	甲子	乙丑	丙寅	丁卯	庚辰	辛巳	壬午	
대운	男	8	8	9	9	9	10	立	1	1	1	1	2	2	2	3	3	3	4	4	4	5	5	5	6	6	6	7	7	7	8	
	女	2	2	1	1	1	1	夏	10	9	9	9	8	8	8	7	7	7	6	6	6	5	5	5	4	4	4	3	3	3	2	

12月 (1일 八白 +) **丙午 (六白)** 절기: 芒種(7일 11:05) 夏至(22일 05:07)

양력		1	2	3	4	5	6	7	8	9	10	11	12	13	14	15	16	17	18	19	20	21	22	23	24	25	26	27	28	29	30	31
요일		月	火	水	木	金	土	日	月	火	水	木	金	土	日	月	火	水	木	金	土	日	月	火	水	木	金	土	日	月	火	水
음력	월	2	3	4	5	6	7	8	9	10	11	12	13	14	15	16	17	18	19	20	21	22	23	24	25	26	27	28	29	30	十二	2
일진		癸未	戊申	己酉	甲戌	乙亥	丙子	丁丑	庚寅	辛卯	壬辰	癸巳	戊午	己未	甲申	乙酉	丙戌	丁亥	庚子	辛丑	壬寅	癸卯	戊辰	己巳	甲午	乙未	丙申	丁酉	庚戌	辛亥	壬子	癸丑
대운	男	8	8	9	9	9	10	芒	1	1	1	1	2	2	2	3	3	3	4	4	4	5	5	5	6	6	6	7	7	7	8	8
	女	2	2	1	1	1	1	種	9	9	9	8	8	8	7	7	7	6	6	6	5	5	5	4	4	4	3	3	3	2	2	2

서기1998년

戊申年 (八白土星) 閏五月

1月 (1일 三碧 + 17일 九紫 -) **丁未 (七赤)** 절기: 小暑 (5일 22:18) 大暑 (20일 15:46)

양력		1	2	3	4	5	6	7	8	9	10	11	12	13	14	15	16	17	18	19	20	21	22	23	24	25	26	27	28	29	30	31
요일		木	金	土	日	月	火	水	木	金	土	日	月	火	水	木	金	土	日	月	火	水	木	金	土	日	月	火	水	木	金	土
음력	월	3	4	5	6	7	8	9	10	11	12	13	14	15	16	17	18	19	20	21	22	23	24	25	26	27	28	29	一	2	3	4
일진		戊寅	己卯	甲辰	乙巳	丙午	丁未	庚申	辛酉	壬戌	癸亥	戊子	己丑	甲寅	乙卯	丙辰	丁巳	庚午	辛未	壬申	癸酉	戊戌	己亥	甲子	乙丑	丙寅	丁卯	庚辰	辛巳	壬午	癸未	戊申
대운	男	8	9	9	9	小	1	1	1	1	2	2	2	3	3	3	4	4	4	5	5	5	6	6	6	7	7	7	8	8	8	9
	女	1	1	1	1	暑	10	9	9	9	8	8	8	7	7	7	6	6	6	5	5	5	4	4	4	3	3	3	2	2	2	1

2月 (1일 三碧 -) **庚申 (八白)** 절기: 立秋 (4일 09:57) 處暑 (19일 05:55)

양력		1	2	3	4	5	6	7	8	9	10	11	12	13	14	15	16	17	18	19	20	21	22	23	24	25	26	27	28			
요일		日	月	火	水	木	金	土	日	月	火	水	木	金	土	日	月	火	水	木	金	土	日	月	火	水	木	金	土			
음력	월	5	6	7	8	9	10	11	12	13	14	15	16	17	18	19	20	21	22	23	24	25	26	27	28	29	30	二	2			
일진		己酉	甲戌	乙亥	丙子	丁丑	庚寅	辛卯	壬辰	癸巳	戊午	己未	甲申	乙酉	丙戌	丁亥	庚子	辛丑	壬寅	癸卯	戊辰	己巳	甲午	乙未	丙申	丁酉	庚戌	辛亥	壬子			
대운	男	9	9	10	立	10	9	9	9	8	8	8	7	7	7	6	6	6	5	5	5	4	4	4	3	3	3	2	2			
	女	1	1	1	秋	1	1	1	1	2	2	2	3	3	3	4	4	4	5	5	5	6	6	6	7	7	7	8	8			

3月 (1일 二黑 -) **辛酉 (九紫)** 절기: 白露 (6일 03:57) 秋分 (21일 04:55)

양력		1	2	3	4	5	6	7	8	9	10	11	12	13	14	15	16	17	18	19	20	21	22	23	24	25	26	27	28	29	30	31
요일		日	月	火	水	木	金	土	日	月	火	水	木	金	土	日	月	火	水	木	金	土	日	月	火	水	木	金	土	日	月	火
음력	월	3	4	5	6	7	8	9	10	11	12	13	14	15	16	17	18	19	20	21	22	23	24	25	26	27	28	29	三	2	3	4
일진		癸丑	戊寅	己卯	甲辰	乙巳	丙午	丁未	庚申	辛酉	壬戌	癸亥	戊子	己丑	甲寅	乙卯	丙辰	丁巳	庚午	辛未	壬申	癸酉	戊戌	己亥	甲子	乙丑	丙寅	丁卯	庚辰	辛巳	壬午	癸未
대운	男	2	1	1	1	1	白	10	9	9	9	8	8	8	7	7	7	6	6	6	5	5	5	4	4	4	3	3	3	2	2	2
	女	8	9	9	9	10	露	1	1	1	1	2	2	2	3	3	3	4	4	4	5	5	5	6	6	6	7	7	7	8	8	8

4月 (1일 七赤 -) **壬戌 (一白)** 절기: 寒露 (5일 08:45) 霜降 (20일 15:57)

양력		1	2	3	4	5	6	7	8	9	10	11	12	13	14	15	16	17	18	19	20	21	22	23	24	25	26	27	28	29	30	
요일		水	木	金	土	日	月	火	水	木	金	土	日	月	火	水	木	金	土	日	月	火	水	木	金	土	日	月	火	水	木	
음력	월	5	6	7	8	9	10	11	12	13	14	15	16	17	18	19	20	21	22	23	24	25	26	27	28	29	四	2	3	4	5	
일진		戊申	己酉	甲戌	乙亥	丙子	丁丑	庚寅	辛卯	壬辰	癸巳	戊午	己未	甲申	乙酉	丙戌	丁亥	庚子	辛丑	壬寅	癸卯	戊辰	己巳	甲午	乙未	丙申	丁酉	庚戌	辛亥	壬子	癸丑	
대운	男	1	1	1	1	寒	10	10	9	9	9	8	8	8	7	7	7	6	6	6	5	5	5	4	4	4	3	3	3	2	2	
	女	9	9	9	10	露	1	1	1	1	2	2	2	3	3	3	4	4	4	5	5	5	6	6	6	7	7	7	8	8	8	

5月 (1일 四綠 -) **癸亥 (二黑)** 절기: 立冬 (6일 02:03) 小雪 (21일 15:05)

양력		1	2	3	4	5	6	7	8	9	10	11	12	13	14	15	16	17	18	19	20	21	22	23	24	25	26	27	28	29	30	31
요일		金	土	日	月	火	水	木	金	土	日	月	火	水	木	金	土	日	月	火	水	木	金	土	日	月	火	水	木	金	土	日
음력	월	6	7	8	9	10	11	12	13	14	15	16	17	18	19	20	21	22	23	24	25	26	27	28	29	30	五	2	3	4	5	6
일진		戊寅	己卯	甲辰	乙巳	丙午	丁未	庚申	辛酉	壬戌	癸亥	戊子	己丑	甲寅	乙卯	丙辰	丁巳	庚午	辛未	壬申	癸酉	戊戌	己亥	甲子	乙丑	丙寅	丁卯	庚辰	辛巳	壬午	癸未	戊申
대운	男	2	1	1	1	1	立	10	10	9	9	9	8	8	8	7	7	7	6	6	6	5	5	5	4	4	4	3	3	3	2	2
	女	9	9	9	10	10	冬	1	1	1	1	2	2	2	3	3	3	4	4	4	5	5	5	6	6	6	7	7	7	8	8	8

6月 (1일 九紫 -) **戊子 (三碧)** 절기: 大雪 (6일 06:13) 冬至 (21일 23:03)

양력		1	2	3	4	5	6	7	8	9	10	11	12	13	14	15	16	17	18	19	20	21	22	23	24	25	26	27	28	29	30	
요일		月	火	水	木	金	土	日	月	火	水	木	金	土	日	月	火	水	木	金	土	日	月	火	水	木	金	土	日	月	火	
음력	월	7	8	9	10	11	12	13	14	15	16	17	18	19	20	21	22	23	24	25	26	27	28	29	閏五		3	4	5	6	7	
일진		己酉	甲戌	乙亥	丙子	丁丑	庚寅	辛卯	壬辰	癸巳	戊午	己未	甲申	乙酉	丙戌	丁亥	庚子	辛丑	壬寅	癸卯	戊辰	己巳	甲午	乙未	丙申	丁酉	庚戌	辛亥	壬子	癸丑	戊寅	
대운	男	2	1	1	1	1	大	10	10	9	9	9	8	8	8	7	7	7	6	6	6	5	5	5	4	4	4	3	3	3	2	
	女	9	9	9	10	10	雪	1	1	1	1	2	2	2	3	3	3	4	4	4	5	5	5	6	6	6	7	7	7	8	8	

7月 (1일 六白 - 16일 一白 +) **己丑 (四綠)** 절기: 小寒(7일 16:30) 大寒(23일 09:55)

양력		1	2	3	4	5	6	7	8	9	10	11	12	13	14	15	16	17	18	19	20	21	22	23	24	25	26	27	28	29	30	31
요일		水	木	金	土	日	月	火	水	木	金	土	日	月	火	水	木	金	土	日	月	火	水	木	金	土	日	月	火	水	木	金
음력	월	8	9	10	11	12	13	14	15	16	17	18	19	20	21	22	23	24	25	26	27	28	29	六	2	3	4	5	6	7	8	9
일진		己卯	甲辰	乙巳	丙午	丁未	庚申	辛酉	壬戌	癸亥	戊子	己丑	甲寅	乙卯	丙辰	丁巳	庚午	辛未	壬申	癸酉	戊戌	己亥	甲子	乙丑	丙寅	丁卯	庚辰	辛巳	壬午	癸未	戊申	己酉
대운	男	2	2	1	1	1	1	小	10	10	10	9	9	9	8	8	8	7	7	7	6	6	6	5	5	5	4	4	4	3	3	3
	女	8	9	9	9	10	10	寒	1	1	1	1	2	2	2	3	3	3	4	4	4	5	5	5	6	6	6	7	7	7	8	8

8月 (1일 八白 +) **甲寅 (五黃)** 절기: 立春(8일 02:20) 雨水(23일 16:59)

양력		1	2	3	4	5	6	7	8	9	10	11	12	13	14	15	16	17	18	19	20	21	22	23	24	25	26	27	28	29	30	31
요일		土	日	月	火	水	木	金	土	日	月	火	水	木	金	土	日	月	火	水	木	金	土	日	月	火	水	木	金	土	日	月
음력	월	10	11	12	13	14	15	16	17	18	19	20	21	22	23	24	25	26	27	28	29	30	七	2	3	4	5	6	7	8	9	10
일진		甲戌	乙亥	丙子	丁丑	庚寅	辛卯	壬辰	癸巳	戊午	己未	甲申	乙酉	丙戌	丁亥	庚子	辛丑	壬寅	癸卯	戊辰	己巳	甲午	乙未	丙申	丁酉	庚戌	辛亥	壬子	癸丑	戊寅	己卯	甲辰
대운	男	2	2	2	1	1	1	1	立	10	10	9	9	9	8	8	8	7	7	7	6	6	6	5	5	5	4	4	4	3	3	3
	女	8	9	9	9	10	10	10	春	1	1	1	1	2	2	2	3	3	3	4	4	4	5	5	5	6	6	6	7	7	7	8

9月 (1일 三碧 +) **乙卯 (六白)** 절기: 驚蟄(8일 05:16) 春分 (23일 14:37)

양력		1	2	3	4	5	6	7	8	9	10	11	12	13	14	15	16	17	18	19	20	21	22	23	24	25	26	27	28	29	30	
요일		火	水	木	金	土	日	月	火	水	木	金	土	日	月	火	水	木	金	土	日	月	火	水	木	金	土	日	月	火	水	
음력	월	11	12	13	14	15	16	17	18	19	20	21	22	23	24	25	26	27	28	29	30	八	2	3	4	5	6	7	8	9	10	
일진		乙巳	丙午	丁未	庚申	辛酉	壬戌	癸亥	戊子	己丑	甲寅	乙卯	丙辰	丁巳	庚午	辛未	壬申	癸酉	戊戌	己亥	甲子	乙丑	丙寅	丁卯	庚辰	辛巳	壬午	癸未	戊申	己酉	甲戌	
대운	男	2	2	2	1	1	1	1	驚	10	9	9	9	8	8	8	7	7	7	6	6	6	5	5	5	4	4	4	3	3	3	
	女	8	8	9	9	9	10	10	蟄	1	1	1	1	2	2	2	3	3	3	4	4	4	5	5	5	6	6	6	7	7	7	

10月 (1일 六白 +) **丙辰 (七赤)** 절기: 清明(8일 20:56) 穀雨(23일 23:59)

양력		1	2	3	4	5	6	7	8	9	10	11	12	13	14	15	16	17	18	19	20	21	22	23	24	25	26	27	28	29	30	31
요일		木	金	土	日	月	火	水	木	金	土	日	月	火	水	木	金	土	日	月	火	水	木	金	土	日	月	火	水	木	金	土
음력	월	11	12	13	14	15	16	17	18	19	20	21	22	23	24	25	26	27	28	29	九	2	3	4	5	6	7	8	9	10	11	12
일진		乙亥	丙子	丁丑	庚寅	辛卯	壬辰	癸巳	戊午	己未	甲申	乙酉	丙戌	丁亥	庚子	辛丑	壬寅	癸卯	戊辰	己巳	甲午	乙未	丙申	丁酉	庚戌	辛亥	壬子	癸丑	戊寅	己卯	甲辰	乙巳
대운	男	2	2	2	1	1	1	1	清	10	10	9	9	9	8	8	8	7	7	7	6	6	6	5	5	5	4	4	4	3	3	3
	女	8	8	8	9	9	9	10	明	1	1	1	1	2	2	2	3	3	3	4	4	4	5	5	5	6	6	6	7	7	7	8

11月 (1일 一白 +) **丁巳 (八白)** 절기: 立夏(8일 00:08) 小滿 (22일 21:34)

양력		1	2	3	4	5	6	7	8	9	10	11	12	13	14	15	16	17	18	19	20	21	22	23	24	25	26	27	28	29	30	
요일		日	月	火	水	木	金	土	日	月	火	水	木	金	土	日	月	火	水	木	金	土	日	月	火	水	木	金	土	日	月	
음력	월	13	14	15	16	17	18	19	20	21	22	23	24	25	26	27	28	29	30	十	2	3	4	5	6	7	8	9	10	11	12	
일진		丙午	丁未	庚申	辛酉	壬戌	癸亥	戊子	己丑	甲寅	乙卯	丙辰	丁巳	庚午	辛未	壬申	癸酉	戊戌	己亥	甲子	乙丑	丙寅	丁卯	庚辰	辛巳	壬午	癸未	戊申	己酉	甲戌	乙亥	
대운	男	2	2	2	1	1	1	1	立	9	9	9	8	8	8	7	7	7	6	6	6	5	5	5	4	4	4	3	3	3	2	
	女	8	8	9	9	9	10	10	夏	1	1	1	1	2	2	2	3	3	3	4	4	4	5	5	5	6	6	6	7	7	7	

12月 (1일 四綠 +) **庚午 (九紫)** 절기: 芒種(7일 17:02) 夏至(22일 10:56)

양력		1	2	3	4	5	6	7	8	9	10	11	12	13	14	15	16	17	18	19	20	21	22	23	24	25	26	27	28	29	30	31
요일		火	水	木	金	土	日	月	火	水	木	金	土	日	月	火	水	木	金	土	日	月	火	水	木	金	土	日	月	火	水	木
음력	월	13	14	15	16	17	18	19	20	21	22	23	24	25	26	27	28	29	30	十一	2	3	4	5	6	7	8	9	10	11	12	13
일진		丙子	丁丑	庚寅	辛卯	壬辰	癸巳	戊午	己未	甲申	乙酉	丙戌	丁亥	庚子	辛丑	壬寅	癸卯	戊辰	己巳	甲午	乙未	丙申	丁酉	庚戌	辛亥	壬子	癸丑	戊寅	己卯	甲辰	乙巳	丙午
대운	男	2	2	1	1	1	1	芒	10	9	9	9	8	8	8	7	7	7	6	6	6	5	5	5	4	4	4	3	3	3	2	2
	女	8	8	8	9	9	9	種	1	1	1	1	2	2	2	3	3	3	4	4	4	5	5	5	6	6	6	7	7	7	8	8

己酉年 (九紫火星)

1月 (1일 八白 + 12일 九紫 -) **辛未 (一白)** 절기: 小暑 (6일 04:17) 大暑 (20일 21:37)

양력		1	2	3	4	5	6	7	8	9	10	11	12	13	14	15	16	17	18	19	20	21	22	23	24	25	26	27	28	29	30	31
요일		金	土	日	月	火	水	木	金	土	日	月	火	水	木	金	土	日	月	火	水	木	金	土	日	月	火	水	木	金	土	日
음력	월	14	15	16	17	18	19	20	21	22	23	24	25	26	27	28	29	30	十二	2	3	4	5	6	7	8	9	10	11	12	13	14
일진		丁未	庚申	辛酉	壬戌	癸亥	戊子	己丑	甲寅	乙卯	丙辰	丁巳	庚午	辛未	壬申	癸酉	戊戌	己亥	甲子	乙丑	丙寅	丁卯	庚辰	辛巳	壬午	癸未	戊申	己酉	甲戌	乙亥	丙子	丁丑
대운	男	2	1	1	1	1	小	9	9	9	8	8	8	7	7	7	6	6	6	5	5	5	4	4	4	3	3	3	2	2	2	1
	女	8	9	9	9	10	暑	1	1	1	1	2	2	2	3	3	3	4	4	4	5	5	5	6	6	6	7	7	7	8	8	8

2月 (1일 七赤 -) **壬申 (二黑)** 절기: 立秋 (4일 15:57) 處暑 (19일 11:47)

양력		1	2	3	4	5	6	7	8	9	10	11	12	13	14	15	16	17	18	19	20	21	22	23	24	25	26	27	28			
요일		月	火	水	木	金	土	日	月	火	水	木	金	土	日	月	火	水	木	金	土	日	月	火	水	木	金	土	日			
음력	월	15	16	17	18	19	20	21	22	23	24	25	26	27	28	29	一	2	3	4	5	6	7	8	9	10	11	12	13			
일진		庚寅	辛卯	壬辰	癸巳	戊午	己未	甲申	乙酉	丙戌	丁亥	庚子	辛丑	壬寅	癸卯	戊辰	己巳	甲午	乙未	丙申	丁酉	庚戌	辛亥	壬子	癸丑	戊寅	己卯	甲辰	乙巳			
대운	男	1	1	1	立	1	1	1	1	2	2	2	3	3	3	4	4	4	5	5	5	6	6	6	7	7	7	8	8			
	女	9	9	9	秋	10	9	9	9	8	8	8	7	7	7	6	6	6	5	5	5	4	4	4	3	3	3	2	2			

3月 (1일 六白 -) **癸酉 (三碧)** 절기: 白露 (6일 09:58) 秋分 (21일 10:46)

양력		1	2	3	4	5	6	7	8	9	10	11	12	13	14	15	16	17	18	19	20	21	22	23	24	25	26	27	28	29	30	31
요일		月	火	水	木	金	土	日	月	火	水	木	金	土	日	月	火	水	木	金	土	日	月	火	水	木	金	土	日	月	火	水
음력	월	14	15	16	17	18	19	20	21	22	23	24	25	26	27	28	29	30	二	2	3	4	5	6	7	8	9	10	11	12	13	14
일진		丙午	丁未	庚申	辛酉	壬戌	癸亥	戊子	己丑	甲寅	乙卯	丙辰	丁巳	庚午	辛未	壬申	癸酉	戊戌	己亥	甲子	乙丑	丙寅	丁卯	庚辰	辛巳	壬午	癸未	戊申	己酉	甲戌	乙亥	丙子
대운	男	8	9	9	9	10	白	1	1	1	1	2	2	2	3	3	3	4	4	4	5	5	5	6	6	6	7	7	7	8	8	8
	女	2	1	1	1	1	露	10	9	9	9	8	8	8	7	7	7	6	6	6	5	5	5	4	4	4	3	3	3	2	2	2

4月 (1일 二黑 -) **戊戌 (四綠)** 절기: 寒露 (5일 14:45) 霜降 (20일 21:46)

양력		1	2	3	4	5	6	7	8	9	10	11	12	13	14	15	16	17	18	19	20	21	22	23	24	25	26	27	28	29	30	
요일		木	金	土	日	月	火	水	木	金	土	日	月	火	水	木	金	土	日	月	火	水	木	金	土	日	月	火	水	木	金	
음력	월	15	16	17	18	19	20	21	22	23	24	25	26	27	28	29	三	2	3	4	5	6	7	8	9	10	11	12	13	14	15	
일진		丁丑	庚寅	辛卯	壬辰	癸巳	戊午	己未	甲申	乙酉	丙戌	丁亥	庚子	辛丑	壬寅	癸卯	戊辰	己巳	甲午	乙未	丙申	丁酉	庚戌	辛亥	壬子	癸丑	戊寅	己卯	甲辰	乙巳	丙午	
대운	男	9	9	9	10	寒	1	1	1	1	2	2	2	3	3	3	4	4	4	5	5	5	6	6	6	7	7	7	8	8	8	
	女	1	1	1	1	露	10	10	9	9	9	8	8	8	7	7	7	6	6	6	5	5	5	4	4	4	3	3	3	2	2	

5月 (1일 八白 -) **己亥 (五黃)** 절기: 立冬 (6일 08:01) 小雪 (21일 20:52)

양력		1	2	3	4	5	6	7	8	9	10	11	12	13	14	15	16	17	18	19	20	21	22	23	24	25	26	27	28	29	30	31
요일		土	日	月	火	水	木	金	土	日	月	火	水	木	金	土	日	月	火	水	木	金	土	日	月	火	水	木	金	土	日	月
음력	월	16	17	18	19	20	21	22	23	24	25	26	27	28	29	四	2	3	4	5	6	7	8	9	10	11	12	13	14	15	16	17
일진		丁未	庚申	辛酉	壬戌	癸亥	戊子	己丑	甲寅	乙卯	丙辰	丁巳	庚午	辛未	壬申	癸酉	戊戌	己亥	甲子	乙丑	丙寅	丁卯	庚辰	辛巳	壬午	癸未	戊申	己酉	甲戌	乙亥	丙子	丁丑
대운	男	9	9	9	10	10	立	1	1	1	1	2	2	2	3	3	3	4	4	4	5	5	5	6	6	6	7	7	7	8	8	8
	女	2	1	1	1	1	冬	10	10	9	9	9	8	8	8	7	7	7	6	6	6	5	5	5	4	4	4	3	3	3	2	2

6月 (1일 四綠 -) **甲子 (六白)** 절기: 大雪 (6일 12:09) 冬至 (22일 04:49)

양력		1	2	3	4	5	6	7	8	9	10	11	12	13	14	15	16	17	18	19	20	21	22	23	24	25	26	27	28	29	30	
요일		火	水	木	金	土	日	月	火	水	木	金	土	日	月	火	水	木	金	土	日	月	火	水	木	金	土	日	月	火	水	
음력	월	18	19	20	21	22	23	24	25	26	27	28	29	30	五	2	3	4	5	6	7	8	9	10	11	12	13	14	15	16	17	
일진		庚寅	辛卯	壬辰	癸巳	戊午	己未	甲申	乙酉	丙戌	丁亥	庚子	辛丑	壬寅	癸卯	戊辰	己巳	甲午	乙未	丙申	丁酉	庚戌	辛亥	壬子	癸丑	戊寅	己卯	甲辰	乙巳	丙午	丁未	
대운	男	9	9	9	10	10	大	1	1	1	1	2	2	2	3	3	3	4	4	4	5	5	5	6	6	6	7	7	7	8	8	
	女	2	1	1	1	1	雪	10	10	9	9	9	8	8	8	7	7	7	6	6	6	5	5	5	4	4	4	3	3	3	2	

7月 (1일 一白 - 11일 一白 +) **乙丑 (七赤)** 절기: 小寒(7일 22:25) 大寒(23일 15:44)

양력		1	2	3	4	5	6	7	8	9	10	11	12	13	14	15	16	17	18	19	20	21	22	23	24	25	26	27	28	29	30	31
요일		木	金	土	日	月	火	水	木	金	土	日	月	火	水	木	金	土	日	月	火	水	木	金	土	日	月	火	水	木	金	土
음력	월	18	19	20	21	22	23	24	25	26	27	28	29	六	2	3	4	5	6	7	8	9	10	11	12	13	14	15	16	17	18	19
일진		庚申	辛酉	壬戌	癸亥	戊子	己丑	甲寅	乙卯	丙辰	丁巳	庚午	辛未	壬申	癸酉	戊戌	己亥	甲子	乙丑	丙寅	丁卯	庚辰	辛巳	壬午	癸未	戊申	己酉	甲戌	乙亥	丙子	丁丑	庚寅
대운	男	8	9	9	9	10	10	小	1	1	1	1	2	2	2	3	3	3	4	4	4	5	5	5	6	6	6	7	7	7	8	8
	女	2	2	1	1	1	1	寒	10	10	10	9	9	9	8	8	8	7	7	7	6	6	6	5	5	5	4	4	4	3	3	3

8月 (1일 四綠 +) **丙寅 (八白)** 절기: 立春(8일 08:14) 雨水(23일 22:51)

양력		1	2	3	4	5	6	7	8	9	10	11	12	13	14	15	16	17	18	19	20	21	22	23	24	25	26	27	28	29	30	31
요일		日	月	火	水	木	金	土	日	月	火	水	木	金	土	日	月	火	水	木	金	土	日	月	火	水	木	金	土	日	月	火
음력	월	20	21	22	23	24	25	26	27	28	29	七	2	3	4	5	6	7	8	9	10	11	12	13	14	15	16	17	18	19	20	21
일진		辛卯	壬辰	癸巳	戊午	己未	甲申	乙酉	丙戌	丁亥	庚子	辛丑	壬寅	癸卯	戊辰	己巳	甲午	乙未	丙申	丁酉	庚戌	辛亥	壬子	癸丑	戊寅	己卯	甲辰	乙巳	丙午	丁未	庚申	辛酉
대운	男	8	9	9	9	10	10	10	立	1	1	1	1	2	2	2	3	3	3	4	4	4	5	5	5	6	6	6	7	7	7	8
	女	2	2	2	1	1	1	1	春	10	10	9	9	9	8	8	8	7	7	7	6	6	6	5	5	5	4	4	4	3	3	3

9月 (1일 八白 +) **丁卯 (九紫)** 절기: 驚蟄(8일 11:10) 春分 (23일 20:32)

양력		1	2	3	4	5	6	7	8	9	10	11	12	13	14	15	16	17	18	19	20	21	22	23	24	25	26	27	28	29	30	
요일		水	木	金	土	日	月	火	水	木	金	土	日	月	火	水	木	金	土	日	月	火	水	木	金	土	日	月	火	水	木	
음력	월	22	23	24	25	26	27	28	29	30	八	2	3	4	5	6	7	8	9	10	11	12	13	14	15	16	17	18	19	20	21	
일진		壬戌	癸亥	戊子	己丑	甲寅	乙卯	丙辰	丁巳	庚午	辛未	壬申	癸酉	戊戌	己亥	甲子	乙丑	丙寅	丁卯	庚辰	辛巳	壬午	癸未	戊申	己酉	甲戌	乙亥	丙子	丁丑	庚寅	辛卯	
대운	男	8	8	9	9	9	10	10	驚	1	1	1	1	2	2	2	3	3	3	4	4	4	5	5	5	6	6	6	7	7	7	
	女	2	2	2	1	1	1	1	蟄	10	10	9	9	9	8	8	8	7	7	7	6	6	6	5	5	5	4	4	4	3	3	

10月 (1일 二黑 +) **庚辰 (一白)** 절기: 清明(9일 02:48) 穀雨(24일 05:52)

양력		1	2	3	4	5	6	7	8	9	10	11	12	13	14	15	16	17	18	19	20	21	22	23	24	25	26	27	28	29	30	31
요일		金	土	日	月	火	水	木	金	土	日	月	火	水	木	金	土	日	月	火	水	木	金	土	日	月	火	水	木	金	土	日
음력	월	22	23	24	25	26	27	28	29	九	2	3	4	5	6	7	8	9	10	11	12	13	14	15	16	17	18	19	20	21	22	23
일진		壬辰	癸巳	戊午	己未	甲申	乙酉	丙戌	丁亥	庚子	辛丑	壬寅	癸卯	戊辰	己巳	甲午	乙未	丙申	丁酉	庚戌	辛亥	壬子	癸丑	戊寅	己卯	甲辰	乙巳	丙午	丁未	庚申	辛酉	壬戌
대운	男	8	8	8	9	9	9	10	10	清	1	1	1	1	2	2	2	3	3	3	4	4	4	5	5	5	6	6	6	7	7	7
	女	3	2	2	2	1	1	1	1	明	10	9	9	9	8	8	8	7	7	7	6	6	6	5	5	5	4	4	4	3	3	3

11月 (1일 六白 +) **辛巳 (二黑)** 절기: 立夏(8일 05:58) 小滿 (23일 03:25)

양력		1	2	3	4	5	6	7	8	9	10	11	12	13	14	15	16	17	18	19	20	21	22	23	24	25	26	27	28	29	30	
요일		月	火	水	木	金	土	日	月	火	水	木	金	土	日	月	火	水	木	金	土	日	月	火	水	木	金	土	日	月	火	
음력	월	24	25	26	27	28	29	30	十	2	3	4	5	6	7	8	9	10	11	12	13	14	15	16	17	18	19	20	21	22	23	
일진		癸亥	戊子	己丑	甲寅	乙卯	丙辰	丁巳	庚午	辛未	壬申	癸酉	戊戌	己亥	甲子	乙丑	丙寅	丁卯	庚辰	辛巳	壬午	癸未	戊申	己酉	甲戌	乙亥	丙子	丁丑	庚寅	辛卯	壬辰	
대운	男	8	8	8	9	9	9	10	立	1	1	1	1	2	2	2	3	3	3	4	4	4	5	5	5	6	6	6	7	7	7	
	女	2	2	2	1	1	1	1	夏	9	9	9	8	8	8	7	7	7	6	6	6	5	5	5	4	4	4	3	3	3	2	

12月 (1일 九紫 +) **壬午 (三碧)** 절기: 芒種(7일 22:47) 夏至(22일 16:44)

양력		1	2	3	4	5	6	7	8	9	10	11	12	13	14	15	16	17	18	19	20	21	22	23	24	25	26	27	28	29	30	31
요일		水	木	金	土	日	月	火	水	木	金	土	日	月	火	水	木	金	土	日	月	火	水	木	金	土	日	月	火	水	木	金
음력	월	24	25	26	27	28	29	30	十一	2	3	4	5	6	7	8	9	10	11	12	13	14	15	16	17	18	19	20	21	22	23	24
일진		癸巳	戊午	己未	甲申	乙酉	丙戌	丁亥	庚子	辛丑	壬寅	癸卯	戊辰	己巳	甲午	乙未	丙申	丁酉	庚戌	辛亥	壬子	癸丑	戊寅	己卯	甲辰	乙巳	丙午	丁未	庚申	辛酉	壬戌	癸亥
대운	男	8	8	8	9	9	9	芒	1	1	1	1	2	2	2	3	3	3	4	4	4	5	5	5	6	6	6	7	7	7	8	8
	女	2	2	1	1	1	1	種	10	9	9	9	8	8	8	7	7	7	6	6	6	5	5	5	4	4	4	3	3	3	2	2

서기2000년

甲戌年 (一白水星)

1月 (1일 四綠 + 7일 九紫 -) **癸未 (四綠)** 절기: 小暑 (6일 10:00) 大暑 (21일 03:22)

양력		1	2	3	4	5	6	7	8	9	10	11	12	13	14	15	16	17	18	19	20	21	22	23	24	25	26	27	28	29	30	31
요일		土	日	月	火	水	木	金	土	日	月	火	水	木	金	土	日	月	火	水	木	金	土	日	月	火	水	木	金	土	日	月
음력	월	25	26	27	28	29	30	十二	2	3	4	5	6	7	8	9	10	11	12	13	14	15	16	17	18	19	20	21	22	23	24	25
일진		戊子	己丑	甲寅	乙卯	丙辰	丁巳	庚午	辛未	壬申	癸酉	戊戌	己亥	甲子	乙丑	丙寅	丁卯	庚辰	辛巳	壬午	癸未	戊申	己酉	甲戌	乙亥	丙子	丁丑	庚寅	辛卯	壬辰	癸巳	戊午
대운	男	8	9	9	9	10	小	1	1	1	1	2	2	2	3	3	3	4	4	4	5	5	5	6	6	6	7	7	7	8	8	8
	女	2	1	1	1	1	暑	9	9	9	8	8	8	7	7	7	6	6	6	5	5	5	4	4	4	3	3	3	2	2	2	1

2月 閏 (1일 二黑 -) **戊申 (五黃)** 절기: 立秋 (4일 21:40) 處暑 (19일 17:33)

양력		1	2	3	4	5	6	7	8	9	10	11	12	13	14	15	16	17	18	19	20	21	22	23	24	25	26	27	28	29		
요일		火	水	木	金	土	日	月	火	水	木	金	土	日	月	火	水	木	金	土	日	月	火	水	木	金	土	日	月	火		
음력	월	26	27	28	29	一	2	3	4	5	6	7	8	9	10	11	12	13	14	15	16	17	18	19	20	21	22	23	24	25		
일진		己未	甲申	乙酉	丙戌	丁亥	庚子	辛丑	壬寅	癸卯	戊辰	己巳	甲午	乙未	丙申	丁酉	庚戌	辛亥	壬子	癸丑	戊寅	己卯	甲辰	乙巳	丙午	丁未	庚申	辛酉	壬戌	癸亥		
대운	男	9	9	9	立	10	9	9	9	8	8	8	7	7	7	6	6	6	5	5	5	4	4	4	3	3	3	2	2	2		
	女	1	1	1	秋	1	1	1	1	2	2	2	3	3	3	4	4	4	5	5	5	6	6	6	7	7	7	8	8	8		

3月 (1일 九紫 -) **己酉 (六白)** 절기: 白露 (5일 15:42) 秋分 (20일 16:35)

양력		1	2	3	4	5	6	7	8	9	10	11	12	13	14	15	16	17	18	19	20	21	22	23	24	25	26	27	28	29	30	31
요일		水	木	金	土	日	月	火	水	木	金	土	日	月	火	水	木	金	土	日	月	火	水	木	金	土	日	月	火	水	木	金
음력	월	26	27	28	29	30	二	2	3	4	5	6	7	8	9	10	11	12	13	14	15	16	17	18	19	20	21	22	23	24	25	26
일진		戊子	己丑	甲寅	乙卯	丙辰	丁巳	庚午	辛未	壬申	癸酉	戊戌	己亥	甲子	乙丑	丙寅	丁卯	庚辰	辛巳	壬午	癸未	戊申	己酉	甲戌	乙亥	丙子	丁丑	庚寅	辛卯	壬辰	癸巳	戊午
대운	男	1	1	1	1	白	10	9	9	9	8	8	8	7	7	7	6	6	6	5	5	5	4	4	4	3	3	3	2	2	2	1
	女	9	9	9	10	露	1	1	1	1	2	2	2	3	3	3	4	4	4	5	5	5	6	6	6	7	7	7	8	8	8	9

4月 (1일 五黃 -) **甲戌 (七赤)** 절기: 寒露 (4일 20:31) 霜降 (20일 03:39)

양력		1	2	3	4	5	6	7	8	9	10	11	12	13	14	15	16	17	18	19	20	21	22	23	24	25	26	27	28	29	30	
요일		土	日	月	火	水	木	金	土	日	月	火	水	木	金	土	日	月	火	水	木	金	土	日	月	火	水	木	金	土	日	
음력	월	27	28	29	30	三	2	3	4	5	6	7	8	9	10	11	12	13	14	15	16	17	18	19	20	21	22	23	24	25	26	
일진		己未	甲申	乙酉	丙戌	丁亥	庚子	辛丑	壬寅	癸卯	戊辰	己巳	甲午	乙未	丙申	丁酉	庚戌	辛亥	壬子	癸丑	戊寅	己卯	甲辰	乙巳	丙午	丁未	庚申	辛酉	壬戌	癸亥	戊子	
대운	男	1	1	1	寒	10	10	9	9	9	8	8	8	7	7	7	6	6	6	5	5	5	4	4	4	3	3	3	2	2	2	
	女	9	9	10	露	1	1	1	1	2	2	2	3	3	3	4	4	4	5	5	5	6	6	6	7	7	7	8	8	9		

5月 (1일 四綠 -) **乙亥 (八白)** 절기: 立冬 (5일 13:50) 小雪 (21일 02:49)

양력		1	2	3	4	5	6	7	8	9	10	11	12	13	14	15	16	17	18	19	20	21	22	23	24	25	26	27	28	29	30	31
요일		月	火	水	木	金	土	日	月	火	水	木	金	土	日	月	火	水	木	金	土	日	月	火	水	木	金	土	日	月	火	水
음력	월	27	28	29	四	2	3	4	5	6	7	8	9	10	11	12	13	14	15	16	17	18	19	20	21	22	23	24	25	26	27	28
일진		己丑	甲寅	乙卯	丙辰	丁巳	庚午	辛未	壬申	癸酉	戊戌	己亥	甲子	乙丑	丙寅	丁卯	庚辰	辛巳	壬午	癸未	戊申	己酉	甲戌	乙亥	丙子	丁丑	庚寅	辛卯	壬辰	癸巳	戊午	己未
대운	男	1	1	1	1	立	10	10	9	9	9	8	8	8	7	7	7	6	6	6	5	5	5	4	4	4	3	3	3	2	2	2
	女	9	9	10	10	冬	1	1	1	1	2	2	2	3	3	3	4	4	4	5	5	5	6	6	6	7	7	7	8	8	8	9

6月 (1일 七赤 -) **丙子 (九紫)** 절기: 大雪 (5일 17:58) 冬至 (21일 10:47)

양력		1	2	3	4	5	6	7	8	9	10	11	12	13	14	15	16	17	18	19	20	21	22	23	24	25	26	27	28	29	30	
요일		木	金	土	日	月	火	水	木	金	土	日	月	火	水	木	金	土	日	月	火	水	木	金	土	日	月	火	水	木	金	
음력	월	29	五	2	3	4	5	6	7	8	9	10	11	12	13	14	15	16	17	18	19	20	21	22	23	24	25	26	27	28	29	
일진		甲申	乙酉	丙戌	丁亥	庚子	辛丑	壬寅	癸卯	戊辰	己巳	甲午	乙未	丙申	丁酉	庚戌	辛亥	壬子	癸丑	戊寅	己卯	甲辰	乙巳	丙午	丁未	庚申	辛酉	壬戌	癸亥	戊子	己丑	
대운	男	1	1	1	1	大	10	10	10	9	9	9	8	8	8	7	7	7	6	6	6	5	5	5	4	4	4	3	3	3	2	
	女	9	9	10	10	雪	1	1	1	1	2	2	2	3	3	3	4	4	4	5	5	5	6	6	6	7	7	7	8	8	8	

7月 (1일 四綠 - 5일 一白 +) **丁丑 (一白)** 절기: 小寒(7일 04:13) 大寒(22일 21:42)

양력		1	2	3	4	5	6	7	8	9	10	11	12	13	14	15	16	17	18	19	20	21	22	23	24	25	26	27	28	29	30	31
요일		土	日	月	火	水	木	金	土	日	月	火	水	木	金	土	日	月	火	水	木	金	土	日	月	火	水	木	金	土	日	月
음력	월	30	六	2	3	4	5	6	7	8	9	10	11	12	13	14	15	16	17	18	19	20	21	22	23	24	25	26	27	28	29	七
일진		甲寅	乙卯	丙辰	丁巳	庚午	辛未	壬申	癸酉	戊戌	己亥	甲子	乙丑	丙寅	丁卯	庚辰	辛巳	壬午	癸未	戊申	己酉	甲戌	乙亥	丙子	丁丑	庚寅	辛卯	壬辰	癸巳	戊午	己未	甲申
대운	男	2	2	1	1	1	1	小	10	10	9	9	9	8	8	8	7	7	7	6	6	6	5	5	5	4	4	4	3	3	3	2
	女	9	9	9	10	10	10	寒	1	1	1	1	2	2	2	3	3	3	4	4	4	5	5	5	6	6	6	7	7	7	8	8

8月 (1일 一白 +) **庚寅 (二黑)** 절기: 立春(7일 14:02) 雨水(23일 04:48)

양력		1	2	3	4	5	6	7	8	9	10	11	12	13	14	15	16	17	18	19	20	21	22	23	24	25	26	27	28	29	30	31
요일		火	水	木	金	土	日	月	火	水	木	金	土	日	月	火	水	木	金	土	日	月	火	水	木	金	土	日	月	火	水	木
음력	월	2	3	4	5	6	7	8	9	10	11	12	13	14	15	16	17	18	19	20	21	22	23	24	25	26	27	28	29	八	2	3
일진		乙酉	丙戌	丁亥	庚子	辛丑	壬寅	癸卯	戊辰	己巳	甲午	乙未	丙申	丁酉	庚戌	辛亥	壬子	癸丑	戊寅	己卯	甲辰	乙巳	丙午	丁未	庚申	辛酉	壬戌	癸亥	戊子	己丑	甲寅	乙卯
대운	男	2	2	1	1	1	1	立	10	10	9	9	9	8	8	8	7	7	7	6	6	6	5	5	5	4	4	4	3	3	3	2
	女	8	9	9	9	10	10	春	1	1	1	1	2	2	2	3	3	3	4	4	4	5	5	5	6	6	6	7	7	7	8	8

9月 (1일 五黃 +) **辛卯 (三碧)** 절기: 驚蟄(7일 16:59) 春分 (23일 02:27)

양력		1	2	3	4	5	6	7	8	9	10	11	12	13	14	15	16	17	18	19	20	21	22	23	24	25	26	27	28	29	30	
요일		金	土	日	月	火	水	木	金	土	日	月	火	水	木	金	土	日	月	火	水	木	金	土	日	月	火	水	木	金	土	
음력	월	4	5	6	7	8	9	10	11	12	13	14	15	16	17	18	19	20	21	22	23	24	25	26	27	28	29	30	九	2	3	
일진		丙辰	丁巳	庚午	辛未	壬申	癸酉	戊戌	己亥	甲子	乙丑	丙寅	丁卯	庚辰	辛巳	壬午	癸未	戊申	己酉	甲戌	乙亥	丙子	丁丑	庚寅	辛卯	壬辰	癸巳	戊午	己未	甲申	乙酉	
대운	男	2	2	1	1	1	1	驚	10	10	9	9	9	8	8	8	7	7	7	6	6	6	5	5	5	4	4	4	3	3	3	
	女	8	9	9	9	10	10	蟄	1	1	1	1	2	2	2	3	3	3	4	4	4	5	5	5	6	6	6	7	7	7	8	

10月 (1일 八白 +) **壬辰 (四綠)** 절기: 清明(8일 08:38) 穀雨(23일 11:47)

양력		1	2	3	4	5	6	7	8	9	10	11	12	13	14	15	16	17	18	19	20	21	22	23	24	25	26	27	28	29	30	31
요일		日	月	火	水	木	金	土	日	月	火	水	木	金	土	日	月	火	水	木	金	土	日	月	火	水	木	金	土	日	月	火
음력	월	4	5	6	7	8	9	10	11	12	13	14	15	16	17	18	19	20	21	22	23	24	25	26	27	28	29	十	2	3	4	5
일진		丙戌	丁亥	庚子	辛丑	壬寅	癸卯	戊辰	己巳	甲午	乙未	丙申	丁酉	庚戌	辛亥	壬子	癸丑	戊寅	己卯	甲辰	乙巳	丙午	丁未	庚申	辛酉	壬戌	癸亥	戊子	己丑	甲寅	乙卯	丙辰
대운	男	2	2	2	1	1	1	1	清	10	9	9	9	8	8	8	7	7	7	6	6	6	5	5	5	4	4	4	3	3	3	2
	女	8	8	9	9	9	10	10	明	1	1	1	1	2	2	2	3	3	3	4	4	4	5	5	5	6	6	6	7	7	7	8

11月 (1일 三碧 +) **癸巳 (五黃)** 절기: 立夏(7일 11:47) 小滿 (22일 09:19)

양력		1	2	3	4	5	6	7	8	9	10	11	12	13	14	15	16	17	18	19	20	21	22	23	24	25	26	27	28	29	30	
요일		水	木	金	土	日	月	火	水	木	金	土	日	月	火	水	木	金	土	日	月	火	水	木	金	土	日	月	火	水	木	
음력	월	6	7	8	9	10	11	12	13	14	15	16	17	18	19	20	21	22	23	24	25	26	27	28	29	30	十一	2	3	4	5	
일진		丁巳	庚午	辛未	壬申	癸酉	戊戌	己亥	甲子	乙丑	丙寅	丁卯	庚辰	辛巳	壬午	癸未	戊申	己酉	甲戌	乙亥	丙子	丁丑	庚寅	辛卯	壬辰	癸巳	戊午	己未	甲申	乙酉	丙戌	
대운	男	2	2	1	1	1	1	立	10	9	9	9	8	8	8	7	7	7	6	6	6	5	5	5	4	4	4	3	3	3	2	
	女	8	8	9	9	9	10	夏	1	1	1	1	2	2	2	3	3	3	4	4	4	5	5	5	6	6	6	7	7	7	8	

12月 (1일 六白 +) **戊午 (六白)** 절기: 芒種(7일 04:36) 夏至(21일 22:37)

양력		1	2	3	4	5	6	7	8	9	10	11	12	13	14	15	16	17	18	19	20	21	22	23	24	25	26	27	28	29	30	31
요일		金	土	日	月	火	水	木	金	土	日	月	火	水	木	金	土	日	月	火	水	木	金	土	日	月	火	水	木	金	土	日
음력	월	6	7	8	9	10	11	12	13	14	15	16	17	18	19	20	21	22	23	24	25	26	27	28	29	30	十二	2	3	4	5	6
일진		丁亥	庚子	辛丑	壬寅	癸卯	戊辰	己巳	甲午	乙未	丙申	丁酉	庚戌	辛亥	壬子	癸丑	戊寅	己卯	甲辰	乙巳	丙午	丁未	庚申	辛酉	壬戌	癸亥	戊子	己丑	甲寅	乙卯	丙辰	丁巳
대운	男	2	2	1	1	1	1	芒	9	9	9	8	8	8	7	7	7	6	6	6	5	5	5	4	4	4	3	3	3	2	2	2
	女	8	8	9	9	9	10	種	1	1	1	1	2	2	2	3	3	3	4	4	4	5	5	5	6	6	6	7	7	7	8	8

서기2001년 **乙亥年** (二黑土星) 閏四月

1月 (1일 九紫 -) **己未 (七赤)** 절기: 小暑 (5일 15:49) 大暑 (20일 09:16)

양력		1	2	3	4	5	6	7	8	9	10	11	12	13	14	15	16	17	18	19	20	21	22	23	24	25	26	27	28	29	30	31
요일		月	火	水	木	金	土	日	月	火	水	木	金	土	日	月	火	水	木	金	土	日	月	火	水	木	金	土	日	月	火	水
음력	월	7	8	9	10	11	12	13	14	15	16	17	18	19	20	21	22	23	24	25	26	27	28	29	一	2	3	4	5	6	7	8
일진		庚午	辛未	壬申	癸酉	戊戌	己亥	甲子	乙丑	丙寅	丁卯	庚辰	辛巳	壬午	癸未	戊申	己酉	甲戌	乙亥	丙子	丁丑	庚寅	辛卯	壬辰	癸巳	戊午	己未	甲申	乙酉	丙戌	丁亥	庚子
대운	男	1	1	1	1	小	10	9	9	9	8	8	8	7	7	7	6	6	6	5	5	5	4	4	4	3	3	3	2	2	2	1
	女	8	9	9	9	暑	1	1	1	1	2	2	2	3	3	3	4	4	4	5	5	5	6	6	6	7	7	7	8	8	8	9

2月 (1일 五黃 -) **甲申 (八白)** 절기: 立秋 (4일 03:28) 處暑 (18일 23:27)

양력		1	2	3	4	5	6	7	8	9	10	11	12	13	14	15	16	17	18	19	20	21	22	23	24	25	26	27	28			
요일		木	金	土	日	月	火	水	木	金	土	日	月	火	水	木	金	土	日	月	火	水	木	金	土	日	月	火	水			
음력	월	9	10	11	12	13	14	15	16	17	18	19	20	21	22	23	24	25	26	27	28	29	30	二	2	3	4	5	6			
일진		辛丑	壬寅	癸卯	戊辰	己巳	甲午	乙未	丙申	丁酉	庚戌	辛亥	壬子	癸丑	戊寅	己卯	甲辰	乙巳	丙午	丁未	庚申	辛酉	壬戌	癸亥	戊子	己丑	甲寅	乙卯	丙辰			
대운	男	1	1	1	立	1	1	1	1	2	2	2	3	3	3	4	4	4	5	5	5	6	6	6	7	7	7	8	8			
	女	9	9	10	秋	9	9	9	8	8	8	7	7	7	6	6	6	5	5	5	4	4	4	3	3	3	2	2	2			

3月 (1일 四綠 -) **乙酉 (九紫)** 절기: 白露 (5일 21:32) 秋分 (20일 22:30)

양력		1	2	3	4	5	6	7	8	9	10	11	12	13	14	15	16	17	18	19	20	21	22	23	24	25	26	27	28	29	30	31
요일		木	金	土	日	月	火	水	木	金	土	日	月	火	水	木	金	土	日	月	火	水	木	金	土	日	月	火	水	木	金	土
음력	월	7	8	9	10	11	12	13	14	15	16	17	18	19	20	21	22	23	24	25	26	27	28	29	30	三	2	3	4	5	6	7
일진		丁巳	庚午	辛未	壬申	癸酉	戊戌	己亥	甲子	乙丑	丙寅	丁卯	庚辰	辛巳	壬午	癸未	戊申	己酉	甲戌	乙亥	丙子	丁丑	庚寅	辛卯	壬辰	癸巳	戊午	己未	甲申	乙酉	丙戌	丁亥
대운	男	8	9	9	9	白	1	1	1	1	2	2	2	3	3	3	4	4	4	5	5	5	6	6	6	7	7	7	8	8	8	9
	女	1	1	1	1	露	10	10	9	9	9	8	8	8	7	7	7	6	6	6	5	5	5	4	4	4	3	3	3	2	2	2

4月 (1일 九紫 -) **丙戌 (一白)** 절기: 寒露 (5일 02:24) 霜降 (20일 09:35)

양력		1	2	3	4	5	6	7	8	9	10	11	12	13	14	15	16	17	18	19	20	21	22	23	24	25	26	27	28	29	30	
요일		日	月	火	水	木	金	土	日	月	火	水	木	金	土	日	月	火	水	木	金	土	日	月	火	水	木	金	土	日	月	
음력	월	8	9	10	11	12	13	14	15	16	17	18	19	20	21	22	23	24	25	26	27	28	29	30	四	2	3	4	5	6	7	
일진		庚子	辛丑	壬寅	癸卯	戊辰	己巳	甲午	乙未	丙申	丁酉	庚戌	辛亥	壬子	癸丑	戊寅	己卯	甲辰	乙巳	丙午	丁未	庚申	辛酉	壬戌	癸亥	戊子	己丑	甲寅	乙卯	丙辰	丁巳	
대운	男	9	9	10	10	寒	1	1	1	1	2	2	2	3	3	3	4	4	4	5	5	5	6	6	6	7	7	7	8	8	8	
	女	1	1	1	1	露	10	9	9	9	8	8	8	7	7	7	6	6	6	5	5	5	4	4	4	3	3	3	2	2	2	

5月 (1일 六白 -) **丁亥 (二黑)** 절기: 立冬 (5일 19:44) 小雪 (21일 08:44)

양력		1	2	3	4	5	6	7	8	9	10	11	12	13	14	15	16	17	18	19	20	21	22	23	24	25	26	27	28	29	30	31
요일		火	水	木	金	土	日	月	火	水	木	金	土	日	月	火	水	木	金	土	日	月	火	水	木	金	土	日	月	火	水	木
음력	월	8	9	10	11	12	13	14	15	16	17	18	19	20	21	22	23	24	25	26	27	28	29	閏四		3	4	5	6	7	8	9
일진		庚午	辛未	壬申	癸酉	戊戌	己亥	甲子	乙丑	丙寅	丁卯	庚辰	辛巳	壬午	癸未	戊申	己酉	甲戌	乙亥	丙子	丁丑	庚寅	辛卯	壬辰	癸巳	戊午	己未	甲申	乙酉	丙戌	丁亥	庚子
대운	男	9	9	9	10	立	1	1	1	1	2	2	2	3	3	3	4	4	4	5	5	5	6	6	6	7	7	7	8	8	8	9
	女	1	1	1	1	冬	10	10	9	9	9	8	8	8	7	7	7	6	6	6	5	5	5	4	4	4	3	3	3	2	2	2

6月 (1일 二黑 - 30일 一白 +) **庚子 (三碧)** 절기: 大雪 (5일 23:53) 冬至 (21일 16:37)

양력		1	2	3	4	5	6	7	8	9	10	11	12	13	14	15	16	17	18	19	20	21	22	23	24	25	26	27	28	29	30	
요일		金	土	日	月	火	水	木	金	土	日	月	火	水	木	金	土	日	月	火	水	木	金	土	日	月	火	水	木	金	土	
음력	월	10	11	12	13	14	15	16	17	18	19	20	21	22	23	24	25	26	27	28	29	五	2	3	4	5	6	7	8	9	10	
일진		辛丑	壬寅	癸卯	戊辰	己巳	甲午	乙未	丙申	丁酉	庚戌	辛亥	壬子	癸丑	戊寅	己卯	甲辰	乙巳	丙午	丁未	庚申	辛酉	壬戌	癸亥	戊子	己丑	甲寅	乙卯	丙辰	丁巳	庚午	
대운	男	9	9	9	10	大	1	1	1	1	2	2	2	3	3	3	4	4	4	5	5	5	6	6	6	7	7	7	8	8	8	
	女	1	1	1	1	雪	10	10	10	9	9	9	8	8	8	7	7	7	6	6	6	5	5	5	4	4	4	3	3	3	2	

7月 (1일 二黑 +)　　**辛丑 (四綠)**　　절기: 小寒(7일 10:06) 大寒(23일 03:26)

양력		1	2	3	4	5	6	7	8	9	10	11	12	13	14	15	16	17	18	19	20	21	22	23	24	25	26	27	28	29	30	31
요일		日	月	火	水	木	金	土	日	月	火	水	木	金	土	日	月	火	水	木	金	土	日	月	火	水	木	金	土	日	月	火
음력	월	11	12	13	14	15	16	17	18	19	20	21	22	23	24	25	26	27	28	29	30	六	2	3	4	5	6	7	8	9	10	11
일진		辛未	壬申	癸酉	戊戌	己亥	甲子	乙丑	丙寅	丁卯	庚辰	辛巳	壬午	癸未	戊申	己酉	甲戌	乙亥	丙子	丁丑	庚寅	辛卯	壬辰	癸巳	戊午	己未	甲申	乙酉	丙戌	丁亥	庚子	辛丑
대운	男	9	9	9	10	10	10	小	1	1	1	1	2	2	2	3	3	3	4	4	4	5	5	5	6	6	6	7	7	7	8	8
	女	2	2	1	1	1	1	寒	10	10	9	9	9	8	8	8	7	7	7	6	6	6	5	5	5	4	4	4	3	3	3	2

8月 (1일 六白 +)　　**壬寅 (五黃)**　　절기: 立春(7일 19:52) 雨水(23일 10:26)

양력		1	2	3	4	5	6	7	8	9	10	11	12	13	14	15	16	17	18	19	20	21	22	23	24	25	26	27	28	29	30	31
요일		水	木	金	土	日	月	火	水	木	金	土	日	月	火	水	木	金	土	日	月	火	水	木	金	土	日	月	火	水	木	金
음력	월	12	13	14	15	16	17	18	19	20	21	22	23	24	25	26	27	28	29	七	2	3	4	5	6	7	8	9	10	11	12	13
일진		壬寅	癸卯	戊辰	己巳	甲午	乙未	丙申	丁酉	庚戌	辛亥	壬子	癸丑	戊寅	己卯	甲辰	乙巳	丙午	丁未	庚申	辛酉	壬戌	癸亥	戊子	己丑	甲寅	乙卯	丙辰	丁巳	庚午	辛未	壬申
대운	男	8	9	9	9	10	10	立	1	1	1	1	2	2	2	3	3	3	4	4	4	5	5	5	6	6	6	7	7	7	8	8
	女	2	2	1	1	1	1	春	10	10	9	9	9	8	8	8	7	7	7	6	6	6	5	5	5	4	4	4	3	3	3	2

9月 (1일 一白 +)　　**癸卯 (六白)**　　절기: 驚蟄(7일 22:46) 春分 (23일 08:04)

양력		1	2	3	4	5	6	7	8	9	10	11	12	13	14	15	16	17	18	19	20	21	22	23	24	25	26	27	28	29	30	
요일		土	日	月	火	水	木	金	土	日	月	火	水	木	金	土	日	月	火	水	木	金	土	日	月	火	水	木	金	土	日	
음력	월	14	15	16	17	18	19	20	21	22	23	24	25	26	27	28	29	八	2	3	4	5	6	7	8	9	10	11	12	13	14	
일진		癸酉	戊戌	己亥	甲子	乙丑	丙寅	丁卯	庚辰	辛巳	壬午	癸未	戊申	己酉	甲戌	乙亥	丙子	丁丑	庚寅	辛卯	壬辰	癸巳	戊午	己未	甲申	乙酉	丙戌	丁亥	庚子	辛丑	壬寅	
대운	男	8	9	9	9	10	10	驚	1	1	1	1	2	2	2	3	3	3	4	4	4	5	5	5	6	6	6	7	7	7	8	
	女	2	2	1	1	1	1	蟄	10	10	9	9	9	8	8	8	7	7	7	6	6	6	5	5	5	4	4	4	3	3	3	

10月 (1일 四綠 +)　　**戊辰 (七赤)**　　절기: 清明(8일 14:24) 穀雨(23일 17:25)

양력		1	2	3	4	5	6	7	8	9	10	11	12	13	14	15	16	17	18	19	20	21	22	23	24	25	26	27	28	29	30	31
요일		月	火	水	木	金	土	日	月	火	水	木	金	土	日	月	火	水	木	金	土	日	月	火	水	木	金	土	日	月	火	水
음력	월	15	16	17	18	19	20	21	22	23	24	25	26	27	28	29	30	九	2	3	4	5	6	7	8	9	10	11	12	13	14	15
일진		癸卯	戊辰	己巳	甲午	乙未	丙申	丁酉	庚戌	辛亥	壬子	癸丑	戊寅	己卯	甲辰	乙巳	丙午	丁未	庚申	辛酉	壬戌	癸亥	戊子	己丑	甲寅	乙卯	丙辰	丁巳	庚午	辛未	壬申	癸酉
대운	男	8	8	9	9	9	10	10	清	1	1	1	1	2	2	2	3	3	3	4	4	4	5	5	5	6	6	6	7	7	7	8
	女	2	2	2	1	1	1	1	明	10	9	9	9	8	8	8	7	7	7	6	6	6	5	5	5	4	4	4	3	3	3	2

11月 (1일 八白 +)　　**己巳 (八白)**　　절기: 立夏(7일 17:36) 小滿 (22일 15:00)

양력		1	2	3	4	5	6	7	8	9	10	11	12	13	14	15	16	17	18	19	20	21	22	23	24	25	26	27	28	29	30	
요일		木	金	土	日	月	火	水	木	金	土	日	月	火	水	木	金	土	日	月	火	水	木	金	土	日	月	火	水	木	金	
음력	월	16	17	18	19	20	21	22	23	24	25	26	27	28	29	十	2	3	4	5	6	7	8	9	10	11	12	13	14	15	16	
일진		戊戌	己亥	甲子	乙丑	丙寅	丁卯	庚辰	辛巳	壬午	癸未	戊申	己酉	甲戌	乙亥	丙子	丁丑	庚寅	辛卯	壬辰	癸巳	戊午	己未	甲申	乙酉	丙戌	丁亥	庚子	辛丑	壬寅	癸卯	
대운	男	8	8	9	9	9	10	立	1	1	1	1	2	2	2	3	3	3	4	4	4	5	5	5	6	6	6	7	7	7	8	
	女	2	2	1	1	1	1	夏	10	9	9	9	8	8	8	7	7	7	6	6	6	5	5	5	4	4	4	3	3	3	2	

12月 (1일 二黑 + 27일 九紫 -)　　**甲午 (九紫)**　　절기: 芒種(7일 10:28) 夏至(22일 04:21)

양력		1	2	3	4	5	6	7	8	9	10	11	12	13	14	15	16	17	18	19	20	21	22	23	24	25	26	27	28	29	30	31
요일		土	日	月	火	水	木	金	土	日	月	火	水	木	金	土	日	月	火	水	木	金	土	日	月	火	水	木	金	土	日	月
음력	월	17	18	19	20	21	22	23	24	25	26	27	28	29	30	十一	2	3	4	5	6	7	8	9	10	11	12	13	14	15	16	17
일진		戊辰	己巳	甲午	乙未	丙申	丁酉	庚戌	辛亥	壬子	癸丑	戊寅	己卯	甲辰	乙巳	丙午	丁未	庚申	辛酉	壬戌	癸亥	戊子	己丑	甲寅	乙卯	丙辰	丁巳	庚午	辛未	壬申	癸酉	戊戌
대운	男	8	8	9	9	9	10	芒	1	1	1	1	2	2	2	3	3	3	4	4	4	5	5	5	6	6	6	7	7	7	8	8
	女	2	2	1	1	1	1	種	9	9	9	8	8	8	7	7	7	6	6	6	5	5	5	4	4	4	3	3	3	2	2	2

丙子年 (三碧木星)

1月 (1일 四綠 -) **乙未 (一白)** 절기: 小暑 (5일 21:43) 大暑 (20일 15:01)

양력		1	2	3	4	5	6	7	8	9	10	11	12	13	14	15	16	17	18	19	20	21	22	23	24	25	26	27	28	29	30	31
요일		火	水	木	金	土	日	月	火	水	木	金	土	日	月	火	水	木	金	土	日	月	火	水	木	金	土	日	月	火	水	木
음력	월	18	19	20	21	22	23	24	25	26	27	28	29	十二	2	3	4	5	6	7	8	9	10	11	12	13	14	15	16	17	18	19
일진		己亥	甲子	乙丑	丙寅	丁卯	庚辰	辛巳	壬午	癸未	戊申	己酉	甲戌	乙亥	丙子	丁丑	庚寅	辛卯	壬辰	癸巳	戊午	己未	甲申	乙酉	丙戌	丁亥	庚子	辛丑	壬寅	癸卯	戊辰	己巳
대운	男	8	9	9	9	小	1	1	1	1	2	2	2	3	3	3	4	4	4	5	5	5	6	6	6	7	7	7	8	8	8	9
	女	1	1	1	1	暑	10	9	9	9	8	8	8	7	7	7	6	6	6	5	5	5	4	4	4	3	3	3	2	2	2	1

2月 (1일 九紫 -) **丙申 (二黑)** 절기: 立秋 (4일 09:23) 處暑 (19일 05:13)

양력		1	2	3	4	5	6	7	8	9	10	11	12	13	14	15	16	17	18	19	20	21	22	23	24	25	26	27	28			
요일		金	土	日	月	火	水	木	金	土	日	月	火	水	木	金	土	日	月	火	水	木	金	土	日	月	火	水	木			
음력	월	20	21	22	23	24	25	26	27	28	29	30	一	2	3	4	5	6	7	8	9	10	11	12	13	14	15	16	17			
일진		甲午	乙未	丙申	丁酉	庚戌	辛亥	壬子	癸丑	戊寅	己卯	甲辰	乙巳	丙午	丁未	庚申	辛酉	壬戌	癸亥	戊子	己丑	甲寅	乙卯	丙辰	丁巳	庚午	辛未	壬申	癸酉			
대운	男	9	9	10	立	10	9	9	9	8	8	8	7	7	7	6	6	6	5	5	5	4	4	4	3	3	3	2	2			
	女	1	1	1	秋	1	1	1	1	2	2	2	3	3	3	4	4	4	5	5	5	6	6	6	7	7	7	8	8			

3月 (1일 八白 -) **丁酉 (三碧)** 절기: 白露 (6일 03:27) 秋分 (21일 04:15)

양력		1	2	3	4	5	6	7	8	9	10	11	12	13	14	15	16	17	18	19	20	21	22	23	24	25	26	27	28	29	30	31
요일		金	土	日	月	火	水	木	金	土	日	月	火	水	木	金	土	日	月	火	水	木	金	土	日	月	火	水	木	金	土	日
음력	월	18	19	20	21	22	23	24	25	26	27	28	29	30	二	2	3	4	5	6	7	8	9	10	11	12	13	14	15	16	17	18
일진		戊戌	己亥	甲子	乙丑	丙寅	丁卯	庚辰	辛巳	壬午	癸未	戊申	己酉	甲戌	乙亥	丙子	丁丑	庚寅	辛卯	壬辰	癸巳	戊午	己未	甲申	乙酉	丙戌	丁亥	庚子	辛丑	壬寅	癸卯	戊辰
대운	男	2	1	1	1	1	白	10	9	9	9	8	8	8	7	7	7	6	6	6	5	5	5	4	4	4	3	3	3	2	2	2
	女	8	9	9	9	10	露	1	1	1	1	2	2	2	3	3	3	4	4	4	5	5	5	6	6	6	7	7	7	8	8	8

4月 (1일 四綠 -) **庚戌 (四綠)** 절기: 寒露 (5일 08:18) 霜降 (20일 15:20)

양력		1	2	3	4	5	6	7	8	9	10	11	12	13	14	15	16	17	18	19	20	21	22	23	24	25	26	27	28	29	30	
요일		月	火	水	木	金	土	日	月	火	水	木	金	土	日	月	火	水	木	金	土	日	月	火	水	木	金	土	日	月	火	
음력	월	19	20	21	22	23	24	25	26	27	28	29	30	三	2	3	4	5	6	7	8	9	10	11	12	13	14	15	16	17	18	
일진		己巳	甲午	乙未	丙申	丁酉	庚戌	辛亥	壬子	癸丑	戊寅	己卯	甲辰	乙巳	丙午	丁未	庚申	辛酉	壬戌	癸亥	戊子	己丑	甲寅	乙卯	丙辰	丁巳	庚午	辛未	壬申	癸酉	戊戌	
대운	男	1	1	1	1	寒	10	10	9	9	9	8	8	8	7	7	7	6	6	6	5	5	5	4	4	4	3	3	3	2	2	
	女	9	9	9	10	露	1	1	1	1	2	2	2	3	3	3	4	4	4	5	5	5	6	6	6	7	7	7	8	8	8	

5月 (1일 一白 -) **辛亥 (五黃)** 절기: 立冬 (6일 01:37) 小雪 (21일 14:28)

양력		1	2	3	4	5	6	7	8	9	10	11	12	13	14	15	16	17	18	19	20	21	22	23	24	25	26	27	28	29	30	31
요일		水	木	金	土	日	月	火	水	木	金	土	日	月	火	水	木	金	土	日	月	火	水	木	金	土	日	月	火	水	木	金
음력	월	19	20	21	22	23	24	25	26	27	28	29	四	2	3	4	5	6	7	8	9	10	11	12	13	14	15	16	17	18	19	20
일진		己亥	甲子	乙丑	丙寅	丁卯	庚辰	辛巳	壬午	癸未	戊申	己酉	甲戌	乙亥	丙子	丁丑	庚寅	辛卯	壬辰	癸巳	戊午	己未	甲申	乙酉	丙戌	丁亥	庚子	辛丑	壬寅	癸卯	戊辰	己巳
대운	男	2	1	1	1	1	立	10	10	9	9	9	8	8	8	7	7	7	6	6	6	5	5	5	4	4	4	3	3	3	2	2
	女	9	9	9	10	10	冬	1	1	1	1	2	2	2	3	3	3	4	4	4	5	5	5	6	6	6	7	7	7	8	8	8

6月 (1일 六白 - 25일 一白 +) **壬子 (六白)** 절기: 大雪 (6일 05:44) 冬至 (21일 22:24)

양력		1	2	3	4	5	6	7	8	9	10	11	12	13	14	15	16	17	18	19	20	21	22	23	24	25	26	27	28	29	30	
요일		土	日	月	火	水	木	金	土	日	月	火	水	木	金	土	日	月	火	水	木	金	土	日	月	火	水	木	金	土	日	
음력	월	21	22	23	24	25	26	27	28	29	30	五	2	3	4	5	6	7	8	9	10	11	12	13	14	15	16	17	18	19	20	
일진		甲午	乙未	丙申	丁酉	庚戌	辛亥	壬子	癸丑	戊寅	己卯	甲辰	乙巳	丙午	丁未	庚申	辛酉	壬戌	癸亥	戊子	己丑	甲寅	乙卯	丙辰	丁巳	庚午	辛未	壬申	癸酉	戊戌	己亥	
대운	男	2	1	1	1	1	大	10	10	9	9	9	8	8	8	7	7	7	6	6	6	5	5	5	4	4	4	3	3	3	2	
	女	9	9	9	10	10	雪	1	1	1	1	2	2	2	3	3	3	4	4	4	5	5	5	6	6	6	7	7	7	8	8	

7月 (1일 七赤 +) **癸丑 (七赤)** 절기: 小寒(7일 15:56) 大寒(23일 09:14)

양력		1	2	3	4	5	6	7	8	9	10	11	12	13	14	15	16	17	18	19	20	21	22	23	24	25	26	27	28	29	30	31
요일		月	火	水	木	金	土	日	月	火	水	木	金	土	日	月	火	水	木	金	土	日	月	火	水	木	金	土	日	月	火	水
음력	월	21	22	23	24	25	26	27	28	29	六	2	3	4	5	6	7	8	9	10	11	12	13	14	15	16	17	18	19	20	21	22
일진		甲子	乙丑	丙寅	丁卯	庚辰	辛巳	壬午	癸未	戊申	己酉	甲戌	乙亥	丙子	丁丑	庚寅	辛卯	壬辰	癸巳	戊午	己未	甲申	乙酉	丙戌	丁亥	庚子	辛丑	壬寅	癸卯	戊辰	己巳	甲午
대운	男	2	2	1	1	1	1	小	10	10	10	9	9	9	8	8	8	7	7	7	6	6	6	5	5	5	4	4	4	3	3	3
	女	8	9	9	9	10	10	寒	1	1	1	1	2	2	2	3	3	3	4	4	4	5	5	5	6	6	6	7	7	7	8	8

8月 (1일 二黑 +) **戊寅 (八白)** 절기: 立春(8일 01:39) 雨水(23일 16:16)

양력		1	2	3	4	5	6	7	8	9	10	11	12	13	14	15	16	17	18	19	20	21	22	23	24	25	26	27	28	29	30	31
요일		木	金	土	日	月	火	水	木	金	土	日	月	火	水	木	金	土	日	月	火	水	木	金	土	日	月	火	水	木	金	土
음력	월	23	24	25	26	27	28	29	30	七	2	3	4	5	6	7	8	9	10	11	12	13	14	15	16	17	18	19	20	21	22	23
일진		乙未	丙申	丁酉	庚戌	辛亥	壬子	癸丑	戊寅	己卯	甲辰	乙巳	丙午	丁未	庚申	辛酉	壬戌	癸亥	戊子	己丑	甲寅	乙卯	丙辰	丁巳	庚午	辛未	壬申	癸酉	戊戌	己亥	甲子	乙丑
대운	男	2	2	2	1	1	1	1	立	10	10	9	9	9	8	8	8	7	7	7	6	6	6	5	5	5	4	4	4	3	3	3
	女	8	9	9	9	10	10	10	春	1	1	1	1	2	2	2	3	3	3	4	4	4	5	5	5	6	6	6	7	7	7	8

9月 (1일 六白 +) **己卯 (九紫)** 절기: 驚蟄(8일 04:30) 春分 (23일 13:55)

양력		1	2	3	4	5	6	7	8	9	10	11	12	13	14	15	16	17	18	19	20	21	22	23	24	25	26	27	28	29	30	
요일		日	月	火	水	木	金	土	日	月	火	水	木	金	土	日	月	火	水	木	金	土	日	月	火	水	木	金	土	日	月	
음력	월	24	25	26	27	28	29	八	2	3	4	5	6	7	8	9	10	11	12	13	14	15	16	17	18	19	20	21	22	23	24	
일진		丙寅	丁卯	庚辰	辛巳	壬午	癸未	戊申	己酉	甲戌	乙亥	丙子	丁丑	庚寅	辛卯	壬辰	癸巳	戊午	己未	甲申	乙酉	丙戌	丁亥	庚子	辛丑	壬寅	癸卯	戊辰	己巳	甲午	乙未	
대운	男	2	2	2	1	1	1	1	驚	10	9	9	9	8	8	8	7	7	7	6	6	6	5	5	5	4	4	4	3	3	3	
	女	8	8	9	9	9	10	10	蟄	1	1	1	1	2	2	2	3	3	3	4	4	4	5	5	5	6	6	6	7	7	7	

10月 (1일 九紫 +) **甲辰 (一白)** 절기: 清明(8일 20:09) 穀雨(23일 23:17)

양력		1	2	3	4	5	6	7	8	9	10	11	12	13	14	15	16	17	18	19	20	21	22	23	24	25	26	27	28	29	30	31
요일		火	水	木	金	土	日	月	火	水	木	金	土	日	月	火	水	木	金	土	日	月	火	水	木	金	土	日	月	火	水	木
음력	월	25	26	27	28	29	九	2	3	4	5	6	7	8	9	10	11	12	13	14	15	16	17	18	19	20	21	22	23	24	25	26
일진		丙申	丁酉	庚戌	辛亥	壬子	癸丑	戊寅	己卯	甲辰	乙巳	丙午	丁未	庚申	辛酉	壬戌	癸亥	戊子	己丑	甲寅	乙卯	丙辰	丁巳	庚午	辛未	壬申	癸酉	戊戌	己亥	甲子	乙丑	丙寅
대운	男	2	2	2	1	1	1	1	清	10	9	9	9	8	8	8	7	7	7	6	6	6	5	5	5	4	4	4	3	3	3	2
	女	8	8	8	9	9	9	10	明	1	1	1	1	2	2	2	3	3	3	4	4	4	5	5	5	6	6	6	7	7	7	8

11月 (1일 四綠 +) **乙巳 (二黑)** 절기: 立夏(7일 23:21) 小滿 (22일 20:53)

양력		1	2	3	4	5	6	7	8	9	10	11	12	13	14	15	16	17	18	19	20	21	22	23	24	25	26	27	28	29	30	
요일		金	土	日	月	火	水	木	金	土	日	月	火	水	木	金	土	日	月	火	水	木	金	土	日	月	火	水	木	金	土	
음력	월	27	28	29	30	十	2	3	4	5	6	7	8	9	10	11	12	13	14	15	16	17	18	19	20	21	22	23	24	25	26	
일진		丁卯	庚辰	辛巳	壬午	癸未	戊申	己酉	甲戌	乙亥	丙子	丁丑	庚寅	辛卯	壬辰	癸巳	戊午	己未	甲申	乙酉	丙戌	丁亥	庚子	辛丑	壬寅	癸卯	戊辰	己巳	甲午	乙未	丙申	
대운	男	2	2	1	1	1	1	立	10	9	9	9	8	8	8	7	7	7	6	6	6	5	5	5	4	4	4	3	3	3	2	
	女	8	8	9	9	9	10	夏	1	1	1	1	2	2	2	3	3	3	4	4	4	5	5	5	6	6	6	7	7	7	8	

12月 (1일 七赤 + 22일 九紫 -) **丙午 (三碧)** 절기: 芒種(7일 16:14) 夏至(22일 10:14)

양력		1	2	3	4	5	6	7	8	9	10	11	12	13	14	15	16	17	18	19	20	21	22	23	24	25	26	27	28	29	30	31
요일		日	月	火	水	木	金	土	日	月	火	水	木	金	土	日	月	火	水	木	金	土	日	月	火	水	木	金	土	日	月	火
음력	월	27	28	29	十一	2	3	4	5	6	7	8	9	10	11	12	13	14	15	16	17	18	19	20	21	22	23	24	25	26	27	28
일진		丁酉	庚戌	辛亥	壬子	癸丑	戊寅	己卯	甲辰	乙巳	丙午	丁未	庚申	辛酉	壬戌	癸亥	戊子	己丑	甲寅	乙卯	丙辰	丁巳	庚午	辛未	壬申	癸酉	戊戌	己亥	甲子	乙丑	丙寅	丁卯
대운	男	2	2	1	1	1	1	芒	10	9	9	9	8	8	8	7	7	7	6	6	6	5	5	5	4	4	4	3	3	3	2	2
	女	8	8	9	9	9	10	種	1	1	1	1	2	2	2	3	3	3	4	4	4	5	5	5	6	6	6	7	7	7	8	8

서기2003년

丁丑年 (四綠木星)

1月 (1일 八白 -) **丁未 (四綠)** 절기: 小暑 (6일 03:27) 大暑 (20일 20:52)

양력		1	2	3	4	5	6	7	8	9	10	11	12	13	14	15	16	17	18	19	20	21	22	23	24	25	26	27	28	29	30	31
요일		水	木	金	土	日	月	火	水	木	金	土	日	月	火	水	木	金	土	日	月	火	水	木	金	土	日	月	火	水	木	金
음력	월	29	30	十二	2	3	4	5	6	7	8	9	10	11	12	13	14	15	16	17	18	19	20	21	22	23	24	25	26	27	28	29
일진		庚辰	辛巳	壬午	癸未	戊申	己酉	甲戌	乙亥	丙子	丁丑	庚寅	辛卯	壬辰	癸巳	戊午	己未	甲申	乙酉	丙戌	丁亥	庚子	辛丑	壬寅	癸卯	戊辰	己巳	甲午	乙未	丙申	丁酉	庚戌
대운	男	2	1	1	1	1	小	9	9	9	8	8	8	7	7	7	6	6	6	5	5	5	4	4	4	3	3	3	2	2	2	1
	女	8	9	9	9	10	暑	1	1	1	1	2	2	2	3	3	3	4	4	4	5	5	5	6	6	6	7	7	7	8	8	8

2月 (1일 四綠 -) **庚申 (五黃)** 절기: 立秋 (4일 15:05) 處暑 (19일 11:00)

양력		1	2	3	4	5	6	7	8	9	10	11	12	13	14	15	16	17	18	19	20	21	22	23	24	25	26	27	28			
요일		土	日	月	火	水	木	金	土	日	月	火	水	木	金	土	日	月	火	水	木	金	土	日	月	火	水	木	金			
음력	월	一	2	3	4	5	6	7	8	9	10	11	12	13	14	15	16	17	18	19	20	21	22	23	24	25	26	27	28			
일진		辛亥	壬子	癸丑	戊寅	己卯	甲辰	乙巳	丙午	丁未	庚申	辛酉	壬戌	癸亥	戊子	己丑	甲寅	乙卯	丙辰	丁巳	庚午	辛未	壬申	癸酉	戊戌	己亥	甲子	乙丑	丙寅			
대운	男	1	1	1	立	1	1	1	1	2	2	2	3	3	3	4	4	4	5	5	5	6	6	6	7	7	7	8	8			
	女	9	9	9	秋	10	9	9	9	8	8	8	7	7	7	6	6	6	5	5	5	4	4	4	3	3	3	2	2			

3月 (1일 三碧 -) **辛酉 (六白)** 절기: 白露 (6일 09:04) 秋分 (21일 09:59)

양력		1	2	3	4	5	6	7	8	9	10	11	12	13	14	15	16	17	18	19	20	21	22	23	24	25	26	27	28	29	30	31
요일		土	日	月	火	水	木	金	土	日	月	火	水	木	金	土	日	月	火	水	木	金	土	日	月	火	水	木	金	土	日	月
음력	월	29	30	二	2	3	4	5	6	7	8	9	10	11	12	13	14	15	16	17	18	19	20	21	22	23	24	25	26	27	28	29
일진		丁卯	庚辰	辛巳	壬午	癸未	戊申	己酉	甲戌	乙亥	丙子	丁丑	庚寅	辛卯	壬辰	癸巳	戊午	己未	甲申	乙酉	丙戌	丁亥	庚子	辛丑	壬寅	癸卯	戊辰	己巳	甲午	乙未	丙申	丁酉
대운	男	8	9	9	9	10	白	1	1	1	1	2	2	2	3	3	3	4	4	4	5	5	5	6	6	6	7	7	7	8	8	8
	女	2	1	1	1	1	露	10	9	9	9	8	8	8	7	7	7	6	6	6	5	5	5	4	4	4	3	3	3	2	2	2

4月 (1일 八白 -) **壬戌 (七赤)** 절기: 寒露 (5일 13:52) 霜降 (20일 21:02)

양력		1	2	3	4	5	6	7	8	9	10	11	12	13	14	15	16	17	18	19	20	21	22	23	24	25	26	27	28	29	30	
요일		火	水	木	金	土	日	月	火	水	木	金	土	日	月	火	水	木	金	土	日	月	火	水	木	金	土	日	月	火	水	
음력	월	30	三	2	3	4	5	6	7	8	9	10	11	12	13	14	15	16	17	18	19	20	21	22	23	24	25	26	27	28	29	
일진		庚戌	辛亥	壬子	癸丑	戊寅	己卯	甲辰	乙巳	丙午	丁未	庚申	辛酉	壬戌	癸亥	戊子	己丑	甲寅	乙卯	丙辰	丁巳	庚午	辛未	壬申	癸酉	戊戌	己亥	甲子	乙丑	丙寅	丁卯	
대운	男	9	9	9	10	寒	1	1	1	1	2	2	2	3	3	3	4	4	4	5	5	5	6	6	6	7	7	7	8	8	8	
	女	1	1	1	1	露	10	10	9	9	9	8	8	8	7	7	7	6	6	6	5	5	5	4	4	4	3	3	3	2	2	

5月 (1일 五黃 -) **癸亥 (八白)** 절기: 立冬 (6일 07:10) 小雪 (21일 20:12)

양력		1	2	3	4	5	6	7	8	9	10	11	12	13	14	15	16	17	18	19	20	21	22	23	24	25	26	27	28	29	30	31
요일		木	金	土	日	月	火	水	木	金	土	日	月	火	水	木	金	土	日	月	火	水	木	金	土	日	月	火	水	木	金	土
음력	월	四	2	3	4	5	6	7	8	9	10	11	12	13	14	15	16	17	18	19	20	21	22	23	24	25	26	27	28	29	30	五
일진		庚辰	辛巳	壬午	癸未	戊申	己酉	甲戌	乙亥	丙子	丁丑	庚寅	辛卯	壬辰	癸巳	戊午	己未	甲申	乙酉	丙戌	丁亥	庚子	辛丑	壬寅	癸卯	戊辰	己巳	甲午	乙未	丙申	丁酉	庚戌
대운	男	9	9	9	10	10	立	1	1	1	1	2	2	2	3	3	3	4	4	4	5	5	5	6	6	6	7	7	7	8	8	8
	女	2	1	1	1	1	冬	10	10	9	9	9	8	8	8	7	7	7	6	6	6	5	5	5	4	4	4	3	3	3	2	2

6月 (1일 一白 - 20일 一白 +) **戊子 (九紫)** 절기: 大雪 (6일 11:19) 冬至 (22일 04:10)

양력		1	2	3	4	5	6	7	8	9	10	11	12	13	14	15	16	17	18	19	20	21	22	23	24	25	26	27	28	29	30	
요일		日	月	火	水	木	金	土	日	月	火	水	木	金	土	日	月	火	水	木	金	土	日	月	火	水	木	金	土	日	月	
음력	월	2	3	4	5	6	7	8	9	10	11	12	13	14	15	16	17	18	19	20	21	22	23	24	25	26	27	28	29	30	六	
일진		辛亥	壬子	癸丑	戊寅	己卯	甲辰	乙巳	丙午	丁未	庚申	辛酉	壬戌	癸亥	戊子	己丑	甲寅	乙卯	丙辰	丁巳	庚午	辛未	壬申	癸酉	戊戌	己亥	甲子	乙丑	丙寅	丁卯	庚辰	
대운	男	9	9	9	10	10	大	1	1	1	1	2	2	2	3	3	3	4	4	4	5	5	5	6	6	6	7	7	7	8	8	
	女	2	1	1	1	1	雪	10	10	9	9	9	8	8	8	7	7	7	6	6	6	5	5	5	4	4	4	3	3	3	2	

7月 (1일 三碧 +) **己丑 (一白)** 절기: 小寒(7일 21:35) 大寒(23일 15:03)

양력		1	2	3	4	5	6	7	8	9	10	11	12	13	14	15	16	17	18	19	20	21	22	23	24	25	26	27	28	29	30	31
요일		火	水	木	金	土	日	月	火	水	木	金	土	日	月	火	水	木	金	土	日	月	火	水	木	金	土	日	月	火	水	木
음력	월	2	3	4	5	6	7	8	9	10	11	12	13	14	15	16	17	18	19	20	21	22	23	24	25	26	27	28	29	七	2	3
일진		辛巳	壬午	癸未	戊申	己酉	甲戌	乙亥	丙子	丁丑	庚寅	辛卯	壬辰	癸巳	戊午	己未	甲申	乙酉	丙戌	丁亥	庚子	辛丑	壬寅	癸卯	戊辰	己巳	甲午	乙未	丙申	丁酉	庚戌	辛亥
대운	男	8	9	9	9	10	10	小	1	1	1	1	2	2	2	3	3	3	4	4	4	5	5	5	6	6	6	7	7	7	8	8
	女	2	2	1	1	1	1	寒	10	10	10	9	9	9	8	8	8	7	7	7	6	6	6	5	5	5	4	4	4	3	3	3

8月 (1일 七赤 +) **甲寅 (二黑)** 절기: 立春(8일 07:24) 雨水(23일 22:07)

양력		1	2	3	4	5	6	7	8	9	10	11	12	13	14	15	16	17	18	19	20	21	22	23	24	25	26	27	28	29	30	31
요일		金	土	日	月	火	水	木	金	土	日	月	火	水	木	金	土	日	月	火	水	木	金	土	日	月	火	水	木	金	土	日
음력	월	4	5	6	7	8	9	10	11	12	13	14	15	16	17	18	19	20	21	22	23	24	25	26	27	28	29	30	八	2	3	4
일진		壬子	癸丑	戊寅	己卯	甲辰	乙巳	丙午	丁未	庚申	辛酉	壬戌	癸亥	戊子	己丑	甲寅	乙卯	丙辰	丁巳	庚午	辛未	壬申	癸酉	戊戌	己亥	甲子	乙丑	丙寅	丁卯	庚辰	辛巳	壬午
대운	男	8	9	9	9	10	10	10	立	1	1	1	1	2	2	2	3	3	3	4	4	4	5	5	5	6	6	6	7	7	7	8
	女	2	2	2	1	1	1	1	春	10	10	9	9	9	8	8	8	7	7	7	6	6	6	5	5	5	4	4	4	3	3	3

9月 (1일 二黑 +) **乙卯 (三碧)** 절기: 驚蟄(8일 10:20) 春分 (23일 19:46)

양력		1	2	3	4	5	6	7	8	9	10	11	12	13	14	15	16	17	18	19	20	21	22	23	24	25	26	27	28	29	30	
요일		月	火	水	木	金	土	日	月	火	水	木	金	土	日	月	火	水	木	金	土	日	月	火	水	木	金	土	日	月	火	
음력	월	5	6	7	8	9	10	11	12	13	14	15	16	17	18	19	20	21	22	23	24	25	26	27	28	29	九	2	3	4	5	
일진		癸未	戊申	己酉	甲戌	乙亥	丙子	丁丑	庚寅	辛卯	壬辰	癸巳	戊午	己未	甲申	乙酉	丙戌	丁亥	庚子	辛丑	壬寅	癸卯	戊辰	己巳	甲午	乙未	丙申	丁酉	庚戌	辛亥	壬子	
대운	男	8	8	9	9	9	10	10	驚	1	1	1	1	2	2	2	3	3	3	4	4	4	5	5	5	6	6	6	7	7	7	
	女	2	2	2	1	1	1	1	蟄	10	10	9	9	9	8	8	8	7	7	7	6	6	6	5	5	5	4	4	4	3	3	

10月 (1일 五黃 +) **丙辰 (四綠)** 절기: 清明(9일 02:00) 穀雨(24일 05:08)

양력		1	2	3	4	5	6	7	8	9	10	11	12	13	14	15	16	17	18	19	20	21	22	23	24	25	26	27	28	29	30	31
요일		水	木	金	土	日	月	火	水	木	金	土	日	月	火	水	木	金	土	日	月	火	水	木	金	土	日	月	火	水	木	金
음력	월	6	7	8	9	10	11	12	13	14	15	16	17	18	19	20	21	22	23	24	25	26	27	28	29	十	2	3	4	5	6	7
일진		癸丑	戊寅	己卯	甲辰	乙巳	丙午	丁未	庚申	辛酉	壬戌	癸亥	戊子	己丑	甲寅	乙卯	丙辰	丁巳	庚午	辛未	壬申	癸酉	戊戌	己亥	甲子	乙丑	丙寅	丁卯	庚辰	辛巳	壬午	癸未
대운	男	8	8	8	9	9	9	10	10	清	1	1	1	1	2	2	2	3	3	3	4	4	4	5	5	5	6	6	6	7	7	7
	女	3	2	2	2	1	1	1	1	明	10	9	9	9	8	8	8	7	7	7	6	6	6	5	5	5	4	4	4	3	3	3

11月 (1일 九紫 +) **丁巳 (五黃)** 절기: 立夏(8일 05:12) 小滿 (23일 02:43)

양력		1	2	3	4	5	6	7	8	9	10	11	12	13	14	15	16	17	18	19	20	21	22	23	24	25	26	27	28	29	30	
요일		土	日	月	火	水	木	金	土	日	月	火	水	木	金	土	日	月	火	水	木	金	土	日	月	火	水	木	金	土	日	
음력	월	8	9	10	11	12	13	14	15	16	17	18	19	20	21	22	23	24	25	26	27	28	29	30	十一	2	3	4	5	6	7	
일진		戊申	己酉	甲戌	乙亥	丙子	丁丑	庚寅	辛卯	壬辰	癸巳	戊午	己未	甲申	乙酉	丙戌	丁亥	庚子	辛丑	壬寅	癸卯	戊辰	己巳	甲午	乙未	丙申	丁酉	庚戌	辛亥	壬子	癸丑	
대운	男	8	8	8	9	9	9	10	立	1	1	1	1	2	2	2	3	3	3	4	4	4	5	5	5	6	6	6	7	7	7	
	女	2	2	2	1	1	1	1	夏	9	9	9	8	8	8	7	7	7	6	6	6	5	5	5	4	4	4	3	3	3	2	

12月 (1일 三碧 + 17일 九紫 -) **庚午 (六白)** 절기: 芒種(7일 22:04) 夏至(22일 16:03)

양력		1	2	3	4	5	6	7	8	9	10	11	12	13	14	15	16	17	18	19	20	21	22	23	24	25	26	27	28	29	30	31
요일		月	火	水	木	金	土	日	月	火	水	木	金	土	日	月	火	水	木	金	土	日	月	火	水	木	金	土	日	月	火	水
음력	월	8	9	10	11	12	13	14	15	16	17	18	19	20	21	22	23	24	25	26	27	28	29	十二	2	3	4	5	6	7	8	9
일진		戊寅	己卯	甲辰	乙巳	丙午	丁未	庚申	辛酉	壬戌	癸亥	戊子	己丑	甲寅	乙卯	丙辰	丁巳	庚午	辛未	壬申	癸酉	戊戌	己亥	甲子	乙丑	丙寅	丁卯	庚辰	辛巳	壬午	癸未	戊申
대운	男	8	8	8	9	9	9	芒	1	1	1	1	2	2	2	3	3	3	4	4	4	5	5	5	6	6	6	7	7	7	8	8
	女	2	2	1	1	1	1	種	10	9	9	9	8	8	8	7	7	7	6	6	6	5	5	5	4	4	4	3	3	3	2	2

서기2004년

庚寅年 (五黃土星) 閏二月

1月 (1일 三碧 -) 辛未 (七赤) 절기: 小暑 (6일 09:18) 大暑 (21일 02:42)

양력		1	2	3	4	5	6	7	8	9	10	11	12	13	14	15	16	17	18	19	20	21	22	23	24	25	26	27	28	29	30	31
요일		木	金	土	日	月	火	水	木	金	土	日	月	火	水	木	金	土	日	月	火	水	木	金	土	日	月	火	水	木	金	土
음력	월	10	11	12	13	14	15	16	17	18	19	20	21	22	23	24	25	26	27	28	29	30	一	2	3	4	5	6	7	8	9	10
일진		己酉	甲戌	乙亥	丙子	丁丑	庚寅	辛卯	壬辰	癸巳	戊午	己未	甲申	乙酉	丙戌	丁亥	庚子	辛丑	壬寅	癸卯	戊辰	己巳	甲午	乙未	丙申	丁酉	庚戌	辛亥	壬子	癸丑	戊寅	己卯
대운	男	8	9	9	9	10	小	1	1	1	1	2	2	2	3	3	3	4	4	4	5	5	5	6	6	6	7	7	7	8	8	8
	女	2	1	1	1	1	暑	9	9	9	8	8	8	7	7	7	6	6	6	5	5	5	4	4	4	3	3	3	2	2	2	1

2月 閏 (1일 八白 -) 壬申 (八白) 절기: 立秋 (4일 20:55) 處暑 (19일 16:49)

양력		1	2	3	4	5	6	7	8	9	10	11	12	13	14	15	16	17	18	19	20	21	22	23	24	25	26	27	28	29		
요일		日	月	火	水	木	金	土	日	月	火	水	木	金	土	日	月	火	水	木	金	土	日	月	火	水	木	金	土	日		
음력	월	11	12	13	14	15	16	17	18	19	20	21	22	23	24	25	26	27	28	29	二	2	3	4	5	6	7	8	9	10		
일진		甲辰	乙巳	丙午	丁未	庚申	辛酉	壬戌	癸亥	戊子	己丑	甲寅	乙卯	丙辰	丁巳	庚午	辛未	壬申	癸酉	戊戌	己亥	甲子	乙丑	丙寅	丁卯	庚辰	辛巳	壬午	癸未	戊申		
대운	男	9	9	9	立	10	9	9	9	8	8	8	7	7	7	6	6	6	5	5	5	4	4	4	3	3	3	2	2	2		
	女	1	1	1	秋	1	1	1	1	2	2	2	3	3	3	4	4	4	5	5	5	6	6	6	7	7	7	8	8	8		

3月 (1일 六白 -) 癸酉 (九紫) 절기: 白露 (5일 14:55) 秋分 (20일 15:48)

양력		1	2	3	4	5	6	7	8	9	10	11	12	13	14	15	16	17	18	19	20	21	22	23	24	25	26	27	28	29	30	31
요일		月	火	水	木	金	土	日	月	火	水	木	金	土	日	月	火	水	木	金	土	日	月	火	水	木	金	土	日	月	火	水
음력	월	11	12	13	14	15	16	17	18	19	20	21	22	23	24	25	26	27	28	29	30	閏二		3	4	5	6	7	8	9	10	11
일진		己酉	甲戌	乙亥	丙子	丁丑	庚寅	辛卯	壬辰	癸巳	戊午	己未	甲申	乙酉	丙戌	丁亥	庚子	辛丑	壬寅	癸卯	戊辰	己巳	甲午	乙未	丙申	丁酉	庚戌	辛亥	壬子	癸丑	戊寅	己卯
대운	男	1	1	1	1	白	10	9	9	9	8	8	8	7	7	7	6	6	6	5	5	5	4	4	4	3	3	3	2	2	2	1
	女	9	9	9	10	露	1	1	1	1	2	2	2	3	3	3	4	4	4	5	5	5	6	6	6	7	7	7	8	8	8	9

4月 (1일 二黑 -) 戊戌 (一白) 절기: 寒露 (4일 19:43) 霜降 (20일 02:50)

양력		1	2	3	4	5	6	7	8	9	10	11	12	13	14	15	16	17	18	19	20	21	22	23	24	25	26	27	28	29	30	
요일		木	金	土	日	月	火	水	木	金	土	日	月	火	水	木	金	土	日	月	火	水	木	金	土	日	月	火	水	木	金	
음력	월	12	13	14	15	16	17	18	19	20	21	22	23	24	25	26	27	28	29	三	2	3	4	5	6	7	8	9	10	11	12	
일진		甲辰	乙巳	丙午	丁未	庚申	辛酉	壬戌	癸亥	戊子	己丑	甲寅	乙卯	丙辰	丁巳	庚午	辛未	壬申	癸酉	戊戌	己亥	甲子	乙丑	丙寅	丁卯	庚辰	辛巳	壬午	癸未	戊申	己酉	
대운	男	1	1	1	寒	10	10	9	9	9	8	8	8	7	7	7	6	6	6	5	5	5	4	4	4	3	3	3	2	2	2	
	女	9	9	10	露	1	1	1	1	2	2	2	3	3	3	4	4	4	5	5	5	6	6	6	7	7	7	8	8	8	9	

5月 (1일 八白 -) 己亥 (二黑) 절기: 立冬 (5일 13:02) 小雪 (21일 01:58)

양력		1	2	3	4	5	6	7	8	9	10	11	12	13	14	15	16	17	18	19	20	21	22	23	24	25	26	27	28	29	30	31
요일		土	日	月	火	水	木	金	土	日	月	火	水	木	金	土	日	月	火	水	木	金	土	日	月	火	水	木	金	土	日	月
음력	월	13	14	15	16	17	18	19	20	21	22	23	24	25	26	27	28	29	30	四	2	3	4	5	6	7	8	9	10	11	12	13
일진		甲戌	乙亥	丙子	丁丑	庚寅	辛卯	壬辰	癸巳	戊午	己未	甲申	乙酉	丙戌	丁亥	庚子	辛丑	壬寅	癸卯	戊辰	己巳	甲午	乙未	丙申	丁酉	庚戌	辛亥	壬子	癸丑	戊寅	己卯	甲辰
대운	男	1	1	1	1	立	10	10	9	9	9	8	8	8	7	7	7	6	6	6	5	5	5	4	4	4	3	3	3	2	2	2
	女	9	9	10	10	冬	1	1	1	1	2	2	2	3	3	3	4	4	4	5	5	5	6	6	6	7	7	7	8	8	8	9

6月 (1일 四綠 - 14일 一白 +) 甲子 (三碧) 절기: 大雪 (5일 17:13) 冬至 (21일 09:56)

양력		1	2	3	4	5	6	7	8	9	10	11	12	13	14	15	16	17	18	19	20	21	22	23	24	25	26	27	28	29	30	
요일		火	水	木	金	土	日	月	火	水	木	金	土	日	月	火	水	木	金	土	日	月	火	水	木	金	土	日	月	火	水	
음력	월	14	15	16	17	18	19	20	21	22	23	24	25	26	27	28	29	30	五	2	3	4	5	6	7	8	9	10	11	12	13	
일진		乙巳	丙午	丁未	庚申	辛酉	壬戌	癸亥	戊子	己丑	甲寅	乙卯	丙辰	丁巳	庚午	辛未	壬申	癸酉	戊戌	己亥	甲子	乙丑	丙寅	丁卯	庚辰	辛巳	壬午	癸未	戊申	己酉	甲戌	
대운	男	1	1	1	1	大	10	10	10	9	9	9	8	8	8	7	7	7	6	6	6	5	5	5	4	4	4	3	3	3	2	
	女	9	9	10	10	雪	1	1	1	1	2	2	2	3	3	3	4	4	4	5	5	5	6	6	6	7	7	7	8	8	8	

7月 (1일 九紫 +) **乙丑 (四綠)** 절기: 小寒(7일 03:31) 大寒(22일 20:49)

양력	1	2	3	4	5	6	7	8	9	10	11	12	13	14	15	16	17	18	19	20	21	22	23	24	25	26	27	28	29	30	31
요일	木	金	土	日	月	火	水	木	金	土	日	月	火	水	木	金	土	日	月	火	水	木	金	土	日	月	火	水	木	金	土
음력 월	14	15	16	17	18	19	20	21	22	23	24	25	26	27	28	29	六	2	3	4	5	6	7	8	9	10	11	12	13	14	15
일진	乙亥	丙子	丁丑	庚寅	辛卯	壬辰	癸巳	戊午	己未	甲申	乙酉	丙戌	丁亥	庚子	辛丑	壬寅	癸卯	戊辰	己巳	甲午	乙未	丙申	丁酉	庚戌	辛亥	壬子	癸丑	戊寅	己卯	甲辰	乙巳
대운 男	2	2	1	1	1	1	小	10	10	9	9	9	8	8	8	7	7	7	6	6	6	5	5	5	4	4	4	3	3	3	2
대운 女	9	9	9	10	10	10	寒	1	1	1	1	2	2	2	3	3	3	4	4	4	5	5	5	6	6	6	7	7	7	8	8

8月 (1일 四綠 +) **丙寅 (五黃)** 절기: 立春(7일 13:19) 雨水(23일 03:53)

양력	1	2	3	4	5	6	7	8	9	10	11	12	13	14	15	16	17	18	19	20	21	22	23	24	25	26	27	28	29	30	31
요일	日	月	火	水	木	金	土	日	月	火	水	木	金	土	日	月	火	水	木	金	土	日	月	火	水	木	金	土	日	月	火
음력 월	16	17	18	19	20	21	22	23	24	25	26	27	28	29	30	七	2	3	4	5	6	7	8	9	10	11	12	13	14	15	16
일진	丙午	丁未	庚申	辛酉	壬戌	癸亥	戊子	己丑	甲寅	乙卯	丙辰	丁巳	庚午	辛未	壬申	癸酉	戊戌	己亥	甲子	乙丑	丙寅	丁卯	庚辰	辛巳	壬午	癸未	戊申	己酉	甲戌	乙亥	丙子
대운 男	2	2	1	1	1	1	立	10	10	9	9	9	8	8	8	7	7	7	6	6	6	5	5	5	4	4	4	3	3	3	2
대운 女	8	9	9	9	10	10	春	1	1	1	1	2	2	2	3	3	3	4	4	4	5	5	5	6	6	6	7	7	7	8	8

9月 (1일 八白 +) **丁卯 (六白)** 절기: 驚蟄(7일 16:12) 春分 (23일 01:29)

양력	1	2	3	4	5	6	7	8	9	10	11	12	13	14	15	16	17	18	19	20	21	22	23	24	25	26	27	28	29	30	
요일	水	木	金	土	日	月	火	水	木	金	土	日	月	火	水	木	金	土	日	月	火	水	木	金	土	日	月	火	水	木	
음력 월	17	18	19	20	21	22	23	24	25	26	27	28	29	八	2	3	4	5	6	7	8	9	10	11	12	13	14	15	16	17	
일진	丁丑	庚寅	辛卯	壬辰	癸巳	戊午	己未	甲申	乙酉	丙戌	丁亥	庚子	辛丑	壬寅	癸卯	戊辰	己巳	甲午	乙未	丙申	丁酉	庚戌	辛亥	壬子	癸丑	戊寅	己卯	甲辰	乙巳	丙午	
대운 男	2	2	1	1	1	1	驚	10	10	9	9	9	8	8	8	7	7	7	6	6	6	5	5	5	4	4	4	3	3	3	
대운 女	8	9	9	9	10	10	蟄	1	1	1	1	2	2	2	3	3	3	4	4	4	5	5	5	6	6	6	7	7	7	8	

10月 (1일 二黑 +) **庚辰 (七赤)** 절기: 清明(8일 07:49) 穀雨(23일 10:48)

양력	1	2	3	4	5	6	7	8	9	10	11	12	13	14	15	16	17	18	19	20	21	22	23	24	25	26	27	28	29	30	31
요일	金	土	日	月	火	水	木	金	土	日	月	火	水	木	金	土	日	月	火	水	木	金	土	日	月	火	水	木	金	土	日
음력 월	18	19	20	21	22	23	24	25	26	27	28	29	30	九	2	3	4	5	6	7	8	9	10	11	12	13	14	15	16	17	18
일진	丁未	庚申	辛酉	壬戌	癸亥	戊子	己丑	甲寅	乙卯	丙辰	丁巳	庚午	辛未	壬申	癸酉	戊戌	己亥	甲子	乙丑	丙寅	丁卯	庚辰	辛巳	壬午	癸未	戊申	己酉	甲戌	乙亥	丙子	丁丑
대운 男	2	2	2	1	1	1	1	清	10	9	9	9	8	8	8	7	7	7	6	6	6	5	5	5	4	4	4	3	3	3	2
대운 女	8	8	9	9	9	10	10	明	1	1	1	1	2	2	2	3	3	3	4	4	4	5	5	5	6	6	6	7	7	7	8

11月 (1일 六白 +) **辛巳 (八白)** 절기: 立夏(7일 10:58) 小滿 (22일 08:21)

양력	1	2	3	4	5	6	7	8	9	10	11	12	13	14	15	16	17	18	19	20	21	22	23	24	25	26	27	28	29	30	
요일	月	火	水	木	金	土	日	月	火	水	木	金	土	日	月	火	水	木	金	土	日	月	火	水	木	金	土	日	月	火	
음력 월	19	20	21	22	23	24	25	26	27	28	29	十	2	3	4	5	6	7	8	9	10	11	12	13	14	15	16	17	18	19	
일진	庚寅	辛卯	壬辰	癸巳	戊午	己未	甲申	乙酉	丙戌	丁亥	庚子	辛丑	壬寅	癸卯	戊辰	己巳	甲午	乙未	丙申	丁酉	庚戌	辛亥	壬子	癸丑	戊寅	己卯	甲辰	乙巳	丙午	丁未	
대운 男	2	2	1	1	1	1	立	10	9	9	9	8	8	8	7	7	7	6	6	6	5	5	5	4	4	4	3	3	3	2	
대운 女	8	8	9	9	9	10	夏	1	1	1	1	2	2	2	3	3	3	4	4	4	5	5	5	6	6	6	7	7	7	8	

12月 (1일 九紫 + 11일 九紫 -) **壬午 (九紫)** 절기: 芒種(7일 03:48) 夏至(21일 21:41)

양력	1	2	3	4	5	6	7	8	9	10	11	12	13	14	15	16	17	18	19	20	21	22	23	24	25	26	27	28	29	30	31
요일	水	木	金	土	日	月	火	水	木	金	土	日	月	火	水	木	金	土	日	月	火	水	木	金	土	日	月	火	水	木	金
음력 월	20	21	22	23	24	25	26	27	28	29	30	十一	2	3	4	5	6	7	8	9	10	11	12	13	14	15	16	17	18	19	20
일진	庚申	辛酉	壬戌	癸亥	戊子	己丑	甲寅	乙卯	丙辰	丁巳	庚午	辛未	壬申	癸酉	戊戌	己亥	甲子	乙丑	丙寅	丁卯	庚辰	辛巳	壬午	癸未	戊申	己酉	甲戌	乙亥	丙子	丁丑	庚寅
대운 男	2	2	1	1	1	1	芒	9	9	9	8	8	8	7	7	7	6	6	6	5	5	5	4	4	4	3	3	3	2	2	2
대운 女	8	8	9	9	9	10	種	1	1	1	1	2	2	2	3	3	3	4	4	4	5	5	5	6	6	6	7	7	7	8	8

辛卯年 (六白金星)

1月 (1일 六白 -) **癸未 (一白)** 절기: 小暑 (5일 15:02) 大暑 (20일 08:21)

양력		1	2	3	4	5	6	7	8	9	10	11	12	13	14	15	16	17	18	19	20	21	22	23	24	25	26	27	28	29	30	31
요일		土	日	月	火	水	木	金	土	日	月	火	水	木	金	土	日	月	火	水	木	金	土	日	月	火	水	木	金	土	日	月
음력	월	21	22	23	24	25	26	27	28	29	十二	2	3	4	5	6	7	8	9	10	11	12	13	14	15	16	17	18	19	20	21	22
일진		辛卯	壬辰	癸巳	戊午	己未	甲申	乙酉	丙戌	丁亥	庚子	辛丑	壬寅	癸卯	戊辰	己巳	甲午	乙未	丙申	丁酉	庚戌	辛亥	壬子	癸丑	戊寅	己卯	甲辰	乙巳	丙午	丁未	庚申	辛酉
대운	男	1	1	1	1	小	10	9	9	9	8	8	8	7	7	7	6	6	6	5	5	5	4	4	4	3	3	3	2	2	2	1
	女	8	9	9	9	暑	1	1	1	1	2	2	2	3	3	3	4	4	4	5	5	5	6	6	6	7	7	7	8	8	8	9

2月 (1일 二黑 -) **戊申 (二黑)** 절기: 立秋 (4일 02:42) 處暑 (18일 22:31)

양력		1	2	3	4	5	6	7	8	9	10	11	12	13	14	15	16	17	18	19	20	21	22	23	24	25	26	27	28			
요일		火	水	木	金	土	日	月	火	水	木	金	土	日	月	火	水	木	金	土	日	月	火	水	木	金	土	日	月			
음력	월	23	24	25	26	27	28	29	30	一	2	3	4	5	6	7	8	9	10	11	12	13	14	15	16	17	18	19	20			
일진		壬戌	癸亥	戊子	己丑	甲寅	乙卯	丙辰	丁巳	庚午	辛未	壬申	癸酉	戊戌	己亥	甲子	乙丑	丙寅	丁卯	庚辰	辛巳	壬午	癸未	戊申	己酉	甲戌	乙亥	丙子	丁丑			
대운	男	1	1	1	立	1	1	1	1	2	2	2	3	3	3	4	4	4	5	5	5	6	6	6	7	7	7	8	8			
	女	9	9	10	秋	9	9	9	8	8	8	7	7	7	6	6	6	5	5	5	4	4	4	3	3	3	2	2	2			

3月 (1일 一白 -) **己酉 (三碧)** 절기: 白露 (5일 20:44) 秋分 (20일 21:33)

양력		1	2	3	4	5	6	7	8	9	10	11	12	13	14	15	16	17	18	19	20	21	22	23	24	25	26	27	28	29	30	31
요일		火	水	木	金	土	日	月	火	水	木	金	土	日	月	火	水	木	金	土	日	月	火	水	木	金	土	日	月	火	水	木
음력	월	21	22	23	24	25	26	27	28	29	二	2	3	4	5	6	7	8	9	10	11	12	13	14	15	16	17	18	19	20	21	22
일진		庚寅	辛卯	壬辰	癸巳	戊午	己未	甲申	乙酉	丙戌	丁亥	庚子	辛丑	壬寅	癸卯	戊辰	己巳	甲午	乙未	丙申	丁酉	庚戌	辛亥	壬子	癸丑	戊寅	己卯	甲辰	乙巳	丙午	丁未	庚申
대운	男	8	9	9	9	白	1	1	1	1	2	2	2	3	3	3	4	4	4	5	5	5	6	6	6	7	7	7	8	8	8	9
	女	1	1	1	1	露	10	10	9	9	9	8	8	8	7	7	7	6	6	6	5	5	5	4	4	4	3	3	3	2	2	2

4月 (1일 六白 -) **甲戌 (四綠)** 절기: 寒露 (5일 01:34) 霜降 (20일 08:36)

양력		1	2	3	4	5	6	7	8	9	10	11	12	13	14	15	16	17	18	19	20	21	22	23	24	25	26	27	28	29	30	
요일		金	土	日	月	火	水	木	金	土	日	月	火	水	木	金	土	日	月	火	水	木	金	土	日	月	火	水	木	金	土	
음력	월	23	24	25	26	27	28	29	30	三	2	3	4	5	6	7	8	9	10	11	12	13	14	15	16	17	18	19	20	21	22	
일진		辛酉	壬戌	癸亥	戊子	己丑	甲寅	乙卯	丙辰	丁巳	庚午	辛未	壬申	癸酉	戊戌	己亥	甲子	乙丑	丙寅	丁卯	庚辰	辛巳	壬午	癸未	戊申	己酉	甲戌	乙亥	丙子	丁丑	庚寅	
대운	男	9	9	10	10	寒	1	1	1	1	2	2	2	3	3	3	4	4	4	5	5	5	6	6	6	7	7	7	8	8	8	
	女	1	1	1	1	露	10	9	9	9	8	8	8	7	7	7	6	6	6	5	5	5	4	4	4	3	3	3	2	2	2	

5月 (1일 三碧 -) **乙亥 (五黃)** 절기: 立冬 (5일 18:52) 小雪 (21일 07:47)

양력		1	2	3	4	5	6	7	8	9	10	11	12	13	14	15	16	17	18	19	20	21	22	23	24	25	26	27	28	29	30	31
요일		日	月	火	水	木	金	土	日	月	火	水	木	金	土	日	月	火	水	木	金	土	日	月	火	水	木	金	土	日	月	火
음력	월	23	24	25	26	27	28	29	四	2	3	4	5	6	7	8	9	10	11	12	13	14	15	16	17	18	19	20	21	22	23	24
일진		辛卯	壬辰	癸巳	戊午	己未	甲申	乙酉	丙戌	丁亥	庚子	辛丑	壬寅	癸卯	戊辰	己巳	甲午	乙未	丙申	丁酉	庚戌	辛亥	壬子	癸丑	戊寅	己卯	甲辰	乙巳	丙午	丁未	庚申	辛酉
대운	男	9	9	9	10	立	1	1	1	1	2	2	2	3	3	3	4	4	4	5	5	5	6	6	6	7	7	7	8	8	8	9
	女	1	1	1	1	冬	10	10	9	9	9	8	8	8	7	7	7	6	6	6	5	5	5	4	4	4	3	3	3	2	2	2

6月 (1일 八白 - 9일 一白 +) **丙子 (六白)** 절기: 大雪 (5일 23:01) 冬至 (21일 15:45)

양력		1	2	3	4	5	6	7	8	9	10	11	12	13	14	15	16	17	18	19	20	21	22	23	24	25	26	27	28	29	30	
요일		水	木	金	土	日	月	火	水	木	金	土	日	月	火	水	木	金	土	日	月	火	水	木	金	土	日	月	火	水	木	
음력	월	25	26	27	28	29	30	五	2	3	4	5	6	7	8	9	10	11	12	13	14	15	16	17	18	19	20	21	22	23	24	
일진		壬戌	癸亥	戊子	己丑	甲寅	乙卯	丙辰	丁巳	庚午	辛未	壬申	癸酉	戊戌	己亥	甲子	乙丑	丙寅	丁卯	庚辰	辛巳	壬午	癸未	戊申	己酉	甲戌	乙亥	丙子	丁丑	庚寅	辛卯	
대운	男	9	9	10	10	大	1	1	1	1	2	2	2	3	3	3	4	4	4	5	5	5	6	6	6	7	7	7	8	8	8	
	女	1	1	1	1	雪	10	10	10	9	9	9	8	8	8	7	7	7	6	6	6	5	5	5	4	4	4	3	3	3	2	

7月 (1일 五黃 +) **丁丑 (七赤)** 절기: 小寒(7일 09:16) 大寒(23일 02:40)

양력		1	2	3	4	5	6	7	8	9	10	11	12	13	14	15	16	17	18	19	20	21	22	23	24	25	26	27	28	29	30	31
요일		金	土	日	月	火	水	木	金	土	日	月	火	水	木	金	土	日	月	火	水	木	金	土	日	月	火	水	木	金	土	日
음력	월	25	26	27	28	29	六	2	3	4	5	6	7	8	9	10	11	12	13	14	15	16	17	18	19	20	21	22	23	24	25	26
일진		壬辰	癸巳	戊午	己未	甲申	乙酉	丙戌	丁亥	庚子	辛丑	壬寅	癸卯	戊辰	己巳	甲午	乙未	丙申	丁酉	庚戌	辛亥	壬子	癸丑	戊寅	己卯	甲辰	乙巳	丙午	丁未	庚申	辛酉	壬戌
대운	男	9	9	9	10	10	10	小	1	1	1	1	2	2	2	3	3	3	4	4	4	5	5	5	6	6	6	7	7	7	8	8
	女	2	2	1	1	1	1	寒	10	10	9	9	9	8	8	8	7	7	7	6	6	6	5	5	5	4	4	4	3	3	3	2

8月 (1일 九紫 +) **庚寅 (八白)** 절기: 立春(7일 19:03) 雨水(23일 09:45)

양력		1	2	3	4	5	6	7	8	9	10	11	12	13	14	15	16	17	18	19	20	21	22	23	24	25	26	27	28	29	30	31
요일		月	火	水	木	金	土	日	月	火	水	木	金	土	日	月	火	水	木	金	土	日	月	火	水	木	金	土	日	月	火	水
음력	월	27	28	29	30	七	2	3	4	5	6	7	8	9	10	11	12	13	14	15	16	17	18	19	20	21	22	23	24	25	26	27
일진		癸亥	戊子	己丑	甲寅	乙卯	丙辰	丁巳	庚午	辛未	壬申	癸酉	戊戌	己亥	甲子	乙丑	丙寅	丁卯	庚辰	辛巳	壬午	癸未	戊申	己酉	甲戌	乙亥	丙子	丁丑	庚寅	辛卯	壬辰	癸巳
대운	男	8	9	9	9	10	10	立	1	1	1	1	2	2	2	3	3	3	4	4	4	5	5	5	6	6	6	7	7	7	8	8
	女	2	2	1	1	1	1	春	10	10	9	9	9	8	8	8	7	7	7	6	6	6	5	5	5	4	4	4	3	3	3	2

9月 (1일 四綠 +) **辛卯 (九紫)** 절기: 驚蟄(7일 21:56) 春分 (23일 07:22)

양력		1	2	3	4	5	6	7	8	9	10	11	12	13	14	15	16	17	18	19	20	21	22	23	24	25	26	27	28	29	30	
요일		木	金	土	日	月	火	水	木	金	土	日	月	火	水	木	金	土	日	月	火	水	木	金	土	日	月	火	水	木	金	
음력	월	28	29	30	八	2	3	4	5	6	7	8	9	10	11	12	13	14	15	16	17	18	19	20	21	22	23	24	25	26	27	
일진		戊午	己未	甲申	乙酉	丙戌	丁亥	庚子	辛丑	壬寅	癸卯	戊辰	己巳	甲午	乙未	丙申	丁酉	庚戌	辛亥	壬子	癸丑	戊寅	己卯	甲辰	乙巳	丙午	丁未	庚申	辛酉	壬戌	癸亥	
대운	男	8	9	9	9	10	10	驚	1	1	1	1	2	2	2	3	3	3	4	4	4	5	5	5	6	6	6	7	7	7	8	
	女	2	2	1	1	1	1	蟄	10	10	9	9	9	8	8	8	7	7	7	6	6	6	5	5	5	4	4	4	3	3	3	

10月 (1일 七赤 +) **壬辰 (一白)** 절기: 清明(8일 13:33) 穀雨(23일 16:42)

양력		1	2	3	4	5	6	7	8	9	10	11	12	13	14	15	16	17	18	19	20	21	22	23	24	25	26	27	28	29	30	31
요일		土	日	月	火	水	木	金	土	日	月	火	水	木	金	土	日	月	火	水	木	金	土	日	月	火	水	木	金	土	日	月
음력	월	28	29	九	2	3	4	5	6	7	8	9	10	11	12	13	14	15	16	17	18	19	20	21	22	23	24	25	26	27	28	29
일진		戊子	己丑	甲寅	乙卯	丙辰	丁巳	庚午	辛未	壬申	癸酉	戊戌	己亥	甲子	乙丑	丙寅	丁卯	庚辰	辛巳	壬午	癸未	戊申	己酉	甲戌	乙亥	丙子	丁丑	庚寅	辛卯	壬辰	癸巳	戊午
대운	男	8	8	9	9	9	10	10	清	1	1	1	1	2	2	2	3	3	3	4	4	4	5	5	5	6	6	6	7	7	7	8
	女	2	2	2	1	1	1	1	明	10	9	9	9	8	8	8	7	7	7	6	6	6	5	5	5	4	4	4	3	3	3	2

11月 (1일 二黑 +) **癸巳 (二黑)** 절기: 立夏(7일 16:42) 小滿 (22일 14:14)

양력		1	2	3	4	5	6	7	8	9	10	11	12	13	14	15	16	17	18	19	20	21	22	23	24	25	26	27	28	29	30	
요일		火	水	木	金	土	日	月	火	水	木	金	土	日	月	火	水	木	金	土	日	月	火	水	木	金	土	日	月	火	水	
음력	월	30	十	2	3	4	5	6	7	8	9	10	11	12	13	14	15	16	17	18	19	20	21	22	23	24	25	26	27	28	29	
일진		己未	甲申	乙酉	丙戌	丁亥	庚子	辛丑	壬寅	癸卯	戊辰	己巳	甲午	乙未	丙申	丁酉	庚戌	辛亥	壬子	癸丑	戊寅	己卯	甲辰	乙巳	丙午	丁未	庚申	辛酉	壬戌	癸亥	戊子	
대운	男	8	8	9	9	9	10	立	1	1	1	1	2	2	2	3	3	3	4	4	4	5	5	5	6	6	6	7	7	7	8	
	女	2	2	1	1	1	1	夏	10	9	9	9	8	8	8	7	7	7	6	6	6	5	5	5	4	4	4	3	3	3	2	

12月 (1일 五黃 + 6일 九紫 -) **戊午 (三碧)** 절기: 芒種(7일 09:32) 夏至(22일 03:34)

양력		1	2	3	4	5	6	7	8	9	10	11	12	13	14	15	16	17	18	19	20	21	22	23	24	25	26	27	28	29	30	31
요일		木	金	土	日	月	火	水	木	金	土	日	月	火	水	木	金	土	日	月	火	水	木	金	土	日	月	火	水	木	金	土
음력	월	30	十一	2	3	4	5	6	7	8	9	10	11	12	13	14	15	16	17	18	19	20	21	22	23	24	25	26	27	28	29	十二
일진		己丑	甲寅	乙卯	丙辰	丁巳	庚午	辛未	壬申	癸酉	戊戌	己亥	甲子	乙丑	丙寅	丁卯	庚辰	辛巳	壬午	癸未	戊申	己酉	甲戌	乙亥	丙子	丁丑	庚寅	辛卯	壬辰	癸巳	戊午	己未
대운	男	8	8	9	9	9	10	芒	1	1	1	1	2	2	2	3	3	3	4	4	4	5	5	5	6	6	6	7	7	7	8	8
	女	2	2	1	1	1	1	種	9	9	9	8	8	8	7	7	7	6	6	6	5	5	5	4	4	4	3	3	3	2	2	2

서기2006년

壬辰年 (七赤金星) 閏七月

1月 (1일 一白 -) **己未 (四綠)** 절기: 小暑 (5일 20:46) 大暑 (20일 14:15)

양력		1	2	3	4	5	6	7	8	9	10	11	12	13	14	15	16	17	18	19	20	21	22	23	24	25	26	27	28	29	30	31
요일		日	月	火	水	木	金	土	日	月	火	水	木	金	土	日	月	火	水	木	金	土	日	月	火	水	木	金	土	日	月	火
음력	월	2	3	4	5	6	7	8	9	10	11	12	13	14	15	16	17	18	19	20	21	22	23	24	25	26	27	28	29	30	一	2
일진		甲申	乙酉	丙戌	丁亥	庚子	辛丑	壬寅	癸卯	戊辰	己巳	甲午	乙未	丙申	丁酉	庚戌	辛亥	壬子	癸丑	戊寅	己卯	甲辰	乙巳	丙午	丁未	庚申	辛酉	壬戌	癸亥	戊子	己丑	甲寅
대운	男	8	9	9	9	小	1	1	1	1	2	2	2	3	3	3	4	4	4	5	5	5	6	6	6	7	7	7	8	8	8	9
	女	1	1	1	1	暑	10	9	9	9	8	8	8	7	7	7	6	6	6	5	5	5	4	4	4	3	3	3	2	2	2	1

2月 (1일 六白 -) **甲申 (五黃)** 절기: 立秋 (4일 08:27) 處暑 (19일 04:25)

양력		1	2	3	4	5	6	7	8	9	10	11	12	13	14	15	16	17	18	19	20	21	22	23	24	25	26	27	28			
요일		水	木	金	土	日	月	火	水	木	金	土	日	月	火	水	木	金	土	日	月	火	水	木	金	土	日	月	火			
음력	월	3	4	5	6	7	8	9	10	11	12	13	14	15	16	17	18	19	20	21	22	23	24	25	26	27	28	29	二			
일진		乙卯	丙辰	丁巳	庚午	辛未	壬申	癸酉	戊戌	己亥	甲子	乙丑	丙寅	丁卯	庚辰	辛巳	壬午	癸未	戊申	己酉	甲戌	乙亥	丙子	丁丑	庚寅	辛卯	壬辰	癸巳	戊午			
대운	男	9	9	10	立	10	9	9	9	8	8	8	7	7	7	6	6	6	5	5	5	4	4	4	3	3	3	2	2			
	女	1	1	1	秋	1	1	1	1	2	2	2	3	3	3	4	4	4	5	5	5	6	6	6	7	7	7	8	8			

3月 (1일 五黃 -) **乙酉 (六白)** 절기: 白露 (6일 02:28) 秋分 (21일 03:25)

양력		1	2	3	4	5	6	7	8	9	10	11	12	13	14	15	16	17	18	19	20	21	22	23	24	25	26	27	28	29	30	31
요일		水	木	金	土	日	月	火	水	木	金	土	日	月	火	水	木	金	土	日	月	火	水	木	金	土	日	月	火	水	木	金
음력	월	2	3	4	5	6	7	8	9	10	11	12	13	14	15	16	17	18	19	20	21	22	23	24	25	26	27	28	29	三	2	3
일진		己未	甲申	乙酉	丙戌	丁亥	庚子	辛丑	壬寅	癸卯	戊辰	己巳	甲午	乙未	丙申	丁酉	庚戌	辛亥	壬子	癸丑	戊寅	己卯	甲辰	乙巳	丙午	丁未	庚申	辛酉	壬戌	癸亥	戊子	己丑
대운	男	2	1	1	1	1	白	10	9	9	9	8	8	8	7	7	7	6	6	6	5	5	5	4	4	4	3	3	3	2	2	2
	女	8	9	9	9	10	露	1	1	1	1	2	2	2	3	3	3	4	4	4	5	5	5	6	6	6	7	7	7	8	8	8

4月 (1일 一白 -) **丙戌 (七赤)** 절기: 寒露 (5일 07:15) 霜降 (20일 14:25)

양력		1	2	3	4	5	6	7	8	9	10	11	12	13	14	15	16	17	18	19	20	21	22	23	24	25	26	27	28	29	30	
요일		土	日	月	火	水	木	金	土	日	月	火	水	木	金	土	日	月	火	水	木	金	土	日	月	火	水	木	金	土	日	
음력	월	4	5	6	7	8	9	10	11	12	13	14	15	16	17	18	19	20	21	22	23	24	25	26	27	28	29	30	四	2	3	
일진		甲寅	乙卯	丙辰	丁巳	庚午	辛未	壬申	癸酉	戊戌	己亥	甲子	乙丑	丙寅	丁卯	庚辰	辛巳	壬午	癸未	戊申	己酉	甲戌	乙亥	丙子	丁丑	庚寅	辛卯	壬辰	癸巳	戊午	己未	
대운	男	1	1	1	1	寒	10	10	9	9	9	8	8	8	7	7	7	6	6	6	5	5	5	4	4	4	3	3	3	2	2	
	女	9	9	9	10	露	1	1	1	1	2	2	2	3	3	3	4	4	4	5	5	5	6	6	6	7	7	7	8	8	8	

5月 (1일 七赤 -) **丁亥 (八白)** 절기: 立冬 (6일 00:30) 小雪 (21일 13:31)

양력		1	2	3	4	5	6	7	8	9	10	11	12	13	14	15	16	17	18	19	20	21	22	23	24	25	26	27	28	29	30	31
요일		月	火	水	木	金	土	日	月	火	水	木	金	土	日	月	火	水	木	金	土	日	月	火	水	木	金	土	日	月	火	水
음력	월	4	5	6	7	8	9	10	11	12	13	14	15	16	17	18	19	20	21	22	23	24	25	26	27	28	29	五	2	3	4	5
일진		甲申	乙酉	丙戌	丁亥	庚子	辛丑	壬寅	癸卯	戊辰	己巳	甲午	乙未	丙申	丁酉	庚戌	辛亥	壬子	癸丑	戊寅	己卯	甲辰	乙巳	丙午	丁未	庚申	辛酉	壬戌	癸亥	戊子	己丑	甲寅
대운	男	2	1	1	1	1	立	10	10	9	9	9	8	8	8	7	7	7	6	6	6	5	5	5	4	4	4	3	3	3	2	2
	女	9	9	9	10	10	冬	1	1	1	1	2	2	2	3	3	3	4	4	4	5	5	5	6	6	6	7	7	7	8	8	8

6月 (1일 三碧 - 4일 一白 +) **庚子 (九紫)** 절기: 大雪 (6일 04:36) 冬至 (21일 21:25)

양력		1	2	3	4	5	6	7	8	9	10	11	12	13	14	15	16	17	18	19	20	21	22	23	24	25	26	27	28	29	30	
요일		木	金	土	日	月	火	水	木	金	土	日	月	火	水	木	金	土	日	月	火	水	木	金	土	日	月	火	水	木	金	
음력	월	6	7	8	9	10	11	12	13	14	15	16	17	18	19	20	21	22	23	24	25	26	27	28	29	30	六	2	3	4	5	
일진		乙卯	丙辰	丁巳	庚午	辛未	壬申	癸酉	戊戌	己亥	甲子	乙丑	丙寅	丁卯	庚辰	辛巳	壬午	癸未	戊申	己酉	甲戌	乙亥	丙子	丁丑	庚寅	辛卯	壬辰	癸巳	戊午	己未	甲申	
대운	男	2	1	1	1	1	大	10	10	9	9	9	8	8	8	7	7	7	6	6	6	5	5	5	4	4	4	3	3	3	2	
	女	9	9	9	10	10	雪	1	1	1	1	2	2	2	3	3	3	4	4	4	5	5	5	6	6	6	7	7	7	8	8	

7月 (1일 一白 +) **辛丑 (一白)** 절기: 小寒(7일 14:51) 大寒(23일 08:17)

양력		1	2	3	4	5	6	7	8	9	10	11	12	13	14	15	16	17	18	19	20	21	22	23	24	25	26	27	28	29	30	31
요일		土	日	月	火	水	木	金	土	日	月	火	水	木	金	土	日	月	火	水	木	金	土	日	月	火	水	木	金	土	日	月
음력	월	6	7	8	9	10	11	12	13	14	15	16	17	18	19	20	21	22	23	24	25	26	27	28	29	七	2	3	4	5	6	7
일진		乙酉	丙戌	丁亥	庚子	辛丑	壬寅	癸卯	戊辰	己巳	甲午	乙未	丙申	丁酉	庚戌	辛亥	壬子	癸丑	戊寅	己卯	甲辰	乙巳	丙午	丁未	庚申	辛酉	壬戌	癸亥	戊子	己丑	甲寅	乙卯
대운	男	2	2	1	1	1	1	小	10	10	10	9	9	9	8	8	8	7	7	7	6	6	6	5	5	5	4	4	4	3	3	3
	女	8	9	9	9	10	10	寒	1	1	1	1	2	2	2	3	3	3	4	4	4	5	5	5	6	6	6	7	7	7	8	8

8月 (1일 五黃 +) **壬寅 (二黑)** 절기: 立春(8일 00:40) 雨水(23일 15:22)

양력		1	2	3	4	5	6	7	8	9	10	11	12	13	14	15	16	17	18	19	20	21	22	23	24	25	26	27	28	29	30	31
요일		火	水	木	金	土	日	月	火	水	木	金	土	日	月	火	水	木	金	土	日	月	火	水	木	金	土	日	月	火	水	木
음력	월	8	9	10	11	12	13	14	15	16	17	18	19	20	21	22	23	24	25	26	27	28	29	30	閏七		3	4	5	6	7	8
일진		丙辰	丁巳	庚午	辛未	壬申	癸酉	戊戌	己亥	甲子	乙丑	丙寅	丁卯	庚辰	辛巳	壬午	癸未	戊申	己酉	甲戌	乙亥	丙子	丁丑	庚寅	辛卯	壬辰	癸巳	戊午	己未	甲申	乙酉	丙戌
대운	男	2	2	2	1	1	1	1	立	10	10	9	9	9	8	8	8	7	7	7	6	6	6	5	5	5	4	4	4	3	3	3
	女	8	9	9	9	10	10	10	春	1	1	1	1	2	2	2	3	3	3	4	4	4	5	5	5	6	6	6	7	7	7	8

9月 (1일 九紫 +) **癸卯 (三碧)** 절기: 驚蟄(8일 03:38) 春分 (23일 13:03)

양력		1	2	3	4	5	6	7	8	9	10	11	12	13	14	15	16	17	18	19	20	21	22	23	24	25	26	27	28	29	30	
요일		金	土	日	月	火	水	木	金	土	日	月	火	水	木	金	土	日	月	火	水	木	金	土	日	月	火	水	木	金	土	
음력	월	9	10	11	12	13	14	15	16	17	18	19	20	21	22	23	24	25	26	27	28	29	八	2	3	4	5	6	7	8	9	
일진		丁亥	庚子	辛丑	壬寅	癸卯	戊辰	己巳	甲午	乙未	丙申	丁酉	庚戌	辛亥	壬子	癸丑	戊寅	己卯	甲辰	乙巳	丙午	丁未	庚申	辛酉	壬戌	癸亥	戊子	己丑	甲寅	乙卯	丙辰	
대운	男	2	2	2	1	1	1	1	驚	10	9	9	9	8	8	8	7	7	7	6	6	6	5	5	5	4	4	4	3	3	3	
	女	8	8	9	9	9	10	10	蟄	1	1	1	1	2	2	2	3	3	3	4	4	4	5	5	5	6	6	6	7	7	7	

10月 (1일 三碧 +) **戊辰 (四綠)** 절기: 清明(8일 19:21) 穀雨(23일 22:26)

양력		1	2	3	4	5	6	7	8	9	10	11	12	13	14	15	16	17	18	19	20	21	22	23	24	25	26	27	28	29	30	31
요일		日	月	火	水	木	金	土	日	月	火	水	木	金	土	日	月	火	水	木	金	土	日	月	火	水	木	金	土	日	月	火
음력	월	10	11	12	13	14	15	16	17	18	19	20	21	22	23	24	25	26	27	28	29	30	九	2	3	4	5	6	7	8	9	10
일진		丁巳	庚午	辛未	壬申	癸酉	戊戌	己亥	甲子	乙丑	丙寅	丁卯	庚辰	辛巳	壬午	癸未	戊申	己酉	甲戌	乙亥	丙子	丁丑	庚寅	辛卯	壬辰	癸巳	戊午	己未	甲申	乙酉	丙戌	丁亥
대운	男	2	2	2	1	1	1	1	清	10	9	9	9	8	8	8	7	7	7	6	6	6	5	5	5	4	4	4	3	3	3	2
	女	8	8	8	9	9	9	10	明	1	1	1	1	2	2	2	3	3	3	4	4	4	5	5	5	6	6	6	7	7	7	8

11月 (1일 七赤 +) **己巳 (五黃)** 절기: 立夏(7일 22:34) 小滿 (22일 20:01)

양력		1	2	3	4	5	6	7	8	9	10	11	12	13	14	15	16	17	18	19	20	21	22	23	24	25	26	27	28	29	30	
요일		水	木	金	土	日	月	火	水	木	金	土	日	月	火	水	木	金	土	日	月	火	水	木	金	土	日	月	火	水	木	
음력	월	11	12	13	14	15	16	17	18	19	20	21	22	23	24	25	26	27	28	29	30	十	2	3	4	5	6	7	8	9	10	
일진		庚子	辛丑	壬寅	癸卯	戊辰	己巳	甲午	乙未	丙申	丁酉	庚戌	辛亥	壬子	癸丑	戊寅	己卯	甲辰	乙巳	丙午	丁未	庚申	辛酉	壬戌	癸亥	戊子	己丑	甲寅	乙卯	丙辰	丁巳	
대운	男	2	2	1	1	1	1	立	10	9	9	9	8	8	8	7	7	7	6	6	6	5	5	5	4	4	4	3	3	3	2	
	女	8	8	9	9	9	10	夏	1	1	1	1	2	2	2	3	3	3	4	4	4	5	5	5	6	6	6	7	7	7	8	

12月 (1일 九紫 -) **甲午 (六白)** 절기: 芒種(7일 15:26) 夏至(22일 09:21)

양력		1	2	3	4	5	6	7	8	9	10	11	12	13	14	15	16	17	18	19	20	21	22	23	24	25	26	27	28	29	30	31
요일		金	土	日	月	火	水	木	金	土	日	月	火	水	木	金	土	日	月	火	水	木	金	土	日	月	火	水	木	金	土	日
음력	월	11	12	13	14	15	16	17	18	19	20	21	22	23	24	25	26	27	28	29	十一	2	3	4	5	6	7	8	9	10	11	12
일진		庚午	辛未	壬申	癸酉	戊戌	己亥	甲子	乙丑	丙寅	丁卯	庚辰	辛巳	壬午	癸未	戊申	己酉	甲戌	乙亥	丙子	丁丑	庚寅	辛卯	壬辰	癸巳	戊午	己未	甲申	乙酉	丙戌	丁亥	庚子
대운	男	2	2	1	1	1	1	芒	10	9	9	9	8	8	8	7	7	7	6	6	6	5	5	5	4	4	4	3	3	3	2	2
	女	8	8	9	9	9	10	種	1	1	1	1	2	2	2	3	3	3	4	4	4	5	5	5	6	6	6	7	7	7	8	8

서기2007년

癸巳年 (八白土星)

1月 (1일 五黃 -) 乙未 (七赤) 절기: 小暑 (6일 02:39) 大暑 (20일 20:00)

양력		1	2	3	4	5	6	7	8	9	10	11	12	13	14	15	16	17	18	19	20	21	22	23	24	25	26	27	28	29	30	31
요일		月	火	水	木	金	土	日	月	火	水	木	金	土	日	月	火	水	木	金	土	日	月	火	水	木	金	土	日	月	火	水
음력	월	13	14	15	16	17	18	19	20	21	22	23	24	25	26	27	28	29	30	十二	2	3	4	5	6	7	8	9	10	11	12	13
일진		辛丑	壬寅	癸卯	戊辰	己巳	甲午	乙未	丙申	丁酉	庚戌	辛亥	壬子	癸丑	戊寅	己卯	甲辰	乙巳	丙午	丁未	庚申	辛酉	壬戌	癸亥	戊子	己丑	甲寅	乙卯	丙辰	丁巳	庚午	辛未
대운	男	2	1	1	1	1	小	9	9	9	8	8	8	7	7	7	6	6	6	5	5	5	4	4	4	3	3	3	2	2	2	1
	女	8	9	9	9	10	暑	1	1	1	1	2	2	2	3	3	3	4	4	4	5	5	5	6	6	6	7	7	7	8	8	8

2月 (1일 一白 -) 丙申 (八白) 절기: 立秋 (4일 14:17) 處暑 (19일 10:08)

양력		1	2	3	4	5	6	7	8	9	10	11	12	13	14	15	16	17	18	19	20	21	22	23	24	25	26	27	28			
요일		木	金	土	日	月	火	水	木	金	土	日	月	火	水	木	金	土	日	月	火	水	木	金	土	日	月	火	水			
음력	월	14	15	16	17	18	19	20	21	22	23	24	25	26	27	28	29	30	一	2	3	4	5	6	7	8	9	10	11			
일진		壬申	癸酉	戊戌	己亥	甲子	乙丑	丙寅	丁卯	庚辰	辛巳	壬午	癸未	戊申	己酉	甲戌	乙亥	丙子	丁丑	庚寅	辛卯	壬辰	癸巳	戊午	己未	甲申	乙酉	丙戌	丁亥			
대운	男	1	1	1	立	1	1	1	1	2	2	2	3	3	3	4	4	4	5	5	5	6	6	6	7	7	7	8	8			
	女	9	9	9	秋	10	9	9	9	8	8	8	7	7	7	6	6	6	5	5	5	4	4	4	3	3	3	2	2			

3月 (1일 九紫 -) 丁酉 (九紫) 절기: 白露 (6일 08:17) 秋分 (21일 09:07)

양력		1	2	3	4	5	6	7	8	9	10	11	12	13	14	15	16	17	18	19	20	21	22	23	24	25	26	27	28	29	30	31
요일		木	金	土	日	月	火	水	木	金	土	日	月	火	水	木	金	土	日	月	火	水	木	金	土	日	月	火	水	木	金	土
음력	월	12	13	14	15	16	17	18	19	20	21	22	23	24	25	26	27	28	29	二	2	3	4	5	6	7	8	9	10	11	12	13
일진		庚子	辛丑	壬寅	癸卯	戊辰	己巳	甲午	乙未	丙申	丁酉	庚戌	辛亥	壬子	癸丑	戊寅	己卯	甲辰	乙巳	丙午	丁未	庚申	辛酉	壬戌	癸亥	戊子	己丑	甲寅	乙卯	丙辰	丁巳	庚午
대운	男	8	9	9	9	10	白	1	1	1	1	2	2	2	3	3	3	4	4	4	5	5	5	6	6	6	7	7	7	8	8	8
	女	2	1	1	1	1	露	10	9	9	9	8	8	8	7	7	7	6	6	6	5	5	5	4	4	4	3	3	3	2	2	2

4月 (1일 五黃 -) 庚戌 (一白) 절기: 寒露 (5일 13:04) 霜降 (20일 20:06)

양력		1	2	3	4	5	6	7	8	9	10	11	12	13	14	15	16	17	18	19	20	21	22	23	24	25	26	27	28	29	30	
요일		日	月	火	水	木	金	土	日	月	火	水	木	金	土	日	月	火	水	木	金	土	日	月	火	水	木	金	土	日	月	
음력	월	14	15	16	17	18	19	20	21	22	23	24	25	26	27	28	29	三	2	3	4	5	6	7	8	9	10	11	12	13	14	
일진		辛未	壬申	癸酉	戊戌	己亥	甲子	乙丑	丙寅	丁卯	庚辰	辛巳	壬午	癸未	戊申	己酉	甲戌	乙亥	丙子	丁丑	庚寅	辛卯	壬辰	癸巳	戊午	己未	甲申	乙酉	丙戌	丁亥	庚子	
대운	男	9	9	9	10	寒	1	1	1	1	2	2	2	3	3	3	4	4	4	5	5	5	6	6	6	7	7	7	8	8	8	
	女	1	1	1	1	露	10	10	9	9	9	8	8	8	7	7	7	6	6	6	5	5	5	4	4	4	3	3	3	2	2	

5月 (1일 二黑 - 30일 一白 +) 辛亥 (二黑) 절기: 立冬 (6일 06:20) 小雪 (21일 19:11)

양력		1	2	3	4	5	6	7	8	9	10	11	12	13	14	15	16	17	18	19	20	21	22	23	24	25	26	27	28	29	30	31
요일		火	水	木	金	土	日	月	火	水	木	金	土	日	月	火	水	木	金	土	日	月	火	水	木	金	土	日	月	火	水	木
음력	월	15	16	17	18	19	20	21	22	23	24	25	26	27	28	29	30	四	2	3	4	5	6	7	8	9	10	11	12	13	14	15
일진		辛丑	壬寅	癸卯	戊辰	己巳	甲午	乙未	丙申	丁酉	庚戌	辛亥	壬子	癸丑	戊寅	己卯	甲辰	乙巳	丙午	丁未	庚申	辛酉	壬戌	癸亥	戊子	己丑	甲寅	乙卯	丙辰	丁巳	庚午	辛未
대운	男	9	9	9	10	10	立	1	1	1	1	2	2	2	3	3	3	4	4	4	5	5	5	6	6	6	7	7	7	8	8	8
	女	2	1	1	1	1	冬	10	10	9	9	9	8	8	8	7	7	7	6	6	6	5	5	5	4	4	4	3	3	3	2	2

6月 (1일 三碧 +) 壬子 (三碧) 절기: 大雪 (6일 10:26) 冬至 (22일 03:06)

양력		1	2	3	4	5	6	7	8	9	10	11	12	13	14	15	16	17	18	19	20	21	22	23	24	25	26	27	28	29	30	
요일		金	土	日	月	火	水	木	金	土	日	月	火	水	木	金	土	日	月	火	水	木	金	土	日	月	火	水	木	金	土	
음력	월	16	17	18	19	20	21	22	23	24	25	26	27	28	29	五	2	3	4	5	6	7	8	9	10	11	12	13	14	15	16	
일진		壬申	癸酉	戊戌	己亥	甲子	乙丑	丙寅	丁卯	庚辰	辛巳	壬午	癸未	戊申	己酉	甲戌	乙亥	丙子	丁丑	庚寅	辛卯	壬辰	癸巳	戊午	己未	甲申	乙酉	丙戌	丁亥	庚子	辛丑	
대운	男	9	9	9	10	10	大	1	1	1	1	2	2	2	3	3	3	4	4	4	5	5	5	6	6	6	7	7	7	8	8	
	女	2	1	1	1	1	雪	10	10	9	9	9	8	8	8	7	7	7	6	6	6	5	5	5	4	4	4	3	3	3	2	

7月 (1일 六白 +) **癸丑 (四綠)** 절기: 小寒(7일 20:41) 大寒(23일 13:59)

양력		1	2	3	4	5	6	7	8	9	10	11	12	13	14	15	16	17	18	19	20	21	22	23	24	25	26	27	28	29	30	31
요일		日	月	火	水	木	金	土	日	月	火	水	木	金	土	日	月	火	水	木	金	土	日	月	火	水	木	金	土	日	月	火
음력	월	17	18	19	20	21	22	23	24	25	26	27	28	29	六	2	3	4	5	6	7	8	9	10	11	12	13	14	15	16	17	18
일진		壬寅	癸卯	戊辰	己巳	甲午	乙未	丙申	丁酉	庚戌	辛亥	壬子	癸丑	戊寅	己卯	甲辰	乙巳	丙午	丁未	庚申	辛酉	壬戌	癸亥	戊子	己丑	甲寅	乙卯	丙辰	丁巳	庚午	辛未	壬申
대운	男	8	9	9	9	10	10	小	1	1	1	1	2	2	2	3	3	3	4	4	4	5	5	5	6	6	6	7	7	7	8	8
	女	2	2	1	1	1	1	寒	10	10	10	9	9	9	8	8	8	7	7	7	6	6	6	5	5	5	4	4	4	3	3	3

8月 (1일 一白 +) **戊寅 (五黃)** 절기: 立春(8일 06:30) 雨水(23일 21:07)

양력		1	2	3	4	5	6	7	8	9	10	11	12	13	14	15	16	17	18	19	20	21	22	23	24	25	26	27	28	29	30	31
요일		水	木	金	土	日	月	火	水	木	金	土	日	月	火	水	木	金	土	日	月	火	水	木	金	土	日	月	火	水	木	金
음력	월	19	20	21	22	23	24	25	26	27	28	29	30	七	2	3	4	5	6	7	8	9	10	11	12	13	14	15	16	17	18	19
일진		癸酉	戊戌	己亥	甲子	乙丑	丙寅	丁卯	庚辰	辛巳	壬午	癸未	戊申	己酉	甲戌	乙亥	丙子	丁丑	庚寅	辛卯	壬辰	癸巳	戊午	己未	甲申	乙酉	丙戌	丁亥	庚子	辛丑	壬寅	癸卯
대운	男	8	9	9	9	10	10	10	立	1	1	1	1	2	2	2	3	3	3	4	4	4	5	5	5	6	6	6	7	7	7	8
	女	2	2	2	1	1	1	1	春	10	10	9	9	9	8	8	8	7	7	7	6	6	6	5	5	5	4	4	4	3	3	3

9月 (1일 五黃 +) **己卯 (六白)** 절기: 驚蟄(8일 09:29) 春分 (23일 18:50)

양력		1	2	3	4	5	6	7	8	9	10	11	12	13	14	15	16	17	18	19	20	21	22	23	24	25	26	27	28	29	30	
요일		土	日	月	火	水	木	金	土	日	月	火	水	木	金	土	日	月	火	水	木	金	土	日	月	火	水	木	金	土	日	
음력	월	20	21	22	23	24	25	26	27	28	29	八	2	3	4	5	6	7	8	9	10	11	12	13	14	15	16	17	18	19	20	
일진		戊辰	己巳	甲午	乙未	丙申	丁酉	庚戌	辛亥	壬子	癸丑	戊寅	己卯	甲辰	乙巳	丙午	丁未	庚申	辛酉	壬戌	癸亥	戊子	己丑	甲寅	乙卯	丙辰	丁巳	庚午	辛未	壬申	癸酉	
대운	男	8	8	9	9	9	10	10	驚	1	1	1	1	2	2	2	3	3	3	4	4	4	5	5	5	6	6	6	7	7	7	
	女	2	2	2	1	1	1	1	蟄	10	10	9	9	9	8	8	8	7	7	7	6	6	6	5	5	5	4	4	4	3	3	

10月 (1일 八白 +) **甲辰 (七赤)** 절기: 淸明(9일 01:11) 穀雨(24일 04:15)

양력		1	2	3	4	5	6	7	8	9	10	11	12	13	14	15	16	17	18	19	20	21	22	23	24	25	26	27	28	29	30	31
요일		月	火	水	木	金	土	日	月	火	水	木	金	土	日	月	火	水	木	金	土	日	月	火	水	木	金	土	日	月	火	水
음력	월	21	22	23	24	25	26	27	28	29	30	九	2	3	4	5	6	7	8	9	10	11	12	13	14	15	16	17	18	19	20	21
일진		戊戌	己亥	甲子	乙丑	丙寅	丁卯	庚辰	辛巳	壬午	癸未	戊申	己酉	甲戌	乙亥	丙子	丁丑	庚寅	辛卯	壬辰	癸巳	戊午	己未	甲申	乙酉	丙戌	丁亥	庚子	辛丑	壬寅	癸卯	戊辰
대운	男	8	8	8	9	9	9	10	10	淸	1	1	1	1	2	2	2	3	3	3	4	4	4	5	5	5	6	6	6	7	7	7
	女	3	2	2	2	1	1	1	1	明	10	9	9	9	8	8	8	7	7	7	6	6	6	5	5	5	4	4	4	3	3	3

11月 (1일 三碧 + 26일 九紫 -) **乙巳 (八白)** 절기: 立夏(8일 04:23) 小滿 (23일 01:49)

양력		1	2	3	4	5	6	7	8	9	10	11	12	13	14	15	16	17	18	19	20	21	22	23	24	25	26	27	28	29	30	
요일		木	金	土	日	月	火	水	木	金	土	日	月	火	水	木	金	土	日	月	火	水	木	金	土	日	月	火	水	木	金	
음력	월	22	23	24	25	26	27	28	29	30	十	2	3	4	5	6	7	8	9	10	11	12	13	14	15	16	17	18	19	20	21	
일진		己巳	甲午	乙未	丙申	丁酉	庚戌	辛亥	壬子	癸丑	戊寅	己卯	甲辰	乙巳	丙午	丁未	庚申	辛酉	壬戌	癸亥	戊子	己丑	甲寅	乙卯	丙辰	丁巳	庚午	辛未	壬申	癸酉	戊戌	
대운	男	8	8	8	9	9	9	10	立	1	1	1	1	2	2	2	3	3	3	4	4	4	5	5	5	6	6	6	7	7	7	
	女	2	2	2	1	1	1	1	夏	9	9	9	8	8	8	7	7	7	6	6	6	5	5	5	4	4	4	3	3	3	2	

12月 (1일 四綠 -) **丙午 (九紫)** 절기: 芒種(7일 21:13) 夏至(22일 15:07)

양력		1	2	3	4	5	6	7	8	9	10	11	12	13	14	15	16	17	18	19	20	21	22	23	24	25	26	27	28	29	30	31
요일		土	日	月	火	水	木	金	土	日	月	火	水	木	金	土	日	月	火	水	木	金	土	日	月	火	水	木	金	土	日	月
음력	월	22	23	24	25	26	27	28	29	30	十一	2	3	4	5	6	7	8	9	10	11	12	13	14	15	16	17	18	19	20	21	22
일진		己亥	甲子	乙丑	丙寅	丁卯	庚辰	辛巳	壬午	癸未	戊申	己酉	甲戌	乙亥	丙子	丁丑	庚寅	辛卯	壬辰	癸巳	戊午	己未	甲申	乙酉	丙戌	丁亥	庚子	辛丑	壬寅	癸卯	戊辰	己巳
대운	男	8	8	8	9	9	9	芒	1	1	1	1	2	2	2	3	3	3	4	4	4	5	5	5	6	6	6	7	7	7	8	8
	女	2	2	1	1	1	1	種	10	9	9	9	8	8	8	7	7	7	6	6	6	5	5	5	4	4	4	3	3	3	2	2

서기2008년

戊午年 (九紫火星)

1月 (1일 九紫 -)　**丁未 (一白)**　절기: 小暑 (6일 08:24) 大暑 (21일 01:43)

양력		1	2	3	4	5	6	7	8	9	10	11	12	13	14	15	16	17	18	19	20	21	22	23	24	25	26	27	28	29	30	31
요일		火	水	木	金	土	日	月	火	水	木	金	土	日	月	火	水	木	金	土	日	月	火	水	木	金	土	日	月	火	水	木
음력	월	23	24	25	26	27	28	29	十二	2	3	4	5	6	7	8	9	10	11	12	13	14	15	16	17	18	19	20	21	22	23	24
일진		甲午	乙未	丙申	丁酉	庚戌	辛亥	壬子	癸丑	戊寅	己卯	甲辰	乙巳	丙午	丁未	庚申	辛酉	壬戌	癸亥	戊子	己丑	甲寅	乙卯	丙辰	丁巳	庚午	辛未	壬申	癸酉	戊戌	己亥	甲子
대운	男	8	9	9	9	10	小	1	1	1	1	2	2	2	3	3	3	4	4	4	5	5	5	6	6	6	7	7	7	8	8	8
	女	2	1	1	1	1	暑	9	9	9	8	8	8	7	7	7	6	6	6	5	5	5	4	4	4	3	3	3	2	2	2	1

2月 閏 (1일 五黃 -)　**庚申 (二黑)**　절기: 立秋 (4일 20:00) 處暑 (19일 15:49)

양력		1	2	3	4	5	6	7	8	9	10	11	12	13	14	15	16	17	18	19	20	21	22	23	24	25	26	27	28	29		
요일		金	土	日	月	火	水	木	金	土	日	月	火	水	木	金	土	日	月	火	水	木	金	土	日	月	火	水	木	金		
음력	월	25	26	27	28	29	30	一	2	3	4	5	6	7	8	9	10	11	12	13	14	15	16	17	18	19	20	21	22	23		
일진		乙丑	丙寅	丁卯	庚辰	辛巳	壬午	癸未	戊申	己酉	甲戌	乙亥	丙子	丁丑	庚寅	辛卯	壬辰	癸巳	戊午	己未	甲申	乙酉	丙戌	丁亥	庚子	辛丑	壬寅	癸卯	戊辰	己巳		
대운	男	9	9	9	立	10	9	9	9	8	8	8	7	7	7	6	6	6	5	5	5	4	4	4	3	3	3	2	2	2		
	女	1	1	1	秋	1	1	1	1	2	2	2	3	3	3	4	4	4	5	5	5	6	6	6	7	7	7	8	8	8		

3月 (1일 三碧 -)　**辛酉 (三碧)**　절기: 白露 (5일 13:58) 秋分 (20일 14:47)

양력		1	2	3	4	5	6	7	8	9	10	11	12	13	14	15	16	17	18	19	20	21	22	23	24	25	26	27	28	29	30	31
요일		土	日	月	火	水	木	金	土	日	月	火	水	木	金	土	日	月	火	水	木	金	土	日	月	火	水	木	金	土	日	月
음력	월	24	25	26	27	28	29	30	二	2	3	4	5	6	7	8	9	10	11	12	13	14	15	16	17	18	19	20	21	22	23	24
일진		甲午	乙未	丙申	丁酉	庚戌	辛亥	壬子	癸丑	戊寅	己卯	甲辰	乙巳	丙午	丁未	庚申	辛酉	壬戌	癸亥	戊子	己丑	甲寅	乙卯	丙辰	丁巳	庚午	辛未	壬申	癸酉	戊戌	己亥	甲子
대운	男	1	1	1	1	白	10	9	9	9	8	8	8	7	7	7	6	6	6	5	5	5	4	4	4	3	3	3	2	2	2	1
	女	9	9	9	10	露	1	1	1	1	2	2	2	3	3	3	4	4	4	5	5	5	6	6	6	7	7	7	8	8	8	9

4月 (1일 八白 -)　**壬戌 (四綠)**　절기: 寒露 (4일 18:45) 霜降 (20일 01:50)

양력		1	2	3	4	5	6	7	8	9	10	11	12	13	14	15	16	17	18	19	20	21	22	23	24	25	26	27	28	29	30	
요일		火	水	木	金	土	日	月	火	水	木	金	土	日	月	火	水	木	金	土	日	月	火	水	木	金	土	日	月	火	水	
음력	월	25	26	27	28	29	三	2	3	4	5	6	7	8	9	10	11	12	13	14	15	16	17	18	19	20	21	22	23	24	25	
일진		乙丑	丙寅	丁卯	庚辰	辛巳	壬午	癸未	戊申	己酉	甲戌	乙亥	丙子	丁丑	庚寅	辛卯	壬辰	癸巳	戊午	己未	甲申	乙酉	丙戌	丁亥	庚子	辛丑	壬寅	癸卯	戊辰	己巳	甲午	
대운	男	1	1	1	寒	10	10	9	9	9	8	8	8	7	7	7	6	6	6	5	5	5	4	4	4	3	3	3	2	2	2	
	女	9	9	10	露	1	1	1	1	2	2	2	3	3	3	4	4	4	5	5	5	6	6	6	7	7	7	8	8	8	9	

5月 (1일 五黃 - 24일 一白 +)　**癸亥 (五黃)**　절기: 立冬 (5일 12:03) 小雪 (21일 01:00)

양력		1	2	3	4	5	6	7	8	9	10	11	12	13	14	15	16	17	18	19	20	21	22	23	24	25	26	27	28	29	30	31
요일		木	金	土	日	月	火	水	木	金	土	日	月	火	水	木	金	土	日	月	火	水	木	金	土	日	月	火	水	木	金	土
음력	월	26	27	28	29	四	2	3	4	5	6	7	8	9	10	11	12	13	14	15	16	17	18	19	20	21	22	23	24	25	26	27
일진		乙未	丙申	丁酉	庚戌	辛亥	壬子	癸丑	戊寅	己卯	甲辰	乙巳	丙午	丁未	庚申	辛酉	壬戌	癸亥	戊子	己丑	甲寅	乙卯	丙辰	丁巳	庚午	辛未	壬申	癸酉	戊戌	己亥	甲子	乙丑
대운	男	1	1	1	1	立	10	10	9	9	9	8	8	8	7	7	7	6	6	6	5	5	5	4	4	4	3	3	3	2	2	2
	女	9	9	10	10	冬	1	1	1	1	2	2	2	3	3	3	4	4	4	5	5	5	6	6	6	7	7	7	8	8	8	9

6月 (1일 九紫 +)　**戊子 (六白)**　절기: 大雪 (5일 16:11) 冬至 (21일 08:59)

양력		1	2	3	4	5	6	7	8	9	10	11	12	13	14	15	16	17	18	19	20	21	22	23	24	25	26	27	28	29	30	
요일		日	月	火	水	木	金	土	日	月	火	水	木	金	土	日	月	火	水	木	金	土	日	月	火	水	木	金	土	日	月	
음력	월	28	29	30	五	2	3	4	5	6	7	8	9	10	11	12	13	14	15	16	17	18	19	20	21	22	23	24	25	26	27	
일진		丙寅	丁卯	庚辰	辛巳	壬午	癸未	戊申	己酉	甲戌	乙亥	丙子	丁丑	庚寅	辛卯	壬辰	癸巳	戊午	己未	甲申	乙酉	丙戌	丁亥	庚子	辛丑	壬寅	癸卯	戊辰	己巳	甲午	乙未	
대운	男	1	1	1	1	大	10	10	10	9	9	9	8	8	8	7	7	7	6	6	6	5	5	5	4	4	4	3	3	3	2	
	女	9	9	10	10	雪	1	1	1	1	2	2	2	3	3	3	4	4	4	5	5	5	6	6	6	7	7	7	8	8	8	

7月 (1일 三碧 +) **己丑 (七赤)** 절기: 小寒(7일 02:26) 大寒(22일 19:54)

양력		1	2	3	4	5	6	7	8	9	10	11	12	13	14	15	16	17	18	19	20	21	22	23	24	25	26	27	28	29	30	31
요일		火	水	木	金	土	日	月	火	水	木	金	土	日	月	火	水	木	金	土	日	月	火	水	木	金	土	日	月	火	水	木
음력	월	28	29	六	2	3	4	5	6	7	8	9	10	11	12	13	14	15	16	17	18	19	20	21	22	23	24	25	26	27	28	29
일진		丙申	丁酉	庚戌	辛亥	壬子	癸丑	戊寅	己卯	甲辰	乙巳	丙午	丁未	庚申	辛酉	壬戌	癸亥	戊子	己丑	甲寅	乙卯	丙辰	丁巳	庚午	辛未	壬申	癸酉	戊戌	己亥	甲子	乙丑	丙寅
대운	男	2	2	1	1	1	1	小	10	10	9	9	9	8	8	8	7	7	7	6	6	6	5	5	5	4	4	4	3	3	3	2
	女	9	9	9	10	10	10	寒	1	1	1	1	2	2	2	3	3	3	4	4	4	5	5	5	6	6	6	7	7	7	8	8

8月 (1일 七赤 +) **甲寅 (八白)** 절기: 立春(7일 12:15) 雨水(23일 03:01)

양력		1	2	3	4	5	6	7	8	9	10	11	12	13	14	15	16	17	18	19	20	21	22	23	24	25	26	27	28	29	30	31
요일		金	土	日	月	火	水	木	金	土	日	月	火	水	木	金	土	日	月	火	水	木	金	土	日	月	火	水	木	金	土	日
음력	월	七	2	3	4	5	6	7	8	9	10	11	12	13	14	15	16	17	18	19	20	21	22	23	24	25	26	27	28	29	30	八
일진		丁卯	庚辰	辛巳	壬午	癸未	戊申	己酉	甲戌	乙亥	丙子	丁丑	庚寅	辛卯	壬辰	癸巳	戊午	己未	甲申	乙酉	丙戌	丁亥	庚子	辛丑	壬寅	癸卯	戊辰	己巳	甲午	乙未	丙申	丁酉
대운	男	2	2	1	1	1	1	立	10	10	9	9	9	8	8	8	7	7	7	6	6	6	5	5	5	4	4	4	3	3	3	2
	女	8	9	9	9	10	10	春	1	1	1	1	2	2	2	3	3	3	4	4	4	5	5	5	6	6	6	7	7	7	8	8

9月 (1일 二黑 +) **乙卯 (九紫)** 절기: 驚蟄(7일 15:13) 春分 (23일 00:44)

양력		1	2	3	4	5	6	7	8	9	10	11	12	13	14	15	16	17	18	19	20	21	22	23	24	25	26	27	28	29	30	
요일		月	火	水	木	金	土	日	月	火	水	木	金	土	日	月	火	水	木	金	土	日	月	火	水	木	金	土	日	月	火	
음력	월	2	3	4	5	6	7	8	9	10	11	12	13	14	15	16	17	18	19	20	21	22	23	24	25	26	27	28	29	九	2	
일진		庚戌	辛亥	壬子	癸丑	戊寅	己卯	甲辰	乙巳	丙午	丁未	庚申	辛酉	壬戌	癸亥	戊子	己丑	甲寅	乙卯	丙辰	丁巳	庚午	辛未	壬申	癸酉	戊戌	己亥	甲子	乙丑	丙寅	丁卯	
대운	男	2	2	1	1	1	1	驚	10	10	9	9	9	8	8	8	7	7	7	6	6	6	5	5	5	4	4	4	3	3	3	
	女	8	9	9	9	10	10	蟄	1	1	1	1	2	2	2	3	3	3	4	4	4	5	5	5	6	6	6	7	7	7	8	

10月 (1일 五黃 +) **丙辰 (一白)** 절기: 淸明(8일 06:56) 穀雨(23일 10:08)

양력		1	2	3	4	5	6	7	8	9	10	11	12	13	14	15	16	17	18	19	20	21	22	23	24	25	26	27	28	29	30	31
요일		水	木	金	土	日	月	火	水	木	金	土	日	月	火	水	木	金	土	日	月	火	水	木	金	土	日	月	火	水	木	金
음력	월	3	4	5	6	7	8	9	10	11	12	13	14	15	16	17	18	19	20	21	22	23	24	25	26	27	28	29	30	十	2	3
일진		庚辰	辛巳	壬午	癸未	戊申	己酉	甲戌	乙亥	丙子	丁丑	庚寅	辛卯	壬辰	癸巳	戊午	己未	甲申	乙酉	丙戌	丁亥	庚子	辛丑	壬寅	癸卯	戊辰	己巳	甲午	乙未	丙申	丁酉	庚戌
대운	男	2	2	2	1	1	1	1	淸	10	9	9	9	8	8	8	7	7	7	6	6	6	5	5	5	4	4	4	3	3	3	2
	女	8	8	9	9	9	10	10	明	1	1	1	1	2	2	2	3	3	3	4	4	4	5	5	5	6	6	6	7	7	7	8

11月 (1일 九紫 +) **丁巳 (二黑)** 절기: 立夏(7일 10:10) 小滿 (22일 07:44)

양력		1	2	3	4	5	6	7	8	9	10	11	12	13	14	15	16	17	18	19	20	21	22	23	24	25	26	27	28	29	30	
요일		土	日	月	火	水	木	金	土	日	月	火	水	木	金	土	日	月	火	水	木	金	土	日	月	火	水	木	金	土	日	
음력	월	4	5	6	7	8	9	10	11	12	13	14	15	16	17	18	19	20	21	22	23	24	25	26	27	28	29	30	十一	2	3	
일진		辛亥	壬子	癸丑	戊寅	己卯	甲辰	乙巳	丙午	丁未	庚申	辛酉	壬戌	癸亥	戊子	己丑	甲寅	乙卯	丙辰	丁巳	庚午	辛未	壬申	癸酉	戊戌	己亥	甲子	乙丑	丙寅	丁卯	庚辰	
대운	男	2	2	1	1	1	1	立	10	9	9	9	8	8	8	7	7	7	6	6	6	5	5	5	4	4	4	3	3	3	2	
	女	8	8	9	9	9	10	夏	1	1	1	1	2	2	2	3	3	3	4	4	4	5	5	5	6	6	6	7	7	7	8	

12月 (1일 三碧 + 23일 九紫 -) **庚午 (三碧)** 절기: 芒種(7일 03:02) 夏至(21일 21:03)

양력		1	2	3	4	5	6	7	8	9	10	11	12	13	14	15	16	17	18	19	20	21	22	23	24	25	26	27	28	29	30	31
요일		月	火	水	木	金	土	日	月	火	水	木	金	土	日	月	火	水	木	金	土	日	月	火	水	木	金	土	日	月	火	水
음력	월	4	5	6	7	8	9	10	11	12	13	14	15	16	17	18	19	20	21	22	23	24	25	26	27	28	29	十二	2	3	4	5
일진		辛巳	壬午	癸未	戊申	己酉	甲戌	乙亥	丙子	丁丑	庚寅	辛卯	壬辰	癸巳	戊午	己未	甲申	乙酉	丙戌	丁亥	庚子	辛丑	壬寅	癸卯	戊辰	己巳	甲午	乙未	丙申	丁酉	庚戌	辛亥
대운	男	2	2	1	1	1	1	芒	9	9	9	8	8	8	7	7	7	6	6	6	5	5	5	4	4	4	3	3	3	2	2	2
	女	8	8	9	9	9	10	種	1	1	1	1	2	2	2	3	3	3	4	4	4	5	5	5	6	6	6	7	7	7	8	8

서기2009년

己未年 (一白水星) 閏五月

1月 (1일 九紫 -) **辛未 (四綠)** 절기: 小暑 (5일 14:13) 大暑 (20일 07:40)

양력		1	2	3	4	5	6	7	8	9	10	11	12	13	14	15	16	17	18	19	20	21	22	23	24	25	26	27	28	29	30	31
요일		木	金	土	日	月	火	水	木	金	土	日	月	火	水	木	金	土	日	月	火	水	木	金	土	日	月	火	水	木	金	土
음력	월	6	7	8	9	10	11	12	13	14	15	16	17	18	19	20	21	22	23	24	25	26	27	28	29	30	一	2	3	4	5	6
일진		壬子	癸丑	戊寅	己卯	甲辰	乙巳	丙午	丁未	庚申	辛酉	壬戌	癸亥	戊子	己丑	甲寅	乙卯	丙辰	丁巳	庚午	辛未	壬申	癸酉	戊戌	己亥	甲子	乙丑	丙寅	丁卯	庚辰	辛巳	壬午
대운	男	1	1	1	1	小	10	9	9	9	8	8	8	7	7	7	6	6	6	5	5	5	4	4	4	3	3	3	2	2	2	1
	女	8	9	9	9	暑	1	1	1	1	2	2	2	3	3	3	4	4	4	5	5	5	6	6	6	7	7	7	8	8	8	9

2月 (1일 五黃 -) **壬申 (五黃)** 절기: 立秋 (4일 01:49) 處暑 (18일 21:45)

양력		1	2	3	4	5	6	7	8	9	10	11	12	13	14	15	16	17	18	19	20	21	22	23	24	25	26	27	28			
요일		日	月	火	水	木	金	土	日	月	火	水	木	金	土	日	月	火	水	木	金	土	日	月	火	水	木	金	土			
음력	월	7	8	9	10	11	12	13	14	15	16	17	18	19	20	21	22	23	24	25	26	27	28	29	30	二	2	3	4			
일진		癸未	戊申	己酉	甲戌	乙亥	丙子	丁丑	庚寅	辛卯	壬辰	癸巳	戊午	己未	甲申	乙酉	丙戌	丁亥	庚子	辛丑	壬寅	癸卯	戊辰	己巳	甲午	乙未	丙申	丁酉	庚戌			
대운	男	1	1	1	立	1	1	1	1	2	2	2	3	3	3	4	4	4	5	5	5	6	6	6	7	7	7	8	8			
	女	9	9	10	秋	9	9	9	8	8	8	7	7	7	6	6	6	5	5	5	4	4	4	3	3	3	2	2	2			

3月 (1일 四綠 -) **癸酉 (六白)** 절기: 白露 (5일 19:47) 秋分 (20일 20:43)

양력		1	2	3	4	5	6	7	8	9	10	11	12	13	14	15	16	17	18	19	20	21	22	23	24	25	26	27	28	29	30	31
요일		日	月	火	水	木	金	土	日	月	火	水	木	金	土	日	月	火	水	木	金	土	日	月	火	水	木	金	土	日	月	火
음력	월	5	6	7	8	9	10	11	12	13	14	15	16	17	18	19	20	21	22	23	24	25	26	27	28	29	30	三	2	3	4	5
일진		辛亥	壬子	癸丑	戊寅	己卯	甲辰	乙巳	丙午	丁未	庚申	辛酉	壬戌	癸亥	戊子	己丑	甲寅	乙卯	丙辰	丁巳	庚午	辛未	壬申	癸酉	戊戌	己亥	甲子	乙丑	丙寅	丁卯	庚辰	辛巳
대운	男	8	9	9	9	白	1	1	1	1	2	2	2	3	3	3	4	4	4	5	5	5	6	6	6	7	7	7	8	8	8	9
	女	1	1	1	1	露	10	10	9	9	9	8	8	8	7	7	7	6	6	6	5	5	5	4	4	4	3	3	3	2	2	2

4月 (1일 九紫 -) **戊戌 (七赤)** 절기: 寒露 (5일 00:33) 霜降 (20일 07:44)

양력		1	2	3	4	5	6	7	8	9	10	11	12	13	14	15	16	17	18	19	20	21	22	23	24	25	26	27	28	29	30	
요일		水	木	金	土	日	月	火	水	木	金	土	日	月	火	水	木	金	土	日	月	火	水	木	金	土	日	月	火	水	木	
음력	월	6	7	8	9	10	11	12	13	14	15	16	17	18	19	20	21	22	23	24	25	26	27	28	29	四	2	3	4	5	6	
일진		壬午	癸未	戊申	己酉	甲戌	乙亥	丙子	丁丑	庚寅	辛卯	壬辰	癸巳	戊午	己未	甲申	乙酉	丙戌	丁亥	庚子	辛丑	壬寅	癸卯	戊辰	己巳	甲午	乙未	丙申	丁酉	庚戌	辛亥	
대운	男	9	9	10	10	寒	1	1	1	1	2	2	2	3	3	3	4	4	4	5	5	5	6	6	6	7	7	7	8	8	8	
	女	1	1	1	1	露	10	9	9	9	8	8	8	7	7	7	6	6	6	5	5	5	4	4	4	3	3	3	2	2	2	

5月 (1일 六白 -) **己亥 (八白)** 절기: 立冬 (5일 17:50) 小雪 (21일 06:50)

양력		1	2	3	4	5	6	7	8	9	10	11	12	13	14	15	16	17	18	19	20	21	22	23	24	25	26	27	28	29	30	31
요일		金	土	日	月	火	水	木	金	土	日	月	火	水	木	金	土	日	月	火	水	木	金	土	日	月	火	水	木	金	土	日
음력	월	7	8	9	10	11	12	13	14	15	16	17	18	19	20	21	22	23	24	25	26	27	28	29	五	2	3	4	5	6	7	8
일진		壬子	癸丑	戊寅	己卯	甲辰	乙巳	丙午	丁未	庚申	辛酉	壬戌	癸亥	戊子	己丑	甲寅	乙卯	丙辰	丁巳	庚午	辛未	壬申	癸酉	戊戌	己亥	甲子	乙丑	丙寅	丁卯	庚辰	辛巳	壬午
대운	男	9	9	9	10	立	1	1	1	1	2	2	2	3	3	3	4	4	4	5	5	5	6	6	6	7	7	7	8	8	8	9
	女	1	1	1	1	冬	10	10	9	9	9	8	8	8	7	7	7	6	6	6	5	5	5	4	4	4	3	3	3	2	2	2

6月 (1일 二黑 -) **甲子 (九紫)** 절기: 大雪 (5일 21:58) 冬至 (21일 14:45)

양력		1	2	3	4	5	6	7	8	9	10	11	12	13	14	15	16	17	18	19	20	21	22	23	24	25	26	27	28	29	30	
요일		月	火	水	木	金	土	日	月	火	水	木	金	土	日	月	火	水	木	金	土	日	月	火	水	木	金	土	日	月	火	
음력	월	9	10	11	12	13	14	15	16	17	18	19	20	21	22	23	24	25	26	27	28	29	30	閏五		3	4	5	6	7	8	
일진		癸未	戊申	己酉	甲戌	乙亥	丙子	丁丑	庚寅	辛卯	壬辰	癸巳	戊午	己未	甲申	乙酉	丙戌	丁亥	庚子	辛丑	壬寅	癸卯	戊辰	己巳	甲午	乙未	丙申	丁酉	庚戌	辛亥	壬子	
대운	男	9	9	10	10	大	1	1	1	1	2	2	2	3	3	3	4	4	4	5	5	5	6	6	6	7	7	7	8	8	8	
	女	1	1	1	1	雪	10	10	10	9	9	9	8	8	8	7	7	7	6	6	6	5	5	5	4	4	4	3	3	3	2	

7月 (1일 八白 - 18일 一白 +) **乙丑 (一白)** 절기: 小寒(7일 08:13) 大寒(23일 01:35)

양력		1	2	3	4	5	6	7	8	9	10	11	12	13	14	15	16	17	18	19	20	21	22	23	24	25	26	27	28	29	30	31
요일		水	木	金	土	日	月	火	水	木	金	土	日	月	火	水	木	金	土	日	月	火	水	木	金	土	日	月	火	水	木	金
음력	월	9	10	11	12	13	14	15	16	17	18	19	20	21	22	23	24	25	26	27	28	29	六	2	3	4	5	6	7	8	9	10
일진		癸丑	戊寅	己卯	甲辰	乙巳	丙午	丁未	庚申	辛酉	壬戌	癸亥	戊子	己丑	甲寅	乙卯	丙辰	丁巳	庚午	辛未	壬申	癸酉	戊戌	己亥	甲子	乙丑	丙寅	丁卯	庚辰	辛巳	壬午	癸未
대운	男	9	9	9	10	10	10	小	1	1	1	1	2	2	2	3	3	3	4	4	4	5	5	5	6	6	6	7	7	7	8	8
	女	2	2	1	1	1	1	寒	10	10	9	9	9	8	8	8	7	7	7	6	6	6	5	5	5	4	4	4	3	3	3	2

8月 (1일 六白 +) **丙寅 (二黑)** 절기: 立春(7일 18:00) 雨水(23일 08:38)

양력		1	2	3	4	5	6	7	8	9	10	11	12	13	14	15	16	17	18	19	20	21	22	23	24	25	26	27	28	29	30	31
요일		土	日	月	火	水	木	金	土	日	月	火	水	木	金	土	日	月	火	水	木	金	土	日	月	火	水	木	金	土	日	月
음력	월	11	12	13	14	15	16	17	18	19	20	21	22	23	24	25	26	27	28	29	七	2	3	4	5	6	7	8	9	10	11	12
일진		戊申	己酉	甲戌	乙亥	丙子	丁丑	庚寅	辛卯	壬辰	癸巳	戊午	己未	甲申	乙酉	丙戌	丁亥	庚子	辛丑	壬寅	癸卯	戊辰	己巳	甲午	乙未	丙申	丁酉	庚戌	辛亥	壬子	癸丑	戊寅
대운	男	8	9	9	9	10	10	立	1	1	1	1	2	2	2	3	3	3	4	4	4	5	5	5	6	6	6	7	7	7	8	8
	女	2	2	1	1	1	1	春	10	10	9	9	9	8	8	8	7	7	7	6	6	6	5	5	5	4	4	4	3	3	3	2

9月 (1일 一白 +) **丁卯 (三碧)** 절기: 驚蟄(7일 20:57) 春分 (23일 06:18)

양력		1	2	3	4	5	6	7	8	9	10	11	12	13	14	15	16	17	18	19	20	21	22	23	24	25	26	27	28	29	30	
요일		火	水	木	金	土	日	月	火	水	木	金	土	日	月	火	水	木	金	土	日	月	火	水	木	金	土	日	月	火	水	
음력	월	13	14	15	16	17	18	19	20	21	22	23	24	25	26	27	28	29	30	八	2	3	4	5	6	7	8	9	10	11	12	
일진		己卯	甲辰	乙巳	丙午	丁未	庚申	辛酉	壬戌	癸亥	戊子	己丑	甲寅	乙卯	丙辰	丁巳	庚午	辛未	壬申	癸酉	戊戌	己亥	甲子	乙丑	丙寅	丁卯	庚辰	辛巳	壬午	癸未	戊申	
대운	男	8	9	9	9	10	10	驚	1	1	1	1	2	2	2	3	3	3	4	4	4	5	5	5	6	6	6	7	7	7	8	
	女	2	2	1	1	1	1	蟄	10	10	9	9	9	8	8	8	7	7	7	6	6	6	5	5	5	4	4	4	3	3	3	

10月 (1일 四綠 +) **庚辰 (四綠)** 절기: 清明(8일 12:39) 穀雨(23일 15:43)

양력		1	2	3	4	5	6	7	8	9	10	11	12	13	14	15	16	17	18	19	20	21	22	23	24	25	26	27	28	29	30	31
요일		木	金	土	日	月	火	水	木	金	土	日	月	火	水	木	金	土	日	月	火	水	木	金	土	日	月	火	水	木	金	土
음력	월	13	14	15	16	17	18	19	20	21	22	23	24	25	26	27	28	29	九	2	3	4	5	6	7	8	9	10	11	12	13	14
일진		己酉	甲戌	乙亥	丙子	丁丑	庚寅	辛卯	壬辰	癸巳	戊午	己未	甲申	乙酉	丙戌	丁亥	庚子	辛丑	壬寅	癸卯	戊辰	己巳	甲午	乙未	丙申	丁酉	庚戌	辛亥	壬子	癸丑	戊寅	己卯
대운	男	8	8	9	9	9	10	10	清	1	1	1	1	2	2	2	3	3	3	4	4	4	5	5	5	6	6	6	7	7	7	8
	女	2	2	2	1	1	1	1	明	10	9	9	9	8	8	8	7	7	7	6	6	6	5	5	5	4	4	4	3	3	3	2

11月 (1일 八白 +) **辛巳 (五黃)** 절기: 立夏(7일 15:55) 小滿 (22일 13:22)

양력		1	2	3	4	5	6	7	8	9	10	11	12	13	14	15	16	17	18	19	20	21	22	23	24	25	26	27	28	29	30	
요일		日	月	火	水	木	金	土	日	月	火	水	木	金	土	日	月	火	水	木	金	土	日	月	火	水	木	金	土	日	月	
음력	월	15	16	17	18	19	20	21	22	23	24	25	26	27	28	29	30	十	2	3	4	5	6	7	8	9	10	11	12	13	14	
일진		甲辰	乙巳	丙午	丁未	庚申	辛酉	壬戌	癸亥	戊子	己丑	甲寅	乙卯	丙辰	丁巳	庚午	辛未	壬申	癸酉	戊戌	己亥	甲子	乙丑	丙寅	丁卯	庚辰	辛巳	壬午	癸未	戊申	己酉	
대운	男	8	8	9	9	9	10	立	1	1	1	1	2	2	2	3	3	3	4	4	4	5	5	5	6	6	6	7	7	7	8	
	女	2	2	1	1	1	1	夏	10	9	9	9	8	8	8	7	7	7	6	6	6	5	5	5	4	4	4	3	3	3	2	

12月 (1일 二黑 +) **壬午 (六白)** 절기: 芒種(7일 08:51) 夏至(22일 02:46)

양력		1	2	3	4	5	6	7	8	9	10	11	12	13	14	15	16	17	18	19	20	21	22	23	24	25	26	27	28	29	30	31
요일		火	水	木	金	土	日	月	火	水	木	金	土	日	月	火	水	木	金	土	日	月	火	水	木	金	土	日	月	火	水	木
음력	월	15	16	17	18	19	20	21	22	23	24	25	26	27	28	29	十一	2	3	4	5	6	7	8	9	10	11	12	13	14	15	16
일진		甲戌	乙亥	丙子	丁丑	庚寅	辛卯	壬辰	癸巳	戊午	己未	甲申	乙酉	丙戌	丁亥	庚子	辛丑	壬寅	癸卯	戊辰	己巳	甲午	乙未	丙申	丁酉	庚戌	辛亥	壬子	癸丑	戊寅	己卯	甲辰
대운	男	8	8	9	9	9	10	芒	1	1	1	1	2	2	2	3	3	3	4	4	4	5	5	5	6	6	6	7	7	7	8	8
	女	2	2	1	1	1	1	種	9	9	9	8	8	8	7	7	7	6	6	6	5	5	5	4	4	4	3	3	3	2	2	2

서기2010년

甲申年 (二黑土星)

1月 (1일 六白 + 14일 九紫 -) **癸未 (七赤)** 절기: 小暑 (5일 20:08) 大暑 (20일 13:27)

양력		1	2	3	4	5	6	7	8	9	10	11	12	13	14	15	16	17	18	19	20	21	22	23	24	25	26	27	28	29	30	31
요일		金	土	日	月	火	水	木	金	土	日	月	火	水	木	金	土	日	月	火	水	木	金	土	日	月	火	水	木	金	土	日
음력	월	17	18	19	20	21	22	23	24	25	26	27	28	29	30	十二	2	3	4	5	6	7	8	9	10	11	12	13	14	15	16	17
일진		乙巳	丙午	丁未	庚申	辛酉	壬戌	癸亥	戊子	己丑	甲寅	乙卯	丙辰	丁巳	庚午	辛未	壬申	癸酉	戊戌	己亥	甲子	乙丑	丙寅	丁卯	庚辰	辛巳	壬午	癸未	戊申	己酉	甲戌	乙亥
대운	男	8	9	9	9	小	1	1	1	1	2	2	2	3	3	3	4	4	4	5	5	5	6	6	6	7	7	7	8	8	8	9
	女	1	1	1	1	暑	10	9	9	9	8	8	8	7	7	7	6	6	6	5	5	5	4	4	4	3	3	3	2	2	2	1

2月 (1일 九紫 -) **戊申 (八白)** 절기: 立秋 (4일 07:47) 處暑 (19일 03:35)

양력		1	2	3	4	5	6	7	8	9	10	11	12	13	14	15	16	17	18	19	20	21	22	23	24	25	26	27	28			
요일		月	火	水	木	金	土	日	月	火	水	木	金	土	日	月	火	水	木	金	土	日	月	火	水	木	金	土	日			
음력	월	18	19	20	21	22	23	24	25	26	27	28	29	30	一	2	3	4	5	6	7	8	9	10	11	12	13	14	15			
일진		丙子	丁丑	庚寅	辛卯	壬辰	癸巳	戊午	己未	甲申	乙酉	丙戌	丁亥	庚子	辛丑	壬寅	癸卯	戊辰	己巳	甲午	乙未	丙申	丁酉	庚戌	辛亥	壬子	癸丑	戊寅	己卯			
대운	男	9	9	10	立	10	9	9	9	8	8	8	7	7	7	6	6	6	5	5	5	4	4	4	3	3	3	2	2			
	女	1	1	1	秋	1	1	1	1	2	2	2	3	3	3	4	4	4	5	5	5	6	6	6	7	7	7	8	8			

3月 (1일 八白 -) **己酉 (九紫)** 절기: 白露 (6일 01:46) 秋分 (21일 02:31)

양력		1	2	3	4	5	6	7	8	9	10	11	12	13	14	15	16	17	18	19	20	21	22	23	24	25	26	27	28	29	30	31
요일		月	火	水	木	金	土	日	月	火	水	木	金	土	日	月	火	水	木	金	土	日	月	火	水	木	金	土	日	月	火	水
음력	월	16	17	18	19	20	21	22	23	24	25	26	27	28	29	30	二	2	3	4	5	6	7	8	9	10	11	12	13	14	15	16
일진		甲辰	乙巳	丙午	丁未	庚申	辛酉	壬戌	癸亥	戊子	己丑	甲寅	乙卯	丙辰	丁巳	庚午	辛未	壬申	癸酉	戊戌	己亥	甲子	乙丑	丙寅	丁卯	庚辰	辛巳	壬午	癸未	戊申	己酉	甲戌
대운	男	2	1	1	1	1	白	10	9	9	9	8	8	8	7	7	7	6	6	6	5	5	5	4	4	4	3	3	3	2	2	2
	女	8	9	9	9	10	露	1	1	1	1	2	2	2	3	3	3	4	4	4	5	5	5	6	6	6	7	7	7	8	8	8

4月 (1일 四綠 -) **甲戌 (一白)** 절기: 寒露 (5일 06:30) 霜降 (20일 13:29)

양력		1	2	3	4	5	6	7	8	9	10	11	12	13	14	15	16	17	18	19	20	21	22	23	24	25	26	27	28	29	30	
요일		木	金	土	日	月	火	水	木	金	土	日	月	火	水	木	金	土	日	月	火	水	木	金	土	日	月	火	水	木	金	
음력	월	17	18	19	20	21	22	23	24	25	26	27	28	29	三	2	3	4	5	6	7	8	9	10	11	12	13	14	15	16	17	
일진		乙亥	丙子	丁丑	庚寅	辛卯	壬辰	癸巳	戊午	己未	甲申	乙酉	丙戌	丁亥	庚子	辛丑	壬寅	癸卯	戊辰	己巳	甲午	乙未	丙申	丁酉	庚戌	辛亥	壬子	癸丑	戊寅	己卯	甲辰	
대운	男	1	1	1	1	寒	10	9	9	9	8	8	8	7	7	7	6	6	6	5	5	5	4	4	4	3	3	3	2	2	2	
	女	9	9	9	10	露	1	1	1	1	2	2	2	3	3	3	4	4	4	5	5	5	6	6	6	7	7	7	8	8	8	

5月 (1일 一白 -) **乙亥 (二黑)** 절기: 立冬 (5일 23:43) 小雪 (21일 12:33)

양력		1	2	3	4	5	6	7	8	9	10	11	12	13	14	15	16	17	18	19	20	21	22	23	24	25	26	27	28	29	30	31
요일		土	日	月	火	水	木	金	土	日	月	火	水	木	金	土	日	月	火	水	木	金	土	日	月	火	水	木	金	土	日	月
음력	월	18	19	20	21	22	23	24	25	26	27	28	29	30	四	2	3	4	5	6	7	8	9	10	11	12	13	14	15	16	17	18
일진		乙巳	丙午	丁未	庚申	辛酉	壬戌	癸亥	戊子	己丑	甲寅	乙卯	丙辰	丁巳	庚午	辛未	壬申	癸酉	戊戌	己亥	甲子	乙丑	丙寅	丁卯	庚辰	辛巳	壬午	癸未	戊申	己酉	甲戌	乙亥
대운	男	1	1	1	1	立	10	10	10	9	9	9	8	8	8	7	7	7	6	6	6	5	5	5	4	4	4	3	3	3	2	2
	女	9	9	9	10	冬	1	1	1	1	2	2	2	3	3	3	4	4	4	5	5	5	6	6	6	7	7	7	8	8	8	9

6月 (1일 六白 -) **丙子 (三碧)** 절기: 大雪 (6일 03:49) 冬至 (21일 20:28)

양력		1	2	3	4	5	6	7	8	9	10	11	12	13	14	15	16	17	18	19	20	21	22	23	24	25	26	27	28	29	30	
요일		火	水	木	金	土	日	月	火	水	木	金	土	日	月	火	水	木	金	土	日	月	火	水	木	金	土	日	月	火	水	
음력	월	19	20	21	22	23	24	25	26	27	28	29	五	2	3	4	5	6	7	8	9	10	11	12	13	14	15	16	17	18	19	
일진		丙子	丁丑	庚寅	辛卯	壬辰	癸巳	戊午	己未	甲申	乙酉	丙戌	丁亥	庚子	辛丑	壬寅	癸卯	戊辰	己巳	甲午	乙未	丙申	丁酉	庚戌	辛亥	壬子	癸丑	戊寅	己卯	甲辰	乙巳	
대운	男	2	1	1	1	1	大	10	10	9	9	9	8	8	8	7	7	7	6	6	6	5	5	5	4	4	4	3	3	3	2	
	女	9	9	10	10	10	雪	1	1	1	1	2	2	2	3	3	3	4	4	4	5	5	5	6	6	6	7	7	7	8	8	

7月 (1일 三碧 - 13일 一白 +)　　丁丑 (四綠)　　절기: 小寒(7일 14:02) 大寒(23일 07:20)

양력		1	2	3	4	5	6	7	8	9	10	11	12	13	14	15	16	17	18	19	20	21	22	23	24	25	26	27	28	29	30	31
요일		木	金	土	日	月	火	水	木	金	土	日	月	火	水	木	金	土	日	月	火	水	木	金	土	日	月	火	水	木	金	土
음력	월	20	21	22	23	24	25	26	27	28	29	30	六	2	3	4	5	6	7	8	9	10	11	12	13	14	15	16	17	18	19	20
일진		丙午	丁未	庚申	辛酉	壬戌	癸亥	戊子	己丑	甲寅	乙卯	丙辰	丁巳	庚午	辛未	壬申	癸酉	戊戌	己亥	甲子	乙丑	丙寅	丁卯	庚辰	辛巳	壬午	癸未	戊申	己酉	甲戌	乙亥	丙子
대운	男	2	2	1	1	1	1	小	10	10	9	9	9	8	8	8	7	7	7	6	6	6	5	5	5	4	4	4	3	3	3	2
	女	8	9	9	9	10	10	寒	1	1	1	1	2	2	2	3	3	3	4	4	4	5	5	5	6	6	6	7	7	7	8	8

8月 (1일 二黑 +)　　庚寅 (五黃)　　절기: 立春(7일 23:48) 雨水(23일 14:26)

양력		1	2	3	4	5	6	7	8	9	10	11	12	13	14	15	16	17	18	19	20	21	22	23	24	25	26	27	28	29	30	31
요일		日	月	火	水	木	金	土	日	月	火	水	木	金	土	日	月	火	水	木	金	土	日	月	火	水	木	金	土	日	月	火
음력	월	21	22	23	24	25	26	27	28	29	七	2	3	4	5	6	7	8	9	10	11	12	13	14	15	16	17	18	19	20	21	22
일진		丁丑	庚寅	辛卯	壬辰	癸巳	戊午	己未	甲申	乙酉	丙戌	丁亥	庚子	辛丑	壬寅	癸卯	戊辰	己巳	甲午	乙未	丙申	丁酉	庚戌	辛亥	壬子	癸丑	戊寅	己卯	甲辰	乙巳	丙午	丁未
대운	男	2	2	1	1	1	1	立	10	10	10	9	9	9	8	8	8	7	7	7	6	6	6	5	5	5	4	4	4	3	3	3
	女	8	9	9	9	10	10	春	1	1	1	1	2	2	2	3	3	3	4	4	4	5	5	5	6	6	6	7	7	7	8	8

9月 (1일 六白 +)　　辛卯 (六白)　　절기: 驚蟄(8일 02:44) 春分 (23일 12:08)

양력		1	2	3	4	5	6	7	8	9	10	11	12	13	14	15	16	17	18	19	20	21	22	23	24	25	26	27	28	29	30	
요일		水	木	金	土	日	月	火	水	木	金	土	日	月	火	水	木	金	土	日	月	火	水	木	金	土	日	月	火	水	木	
음력	월	23	24	25	26	27	28	29	八	2	3	4	5	6	7	8	9	10	11	12	13	14	15	16	17	18	19	20	21	22	23	
일진		庚申	辛酉	壬戌	癸亥	戊子	己丑	甲寅	乙卯	丙辰	丁巳	庚午	辛未	壬申	癸酉	戊戌	己亥	甲子	乙丑	丙寅	丁卯	庚辰	辛巳	壬午	癸未	戊申	己酉	甲戌	乙亥	丙子	丁丑	
대운	男	2	2	2	1	1	1	1	驚	10	9	9	9	8	8	8	7	7	7	6	6	6	5	5	5	4	4	4	3	3	3	
	女	8	9	9	9	10	10	10	蟄	1	1	1	1	2	2	2	3	3	3	4	4	4	5	5	5	6	6	6	7	7	7	

10月 (1일 九紫 +)　　壬辰 (七赤)　　절기: 清明(8일 18:26) 穀雨(23일 21:34)

양력		1	2	3	4	5	6	7	8	9	10	11	12	13	14	15	16	17	18	19	20	21	22	23	24	25	26	27	28	29	30	31
요일		金	土	日	月	火	水	木	金	土	日	月	火	水	木	金	土	日	月	火	水	木	金	土	日	月	火	水	木	金	土	日
음력	월	24	25	26	27	28	29	30	九	2	3	4	5	6	7	8	9	10	11	12	13	14	15	16	17	18	19	20	21	22	23	24
일진		庚寅	辛卯	壬辰	癸巳	戊午	己未	甲申	乙酉	丙戌	丁亥	庚子	辛丑	壬寅	癸卯	戊辰	己巳	甲午	乙未	丙申	丁酉	庚戌	辛亥	壬子	癸丑	戊寅	己卯	甲辰	乙巳	丙午	丁未	庚申
대운	男	2	2	2	1	1	1	1	清	10	9	9	9	8	8	8	7	7	7	6	6	6	5	5	5	4	4	4	3	3	3	2
	女	8	8	8	9	9	9	10	明	1	1	1	1	2	2	2	3	3	3	4	4	4	5	5	5	6	6	6	7	7	7	8

11月 (1일 四綠 +)　　癸巳 (八白)　　절기: 立夏(7일 21:42) 小滿 (22일 19:14)

양력		1	2	3	4	5	6	7	8	9	10	11	12	13	14	15	16	17	18	19	20	21	22	23	24	25	26	27	28	29	30	
요일		月	火	水	木	金	土	日	月	火	水	木	金	土	日	月	火	水	木	金	土	日	月	火	水	木	金	土	日	月	火	
음력	월	25	26	27	28	29	十	2	3	4	5	6	7	8	9	10	11	12	13	14	15	16	17	18	19	20	21	22	23	24	25	
일진		辛酉	壬戌	癸亥	戊子	己丑	甲寅	乙卯	丙辰	丁巳	庚午	辛未	壬申	癸酉	戊戌	己亥	甲子	乙丑	丙寅	丁卯	庚辰	辛巳	壬午	癸未	戊申	己酉	甲戌	乙亥	丙子	丁丑	庚寅	
대운	男	2	2	1	1	1	1	立	10	9	9	9	8	8	8	7	7	7	6	6	6	5	5	5	4	4	4	3	3	3	2	
	女	8	8	9	9	9	10	夏	1	1	1	1	2	2	2	3	3	3	4	4	4	5	5	5	6	6	6	7	7	7	8	

12월 (1일 七赤 +)　　戊午 (九紫)　　절기: 芒種(7일 14:38) 夏至(22일 08:38)

양력		1	2	3	4	5	6	7	8	9	10	11	12	13	14	15	16	17	18	19	20	21	22	23	24	25	26	27	28	29	30	31
요일		水	木	金	土	日	月	火	水	木	金	土	日	月	火	水	木	金	土	日	月	火	水	木	金	土	日	月	火	水	木	金
음력	월	26	27	28	29	30	十一	2	3	4	5	6	7	8	9	10	11	12	13	14	15	16	17	18	19	20	21	22	23	24	25	26
일진		辛卯	壬辰	癸巳	戊午	己未	甲申	乙酉	丙戌	丁亥	庚子	辛丑	壬寅	癸卯	戊辰	己巳	甲午	乙未	丙申	丁酉	庚戌	辛亥	壬子	癸丑	戊寅	己卯	甲辰	乙巳	丙午	丁未	庚申	辛酉
대운	男	2	2	1	1	1	1	芒	10	9	9	9	8	8	8	7	7	7	6	6	6	5	5	5	4	4	4	3	3	3	2	2
	女	8	8	9	9	9	10	種	1	1	1	1	2	2	2	3	3	3	4	4	4	5	5	5	6	6	6	7	7	7	8	8

서기2011년

乙酉年 (三碧木星)

1月 (1일 二黑 + 9일 九紫 -) **己未 (一白)** 절기: 小暑 (6일 01:54) 大暑 (20일 19:18)

양력		1	2	3	4	5	6	7	8	9	10	11	12	13	14	15	16	17	18	19	20	21	22	23	24	25	26	27	28	29	30	31
요일		土	日	月	火	水	木	金	土	日	月	火	水	木	金	土	日	月	火	水	木	金	土	日	月	火	水	木	金	土	日	月
음력	월	27	28	29	十二	2	3	4	5	6	7	8	9	10	11	12	13	14	15	16	17	18	19	20	21	22	23	24	25	26	27	28
일진		壬戌	癸亥	戊子	己丑	甲寅	乙卯	丙辰	丁巳	庚午	辛未	壬申	癸酉	戊戌	己亥	甲子	乙丑	丙寅	丁卯	庚辰	辛巳	壬午	癸未	戊申	己酉	甲戌	乙亥	丙子	丁丑	庚寅	辛卯	壬辰
대운	男	2	1	1	1	1	小	9	9	9	8	8	8	7	7	7	6	6	6	5	5	5	4	4	4	3	3	3	2	2	2	1
	女	8	9	9	9	10	暑	1	1	1	1	2	2	2	3	3	3	4	4	4	5	5	5	6	6	6	7	7	7	8	8	8

2月 (1일 四綠 -) **甲申 (二黑)** 절기: 立秋 (4일 13:32) 處暑 (19일 09:24)

양력		1	2	3	4	5	6	7	8	9	10	11	12	13	14	15	16	17	18	19	20	21	22	23	24	25	26	27	28			
요일		火	水	木	金	土	日	月	火	水	木	金	土	日	月	火	水	木	金	土	日	月	火	水	木	金	土	日	月			
음력	월	29	30	一	2	3	4	5	6	7	8	9	10	11	12	13	14	15	16	17	18	19	20	21	22	23	24	25	26			
일진		癸巳	戊午	己未	甲申	乙酉	丙戌	丁亥	庚子	辛丑	壬寅	癸卯	戊辰	己巳	甲午	乙未	丙申	丁酉	庚戌	辛亥	壬子	癸丑	戊寅	己卯	甲辰	乙巳	丙午	丁未	庚申			
대운	男	1	1	1	立	1	1	1	1	2	2	2	3	3	3	4	4	4	5	5	5	6	6	6	7	7	7	8	8			
	女	9	9	9	秋	10	9	9	9	8	8	8	7	7	7	6	6	6	5	5	5	4	4	4	3	3	3	2	2			

3月 (1일 三碧 -) **乙酉 (三碧)** 절기: 白露 (6일 07:29) 秋分 (21일 08:20)

양력		1	2	3	4	5	6	7	8	9	10	11	12	13	14	15	16	17	18	19	20	21	22	23	24	25	26	27	28	29	30	31
요일		火	水	木	金	土	日	月	火	水	木	金	土	日	月	火	水	木	金	土	日	月	火	水	木	金	土	日	月	火	水	木
음력	월	27	28	29	30	二	2	3	4	5	6	7	8	9	10	11	12	13	14	15	16	17	18	19	20	21	22	23	24	25	26	27
일진		辛酉	壬戌	癸亥	戊子	己丑	甲寅	乙卯	丙辰	丁巳	庚午	辛未	壬申	癸酉	戊戌	己亥	甲子	乙丑	丙寅	丁卯	庚辰	辛巳	壬午	癸未	戊申	己酉	甲戌	乙亥	丙子	丁丑	庚寅	辛卯
대운	男	8	9	9	9	10	白	1	1	1	1	2	2	2	3	3	3	4	4	4	5	5	5	6	6	6	7	7	7	8	8	8
	女	2	1	1	1	1	露	10	9	9	9	8	8	8	7	7	7	6	6	6	5	5	5	4	4	4	3	3	3	2	2	2

4月 (1일 八白 -) **丙戌 (四綠)** 절기: 寒露 (5일 12:11) 霜降 (20일 19:17)

양력		1	2	3	4	5	6	7	8	9	10	11	12	13	14	15	16	17	18	19	20	21	22	23	24	25	26	27	28	29	30	
요일		金	土	日	月	火	水	木	金	土	日	月	火	水	木	金	土	日	月	火	水	木	金	土	日	月	火	水	木	金	土	
음력	월	28	29	三	2	3	4	5	6	7	8	9	10	11	12	13	14	15	16	17	18	19	20	21	22	23	24	25	26	27	28	
일진		壬辰	癸巳	戊午	己未	甲申	乙酉	丙戌	丁亥	庚子	辛丑	壬寅	癸卯	戊辰	己巳	甲午	乙未	丙申	丁酉	庚戌	辛亥	壬子	癸丑	戊寅	己卯	甲辰	乙巳	丙午	丁未	庚申	辛酉	
대운	男	9	9	9	10	寒	1	1	1	1	2	2	2	3	3	3	4	4	4	5	5	5	6	6	6	7	7	7	8	8	8	
	女	1	1	1	1	露	10	10	9	9	9	8	8	8	7	7	7	6	6	6	5	5	5	4	4	4	3	3	3	2	2	

5月 (1일 五黃 -) **丁亥 (五黃)** 절기: 立冬 (6일 05:22) 小雪 (21일 18:20)

양력		1	2	3	4	5	6	7	8	9	10	11	12	13	14	15	16	17	18	19	20	21	22	23	24	25	26	27	28	29	30	31
요일		日	月	火	水	木	金	土	日	月	火	水	木	金	土	日	月	火	水	木	金	土	日	月	火	水	木	金	土	日	月	火
음력	월	29	30	四	2	3	4	5	6	7	8	9	10	11	12	13	14	15	16	17	18	19	20	21	22	23	24	25	26	27	28	29
일진		壬戌	癸亥	戊子	己丑	甲寅	乙卯	丙辰	丁巳	庚午	辛未	壬申	癸酉	戊戌	己亥	甲子	乙丑	丙寅	丁卯	庚辰	辛巳	壬午	癸未	戊申	己酉	甲戌	乙亥	丙子	丁丑	庚寅	辛卯	壬辰
대운	男	9	9	9	10	10	立	1	1	1	1	2	2	2	3	3	3	4	4	4	5	5	5	6	6	6	7	7	7	8	8	8
	女	2	1	1	1	1	冬	10	10	9	9	9	8	8	8	7	7	7	6	6	6	5	5	5	4	4	4	3	3	3	2	2

6月 (1일 一白 -) **庚子 (六白)** 절기: 大雪 (6일 09:26) 冬至 (22일 02:16)

양력		1	2	3	4	5	6	7	8	9	10	11	12	13	14	15	16	17	18	19	20	21	22	23	24	25	26	27	28	29	30	
요일		水	木	金	土	日	月	火	水	木	金	土	日	月	火	水	木	金	土	日	月	火	水	木	金	土	日	月	火	水	木	
음력	월	30	五	2	3	4	5	6	7	8	9	10	11	12	13	14	15	16	17	18	19	20	21	22	23	24	25	26	27	28	29	
일진		癸巳	戊午	己未	甲申	乙酉	丙戌	丁亥	庚子	辛丑	壬寅	癸卯	戊辰	己巳	甲午	乙未	丙申	丁酉	庚戌	辛亥	壬子	癸丑	戊寅	己卯	甲辰	乙巳	丙午	丁未	庚申	辛酉	壬戌	
대운	男	9	9	9	10	10	大	1	1	1	1	2	2	2	3	3	3	4	4	4	5	5	5	6	6	6	7	7	7	8	8	
	女	2	1	1	1	1	雪	10	10	9	9	9	8	8	8	7	7	7	6	6	6	5	5	5	4	4	4	3	3	3	2	

7月 (1일 七赤 - 8일 一白 +) **辛丑 (七赤)** 절기: 小寒(7일 19:41) 大寒(23일 13:11)

양력		1	2	3	4	5	6	7	8	9	10	11	12	13	14	15	16	17	18	19	20	21	22	23	24	25	26	27	28	29	30	31
요일		金	土	日	月	火	水	木	金	土	日	月	火	水	木	金	土	日	月	火	水	木	金	土	日	月	火	水	木	金	土	日
음력	월	六	2	3	4	5	6	7	8	9	10	11	12	13	14	15	16	17	18	19	20	21	22	23	24	25	26	27	28	29	30	七
일진		癸亥	戊子	己丑	甲寅	乙卯	丙辰	丁巳	庚午	辛未	壬申	癸酉	戊戌	己亥	甲子	乙丑	丙寅	丁卯	庚辰	辛巳	壬午	癸未	戊申	己酉	甲戌	乙亥	丙子	丁丑	庚寅	辛卯	壬辰	癸巳
대운	男	8	9	9	9	10	10	小	1	1	1	1	2	2	2	3	3	3	4	4	4	5	5	5	6	6	6	7	7	7	8	8
	女	2	2	1	1	1	1	寒	10	10	10	9	9	9	8	8	8	7	7	7	6	6	6	5	5	5	4	4	4	3	3	3

8月 (1일 七赤 +) **壬寅 (八白)** 절기: 立春(8일 05:33) 雨水(23일 20:20)

양력		1	2	3	4	5	6	7	8	9	10	11	12	13	14	15	16	17	18	19	20	21	22	23	24	25	26	27	28	29	30	31
요일		月	火	水	木	金	土	日	月	火	水	木	金	土	日	月	火	水	木	金	土	日	月	火	水	木	金	土	日	月	火	水
음력	월	2	3	4	5	6	7	8	9	10	11	12	13	14	15	16	17	18	19	20	21	22	23	24	25	26	27	28	29	八	2	3
일진		戊午	己未	甲申	乙酉	丙戌	丁亥	庚子	辛丑	壬寅	癸卯	戊辰	己巳	甲午	乙未	丙申	丁酉	庚戌	辛亥	壬子	癸丑	戊寅	己卯	甲辰	乙巳	丙午	丁未	庚申	辛酉	壬戌	癸亥	戊子
대운	男	8	9	9	9	10	10	10	立	1	1	1	1	2	2	2	3	3	3	4	4	4	5	5	5	6	6	6	7	7	7	8
	女	2	2	2	1	1	1	1	春	10	10	9	9	9	8	8	8	7	7	7	6	6	6	5	5	5	4	4	4	3	3	3

9月 (1일 二黑 +) **癸卯 (九紫)** 절기: 驚蟄(8일 08:33) 春分 (23일 18:04)

양력		1	2	3	4	5	6	7	8	9	10	11	12	13	14	15	16	17	18	19	20	21	22	23	24	25	26	27	28	29	30	
요일		木	金	土	日	月	火	水	木	金	土	日	月	火	水	木	金	土	日	月	火	水	木	金	土	日	月	火	水	木	金	
음력	월	4	5	6	7	8	9	10	11	12	13	14	15	16	17	18	19	20	21	22	23	24	25	26	27	28	29	九	2	3	4	
일진		己丑	甲寅	乙卯	丙辰	丁巳	庚午	辛未	壬申	癸酉	戊戌	己亥	甲子	乙丑	丙寅	丁卯	庚辰	辛巳	壬午	癸未	戊申	己酉	甲戌	乙亥	丙子	丁丑	庚寅	辛卯	壬辰	癸巳	戊午	
대운	男	8	8	9	9	9	10	10	驚	1	1	1	1	2	2	2	3	3	3	4	4	4	5	5	5	6	6	6	7	7	7	
	女	2	2	2	1	1	1	1	蟄	10	10	9	9	9	8	8	8	7	7	7	6	6	6	5	5	5	4	4	4	3	3	

10月 (1일 五黃 +) **戊辰 (一白)** 절기: 清明(9일 00:18) 穀雨(24일 03:29)

양력		1	2	3	4	5	6	7	8	9	10	11	12	13	14	15	16	17	18	19	20	21	22	23	24	25	26	27	28	29	30	31
요일		土	日	月	火	水	木	金	土	日	月	火	水	木	金	土	日	月	火	水	木	金	土	日	月	火	水	木	金	土	日	月
음력	월	5	6	7	8	9	10	11	12	13	14	15	16	17	18	19	20	21	22	23	24	25	26	27	28	29	30	十	2	3	4	5
일진		己未	甲申	乙酉	丙戌	丁亥	庚子	辛丑	壬寅	癸卯	戊辰	己巳	甲午	乙未	丙申	丁酉	庚戌	辛亥	壬子	癸丑	戊寅	己卯	甲辰	乙巳	丙午	丁未	庚申	辛酉	壬戌	癸亥	戊子	己丑
대운	男	8	8	8	9	9	9	10	10	清	1	1	1	1	2	2	2	3	3	3	4	4	4	5	5	5	6	6	6	7	7	7
	女	3	2	2	2	1	1	1	1	明	10	9	9	9	8	8	8	7	7	7	6	6	6	5	5	5	4	4	4	3	3	3

11月 (1일 九紫 +) **己巳 (二黑)** 절기: 立夏(8일 03:34) 小滿 (23일 01:07)

양력		1	2	3	4	5	6	7	8	9	10	11	12	13	14	15	16	17	18	19	20	21	22	23	24	25	26	27	28	29	30	
요일		火	水	木	金	土	日	月	火	水	木	金	土	日	月	火	水	木	金	土	日	月	火	水	木	金	土	日	月	火	水	
음력	월	6	7	8	9	10	11	12	13	14	15	16	17	18	19	20	21	22	23	24	25	26	27	28	29	十一	2	3	4	5	6	
일진		甲寅	乙卯	丙辰	丁巳	庚午	辛未	壬申	癸酉	戊戌	己亥	甲子	乙丑	丙寅	丁卯	庚辰	辛巳	壬午	癸未	戊申	己酉	甲戌	乙亥	丙子	丁丑	庚寅	辛卯	壬辰	癸巳	戊午	己未	
대운	男	8	8	8	9	9	9	10	立	1	1	1	1	2	2	2	3	3	3	4	4	4	5	5	5	6	6	6	7	7	7	
	女	2	2	2	1	1	1	1	夏	9	9	9	8	8	8	7	7	7	6	6	6	5	5	5	4	4	4	3	3	3	2	

12月 (1일 三碧 +) **甲午 (三碧)** 절기: 芒種(7일 20:28) 夏至(22일 14:29)

양력		1	2	3	4	5	6	7	8	9	10	11	12	13	14	15	16	17	18	19	20	21	22	23	24	25	26	27	28	29	30	31
요일		木	金	土	日	月	火	水	木	金	土	日	月	火	水	木	金	土	日	月	火	水	木	金	土	日	月	火	水	木	金	土
음력	월	7	8	9	10	11	12	13	14	15	16	17	18	19	20	21	22	23	24	25	26	27	28	29	30	十二	2	3	4	5	6	7
일진		甲申	乙酉	丙戌	丁亥	庚子	辛丑	壬寅	癸卯	戊辰	己巳	甲午	乙未	丙申	丁酉	庚戌	辛亥	壬子	癸丑	戊寅	己卯	甲辰	乙巳	丙午	丁未	庚申	辛酉	壬戌	癸亥	戊子	己丑	甲寅
대운	男	8	8	8	9	9	9	芒	1	1	1	1	2	2	2	3	3	3	4	4	4	5	5	5	6	6	6	7	7	7	8	8
	女	2	2	1	1	1	1	種	10	9	9	9	8	8	8	7	7	7	6	6	6	5	5	5	4	4	4	3	3	3	2	2

서기2012년

丙戌年 (四綠木星) 閏三月

1月 (1일 三黑 + 4일 九紫 -) 乙未 (四綠) 절기: 小暑 (6일 07:43) 大暑 (21일 01:09)

양력		1	2	3	4	5	6	7	8	9	10	11	12	13	14	15	16	17	18	19	20	21	22	23	24	25	26	27	28	29	30	31
요일		日	月	火	水	木	金	土	日	月	火	水	木	金	土	日	月	火	水	木	金	土	日	月	火	水	木	金	土	日	月	火
음력	월	8	9	10	11	12	13	14	15	16	17	18	19	20	21	22	23	24	25	26	27	28	29	一	2	3	4	5	6	7	8	9
일진		乙卯	丙辰	丁巳	庚午	辛未	壬申	癸酉	戊戌	己亥	甲子	乙丑	丙寅	丁卯	庚辰	辛巳	壬午	癸未	戊申	己酉	甲戌	乙亥	丙子	丁丑	庚寅	辛卯	壬辰	癸巳	戊午	己未	甲申	乙酉
대운	男	8	9	9	9	10	小	1	1	1	1	2	2	2	3	3	3	4	4	4	5	5	5	6	6	6	7	7	7	8	8	8
	女	2	1	1	1	1	暑	9	9	9	8	8	8	7	7	7	6	6	6	5	5	5	4	4	4	3	3	3	2	2	2	1

2月 閏 (1일 八白 -) 丙申 (五黃) 절기: 立秋 (4일 19:22) 處暑 (19일 15:17)

양력		1	2	3	4	5	6	7	8	9	10	11	12	13	14	15	16	17	18	19	20	21	22	23	24	25	26	27	28	29		
요일		水	木	金	土	日	月	火	水	木	金	土	日	月	火	水	木	金	土	日	月	火	水	木	金	土	日	月	火	水		
음력	월	10	11	12	13	14	15	16	17	18	19	20	21	22	23	24	25	26	27	28	29	30	二	2	3	4	5	6	7	8		
일진		丙戌	丁亥	庚子	辛丑	壬寅	癸卯	戊辰	己巳	甲午	乙未	丙申	丁酉	庚戌	辛亥	壬子	癸丑	戊寅	己卯	甲辰	乙巳	丙午	丁未	庚申	辛酉	壬戌	癸亥	戊子	己丑	甲寅		
대운	男	9	9	9	立	10	9	9	9	8	8	8	7	7	7	6	6	6	5	5	5	4	4	4	3	3	3	2	2	2		
	女	1	1	1	秋	1	1	1	1	2	2	2	3	3	3	4	4	4	5	5	5	6	6	6	7	7	7	8	8	8		

3月 (1일 六白 -) 丁酉 (六白) 절기: 白露 (5일 13:20) 秋分 (20일 14:14)

양력		1	2	3	4	5	6	7	8	9	10	11	12	13	14	15	16	17	18	19	20	21	22	23	24	25	26	27	28	29	30	31
요일		木	金	土	日	月	火	水	木	金	土	日	月	火	水	木	金	土	日	月	火	水	木	金	土	日	月	火	水	木	金	土
음력	월	9	10	11	12	13	14	15	16	17	18	19	20	21	22	23	24	25	26	27	28	29	三	2	3	4	5	6	7	8	9	10
일진		乙卯	丙辰	丁巳	庚午	辛未	壬申	癸酉	戊戌	己亥	甲子	乙丑	丙寅	丁卯	庚辰	辛巳	壬午	癸未	戊申	己酉	甲戌	乙亥	丙子	丁丑	庚寅	辛卯	壬辰	癸巳	戊午	己未	甲申	乙酉
대운	男	1	1	1	1	白	10	9	9	9	8	8	8	7	7	7	6	6	6	5	5	5	4	4	4	3	3	3	2	2	2	1
	女	9	9	9	10	露	1	1	1	1	2	2	2	3	3	3	4	4	4	5	5	5	6	6	6	7	7	7	8	8	8	9

4月 (1일 二黑 -) 庚戌 (七赤) 절기: 寒露 (4일 18:05) 霜降 (20일 01:11)

양력		1	2	3	4	5	6	7	8	9	10	11	12	13	14	15	16	17	18	19	20	21	22	23	24	25	26	27	28	29	30	
요일		日	月	火	水	木	金	土	日	月	火	水	木	金	土	日	月	火	水	木	金	土	日	月	火	水	木	金	土	日	月	
음력	월	11	12	13	14	15	16	17	18	19	20	21	22	23	24	25	26	27	28	29	30	閏三		3	4	5	6	7	8	9	10	
일진		丙戌	丁亥	庚子	辛丑	壬寅	癸卯	戊辰	己巳	甲午	乙未	丙申	丁酉	庚戌	辛亥	壬子	癸丑	戊寅	己卯	甲辰	乙巳	丙午	丁未	庚申	辛酉	壬戌	癸亥	戊子	己丑	甲寅	乙卯	
대운	男	1	1	1	寒	10	10	9	9	9	8	8	8	7	7	7	6	6	6	5	5	5	4	4	4	3	3	3	2	2	2	
	女	9	9	10	露	1	1	1	1	2	2	2	3	3	3	4	4	4	5	5	5	6	6	6	7	7	7	8	8	8	9	

5月 (1일 八白 -) 辛亥 (八白) 절기: 立冬 (5일 11:19) 小雪 (21일 00:15)

양력		1	2	3	4	5	6	7	8	9	10	11	12	13	14	15	16	17	18	19	20	21	22	23	24	25	26	27	28	29	30	31
요일		火	水	木	金	土	日	月	火	水	木	金	土	日	月	火	水	木	金	土	日	月	火	水	木	金	土	日	月	火	水	木
음력	월	11	12	13	14	15	16	17	18	19	20	21	22	23	24	25	26	27	28	29	30	四	2	3	4	5	6	7	8	9	10	11
일진		丙辰	丁巳	庚午	辛未	壬申	癸酉	戊戌	己亥	甲子	乙丑	丙寅	丁卯	庚辰	辛巳	壬午	癸未	戊申	己酉	甲戌	乙亥	丙子	丁丑	庚寅	辛卯	壬辰	癸巳	戊午	己未	甲申	乙酉	丙戌
대운	男	1	1	1	1	立	10	10	9	9	9	8	8	8	7	7	7	6	6	6	5	5	5	4	4	4	3	3	3	2	2	2
	女	9	9	10	10	冬	1	1	1	1	2	2	2	3	3	3	4	4	4	5	5	5	6	6	6	7	7	7	8	8	8	9

6月 (1일 四綠 -) 壬子 (九紫) 절기: 大雪 (5일 15:25) 冬至 (21일 08:08)

양력		1	2	3	4	5	6	7	8	9	10	11	12	13	14	15	16	17	18	19	20	21	22	23	24	25	26	27	28	29	30	
요일		金	土	日	月	火	水	木	金	土	日	月	火	水	木	金	土	日	月	火	水	木	金	土	日	月	火	水	木	金	土	
음력	월	12	13	14	15	16	17	18	19	20	21	22	23	24	25	26	27	28	29	30	五	2	3	4	5	6	7	8	9	10	11	
일진		丁亥	庚子	辛丑	壬寅	癸卯	戊辰	己巳	甲午	乙未	丙申	丁酉	庚戌	辛亥	壬子	癸丑	戊寅	己卯	甲辰	乙巳	丙午	丁未	庚申	辛酉	壬戌	癸亥	戊子	己丑	甲寅	乙卯	丙辰	
대운	男	1	1	1	1	大	10	10	10	9	9	9	8	8	8	7	7	7	6	6	6	5	5	5	4	4	4	3	3	3	2	
	女	9	9	10	10	雪	1	1	1	1	2	2	2	3	3	3	4	4	4	5	5	5	6	6	6	7	7	7	8	8	8	

7月 (1일 一白 - 2일 一白 +) **癸丑 (一白)** 절기: 小寒(7일 01:40) 大寒(22일 19:00)

양력		1	2	3	4	5	6	7	8	9	10	11	12	13	14	15	16	17	18	19	20	21	22	23	24	25	26	27	28	29	30	31
요일		日	月	火	水	木	金	土	日	月	火	水	木	金	土	日	月	火	水	木	金	土	日	月	火	水	木	金	土	日	月	火
음력	월	12	13	14	15	16	17	18	19	20	21	22	23	24	25	26	27	28	29	六	2	3	4	5	6	7	8	9	10	11	12	13
일진		丁巳	庚午	辛未	壬申	癸酉	戊戌	己亥	甲子	乙丑	丙寅	丁卯	庚辰	辛巳	壬午	癸未	戊申	己酉	甲戌	乙亥	丙子	丁丑	庚寅	辛卯	壬辰	癸巳	戊午	己未	甲申	乙酉	丙戌	丁亥
대운	男	2	2	1	1	1	1	小	10	10	9	9	9	8	8	8	7	7	7	6	6	6	5	5	5	4	4	4	3	3	3	2
	女	9	9	9	10	10	10	寒	1	1	1	1	2	2	2	3	3	3	4	4	4	5	5	5	6	6	6	7	7	7	8	8

8月 (1일 四綠 +) **戊寅 (二黑)** 절기: 立春(7일 11:30) 雨水(23일 02:06)

양력		1	2	3	4	5	6	7	8	9	10	11	12	13	14	15	16	17	18	19	20	21	22	23	24	25	26	27	28	29	30	31
요일		水	木	金	土	日	月	火	水	木	金	土	日	月	火	水	木	金	土	日	月	火	水	木	金	土	日	月	火	水	木	金
음력	월	14	15	16	17	18	19	20	21	22	23	24	25	26	27	28	29	30	七	2	3	4	5	6	7	8	9	10	11	12	13	14
일진		庚子	辛丑	壬寅	癸卯	戊辰	己巳	甲午	乙未	丙申	丁酉	庚戌	辛亥	壬子	癸丑	戊寅	己卯	甲辰	乙巳	丙午	丁未	庚申	辛酉	壬戌	癸亥	戊子	己丑	甲寅	乙卯	丙辰	丁巳	庚午
대운	男	2	2	1	1	1	1	立	10	10	9	9	9	8	8	8	7	7	7	6	6	6	5	5	5	4	4	4	3	3	3	2
	女	8	9	9	9	10	10	春	1	1	1	1	2	2	2	3	3	3	4	4	4	5	5	5	6	6	6	7	7	7	8	8

9月 (1일 八白 +) **己卯 (三碧)** 절기: 驚蟄(7일 14:28) 春分 (22일 23:48)

양력		1	2	3	4	5	6	7	8	9	10	11	12	13	14	15	16	17	18	19	20	21	22	23	24	25	26	27	28	29	30	
요일		土	日	月	火	水	木	金	土	日	月	火	水	木	金	土	日	月	火	水	木	金	土	日	月	火	水	木	金	土	日	
음력	월	15	16	17	18	19	20	21	22	23	24	25	26	27	28	29	八	2	3	4	5	6	7	8	9	10	11	12	13	14	15	
일진		辛未	壬申	癸酉	戊戌	己亥	甲子	乙丑	丙寅	丁卯	庚辰	辛巳	壬午	癸未	戊申	己酉	甲戌	乙亥	丙子	丁丑	庚寅	辛卯	壬辰	癸巳	戊午	己未	甲申	乙酉	丙戌	丁亥	庚子	
대운	男	2	2	1	1	1	1	驚	10	10	9	9	9	8	8	8	7	7	7	6	6	6	5	5	5	4	4	4	3	3	3	
	女	8	9	9	9	10	10	蟄	1	1	1	1	2	2	2	3	3	3	4	4	4	5	5	5	6	6	6	7	7	7	8	

10月 (1일 二黑 +) **甲辰 (四綠)** 절기: 清明(8일 06:11) 穀雨(23일 09:13)

양력		1	2	3	4	5	6	7	8	9	10	11	12	13	14	15	16	17	18	19	20	21	22	23	24	25	26	27	28	29	30	31
요일		月	火	水	木	金	土	日	月	火	水	木	金	土	日	月	火	水	木	金	土	日	月	火	水	木	金	土	日	月	火	水
음력	월	16	17	18	19	20	21	22	23	24	25	26	27	28	29	九	2	3	4	5	6	7	8	9	10	11	12	13	14	15	16	17
일진		辛丑	壬寅	癸卯	戊辰	己巳	甲午	乙未	丙申	丁酉	庚戌	辛亥	壬子	癸丑	戊寅	己卯	甲辰	乙巳	丙午	丁未	庚申	辛酉	壬戌	癸亥	戊子	己丑	甲寅	乙卯	丙辰	丁巳	庚午	辛未
대운	男	2	2	2	1	1	1	1	清	10	9	9	9	8	8	8	7	7	7	6	6	6	5	5	5	4	4	4	3	3	3	2
	女	8	8	9	9	9	10	10	明	1	1	1	1	2	2	2	3	3	3	4	4	4	5	5	5	6	6	6	7	7	7	8

11月 (1일 六白 +) **乙巳 (五黃)** 절기: 立夏(7일 09:25) 小滿 (22일 06:49)

양력		1	2	3	4	5	6	7	8	9	10	11	12	13	14	15	16	17	18	19	20	21	22	23	24	25	26	27	28	29	30	
요일		木	金	土	日	月	火	水	木	金	土	日	月	火	水	木	金	土	日	月	火	水	木	金	土	日	月	火	水	木	金	
음력	월	18	19	20	21	22	23	24	25	26	27	28	29	30	十	2	3	4	5	6	7	8	9	10	11	12	13	14	15	16	17	
일진		壬申	癸酉	戊戌	己亥	甲子	乙丑	丙寅	丁卯	庚辰	辛巳	壬午	癸未	戊申	己酉	甲戌	乙亥	丙子	丁丑	庚寅	辛卯	壬辰	癸巳	戊午	己未	甲申	乙酉	丙戌	丁亥	庚子	辛丑	
대운	男	2	2	1	1	1	1	立	10	9	9	9	8	8	8	7	7	7	6	6	6	5	5	5	4	4	4	3	3	3	2	
	女	8	8	9	9	9	10	夏	1	1	1	1	2	2	2	3	3	3	4	4	4	5	5	5	6	6	6	7	7	7	8	

12月 (1일 九紫 + 29일 九紫 -) **丙午 (六白)** 절기: 芒種(7일 02:18) 夏至(21일 20:11)

양력		1	2	3	4	5	6	7	8	9	10	11	12	13	14	15	16	17	18	19	20	21	22	23	24	25	26	27	28	29	30	31
요일		土	日	月	火	水	木	金	土	日	月	火	水	木	金	土	日	月	火	水	木	金	土	日	月	火	水	木	金	土	日	月
음력	월	18	19	20	21	22	23	24	25	26	27	28	29	十一	2	3	4	5	6	7	8	9	10	11	12	13	14	15	16	17	18	19
일진		壬寅	癸卯	戊辰	己巳	甲午	乙未	丙申	丁酉	庚戌	辛亥	壬子	癸丑	戊寅	己卯	甲辰	乙巳	丙午	丁未	庚申	辛酉	壬戌	癸亥	戊子	己丑	甲寅	乙卯	丙辰	丁巳	庚午	辛未	壬申
대운	男	2	2	1	1	1	1	芒	9	9	9	8	8	8	7	7	7	6	6	6	5	5	5	4	4	4	3	3	3	2	2	2
	女	8	8	9	9	9	10	種	1	1	1	1	2	2	2	3	3	3	4	4	4	5	5	5	6	6	6	7	7	7	8	8

丁亥年 (五黃土星)

1月 (1일 六白 -) 丁未 (七赤) 절기: 小暑 (5일 13:33) 大暑 (20일 06:51)

양력	1	2	3	4	5	6	7	8	9	10	11	12	13	14	15	16	17	18	19	20	21	22	23	24	25	26	27	28	29	30	31
요일	火	水	木	金	土	日	月	火	水	木	金	土	日	月	火	水	木	金	土	日	月	火	水	木	金	土	日	月	火	水	木
음력 월	20	21	22	23	24	25	26	27	28	29	30	十二	2	3	4	5	6	7	8	9	10	11	12	13	14	15	16	17	18	19	20
일진	癸酉	戊戌	己亥	甲子	乙丑	丙寅	丁卯	庚辰	辛巳	壬午	癸未	戊申	己酉	甲戌	乙亥	丙子	丁丑	庚寅	辛卯	壬辰	癸巳	戊午	己未	甲申	乙酉	丙戌	丁亥	庚子	辛丑	壬寅	癸卯
대운 男	1	1	1	1	小	10	9	9	9	8	8	8	7	7	7	6	6	6	5	5	5	4	4	4	3	3	3	2	2	2	1
대운 女	8	9	9	9	暑	1	1	1	1	2	2	2	3	3	3	4	4	4	5	5	5	6	6	6	7	7	7	8	8	8	9

2月 (1일 二黑 -) 庚申 (八白) 절기: 立秋 (4일 01:13) 處暑 (18일 21:01)

양력	1	2	3	4	5	6	7	8	9	10	11	12	13	14	15	16	17	18	19	20	21	22	23	24	25	26	27	28			
요일	金	土	日	月	火	水	木	金	土	日	月	火	水	木	金	土	日	月	火	水	木	金	土	日	月	火	水	木			
음력 월	21	22	23	24	25	26	27	28	29	一	2	3	4	5	6	7	8	9	10	11	12	13	14	15	16	17	18	19			
일진	戊辰	己巳	甲午	乙未	丙申	丁酉	庚戌	辛亥	壬子	癸丑	戊寅	己卯	甲辰	乙巳	丙午	丁未	庚申	辛酉	壬戌	癸亥	戊子	己丑	甲寅	乙卯	丙辰	丁巳	庚午	辛未			
대운 男	1	1	1	立	1	1	1	1	2	2	2	3	3	3	4	4	4	5	5	5	6	6	6	7	7	7	8	8			
대운 女	9	9	10	秋	9	9	9	8	8	8	7	7	7	6	6	6	5	5	5	4	4	4	3	3	3	2	2	2			

3月 (1일 一白 -) 辛酉 (九紫) 절기: 白露 (5일 19:14) 秋分 (20일 20:01)

양력	1	2	3	4	5	6	7	8	9	10	11	12	13	14	15	16	17	18	19	20	21	22	23	24	25	26	27	28	29	30	31
요일	金	土	日	月	火	水	木	金	土	日	月	火	水	木	金	土	日	月	火	水	木	金	土	日	月	火	水	木	金	土	日
음력 월	20	21	22	23	24	25	26	27	28	29	30	二	2	3	4	5	6	7	8	9	10	11	12	13	14	15	16	17	18	19	20
일진	壬申	癸酉	戊戌	己亥	甲子	乙丑	丙寅	丁卯	庚辰	辛巳	壬午	癸未	戊申	己酉	甲戌	乙亥	丙子	丁丑	庚寅	辛卯	壬辰	癸巳	戊午	己未	甲申	乙酉	丙戌	丁亥	庚子	辛丑	壬寅
대운 男	8	9	9	9	白	1	1	1	1	2	2	2	3	3	3	4	4	4	5	5	5	6	6	6	7	7	7	8	8	8	9
대운 女	1	1	1	1	露	10	9	9	9	8	8	8	7	7	7	6	6	6	5	5	5	4	4	4	3	3	3	2	2	2	1

4月 (1일 六白 -) 壬戌 (一白) 절기: 寒露 (5일 00:02) 霜降 (20일 07:02)

양력	1	2	3	4	5	6	7	8	9	10	11	12	13	14	15	16	17	18	19	20	21	22	23	24	25	26	27	28	29	30	
요일	月	火	水	木	金	土	日	月	火	水	木	金	土	日	月	火	水	木	金	土	日	月	火	水	木	金	土	日	月	火	
음력 월	21	22	23	24	25	26	27	28	29	三	2	3	4	5	6	7	8	9	10	11	12	13	14	15	16	17	18	19	20	21	
일진	癸卯	戊辰	己巳	甲午	乙未	丙申	丁酉	庚戌	辛亥	壬子	癸丑	戊寅	己卯	甲辰	乙巳	丙午	丁未	庚申	辛酉	壬戌	癸亥	戊子	己丑	甲寅	乙卯	丙辰	丁巳	庚午	辛未	壬申	
대운 男	9	9	10	寒	1	1	1	1	2	2	2	3	3	3	4	4	4	5	5	5	6	6	6	7	7	7	8	8	8	9	
대운 女	1	1	1	露	10	10	9	9	9	8	8	8	7	7	7	6	6	6	5	5	5	4	4	4	3	3	3	2	2	2	

5月 (1일 三碧 -) 癸亥 (二黑) 절기: 立冬 (5일 17:17) 小雪 (21일 06:09)

양력	1	2	3	4	5	6	7	8	9	10	11	12	13	14	15	16	17	18	19	20	21	22	23	24	25	26	27	28	29	30	31
요일	水	木	金	土	日	月	火	水	木	金	土	日	月	火	水	木	金	土	日	月	火	水	木	金	土	日	月	火	水	木	金
음력 월	22	23	24	25	26	27	28	29	30	四	2	3	4	5	6	7	8	9	10	11	12	13	14	15	16	17	18	19	20	21	22
일진	癸酉	戊戌	己亥	甲子	乙丑	丙寅	丁卯	庚辰	辛巳	壬午	癸未	戊申	己酉	甲戌	乙亥	丙子	丁丑	庚寅	辛卯	壬辰	癸巳	戊午	己未	甲申	乙酉	丙戌	丁亥	庚子	辛丑	壬寅	癸卯
대운 男	9	9	10	10	立	1	1	1	1	2	2	2	3	3	3	4	4	4	5	5	5	6	6	6	7	7	7	8	8	8	9
대운 女	1	1	1	1	冬	10	10	9	9	9	8	8	8	7	7	7	6	6	6	5	5	5	4	4	4	3	3	3	2	2	2

6月 (1일 八白 - 27일 一白 +) 戊子 (三碧) 절기: 大雪 (5일 21:22) 冬至 (21일 14:03)

양력	1	2	3	4	5	6	7	8	9	10	11	12	13	14	15	16	17	18	19	20	21	22	23	24	25	26	27	28	29	30	
요일	土	日	月	火	水	木	金	土	日	月	火	水	木	金	土	日	月	火	水	木	金	土	日	月	火	水	木	金	土	日	
음력 월	23	24	25	26	27	28	29	30	五	2	3	4	5	6	7	8	9	10	11	12	13	14	15	16	17	18	19	20	21	22	
일진	戊辰	己巳	甲午	乙未	丙申	丁酉	庚戌	辛亥	壬子	癸丑	戊寅	己卯	甲辰	乙巳	丙午	丁未	庚申	辛酉	壬戌	癸亥	戊子	己丑	甲寅	乙卯	丙辰	丁巳	庚午	辛未	壬申	癸酉	
대운 男	9	9	9	10	大	1	1	1	1	2	2	2	3	3	3	4	4	4	5	5	5	6	6	6	7	7	7	8	8	8	
대운 女	1	1	1	1	雪	10	10	10	9	9	9	8	8	8	7	7	7	6	6	6	5	5	5	4	4	4	3	3	3	2	

7月 (1일 五黃 +) **己丑 (四綠)** 절기: 小寒(7일 07:34) 大寒(23일 00:55)

양력		1	2	3	4	5	6	7	8	9	10	11	12	13	14	15	16	17	18	19	20	21	22	23	24	25	26	27	28	29	30	31
요일		月	火	水	木	金	土	日	月	火	水	木	金	土	日	月	火	水	木	金	土	日	月	火	水	木	金	土	日	月	火	水
음력	월	23	24	25	26	27	28	29	六	2	3	4	5	6	7	8	9	10	11	12	13	14	15	16	17	18	19	20	21	22	23	24
일진		戊戌	己亥	甲子	乙丑	丙寅	丁卯	庚辰	辛巳	壬午	癸未	戊申	己酉	甲戌	乙亥	丙子	丁丑	庚寅	辛卯	壬辰	癸巳	戊午	己未	甲申	乙酉	丙戌	丁亥	庚子	辛丑	壬寅	癸卯	戊辰
대운	男	9	9	9	10	10	10	小	1	1	1	1	2	2	2	3	3	3	4	4	4	5	5	5	6	6	6	7	7	7	8	8
	女	2	2	1	1	1	1	寒	10	10	9	9	9	8	8	8	7	7	7	6	6	6	5	5	5	4	4	4	3	3	3	2

8月 (1일 九紫 +) **甲寅 (五黃)** 절기: 立春(7일 17:19) 雨水(23일 08:01)

양력		1	2	3	4	5	6	7	8	9	10	11	12	13	14	15	16	17	18	19	20	21	22	23	24	25	26	27	28	29	30	31
요일		木	金	土	日	月	火	水	木	金	土	日	月	火	水	木	金	土	日	月	火	水	木	金	土	日	月	火	水	木	金	土
음력	월	25	26	27	28	29	30	七	2	3	4	5	6	7	8	9	10	11	12	13	14	15	16	17	18	19	20	21	22	23	24	25
일진		己巳	甲午	乙未	丙申	丁酉	庚戌	辛亥	壬子	癸丑	戊寅	己卯	甲辰	乙巳	丙午	丁未	庚申	辛酉	壬戌	癸亥	戊子	己丑	甲寅	乙卯	丙辰	丁巳	庚午	辛未	壬申	癸酉	戊戌	己亥
대운	男	8	9	9	9	10	10	立	1	1	1	1	2	2	2	3	3	3	4	4	4	5	5	5	6	6	6	7	7	7	8	8
	女	2	2	1	1	1	1	春	10	10	9	9	9	8	8	8	7	7	7	6	6	6	5	5	5	4	4	4	3	3	3	2

9月 (1일 四綠 +) **乙卯 (六白)** 절기: 驚蟄(7일 20:15) 春分 (23일 05:43)

양력		1	2	3	4	5	6	7	8	9	10	11	12	13	14	15	16	17	18	19	20	21	22	23	24	25	26	27	28	29	30	
요일		日	月	火	水	木	金	土	日	月	火	水	木	金	土	日	月	火	水	木	金	土	日	月	火	水	木	金	土	日	月	
음력	월	26	27	28	29	八	2	3	4	5	6	7	8	9	10	11	12	13	14	15	16	17	18	19	20	21	22	23	24	25	26	
일진		甲子	乙丑	丙寅	丁卯	庚辰	辛巳	壬午	癸未	戊申	己酉	甲戌	乙亥	丙子	丁丑	庚寅	辛卯	壬辰	癸巳	戊午	己未	甲申	乙酉	丙戌	丁亥	庚子	辛丑	壬寅	癸卯	戊辰	己巳	
대운	男	8	9	9	9	10	10	驚	1	1	1	1	2	2	2	3	3	3	4	4	4	5	5	5	6	6	6	7	7	7	8	
	女	2	2	1	1	1	1	蟄	10	10	9	9	9	8	8	8	7	7	7	6	6	6	5	5	5	4	4	4	3	3	3	

10月 (1일 七赤 +) **丙辰 (七赤)** 절기: 清明(8일 11:58) 穀雨(23일 15:09)

양력		1	2	3	4	5	6	7	8	9	10	11	12	13	14	15	16	17	18	19	20	21	22	23	24	25	26	27	28	29	30	31
요일		火	水	木	金	土	日	月	火	水	木	金	土	日	月	火	水	木	金	土	日	月	火	水	木	金	土	日	月	火	水	木
음력	월	27	28	29	30	九	2	3	4	5	6	7	8	9	10	11	12	13	14	15	16	17	18	19	20	21	22	23	24	25	26	27
일진		甲午	乙未	丙申	丁酉	庚戌	辛亥	壬子	癸丑	戊寅	己卯	甲辰	乙巳	丙午	丁未	庚申	辛酉	壬戌	癸亥	戊子	己丑	甲寅	乙卯	丙辰	丁巳	庚午	辛未	壬申	癸酉	戊戌	己亥	甲子
대운	男	8	8	9	9	9	10	10	清	1	1	1	1	2	2	2	3	3	3	4	4	4	5	5	5	6	6	6	7	7	7	8
	女	2	2	2	1	1	1	1	明	10	9	9	9	8	8	8	7	7	7	6	6	6	5	5	5	4	4	4	3	3	3	2

11月 (1일 二黑 +) **丁巳 (八白)** 절기: 立夏(7일 15:13) 小滿 (22일 12:47)

양력		1	2	3	4	5	6	7	8	9	10	11	12	13	14	15	16	17	18	19	20	21	22	23	24	25	26	27	28	29	30	
요일		金	土	日	月	火	水	木	金	土	日	月	火	水	木	金	土	日	月	火	水	木	金	土	日	月	火	水	木	金	土	
음력	월	28	29	十	2	3	4	5	6	7	8	9	10	11	12	13	14	15	16	17	18	19	20	21	22	23	24	25	26	27	28	
일진		乙丑	丙寅	丁卯	庚辰	辛巳	壬午	癸未	戊申	己酉	甲戌	乙亥	丙子	丁丑	庚寅	辛卯	壬辰	癸巳	戊午	己未	甲申	乙酉	丙戌	丁亥	庚子	辛丑	壬寅	癸卯	戊辰	己巳	甲午	
대운	男	8	8	9	9	9	10	立	1	1	1	1	2	2	2	3	3	3	4	4	4	5	5	5	6	6	6	7	7	7	8	
	女	2	2	1	1	1	1	夏	10	9	9	9	8	8	8	7	7	7	6	6	6	5	5	5	4	4	4	3	3	3	2	

12月 (1일 五黃 + 24일 九紫 -) **庚午 (九紫)** 절기: 芒種(7일 08:08) 夏至(22일 02:10)

양력		1	2	3	4	5	6	7	8	9	10	11	12	13	14	15	16	17	18	19	20	21	22	23	24	25	26	27	28	29	30	31
요일		日	月	火	水	木	金	土	日	月	火	水	木	金	土	日	月	火	水	木	金	土	日	月	火	水	木	金	土	日	月	火
음력	월	29	30	十一	2	3	4	5	6	7	8	9	10	11	12	13	14	15	16	17	18	19	20	21	22	23	24	25	26	27	28	29
일진		乙未	丙申	丁酉	庚戌	辛亥	壬子	癸丑	戊寅	己卯	甲辰	乙巳	丙午	丁未	庚申	辛酉	壬戌	癸亥	戊子	己丑	甲寅	乙卯	丙辰	丁巳	庚午	辛未	壬申	癸酉	戊戌	己亥	甲子	乙丑
대운	男	8	8	9	9	9	10	芒	1	1	1	1	2	2	2	3	3	3	4	4	4	5	5	5	6	6	6	7	7	7	8	8
	女	2	2	1	1	1	1	種	9	9	9	8	8	8	7	7	7	6	6	6	5	5	5	4	4	4	3	3	3	2	2	2

서기2014년

庚子年 (六白金星) 閏九月

1月 (1일 一白 -) **辛未 (一白)** 절기: 小暑 (5일 19:23) 大暑 (20일 12:50)

양력		1	2	3	4	5	6	7	8	9	10	11	12	13	14	15	16	17	18	19	20	21	22	23	24	25	26	27	28	29	30	31
요일		水	木	金	土	日	月	火	水	木	金	土	日	月	火	水	木	金	土	日	月	火	水	木	金	土	日	月	火	水	木	金
음력	월	十二	2	3	4	5	6	7	8	9	10	11	12	13	14	15	16	17	18	19	20	21	22	23	24	25	26	27	28	29	30	一
일진		丙寅	丁卯	庚辰	辛巳	壬午	癸未	戊申	己酉	甲戌	乙亥	丙子	丁丑	庚寅	辛卯	壬辰	癸巳	戊午	己未	甲申	乙酉	丙戌	丁亥	庚子	辛丑	壬寅	癸卯	戊辰	己巳	甲午	乙未	丙申
대운	男	8	9	9	9	小	1	1	1	1	2	2	2	3	3	3	4	4	4	5	5	5	6	6	6	7	7	7	8	8	8	9
	女	1	1	1	1	暑	10	9	9	9	8	8	8	7	7	7	6	6	6	5	5	5	4	4	4	3	3	3	2	2	2	1

2月 (1일 六白 -) **壬申 (二黑)** 절기: 立秋 (4일 07:02) 處暑 (19일 02:59)

양력		1	2	3	4	5	6	7	8	9	10	11	12	13	14	15	16	17	18	19	20	21	22	23	24	25	26	27	28			
요일		土	日	月	火	水	木	金	土	日	月	火	水	木	金	土	日	月	火	水	木	金	土	日	月	火	水	木	金			
음력	월	2	3	4	5	6	7	8	9	10	11	12	13	14	15	16	17	18	19	20	21	22	23	24	25	26	27	28	29			
일진		丁酉	庚戌	辛亥	壬子	癸丑	戊寅	己卯	甲辰	乙巳	丙午	丁未	庚申	辛酉	壬戌	癸亥	戊子	己丑	甲寅	乙卯	丙辰	丁巳	庚午	辛未	壬申	癸酉	戊戌	己亥	甲子			
대운	男	9	9	10	立	10	9	9	9	8	8	8	7	7	7	6	6	6	5	5	5	4	4	4	3	3	3	2	2			
	女	1	1	1	秋	1	1	1	1	2	2	2	3	3	3	4	4	4	5	5	5	6	6	6	7	7	7	8	8			

3月 (1일 五黃 -) **癸酉 (三碧)** 절기: 白露 (6일 01:01) 秋分 (21일 01:56)

양력		1	2	3	4	5	6	7	8	9	10	11	12	13	14	15	16	17	18	19	20	21	22	23	24	25	26	27	28	29	30	31
요일		土	日	月	火	水	木	金	土	日	月	火	水	木	金	土	日	月	火	水	木	金	土	日	月	火	水	木	金	土	日	月
음력	월	二	2	3	4	5	6	7	8	9	10	11	12	13	14	15	16	17	18	19	20	21	22	23	24	25	26	27	28	29	30	三
일진		乙丑	丙寅	丁卯	庚辰	辛巳	壬午	癸未	戊申	己酉	甲戌	乙亥	丙子	丁丑	庚寅	辛卯	壬辰	癸巳	戊午	己未	甲申	乙酉	丙戌	丁亥	庚子	辛丑	壬寅	癸卯	戊辰	己巳	甲午	乙未
대운	男	2	1	1	1	1	白	10	9	9	9	8	8	8	7	7	7	6	6	6	5	5	5	4	4	4	3	3	3	2	2	2
	女	8	9	9	9	10	露	1	1	1	1	2	2	2	3	3	3	4	4	4	5	5	5	6	6	6	7	7	7	8	8	8

4月 (1일 一白 -) **戊戌 (四綠)** 절기: 寒露 (5일 05:46) 霜降 (20일 12:55)

양력		1	2	3	4	5	6	7	8	9	10	11	12	13	14	15	16	17	18	19	20	21	22	23	24	25	26	27	28	29	30	
요일		火	水	木	金	土	日	月	火	水	木	金	土	日	月	火	水	木	金	土	日	月	火	水	木	金	土	日	月	火	水	
음력	월	2	3	4	5	6	7	8	9	10	11	12	13	14	15	16	17	18	19	20	21	22	23	24	25	26	27	28	29	四	2	
일진		丙申	丁酉	庚戌	辛亥	壬子	癸丑	戊寅	己卯	甲辰	乙巳	丙午	丁未	庚申	辛酉	壬戌	癸亥	戊子	己丑	甲寅	乙卯	丙辰	丁巳	庚午	辛未	壬申	癸酉	戊戌	己亥	甲子	乙丑	
대운	男	1	1	1	1	寒	10	9	9	9	8	8	8	7	7	7	6	6	6	5	5	5	4	4	4	3	3	3	2	2	2	
	女	9	9	9	10	露	1	1	1	1	2	2	2	3	3	3	4	4	4	5	5	5	6	6	6	7	7	7	8	8	8	

5月 (1일 七赤 -) **己亥 (五黃)** 절기: 立冬 (5일 22:59) 小雪 (21일 11:58)

양력		1	2	3	4	5	6	7	8	9	10	11	12	13	14	15	16	17	18	19	20	21	22	23	24	25	26	27	28	29	30	31
요일		木	金	土	日	月	火	水	木	金	土	日	月	火	水	木	金	土	日	月	火	水	木	金	土	日	月	火	水	木	金	土
음력	월	3	4	5	6	7	8	9	10	11	12	13	14	15	16	17	18	19	20	21	22	23	24	25	26	27	28	29	30	五	2	3
일진		丙寅	丁卯	庚辰	辛巳	壬午	癸未	戊申	己酉	甲戌	乙亥	丙子	丁丑	庚寅	辛卯	壬辰	癸巳	戊午	己未	甲申	乙酉	丙戌	丁亥	庚子	辛丑	壬寅	癸卯	戊辰	己巳	甲午	乙未	丙申
대운	男	1	1	1	1	立	10	10	10	9	9	9	8	8	8	7	7	7	6	6	6	5	5	5	4	4	4	3	3	3	2	2
	女	9	9	9	10	冬	1	1	1	1	2	2	2	3	3	3	4	4	4	5	5	5	6	6	6	7	7	7	8	8	8	9

6月 (1일 三碧 - 22일 一白 +) **甲子 (六白)** 절기: 大雪 (6일 03:02) 冬至 (21일 19:50)

양력		1	2	3	4	5	6	7	8	9	10	11	12	13	14	15	16	17	18	19	20	21	22	23	24	25	26	27	28	29	30
요일		日	月	火	水	木	金	土	日	月	火	水	木	金	土	日	月	火	水	木	金	土	日	月	火	水	木	金	土	日	月
음력	월	4	5	6	7	8	9	10	11	12	13	14	15	16	17	18	19	20	21	22	23	24	25	26	27	28	29	六	2	3	4
일진		丁酉	庚戌	辛亥	壬子	癸丑	戊寅	己卯	甲辰	乙巳	丙午	丁未	庚申	辛酉	壬戌	癸亥	戊子	己丑	甲寅	乙卯	丙辰	丁巳	庚午	辛未	壬申	癸酉	戊戌	己亥	甲子	乙丑	丙寅
대운	男	2	1	1	1	1	大	10	10	9	9	9	8	8	8	7	7	7	6	6	6	5	5	5	4	4	4	3	3	3	2
	女	9	9	10	10	10	雪	1	1	1	1	2	2	2	3	3	3	4	4	4	5	5	5	6	6	6	7	7	7	8	8

7月 (1일 一白 +) **乙丑 (七赤)** 절기: 小寒(7일 13:14) 大寒(23일 06:40)

양력		1	2	3	4	5	6	7	8	9	10	11	12	13	14	15	16	17	18	19	20	21	22	23	24	25	26	27	28	29	30	31
요일		火	水	木	金	土	日	月	火	水	木	金	土	日	月	火	水	木	金	土	日	月	火	水	木	金	土	日	月	火	水	木
음력	월	5	6	7	8	9	10	11	12	13	14	15	16	17	18	19	20	21	22	23	24	25	26	27	28	29	30	七	2	3	4	5
일진		丁卯	庚辰	辛巳	壬午	癸未	戊申	己酉	甲戌	乙亥	丙子	丁丑	庚寅	辛卯	壬辰	癸巳	戊午	己未	甲申	乙酉	丙戌	丁亥	庚子	辛丑	壬寅	癸卯	戊辰	己巳	甲午	乙未	丙申	丁酉
대운	男	2	2	1	1	1	1	小	10	10	9	9	9	8	8	8	7	7	7	6	6	6	5	5	5	4	4	4	3	3	3	2
	女	8	9	9	9	10	10	寒	1	1	1	1	2	2	2	3	3	3	4	4	4	5	5	5	6	6	6	7	7	7	8	8

8月 (1일 五黃 +) **丙寅 (八白)** 절기: 立春(7일 23:02) 雨水(23일 13:45)

양력		1	2	3	4	5	6	7	8	9	10	11	12	13	14	15	16	17	18	19	20	21	22	23	24	25	26	27	28	29	30	31
요일		金	土	日	月	火	水	木	金	土	日	月	火	水	木	金	土	日	月	火	水	木	金	土	日	月	火	水	木	金	土	日
음력	월	6	7	8	9	10	11	12	13	14	15	16	17	18	19	20	21	22	23	24	25	26	27	28	29	八	2	3	4	5	6	7
일진		庚戌	辛亥	壬子	癸丑	戊寅	己卯	甲辰	乙巳	丙午	丁未	庚申	辛酉	壬戌	癸亥	戊子	己丑	甲寅	乙卯	丙辰	丁巳	庚午	辛未	壬申	癸酉	戊戌	己亥	甲子	乙丑	丙寅	丁卯	庚辰
대운	男	2	2	1	1	1	1	立	10	10	10	9	9	9	8	8	8	7	7	7	6	6	6	5	5	5	4	4	4	3	3	3
	女	8	9	9	9	10	10	春	1	1	1	1	2	2	2	3	3	3	4	4	4	5	5	5	6	6	6	7	7	7	8	8

9月 (1일 九紫 +) **丁卯 (九紫)** 절기: 驚蟄(8일 02:01) 春分 (23일 11:28)

양력		1	2	3	4	5	6	7	8	9	10	11	12	13	14	15	16	17	18	19	20	21	22	23	24	25	26	27	28	29	30	
요일		月	火	水	木	金	土	日	月	火	水	木	金	土	日	月	火	水	木	金	土	日	月	火	水	木	金	土	日	月	火	
음력	월	8	9	10	11	12	13	14	15	16	17	18	19	20	21	22	23	24	25	26	27	28	29	30	九	2	3	4	5	6	7	
일진		辛巳	壬午	癸未	戊申	己酉	甲戌	乙亥	丙子	丁丑	庚寅	辛卯	壬辰	癸巳	戊午	己未	甲申	乙酉	丙戌	丁亥	庚子	辛丑	壬寅	癸卯	戊辰	己巳	甲午	乙未	丙申	丁酉	庚戌	
대운	男	2	2	2	1	1	1	1	驚	10	9	9	9	8	8	8	7	7	7	6	6	6	5	5	5	4	4	4	3	3	3	
	女	8	9	9	9	10	10	10	蟄	1	1	1	1	2	2	2	3	3	3	4	4	4	5	5	5	6	6	6	7	7	7	

10月 (1일 三碧 +) **庚辰 (一白)** 절기: 清明(8일 17:47) 穀雨(23일 20:56)

양력		1	2	3	4	5	6	7	8	9	10	11	12	13	14	15	16	17	18	19	20	21	22	23	24	25	26	27	28	29	30	31
요일		水	木	金	土	日	月	火	水	木	金	土	日	月	火	水	木	金	土	日	月	火	水	木	金	土	日	月	火	水	木	金
음력	월	8	9	10	11	12	13	14	15	16	17	18	19	20	21	22	23	24	25	26	27	28	29	30	閏九		3	4	5	6	7	8
일진		辛亥	壬子	癸丑	戊寅	己卯	甲辰	乙巳	丙午	丁未	庚申	辛酉	壬戌	癸亥	戊子	己丑	甲寅	乙卯	丙辰	丁巳	庚午	辛未	壬申	癸酉	戊戌	己亥	甲子	乙丑	丙寅	丁卯	庚辰	辛巳
대운	男	2	2	2	1	1	1	1	清	10	9	9	9	8	8	8	7	7	7	6	6	6	5	5	5	4	4	4	3	3	3	2
	女	8	8	8	9	9	9	10	明	1	1	1	1	2	2	2	3	3	3	4	4	4	5	5	5	6	6	6	7	7	7	8

11月 (1일 七赤 +) **辛巳 (二黑)** 절기: 立夏(7일 21:06) 小滿 (22일 18:37)

양력		1	2	3	4	5	6	7	8	9	10	11	12	13	14	15	16	17	18	19	20	21	22	23	24	25	26	27	28	29	30	
요일		土	日	月	火	水	木	金	土	日	月	火	水	木	金	土	日	月	火	水	木	金	土	日	月	火	水	木	金	土	日	
음력	월	9	10	11	12	13	14	15	16	17	18	19	20	21	22	23	24	25	26	27	28	29	十	2	3	4	5	6	7	8	9	
일진		壬午	癸未	戊申	己酉	甲戌	乙亥	丙子	丁丑	庚寅	辛卯	壬辰	癸巳	戊午	己未	甲申	乙酉	丙戌	丁亥	庚子	辛丑	壬寅	癸卯	戊辰	己巳	甲午	乙未	丙申	丁酉	庚戌	辛亥	
대운	男	2	2	1	1	1	1	立	10	9	9	9	8	8	8	7	7	7	6	6	6	5	5	5	4	4	4	3	3	3	2	
	女	8	8	9	9	9	10	夏	1	1	1	1	2	2	2	3	3	3	4	4	4	5	5	5	6	6	6	7	7	7	8	

12月 (1일 一白 + 19일 九紫 -) **壬午 (三碧)** 절기: 芒種(7일 14:03) 夏至(22일 08:02)

양력		1	2	3	4	5	6	7	8	9	10	11	12	13	14	15	16	17	18	19	20	21	22	23	24	25	26	27	28	29	30	31
요일		月	火	水	木	金	土	日	月	火	水	木	金	土	日	月	火	水	木	金	土	日	月	火	水	木	金	土	日	月	火	水
음력	월	10	11	12	13	14	15	16	17	18	19	20	21	22	23	24	25	26	27	28	29	30	十一	2	3	4	5	6	7	8	9	10
일진		壬子	癸丑	戊寅	己卯	甲辰	乙巳	丙午	丁未	庚申	辛酉	壬戌	癸亥	戊子	己丑	甲寅	乙卯	丙辰	丁巳	庚午	辛未	壬申	癸酉	戊戌	己亥	甲子	乙丑	丙寅	丁卯	庚辰	辛巳	壬午
대운	男	2	2	1	1	1	1	芒	10	9	9	9	8	8	8	7	7	7	6	6	6	5	5	5	4	4	4	3	3	3	2	2
	女	8	8	9	9	9	10	種	1	1	1	1	2	2	2	3	3	3	4	4	4	5	5	5	6	6	6	7	7	7	8	8

서기2015년

辛丑年 (七赤金星)

1月 (1일 五黃 -) **癸未 (四綠)** 절기: 小暑 (6일 01:20) 大暑 (20일 18:42)

양력	1	2	3	4	5	6	7	8	9	10	11	12	13	14	15	16	17	18	19	20	21	22	23	24	25	26	27	28	29	30	31
요일	木	金	土	日	月	火	水	木	金	土	日	月	火	水	木	金	土	日	月	火	水	木	金	土	日	月	火	水	木	金	土
음력 월	11	12	13	14	15	16	17	18	19	20	21	22	23	24	25	26	27	28	29	十二	2	3	4	5	6	7	8	9	10	11	12
일진	癸未	戊申	己酉	甲戌	乙亥	丙子	丁丑	庚寅	辛卯	壬辰	癸巳	戊午	己未	甲申	乙酉	丙戌	丁亥	庚子	辛丑	壬寅	癸卯	戊辰	己巳	甲午	乙未	丙申	丁酉	庚戌	辛亥	壬子	癸丑
대운 男	2	1	1	1	1	小	9	9	9	8	8	8	7	7	7	6	6	6	5	5	5	4	4	4	3	3	3	2	2	2	1
대운 女	8	9	9	9	10	暑	1	1	1	1	2	2	2	3	3	3	4	4	4	5	5	5	6	6	6	7	7	7	8	8	8

2月 (1일 一白 -) **戊申 (五黃)** 절기: 立秋 (4일 12:58) 處暑 (19일 08:49)

양력	1	2	3	4	5	6	7	8	9	10	11	12	13	14	15	16	17	18	19	20	21	22	23	24	25	26	27	28			
요일	日	月	火	水	木	金	土	日	月	火	水	木	金	土	日	月	火	水	木	金	土	日	月	火	水	木	金	土			
음력 월	13	14	15	16	17	18	19	20	21	22	23	24	25	26	27	28	29	30	一	2	3	4	5	6	7	8	9	10			
일진	戊寅	己卯	甲辰	乙巳	丙午	丁未	庚申	辛酉	壬戌	癸亥	戊子	己丑	甲寅	乙卯	丙辰	丁巳	庚午	辛未	壬申	癸酉	戊戌	己亥	甲子	乙丑	丙寅	丁卯	庚辰	辛巳			
대운 男	1	1	1	立	1	1	1	1	2	2	2	3	3	3	4	4	4	5	5	5	6	6	6	7	7	7	8	8			
대운 女	9	9	9	秋	10	9	9	9	8	8	8	7	7	7	6	6	6	5	5	5	4	4	4	3	3	3	2	2			

3月 (1일 九紫 -) **己酉 (六白)** 절기: 白露 (6일 06:55) 秋分 (21일 07:44)

양력	1	2	3	4	5	6	7	8	9	10	11	12	13	14	15	16	17	18	19	20	21	22	23	24	25	26	27	28	29	30	31
요일	日	月	火	水	木	金	土	日	月	火	水	木	金	土	日	月	火	水	木	金	土	日	月	火	水	木	金	土	日	月	火
음력 월	11	12	13	14	15	16	17	18	19	20	21	22	23	24	25	26	27	28	29	二	2	3	4	5	6	7	8	9	10	11	12
일진	壬午	癸未	戊申	己酉	甲戌	乙亥	丙子	丁丑	庚寅	辛卯	壬辰	癸巳	戊午	己未	甲申	乙酉	丙戌	丁亥	庚子	辛丑	壬寅	癸卯	戊辰	己巳	甲午	乙未	丙申	丁酉	庚戌	辛亥	壬子
대운 男	8	9	9	9	10	白	1	1	1	1	2	2	2	3	3	3	4	4	4	5	5	5	6	6	6	7	7	7	8	8	8
대운 女	2	1	1	1	1	露	10	9	9	9	8	8	8	7	7	7	6	6	6	5	5	5	4	4	4	3	3	3	2	2	2

4月 (1일 五黃 -) **甲戌 (七赤)** 절기: 寒露 (5일 11:38) 霜降 (20일 18:41)

양력	1	2	3	4	5	6	7	8	9	10	11	12	13	14	15	16	17	18	19	20	21	22	23	24	25	26	27	28	29	30	
요일	水	木	金	土	日	月	火	水	木	金	土	日	月	火	水	木	金	土	日	月	火	水	木	金	土	日	月	火	水	木	
음력 월	13	14	15	16	17	18	19	20	21	22	23	24	25	26	27	28	29	30	三	2	3	4	5	6	7	8	9	10	11	12	
일진	癸丑	戊寅	己卯	甲辰	乙巳	丙午	丁未	庚申	辛酉	壬戌	癸亥	戊子	己丑	甲寅	乙卯	丙辰	丁巳	庚午	辛未	壬申	癸酉	戊戌	己亥	甲子	乙丑	丙寅	丁卯	庚辰	辛巳	壬午	
대운 男	9	9	9	10	寒	1	1	1	1	2	2	2	3	3	3	4	4	4	5	5	5	6	6	6	7	7	7	8	8	8	
대운 女	1	1	1	1	露	10	10	9	9	9	8	8	8	7	7	7	6	6	6	5	5	5	4	4	4	3	3	3	2	2	

5月 (1일 二黑 -) **乙亥 (八白)** 절기: 立冬 (6일 04:52) 小雪 (21일 17:44)

양력	1	2	3	4	5	6	7	8	9	10	11	12	13	14	15	16	17	18	19	20	21	22	23	24	25	26	27	28	29	30	31
요일	金	土	日	月	火	水	木	金	土	日	月	火	水	木	金	土	日	月	火	水	木	金	土	日	月	火	水	木	金	土	日
음력 월	13	14	15	16	17	18	19	20	21	22	23	24	25	26	27	28	29	四	2	3	4	5	6	7	8	9	10	11	12	13	14
일진	癸未	戊申	己酉	甲戌	乙亥	丙子	丁丑	庚寅	辛卯	壬辰	癸巳	戊午	己未	甲申	乙酉	丙戌	丁亥	庚子	辛丑	壬寅	癸卯	戊辰	己巳	甲午	乙未	丙申	丁酉	庚戌	辛亥	壬子	癸丑
대운 男	9	9	9	10	10	立	1	1	1	1	2	2	2	3	3	3	4	4	4	5	5	5	6	6	6	7	7	7	8	8	8
대운 女	2	1	1	1	1	冬	10	10	9	9	9	8	8	8	7	7	7	6	6	6	5	5	5	4	4	4	3	3	3	2	2

6月 (1일 七赤 - 17일 一白 +) **丙子 (九紫)** 절기: 大雪 (6일 08:57) 冬至 (22일 01:37)

양력	1	2	3	4	5	6	7	8	9	10	11	12	13	14	15	16	17	18	19	20	21	22	23	24	25	26	27	28	29	30	
요일	月	火	水	木	金	土	日	月	火	水	木	金	土	日	月	火	水	木	金	土	日	月	火	水	木	金	土	日	月	火	
음력 월	15	16	17	18	19	20	21	22	23	24	25	26	27	28	29	五	2	3	4	5	6	7	8	9	10	11	12	13	14	15	
일진	戊寅	己卯	甲辰	乙巳	丙午	丁未	庚申	辛酉	壬戌	癸亥	戊子	己丑	甲寅	乙卯	丙辰	丁巳	庚午	辛未	壬申	癸酉	戊戌	己亥	甲子	乙丑	丙寅	丁卯	庚辰	辛巳	壬午	癸未	
대운 男	9	9	9	10	10	大	1	1	1	1	2	2	2	3	3	3	4	4	4	5	5	5	6	6	6	7	7	7	8	8	
대운 女	2	1	1	1	1	雪	10	10	9	9	9	8	8	8	7	7	7	6	6	6	5	5	5	4	4	4	3	3	3	2	

7月 (1일 六白 +) **丁丑 (一白)** 절기: 小寒(7일 19:11) 大寒(23일 12:30)

양력		1	2	3	4	5	6	7	8	9	10	11	12	13	14	15	16	17	18	19	20	21	22	23	24	25	26	27	28	29	30	31
요일		水	木	金	土	日	月	火	水	木	金	土	日	月	火	水	木	金	土	日	月	火	水	木	金	土	日	月	火	水	木	金
음력	월	16	17	18	19	20	21	22	23	24	25	26	27	28	29	30	六	2	3	4	5	6	7	8	9	10	11	12	13	14	15	16
일진		戊申	己酉	甲戌	乙亥	丙子	丁丑	庚寅	辛卯	壬辰	癸巳	戊午	己未	甲申	乙酉	丙戌	丁亥	庚子	辛丑	壬寅	癸卯	戊辰	己巳	甲午	乙未	丙申	丁酉	庚戌	辛亥	壬子	癸丑	戊寅
대운	男	8	9	9	9	10	10	小	1	1	1	1	2	2	2	3	3	3	4	4	4	5	5	5	6	6	6	7	7	7	8	8
	女	2	2	1	1	1	1	寒	10	10	10	9	9	9	8	8	8	7	7	7	6	6	6	5	5	5	4	4	4	3	3	3

8月 (1일 一白 +) **庚寅 (二黑)** 절기: 立春(8일 05:00) 雨水(23일 19:36)

양력		1	2	3	4	5	6	7	8	9	10	11	12	13	14	15	16	17	18	19	20	21	22	23	24	25	26	27	28	29	30	31
요일		土	日	月	火	水	木	金	土	日	月	火	水	木	金	土	日	月	火	水	木	金	土	日	月	火	水	木	金	土	日	月
음력	월	17	18	19	20	21	22	23	24	25	26	27	28	29	七	2	3	4	5	6	7	8	9	10	11	12	13	14	15	16	17	18
일진		己卯	甲辰	乙巳	丙午	丁未	庚申	辛酉	壬戌	癸亥	戊子	己丑	甲寅	乙卯	丙辰	丁巳	庚午	辛未	壬申	癸酉	戊戌	己亥	甲子	乙丑	丙寅	丁卯	庚辰	辛巳	壬午	癸未	戊申	己酉
대운	男	8	9	9	9	10	10	10	立	1	1	1	1	2	2	2	3	3	3	4	4	4	5	5	5	6	6	6	7	7	7	8
	女	2	2	2	1	1	1	1	春	10	10	9	9	9	8	8	8	7	7	7	6	6	6	5	5	5	4	4	4	3	3	3

9月 (1일 五黃 +) **辛卯 (三碧)** 절기: 驚蟄(8일 07:59) 春分 (23일 17:20)

양력		1	2	3	4	5	6	7	8	9	10	11	12	13	14	15	16	17	18	19	20	21	22	23	24	25	26	27	28	29	30	
요일		火	水	木	金	土	日	月	火	水	木	金	土	日	月	火	水	木	金	土	日	月	火	水	木	金	土	日	月	火	水	
음력	월	19	20	21	22	23	24	25	26	27	28	29	30	八	2	3	4	5	6	7	8	9	10	11	12	13	14	15	16	17	18	
일진		甲戌	乙亥	丙子	丁丑	庚寅	辛卯	壬辰	癸巳	戊午	己未	甲申	乙酉	丙戌	丁亥	庚子	辛丑	壬寅	癸卯	戊辰	己巳	甲午	乙未	丙申	丁酉	庚戌	辛亥	壬子	癸丑	戊寅	己卯	
대운	男	8	8	9	9	9	10	10	驚	1	1	1	1	2	2	2	3	3	3	4	4	4	5	5	5	6	6	6	7	7	7	
	女	2	2	2	1	1	1	1	蟄	10	9	9	9	8	8	8	7	7	7	6	6	6	5	5	5	4	4	4	3	3	3	

10月 (1일 八白 +) **壬辰 (四綠)** 절기: 淸明(8일 23:42) 穀雨(24일 02:46)

양력		1	2	3	4	5	6	7	8	9	10	11	12	13	14	15	16	17	18	19	20	21	22	23	24	25	26	27	28	29	30	31
요일		木	金	土	日	月	火	水	木	金	土	日	月	火	水	木	金	土	日	月	火	水	木	金	土	日	月	火	水	木	金	土
음력	월	19	20	21	22	23	24	25	26	27	28	29	30	九	2	3	4	5	6	7	8	9	10	11	12	13	14	15	16	17	18	19
일진		甲辰	乙巳	丙午	丁未	庚申	辛酉	壬戌	癸亥	戊子	己丑	甲寅	乙卯	丙辰	丁巳	庚午	辛未	壬申	癸酉	戊戌	己亥	甲子	乙丑	丙寅	丁卯	庚辰	辛巳	壬午	癸未	戊申	己酉	甲戌
대운	男	8	8	8	9	9	9	10	清	1	1	1	1	2	2	2	3	3	3	4	4	4	5	5	5	6	6	6	7	7	7	8
	女	2	2	2	1	1	1	1	明	10	10	9	9	9	8	8	8	7	7	7	6	6	6	5	5	5	4	4	4	3	3	3

11月 (1일 三碧 +) **癸巳 (五黃)** 절기: 立夏(8일 02:58) 小滿 (23일 00:24)

양력		1	2	3	4	5	6	7	8	9	10	11	12	13	14	15	16	17	18	19	20	21	22	23	24	25	26	27	28	29	30	
요일		日	月	火	水	木	金	土	日	月	火	水	木	金	土	日	月	火	水	木	金	土	日	月	火	水	木	金	土	日	月	
음력	월	20	21	22	23	24	25	26	27	28	29	30	十	2	3	4	5	6	7	8	9	10	11	12	13	14	15	16	17	18	19	
일진		乙亥	丙子	丁丑	庚寅	辛卯	壬辰	癸巳	戊午	己未	甲申	乙酉	丙戌	丁亥	庚子	辛丑	壬寅	癸卯	戊辰	己巳	甲午	乙未	丙申	丁酉	庚戌	辛亥	壬子	癸丑	戊寅	己卯	甲辰	
대운	男	8	8	9	9	9	10	10	立	1	1	1	1	2	2	2	3	3	3	4	4	4	5	5	5	6	6	6	7	7	7	
	女	2	2	2	1	1	1	1	夏	9	9	9	8	8	8	7	7	7	6	6	6	5	5	5	4	4	4	3	3	3	2	

12月 (1일 六白 + 14일 九紫 -) **戊午 (六白)** 절기: 芒種(7일 19:52) 夏至(22일 13:47)

양력		1	2	3	4	5	6	7	8	9	10	11	12	13	14	15	16	17	18	19	20	21	22	23	24	25	26	27	28	29	30	31
요일		火	水	木	金	土	日	月	火	水	木	金	土	日	月	火	水	木	金	土	日	月	火	水	木	金	土	日	月	火	水	木
음력	월	20	21	22	23	24	25	26	27	28	29	十一	2	3	4	5	6	7	8	9	10	11	12	13	14	15	16	17	18	19	20	21
일진		乙巳	丙午	丁未	庚申	辛酉	壬戌	癸亥	戊子	己丑	甲寅	乙卯	丙辰	丁巳	庚午	辛未	壬申	癸酉	戊戌	己亥	甲子	乙丑	丙寅	丁卯	庚辰	辛巳	壬午	癸未	戊申	己酉	甲戌	乙亥
대운	男	8	8	8	9	9	9	芒	1	1	1	1	2	2	2	3	3	3	4	4	4	5	5	5	6	6	6	7	7	7	8	8
	女	2	2	1	1	1	1	種	10	9	9	9	8	8	8	7	7	7	6	6	6	5	5	5	4	4	4	3	3	3	2	2

壬寅年 (八白土星)

1月 (1일 九紫 -) 己未 (七赤) 절기: 小暑 (6일 07:07) 大暑 (21일 00:26)

양력		1	2	3	4	5	6	7	8	9	10	11	12	13	14	15	16	17	18	19	20	21	22	23	24	25	26	27	28	29	30	31
요일		金	土	日	月	火	水	木	金	土	日	月	火	水	木	金	土	日	月	火	水	木	金	土	日	月	火	水	木	金	土	日
음력	월	22	23	24	25	26	27	28	29	30	十二	2	3	4	5	6	7	8	9	10	11	12	13	14	15	16	17	18	19	20	21	22
일진		丙子	丁丑	庚寅	辛卯	壬辰	癸巳	戊午	己未	甲申	乙酉	丙戌	丁亥	庚子	辛丑	壬寅	癸卯	戊辰	己巳	甲午	乙未	丙申	丁酉	庚戌	辛亥	壬子	癸丑	戊寅	己卯	甲辰	乙巳	丙午
대운	男	8	9	9	9	10	小	1	1	1	1	2	2	2	3	3	3	4	4	4	5	5	5	6	6	6	7	7	7	8	8	8
	女	2	1	1	1	1	暑	9	9	9	8	8	8	7	7	7	6	6	6	5	5	5	4	4	4	3	3	3	2	2	2	1

2月 閏 (1일 五黃 -) 甲申 (八白) 절기: 立秋 (4일 18:45) 處暑 (19일 14:33)

양력		1	2	3	4	5	6	7	8	9	10	11	12	13	14	15	16	17	18	19	20	21	22	23	24	25	26	27	28	29		
요일		月	火	水	木	金	土	日	月	火	水	木	金	土	日	月	火	水	木	金	土	日	月	火	水	木	金	土	日	月		
음력	월	23	24	25	26	27	28	29	30	一	2	3	4	5	6	7	8	9	10	11	12	13	14	15	16	17	18	19	20	21		
일진		丁未	庚申	辛酉	壬戌	癸亥	戊子	己丑	甲寅	乙卯	丙辰	丁巳	庚午	辛未	壬申	癸酉	戊戌	己亥	甲子	乙丑	丙寅	丁卯	庚辰	辛巳	壬午	癸未	戊申	己酉	甲戌	乙亥		
대운	男	9	9	9	立	10	9	9	9	8	8	8	7	7	7	6	6	6	5	5	5	4	4	4	3	3	3	2	2	2		
	女	1	1	1	秋	1	1	1	1	2	2	2	3	3	3	4	4	4	5	5	5	6	6	6	7	7	7	8	8	8		

3月 (1일 三碧 -) 乙酉 (九紫) 절기: 白露 (5일 12:43) 秋分 (20일 13:29)

양력		1	2	3	4	5	6	7	8	9	10	11	12	13	14	15	16	17	18	19	20	21	22	23	24	25	26	27	28	29	30	31
요일		火	水	木	金	土	日	月	火	水	木	金	土	日	月	火	水	木	金	土	日	月	火	水	木	金	土	日	月	火	水	木
음력	월	22	23	24	25	26	27	28	29	二	2	3	4	5	6	7	8	9	10	11	12	13	14	15	16	17	18	19	20	21	22	23
일진		丙子	丁丑	庚寅	辛卯	壬辰	癸巳	戊午	己未	甲申	乙酉	丙戌	丁亥	庚子	辛丑	壬寅	癸卯	戊辰	己巳	甲午	乙未	丙申	丁酉	庚戌	辛亥	壬子	癸丑	戊寅	己卯	甲辰	乙巳	丙午
대운	男	1	1	1	1	白	10	9	9	9	8	8	8	7	7	7	6	6	6	5	5	5	4	4	4	3	3	3	2	2	2	1
	女	9	9	9	10	露	1	1	1	1	2	2	2	3	3	3	4	4	4	5	5	5	6	6	6	7	7	7	8	8	8	9

4月 (1일 八白 -) 丙戌 (一白) 절기: 寒露 (4일 17:27) 霜降 (20일 00:29)

양력		1	2	3	4	5	6	7	8	9	10	11	12	13	14	15	16	17	18	19	20	21	22	23	24	25	26	27	28	29	30	
요일		金	土	日	月	火	水	木	金	土	日	月	火	水	木	金	土	日	月	火	水	木	金	土	日	月	火	水	木	金	土	
음력	월	24	25	26	27	28	29	三	2	3	4	5	6	7	8	9	10	11	12	13	14	15	16	17	18	19	20	21	22	23	24	
일진		丁未	庚申	辛酉	壬戌	癸亥	戊子	己丑	甲寅	乙卯	丙辰	丁巳	庚午	辛未	壬申	癸酉	戊戌	己亥	甲子	乙丑	丙寅	丁卯	庚辰	辛巳	壬午	癸未	戊申	己酉	甲戌	乙亥	丙子	
대운	男	1	1	1	寒	10	10	9	9	9	8	8	8	7	7	7	6	6	6	5	5	5	4	4	4	3	3	3	2	2	2	
	女	9	9	10	露	1	1	1	1	2	2	2	3	3	3	4	4	4	5	5	5	6	6	6	7	7	7	8	8	8	9	

5月 (1일 五黃 -) 丁亥 (二黑) 절기: 立冬 (5일 10:41) 小雪 (20일 23:36)

양력		1	2	3	4	5	6	7	8	9	10	11	12	13	14	15	16	17	18	19	20	21	22	23	24	25	26	27	28	29	30	31
요일		日	月	火	水	木	金	土	日	月	火	水	木	金	土	日	月	火	水	木	金	土	日	月	火	水	木	金	土	日	月	火
음력	월	25	26	27	28	29	30	四	2	3	4	5	6	7	8	9	10	11	12	13	14	15	16	17	18	19	20	21	22	23	24	25
일진		丁丑	庚寅	辛卯	壬辰	癸巳	戊午	己未	甲申	乙酉	丙戌	丁亥	庚子	辛丑	壬寅	癸卯	戊辰	己巳	甲午	乙未	丙申	丁酉	庚戌	辛亥	壬子	癸丑	戊寅	己卯	甲辰	乙巳	丙午	丁未
대운	男	1	1	1	1	立	10	10	9	9	9	8	8	8	7	7	7	6	6	6	5	5	5	4	4	4	3	3	3	2	2	2
	女	9	9	10	10	冬	1	1	1	1	2	2	2	3	3	3	4	4	4	5	5	5	6	6	6	7	7	7	8	8	8	9

6月 (1일 一白 - 11일 一白 +) 庚子 (三碧) 절기: 大雪 (5일 14:48) 冬至 (21일 07:33)

양력		1	2	3	4	5	6	7	8	9	10	11	12	13	14	15	16	17	18	19	20	21	22	23	24	25	26	27	28	29	30	
요일		水	木	金	土	日	月	火	水	木	金	土	日	月	火	水	木	金	土	日	月	火	水	木	金	土	日	月	火	水	木	
음력	월	26	27	28	29	五	2	3	4	5	6	7	8	9	10	11	12	13	14	15	16	17	18	19	20	21	22	23	24	25	26	
일진		庚申	辛酉	壬戌	癸亥	戊子	己丑	甲寅	乙卯	丙辰	丁巳	庚午	辛未	壬申	癸酉	戊戌	己亥	甲子	乙丑	丙寅	丁卯	庚辰	辛巳	壬午	癸未	戊申	己酉	甲戌	乙亥	丙子	丁丑	
대운	男	1	1	1	1	大	10	10	10	9	9	9	8	8	8	7	7	7	6	6	6	5	5	5	4	4	4	3	3	3	2	
	女	9	9	10	10	雪	1	1	1	1	2	2	2	3	3	3	4	4	4	5	5	5	6	6	6	7	7	7	8	8	8	

7月 (1일 三碧 +) **辛丑 (四綠)** 절기: 小寒(7일 01:02) 大寒(22일 18:29)

양력		1	2	3	4	5	6	7	8	9	10	11	12	13	14	15	16	17	18	19	20	21	22	23	24	25	26	27	28	29	30	31
요일		金	土	日	月	火	水	木	金	土	日	月	火	水	木	金	土	日	月	火	水	木	金	土	日	月	火	水	木	金	土	日
음력	월	27	28	29	六	2	3	4	5	6	7	8	9	10	11	12	13	14	15	16	17	18	19	20	21	22	23	24	25	26	27	28
일진		庚寅	辛卯	壬辰	癸巳	戊午	己未	甲申	乙酉	丙戌	丁亥	庚子	辛丑	壬寅	癸卯	戊辰	己巳	甲午	乙未	丙申	丁酉	庚戌	辛亥	壬子	癸丑	戊寅	己卯	甲辰	乙巳	丙午	丁未	庚申
대운	男	2	2	1	1	1	1	小	10	10	9	9	9	8	8	8	7	7	7	6	6	6	5	5	5	4	4	4	3	3	3	2
	女	9	9	9	10	10	10	寒	1	1	1	1	2	2	2	3	3	3	4	4	4	5	5	5	6	6	6	7	7	7	8	8

8月 (1일 七赤 +) **壬寅 (五黃)** 절기: 立春(7일 10:52) 雨水(23일 01:38)

양력		1	2	3	4	5	6	7	8	9	10	11	12	13	14	15	16	17	18	19	20	21	22	23	24	25	26	27	28	29	30	31
요일		月	火	水	木	金	土	日	月	火	水	木	金	土	日	月	火	水	木	金	土	日	月	火	水	木	金	土	日	月	火	水
음력	월	29	30	七	2	3	4	5	6	7	8	9	10	11	12	13	14	15	16	17	18	19	20	21	22	23	24	25	26	27	28	29
일진		辛酉	壬戌	癸亥	戊子	己丑	甲寅	乙卯	丙辰	丁巳	庚午	辛未	壬申	癸酉	戊戌	己亥	甲子	乙丑	丙寅	丁卯	庚辰	辛巳	壬午	癸未	戊申	己酉	甲戌	乙亥	丙子	丁丑	庚寅	辛卯
대운	男	2	2	1	1	1	1	立	10	10	9	9	9	8	8	8	7	7	7	6	6	6	5	5	5	4	4	4	3	3	3	2
	女	8	9	9	9	10	10	春	1	1	1	1	2	2	2	3	3	3	4	4	4	5	5	5	6	6	6	7	7	7	8	8

9月 (1일 二黑 +) **癸卯 (六白)** 절기: 驚蟄(7일 13:50) 春分 (22일 23:20)

양력		1	2	3	4	5	6	7	8	9	10	11	12	13	14	15	16	17	18	19	20	21	22	23	24	25	26	27	28	29	30	
요일		木	金	土	日	月	火	水	木	金	土	日	月	火	水	木	金	土	日	月	火	水	木	金	土	日	月	火	水	木	金	
음력	월	八	2	3	4	5	6	7	8	9	10	11	12	13	14	15	16	17	18	19	20	21	22	23	24	25	26	27	28	29	30	
일진		壬辰	癸巳	戊午	己未	甲申	乙酉	丙戌	丁亥	庚子	辛丑	壬寅	癸卯	戊辰	己巳	甲午	乙未	丙申	丁酉	庚戌	辛亥	壬子	癸丑	戊寅	己卯	甲辰	乙巳	丙午	丁未	庚申	辛酉	
대운	男	2	2	1	1	1	1	驚	10	10	9	9	9	8	8	8	7	7	7	6	6	6	5	5	5	4	4	4	3	3	3	
	女	8	9	9	9	10	10	蟄	1	1	1	1	2	2	2	3	3	3	4	4	4	5	5	5	6	6	6	7	7	7	8	

10月 (1일 五黃 +) **戊辰 (七赤)** 절기: 清明(8일 05:32) 穀雨(23일 08:45)

양력		1	2	3	4	5	6	7	8	9	10	11	12	13	14	15	16	17	18	19	20	21	22	23	24	25	26	27	28	29	30	31
요일		土	日	月	火	水	木	金	土	日	月	火	水	木	金	土	日	月	火	水	木	金	土	日	月	火	水	木	金	土	日	月
음력	월	九	2	3	4	5	6	7	8	9	10	11	12	13	14	15	16	17	18	19	20	21	22	23	24	25	26	27	28	29	30	十
일진		壬戌	癸亥	戊子	己丑	甲寅	乙卯	丙辰	丁巳	庚午	辛未	壬申	癸酉	戊戌	己亥	甲子	乙丑	丙寅	丁卯	庚辰	辛巳	壬午	癸未	戊申	己酉	甲戌	乙亥	丙子	丁丑	庚寅	辛卯	壬辰
대운	男	2	2	2	1	1	1	1	清	10	9	9	9	8	8	8	7	7	7	6	6	6	5	5	5	4	4	4	3	3	3	2
	女	8	8	9	9	9	10	10	明	1	1	1	1	2	2	2	3	3	3	4	4	4	5	5	5	6	6	6	7	7	7	8

11月 (1일 九紫 +) **己巳 (八白)** 절기: 立夏(7일 08:47) 小滿 (22일 06:21)

양력		1	2	3	4	5	6	7	8	9	10	11	12	13	14	15	16	17	18	19	20	21	22	23	24	25	26	27	28	29	30	
요일		火	水	木	金	土	日	月	火	水	木	金	土	日	月	火	水	木	金	土	日	月	火	水	木	金	土	日	月	火	水	
음력	월	2	3	4	5	6	7	8	9	10	11	12	13	14	15	16	17	18	19	20	21	22	23	24	25	26	27	28	29	十一	2	
일진		癸巳	戊午	己未	甲申	乙酉	丙戌	丁亥	庚子	辛丑	壬寅	癸卯	戊辰	己巳	甲午	乙未	丙申	丁酉	庚戌	辛亥	壬子	癸丑	戊寅	己卯	甲辰	乙巳	丙午	丁未	庚申	辛酉	壬戌	
대운	男	2	2	1	1	1	1	立	10	9	9	9	8	8	8	7	7	7	6	6	6	5	5	5	4	4	4	3	3	3	2	
	女	8	8	9	9	9	10	夏	1	1	1	1	2	2	2	3	3	3	4	4	4	5	5	5	6	6	6	7	7	7	8	

12月 (1일 三碧 + 8일 九紫 -) **甲午 (九紫)** 절기: 芒種(7일 01:40) 夏至(21일 19:43)

양력		1	2	3	4	5	6	7	8	9	10	11	12	13	14	15	16	17	18	19	20	21	22	23	24	25	26	27	28	29	30	31
요일		木	金	土	日	月	火	水	木	金	土	日	月	火	水	木	金	土	日	月	火	水	木	金	土	日	月	火	水	木	金	土
음력	월	3	4	5	6	7	8	9	10	11	12	13	14	15	16	17	18	19	20	21	22	23	24	25	26	27	28	29	30	十二	2	3
일진		癸亥	戊子	己丑	甲寅	乙卯	丙辰	丁巳	庚午	辛未	壬申	癸酉	戊戌	己亥	甲子	乙丑	丙寅	丁卯	庚辰	辛巳	壬午	癸未	戊申	己酉	甲戌	乙亥	丙子	丁丑	庚寅	辛卯	壬辰	癸巳
대운	男	2	2	1	1	1	1	芒	9	9	9	8	8	8	7	7	7	6	6	6	5	5	5	4	4	4	3	3	3	2	2	2
	女	8	8	9	9	9	10	種	1	1	1	1	2	2	2	3	3	3	4	4	4	5	5	5	6	6	6	7	7	7	8	8

癸卯年 (九紫火星) 閏五月

1月 (1일 三碧 -) 乙未 (一白) 절기: 小暑 (5일 12:55) 大暑 (20일 06:23)

양력		1	2	3	4	5	6	7	8	9	10	11	12	13	14	15	16	17	18	19	20	21	22	23	24	25	26	27	28	29	30	31
요일		日	月	火	水	木	金	土	日	月	火	水	木	金	土	日	月	火	水	木	金	土	日	月	火	水	木	金	土	日	月	火
음력	월	4	5	6	7	8	9	10	11	12	13	14	15	16	17	18	19	20	21	22	23	24	25	26	27	28	29	30	一	2	3	4
일진		戊午	己未	甲申	乙酉	丙戌	丁亥	庚子	辛丑	壬寅	癸卯	戊辰	己巳	甲午	乙未	丙申	丁酉	庚戌	辛亥	壬子	癸丑	戊寅	己卯	甲辰	乙巳	丙午	丁未	庚申	辛酉	壬戌	癸亥	戊子
대운	男	1	1	1	1	小	10	9	9	9	8	8	8	7	7	7	6	6	6	5	5	5	4	4	4	3	3	3	2	2	2	1
	女	8	9	9	9	暑	1	1	1	1	2	2	2	3	3	3	4	4	4	5	5	5	6	6	6	7	7	7	8	8	8	9

2月 (1일 八白 -) 丙申 (二黑) 절기: 立秋 (4일 00:33) 處暑 (18일 20:30)

양력		1	2	3	4	5	6	7	8	9	10	11	12	13	14	15	16	17	18	19	20	21	22	23	24	25	26	27	28			
요일		水	木	金	土	日	月	火	水	木	金	土	日	月	火	水	木	金	土	日	月	火	水	木	金	土	日	月	火			
음력	월	5	6	7	8	9	10	11	12	13	14	15	16	17	18	19	20	21	22	23	24	25	26	27	28	29	30	二	2			
일진		己丑	甲寅	乙卯	丙辰	丁巳	庚午	辛未	壬申	癸酉	戊戌	己亥	甲子	乙丑	丙寅	丁卯	庚辰	辛巳	壬午	癸未	戊申	己酉	甲戌	乙亥	丙子	丁丑	庚寅	辛卯	壬辰			
대운	男	1	1	1	立	1	1	1	1	2	2	2	3	3	3	4	4	4	5	5	5	6	6	6	7	7	7	8	8			
	女	9	9	10	秋	9	9	9	8	8	8	7	7	7	6	6	6	5	5	5	4	4	4	3	3	3	2	2	2			

3月 (1일 七赤 -) 丁酉 (三碧) 절기: 白露 (5일 18:32) 秋分 (20일 19:28)

양력		1	2	3	4	5	6	7	8	9	10	11	12	13	14	15	16	17	18	19	20	21	22	23	24	25	26	27	28	29	30	31
요일		水	木	金	土	日	月	火	水	木	金	土	日	月	火	水	木	金	土	日	月	火	水	木	金	土	日	月	火	水	木	金
음력	월	3	4	5	6	7	8	9	10	11	12	13	14	15	16	17	18	19	20	21	22	23	24	25	26	27	28	29	三	2	3	4
일진		癸巳	戊午	己未	甲申	乙酉	丙戌	丁亥	庚子	辛丑	壬寅	癸卯	戊辰	己巳	甲午	乙未	丙申	丁酉	庚戌	辛亥	壬子	癸丑	戊寅	己卯	甲辰	乙巳	丙午	丁未	庚申	辛酉	壬戌	癸亥
대운	男	8	9	9	9	白	1	1	1	1	2	2	2	3	3	3	4	4	4	5	5	5	6	6	6	7	7	7	8	8	8	9
	女	1	1	1	1	露	10	9	9	9	8	8	8	7	7	7	6	6	6	5	5	5	4	4	4	3	3	3	2	2	2	1

4月 (1일 三碧 -) 庚戌 (四綠) 절기: 寒露 (4일 23:16) 霜降 (20일 06:26)

양력		1	2	3	4	5	6	7	8	9	10	11	12	13	14	15	16	17	18	19	20	21	22	23	24	25	26	27	28	29	30	
요일		土	日	月	火	水	木	金	土	日	月	火	水	木	金	土	日	月	火	水	木	金	土	日	月	火	水	木	金	土	日	
음력	월	5	6	7	8	9	10	11	12	13	14	15	16	17	18	19	20	21	22	23	24	25	26	27	28	29	四	2	3	4	5	
일진		戊子	己丑	甲寅	乙卯	丙辰	丁巳	庚午	辛未	壬申	癸酉	戊戌	己亥	甲子	乙丑	丙寅	丁卯	庚辰	辛巳	壬午	癸未	戊申	己酉	甲戌	乙亥	丙子	丁丑	庚寅	辛卯	壬辰	癸巳	
대운	男	9	9	10	寒	1	1	1	1	2	2	2	3	3	3	4	4	4	5	5	5	6	6	6	7	7	7	8	8	8	9	
	女	1	1	1	露	10	10	9	9	9	8	8	8	7	7	7	6	6	6	5	5	5	4	4	4	3	3	3	2	2	2	

5月 (1일 九紫 -) 辛亥 (五黃) 절기: 立冬 (5일 16:30) 小雪 (21일 05:30)

양력		1	2	3	4	5	6	7	8	9	10	11	12	13	14	15	16	17	18	19	20	21	22	23	24	25	26	27	28	29	30	31
요일		月	火	水	木	金	土	日	月	火	水	木	金	土	日	月	火	水	木	金	土	日	月	火	水	木	金	土	日	月	火	水
음력	월	6	7	8	9	10	11	12	13	14	15	16	17	18	19	20	21	22	23	24	25	26	27	28	29	30	五	2	3	4	5	6
일진		戊午	己未	甲申	乙酉	丙戌	丁亥	庚子	辛丑	壬寅	癸卯	戊辰	己巳	甲午	乙未	丙申	丁酉	庚戌	辛亥	壬子	癸丑	戊寅	己卯	甲辰	乙巳	丙午	丁未	庚申	辛酉	壬戌	癸亥	戊子
대운	男	9	9	10	10	立	1	1	1	1	2	2	2	3	3	3	4	4	4	5	5	5	6	6	6	7	7	7	8	8	8	9
	女	1	1	1	1	冬	10	10	9	9	9	8	8	8	7	7	7	6	6	6	5	5	5	4	4	4	3	3	3	2	2	2

6月 (1일 五黃 - 6일 一白 +) 壬子 (六白) 절기: 大雪 (5일 20:36) 冬至 (21일 13:23)

양력		1	2	3	4	5	6	7	8	9	10	11	12	13	14	15	16	17	18	19	20	21	22	23	24	25	26	27	28	29	30	
요일		木	金	土	日	月	火	水	木	金	土	日	月	火	水	木	金	土	日	月	火	水	木	金	土	日	月	火	水	木	金	
음력	월	7	8	9	10	11	12	13	14	15	16	17	18	19	20	21	22	23	24	25	26	27	28	29	閏五		3	4	5	6	7	
일진		己丑	甲寅	乙卯	丙辰	丁巳	庚午	辛未	壬申	癸酉	戊戌	己亥	甲子	乙丑	丙寅	丁卯	庚辰	辛巳	壬午	癸未	戊申	己酉	甲戌	乙亥	丙子	丁丑	庚寅	辛卯	壬辰	癸巳	戊午	
대운	男	9	9	10	10	大	1	1	1	1	2	2	2	3	3	3	4	4	4	5	5	5	6	6	6	7	7	7	8	8	8	
	女	1	1	1	1	雪	10	10	10	9	9	9	8	8	8	7	7	7	6	6	6	5	5	5	4	4	4	3	3	3	2	

7月 (1일 八白 +) **癸丑 (七赤)** 절기: 小寒(7일 06:50) 大寒(23일 00:14)

양력		1	2	3	4	5	6	7	8	9	10	11	12	13	14	15	16	17	18	19	20	21	22	23	24	25	26	27	28	29	30	31
요일		土	日	月	火	水	木	金	土	日	月	火	水	木	金	土	日	月	火	水	木	金	土	日	月	火	水	木	金	土	日	月
음력	월	8	9	10	11	12	13	14	15	16	17	18	19	20	21	22	23	24	25	26	27	28	29	六	2	3	4	5	6	7	8	9
일진		己未	甲申	乙酉	丙戌	丁亥	庚子	辛丑	壬寅	癸卯	戊辰	己巳	甲午	乙未	丙申	丁酉	庚戌	辛亥	壬子	癸丑	戊寅	己卯	甲辰	乙巳	丙午	丁未	庚申	辛酉	壬戌	癸亥	戊子	己丑
대운	男	9	9	9	10	10	10	小	1	1	1	1	2	2	2	3	3	3	4	4	4	5	5	5	6	6	6	7	7	7	8	8
	女	2	2	1	1	1	1	寒	10	10	9	9	9	8	8	8	7	7	7	6	6	6	5	5	5	4	4	4	3	3	3	2

8月 (1일 三碧 +) **戊寅 (八白)** 절기: 立春(7일 16:39) 雨水(23일 07:19)

양력		1	2	3	4	5	6	7	8	9	10	11	12	13	14	15	16	17	18	19	20	21	22	23	24	25	26	27	28	29	30	31
요일		火	水	木	金	土	日	月	火	水	木	金	土	日	月	火	水	木	金	土	日	月	火	水	木	金	土	日	月	火	水	木
음력	월	10	11	12	13	14	15	16	17	18	19	20	21	22	23	24	25	26	27	28	29	30	七	2	3	4	5	6	7	8	9	10
일진		甲寅	乙卯	丙辰	丁巳	庚午	辛未	壬申	癸酉	戊戌	己亥	甲子	乙丑	丙寅	丁卯	庚辰	辛巳	壬午	癸未	戊申	己酉	甲戌	乙亥	丙子	丁丑	庚寅	辛卯	壬辰	癸巳	戊午	己未	甲申
대운	男	8	9	9	9	10	10	立	1	1	1	1	2	2	2	3	3	3	4	4	4	5	5	5	6	6	6	7	7	7	8	8
	女	2	2	1	1	1	1	春	10	10	9	9	9	8	8	8	7	7	7	6	6	6	5	5	5	4	4	4	3	3	3	2

9月 (1일 七赤 +) **己卯 (九紫)** 절기: 驚蟄(7일 19:38) 春分 (23일 05:01)

양력		1	2	3	4	5	6	7	8	9	10	11	12	13	14	15	16	17	18	19	20	21	22	23	24	25	26	27	28	29	30	
요일		金	土	日	月	火	水	木	金	土	日	月	火	水	木	金	土	日	月	火	水	木	金	土	日	月	火	水	木	金	土	
음력	월	11	12	13	14	15	16	17	18	19	20	21	22	23	24	25	26	27	28	29	八	2	3	4	5	6	7	8	9	10	11	
일진		乙酉	丙戌	丁亥	庚子	辛丑	壬寅	癸卯	戊辰	己巳	甲午	乙未	丙申	丁酉	庚戌	辛亥	壬子	癸丑	戊寅	己卯	甲辰	乙巳	丙午	丁未	庚申	辛酉	壬戌	癸亥	戊子	己丑	甲寅	
대운	男	8	9	9	9	10	10	驚	1	1	1	1	2	2	2	3	3	3	4	4	4	5	5	5	6	6	6	7	7	7	8	
	女	2	2	1	1	1	1	蟄	10	10	9	9	9	8	8	8	7	7	7	6	6	6	5	5	5	4	4	4	3	3	3	

10月 (1일 一白 +) **甲辰 (一白)** 절기: 清明(8일 11:21) 穀雨(23일 14:26)

양력		1	2	3	4	5	6	7	8	9	10	11	12	13	14	15	16	17	18	19	20	21	22	23	24	25	26	27	28	29	30	31
요일		日	月	火	水	木	金	土	日	月	火	水	木	金	土	日	月	火	水	木	金	土	日	月	火	水	木	金	土	日	月	火
음력	월	12	13	14	15	16	17	18	19	20	21	22	23	24	25	26	27	28	29	30	九	2	3	4	5	6	7	8	9	10	11	12
일진		乙卯	丙辰	丁巳	庚午	辛未	壬申	癸酉	戊戌	己亥	甲子	乙丑	丙寅	丁卯	庚辰	辛巳	壬午	癸未	戊申	己酉	甲戌	乙亥	丙子	丁丑	庚寅	辛卯	壬辰	癸巳	戊午	己未	甲申	乙酉
대운	男	8	8	9	9	9	10	10	清	1	1	1	1	2	2	2	3	3	3	4	4	4	5	5	5	6	6	6	7	7	7	8
	女	2	2	2	1	1	1	1	明	10	9	9	9	8	8	8	7	7	7	6	6	6	5	5	5	4	4	4	3	3	3	2

11月 (1일 五黃 +) **乙巳 (二黑)** 절기: 立夏(7일 14:37) 小滿 (22일 12:04)

양력		1	2	3	4	5	6	7	8	9	10	11	12	13	14	15	16	17	18	19	20	21	22	23	24	25	26	27	28	29	30	
요일		水	木	金	土	日	月	火	水	木	金	土	日	月	火	水	木	金	土	日	月	火	水	木	金	土	日	月	火	水	木	
음력	월	13	14	15	16	17	18	19	20	21	22	23	24	25	26	27	28	29	十	2	3	4	5	6	7	8	9	10	11	12	13	
일진		丙戌	丁亥	庚子	辛丑	壬寅	癸卯	戊辰	己巳	甲午	乙未	丙申	丁酉	庚戌	辛亥	壬子	癸丑	戊寅	己卯	甲辰	乙巳	丙午	丁未	庚申	辛酉	壬戌	癸亥	戊子	己丑	甲寅	乙卯	
대운	男	8	8	9	9	9	10	立	1	1	1	1	2	2	2	3	3	3	4	4	4	5	5	5	6	6	6	7	7	7	8	
	女	2	2	1	1	1	1	夏	10	9	9	9	8	8	8	7	7	7	6	6	6	5	5	5	4	4	4	3	3	3	2	

12月 (1일 八白 + 3일 九紫 -) **丙午 (三碧)** 절기: 芒種(7일 07:32) 夏至(22일 01:27)

양력		1	2	3	4	5	6	7	8	9	10	11	12	13	14	15	16	17	18	19	20	21	22	23	24	25	26	27	28	29	30	31
요일		金	土	日	月	火	水	木	金	土	日	月	火	水	木	金	土	日	月	火	水	木	金	土	日	月	火	水	木	金	土	日
음력	월	14	15	16	17	18	19	20	21	22	23	24	25	26	27	28	29	30	十一	2	3	4	5	6	7	8	9	10	11	12	13	14
일진		丙辰	丁巳	庚午	辛未	壬申	癸酉	戊戌	己亥	甲子	乙丑	丙寅	丁卯	庚辰	辛巳	壬午	癸未	戊申	己酉	甲戌	乙亥	丙子	丁丑	庚寅	辛卯	壬辰	癸巳	戊午	己未	甲申	乙酉	丙戌
대운	男	8	8	9	9	9	10	芒	1	1	1	1	2	2	2	3	3	3	4	4	4	5	5	5	6	6	6	7	7	7	8	8
	女	2	2	1	1	1	1	種	9	9	9	8	8	8	7	7	7	6	6	6	5	5	5	4	4	4	3	3	3	2	2	2

서기2018년

戊辰年 (一白水星)

1月 (1일 七赤 -) **丁未 (四綠)** 절기: 小暑 (5일 18:48) 大暑 (20일 12:08)

양력		1	2	3	4	5	6	7	8	9	10	11	12	13	14	15	16	17	18	19	20	21	22	23	24	25	26	27	28	29	30	31
요일		月	火	水	木	金	土	日	月	火	水	木	金	土	日	月	火	水	木	金	土	日	月	火	水	木	金	土	日	月	火	水
음력	월	15	16	17	18	19	20	21	22	23	24	25	26	27	28	29	30	十二	2	3	4	5	6	7	8	9	10	11	12	13	14	15
일진		丁亥	庚子	辛丑	壬寅	癸卯	戊辰	己巳	甲午	乙未	丙申	丁酉	庚戌	辛亥	壬子	癸丑	戊寅	己卯	甲辰	乙巳	丙午	丁未	庚申	辛酉	壬戌	癸亥	戊子	己丑	甲寅	乙卯	丙辰	丁巳
대운	男	8	9	9	9	小	1	1	1	1	2	2	2	3	3	3	4	4	4	5	5	5	6	6	6	7	7	7	8	8	8	9
	女	1	1	1	1	暑	10	9	9	9	8	8	8	7	7	7	6	6	6	5	5	5	4	4	4	3	3	3	2	2	2	1

2月 (1일 三碧 -) **庚申 (五黃)** 절기: 立秋 (4일 06:28) 處暑 (19일 02:17)

양력		1	2	3	4	5	6	7	8	9	10	11	12	13	14	15	16	17	18	19	20	21	22	23	24	25	26	27	28			
요일		木	金	土	日	月	火	水	木	金	土	日	月	火	水	木	金	土	日	月	火	水	木	金	土	日	月	火	水			
음력	월	16	17	18	19	20	21	22	23	24	25	26	27	28	29	30	一	2	3	4	5	6	7	8	9	10	11	12	13			
일진		庚午	辛未	壬申	癸酉	戊戌	己亥	甲子	乙丑	丙寅	丁卯	庚辰	辛巳	壬午	癸未	戊申	己酉	甲戌	乙亥	丙子	丁丑	庚寅	辛卯	壬辰	癸巳	戊午	己未	甲申	乙酉			
대운	男	9	9	10	立	10	9	9	9	8	8	8	7	7	7	6	6	6	5	5	5	4	4	4	3	3	3	2	2			
	女	1	1	1	秋	1	1	1	1	2	2	2	3	3	3	4	4	4	5	5	5	6	6	6	7	7	7	8	8			

3月 (1일 二黑 -) **辛酉 (六白)** 절기: 白露 (6일 00:27) 秋分 (21일 01:14)

양력		1	2	3	4	5	6	7	8	9	10	11	12	13	14	15	16	17	18	19	20	21	22	23	24	25	26	27	28	29	30	31
요일		木	金	土	日	月	火	水	木	金	土	日	月	火	水	木	金	土	日	月	火	水	木	金	土	日	月	火	水	木	金	土
음력	월	14	15	16	17	18	19	20	21	22	23	24	25	26	27	28	29	二	2	3	4	5	6	7	8	9	10	11	12	13	14	15
일진		丙戌	丁亥	庚子	辛丑	壬寅	癸卯	戊辰	己巳	甲午	乙未	丙申	丁酉	庚戌	辛亥	壬子	癸丑	戊寅	己卯	甲辰	乙巳	丙午	丁未	庚申	辛酉	壬戌	癸亥	戊子	己丑	甲寅	乙卯	丙辰
대운	男	2	1	1	1	1	白	10	9	9	9	8	8	8	7	7	7	6	6	6	5	5	5	4	4	4	3	3	3	2	2	2
	女	8	9	9	9	10	露	1	1	1	1	2	2	2	3	3	3	4	4	4	5	5	5	6	6	6	7	7	7	8	8	8

4月 (1일 七赤 -) **壬戌 (七赤)** 절기: 寒露 (5일 05:12) 霜降 (20일 12:12)

양력		1	2	3	4	5	6	7	8	9	10	11	12	13	14	15	16	17	18	19	20	21	22	23	24	25	26	27	28	29	30	
요일		日	月	火	水	木	金	土	日	月	火	水	木	金	土	日	月	火	水	木	金	土	日	月	火	水	木	金	土	日	月	
음력	월	16	17	18	19	20	21	22	23	24	25	26	27	28	29	30	三	2	3	4	5	6	7	8	9	10	11	12	13	14	15	
일진		丁巳	庚午	辛未	壬申	癸酉	戊戌	己亥	甲子	乙丑	丙寅	丁卯	庚辰	辛巳	壬午	癸未	戊申	己酉	甲戌	乙亥	丙子	丁丑	庚寅	辛卯	壬辰	癸巳	戊午	己未	甲申	乙酉	丙戌	
대운	男	1	1	1	1	寒	10	9	9	9	8	8	8	7	7	7	6	6	6	5	5	5	4	4	4	3	3	3	2	2	2	
	女	9	9	9	10	露	1	1	1	1	2	2	2	3	3	3	4	4	4	5	5	5	6	6	6	7	7	7	8	8	8	

5月 (1일 四綠 -) **癸亥 (八白)** 절기: 立冬 (5일 22:24) 小雪 (21일 11:14)

양력		1	2	3	4	5	6	7	8	9	10	11	12	13	14	15	16	17	18	19	20	21	22	23	24	25	26	27	28	29	30	31
요일		火	水	木	金	土	日	月	火	水	木	金	土	日	月	火	水	木	金	土	日	月	火	水	木	金	土	日	月	火	水	木
음력	월	16	17	18	19	20	21	22	23	24	25	26	27	28	29	四	2	3	4	5	6	7	8	9	10	11	12	13	14	15	16	17
일진		丁亥	庚子	辛丑	壬寅	癸卯	戊辰	己巳	甲午	乙未	丙申	丁酉	庚戌	辛亥	壬子	癸丑	戊寅	己卯	甲辰	乙巳	丙午	丁未	庚申	辛酉	壬戌	癸亥	戊子	己丑	甲寅	乙卯	丙辰	丁巳
대운	男	1	1	1	1	立	10	10	10	9	9	9	8	8	8	7	7	7	6	6	6	5	5	5	4	4	4	3	3	3	2	2
	女	9	9	9	10	冬	1	1	1	1	2	2	2	3	3	3	4	4	4	5	5	5	6	6	6	7	7	7	8	8	8	9

6月 (1일 一白 +) **戊子 (九紫)** 절기: 大雪 (6일 02:28) 冬至 (21일 19:06)

양력		1	2	3	4	5	6	7	8	9	10	11	12	13	14	15	16	17	18	19	20	21	22	23	24	25	26	27	28	29	30	
요일		金	土	日	月	火	水	木	金	土	日	月	火	水	木	金	土	日	月	火	水	木	金	土	日	月	火	水	木	金	土	
음력	월	18	19	20	21	22	23	24	25	26	27	28	29	30	五	2	3	4	5	6	7	8	9	10	11	12	13	14	15	16	17	
일진		庚午	辛未	壬申	癸酉	戊戌	己亥	甲子	乙丑	丙寅	丁卯	庚辰	辛巳	壬午	癸未	戊申	己酉	甲戌	乙亥	丙子	丁丑	庚寅	辛卯	壬辰	癸巳	戊午	己未	甲申	乙酉	丙戌	丁亥	
대운	男	2	1	1	1	1	大	10	10	9	9	9	8	8	8	7	7	7	6	6	6	5	5	5	4	4	4	3	3	3	2	
	女	9	9	10	10	10	雪	1	1	1	1	2	2	2	3	3	3	4	4	4	5	5	5	6	6	6	7	7	7	8	8	

7月 (1일 四綠 +) **己丑 (一白)** 절기: 小寒(7일 12:41) 大寒(23일 05:59)

양력	1	2	3	4	5	6	7	8	9	10	11	12	13	14	15	16	17	18	19	20	21	22	23	24	25	26	27	28	29	30	31
요일	日	月	火	水	木	金	土	日	月	火	水	木	金	土	日	月	火	水	木	金	土	日	月	火	水	木	金	土	日	月	火
음력 월	18	19	20	21	22	23	24	25	26	27	28	29	六	2	3	4	5	6	7	8	9	10	11	12	13	14	15	16	17	18	19
일진	庚子	辛丑	壬寅	癸卯	戊辰	己巳	甲午	乙未	丙申	丁酉	庚戌	辛亥	壬子	癸丑	戊寅	己卯	甲辰	乙巳	丙午	丁未	庚申	辛酉	壬戌	癸亥	戊子	己丑	甲寅	乙卯	丙辰	丁巳	庚午
대운 男	2	2	1	1	1	1	小	10	10	9	9	9	8	8	8	7	7	7	6	6	6	5	5	5	4	4	4	3	3	3	2
대운 女	8	9	9	9	10	10	寒	1	1	1	1	2	2	2	3	3	3	4	4	4	5	5	5	6	6	6	7	7	7	8	8

8月 (1일 八白 +) **甲寅 (二黑)** 절기: 立春(7일 22:30) 雨水(23일 13:08)

양력	1	2	3	4	5	6	7	8	9	10	11	12	13	14	15	16	17	18	19	20	21	22	23	24	25	26	27	28	29	30	31
요일	水	木	金	土	日	月	火	水	木	金	土	日	月	火	水	木	金	土	日	月	火	水	木	金	土	日	月	火	水	木	金
음력 월	20	21	22	23	24	25	26	27	28	29	七	2	3	4	5	6	7	8	9	10	11	12	13	14	15	16	17	18	19	20	21
일진	辛未	壬申	癸酉	戊戌	己亥	甲子	乙丑	丙寅	丁卯	庚辰	辛巳	壬午	癸未	戊申	己酉	甲戌	乙亥	丙子	丁丑	庚寅	辛卯	壬辰	癸巳	戊午	己未	甲申	乙酉	丙戌	丁亥	庚子	辛丑
대운 男	2	2	1	1	1	1	立	10	10	10	9	9	9	8	8	8	7	7	7	6	6	6	5	5	5	4	4	4	3	3	3
대운 女	8	9	9	9	10	10	春	1	1	1	1	2	2	2	3	3	3	4	4	4	5	5	5	6	6	6	7	7	7	8	8

9月 (1일 三碧 +) **乙卯 (三碧)** 절기: 驚蟄(8일 01:29) 春分 (23일 10:53)

양력	1	2	3	4	5	6	7	8	9	10	11	12	13	14	15	16	17	18	19	20	21	22	23	24	25	26	27	28	29	30	
요일	土	日	月	火	水	木	金	土	日	月	火	水	木	金	土	日	月	火	水	木	金	土	日	月	火	水	木	金	土	日	
음력 월	22	23	24	25	26	27	28	29	30	八	2	3	4	5	6	7	8	9	10	11	12	13	14	15	16	17	18	19	20	21	
일진	壬寅	癸卯	戊辰	己巳	甲午	乙未	丙申	丁酉	庚戌	辛亥	壬子	癸丑	戊寅	己卯	甲辰	乙巳	丙午	丁未	庚申	辛酉	壬戌	癸亥	戊子	己丑	甲寅	乙卯	丙辰	丁巳	庚午	辛未	
대운 男	2	2	2	1	1	1	1	驚	10	9	9	9	8	8	8	7	7	7	6	6	6	5	5	5	4	4	4	3	3	3	
대운 女	8	9	9	9	10	10	10	蟄	1	1	1	1	2	2	2	3	3	3	4	4	4	5	5	5	6	6	6	7	7	7	

10月 (1일 六白 +) **丙辰 (四綠)** 절기: 清明(8일 17:14) 穀雨(23일 20:21)

양력	1	2	3	4	5	6	7	8	9	10	11	12	13	14	15	16	17	18	19	20	21	22	23	24	25	26	27	28	29	30	31
요일	月	火	水	木	金	土	日	月	火	水	木	金	土	日	月	火	水	木	金	土	日	月	火	水	木	金	土	日	月	火	水
음력 월	22	23	24	25	26	27	28	29	九	2	3	4	5	6	7	8	9	10	11	12	13	14	15	16	17	18	19	20	21	22	23
일진	壬申	癸酉	戊戌	己亥	甲子	乙丑	丙寅	丁卯	庚辰	辛巳	壬午	癸未	戊申	己酉	甲戌	乙亥	丙子	丁丑	庚寅	辛卯	壬辰	癸巳	戊午	己未	甲申	乙酉	丙戌	丁亥	庚子	辛丑	壬寅
대운 男	2	2	2	1	1	1	1	清	10	9	9	9	8	8	8	7	7	7	6	6	6	5	5	5	4	4	4	3	3	3	2
대운 女	8	8	8	9	9	9	10	明	1	1	1	1	2	2	2	3	3	3	4	4	4	5	5	5	6	6	6	7	7	7	8

11月 (1일 一白 + 28일 九紫 -) **丁巳 (五黃)** 절기: 立夏(7일 20:31) 小滿 (22일 18:01)

양력	1	2	3	4	5	6	7	8	9	10	11	12	13	14	15	16	17	18	19	20	21	22	23	24	25	26	27	28	29	30	
요일	木	金	土	日	月	火	水	木	金	土	日	月	火	水	木	金	土	日	月	火	水	木	金	土	日	月	火	水	木	金	
음력 월	24	25	26	27	28	29	30	十	2	3	4	5	6	7	8	9	10	11	12	13	14	15	16	17	18	19	20	21	22	23	
일진	癸卯	戊辰	己巳	甲午	乙未	丙申	丁酉	庚戌	辛亥	壬子	癸丑	戊寅	己卯	甲辰	乙巳	丙午	丁未	庚申	辛酉	壬戌	癸亥	戊子	己丑	甲寅	乙卯	丙辰	丁巳	庚午	辛未	壬申	
대운 男	2	2	1	1	1	1	立	10	9	9	9	8	8	8	7	7	7	6	6	6	5	5	5	4	4	4	3	3	3	2	
대운 女	8	8	9	9	9	10	夏	1	1	1	1	2	2	2	3	3	3	4	4	4	5	5	5	6	6	6	7	7	7	8	

12月 (1일 六白 -) **庚午 (六白)** 절기: 芒種(7일 13:25) 夏至(22일 07:22)

양력	1	2	3	4	5	6	7	8	9	10	11	12	13	14	15	16	17	18	19	20	21	22	23	24	25	26	27	28	29	30	31
요일	土	日	月	火	水	木	金	土	日	月	火	水	木	金	土	日	月	火	水	木	金	土	日	月	火	水	木	金	土	日	月
음력 월	24	25	26	27	28	29	十一	2	3	4	5	6	7	8	9	10	11	12	13	14	15	16	17	18	19	20	21	22	23	24	25
일진	癸酉	戊戌	己亥	甲子	乙丑	丙寅	丁卯	庚辰	辛巳	壬午	癸未	戊申	己酉	甲戌	乙亥	丙子	丁丑	庚寅	辛卯	壬辰	癸巳	戊午	己未	甲申	乙酉	丙戌	丁亥	庚子	辛丑	壬寅	癸卯
대운 男	2	2	1	1	1	1	芒	10	9	9	9	8	8	8	7	7	7	6	6	6	5	5	5	4	4	4	3	3	3	2	2
대운 女	8	8	9	9	9	10	種	1	1	1	1	2	2	2	3	3	3	4	4	4	5	5	5	6	6	6	7	7	7	8	8

서기2019년

己巳年 (二黑土星)

1月 (1일 二黑 -) **辛未 (七赤)** 절기: 小暑 (6일 00:38) 大暑 (20일 17:59)

양력		1	2	3	4	5	6	7	8	9	10	11	12	13	14	15	16	17	18	19	20	21	22	23	24	25	26	27	28	29	30	31
요일		火	水	木	金	土	日	月	火	水	木	金	土	日	月	火	水	木	金	土	日	月	火	水	木	金	土	日	月	火	水	木
음력	월	26	27	28	29	30	十二	2	3	4	5	6	7	8	9	10	11	12	13	14	15	16	17	18	19	20	21	22	23	24	25	26
일진		戊辰	己巳	甲午	乙未	丙申	丁酉	庚戌	辛亥	壬子	癸丑	戊寅	己卯	甲辰	乙巳	丙午	丁未	庚申	辛酉	壬戌	癸亥	戊子	己丑	甲寅	乙卯	丙辰	丁巳	庚午	辛未	壬申	癸酉	戊戌
대운	男	2	1	1	1	1	小	9	9	9	8	8	8	7	7	7	6	6	6	5	5	5	4	4	4	3	3	3	2	2	2	1
	女	8	9	9	9	10	暑	1	1	1	1	2	2	2	3	3	3	4	4	4	5	5	5	6	6	6	7	7	7	8	8	8

2月 (1일 七赤 -) **壬申 (八白)** 절기: 立秋 (4일 12:13) 處暑 (19일 08:03)

양력		1	2	3	4	5	6	7	8	9	10	11	12	13	14	15	16	17	18	19	20	21	22	23	24	25	26	27	28			
요일		金	土	日	月	火	水	木	金	土	日	月	火	水	木	金	土	日	月	火	水	木	金	土	日	月	火	水	木			
음력	월	27	28	29	30	一	2	3	4	5	6	7	8	9	10	11	12	13	14	15	16	17	18	19	20	21	22	23	24			
일진		己亥	甲子	乙丑	丙寅	丁卯	庚辰	辛巳	壬午	癸未	戊申	己酉	甲戌	乙亥	丙子	丁丑	庚寅	辛卯	壬辰	癸巳	戊午	己未	甲申	乙酉	丙戌	丁亥	庚子	辛丑	壬寅			
대운	男	1	1	1	立	1	1	1	1	2	2	2	3	3	3	4	4	4	5	5	5	6	6	6	7	7	7	8	8			
	女	9	9	9	秋	10	9	9	9	8	8	8	7	7	7	6	6	6	5	5	5	4	4	4	3	3	3	2	2			

3月 (1일 六白 -) **癸酉 (九紫)** 절기: 白露 (6일 06:09) 秋分 (21일 06:57)

양력		1	2	3	4	5	6	7	8	9	10	11	12	13	14	15	16	17	18	19	20	21	22	23	24	25	26	27	28	29	30	31
요일		金	土	日	月	火	水	木	金	土	日	月	火	水	木	金	土	日	月	火	水	木	金	土	日	月	火	水	木	金	土	日
음력	월	25	26	27	28	29	30	二	2	3	4	5	6	7	8	9	10	11	12	13	14	15	16	17	18	19	20	21	22	23	24	25
일진		癸卯	戊辰	己巳	甲午	乙未	丙申	丁酉	庚戌	辛亥	壬子	癸丑	戊寅	己卯	甲辰	乙巳	丙午	丁未	庚申	辛酉	壬戌	癸亥	戊子	己丑	甲寅	乙卯	丙辰	丁巳	庚午	辛未	壬申	癸酉
대운	男	8	9	9	9	10	白	1	1	1	1	2	2	2	3	3	3	4	4	4	5	5	5	6	6	6	7	7	7	8	8	8
	女	2	1	1	1	1	露	10	9	9	9	8	8	8	7	7	7	6	6	6	5	5	5	4	4	4	3	3	3	2	2	2

4月 (1일 二黑 -) **戊戌 (一白)** 절기: 寒露 (5일 10:50) 霜降 (20일 17:54)

양력		1	2	3	4	5	6	7	8	9	10	11	12	13	14	15	16	17	18	19	20	21	22	23	24	25	26	27	28	29	30	
요일		月	火	水	木	金	土	日	月	火	水	木	金	土	日	月	火	水	木	金	土	日	月	火	水	木	金	土	日	月	火	
음력	월	26	27	28	29	三	2	3	4	5	6	7	8	9	10	11	12	13	14	15	16	17	18	19	20	21	22	23	24	25	26	
일진		戊戌	己亥	甲子	乙丑	丙寅	丁卯	庚辰	辛巳	壬午	癸未	戊申	己酉	甲戌	乙亥	丙子	丁丑	庚寅	辛卯	壬辰	癸巳	戊午	己未	甲申	乙酉	丙戌	丁亥	庚子	辛丑	壬寅	癸卯	
대운	男	9	9	9	10	寒	1	1	1	1	2	2	2	3	3	3	4	4	4	5	5	5	6	6	6	7	7	7	8	8	8	
	女	1	1	1	1	露	10	10	9	9	9	8	8	8	7	7	7	6	6	6	5	5	5	4	4	4	3	3	3	2	2	

5月 (1일 八白 - 27일 一白 +) **己亥 (二黑)** 절기: 立冬 (6일 04:02) 小雪 (21일16:58)

양력		1	2	3	4	5	6	7	8	9	10	11	12	13	14	15	16	17	18	19	20	21	22	23	24	25	26	27	28	29	30	31
요일		水	木	金	土	日	月	火	水	木	金	土	日	月	火	水	木	金	土	日	月	火	水	木	金	土	日	月	火	水	木	金
음력	월	27	28	29	30	四	2	3	4	5	6	7	8	9	10	11	12	13	14	15	16	17	18	19	20	21	22	23	24	25	26	27
일진		戊辰	己巳	甲午	乙未	丙申	丁酉	庚戌	辛亥	壬子	癸丑	戊寅	己卯	甲辰	乙巳	丙午	丁未	庚申	辛酉	壬戌	癸亥	戊子	己丑	甲寅	乙卯	丙辰	丁巳	庚午	辛未	壬申	癸酉	戊戌
대운	男	9	9	9	10	10	立	1	1	1	1	2	2	2	3	3	3	4	4	4	5	5	5	6	6	6	7	7	7	8	8	8
	女	2	1	1	1	1	冬	10	10	9	9	9	8	8	8	7	7	7	6	6	6	5	5	5	4	4	4	3	3	3	2	2

6月 (1일 六白 +) **甲子 (三碧)** 절기: 大雪 (6일 08:05) 冬至 (22일 00:53)

양력		1	2	3	4	5	6	7	8	9	10	11	12	13	14	15	16	17	18	19	20	21	22	23	24	25	26	27	28	29	30	
요일		土	日	月	火	水	木	金	土	日	月	火	水	木	金	土	日	月	火	水	木	金	土	日	月	火	水	木	金	土	日	
음력	월	28	29	五	2	3	4	5	6	7	8	9	10	11	12	13	14	15	16	17	18	19	20	21	22	23	24	25	26	27	28	
일진		己亥	甲子	乙丑	丙寅	丁卯	庚辰	辛巳	壬午	癸未	戊申	己酉	甲戌	乙亥	丙子	丁丑	庚寅	辛卯	壬辰	癸巳	戊午	己未	甲申	乙酉	丙戌	丁亥	庚子	辛丑	壬寅	癸卯	戊辰	
대운	男	9	9	9	10	10	大	1	1	1	1	2	2	2	3	3	3	4	4	4	5	5	5	6	6	6	7	7	7	8	8	
	女	2	1	1	1	1	雪	10	10	9	9	9	8	8	8	7	7	7	6	6	6	5	5	5	4	4	4	3	3	3	2	

7月 (1일 九紫 +) **乙丑 (四綠)** 절기: 小寒(7일 18:20) 大寒(23일 11:49)

양력		1	2	3	4	5	6	7	8	9	10	11	12	13	14	15	16	17	18	19	20	21	22	23	24	25	26	27	28	29	30	31
요일		月	火	水	木	金	土	日	月	火	水	木	金	土	日	月	火	水	木	金	土	日	月	火	水	木	金	土	日	月	火	水
음력	월	29	30	六	2	3	4	5	6	7	8	9	10	11	12	13	14	15	16	17	18	19	20	21	22	23	24	25	26	27	28	29
일진		己巳	甲午	乙未	丙申	丁酉	庚戌	辛亥	壬子	癸丑	戊寅	己卯	甲辰	乙巳	丙午	丁未	庚申	辛酉	壬戌	癸亥	戊子	己丑	甲寅	乙卯	丙辰	丁巳	庚午	辛未	壬申	癸酉	戊戌	己亥
대운	男	8	9	9	9	10	10	小	1	1	1	1	2	2	2	3	3	3	4	4	4	5	5	5	6	6	6	7	7	7	8	8
	女	2	2	1	1	1	1	寒	10	10	10	9	9	9	8	8	8	7	7	7	6	6	6	5	5	5	4	4	4	3	3	3

8月 (1일 四綠 +) **丙寅 (五黃)** 절기: 立春(8일 04:12) 雨水(23일 19:01)

양력		1	2	3	4	5	6	7	8	9	10	11	12	13	14	15	16	17	18	19	20	21	22	23	24	25	26	27	28	29	30	31
요일		木	金	土	日	月	火	水	木	金	土	日	月	火	水	木	金	土	日	月	火	水	木	金	土	日	月	火	水	木	金	土
음력	월	七	2	3	4	5	6	7	8	9	10	11	12	13	14	15	16	17	18	19	20	21	22	23	24	25	26	27	28	29	八	2
일진		甲子	乙丑	丙寅	丁卯	庚辰	辛巳	壬午	癸未	戊申	己酉	甲戌	乙亥	丙子	丁丑	庚寅	辛卯	壬辰	癸巳	戊午	己未	甲申	乙酉	丙戌	丁亥	庚子	辛丑	壬寅	癸卯	戊辰	己巳	甲午
대운	男	8	9	9	9	10	10	10	立	1	1	1	1	2	2	2	3	3	3	4	4	4	5	5	5	6	6	6	7	7	7	8
	女	2	2	2	1	1	1	1	春	10	10	9	9	9	8	8	8	7	7	7	6	6	6	5	5	5	4	4	4	3	3	3

9月 (1일 八白 +) **丁卯 (六白)** 절기: 驚蟄(8일 07:16) 春分 (23일 16:49)

양력		1	2	3	4	5	6	7	8	9	10	11	12	13	14	15	16	17	18	19	20	21	22	23	24	25	26	27	28	29	30	
요일		日	月	火	水	木	金	土	日	月	火	水	木	金	土	日	月	火	水	木	金	土	日	月	火	水	木	金	土	日	月	
음력	월	3	4	5	6	7	8	9	10	11	12	13	14	15	16	17	18	19	20	21	22	23	24	25	26	27	28	29	30	九	2	
일진		乙未	丙申	丁酉	庚戌	辛亥	壬子	癸丑	戊寅	己卯	甲辰	乙巳	丙午	丁未	庚申	辛酉	壬戌	癸亥	戊子	己丑	甲寅	乙卯	丙辰	丁巳	庚午	辛未	壬申	癸酉	戊戌	己亥	甲子	
대운	男	8	8	9	9	9	10	10	驚	1	1	1	1	2	2	2	3	3	3	4	4	4	5	5	5	6	6	6	7	7	7	
	女	2	2	2	1	1	1	1	蟄	10	9	9	9	8	8	8	7	7	7	6	6	6	5	5	5	4	4	4	3	3	3	

10月 (1일 二黑 +) **庚辰 (七赤)** 절기: 清明(8일 23:05) 穀雨(24일 02:19)

양력		1	2	3	4	5	6	7	8	9	10	11	12	13	14	15	16	17	18	19	20	21	22	23	24	25	26	27	28	29	30	31
요일		火	水	木	金	土	日	月	火	水	木	金	土	日	月	火	水	木	金	土	日	月	火	水	木	金	土	日	月	火	水	木
음력	월	3	4	5	6	7	8	9	10	11	12	13	14	15	16	17	18	19	20	21	22	23	24	25	26	27	28	29	十	2	3	4
일진		乙丑	丙寅	丁卯	庚辰	辛巳	壬午	癸未	戊申	己酉	甲戌	乙亥	丙子	丁丑	庚寅	辛卯	壬辰	癸巳	戊午	己未	甲申	乙酉	丙戌	丁亥	庚子	辛丑	壬寅	癸卯	戊辰	己巳	甲午	乙未
대운	男	8	8	8	9	9	9	10	清	1	1	1	1	2	2	2	3	3	3	4	4	4	5	5	5	6	6	6	7	7	7	8
	女	2	2	2	1	1	1	1	明	10	10	9	9	9	8	8	8	7	7	7	6	6	6	5	5	5	4	4	4	3	3	3

11月 (1일 六白 +) **辛巳 (八白)** 절기: 立夏(8일 02:23) 小滿 (22일 23:58)

양력		1	2	3	4	5	6	7	8	9	10	11	12	13	14	15	16	17	18	19	20	21	22	23	24	25	26	27	28	29	30	
요일		金	土	日	月	火	水	木	金	土	日	月	火	水	木	金	土	日	月	火	水	木	金	土	日	月	火	水	木	金	土	
음력	월	5	6	7	8	9	10	11	12	13	14	15	16	17	18	19	20	21	22	23	24	25	26	27	28	29	30	十一	2	3	4	
일진		丙申	丁酉	庚戌	辛亥	壬子	癸丑	戊寅	己卯	甲辰	乙巳	丙午	丁未	庚申	辛酉	壬戌	癸亥	戊子	己丑	甲寅	乙卯	丙辰	丁巳	庚午	辛未	壬申	癸酉	戊戌	己亥	甲子	乙丑	
대운	男	8	8	9	9	9	10	10	立	1	1	1	1	2	2	2	3	3	3	4	4	4	5	5	5	6	6	6	7	7	7	
	女	2	2	2	1	1	1	1	夏	9	9	9	8	8	8	7	7	7	6	6	6	5	5	5	4	4	4	3	3	3	2	

12月 (1일 九紫 + 26일 九紫 -) **壬午 (九紫)** 절기: 芒種(7일 19:17) 夏至(22일 13:18)

양력		1	2	3	4	5	6	7	8	9	10	11	12	13	14	15	16	17	18	19	20	21	22	23	24	25	26	27	28	29	30	31
요일		日	月	火	水	木	金	土	日	月	火	水	木	金	土	日	月	火	水	木	金	土	日	月	火	水	木	金	土	日	月	火
음력	월	5	6	7	8	9	10	11	12	13	14	15	16	17	18	19	20	21	22	23	24	25	26	27	28	29	十二	2	3	4	5	6
일진		丙寅	丁卯	庚辰	辛巳	壬午	癸未	戊申	己酉	甲戌	乙亥	丙子	丁丑	庚寅	辛卯	壬辰	癸巳	戊午	己未	甲申	乙酉	丙戌	丁亥	庚子	辛丑	壬寅	癸卯	戊辰	己巳	甲午	乙未	丙申
대운	男	8	8	8	9	9	9	芒	1	1	1	1	2	2	2	3	3	3	4	4	4	5	5	5	6	6	6	7	7	7	8	8
	女	2	2	1	1	1	1	種	10	9	9	9	8	8	8	7	7	7	6	6	6	5	5	5	4	4	4	3	3	3	2	2

서기2020년

甲午年 (三碧木星) 閏四月

1月 (1일 三碧 -) **癸未 (一白)** 절기: 小暑 (6일 06:29) 大暑 (20일 23:54)

양력		1	2	3	4	5	6	7	8	9	10	11	12	13	14	15	16	17	18	19	20	21	22	23	24	25	26	27	28	29	30	31
요일		水	木	金	土	日	月	火	水	木	金	土	日	月	火	水	木	金	土	日	月	火	水	木	金	土	日	月	火	水	木	金
음력	월	7	8	9	10	11	12	13	14	15	16	17	18	19	20	21	22	23	24	25	26	27	28	29	30	一	2	3	4	5	6	7
일진		丁酉	庚戌	辛亥	壬子	癸丑	戊寅	己卯	甲辰	乙巳	丙午	丁未	庚申	辛酉	壬戌	癸亥	戊子	己丑	甲寅	乙卯	丙辰	丁巳	庚午	辛未	壬申	癸酉	戊戌	己亥	甲子	乙丑	丙寅	丁卯
대운	男	8	9	9	9	10	小	1	1	1	1	2	2	2	3	3	3	4	4	4	5	5	5	6	6	6	7	7	7	8	8	8
	女	2	1	1	1	1	暑	9	9	9	8	8	8	7	7	7	6	6	6	5	5	5	4	4	4	3	3	3	2	2	2	1

2月 閏 (1일 八白 -) **戊申 (二黑)** 절기: 立秋 (4일 18:02) 處暑 (19일 13:56)

양력		1	2	3	4	5	6	7	8	9	10	11	12	13	14	15	16	17	18	19	20	21	22	23	24	25	26	27	28	29		
요일		土	日	月	火	水	木	金	土	日	月	火	水	木	金	土	日	月	火	水	木	金	土	日	月	火	水	木	金	土		
음력	월	8	9	10	11	12	13	14	15	16	17	18	19	20	21	22	23	24	25	26	27	28	29	30	二	2	3	4	5	6		
일진		庚辰	辛巳	壬午	癸未	戊申	己酉	甲戌	乙亥	丙子	丁丑	庚寅	辛卯	壬辰	癸巳	戊午	己未	甲申	乙酉	丙戌	丁亥	庚子	辛丑	壬寅	癸卯	戊辰	己巳	甲午	乙未	丙申		
대운	男	9	9	9	立	10	9	9	9	8	8	8	7	7	7	6	6	6	5	5	5	4	4	4	3	3	3	2	2	2		
	女	1	1	1	秋	1	1	1	1	2	2	2	3	3	3	4	4	4	5	5	5	6	6	6	7	7	7	8	8	8		

3月 (1일 六白 -) **己酉 (三碧)** 절기: 白露 (5일 11:56) 秋分 (20일 12:49)

양력		1	2	3	4	5	6	7	8	9	10	11	12	13	14	15	16	17	18	19	20	21	22	23	24	25	26	27	28	29	30	31
요일		日	月	火	水	木	金	土	日	月	火	水	木	金	土	日	月	火	水	木	金	土	日	月	火	水	木	金	土	日	月	火
음력	월	7	8	9	10	11	12	13	14	15	16	17	18	19	20	21	22	23	24	25	26	27	28	29	三	2	3	4	5	6	7	8
일진		丁酉	庚戌	辛亥	壬子	癸丑	戊寅	己卯	甲辰	乙巳	丙午	丁未	庚申	辛酉	壬戌	癸亥	戊子	己丑	甲寅	乙卯	丙辰	丁巳	庚午	辛未	壬申	癸酉	戊戌	己亥	甲子	乙丑	丙寅	丁卯
대운	男	1	1	1	1	白	10	9	9	9	8	8	8	7	7	7	6	6	6	5	5	5	4	4	4	3	3	3	2	2	2	1
	女	9	9	9	10	露	1	1	1	1	2	2	2	3	3	3	4	4	4	5	5	5	6	6	6	7	7	7	8	8	8	9

4月 (1일 二黑 -) **甲戌 (四綠)** 절기: 寒露 (4일 16:37) 霜降 (19일 23:44)

양력		1	2	3	4	5	6	7	8	9	10	11	12	13	14	15	16	17	18	19	20	21	22	23	24	25	26	27	28	29	30	
요일		水	木	金	土	日	月	火	水	木	金	土	日	月	火	水	木	金	土	日	月	火	水	木	金	土	日	月	火	水	木	
음력	월	9	10	11	12	13	14	15	16	17	18	19	20	21	22	23	24	25	26	27	28	29	30	四	2	3	4	5	6	7	8	
일진		庚辰	辛巳	壬午	癸未	戊申	己酉	甲戌	乙亥	丙子	丁丑	庚寅	辛卯	壬辰	癸巳	戊午	己未	甲申	乙酉	丙戌	丁亥	庚子	辛丑	壬寅	癸卯	戊辰	己巳	甲午	乙未	丙申	丁酉	
대운	男	1	1	1	寒	10	10	9	9	9	8	8	8	7	7	7	6	6	6	5	5	5	4	4	4	3	3	3	2	2	2	
	女	9	9	10	露	1	1	1	1	2	2	2	3	3	3	4	4	4	5	5	5	6	6	6	7	7	7	8	8	8	9	

5月 (1일 八白 -) **乙亥 (五黃)** 절기: 立冬 (5일 09:50) 小雪 (20일 22:48)

양력		1	2	3	4	5	6	7	8	9	10	11	12	13	14	15	16	17	18	19	20	21	22	23	24	25	26	27	28	29	30	31
요일		金	土	日	月	火	水	木	金	土	日	月	火	水	木	金	土	日	月	火	水	木	金	土	日	月	火	水	木	金	土	日
음력	월	9	10	11	12	13	14	15	16	17	18	19	20	21	22	23	24	25	26	27	28	29	30	閏四		3	4	5	6	7	8	9
일진		庚戌	辛亥	壬子	癸丑	戊寅	己卯	甲辰	乙巳	丙午	丁未	庚申	辛酉	壬戌	癸亥	戊子	己丑	甲寅	乙卯	丙辰	丁巳	庚午	辛未	壬申	癸酉	戊戌	己亥	甲子	乙丑	丙寅	丁卯	庚辰
대운	男	1	1	1	1	立	10	10	9	9	9	8	8	8	7	7	7	6	6	6	5	5	5	4	4	4	3	3	3	2	2	2
	女	9	9	10	10	冬	1	1	1	1	2	2	2	3	3	3	4	4	4	5	5	5	6	6	6	7	7	7	8	8	8	9

6月 (1일 四綠 -) **丙子 (六白)** 절기: 大雪 (5일 13:57) 冬至 (21일 06:43)

양력		1	2	3	4	5	6	7	8	9	10	11	12	13	14	15	16	17	18	19	20	21	22	23	24	25	26	27	28	29	30	
요일		月	火	水	木	金	土	日	月	火	水	木	金	土	日	月	火	水	木	金	土	日	月	火	水	木	金	土	日	月	火	
음력	월	10	11	12	13	14	15	16	17	18	19	20	21	22	23	24	25	26	27	28	29	五	2	3	4	5	6	7	8	9	10	
일진		辛巳	壬午	癸未	戊申	己酉	甲戌	乙亥	丙子	丁丑	庚寅	辛卯	壬辰	癸巳	戊午	己未	甲申	乙酉	丙戌	丁亥	庚子	辛丑	壬寅	癸卯	戊辰	己巳	甲午	乙未	丙申	丁酉	庚戌	
대운	男	1	1	1	1	大	10	10	10	9	9	9	8	8	8	7	7	7	6	6	6	5	5	5	4	4	4	3	3	3	2	
	女	9	9	10	10	雪	1	1	1	1	2	2	2	3	3	3	4	4	4	5	5	5	6	6	6	7	7	7	8	8	8	

7月 (1일 一白 - 20일 一白 +) **丁丑 (七赤)** 절기: 小寒(7일 00:13) 大寒(22일 17:36)

양력		1	2	3	4	5	6	7	8	9	10	11	12	13	14	15	16	17	18	19	20	21	22	23	24	25	26	27	28	29	30	31
요일		水	木	金	土	日	月	火	水	木	金	土	日	月	火	水	木	金	土	日	月	火	水	木	金	土	日	月	火	水	木	金
음력	월	11	12	13	14	15	16	17	18	19	20	21	22	23	24	25	26	27	28	29	30	六	2	3	4	5	6	7	8	9	10	11
일진		辛亥	壬子	癸丑	戊寅	己卯	甲辰	乙巳	丙午	丁未	庚申	辛酉	壬戌	癸亥	戊子	己丑	甲寅	乙卯	丙辰	丁巳	庚午	辛未	壬申	癸酉	戊戌	己亥	甲子	乙丑	丙寅	丁卯	庚辰	辛巳
대운	男	2	2	1	1	1	1	小	10	10	9	9	9	8	8	8	7	7	7	6	6	6	5	5	5	4	4	4	3	3	3	2
	女	9	9	9	10	10	10	寒	1	1	1	1	2	2	2	3	3	3	4	4	4	5	5	5	6	6	6	7	7	7	8	8

8月 (1일 四綠 +) **庚寅 (八白)** 절기: 立春(7일 10:05) 雨水(23일 00:44)

양력		1	2	3	4	5	6	7	8	9	10	11	12	13	14	15	16	17	18	19	20	21	22	23	24	25	26	27	28	29	30	31
요일		土	日	月	火	水	木	金	土	日	月	火	水	木	金	土	日	月	火	水	木	金	土	日	月	火	水	木	金	土	日	月
음력	월	12	13	14	15	16	17	18	19	20	21	22	23	24	25	26	27	28	29	七	2	3	4	5	6	7	8	9	10	11	12	13
일진		壬午	癸未	戊申	己酉	甲戌	乙亥	丙子	丁丑	庚寅	辛卯	壬辰	癸巳	戊午	己未	甲申	乙酉	丙戌	丁亥	庚子	辛丑	壬寅	癸卯	戊辰	己巳	甲午	乙未	丙申	丁酉	庚戌	辛亥	壬子
대운	男	2	2	1	1	1	1	立	10	10	9	9	9	8	8	8	7	7	7	6	6	6	5	5	5	4	4	4	3	3	3	2
	女	8	9	9	9	10	10	春	1	1	1	1	2	2	2	3	3	3	4	4	4	5	5	5	6	6	6	7	7	7	8	8

9月 (1일 八白 +) **辛卯 (九紫)** 절기: 驚蟄(7일 13:07) 春分 (22일 23:30)

양력		1	2	3	4	5	6	7	8	9	10	11	12	13	14	15	16	17	18	19	20	21	22	23	24	25	26	27	28	29	30	
요일		火	水	木	金	土	日	月	火	水	木	金	土	日	月	火	水	木	金	土	日	月	火	水	木	金	土	日	月	火	水	
음력	월	14	15	16	17	18	19	20	21	22	23	24	25	26	27	28	29	八	2	3	4	5	6	7	8	9	10	11	12	13	14	
일진		癸丑	戊寅	己卯	甲辰	乙巳	丙午	丁未	庚申	辛酉	壬戌	癸亥	戊子	己丑	甲寅	乙卯	丙辰	丁巳	庚午	辛未	壬申	癸酉	戊戌	己亥	甲子	乙丑	丙寅	丁卯	庚辰	辛巳	壬午	
대운	男	2	2	1	1	1	1	驚	10	10	9	9	9	8	8	8	7	7	7	6	6	6	5	5	5	4	4	4	3	3	3	
	女	8	9	9	9	10	10	蟄	1	1	1	1	2	2	2	3	3	3	4	4	4	5	5	5	6	6	6	7	7	7	8	

10月 (1일 二黑 +) **壬辰 (一白)** 절기: 淸明(8일 04:54) 穀雨(23일 07:59)

양력		1	2	3	4	5	6	7	8	9	10	11	12	13	14	15	16	17	18	19	20	21	22	23	24	25	26	27	28	29	30	31
요일		木	金	土	日	月	火	水	木	金	土	日	月	火	水	木	金	土	日	月	火	水	木	金	土	日	月	火	水	木	金	土
음력	월	15	16	17	18	19	20	21	22	23	24	25	26	27	28	29	30	九	2	3	4	5	6	7	8	9	10	11	12	13	14	15
일진		癸未	戊申	己酉	甲戌	乙亥	丙子	丁丑	庚寅	辛卯	壬辰	癸巳	戊午	己未	甲申	乙酉	丙戌	丁亥	庚子	辛丑	壬寅	癸卯	戊辰	己巳	甲午	乙未	丙申	丁酉	庚戌	辛亥	壬子	癸丑
대운	男	2	2	2	1	1	1	1	淸	10	9	9	9	8	8	8	7	7	7	6	6	6	5	5	5	4	4	4	3	3	3	2
	女	8	8	9	9	9	10	10	明	1	1	1	1	2	2	2	3	3	3	4	4	4	5	5	5	6	6	6	7	7	7	8

11月 (1일 六白 +) **癸巳 (二黑)** 절기: 立夏(7일 08:13) 小滿 (22일 05:39)

양력		1	2	3	4	5	6	7	8	9	10	11	12	13	14	15	16	17	18	19	20	21	22	23	24	25	26	27	28	29	30	
요일		日	月	火	水	木	金	土	日	月	火	水	木	金	土	日	月	火	水	木	金	土	日	月	火	水	木	金	土	日	月	
음력	월	16	17	18	19	20	21	22	23	24	25	26	27	28	29	十	2	3	4	5	6	7	8	9	10	11	12	13	14	15	16	
일진		戊寅	己卯	甲辰	乙巳	丙午	丁未	庚申	辛酉	壬戌	癸亥	戊子	己丑	甲寅	乙卯	丙辰	丁巳	庚午	辛未	壬申	癸酉	戊戌	己亥	甲子	乙丑	丙寅	丁卯	庚辰	辛巳	壬午	癸未	
대운	男	2	2	1	1	1	1	立	10	9	9	9	8	8	8	7	7	7	6	6	6	5	5	5	4	4	4	3	3	3	2	
	女	8	8	9	9	9	10	夏	1	1	1	1	2	2	2	3	3	3	4	4	4	5	5	5	6	6	6	7	7	7	8	

12月 (1일 九紫 +) **戊午 (三碧)** 절기: 芒種(7일 01:08) 夏至(21일 19:01)

양력		1	2	3	4	5	6	7	8	9	10	11	12	13	14	15	16	17	18	19	20	21	22	23	24	25	26	27	28	29	30	31
요일		火	水	木	金	土	日	月	火	水	木	金	土	日	月	火	水	木	金	土	日	月	火	水	木	金	土	日	月	火	水	木
음력	월	17	18	19	20	21	22	23	24	25	26	27	28	29	30	十一	2	3	4	5	6	7	8	9	10	11	12	13	14	15	16	17
일진		戊申	己酉	甲戌	乙亥	丙子	丁丑	庚寅	辛卯	壬辰	癸巳	戊午	己未	甲申	乙酉	丙戌	丁亥	庚子	辛丑	壬寅	癸卯	戊辰	己巳	甲午	乙未	丙申	丁酉	庚戌	辛亥	壬子	癸丑	戊寅
대운	男	2	2	1	1	1	1	芒	9	9	9	8	8	8	7	7	7	6	6	6	5	5	5	4	4	4	3	3	3	2	2	2
	女	8	8	9	9	9	10	種	1	1	1	1	2	2	2	3	3	3	4	4	4	5	5	5	6	6	6	7	7	7	8	8

乙未年 (四綠木星)

1月 (1일 四綠 + 16일 九紫 -) **己未 (四綠)** 절기: 小暑 (5일 12:22) 大暑 (20일 05:39)

양력		1	2	3	4	5	6	7	8	9	10	11	12	13	14	15	16	17	18	19	20	21	22	23	24	25	26	27	28	29	30	31
요일		金	土	日	月	火	水	木	金	土	日	月	火	水	木	金	土	日	月	火	水	木	金	土	日	月	火	水	木	金	土	日
음력	월	18	19	20	21	22	23	24	25	26	27	28	29	十二	2	3	4	5	6	7	8	9	10	11	12	13	14	15	16	17	18	19
일진		己卯	甲辰	乙巳	丙午	丁未	庚申	辛酉	壬戌	癸亥	戊子	己丑	甲寅	乙卯	丙辰	丁巳	庚午	辛未	壬申	癸酉	戊戌	己亥	甲子	乙丑	丙寅	丁卯	庚辰	辛巳	壬午	癸未	戊申	己酉
대운	男	1	1	1	1	小	9	9	9	8	8	8	7	7	7	6	6	6	5	5	5	4	4	4	3	3	3	2	2	2	1	1
	女	8	9	9	9	暑	1	1	1	1	2	2	2	3	3	3	4	4	4	5	5	5	6	6	6	7	7	7	8	8	8	9

2月 (1일 二黑 -) **甲申 (五黃)** 절기: 立秋 (3일 23:58) 處暑 (18일 19:43)

양력		1	2	3	4	5	6	7	8	9	10	11	12	13	14	15	16	17	18	19	20	21	22	23	24	25	26	27	28			
요일		月	火	水	木	金	土	日	月	火	水	木	金	土	日	月	火	水	木	金	土	日	月	火	水	木	金	土	日			
음력	월	20	21	22	23	24	25	26	27	28	29	30	一	2	3	4	5	6	7	8	9	10	11	12	13	14	15	16	17			
일진		甲戌	乙亥	丙子	丁丑	庚寅	辛卯	壬辰	癸巳	戊午	己未	甲申	乙酉	丙戌	丁亥	庚子	辛丑	壬寅	癸卯	戊辰	己巳	甲午	乙未	丙申	丁酉	庚戌	辛亥	壬子	癸丑			
대운	男	1	1	立	1	1	1	1	2	2	2	3	3	3	4	4	4	5	5	5	6	6	6	7	7	7	8	8	8			
	女	9	9	秋	10	9	9	9	8	8	8	7	7	7	6	6	6	5	5	5	4	4	4	3	3	3	2	2	2			

3月 (1일 一白 -) **乙酉 (六白)** 절기: 白露 (5일 17:53) 秋分 (20일 18:36)

양력		1	2	3	4	5	6	7	8	9	10	11	12	13	14	15	16	17	18	19	20	21	22	23	24	25	26	27	28	29	30	31
요일		月	火	水	木	金	土	日	月	火	水	木	金	土	日	月	火	水	木	金	土	日	月	火	水	木	金	土	日	月	火	水
음력	월	18	19	20	21	22	23	24	25	26	27	28	29	二	2	3	4	5	6	7	8	9	10	11	12	13	14	15	16	17	18	19
일진		戊寅	己卯	甲辰	乙巳	丙午	丁未	庚申	辛酉	壬戌	癸亥	戊子	己丑	甲寅	乙卯	丙辰	丁巳	庚午	辛未	壬申	癸酉	戊戌	己亥	甲子	乙丑	丙寅	丁卯	庚辰	辛巳	壬午	癸未	戊申
대운	男	9	9	9	10	白	1	1	1	1	2	2	2	3	3	3	4	4	4	5	5	5	6	6	6	7	7	7	8	8	8	9
	女	1	1	1	1	露	10	9	9	9	8	8	8	7	7	7	6	6	6	5	5	5	4	4	4	3	3	3	2	2	2	1

4月 (1일 六白 -) **丙戌 (七赤)** 절기: 寒露 (4일 22:34) 霜降 (20일 05:32)

양력		1	2	3	4	5	6	7	8	9	10	11	12	13	14	15	16	17	18	19	20	21	22	23	24	25	26	27	28	29	30	
요일		木	金	土	日	月	火	水	木	金	土	日	月	火	水	木	金	土	日	月	火	水	木	金	土	日	月	火	水	木	金	
음력	월	20	21	22	23	24	25	26	27	28	29	30	三	2	3	4	5	6	7	8	9	10	11	12	13	14	15	16	17	18	19	
일진		己酉	甲戌	乙亥	丙子	丁丑	庚寅	辛卯	壬辰	癸巳	戊午	己未	甲申	乙酉	丙戌	丁亥	庚子	辛丑	壬寅	癸卯	戊辰	己巳	甲午	乙未	丙申	丁酉	庚戌	辛亥	壬子	癸丑	戊寅	
대운	男	9	9	10	寒	1	1	1	1	2	2	2	3	3	3	4	4	4	5	5	5	6	6	6	7	7	7	8	8	8	9	
	女	1	1	1	露	10	10	9	9	9	8	8	8	7	7	7	6	6	6	5	5	5	4	4	4	3	3	3	2	2	2	

5月 (1일 三碧 -) **丁亥 (八白)** 절기: 立冬 (5일 15:46) 小雪 (21일 04:36)

양력		1	2	3	4	5	6	7	8	9	10	11	12	13	14	15	16	17	18	19	20	21	22	23	24	25	26	27	28	29	30	31
요일		土	日	月	火	水	木	金	土	日	月	火	水	木	金	土	日	月	火	水	木	金	土	日	月	火	水	木	金	土	日	月
음력	월	20	21	22	23	24	25	26	27	28	29	30	四	2	3	4	5	6	7	8	9	10	11	12	13	14	15	16	17	18	19	20
일진		己卯	甲辰	乙巳	丙午	丁未	庚申	辛酉	壬戌	癸亥	戊子	己丑	甲寅	乙卯	丙辰	丁巳	庚午	辛未	壬申	癸酉	戊戌	己亥	甲子	乙丑	丙寅	丁卯	庚辰	辛巳	壬午	癸未	戊申	己酉
대운	男	9	9	10	10	立	1	1	1	1	2	2	2	3	3	3	4	4	4	5	5	5	6	6	6	7	7	7	8	8	8	9
	女	1	1	1	1	冬	10	10	9	9	9	8	8	8	7	7	7	6	6	6	5	5	5	4	4	4	3	3	3	2	2	2

6月 (1일 八白 -) **庚子 (九紫)** 절기: 大雪 (5일 19:51) 冬至 (21일 12:31)

양력		1	2	3	4	5	6	7	8	9	10	11	12	13	14	15	16	17	18	19	20	21	22	23	24	25	26	27	28	29	30	
요일		火	水	木	金	土	日	月	火	水	木	金	土	日	月	火	水	木	金	土	日	月	火	水	木	金	土	日	月	火	水	
음력	월	21	22	23	24	25	26	27	28	29	五	2	3	4	5	6	7	8	9	10	11	12	13	14	15	16	17	18	19	20	21	
일진		甲戌	乙亥	丙子	丁丑	庚寅	辛卯	壬辰	癸巳	戊午	己未	甲申	乙酉	丙戌	丁亥	庚子	辛丑	壬寅	癸卯	戊辰	己巳	甲午	乙未	丙申	丁酉	庚戌	辛亥	壬子	癸丑	戊寅	己卯	
대운	男	9	9	10	10	大	1	1	1	1	2	2	2	3	3	3	4	4	4	5	5	5	6	6	6	7	7	7	8	8	8	
	女	1	1	1	1	雪	10	10	10	9	9	9	8	8	8	7	7	7	6	6	6	5	5	5	4	4	4	3	3	3	2	

7月 (1일 五黃 - 15일 一白 +) **辛丑 (一白)** 절기: 小寒(7일 06:04) 大寒(22일 23:25)

양력		1	2	3	4	5	6	7	8	9	10	11	12	13	14	15	16	17	18	19	20	21	22	23	24	25	26	27	28	29	30	31
요일		木	金	土	日	月	火	水	木	金	土	日	月	火	水	木	金	土	日	月	火	水	木	金	土	日	月	火	水	木	金	土
음력	월	22	23	24	25	26	27	28	29	30	六	2	3	4	5	6	7	8	9	10	11	12	13	14	15	16	17	18	19	20	21	22
일진		甲辰	乙巳	丙午	丁未	庚申	辛酉	壬戌	癸亥	戊子	己丑	甲寅	乙卯	丙辰	丁巳	庚午	辛未	壬申	癸酉	戊戌	己亥	甲子	乙丑	丙寅	丁卯	庚辰	辛巳	壬午	癸未	戊申	己酉	甲戌
대운	男	9	9	9	10	10	10	小	1	1	1	1	2	2	2	3	3	3	4	4	4	5	5	5	6	6	6	7	7	7	8	8
	女	2	2	1	1	1	1	寒	10	10	9	9	9	8	8	8	7	7	7	6	6	6	5	5	5	4	4	4	3	3	3	2

8月 (1일 九紫 +) **壬寅 (二黑)** 절기: 立春(7일 15:53) 雨水(23일 06:34)

양력		1	2	3	4	5	6	7	8	9	10	11	12	13	14	15	16	17	18	19	20	21	22	23	24	25	26	27	28	29	30	31
요일		日	月	火	水	木	金	土	日	月	火	水	木	金	土	日	月	火	水	木	金	土	日	月	火	水	木	金	土	日	月	火
음력	월	23	24	25	26	27	28	29	七	2	3	4	5	6	7	8	9	10	11	12	13	14	15	16	17	18	19	20	21	22	23	24
일진		乙亥	丙子	丁丑	庚寅	辛卯	壬辰	癸巳	戊午	己未	甲申	乙酉	丙戌	丁亥	庚子	辛丑	壬寅	癸卯	戊辰	己巳	甲午	乙未	丙申	丁酉	庚戌	辛亥	壬子	癸丑	戊寅	己卯	甲辰	乙巳
대운	男	8	9	9	9	10	10	立	1	1	1	1	2	2	2	3	3	3	4	4	4	5	5	5	6	6	6	7	7	7	8	8
	女	2	2	1	1	1	1	春	10	10	9	9	9	8	8	8	7	7	7	6	6	6	5	5	5	4	4	4	3	3	3	2

9月 (1일 四綠 +) **癸卯 (三碧)** 절기: 驚蟄(7일 18:52) 春分 (23일 04:20)

양력		1	2	3	4	5	6	7	8	9	10	11	12	13	14	15	16	17	18	19	20	21	22	23	24	25	26	27	28	29	30	
요일		水	木	金	土	日	月	火	水	木	金	土	日	月	火	水	木	金	土	日	月	火	水	木	金	土	日	月	火	水	木	
음력	월	25	26	27	28	29	30	八	2	3	4	5	6	7	8	9	10	11	12	13	14	15	16	17	18	19	20	21	22	23	24	
일진		丙午	丁未	庚申	辛酉	壬戌	癸亥	戊子	己丑	甲寅	乙卯	丙辰	丁巳	庚午	辛未	壬申	癸酉	戊戌	己亥	甲子	乙丑	丙寅	丁卯	庚辰	辛巳	壬午	癸未	戊申	己酉	甲戌	乙亥	
대운	男	8	9	9	9	10	10	驚	1	1	1	1	2	2	2	3	3	3	4	4	4	5	5	5	6	6	6	7	7	7	8	
	女	2	2	1	1	1	1	蟄	10	10	9	9	9	8	8	8	7	7	7	6	6	6	5	5	5	4	4	4	3	3	3	

10月 (1일 七赤 +) **戊辰 (四綠)** 절기: 清明(8일 10:38) 穀雨(23일 13:50)

양력		1	2	3	4	5	6	7	8	9	10	11	12	13	14	15	16	17	18	19	20	21	22	23	24	25	26	27	28	29	30	31
요일		金	土	日	月	火	水	木	金	土	日	月	火	水	木	金	土	日	月	火	水	木	金	土	日	月	火	水	木	金	土	日
음력	월	25	26	27	28	29	九	2	3	4	5	6	7	8	9	10	11	12	13	14	15	16	17	18	19	20	21	22	23	24	25	26
일진		丙子	丁丑	庚寅	辛卯	壬辰	癸巳	戊午	己未	甲申	乙酉	丙戌	丁亥	庚子	辛丑	壬寅	癸卯	戊辰	己巳	甲午	乙未	丙申	丁酉	庚戌	辛亥	壬子	癸丑	戊寅	己卯	甲辰	乙巳	丙午
대운	男	8	8	9	9	9	10	10	清	1	1	1	1	2	2	2	3	3	3	4	4	4	5	5	5	6	6	6	7	7	7	8
	女	2	2	2	1	1	1	1	明	10	9	9	9	8	8	8	7	7	7	6	6	6	5	5	5	4	4	4	3	3	3	2

11月 (1일 二黑 +) **己巳 (五黃)** 절기: 立夏(7일 13:58) 小滿 (22일 11:33)

양력		1	2	3	4	5	6	7	8	9	10	11	12	13	14	15	16	17	18	19	20	21	22	23	24	25	26	27	28	29	30	
요일		月	火	水	木	金	土	日	月	火	水	木	金	土	日	月	火	水	木	金	土	日	月	火	水	木	金	土	日	月	火	
음력	월	27	28	29	30	十	2	3	4	5	6	7	8	9	10	11	12	13	14	15	16	17	18	19	20	21	22	23	24	25	26	
일진		丁未	庚申	辛酉	壬戌	癸亥	戊子	己丑	甲寅	乙卯	丙辰	丁巳	庚午	辛未	壬申	癸酉	戊戌	己亥	甲子	乙丑	丙寅	丁卯	庚辰	辛巳	壬午	癸未	戊申	己酉	甲戌	乙亥	丙子	
대운	男	8	8	9	9	9	10	立	1	1	1	1	2	2	2	3	3	3	4	4	4	5	5	5	6	6	6	7	7	7	8	
	女	2	2	1	1	1	1	夏	10	9	9	9	8	8	8	7	7	7	6	6	6	5	5	5	4	4	4	3	3	3	2	

12月 (1일 五黃 +) **甲午 (六白)** 절기: 芒種(7일 06:56) 夏至(22일 00:58)

양력		1	2	3	4	5	6	7	8	9	10	11	12	13	14	15	16	17	18	19	20	21	22	23	24	25	26	27	28	29	30	31
요일		水	木	金	土	日	月	火	水	木	金	土	日	月	火	水	木	金	土	日	月	火	水	木	金	土	日	月	火	水	木	金
음력	월	27	28	29	十一	2	3	4	5	6	7	8	9	10	11	12	13	14	15	16	17	18	19	20	21	22	23	24	25	26	27	28
일진		丁丑	庚寅	辛卯	壬辰	癸巳	戊午	己未	甲申	乙酉	丙戌	丁亥	庚子	辛丑	壬寅	癸卯	戊辰	己巳	甲午	乙未	丙申	丁酉	庚戌	辛亥	壬子	癸丑	戊寅	己卯	甲辰	乙巳	丙午	丁未
대운	男	8	8	9	9	9	10	芒	1	1	1	1	2	2	2	3	3	3	4	4	4	5	5	5	6	6	6	7	7	7	8	8
	女	2	2	1	1	1	1	種	9	9	9	8	8	8	7	7	7	6	6	6	5	5	5	4	4	4	3	3	3	2	2	2

서기2022년

丙申年 (五黃土星)

1月 (1일 九紫 + 11일 九紫 -) **乙未 (七赤)** 절기: 小暑 (5일 18:13) 大暑 (20일 11:38)

양력		1	2	3	4	5	6	7	8	9	10	11	12	13	14	15	16	17	18	19	20	21	22	23	24	25	26	27	28	29	30	31
요일		土	日	月	火	水	木	金	土	日	月	火	水	木	金	土	日	月	火	水	木	金	土	日	月	火	水	木	金	土	日	月
음력	월	29	30	十二	2	3	4	5	6	7	8	9	10	11	12	13	14	15	16	17	18	19	20	21	22	23	24	25	26	27	28	29
일진		庚申	辛酉	壬戌	癸亥	戊子	己丑	甲寅	乙卯	丙辰	丁巳	庚午	辛未	壬申	癸酉	戊戌	己亥	甲子	乙丑	丙寅	丁卯	庚辰	辛巳	壬午	癸未	戊申	己酉	甲戌	乙亥	丙子	丁丑	庚寅
대운	男	8	9	9	9	小	1	1	1	1	2	2	2	3	3	3	4	4	4	5	5	5	6	6	6	7	7	7	8	8	8	9
	女	1	1	1	1	暑	10	9	9	9	8	8	8	7	7	7	6	6	6	5	5	5	4	4	4	3	3	3	2	2	2	1

2月 (1일 六白 -) **丙申 (八白)** 절기: 立秋 (4일 05:50) 處暑 (19일 01:42)

양력		1	2	3	4	5	6	7	8	9	10	11	12	13	14	15	16	17	18	19	20	21	22	23	24	25	26	27	28			
요일		火	水	木	金	土	日	月	火	水	木	金	土	日	月	火	水	木	金	土	日	月	火	水	木	金	土	日	月			
음력	월	一	2	3	4	5	6	7	8	9	10	11	12	13	14	15	16	17	18	19	20	21	22	23	24	25	26	27	28			
일진		辛卯	壬辰	癸巳	戊午	己未	甲申	乙酉	丙戌	丁亥	庚子	辛丑	壬寅	癸卯	戊辰	己巳	甲午	乙未	丙申	丁酉	庚戌	辛亥	壬子	癸丑	戊寅	己卯	甲辰	乙巳	丙午			
대운	男	9	9	10	立	9	9	9	8	8	8	7	7	7	6	6	6	5	5	5	4	4	4	3	3	3	2	2	2			
	女	1	1	1	秋	1	1	1	1	2	2	2	3	3	3	4	4	4	5	5	5	6	6	6	7	7	7	8	8			

3月 (1일 五黃 -) **丁酉 (九紫)** 절기: 白露 (5일 23:43) 秋分 (21일 00:32)

양력		1	2	3	4	5	6	7	8	9	10	11	12	13	14	15	16	17	18	19	20	21	22	23	24	25	26	27	28	29	30	31
요일		火	水	木	金	土	日	月	火	水	木	金	土	日	月	火	水	木	金	土	日	月	火	水	木	金	土	日	月	火	水	木
음력	월	29	30	二	2	3	4	5	6	7	8	9	10	11	12	13	14	15	16	17	18	19	20	21	22	23	24	25	26	27	28	29
일진		丁未	庚申	辛酉	壬戌	癸亥	戊子	己丑	甲寅	乙卯	丙辰	丁巳	庚午	辛未	壬申	癸酉	戊戌	己亥	甲子	乙丑	丙寅	丁卯	庚辰	辛巳	壬午	癸未	戊申	己酉	甲戌	乙亥	丙子	丁丑
대운	男	1	1	1	1	白	10	10	9	9	9	8	8	8	7	7	7	6	6	6	5	5	5	4	4	4	3	3	3	2	2	2
	女	8	9	9	9	露	1	1	1	1	2	2	2	3	3	3	4	4	4	5	5	5	6	6	6	7	7	7	8	8	8	9

4月 (1일 一白 -) **庚戌 (一白)** 절기: 寒露 (5일 04:19) 霜降 (20일 11:23)

양력		1	2	3	4	5	6	7	8	9	10	11	12	13	14	15	16	17	18	19	20	21	22	23	24	25	26	27	28	29	30	
요일		金	土	日	月	火	水	木	金	土	日	月	火	水	木	金	土	日	月	火	水	木	金	土	日	月	火	水	木	金	土	
음력	월	三	2	3	4	5	6	7	8	9	10	11	12	13	14	15	16	17	18	19	20	21	22	23	24	25	26	27	28	29	30	
일진		庚寅	辛卯	壬辰	癸巳	戊午	己未	甲申	乙酉	丙戌	丁亥	庚子	辛丑	壬寅	癸卯	戊辰	己巳	甲午	乙未	丙申	丁酉	庚戌	辛亥	壬子	癸丑	戊寅	己卯	甲辰	乙巳	丙午	丁未	
대운	男	1	1	1	1	寒	10	9	9	9	8	8	8	7	7	7	6	6	6	5	5	5	4	4	4	3	3	3	2	2	2	
	女	9	9	10	10	露	1	1	1	1	2	2	2	3	3	3	4	4	4	5	5	5	6	6	6	7	7	7	8	8	8	

5月 (1일 七赤 -) **辛亥 (二黑)** 절기: 立冬 (5일 21:25) 小雪 (21일 10:22)

양력		1	2	3	4	5	6	7	8	9	10	11	12	13	14	15	16	17	18	19	20	21	22	23	24	25	26	27	28	29	30	31
요일		日	月	火	水	木	金	土	日	月	火	水	木	金	土	日	月	火	水	木	金	土	日	月	火	水	木	金	土	日	月	火
음력	월	四	2	3	4	5	6	7	8	9	10	11	12	13	14	15	16	17	18	19	20	21	22	23	24	25	26	27	28	29	五	2
일진		庚申	辛酉	壬戌	癸亥	戊子	己丑	甲寅	乙卯	丙辰	丁巳	庚午	辛未	壬申	癸酉	戊戌	己亥	甲子	乙丑	丙寅	丁卯	庚辰	辛巳	壬午	癸未	戊申	己酉	甲戌	乙亥	丙子	丁丑	庚寅
대운	男	1	1	1	1	立	10	10	10	9	9	9	8	8	8	7	7	7	6	6	6	5	5	5	4	4	4	3	3	3	2	2
	女	9	9	9	10	冬	1	1	1	1	2	2	2	3	3	3	4	4	4	5	5	5	6	6	6	7	7	7	8	8	8	9

6月 (1일 三碧 -) **壬子 (三碧)** 절기: 大雪 (6일 01:25) 冬至 (21일 18:13)

양력		1	2	3	4	5	6	7	8	9	10	11	12	13	14	15	16	17	18	19	20	21	22	23	24	25	26	27	28	29	30	
요일		水	木	金	土	日	月	火	水	木	金	土	日	月	火	水	木	金	土	日	月	火	水	木	金	土	日	月	火	水	木	
음력	월	3	4	5	6	7	8	9	10	11	12	13	14	15	16	17	18	19	20	21	22	23	24	25	26	27	28	29	30	六	2	
일진		辛卯	壬辰	癸巳	戊午	己未	甲申	乙酉	丙戌	丁亥	庚子	辛丑	壬寅	癸卯	戊辰	己巳	甲午	乙未	丙申	丁酉	庚戌	辛亥	壬子	癸丑	戊寅	己卯	甲辰	乙巳	丙午	丁未	庚申	
대운	男	2	1	1	1	1	大	10	10	9	9	9	8	8	8	7	7	7	6	6	6	5	5	5	4	4	4	3	3	3	2	
	女	9	9	10	10	10	雪	1	1	1	1	2	2	2	3	3	3	4	4	4	5	5	5	6	6	6	7	7	7	8	8	

7月 (1일 九紫 - 10일 一白 +) **癸丑 (四綠)** 절기: 小寒(7일 11:37) 大寒(23일 05:06)

양력		1	2	3	4	5	6	7	8	9	10	11	12	13	14	15	16	17	18	19	20	21	22	23	24	25	26	27	28	29	30	31
요일		金	土	日	月	火	水	木	金	土	日	月	火	水	木	金	土	日	月	火	水	木	金	土	日	月	火	水	木	金	土	日
음력	월	3	4	5	6	7	8	9	10	11	12	13	14	15	16	17	18	19	20	21	22	23	24	25	26	27	28	29	30	七	2	3
일진		辛酉	壬戌	癸亥	戊子	己丑	甲寅	乙卯	丙辰	丁巳	庚午	辛未	壬申	癸酉	戊戌	己亥	甲子	乙丑	丙寅	丁卯	庚辰	辛巳	壬午	癸未	戊申	己酉	甲戌	乙亥	丙子	丁丑	庚寅	辛卯
대운	男	2	2	1	1	1	1	小	10	10	9	9	9	8	8	8	7	7	7	6	6	6	5	5	5	4	4	4	3	3	3	2
	女	8	9	9	9	10	10	寒	1	1	1	1	2	2	2	3	3	3	4	4	4	5	5	5	6	6	6	7	7	7	8	8

8月 (1일 五黃 +) **戊寅 (五黃)** 절기: 立春(7일 21:28) 雨水(23일 12:15)

양력		1	2	3	4	5	6	7	8	9	10	11	12	13	14	15	16	17	18	19	20	21	22	23	24	25	26	27	28	29	30	31
요일		月	火	水	木	金	土	日	月	火	水	木	金	土	日	月	火	水	木	金	土	日	月	火	水	木	金	土	日	月	火	水
음력	월	4	5	6	7	8	9	10	11	12	13	14	15	16	17	18	19	20	21	22	23	24	25	26	27	28	29	八	2	3	4	5
일진		壬辰	癸巳	戊午	己未	甲申	乙酉	丙戌	丁亥	庚子	辛丑	壬寅	癸卯	戊辰	己巳	甲午	乙未	丙申	丁酉	庚戌	辛亥	壬子	癸丑	戊寅	己卯	甲辰	乙巳	丙午	丁未	庚申	辛酉	壬戌
대운	男	2	2	1	1	1	1	立	10	10	10	9	9	9	8	8	8	7	7	7	6	6	6	5	5	5	4	4	4	3	3	3
	女	8	9	9	9	10	10	春	1	1	1	1	2	2	2	3	3	3	4	4	4	5	5	5	6	6	6	7	7	7	8	8

9月 (1일 九紫 +) **己卯 (六白)** 절기: 驚蟄(8일 00:31) 春分 (23일 10:03)

양력		1	2	3	4	5	6	7	8	9	10	11	12	13	14	15	16	17	18	19	20	21	22	23	24	25	26	27	28	29	30	
요일		木	金	土	日	月	火	水	木	金	土	日	月	火	水	木	金	土	日	月	火	水	木	金	土	日	月	火	水	木	金	
음력	월	6	7	8	9	10	11	12	13	14	15	16	17	18	19	20	21	22	23	24	25	26	27	28	29	30	九	2	3	4	5	
일진		癸亥	戊子	己丑	甲寅	乙卯	丙辰	丁巳	庚午	辛未	壬申	癸酉	戊戌	己亥	甲子	乙丑	丙寅	丁卯	庚辰	辛巳	壬午	癸未	戊申	己酉	甲戌	乙亥	丙子	丁丑	庚寅	辛卯	壬辰	
대운	男	2	2	2	1	1	1	1	驚	10	9	9	9	8	8	8	7	7	7	6	6	6	5	5	5	4	4	4	3	3	3	
	女	8	9	9	9	10	10	10	蟄	1	1	1	1	2	2	2	3	3	3	4	4	4	5	5	5	6	6	6	7	7	7	

10月 (1일 三碧 +) **甲辰 (七赤)** 절기: 清明(8일 16:21) 穀雨(23일 19:35)

양력		1	2	3	4	5	6	7	8	9	10	11	12	13	14	15	16	17	18	19	20	21	22	23	24	25	26	27	28	29	30	31
요일		土	日	月	火	水	木	金	土	日	月	火	水	木	金	土	日	月	火	水	木	金	土	日	月	火	水	木	金	土	日	月
음력	월	6	7	8	9	10	11	12	13	14	15	16	17	18	19	20	21	22	23	24	25	26	27	28	29	十	2	3	4	5	6	7
일진		癸巳	戊午	己未	甲申	乙酉	丙戌	丁亥	庚子	辛丑	壬寅	癸卯	戊辰	己巳	甲午	乙未	丙申	丁酉	庚戌	辛亥	壬子	癸丑	戊寅	己卯	甲辰	乙巳	丙午	丁未	庚申	辛酉	壬戌	癸亥
대운	男	2	2	2	1	1	1	1	清	10	9	9	9	8	8	8	7	7	7	6	6	6	5	5	5	4	4	4	3	3	3	2
	女	8	8	8	9	9	9	10	明	1	1	1	1	2	2	2	3	3	3	4	4	4	5	5	5	6	6	6	7	7	7	8

11月 (1일 七赤 +) **乙巳 (八白)** 절기: 立夏(7일 19:44) 小滿 (22일 17:19)

양력		1	2	3	4	5	6	7	8	9	10	11	12	13	14	15	16	17	18	19	20	21	22	23	24	25	26	27	28	29	30	
요일		火	水	木	金	土	日	月	火	水	木	金	土	日	月	火	水	木	金	土	日	月	火	水	木	金	土	日	月	火	水	
음력	월	8	9	10	11	12	13	14	15	16	17	18	19	20	21	22	23	24	25	26	27	28	29	30	十一	2	3	4	5	6	7	
일진		戊子	己丑	甲寅	乙卯	丙辰	丁巳	庚午	辛未	壬申	癸酉	戊戌	己亥	甲子	乙丑	丙寅	丁卯	庚辰	辛巳	壬午	癸未	戊申	己酉	甲戌	乙亥	丙子	丁丑	庚寅	辛卯	壬辰	癸巳	
대운	男	2	2	1	1	1	1	立	10	9	9	9	8	8	8	7	7	7	6	6	6	5	5	5	4	4	4	3	3	3	2	
	女	8	8	9	9	9	10	夏	1	1	1	1	2	2	2	3	3	3	4	4	4	5	5	5	6	6	6	7	7	7	8	

12月 (1일 一白 +) **丙午 (九紫)** 절기: 芒種(7일 12:45) 夏至(22일 06:47)

양력		1	2	3	4	5	6	7	8	9	10	11	12	13	14	15	16	17	18	19	20	21	22	23	24	25	26	27	28	29	30	31
요일		木	金	土	日	月	火	水	木	金	土	日	月	火	水	木	金	土	日	月	火	水	木	金	土	日	月	火	水	木	金	土
음력	월	8	9	10	11	12	13	14	15	16	17	18	19	20	21	22	23	24	25	26	27	28	29	十二	2	3	4	5	6	7	8	9
일진		戊午	己未	甲申	乙酉	丙戌	丁亥	庚子	辛丑	壬寅	癸卯	戊辰	己巳	甲午	乙未	丙申	丁酉	庚戌	辛亥	壬子	癸丑	戊寅	己卯	甲辰	乙巳	丙午	丁未	庚申	辛酉	壬戌	癸亥	戊子
대운	男	2	2	1	1	1	1	芒	10	9	9	9	8	8	8	7	7	7	6	6	6	5	5	5	4	4	4	3	3	3	2	2
	女	8	8	9	9	9	10	種	1	1	1	1	2	2	2	3	3	3	4	4	4	5	5	5	6	6	6	7	7	7	8	8

서기2023년

丁酉年 (六白金星) 閏二月

1月 (1일 五黃 + 6일 九紫 -) **丁未 (一白)** 절기: 小暑 (6일 00:04) 大暑 (20일 17:28)

양력		1	2	3	4	5	6	7	8	9	10	11	12	13	14	15	16	17	18	19	20	21	22	23	24	25	26	27	28	29	30	31
요일		日	月	火	水	木	金	土	日	月	火	水	木	金	土	日	月	火	水	木	金	土	日	月	火	水	木	金	土	日	月	火
음력	월	10	11	12	13	14	15	16	17	18	19	20	21	22	23	24	25	26	27	28	29	30	一	2	3	4	5	6	7	8	9	10
일진		己丑	甲寅	乙卯	丙辰	丁巳	庚午	辛未	壬申	癸酉	戊戌	己亥	甲子	乙丑	丙寅	丁卯	庚辰	辛巳	壬午	癸未	戊申	己酉	甲戌	乙亥	丙子	丁丑	庚寅	辛卯	壬辰	癸巳	戊午	己未
대운	男	2	1	1	1	1	小	9	9	9	8	8	8	7	7	7	6	6	6	5	5	5	4	4	4	3	3	3	2	2	2	1
	女	8	9	9	9	10	暑	1	1	1	1	2	2	2	3	3	3	4	4	4	5	5	5	6	6	6	7	7	7	8	8	8

2月 (1일 一白 -) **庚申 (二黑)** 절기: 立秋 (4일 11:41) 處暑 (19일 07:33)

양력		1	2	3	4	5	6	7	8	9	10	11	12	13	14	15	16	17	18	19	20	21	22	23	24	25	26	27	28			
요일		水	木	金	土	日	月	火	水	木	金	土	日	月	火	水	木	金	土	日	月	火	水	木	金	土	日	月	火			
음력	월	11	12	13	14	15	16	17	18	19	20	21	22	23	24	25	26	27	28	29	二	2	3	4	5	6	7	8	9			
일진		甲申	乙酉	丙戌	丁亥	庚子	辛丑	壬寅	癸卯	戊辰	己巳	甲午	乙未	丙申	丁酉	庚戌	辛亥	壬子	癸丑	戊寅	己卯	甲辰	乙巳	丙午	丁未	庚申	辛酉	壬戌	癸亥			
대운	男	1	1	1	立	1	1	1	1	2	2	2	3	3	3	4	4	4	5	5	5	6	6	6	7	7	7	8	8			
	女	9	9	9	秋	10	9	9	9	8	8	8	7	7	7	6	6	6	5	5	5	4	4	4	3	3	3	2	2			

3月 (1일 九紫 -) **辛酉 (三碧)** 절기: 白露 (6일 05:35) 秋分 (21일 06:23)

양력		1	2	3	4	5	6	7	8	9	10	11	12	13	14	15	16	17	18	19	20	21	22	23	24	25	26	27	28	29	30	31
요일		水	木	金	土	日	月	火	水	木	金	土	日	月	火	水	木	金	土	日	月	火	水	木	金	土	日	月	火	水	木	金
음력	월	10	11	12	13	14	15	16	17	18	19	20	21	22	23	24	25	26	27	28	29	30	閏二		3	4	5	6	7	8	9	10
일진		戊子	己丑	甲寅	乙卯	丙辰	丁巳	庚午	辛未	壬申	癸酉	戊戌	己亥	甲子	乙丑	丙寅	丁卯	庚辰	辛巳	壬午	癸未	戊申	己酉	甲戌	乙亥	丙子	丁丑	庚寅	辛卯	壬辰	癸巳	戊午
대운	男	8	9	9	9	10	白	1	1	1	1	2	2	2	3	3	3	4	4	4	5	5	5	6	6	6	7	7	7	8	8	8
	女	2	1	1	1	1	露	10	9	9	9	8	8	8	7	7	7	6	6	6	5	5	5	4	4	4	3	3	3	2	2	2

4月 (1일 五黃 -) **壬戌 (四綠)** 절기: 寒露 (5일 10:12) 霜降 (20일 17:13)

양력		1	2	3	4	5	6	7	8	9	10	11	12	13	14	15	16	17	18	19	20	21	22	23	24	25	26	27	28	29	30
요일		土	日	月	火	水	木	金	土	日	月	火	水	木	金	土	日	月	火	水	木	金	土	日	月	火	水	木	金	土	日
음력	월	11	12	13	14	15	16	17	18	19	20	21	22	23	24	25	26	27	28	29	三	2	3	4	5	6	7	8	9	10	11
일진		己未	甲申	乙酉	丙戌	丁亥	庚子	辛丑	壬寅	癸卯	戊辰	己巳	甲午	乙未	丙申	丁酉	庚戌	辛亥	壬子	癸丑	戊寅	己卯	甲辰	乙巳	丙午	丁未	庚申	辛酉	壬戌	癸亥	戊子
대운	男	9	9	9	10	寒	1	1	1	1	2	2	2	3	3	3	4	4	4	5	5	5	6	6	6	7	7	7	8	8	8
	女	1	1	1	1	露	10	10	9	9	9	8	8	8	7	7	7	6	6	6	5	5	5	4	4	4	3	3	3	2	2

5月 (1일 二黑 -) **癸亥 (五黃)** 절기: 立冬 (6일 03:18) 小雪 (21일 16:08)

양력		1	2	3	4	5	6	7	8	9	10	11	12	13	14	15	16	17	18	19	20	21	22	23	24	25	26	27	28	29	30	31
요일		月	火	水	木	金	土	日	月	火	水	木	金	土	日	月	火	水	木	金	土	日	月	火	水	木	金	土	日	月	火	水
음력	월	12	13	14	15	16	17	18	19	20	21	22	23	24	25	26	27	28	29	30	四	2	3	4	5	6	7	8	9	10	11	12
일진		己丑	甲寅	乙卯	丙辰	丁巳	庚午	辛未	壬申	癸酉	戊戌	己亥	甲子	乙丑	丙寅	丁卯	庚辰	辛巳	壬午	癸未	戊申	己酉	甲戌	乙亥	丙子	丁丑	庚寅	辛卯	壬辰	癸巳	戊午	己未
대운	男	9	9	9	10	10	立	1	1	1	1	2	2	2	3	3	3	4	4	4	5	5	5	6	6	6	7	7	7	8	8	8
	女	2	1	1	1	1	冬	10	10	9	9	9	8	8	8	7	7	7	6	6	6	5	5	5	4	4	4	3	3	3	2	2

6月 (1일 七赤 -) **戊子 (六白)** 절기: 大雪 (6일 07:17) 冬至 (21일 23:57)

양력		1	2	3	4	5	6	7	8	9	10	11	12	13	14	15	16	17	18	19	20	21	22	23	24	25	26	27	28	29	30
요일		木	金	土	日	月	火	水	木	金	土	日	月	火	水	木	金	土	日	月	火	水	木	金	土	日	月	火	水	木	金
음력	월	13	14	15	16	17	18	19	20	21	22	23	24	25	26	27	28	29	五	2	3	4	5	6	7	8	9	10	11	12	13
일진		甲申	乙酉	丙戌	丁亥	庚子	辛丑	壬寅	癸卯	戊辰	己巳	甲午	乙未	丙申	丁酉	庚戌	辛亥	壬子	癸丑	戊寅	己卯	甲辰	乙巳	丙午	丁未	庚申	辛酉	壬戌	癸亥	戊子	己丑
대운	男	9	9	9	10	10	大	1	1	1	1	2	2	2	3	3	3	4	4	4	5	5	5	6	6	6	7	7	7	8	8
	女	2	1	1	1	1	雪	10	10	9	9	9	8	8	8	7	7	7	6	6	6	5	5	5	4	4	4	3	3	3	2

7月 (1일 四綠 - 5일 一白 +) **己丑 (七赤)** 절기: 小寒(7일 17:30) 大寒(23일 10:49)

양력		1	2	3	4	5	6	7	8	9	10	11	12	13	14	15	16	17	18	19	20	21	22	23	24	25	26	27	28	29	30	31
요일		土	日	月	火	水	木	金	土	日	月	火	水	木	金	土	日	月	火	水	木	金	土	日	月	火	水	木	金	土	日	月
음력	월	14	15	16	17	18	19	20	21	22	23	24	25	26	27	28	29	30	六	2	3	4	5	6	7	8	9	10	11	12	13	14
일진		甲寅	乙卯	丙辰	丁巳	庚午	辛未	壬申	癸酉	戊戌	己亥	甲子	乙丑	丙寅	丁卯	庚辰	辛巳	壬午	癸未	戊申	己酉	甲戌	乙亥	丙子	丁丑	庚寅	辛卯	壬辰	癸巳	戊午	己未	甲申
대운	男	8	9	9	9	10	10	小	1	1	1	1	2	2	2	3	3	3	4	4	4	5	5	5	6	6	6	7	7	7	8	8
	女	2	2	1	1	1	1	寒	10	10	10	9	9	9	8	8	8	7	7	7	6	6	6	5	5	5	4	4	4	3	3	3

8月 (1일 一白 +) **甲寅 (八白)** 절기: 立春(8일 03:22) 雨水(23일 18:00)

양력		1	2	3	4	5	6	7	8	9	10	11	12	13	14	15	16	17	18	19	20	21	22	23	24	25	26	27	28	29	30	31
요일		火	水	木	金	土	日	月	火	水	木	金	土	日	月	火	水	木	金	土	日	月	火	水	木	金	土	日	月	火	水	木
음력	월	15	16	17	18	19	20	21	22	23	24	25	26	27	28	29	七	2	3	4	5	6	7	8	9	10	11	12	13	14	15	16
일진		乙酉	丙戌	丁亥	庚子	辛丑	壬寅	癸卯	戊辰	己巳	甲午	乙未	丙申	丁酉	庚戌	辛亥	壬子	癸丑	戊寅	己卯	甲辰	乙巳	丙午	丁未	庚申	辛酉	壬戌	癸亥	戊子	己丑	甲寅	乙卯
대운	男	8	9	9	9	10	10	10	立	1	1	1	1	2	2	2	3	3	3	4	4	4	5	5	5	6	6	6	7	7	7	8
	女	2	2	2	1	1	1	1	春	10	10	9	9	9	8	8	8	7	7	7	6	6	6	5	5	5	4	4	4	3	3	3

9月 (1일 五黃 +) **乙卯 (九紫)** 절기: 驚蟄(8일 06:26) 春分 (23일 15:49)

양력		1	2	3	4	5	6	7	8	9	10	11	12	13	14	15	16	17	18	19	20	21	22	23	24	25	26	27	28	29	30	
요일		金	土	日	月	火	水	木	金	土	日	月	火	水	木	金	土	日	月	火	水	木	金	土	日	月	火	水	木	金	土	
음력	월	17	18	19	20	21	22	23	24	25	26	27	28	29	30	八	2	3	4	5	6	7	8	9	10	11	12	13	14	15	16	
일진		丙辰	丁巳	庚午	辛未	壬申	癸酉	戊戌	己亥	甲子	乙丑	丙寅	丁卯	庚辰	辛巳	壬午	癸未	戊申	己酉	甲戌	乙亥	丙子	丁丑	庚寅	辛卯	壬辰	癸巳	戊午	己未	甲申	乙酉	
대운	男	8	8	9	9	9	10	10	驚	1	1	1	1	2	2	2	3	3	3	4	4	4	5	5	5	6	6	6	7	7	7	
	女	2	2	2	1	1	1	1	蟄	10	9	9	9	8	8	8	7	7	7	6	6	6	5	5	5	4	4	4	3	3	3	

10月 (1일 八白 +) **丙辰 (一白)** 절기: 清明(8일 22:14) 穀雨(24일 01:20)

양력		1	2	3	4	5	6	7	8	9	10	11	12	13	14	15	16	17	18	19	20	21	22	23	24	25	26	27	28	29	30	31
요일		日	月	火	水	木	金	土	日	月	火	水	木	金	土	日	月	火	水	木	金	土	日	月	火	水	木	金	土	日	月	火
음력	월	17	18	19	20	21	22	23	24	25	26	27	28	29	30	九	2	3	4	5	6	7	8	9	10	11	12	13	14	15	16	17
일진		丙戌	丁亥	庚子	辛丑	壬寅	癸卯	戊辰	己巳	甲午	乙未	丙申	丁酉	庚戌	辛亥	壬子	癸丑	戊寅	己卯	甲辰	乙巳	丙午	丁未	庚申	辛酉	壬戌	癸亥	戊子	己丑	甲寅	乙卯	丙辰
대운	男	8	8	8	9	9	9	10	清	1	1	1	1	2	2	2	3	3	3	4	4	4	5	5	5	6	6	6	7	7	7	8
	女	2	2	2	1	1	1	1	明	10	10	9	9	9	8	8	8	7	7	7	6	6	6	5	5	5	4	4	4	3	3	3

11月 (1일 三碧 +) **丁巳 (二黑)** 절기: 立夏(8일 01:35) 小滿 (22일 23:02)

양력		1	2	3	4	5	6	7	8	9	10	11	12	13	14	15	16	17	18	19	20	21	22	23	24	25	26	27	28	29	30	
요일		水	木	金	土	日	月	火	水	木	金	土	日	月	火	水	木	金	土	日	月	火	水	木	金	土	日	月	火	水	木	
음력	월	18	19	20	21	22	23	24	25	26	27	28	29	十	2	3	4	5	6	7	8	9	10	11	12	13	14	15	16	17	18	
일진		丁巳	庚午	辛未	壬申	癸酉	戊戌	己亥	甲子	乙丑	丙寅	丁卯	庚辰	辛巳	壬午	癸未	戊申	己酉	甲戌	乙亥	丙子	丁丑	庚寅	辛卯	壬辰	癸巳	戊午	己未	甲申	乙酉	丙戌	
대운	男	8	8	9	9	9	10	10	立	1	1	1	1	2	2	2	3	3	3	4	4	4	5	5	5	6	6	6	7	7	7	
	女	2	2	2	1	1	1	1	夏	9	9	9	8	8	8	7	7	7	6	6	6	5	5	5	4	4	4	3	3	3	2	

12月 (1일 六白 +) **庚午 (三碧)** 절기: 芒種(7일 18:32) 夏至(22일 12:26)

양력		1	2	3	4	5	6	7	8	9	10	11	12	13	14	15	16	17	18	19	20	21	22	23	24	25	26	27	28	29	30	31
요일		金	土	日	月	火	水	木	金	土	日	月	火	水	木	金	土	日	月	火	水	木	金	土	日	月	火	水	木	金	土	日
음력	월	19	20	21	22	23	24	25	26	27	28	29	30	十一	2	3	4	5	6	7	8	9	10	11	12	13	14	15	16	17	18	19
일진		丁亥	庚子	辛丑	壬寅	癸卯	戊辰	己巳	甲午	乙未	丙申	丁酉	庚戌	辛亥	壬子	癸丑	戊寅	己卯	甲辰	乙巳	丙午	丁未	庚申	辛酉	壬戌	癸亥	戊子	己丑	甲寅	乙卯	丙辰	丁巳
대운	男	8	8	8	9	9	9	芒	1	1	1	1	2	2	2	3	3	3	4	4	4	5	5	5	6	6	6	7	7	7	8	8
	女	2	2	1	1	1	1	種	10	9	9	9	8	8	8	7	7	7	6	6	6	5	5	5	4	4	4	3	3	3	2	2

庚戌年 (七赤金星)

1月 (1일 九紫 -) **辛未 (四綠)** 절기: 小暑 (6일 05:48) 大暑 (20일 23:06)

양력		1	2	3	4	5	6	7	8	9	10	11	12	13	14	15	16	17	18	19	20	21	22	23	24	25	26	27	28	29	30	31
요일		月	火	水	木	金	土	日	月	火	水	木	金	土	日	月	火	水	木	金	土	日	月	火	水	木	金	土	日	月	火	水
음력	월	20	21	22	23	24	25	26	27	28	29	十二	2	3	4	5	6	7	8	9	10	11	12	13	14	15	16	17	18	19	20	21
일진		庚午	辛未	壬申	癸酉	戊戌	己亥	甲子	乙丑	丙寅	丁卯	庚辰	辛巳	壬午	癸未	戊申	己酉	甲戌	乙亥	丙子	丁丑	庚寅	辛卯	壬辰	癸巳	戊午	己未	甲申	乙酉	丙戌	丁亥	庚子
대운	男	8	9	9	9	10	小	1	1	1	1	2	2	2	3	3	3	4	4	4	5	5	5	6	6	6	7	7	7	8	8	8
	女	2	1	1	1	1	暑	9	9	9	8	8	8	7	7	7	6	6	6	5	5	5	4	4	4	3	3	3	2	2	2	1

2月 閏 (1일 五黃 -) **壬申 (五黃)** 절기: 立秋 (4일 17:26) 處暑 (19일 13:12)

양력		1	2	3	4	5	6	7	8	9	10	11	12	13	14	15	16	17	18	19	20	21	22	23	24	25	26	27	28	29		
요일		木	金	土	日	月	火	水	木	金	土	日	月	火	水	木	金	土	日	月	火	水	木	金	土	日	月	火	水	木		
음력	월	22	23	24	25	26	27	28	29	30	一	2	3	4	5	6	7	8	9	10	11	12	13	14	15	16	17	18	19	20		
일진		辛丑	壬寅	癸卯	戊辰	己巳	甲午	乙未	丙申	丁酉	庚戌	辛亥	壬子	癸丑	戊寅	己卯	甲辰	乙巳	丙午	丁未	庚申	辛酉	壬戌	癸亥	戊子	己丑	甲寅	乙卯	丙辰	丁巳		
대운	男	9	9	9	立	10	9	9	9	8	8	8	7	7	7	6	6	6	5	5	5	4	4	4	3	3	3	2	2	2		
	女	1	1	1	秋	1	1	1	1	2	2	2	3	3	3	4	4	4	5	5	5	6	6	6	7	7	7	8	8	8		

3月 (1일 三碧 -) **癸酉 (六白)** 절기: 白露 (5일 11:22) 秋分 (20일 12:05)

양력		1	2	3	4	5	6	7	8	9	10	11	12	13	14	15	16	17	18	19	20	21	22	23	24	25	26	27	28	29	30	31
요일		金	土	日	月	火	水	木	金	土	日	月	火	水	木	金	土	日	月	火	水	木	金	土	日	月	火	水	木	金	土	日
음력	월	21	22	23	24	25	26	27	28	29	二	2	3	4	5	6	7	8	9	10	11	12	13	14	15	16	17	18	19	20	21	22
일진		庚午	辛未	壬申	癸酉	戊戌	己亥	甲子	乙丑	丙寅	丁卯	庚辰	辛巳	壬午	癸未	戊申	己酉	甲戌	乙亥	丙子	丁丑	庚寅	辛卯	壬辰	癸巳	戊午	己未	甲申	乙酉	丙戌	丁亥	庚子
대운	男	1	1	1	1	白	10	9	9	9	8	8	8	7	7	7	6	6	6	5	5	5	4	4	4	3	3	3	2	2	2	1
	女	9	9	9	10	露	1	1	1	1	2	2	2	3	3	3	4	4	4	5	5	5	6	6	6	7	7	7	8	8	8	9

4月 (1일 八白 -) **戊戌 (七赤)** 절기: 寒露 (4일 16:01) 霜降 (19일 22:59)

양력		1	2	3	4	5	6	7	8	9	10	11	12	13	14	15	16	17	18	19	20	21	22	23	24	25	26	27	28	29	30	
요일		月	火	水	木	金	土	日	月	火	水	木	金	土	日	月	火	水	木	金	土	日	月	火	水	木	金	土	日	月	火	
음력	월	23	24	25	26	27	28	29	30	三	2	3	4	5	6	7	8	9	10	11	12	13	14	15	16	17	18	19	20	21	22	
일진		辛丑	壬寅	癸卯	戊辰	己巳	甲午	乙未	丙申	丁酉	庚戌	辛亥	壬子	癸丑	戊寅	己卯	甲辰	乙巳	丙午	丁未	庚申	辛酉	壬戌	癸亥	戊子	己丑	甲寅	乙卯	丙辰	丁巳	庚午	
대운	男	1	1	1	寒	10	10	9	9	9	8	8	8	7	7	7	6	6	6	5	5	5	4	4	4	3	3	3	2	2	2	
	女	9	9	10	露	1	1	1	1	2	2	2	3	3	3	4	4	4	5	5	5	6	6	6	7	7	7	8	8	8	9	

5月 (1일 五黃 -) **己亥 (八白)** 절기: 立冬 (5일 09:09) 小雪 (20일 21:58)

양력		1	2	3	4	5	6	7	8	9	10	11	12	13	14	15	16	17	18	19	20	21	22	23	24	25	26	27	28	29	30	31
요일		水	木	金	土	日	月	火	水	木	金	土	日	月	火	水	木	金	土	日	月	火	水	木	金	土	日	月	火	水	木	金
음력	월	23	24	25	26	27	28	29	四	2	3	4	5	6	7	8	9	10	11	12	13	14	15	16	17	18	19	20	21	22	23	24
일진		辛未	壬申	癸酉	戊戌	己亥	甲子	乙丑	丙寅	丁卯	庚辰	辛巳	壬午	癸未	戊申	己酉	甲戌	乙亥	丙子	丁丑	庚寅	辛卯	壬辰	癸巳	戊午	己未	甲申	乙酉	丙戌	丁亥	庚子	辛丑
대운	男	1	1	1	1	立	10	10	9	9	9	8	8	8	7	7	7	6	6	6	5	5	5	4	4	4	3	3	3	2	2	2
	女	9	9	10	10	冬	1	1	1	1	2	2	2	3	3	3	4	4	4	5	5	5	6	6	6	7	7	7	8	8	8	9

6月 (1일 一白 - 29일 一白 +) **甲子 (九紫)** 절기: 大雪 (5일 13:09) 冬至 (21일 05:50)

양력		1	2	3	4	5	6	7	8	9	10	11	12	13	14	15	16	17	18	19	20	21	22	23	24	25	26	27	28	29	30	
요일		土	日	月	火	水	木	金	土	日	月	火	水	木	金	土	日	月	火	水	木	金	土	日	月	火	水	木	金	土	日	
음력	월	25	26	27	28	29	五	2	3	4	5	6	7	8	9	10	11	12	13	14	15	16	17	18	19	20	21	22	23	24	25	
일진		壬寅	癸卯	戊辰	己巳	甲午	乙未	丙申	丁酉	庚戌	辛亥	壬子	癸丑	戊寅	己卯	甲辰	乙巳	丙午	丁未	庚申	辛酉	壬戌	癸亥	戊子	己丑	甲寅	乙卯	丙辰	丁巳	庚午	辛未	
대운	男	1	1	1	1	大	10	10	9	9	9	8	8	8	7	7	7	6	6	6	5	5	5	4	4	4	3	3	3	2	2	
	女	9	9	10	10	雪	1	1	1	1	2	2	2	3	3	3	4	4	4	5	5	5	6	6	6	7	7	7	8	8	8	

7月 (1일 三碧 +) **乙丑 (一白)** 절기: 小寒(6일 23:19) 大寒(22일 16:43)

양력		1	2	3	4	5	6	7	8	9	10	11	12	13	14	15	16	17	18	19	20	21	22	23	24	25	26	27	28	29	30	31
요일		月	火	水	木	金	土	日	月	火	水	木	金	土	日	月	火	水	木	金	土	日	月	火	水	木	金	土	日	月	火	水
음력	월	26	27	28	29	30	六	2	3	4	5	6	7	8	9	10	11	12	13	14	15	16	17	18	19	20	21	22	23	24	25	26
일진		壬申	癸酉	戊戌	己亥	甲子	乙丑	丙寅	丁卯	庚辰	辛巳	壬午	癸未	戊申	己酉	甲戌	乙亥	丙子	丁丑	庚寅	辛卯	壬辰	癸巳	戊午	己未	甲申	乙酉	丙戌	丁亥	庚子	辛丑	壬寅
대운	男	2	1	1	1	1	小	10	10	10	9	9	9	8	8	8	7	7	7	6	6	6	5	5	5	4	4	4	3	3	3	2
	女	9	9	9	10	10	寒	1	1	1	1	2	2	2	3	3	3	4	4	4	5	5	5	6	6	6	7	7	7	8	8	8

8月 (1일 七赤 +) **丙寅 (二黑)** 절기: 立春(7일 09:08) 雨水(22일 23:54)

양력		1	2	3	4	5	6	7	8	9	10	11	12	13	14	15	16	17	18	19	20	21	22	23	24	25	26	27	28	29	30	31
요일		木	金	土	日	月	火	水	木	金	土	日	月	火	水	木	金	土	日	月	火	水	木	金	土	日	月	火	水	木	金	土
음력	월	27	28	29	七	2	3	4	5	6	7	8	9	10	11	12	13	14	15	16	17	18	19	20	21	22	23	24	25	26	27	28
일진		癸卯	戊辰	己巳	甲午	乙未	丙申	丁酉	庚戌	辛亥	壬子	癸丑	戊寅	己卯	甲辰	乙巳	丙午	丁未	庚申	辛酉	壬戌	癸亥	戊子	己丑	甲寅	乙卯	丙辰	丁巳	庚午	辛未	壬申	癸酉
대운	男	2	2	1	1	1	1	立	10	10	9	9	9	8	8	8	7	7	7	6	6	6	5	5	5	4	4	4	3	3	3	2
	女	9	9	9	10	10	10	春	1	1	1	1	2	2	2	3	3	3	4	4	4	5	5	5	6	6	6	7	7	7	8	8

9月 (1일 二黑 +) **丁卯 (三碧)** 절기: 驚蟄(7일 12:10) 春分 (22일 21:43)

양력		1	2	3	4	5	6	7	8	9	10	11	12	13	14	15	16	17	18	19	20	21	22	23	24	25	26	27	28	29	30	
요일		日	月	火	水	木	金	土	日	月	火	水	木	金	土	日	月	火	水	木	金	土	日	月	火	水	木	金	土	日	月	
음력	월	29	30	八	2	3	4	5	6	7	8	9	10	11	12	13	14	15	16	17	18	19	20	21	22	23	24	25	26	27	28	
일진		戊戌	己亥	甲子	乙丑	丙寅	丁卯	庚辰	辛巳	壬午	癸未	戊申	己酉	甲戌	乙亥	丙子	丁丑	庚寅	辛卯	壬辰	癸巳	戊午	己未	甲申	乙酉	丙戌	丁亥	庚子	辛丑	壬寅	癸卯	
대운	男	2	2	1	1	1	1	驚	10	10	9	9	9	8	8	8	7	7	7	6	6	6	5	5	5	4	4	4	3	3	3	
	女	8	9	9	9	10	10	蟄	1	1	1	1	2	2	2	3	3	3	4	4	4	5	5	5	6	6	6	7	7	7	8	

10月 (1일 五黃 +) **庚辰 (四綠)** 절기: 淸明(8일 03:59) 穀雨(23일 07:14)

양력		1	2	3	4	5	6	7	8	9	10	11	12	13	14	15	16	17	18	19	20	21	22	23	24	25	26	27	28	29	30	31
요일		火	水	木	金	土	日	月	火	水	木	金	土	日	月	火	水	木	金	土	日	月	火	水	木	金	土	日	月	火	水	木
음력	월	29	30	九	2	3	4	5	6	7	8	9	10	11	12	13	14	15	16	17	18	19	20	21	22	23	24	25	26	27	28	29
일진		戊辰	己巳	甲午	乙未	丙申	丁酉	庚戌	辛亥	壬子	癸丑	戊寅	己卯	甲辰	乙巳	丙午	丁未	庚申	辛酉	壬戌	癸亥	戊子	己丑	甲寅	乙卯	丙辰	丁巳	庚午	辛未	壬申	癸酉	戊戌
대운	男	2	2	2	1	1	1	1	淸	10	9	9	9	8	8	8	7	7	7	6	6	6	5	5	5	4	4	4	3	3	3	2
	女	8	8	9	9	9	10	10	明	1	1	1	1	2	2	2	3	3	3	4	4	4	5	5	5	6	6	6	7	7	7	8

11月 (1일 九紫 +) **辛巳 (五黃)** 절기: 立夏(7일 07:19) 小滿 (22일 04:55)

양력		1	2	3	4	5	6	7	8	9	10	11	12	13	14	15	16	17	18	19	20	21	22	23	24	25	26	27	28	29	30	
요일		金	土	日	月	火	水	木	金	土	日	月	火	水	木	金	土	日	月	火	水	木	金	土	日	月	火	水	木	金	土	
음력	월	十	2	3	4	5	6	7	8	9	10	11	12	13	14	15	16	17	18	19	20	21	22	23	24	25	26	27	28	29	30	
일진		己亥	甲子	乙丑	丙寅	丁卯	庚辰	辛巳	壬午	癸未	戊申	己酉	甲戌	乙亥	丙子	丁丑	庚寅	辛卯	壬辰	癸巳	戊午	己未	甲申	乙酉	丙戌	丁亥	庚子	辛丑	壬寅	癸卯	戊辰	
대운	男	2	2	1	1	1	1	立	10	9	9	9	8	8	8	7	7	7	6	6	6	5	5	5	4	4	4	3	3	3	2	
	女	8	8	9	9	9	10	夏	1	1	1	1	2	2	2	3	3	3	4	4	4	5	5	5	6	6	6	7	7	7	8	

12月 (1일 三碧 + 26일 九紫 -) **壬午 (六白)** 절기: 芒種(7일 00:16) 夏至(21일 18:19)

양력		1	2	3	4	5	6	7	8	9	10	11	12	13	14	15	16	17	18	19	20	21	22	23	24	25	26	27	28	29	30	31
요일		日	月	火	水	木	金	土	日	月	火	水	木	金	土	日	月	火	水	木	金	土	日	月	火	水	木	金	土	日	月	火
음력	월	十一	2	3	4	5	6	7	8	9	10	11	12	13	14	15	16	17	18	19	20	21	22	23	24	25	26	27	28	29	30	十二
일진		己巳	甲午	乙未	丙申	丁酉	庚戌	辛亥	壬子	癸丑	戊寅	己卯	甲辰	乙巳	丙午	丁未	庚申	辛酉	壬戌	癸亥	戊子	己丑	甲寅	乙卯	丙辰	丁巳	庚午	辛未	壬申	癸酉	戊戌	己亥
대운	男	2	2	1	1	1	1	芒	9	9	9	8	8	8	7	7	7	6	6	6	5	5	5	4	4	4	3	3	3	2	2	2
	女	8	8	9	9	9	10	種	1	1	1	1	2	2	2	3	3	3	4	4	4	5	5	5	6	6	6	7	7	7	8	8

서기2025년

辛亥年 (八白土星) 閏六月

1月 (1일 三碧 -) **癸未 (七赤)** 절기: 小暑 (5일 11:32) 大暑 (20일 04:59)

양력		1	2	3	4	5	6	7	8	9	10	11	12	13	14	15	16	17	18	19	20	21	22	23	24	25	26	27	28	29	30	31
요일		水	木	金	土	日	月	火	水	木	金	土	日	月	火	水	木	金	土	日	月	火	水	木	金	土	日	月	火	水	木	金
음력	월	2	3	4	5	6	7	8	9	10	11	12	13	14	15	16	17	18	19	20	21	22	23	24	25	26	27	28	29	一	2	3
일진		甲子	乙丑	丙寅	丁卯	庚辰	辛巳	壬午	癸未	戊申	己酉	甲戌	乙亥	丙子	丁丑	庚寅	辛卯	壬辰	癸巳	戊午	己未	甲申	乙酉	丙戌	丁亥	庚子	辛丑	壬寅	癸卯	戊辰	己巳	甲午
대운	男	1	1	1	1	小	9	9	9	8	8	8	7	7	7	6	6	6	5	5	5	4	4	4	3	3	3	2	2	2	1	1
	女	8	9	9	9	暑	1	1	1	1	2	2	2	3	3	3	4	4	4	5	5	5	6	6	6	7	7	7	8	8	8	9

2月 (1일 八白 -) **戊申 (八白)** 절기: 立秋 (3일 23:09) 處暑 (18일 19:05)

양력		1	2	3	4	5	6	7	8	9	10	11	12	13	14	15	16	17	18	19	20	21	22	23	24	25	26	27	28			
요일		土	日	月	火	水	木	金	土	日	月	火	水	木	金	土	日	月	火	水	木	金	土	日	月	火	水	木	金			
음력	월	4	5	6	7	8	9	10	11	12	13	14	15	16	17	18	19	20	21	22	23	24	25	26	27	28	29	30	二			
일진		乙未	丙申	丁酉	庚戌	辛亥	壬子	癸丑	戊寅	己卯	甲辰	乙巳	丙午	丁未	庚申	辛酉	壬戌	癸亥	戊子	己丑	甲寅	乙卯	丙辰	丁巳	庚午	辛未	壬申	癸酉	戊戌			
대운	男	1	1	立	1	1	1	1	2	2	2	3	3	3	4	4	4	5	5	5	6	6	6	7	7	7	8	8	8			
	女	9	9	秋	10	9	9	9	8	8	8	7	7	7	6	6	6	5	5	5	4	4	4	3	3	3	2	2	2			

3月 (1일 七赤 -) **己酉 (九紫)** 절기: 白露 (5일 17:06) 秋分 (20일 18:00)

양력		1	2	3	4	5	6	7	8	9	10	11	12	13	14	15	16	17	18	19	20	21	22	23	24	25	26	27	28	29	30	31
요일		土	日	月	火	水	木	金	土	日	月	火	水	木	金	土	日	月	火	水	木	金	土	日	月	火	水	木	金	土	日	月
음력	월	2	3	4	5	6	7	8	9	10	11	12	13	14	15	16	17	18	19	20	21	22	23	24	25	26	27	28	29	三	2	3
일진		己亥	甲子	乙丑	丙寅	丁卯	庚辰	辛巳	壬午	癸未	戊申	己酉	甲戌	乙亥	丙子	丁丑	庚寅	辛卯	壬辰	癸巳	戊午	己未	甲申	乙酉	丙戌	丁亥	庚子	辛丑	壬寅	癸卯	戊辰	己巳
대운	男	9	9	9	10	白	1	1	1	1	2	2	2	3	3	3	4	4	4	5	5	5	6	6	6	7	7	7	8	8	8	9
	女	1	1	1	1	露	10	9	9	9	8	8	8	7	7	7	6	6	6	5	5	5	4	4	4	3	3	3	2	2	2	1

4月 (1일 三碧 -) **甲戌 (一白)** 절기: 寒露 (4일 21:47) 霜降 (20일 04:55)

양력		1	2	3	4	5	6	7	8	9	10	11	12	13	14	15	16	17	18	19	20	21	22	23	24	25	26	27	28	29	30	
요일		火	水	木	金	土	日	月	火	水	木	金	土	日	月	火	水	木	金	土	日	月	火	水	木	金	土	日	月	火	水	
음력	월	4	5	6	7	8	9	10	11	12	13	14	15	16	17	18	19	20	21	22	23	24	25	26	27	28	29	30	四	2	3	
일진		甲午	乙未	丙申	丁酉	庚戌	辛亥	壬子	癸丑	戊寅	己卯	甲辰	乙巳	丙午	丁未	庚申	辛酉	壬戌	癸亥	戊子	己丑	甲寅	乙卯	丙辰	丁巳	庚午	辛未	壬申	癸酉	戊戌	己亥	
대운	男	9	9	10	寒	1	1	1	1	2	2	2	3	3	3	4	4	4	5	5	5	6	6	6	7	7	7	8	8	8	9	
	女	1	1	1	露	10	10	9	9	9	8	8	8	7	7	7	6	6	6	5	5	5	4	4	4	3	3	3	2	2	2	

5月 (1일 九紫 -) **乙亥 (二黑)** 절기: 立冬 (5일 14:56) 小雪 (21일 03:54)

양력		1	2	3	4	5	6	7	8	9	10	11	12	13	14	15	16	17	18	19	20	21	22	23	24	25	26	27	28	29	30	31
요일		木	金	土	日	月	火	水	木	金	土	日	月	火	水	木	金	土	日	月	火	水	木	金	土	日	月	火	水	木	金	土
음력	월	4	5	6	7	8	9	10	11	12	13	14	15	16	17	18	19	20	21	22	23	24	25	26	27	28	29	五	2	3	4	5
일진		甲子	乙丑	丙寅	丁卯	庚辰	辛巳	壬午	癸未	戊申	己酉	甲戌	乙亥	丙子	丁丑	庚寅	辛卯	壬辰	癸巳	戊午	己未	甲申	乙酉	丙戌	丁亥	庚子	辛丑	壬寅	癸卯	戊辰	己巳	甲午
대운	男	9	9	10	10	立	1	1	1	1	2	2	2	3	3	3	4	4	4	5	5	5	6	6	6	7	7	7	8	8	8	9
	女	1	1	1	1	冬	10	10	9	9	9	8	8	8	7	7	7	6	6	6	5	5	5	4	4	4	3	3	3	2	2	2

6月 (1일 五黃 - 24일 一白 +) **丙子 (三碧)** 절기: 大雪 (5일 18:55) 冬至 (21일 11:41)

양력		1	2	3	4	5	6	7	8	9	10	11	12	13	14	15	16	17	18	19	20	21	22	23	24	25	26	27	28	29	30	
요일		日	月	火	水	木	金	土	日	月	火	水	木	金	土	日	月	火	水	木	金	土	日	月	火	水	木	金	土	日	月	
음력	월	6	7	8	9	10	11	12	13	14	15	16	17	18	19	20	21	22	23	24	25	26	27	28	29	六	2	3	4	5	6	
일진		乙未	丙申	丁酉	庚戌	辛亥	壬子	癸丑	戊寅	己卯	甲辰	乙巳	丙午	丁未	庚申	辛酉	壬戌	癸亥	戊子	己丑	甲寅	乙卯	丙辰	丁巳	庚午	辛未	壬申	癸酉	戊戌	己亥	甲子	
대운	男	9	9	10	10	大	1	1	1	1	2	2	2	3	3	3	4	4	4	5	5	5	6	6	6	7	7	7	8	8	8	
	女	1	1	1	1	雪	10	10	10	9	9	9	8	8	8	7	7	7	6	6	6	5	5	5	4	4	4	3	3	3	2	

7月 (1일 八白 +) **丁丑 (四綠)** 절기: 小寒(7일 05:04) 大寒(22일 22:28)

양력		1	2	3	4	5	6	7	8	9	10	11	12	13	14	15	16	17	18	19	20	21	22	23	24	25	26	27	28	29	30	31
요일		火	水	木	金	土	日	月	火	水	木	金	土	日	月	火	水	木	金	土	日	月	火	水	木	金	土	日	月	火	水	木
음력	월	7	8	9	10	11	12	13	14	15	16	17	18	19	20	21	22	23	24	25	26	27	28	29	30	閏六		3	4	5	6	7
일진		乙丑	丙寅	丁卯	庚辰	辛巳	壬午	癸未	戊申	己酉	甲戌	乙亥	丙子	丁丑	庚寅	辛卯	壬辰	癸巳	戊午	己未	甲申	乙酉	丙戌	丁亥	庚子	辛丑	壬寅	癸卯	戊辰	己巳	甲午	乙未
대운	男	9	9	9	10	10	10	小	1	1	1	1	2	2	2	3	3	3	4	4	4	5	5	5	6	6	6	7	7	7	8	8
	女	2	2	1	1	1	1	寒	10	10	9	9	9	8	8	8	7	7	7	6	6	6	5	5	5	4	4	4	3	3	3	2

8月 (1일 三碧 +) **庚寅 (五黃)** 절기: 立春(7일 14:50) 雨水(23일 05:33)

양력		1	2	3	4	5	6	7	8	9	10	11	12	13	14	15	16	17	18	19	20	21	22	23	24	25	26	27	28	29	30	31
요일		金	土	日	月	火	水	木	金	土	日	月	火	水	木	金	土	日	月	火	水	木	金	土	日	月	火	水	木	金	土	日
음력	월	8	9	10	11	12	13	14	15	16	17	18	19	20	21	22	23	24	25	26	27	28	29	七	2	3	4	5	6	7	8	9
일진		丙申	丁酉	庚戌	辛亥	壬子	癸丑	戊寅	己卯	甲辰	乙巳	丙午	丁未	庚申	辛酉	壬戌	癸亥	戊子	己丑	甲寅	乙卯	丙辰	丁巳	庚午	辛未	壬申	癸酉	戊戌	己亥	甲子	乙丑	丙寅
대운	男	8	9	9	9	10	10	立	1	1	1	1	2	2	2	3	3	3	4	4	4	5	5	5	6	6	6	7	7	7	8	8
	女	2	2	1	1	1	1	春	10	10	9	9	9	8	8	8	7	7	7	6	6	6	5	5	5	4	4	4	3	3	3	2

9月 (1일 七赤 +) **辛卯 (六白)** 절기: 驚蟄(7일 17:51) 春分 (23일 03:18)

양력		1	2	3	4	5	6	7	8	9	10	11	12	13	14	15	16	17	18	19	20	21	22	23	24	25	26	27	28	29	30	
요일		月	火	水	木	金	土	日	月	火	水	木	金	土	日	月	火	水	木	金	土	日	月	火	水	木	金	土	日	月	火	
음력	월	10	11	12	13	14	15	16	17	18	19	20	21	22	23	24	25	26	27	28	29	30	八	2	3	4	5	6	7	8	9	
일진		丁卯	庚辰	辛巳	壬午	癸未	戊申	己酉	甲戌	乙亥	丙子	丁丑	庚寅	辛卯	壬辰	癸巳	戊午	己未	甲申	乙酉	丙戌	丁亥	庚子	辛丑	壬寅	癸卯	戊辰	己巳	甲午	乙未	丙申	
대운	男	8	9	9	9	10	10	驚	1	1	1	1	2	2	2	3	3	3	4	4	4	5	5	5	6	6	6	7	7	7	8	
	女	2	2	1	1	1	1	蟄	10	10	9	9	9	8	8	8	7	7	7	6	6	6	5	5	5	4	4	4	3	3	3	

10月 (1일 一白 +) **壬辰 (七赤)** 절기: 清明(8일 09:40) 穀雨(23일 12:50)

양력		1	2	3	4	5	6	7	8	9	10	11	12	13	14	15	16	17	18	19	20	21	22	23	24	25	26	27	28	29	30	31
요일		水	木	金	土	日	月	火	水	木	金	土	日	月	火	水	木	金	土	日	月	火	水	木	金	土	日	月	火	水	木	金
음력	월	10	11	12	13	14	15	16	17	18	19	20	21	22	23	24	25	26	27	28	29	九	2	3	4	5	6	7	8	9	10	11
일진		丁酉	庚戌	辛亥	壬子	癸丑	戊寅	己卯	甲辰	乙巳	丙午	丁未	庚申	辛酉	壬戌	癸亥	戊子	己丑	甲寅	乙卯	丙辰	丁巳	庚午	辛未	壬申	癸酉	戊戌	己亥	甲子	乙丑	丙寅	丁卯
대운	男	8	8	9	9	9	10	10	清	1	1	1	1	2	2	2	3	3	3	4	4	4	5	5	5	6	6	6	7	7	7	8
	女	2	2	2	1	1	1	1	明	10	9	9	9	8	8	8	7	7	7	6	6	6	5	5	5	4	4	4	3	3	3	2

11月 (1일 五黃 +) **癸巳 (八白)** 절기: 立夏(7일 13:03) 小滿 (22일 10:34)

양력		1	2	3	4	5	6	7	8	9	10	11	12	13	14	15	16	17	18	19	20	21	22	23	24	25	26	27	28	29	30	
요일		土	日	月	火	水	木	金	土	日	月	火	水	木	金	土	日	月	火	水	木	金	土	日	月	火	水	木	金	土	日	
음력	월	12	13	14	15	16	17	18	19	20	21	22	23	24	25	26	27	28	29	30	十	2	3	4	5	6	7	8	9	10	11	
일진		庚辰	辛巳	壬午	癸未	戊申	己酉	甲戌	乙亥	丙子	丁丑	庚寅	辛卯	壬辰	癸巳	戊午	己未	甲申	乙酉	丙戌	丁亥	庚子	辛丑	壬寅	癸卯	戊辰	己巳	甲午	乙未	丙申	丁酉	
대운	男	8	8	9	9	9	10	立	1	1	1	1	2	2	2	3	3	3	4	4	4	5	5	5	6	6	6	7	7	7	8	
	女	2	2	1	1	1	1	夏	10	9	9	9	8	8	8	7	7	7	6	6	6	5	5	5	4	4	4	3	3	3	2	

12月 (1일 八白 + 21일 九紫 -) **戊午 (九紫)** 절기: 芒種(7일 06:03) 夏至(22일 00:02)

양력		1	2	3	4	5	6	7	8	9	10	11	12	13	14	15	16	17	18	19	20	21	22	23	24	25	26	27	28	29	30	31
요일		月	火	水	木	金	土	日	月	火	水	木	金	土	日	月	火	水	木	金	土	日	月	火	水	木	金	土	日	月	火	水
음력	월	12	13	14	15	16	17	18	19	20	21	22	23	24	25	26	27	28	29	30	十一	2	3	4	5	6	7	8	9	10	11	12
일진		庚戌	辛亥	壬子	癸丑	戊寅	己卯	甲辰	乙巳	丙午	丁未	庚申	辛酉	壬戌	癸亥	戊子	己丑	甲寅	乙卯	丙辰	丁巳	庚午	辛未	壬申	癸酉	戊戌	己亥	甲子	乙丑	丙寅	丁卯	庚辰
대운	男	8	8	9	9	9	10	芒	1	1	1	1	2	2	2	3	3	3	4	4	4	5	5	5	6	6	6	7	7	7	8	8
	女	2	2	1	1	1	1	種	9	9	9	8	8	8	7	7	7	6	6	6	5	5	5	4	4	4	3	3	3	2	2	2

서기2026년

壬子年 (九紫火星)

1月 (1일 七赤 -) **己未 (一白)** 절기: 小暑 (5일 17:22) 大暑 (20일 10:44)

양력		1	2	3	4	5	6	7	8	9	10	11	12	13	14	15	16	17	18	19	20	21	22	23	24	25	26	27	28	29	30	31
요일		木	金	土	日	月	火	水	木	金	土	日	月	火	水	木	金	土	日	月	火	水	木	金	土	日	月	火	水	木	金	土
음력	월	13	14	15	16	17	18	19	20	21	22	23	24	25	26	27	28	29	30	十二	2	3	4	5	6	7	8	9	10	11	12	13
일진		辛巳	壬午	癸未	戊申	己酉	甲戌	乙亥	丙子	丁丑	庚寅	辛卯	壬辰	癸巳	戊午	己未	甲申	乙酉	丙戌	丁亥	庚子	辛丑	壬寅	癸卯	戊辰	己巳	甲午	乙未	丙申	丁酉	庚戌	辛亥
대운	男	8	9	9	9	小	1	1	1	1	2	2	2	3	3	3	4	4	4	5	5	5	6	6	6	7	7	7	8	8	8	9
	女	1	1	1	1	暑	10	9	9	9	8	8	8	7	7	7	6	6	6	5	5	5	4	4	4	3	3	3	2	2	2	1

2月 (1일 三碧 -) **甲申 (二黑)** 절기: 立秋 (4일 05:01) 處暑 (19일 00:51)

양력		1	2	3	4	5	6	7	8	9	10	11	12	13	14	15	16	17	18	19	20	21	22	23	24	25	26	27	28			
요일		日	月	火	水	木	金	土	日	月	火	水	木	金	土	日	月	火	水	木	金	土	日	月	火	水	木	金	土			
음력	월	14	15	16	17	18	19	20	21	22	23	24	25	26	27	28	29	一	2	3	4	5	6	7	8	9	10	11	12			
일진		壬子	癸丑	戊寅	己卯	甲辰	乙巳	丙午	丁未	庚申	辛酉	壬戌	癸亥	戊子	己丑	甲寅	乙卯	丙辰	丁巳	庚午	辛未	壬申	癸酉	戊戌	己亥	甲子	乙丑	丙寅	丁卯			
대운	男	9	9	10	立	9	9	9	8	8	8	7	7	7	6	6	6	5	5	5	4	4	4	3	3	3	2	2	2			
	女	1	1	1	秋	1	1	1	1	2	2	2	3	3	3	4	4	4	5	5	5	6	6	6	7	7	7	8	8			

3月 (1일 二黑 -) **乙酉 (三碧)** 절기: 白露 (5일 22:58) 秋分 (20일 23:45)

양력		1	2	3	4	5	6	7	8	9	10	11	12	13	14	15	16	17	18	19	20	21	22	23	24	25	26	27	28	29	30	31
요일		日	月	火	水	木	金	土	日	月	火	水	木	金	土	日	月	火	水	木	金	土	日	月	火	水	木	金	土	日	月	火
음력	월	13	14	15	16	17	18	19	20	21	22	23	24	25	26	27	28	29	30	二	2	3	4	5	6	7	8	9	10	11	12	13
일진		庚辰	辛巳	壬午	癸未	戊申	己酉	甲戌	乙亥	丙子	丁丑	庚寅	辛卯	壬辰	癸巳	戊午	己未	甲申	乙酉	丙戌	丁亥	庚子	辛丑	壬寅	癸卯	戊辰	己巳	甲午	乙未	丙申	丁酉	庚戌
대운	男	1	1	1	1	白	10	10	9	9	9	8	8	8	7	7	7	6	6	6	5	5	5	4	4	4	3	3	3	2	2	2
	女	8	9	9	9	露	1	1	1	1	2	2	2	3	3	3	4	4	4	5	5	5	6	6	6	7	7	7	8	8	8	9

4月 (1일 七赤 -) **丙戌 (四綠)** 절기: 寒露 (5일 03:39) 霜降 (20일 10:38)

양력		1	2	3	4	5	6	7	8	9	10	11	12	13	14	15	16	17	18	19	20	21	22	23	24	25	26	27	28	29	30	
요일		水	木	金	土	日	月	火	水	木	金	土	日	月	火	水	木	金	土	日	月	火	水	木	金	土	日	月	火	水	木	
음력	월	14	15	16	17	18	19	20	21	22	23	24	25	26	27	28	29	三	2	3	4	5	6	7	8	9	10	11	12	13	14	
일진		辛亥	壬子	癸丑	戊寅	己卯	甲辰	乙巳	丙午	丁未	庚申	辛酉	壬戌	癸亥	戊子	己丑	甲寅	乙卯	丙辰	丁巳	庚午	辛未	壬申	癸酉	戊戌	己亥	甲子	乙丑	丙寅	丁卯	庚辰	
대운	男	1	1	1	1	寒	10	9	9	9	8	8	8	7	7	7	6	6	6	5	5	5	4	4	4	3	3	3	2	2	2	
	女	9	9	10	10	露	1	1	1	1	2	2	2	3	3	3	4	4	4	5	5	5	6	6	6	7	7	7	8	8	8	

5月 (1일 四綠 -) **丁亥 (五黃)** 절기: 立冬 (5일 20:48) 小雪 (21일 09:30)

양력		1	2	3	4	5	6	7	8	9	10	11	12	13	14	15	16	17	18	19	20	21	22	23	24	25	26	27	28	29	30	31
요일		金	土	日	月	火	水	木	金	土	日	月	火	水	木	金	土	日	月	火	水	木	金	土	日	月	火	水	木	金	土	日
음력	월	15	16	17	18	19	20	21	22	23	24	25	26	27	28	29	30	四	2	3	4	5	6	7	8	9	10	11	12	13	14	15
일진		辛巳	壬午	癸未	戊申	己酉	甲戌	乙亥	丙子	丁丑	庚寅	辛卯	壬辰	癸巳	戊午	己未	甲申	乙酉	丙戌	丁亥	庚子	辛丑	壬寅	癸卯	戊辰	己巳	甲午	乙未	丙申	丁酉	庚戌	辛亥
대운	男	1	1	1	1	立	10	10	10	9	9	9	8	8	8	7	7	7	6	6	6	5	5	5	4	4	4	3	3	3	2	2
	女	9	9	9	10	冬	1	1	1	1	2	2	2	3	3	3	4	4	4	5	5	5	6	6	6	7	7	7	8	8	8	9

6月 (1일 九紫 - 19일 一白 +) **庚子 (六白)** 절기: 大雪 (6일 00:47) 冬至 (21일 17:23)

양력		1	2	3	4	5	6	7	8	9	10	11	12	13	14	15	16	17	18	19	20	21	22	23	24	25	26	27	28	29	30	
요일		月	火	水	木	金	土	日	月	火	水	木	金	土	日	月	火	水	木	金	土	日	月	火	水	木	金	土	日	月	火	
음력	월	16	17	18	19	20	21	22	23	24	25	26	27	28	29	五	2	3	4	5	6	7	8	9	10	11	12	13	14	15	16	
일진		壬子	癸丑	戊寅	己卯	甲辰	乙巳	丙午	丁未	庚申	辛酉	壬戌	癸亥	戊子	己丑	甲寅	乙卯	丙辰	丁巳	庚午	辛未	壬申	癸酉	戊戌	己亥	甲子	乙丑	丙寅	丁卯	庚辰	辛巳	
대운	男	2	1	1	1	1	大	10	10	9	9	9	8	8	8	7	7	7	6	6	6	5	5	5	4	4	4	3	3	3	2	
	女	9	9	10	10	10	雪	1	1	1	1	2	2	2	3	3	3	4	4	4	5	5	5	6	6	6	7	7	7	8	8	

7月 (1일 四綠 +) **辛丑 (七赤)** 절기: 小寒(7일 10:56) 大寒(23일 04:12)

양력	1	2	3	4	5	6	7	8	9	10	11	12	13	14	15	16	17	18	19	20	21	22	23	24	25	26	27	28	29	30	31
요일	水	木	金	土	日	月	火	水	木	金	土	日	月	火	水	木	金	土	日	月	火	水	木	金	土	日	月	火	水	木	金
음력 월	17	18	19	20	21	22	23	24	25	26	27	28	29	六	2	3	4	5	6	7	8	9	10	11	12	13	14	15	16	17	18
일진	壬午	癸未	戊申	己酉	甲戌	乙亥	丙子	丁丑	庚寅	辛卯	壬辰	癸巳	戊午	己未	甲申	乙酉	丙戌	丁亥	庚子	辛丑	壬寅	癸卯	戊辰	己巳	甲午	乙未	丙申	丁酉	庚戌	辛亥	壬子
대운 男	2	2	1	1	1	1	小	10	10	9	9	9	8	8	8	7	7	7	6	6	6	5	5	5	4	4	4	3	3	3	2
대운 女	8	9	9	9	10	10	寒	1	1	1	1	2	2	2	3	3	3	4	4	4	5	5	5	6	6	6	7	7	7	8	8

8月 (1일 八白 +) **壬寅 (八白)** 절기: 立春(7일 20:42) 雨水(23일 11:18)

양력	1	2	3	4	5	6	7	8	9	10	11	12	13	14	15	16	17	18	19	20	21	22	23	24	25	26	27	28	29	30	31
요일	土	日	月	火	水	木	金	土	日	月	火	水	木	金	土	日	月	火	水	木	金	土	日	月	火	水	木	金	土	日	月
음력 월	19	20	21	22	23	24	25	26	27	28	29	30	七	2	3	4	5	6	7	8	9	10	11	12	13	14	15	16	17	18	19
일진	癸丑	戊寅	己卯	甲辰	乙巳	丙午	丁未	庚申	辛酉	壬戌	癸亥	戊子	己丑	甲寅	乙卯	丙辰	丁巳	庚午	辛未	壬申	癸酉	戊戌	己亥	甲子	乙丑	丙寅	丁卯	庚辰	辛巳	壬午	癸未
대운 男	2	2	1	1	1	1	立	10	10	9	9	9	8	8	8	7	7	7	6	6	6	5	5	5	4	4	4	3	3	3	2
대운 女	8	9	9	9	10	10	春	1	1	1	1	2	2	2	3	3	3	4	4	4	5	5	5	6	6	6	7	7	7	8	8

9月 (1일 三碧 +) **癸卯 (九紫)** 절기: 驚蟄(7일 23:40) 春分 (23일 09:04)

양력	1	2	3	4	5	6	7	8	9	10	11	12	13	14	15	16	17	18	19	20	21	22	23	24	25	26	27	28	29	30	
요일	火	水	木	金	土	日	月	火	水	木	金	土	日	月	火	水	木	金	土	日	月	火	水	木	金	土	日	月	火	水	
음력 월	20	21	22	23	24	25	26	27	28	29	八	2	3	4	5	6	7	8	9	10	11	12	13	14	15	16	17	18	19	20	
일진	戊申	己酉	甲戌	乙亥	丙子	丁丑	庚寅	辛卯	壬辰	癸巳	戊午	己未	甲申	乙酉	丙戌	丁亥	庚子	辛丑	壬寅	癸卯	戊辰	己巳	甲午	乙未	丙申	丁酉	庚戌	辛亥	壬子	癸丑	
대운 男	2	2	1	1	1	1	驚	10	10	9	9	9	8	8	8	7	7	7	6	6	6	5	5	5	4	4	4	3	3	3	
대운 女	8	9	9	9	10	10	蟄	1	1	1	1	2	2	2	3	3	3	4	4	4	5	5	5	6	6	6	7	7	7	8	

10月 (1일 六白 +) **戊辰 (一白)** 절기: 清明(8일 15:28) 穀雨(23일 18:37)

양력	1	2	3	4	5	6	7	8	9	10	11	12	13	14	15	16	17	18	19	20	21	22	23	24	25	26	27	28	29	30	31
요일	木	金	土	日	月	火	水	木	金	土	日	月	火	水	木	金	土	日	月	火	水	木	金	土	日	月	火	水	木	金	土
음력 월	21	22	23	24	25	26	27	28	29	30	九	2	3	4	5	6	7	8	9	10	11	12	13	14	15	16	17	18	19	20	21
일진	戊寅	己卯	甲辰	乙巳	丙午	丁未	庚申	辛酉	壬戌	癸亥	戊子	己丑	甲寅	乙卯	丙辰	丁巳	庚午	辛未	壬申	癸酉	戊戌	己亥	甲子	乙丑	丙寅	丁卯	庚辰	辛巳	壬午	癸未	戊申
대운 男	2	2	2	1	1	1	1	清	10	9	9	9	8	8	8	7	7	7	6	6	6	5	5	5	4	4	4	3	3	3	2
대운 女	8	8	9	9	9	10	10	明	1	1	1	1	2	2	2	3	3	3	4	4	4	5	5	5	6	6	6	7	7	7	8

11月 (1일 一白 +) **己巳 (二黑)** 절기: 立夏(7일 18:51) 小滿 (22일 16:22)

양력	1	2	3	4	5	6	7	8	9	10	11	12	13	14	15	16	17	18	19	20	21	22	23	24	25	26	27	28	29	30	
요일	日	月	火	水	木	金	土	日	月	火	水	木	金	土	日	月	火	水	木	金	土	日	月	火	水	木	金	土	日	月	
음력 월	22	23	24	25	26	27	28	29	十	2	3	4	5	6	7	8	9	10	11	12	13	14	15	16	17	18	19	20	21	22	
일진	己酉	甲戌	乙亥	丙子	丁丑	庚寅	辛卯	壬辰	癸巳	戊午	己未	甲申	乙酉	丙戌	丁亥	庚子	辛丑	壬寅	癸卯	戊辰	己巳	甲午	乙未	丙申	丁酉	庚戌	辛亥	壬子	癸丑	戊寅	
대운 男	2	2	1	1	1	1	立	10	9	9	9	8	8	8	7	7	7	6	6	6	5	5	5	4	4	4	3	3	3	2	
대운 女	8	8	9	9	9	10	夏	1	1	1	1	2	2	2	3	3	3	4	4	4	5	5	5	6	6	6	7	7	7	8	

12月 (1일 四綠 + 16일 九紫 -) **甲午 (三碧)** 절기: 芒種(7일 11:51) 夏至(22일 05:49)

양력	1	2	3	4	5	6	7	8	9	10	11	12	13	14	15	16	17	18	19	20	21	22	23	24	25	26	27	28	29	30	31
요일	火	水	木	金	土	日	月	火	水	木	金	土	日	月	火	水	木	金	土	日	月	火	水	木	金	土	日	月	火	水	木
음력 월	23	24	25	26	27	28	29	30	十一	2	3	4	5	6	7	8	9	10	11	12	13	14	15	16	17	18	19	20	21	22	23
일진	己卯	甲辰	乙巳	丙午	丁未	庚申	辛酉	壬戌	癸亥	戊子	己丑	甲寅	乙卯	丙辰	丁巳	庚午	辛未	壬申	癸酉	戊戌	己亥	甲子	乙丑	丙寅	丁卯	庚辰	辛巳	壬午	癸未	戊申	己酉
대운 男	2	2	1	1	1	1	芒	9	9	9	8	8	8	7	7	7	6	6	6	5	5	5	4	4	4	3	3	3	2	2	2
대운 女	8	8	9	9	9	10	種	1	1	1	1	2	2	2	3	3	3	4	4	4	5	5	5	6	6	6	7	7	7	8	8

서기2027년

癸丑年 (一白水星)

1月 (1일 二黑 -) **乙未 (四綠)** 절기: 小暑 (5일 23:09) 大暑 (20일 16:29)

양력		1	2	3	4	5	6	7	8	9	10	11	12	13	14	15	16	17	18	19	20	21	22	23	24	25	26	27	28	29	30	31
요일		金	土	日	月	火	水	木	金	土	日	月	火	水	木	金	土	日	月	火	水	木	金	土	日	月	火	水	木	金	土	日
음력	월	24	25	26	27	28	29	30	十二	2	3	4	5	6	7	8	9	10	11	12	13	14	15	16	17	18	19	20	21	22	23	24
일진		甲戌	乙亥	丙子	丁丑	庚寅	辛卯	壬辰	癸巳	戊午	己未	甲申	乙酉	丙戌	丁亥	庚子	辛丑	壬寅	癸卯	戊辰	己巳	甲午	乙未	丙申	丁酉	庚戌	辛亥	壬子	癸丑	戊寅	己卯	甲辰
대운	男	1	1	1	1	小	10	9	9	9	8	8	8	7	7	7	6	6	6	5	5	5	4	4	4	3	3	3	2	2	2	1
	女	8	9	9	9	暑	1	1	1	1	2	2	2	3	3	3	4	4	4	5	5	5	6	6	6	7	7	7	8	8	8	9

2月 (1일 七赤 -) **丙申 (五黃)** 절기: 立秋 (4일 10:45) 處暑 (19일 06:32)

양력		1	2	3	4	5	6	7	8	9	10	11	12	13	14	15	16	17	18	19	20	21	22	23	24	25	26	27	28			
요일		月	火	水	木	金	土	日	月	火	水	木	金	土	日	月	火	水	木	金	土	日	月	火	水	木	金	土	日			
음력	월	25	26	27	28	29	30	一	2	3	4	5	6	7	8	9	10	11	12	13	14	15	16	17	18	19	20	21	22			
일진		乙巳	丙午	丁未	庚申	辛酉	壬戌	癸亥	戊子	己丑	甲寅	乙卯	丙辰	丁巳	庚午	辛未	壬申	癸酉	戊戌	己亥	甲子	乙丑	丙寅	丁卯	庚辰	辛巳	壬午	癸未	戊申			
대운	男	1	1	1	立	1	1	1	1	2	2	2	3	3	3	4	4	4	5	5	5	6	6	6	7	7	7	8	8			
	女	9	9	10	秋	10	9	9	9	8	8	8	7	7	7	6	6	6	5	5	5	4	4	4	3	3	3	2	2			

3月 (1일 六白 -) **丁酉 (六白)** 절기: 白露 (6일 04:38) 秋分 (21일 05:24)

양력		1	2	3	4	5	6	7	8	9	10	11	12	13	14	15	16	17	18	19	20	21	22	23	24	25	26	27	28	29	30	31
요일		月	火	水	木	金	土	日	月	火	水	木	金	土	日	月	火	水	木	金	土	日	月	火	水	木	金	土	日	月	火	水
음력	월	23	24	25	26	27	28	29	二	2	3	4	5	6	7	8	9	10	11	12	13	14	15	16	17	18	19	20	21	22	23	24
일진		己酉	甲戌	乙亥	丙子	丁丑	庚寅	辛卯	壬辰	癸巳	戊午	己未	甲申	乙酉	丙戌	丁亥	庚子	辛丑	壬寅	癸卯	戊辰	己巳	甲午	乙未	丙申	丁酉	庚戌	辛亥	壬子	癸丑	戊寅	己卯
대운	男	8	9	9	9	10	白	1	1	1	1	2	2	2	3	3	3	4	4	4	5	5	5	6	6	6	7	7	7	8	8	8
	女	2	1	1	1	1	露	10	9	9	9	8	8	8	7	7	7	6	6	6	5	5	5	4	4	4	3	3	3	2	2	2

4月 (1일 二黑 -) **庚戌 (七赤)** 절기: 寒露 (5일 09:16) 霜降 (20일 16:16)

양력		1	2	3	4	5	6	7	8	9	10	11	12	13	14	15	16	17	18	19	20	21	22	23	24	25	26	27	28	29	30	
요일		木	金	土	日	月	火	水	木	金	土	日	月	火	水	木	金	土	日	月	火	水	木	金	土	日	月	火	水	木	金	
음력	월	25	26	27	28	29	30	三	2	3	4	5	6	7	8	9	10	11	12	13	14	15	16	17	18	19	20	21	22	23	24	
일진		甲辰	乙巳	丙午	丁未	庚申	辛酉	壬戌	癸亥	戊子	己丑	甲寅	乙卯	丙辰	丁巳	庚午	辛未	壬申	癸酉	戊戌	己亥	甲子	乙丑	丙寅	丁卯	庚辰	辛巳	壬午	癸未	戊申	己酉	
대운	男	9	9	9	10	寒	1	1	1	1	2	2	2	3	3	3	4	4	4	5	5	5	6	6	6	7	7	7	8	8	8	
	女	1	1	1	1	露	10	10	9	9	9	8	8	8	7	7	7	6	6	6	5	5	5	4	4	4	3	3	3	2	2	

5月 (1일 八白 -) **辛亥 (八白)** 절기: 立冬 (6일 02:24) 小雪 (21일 15:17)

양력		1	2	3	4	5	6	7	8	9	10	11	12	13	14	15	16	17	18	19	20	21	22	23	24	25	26	27	28	29	30	31
요일		土	日	月	火	水	木	金	土	日	月	火	水	木	金	土	日	月	火	水	木	金	土	日	月	火	水	木	金	土	日	月
음력	월	25	26	27	28	29	四	2	3	4	5	6	7	8	9	10	11	12	13	14	15	16	17	18	19	20	21	22	23	24	25	26
일진		甲戌	乙亥	丙子	丁丑	庚寅	辛卯	壬辰	癸巳	戊午	己未	甲申	乙酉	丙戌	丁亥	庚子	辛丑	壬寅	癸卯	戊辰	己巳	甲午	乙未	丙申	丁酉	庚戌	辛亥	壬子	癸丑	戊寅	己卯	甲辰
대운	男	9	9	9	10	10	立	1	1	1	1	2	2	2	3	3	3	4	4	4	5	5	5	6	6	6	7	7	7	8	8	8
	女	2	1	1	1	1	冬	10	10	9	9	9	8	8	8	7	7	7	6	6	6	5	5	5	4	4	4	3	3	3	2	2

6月 (1일 四綠 - 14일 一白 +) **壬子 (九紫)** 절기: 大雪 (6일 06:25) 冬至 (21일 23:10)

양력		1	2	3	4	5	6	7	8	9	10	11	12	13	14	15	16	17	18	19	20	21	22	23	24	25	26	27	28	29	30	
요일		火	水	木	金	土	日	月	火	水	木	金	土	日	月	火	水	木	金	土	日	月	火	水	木	金	土	日	月	火	水	
음력	월	27	28	29	30	五	2	3	4	5	6	7	8	9	10	11	12	13	14	15	16	17	18	19	20	21	22	23	24	25	26	
일진		乙巳	丙午	丁未	庚申	辛酉	壬戌	癸亥	戊子	己丑	甲寅	乙卯	丙辰	丁巳	庚午	辛未	壬申	癸酉	戊戌	己亥	甲子	乙丑	丙寅	丁卯	庚辰	辛巳	壬午	癸未	戊申	己酉	甲戌	
대운	男	9	9	9	10	10	大	1	1	1	1	2	2	2	3	3	3	4	4	4	5	5	5	6	6	6	7	7	7	8	8	
	女	2	1	1	1	1	雪	10	10	9	9	9	8	8	8	7	7	7	6	6	6	5	5	5	4	4	4	3	3	3	2	

7月 (1일 九紫 +) **癸丑 (一白)** 절기: 小寒(7일 16:36) 大寒(23일 10:03)

양력	1	2	3	4	5	6	7	8	9	10	11	12	13	14	15	16	17	18	19	20	21	22	23	24	25	26	27	28	29	30	31
요일	木	金	土	日	月	火	水	木	金	土	日	月	火	水	木	金	土	日	月	火	水	木	金	土	日	月	火	水	木	金	土
음력 월	27	28	29	六	2	3	4	5	6	7	8	9	10	11	12	13	14	15	16	17	18	19	20	21	22	23	24	25	26	27	28
일진	乙亥	丙子	丁丑	庚寅	辛卯	壬辰	癸巳	戊午	己未	甲申	乙酉	丙戌	丁亥	庚子	辛丑	壬寅	癸卯	戊辰	己巳	甲午	乙未	丙申	丁酉	庚戌	辛亥	壬子	癸丑	戊寅	己卯	甲辰	乙巳
대운 男	8	9	9	9	10	10	小	1	1	1	1	2	2	2	3	3	3	4	4	4	5	5	5	6	6	6	7	7	7	8	8
대운 女	2	2	1	1	1	1	寒	10	10	10	9	9	9	8	8	8	7	7	7	6	6	6	5	5	5	4	4	4	3	3	3

8月 (1일 四綠 +) **戊寅 (二黑)** 절기: 立春(8일 02:26) 雨水(23일 17:13)

양력	1	2	3	4	5	6	7	8	9	10	11	12	13	14	15	16	17	18	19	20	21	22	23	24	25	26	27	28	29	30	31
요일	日	月	火	水	木	金	土	日	月	火	水	木	金	土	日	月	火	水	木	金	土	日	月	火	水	木	金	土	日	月	火
음력 월	29	七	2	3	4	5	6	7	8	9	10	11	12	13	14	15	16	17	18	19	20	21	22	23	24	25	26	27	28	29	30
일진	丙午	丁未	庚申	辛酉	壬戌	癸亥	戊子	己丑	甲寅	乙卯	丙辰	丁巳	庚午	辛未	壬申	癸酉	戊戌	己亥	甲子	乙丑	丙寅	丁卯	庚辰	辛巳	壬午	癸未	戊申	己酉	甲戌	乙亥	丙子
대운 男	8	9	9	9	10	10	10	立	1	1	1	1	2	2	2	3	3	3	4	4	4	5	5	5	6	6	6	7	7	7	8
대운 女	2	2	2	1	1	1	1	春	10	10	9	9	9	8	8	8	7	7	7	6	6	6	5	5	5	4	4	4	3	3	3

9月 (1일 八白 +) **己卯 (三碧)** 절기: 驚蟄(8일 05:27) 春分 (23일 15:01)

양력	1	2	3	4	5	6	7	8	9	10	11	12	13	14	15	16	17	18	19	20	21	22	23	24	25	26	27	28	29	30	
요일	水	木	金	土	日	月	火	水	木	金	土	日	月	火	水	木	金	土	日	月	火	水	木	金	土	日	月	火	水	木	
음력 월	八	2	3	4	5	6	7	8	9	10	11	12	13	14	15	16	17	18	19	20	21	22	23	24	25	26	27	28	29	九	
일진	丁丑	庚寅	辛卯	壬辰	癸巳	戊午	己未	甲申	乙酉	丙戌	丁亥	庚子	辛丑	壬寅	癸卯	戊辰	己巳	甲午	乙未	丙申	丁酉	庚戌	辛亥	壬子	癸丑	戊寅	己卯	甲辰	乙巳	丙午	
대운 男	8	8	9	9	9	10	10	驚	1	1	1	1	2	2	2	3	3	3	4	4	4	5	5	5	6	6	6	7	7	7	
대운 女	2	2	2	1	1	1	1	蟄	10	9	9	9	8	8	8	7	7	7	6	6	6	5	5	5	4	4	4	3	3	3	

10月 (1일 二黑 +) **甲辰 (四綠)** 절기: 清明(8일 21:16) 穀雨(24일 00:32)

양력	1	2	3	4	5	6	7	8	9	10	11	12	13	14	15	16	17	18	19	20	21	22	23	24	25	26	27	28	29	30	31
요일	金	土	日	月	火	水	木	金	土	日	月	火	水	木	金	土	日	月	火	水	木	金	土	日	月	火	水	木	金	土	日
음력 월	2	3	4	5	6	7	8	9	10	11	12	13	14	15	16	17	18	19	20	21	22	23	24	25	26	27	28	29	十	2	3
일진	丁未	庚申	辛酉	壬戌	癸亥	戊子	己丑	甲寅	乙卯	丙辰	丁巳	庚午	辛未	壬申	癸酉	戊戌	己亥	甲子	乙丑	丙寅	丁卯	庚辰	辛巳	壬午	癸未	戊申	己酉	甲戌	乙亥	丙子	丁丑
대운 男	8	8	8	9	9	9	10	清	1	1	1	1	2	2	2	3	3	3	4	4	4	5	5	5	6	6	6	7	7	7	8
대운 女	2	2	2	1	1	1	1	明	10	10	9	9	9	8	8	8	7	7	7	6	6	6	5	5	5	4	4	4	3	3	3

11月 (1일 六白 +) **乙巳 (五黃)** 절기: 立夏(8일 00:37) 小滿 (22일 22:15)

양력	1	2	3	4	5	6	7	8	9	10	11	12	13	14	15	16	17	18	19	20	21	22	23	24	25	26	27	28	29	30	
요일	月	火	水	木	金	土	日	月	火	水	木	金	土	日	月	火	水	木	金	土	日	月	火	水	木	金	土	日	月	火	
음력 월	4	5	6	7	8	9	10	11	12	13	14	15	16	17	18	19	20	21	22	23	24	25	26	27	28	29	30	十一	2	3	
일진	庚寅	辛卯	壬辰	癸巳	戊午	己未	甲申	乙酉	丙戌	丁亥	庚子	辛丑	壬寅	癸卯	戊辰	己巳	甲午	乙未	丙申	丁酉	庚戌	辛亥	壬子	癸丑	戊寅	己卯	甲辰	乙巳	丙午	丁未	
대운 男	8	8	9	9	9	10	10	立	1	1	1	1	2	2	2	3	3	3	4	4	4	5	5	5	6	6	6	7	7	7	
대운 女	2	2	2	1	1	1	1	夏	9	9	9	8	8	8	7	7	7	6	6	6	5	5	5	4	4	4	3	3	3	2	

12月 (1일 九紫 + 11일 九紫 -) **丙午 (六白)** 절기: 芒種(7일 17:36) 夏至(22일 11:41)

양력	1	2	3	4	5	6	7	8	9	10	11	12	13	14	15	16	17	18	19	20	21	22	23	24	25	26	27	28	29	30	31
요일	水	木	金	土	日	月	火	水	木	金	土	日	月	火	水	木	金	土	日	月	火	水	木	金	土	日	月	火	水	木	金
음력 월	4	5	6	7	8	9	10	11	12	13	14	15	16	17	18	19	20	21	22	23	24	25	26	27	28	29	30	十二	2	3	4
일진	庚申	辛酉	壬戌	癸亥	戊子	己丑	甲寅	乙卯	丙辰	丁巳	庚午	辛未	壬申	癸酉	戊戌	己亥	甲子	乙丑	丙寅	丁卯	庚辰	辛巳	壬午	癸未	戊申	己酉	甲戌	乙亥	丙子	丁丑	庚寅
대운 男	8	8	8	9	9	9	芒	1	1	1	1	2	2	2	3	3	3	4	4	4	5	5	5	6	6	6	7	7	7	8	8
대운 女	2	2	1	1	1	1	種	10	9	9	9	8	8	8	7	7	7	6	6	6	5	5	5	4	4	4	3	3	3	2	2

戊寅年 (二黑土星) 閏五月

1月 (1일 六白 -)　**丁未 (七赤)**　절기: 小暑 (6일 04:53) 大暑 (20일 22:21)

양력		1	2	3	4	5	6	7	8	9	10	11	12	13	14	15	16	17	18	19	20	21	22	23	24	25	26	27	28	29	30	31
요일		土	日	月	火	水	木	金	土	日	月	火	水	木	金	土	日	月	火	水	木	金	土	日	月	火	水	木	金	土	日	月
음력	월	5	6	7	8	9	10	11	12	13	14	15	16	17	18	19	20	21	22	23	24	25	26	27	28	29	30	一	2	3	4	5
일진		辛卯	壬辰	癸巳	戊午	己未	甲申	乙酉	丙戌	丁亥	庚子	辛丑	壬寅	癸卯	戊辰	己巳	甲午	乙未	丙申	丁酉	庚戌	辛亥	壬子	癸丑	戊寅	己卯	甲辰	乙巳	丙午	丁未	庚申	辛酉
대운	男	8	9	9	9	10	小	1	1	1	1	2	2	2	3	3	3	4	4	4	5	5	5	6	6	6	7	7	7	8	8	8
	女	2	1	1	1	1	暑	9	9	9	8	8	8	7	7	7	6	6	6	5	5	5	4	4	4	3	3	3	2	2	2	1

2月 閏 (1일 二黑 -)　**庚申 (八白)**　절기: 立秋 (4일 16:30) 處暑 (19일 12:25)

양력		1	2	3	4	5	6	7	8	9	10	11	12	13	14	15	16	17	18	19	20	21	22	23	24	25	26	27	28	29		
요일		火	水	木	金	土	日	月	火	水	木	金	土	日	月	火	水	木	金	土	日	月	火	水	木	金	土	日	月	火		
음력	월	6	7	8	9	10	11	12	13	14	15	16	17	18	19	20	21	22	23	24	25	26	27	28	29	二	2	3	4	5		
일진		壬戌	癸亥	戊子	己丑	甲寅	乙卯	丙辰	丁巳	庚午	辛未	壬申	癸酉	戊戌	己亥	甲子	乙丑	丙寅	丁卯	庚辰	辛巳	壬午	癸未	戊申	己酉	甲戌	乙亥	丙子	丁丑	庚寅		
대운	男	9	9	9	立	10	9	9	9	8	8	8	7	7	7	6	6	6	5	5	5	4	4	4	3	3	3	2	2	2		
	女	1	1	1	秋	1	1	1	1	2	2	2	3	3	3	4	4	4	5	5	5	6	6	6	7	7	7	8	8	8		

3月 (1일 九紫 -)　**辛酉 (九紫)**　절기: 白露 (5일 10:24) 秋分 (20일 11:16)

양력		1	2	3	4	5	6	7	8	9	10	11	12	13	14	15	16	17	18	19	20	21	22	23	24	25	26	27	28	29	30	31
요일		水	木	金	土	日	月	火	水	木	金	土	日	月	火	水	木	金	土	日	月	火	水	木	金	土	日	月	火	水	木	金
음력	월	6	7	8	9	10	11	12	13	14	15	16	17	18	19	20	21	22	23	24	25	26	27	28	29	30	三	2	3	4	5	6
일진		辛卯	壬辰	癸巳	戊午	己未	甲申	乙酉	丙戌	丁亥	庚子	辛丑	壬寅	癸卯	戊辰	己巳	甲午	乙未	丙申	丁酉	庚戌	辛亥	壬子	癸丑	戊寅	己卯	甲辰	乙巳	丙午	丁未	庚申	辛酉
대운	男	1	1	1	1	白	10	9	9	9	8	8	8	7	7	7	6	6	6	5	5	5	4	4	4	3	3	3	2	2	2	1
	女	9	9	9	10	露	1	1	1	1	2	2	2	3	3	3	4	4	4	5	5	5	6	6	6	7	7	7	8	8	8	9

4月 (1일 五黃 -)　**壬戌 (一白)**　절기: 寒露 (4일 15:02) 霜降 (19일 22:08)

양력		1	2	3	4	5	6	7	8	9	10	11	12	13	14	15	16	17	18	19	20	21	22	23	24	25	26	27	28	29	30	
요일		土	日	月	火	水	木	金	土	日	月	火	水	木	金	土	日	月	火	水	木	金	土	日	月	火	水	木	金	土	日	
음력	월	7	8	9	10	11	12	13	14	15	16	17	18	19	20	21	22	23	24	25	26	27	28	29	30	四	2	3	4	5	6	
일진		壬戌	癸亥	戊子	己丑	甲寅	乙卯	丙辰	丁巳	庚午	辛未	壬申	癸酉	戊戌	己亥	甲子	乙丑	丙寅	丁卯	庚辰	辛巳	壬午	癸未	戊申	己酉	甲戌	乙亥	丙子	丁丑	庚寅	辛卯	
대운	男	1	1	1	寒	10	10	9	9	9	8	8	8	7	7	7	6	6	6	5	5	5	4	4	4	3	3	3	2	2	2	
	女	9	9	10	露	1	1	1	1	2	2	2	3	3	3	4	4	4	5	5	5	6	6	6	7	7	7	8	8	8	9	

5月 (1일 二黑 -)　**癸亥 (二黑)**　절기: 立冬 (5일 08:11) 小雪 (20일 21:09)

양력		1	2	3	4	5	6	7	8	9	10	11	12	13	14	15	16	17	18	19	20	21	22	23	24	25	26	27	28	29	30	31
요일		月	火	水	木	金	土	日	月	火	水	木	金	土	日	月	火	水	木	金	土	日	月	火	水	木	金	土	日	月	火	水
음력	월	7	8	9	10	11	12	13	14	15	16	17	18	19	20	21	22	23	24	25	26	27	28	29	五	2	3	4	5	6	7	8
일진		壬辰	癸巳	戊午	己未	甲申	乙酉	丙戌	丁亥	庚子	辛丑	壬寅	癸卯	戊辰	己巳	甲午	乙未	丙申	丁酉	庚戌	辛亥	壬子	癸丑	戊寅	己卯	甲辰	乙巳	丙午	丁未	庚申	辛酉	壬戌
대운	男	1	1	1	1	立	10	10	9	9	9	8	8	8	7	7	7	6	6	6	5	5	5	4	4	4	3	3	3	2	2	2
	女	9	9	10	10	冬	1	1	1	1	2	2	2	3	3	3	4	4	4	5	5	5	6	6	6	7	7	7	8	8	8	9

6月 (1일 七赤 - 8일 一白 +)　**戊子 (三碧)**　절기: 大雪 (5일 12:15) 冬至 (21일 05:01)

양력		1	2	3	4	5	6	7	8	9	10	11	12	13	14	15	16	17	18	19	20	21	22	23	24	25	26	27	28	29	30	
요일		木	金	土	日	月	火	水	木	金	土	日	月	火	水	木	金	土	日	月	火	水	木	金	土	日	月	火	水	木	金	
음력	월	9	10	11	12	13	14	15	16	17	18	19	20	21	22	23	24	25	26	27	28	29	30	閏五		3	4	5	6	7	8	
일진		癸亥	戊子	己丑	甲寅	乙卯	丙辰	丁巳	庚午	辛未	壬申	癸酉	戊戌	己亥	甲子	乙丑	丙寅	丁卯	庚辰	辛巳	壬午	癸未	戊申	己酉	甲戌	乙亥	丙子	丁丑	庚寅	辛卯	壬辰	
대운	男	1	1	1	1	大	10	10	9	9	9	8	8	8	7	7	7	6	6	6	5	5	5	4	4	4	3	3	3	2	2	
	女	9	9	10	10	雪	1	1	1	1	2	2	2	3	3	3	4	4	4	5	5	5	6	6	6	7	7	7	8	8	8	

7月 (1일 六白 +) **己丑 (四綠)** 절기: 小寒(6일 22:29) 大寒(22일 15:53)

양력	1	2	3	4	5	6	7	8	9	10	11	12	13	14	15	16	17	18	19	20	21	22	23	24	25	26	27	28	29	30	31
요일	土	日	月	火	水	木	金	土	日	月	火	水	木	金	土	日	月	火	水	木	金	土	日	月	火	水	木	金	土	日	月
음력 월	9	10	11	12	13	14	15	16	17	18	19	20	21	22	23	24	25	26	27	28	29	六	2	3	4	5	6	7	8	9	10
일진	癸巳	戊午	己未	甲申	乙酉	丙戌	丁亥	庚子	辛丑	壬寅	癸卯	戊辰	己巳	甲午	乙未	丙申	丁酉	庚戌	辛亥	壬子	癸丑	戊寅	己卯	甲辰	乙巳	丙午	丁未	庚申	辛酉	壬戌	癸亥
대운 男	2	1	1	1	1	小	10	10	10	9	9	9	8	8	8	7	7	7	6	6	6	5	5	5	4	4	4	3	3	3	2
대운 女	9	9	9	10	10	寒	1	1	1	1	2	2	2	3	3	3	4	4	4	5	5	5	6	6	6	7	7	7	8	8	8

8月 (1일 一白 +) **甲寅 (五黃)** 절기: 立春(7일 08:20) 雨水(22일 23:00)

양력	1	2	3	4	5	6	7	8	9	10	11	12	13	14	15	16	17	18	19	20	21	22	23	24	25	26	27	28	29	30	31
요일	火	水	木	金	土	日	月	火	水	木	金	土	日	月	火	水	木	金	土	日	月	火	水	木	金	土	日	月	火	水	木
음력 월	11	12	13	14	15	16	17	18	19	20	21	22	23	24	25	26	27	28	29	七	2	3	4	5	6	7	8	9	10	11	12
일진	戊子	己丑	甲寅	乙卯	丙辰	丁巳	庚午	辛未	壬申	癸酉	戊戌	己亥	甲子	乙丑	丙寅	丁卯	庚辰	辛巳	壬午	癸未	戊申	己酉	甲戌	乙亥	丙子	丁丑	庚寅	辛卯	壬辰	癸巳	戊午
대운 男	2	2	1	1	1	1	立	10	10	9	9	9	8	8	8	7	7	7	6	6	6	5	5	5	4	4	4	3	3	3	2
대운 女	9	9	9	10	10	10	春	1	1	1	1	2	2	2	3	3	3	4	4	4	5	5	5	6	6	6	7	7	7	8	8

9月 (1일 五黃 +) **乙卯 (六白)** 절기: 驚蟄(7일 11:21) 春分 (22일 20:44)

양력	1	2	3	4	5	6	7	8	9	10	11	12	13	14	15	16	17	18	19	20	21	22	23	24	25	26	27	28	29	30	
요일	金	土	日	月	火	水	木	金	土	日	月	火	水	木	金	土	日	月	火	水	木	金	土	日	月	火	水	木	金	土	
음력 월	13	14	15	16	17	18	19	20	21	22	23	24	25	26	27	28	29	30	八	2	3	4	5	6	7	8	9	10	11	12	
일진	己未	甲申	乙酉	丙戌	丁亥	庚子	辛丑	壬寅	癸卯	戊辰	己巳	甲午	乙未	丙申	丁酉	庚戌	辛亥	壬子	癸丑	戊寅	己卯	甲辰	乙巳	丙午	丁未	庚申	辛酉	壬戌	癸亥	戊子	
대운 男	2	2	1	1	1	1	驚	10	10	9	9	9	8	8	8	7	7	7	6	6	6	5	5	5	4	4	4	3	3	3	
대운 女	8	9	9	9	10	10	蟄	1	1	1	1	2	2	2	3	3	3	4	4	4	5	5	5	6	6	6	7	7	7	8	

10月 (1일 八白 +) **丙辰 (七赤)** 절기: 清明(8일 03:07) 穀雨(23일 06:12)

양력	1	2	3	4	5	6	7	8	9	10	11	12	13	14	15	16	17	18	19	20	21	22	23	24	25	26	27	28	29	30	31
요일	日	月	火	水	木	金	土	日	月	火	水	木	金	土	日	月	火	水	木	金	土	日	月	火	水	木	金	土	日	月	火
음력 월	13	14	15	16	17	18	19	20	21	22	23	24	25	26	27	28	29	九	2	3	4	5	6	7	8	9	10	11	12	13	14
일진	己丑	甲寅	乙卯	丙辰	丁巳	庚午	辛未	壬申	癸酉	戊戌	己亥	甲子	乙丑	丙寅	丁卯	庚辰	辛巳	壬午	癸未	戊申	己酉	甲戌	乙亥	丙子	丁丑	庚寅	辛卯	壬辰	癸巳	戊午	己未
대운 男	2	2	2	1	1	1	1	清	10	9	9	9	8	8	8	7	7	7	6	6	6	5	5	5	4	4	4	3	3	3	2
대운 女	8	8	9	9	9	10	10	明	1	1	1	1	2	2	2	3	3	3	4	4	4	5	5	5	6	6	6	7	7	7	8

11月 (1일 三碧 +) **丁巳 (八白)** 절기: 立夏(7일 06:26) 小滿 (22일 03:53)

양력	1	2	3	4	5	6	7	8	9	10	11	12	13	14	15	16	17	18	19	20	21	22	23	24	25	26	27	28	29	30	
요일	水	木	金	土	日	月	火	水	木	金	土	日	月	火	水	木	金	土	日	月	火	水	木	金	土	日	月	火	水	木	
음력 월	15	16	17	18	19	20	21	22	23	24	25	26	27	28	29	十	2	3	4	5	6	7	8	9	10	11	12	13	14	15	
일진	甲申	乙酉	丙戌	丁亥	庚子	辛丑	壬寅	癸卯	戊辰	己巳	甲午	乙未	丙申	丁酉	庚戌	辛亥	壬子	癸丑	戊寅	己卯	甲辰	乙巳	丙午	丁未	庚申	辛酉	壬戌	癸亥	戊子	己丑	
대운 男	2	2	1	1	1	1	立	9	9	9	8	8	8	7	7	7	6	6	6	5	5	5	4	4	4	3	3	3	2	2	
대운 女	8	8	9	9	9	10	夏	1	1	1	1	2	2	2	3	3	3	4	4	4	5	5	5	6	6	6	7	7	7	8	

12月 (1일 六白 + 5일 九紫 -) **庚午 (九紫)** 절기: 芒種(6일 23:23) 夏至(21일 17:18)

양력	1	2	3	4	5	6	7	8	9	10	11	12	13	14	15	16	17	18	19	20	21	22	23	24	25	26	27	28	29	30	31
요일	金	土	日	月	火	水	木	金	土	日	月	火	水	木	金	土	日	月	火	水	木	金	土	日	月	火	水	木	金	土	日
음력 월	16	17	18	19	20	21	22	23	24	25	26	27	28	29	30	十一	2	3	4	5	6	7	8	9	10	11	12	13	14	15	16
일진	甲寅	乙卯	丙辰	丁巳	庚午	辛未	壬申	癸酉	戊戌	己亥	甲子	乙丑	丙寅	丁卯	庚辰	辛巳	壬午	癸未	戊申	己酉	甲戌	乙亥	丙子	丁丑	庚寅	辛卯	壬辰	癸巳	戊午	己未	甲申
대운 男	2	1	1	1	1	芒	10	9	9	9	8	8	8	7	7	7	6	6	6	5	5	5	4	4	4	3	3	3	2	2	2
대운 女	8	8	9	9	9	種	1	1	1	1	2	2	2	3	3	3	4	4	4	5	5	5	6	6	6	7	7	7	8	8	8

서기2029년

己卯年 (三碧木星)

1月 (1일 九紫 -) **辛未 (一白)** 절기: 小暑 (5일 10:41) 大暑 (20일 04:00)

양력	1	2	3	4	5	6	7	8	9	10	11	12	13	14	15	16	17	18	19	20	21	22	23	24	25	26	27	28	29	30	31
요일	月	火	水	木	金	土	日	月	火	水	木	金	土	日	月	火	水	木	金	土	日	月	火	水	木	金	土	日	月	火	水
음력 월	17	18	19	20	21	22	23	24	25	26	27	28	29	30	十二	2	3	4	5	6	7	8	9	10	11	12	13	14	15	16	17
일진	乙酉	丙戌	丁亥	庚子	辛丑	壬寅	癸卯	戊辰	己巳	甲午	乙未	丙申	丁酉	庚戌	辛亥	壬子	癸丑	戊寅	己卯	甲辰	乙巳	丙午	丁未	庚申	辛酉	壬戌	癸亥	戊子	己丑	甲寅	乙卯
대운 男	1	1	1	1	小	9	9	9	8	8	8	7	7	7	6	6	6	5	5	5	4	4	4	3	3	3	2	2	2	1	1
대운 女	9	9	9	10	暑	1	1	1	1	2	2	2	3	3	3	4	4	4	5	5	5	6	6	6	7	7	7	8	8	8	9

2月 (1일 五黃 -) **壬申 (二黑)** 절기: 立秋 (3일 22:20) 處暑 (18일 18:07)

양력	1	2	3	4	5	6	7	8	9	10	11	12	13	14	15	16	17	18	19	20	21	22	23	24	25	26	27	28			
요일	木	金	土	日	月	火	水	木	金	土	日	月	火	水	木	金	土	日	月	火	水	木	金	土	日	月	火	水			
음력 월	18	19	20	21	22	23	24	25	26	27	28	29	一	2	3	4	5	6	7	8	9	10	11	12	13	14	15	16			
일진	丙辰	丁巳	庚午	辛未	壬申	癸酉	戊戌	己亥	甲子	乙丑	丙寅	丁卯	庚辰	辛巳	壬午	癸未	戊申	己酉	甲戌	乙亥	丙子	丁丑	庚寅	辛卯	壬辰	癸巳	戊午	己未			
대운 男	1	1	立	1	1	1	1	2	2	2	3	3	3	4	4	4	5	5	5	6	6	6	7	7	7	8	8	8			
대운 女	9	9	秋	10	9	9	9	8	8	8	7	7	7	6	6	6	5	5	5	4	4	4	3	3	3	2	2	2			

3月 (1일 四綠 -) **癸酉 (三碧)** 절기: 白露 (5일 16:16) 秋分 (20일 17:01)

양력	1	2	3	4	5	6	7	8	9	10	11	12	13	14	15	16	17	18	19	20	21	22	23	24	25	26	27	28	29	30	31
요일	木	金	土	日	月	火	水	木	金	土	日	月	火	水	木	金	土	日	月	火	水	木	金	土	日	月	火	水	木	金	土
음력 월	17	18	19	20	21	22	23	24	25	26	27	28	29	30	二	2	3	4	5	6	7	8	9	10	11	12	13	14	15	16	17
일진	甲申	乙酉	丙戌	丁亥	庚子	辛丑	壬寅	癸卯	戊辰	己巳	甲午	乙未	丙申	丁酉	庚戌	辛亥	壬子	癸丑	戊寅	己卯	甲辰	乙巳	丙午	丁未	庚申	辛酉	壬戌	癸亥	戊子	己丑	甲寅
대운 男	9	9	9	10	白	1	1	1	1	2	2	2	3	3	3	4	4	4	5	5	5	6	6	6	7	7	7	8	8	8	9
대운 女	1	1	1	1	露	10	9	9	9	8	8	8	7	7	7	6	6	6	5	5	5	4	4	4	3	3	3	2	2	2	1

4月 (1일 九紫 -) **戊戌 (四綠)** 절기: 寒露 (4일 20:57) 霜降 (20일 03:54)

양력	1	2	3	4	5	6	7	8	9	10	11	12	13	14	15	16	17	18	19	20	21	22	23	24	25	26	27	28	29	30	
요일	日	月	火	水	木	金	土	日	月	火	水	木	金	土	日	月	火	水	木	金	土	日	月	火	水	木	金	土	日	月	
음력 월	18	19	20	21	22	23	24	25	26	27	28	29	30	三	2	3	4	5	6	7	8	9	10	11	12	13	14	15	16	17	
일진	乙卯	丙辰	丁巳	庚午	辛未	壬申	癸酉	戊戌	己亥	甲子	乙丑	丙寅	丁卯	庚辰	辛巳	壬午	癸未	戊申	己酉	甲戌	乙亥	丙子	丁丑	庚寅	辛卯	壬辰	癸巳	戊午	己未	甲申	
대운 男	9	9	10	寒	1	1	1	1	2	2	2	3	3	3	4	4	4	5	5	5	6	6	6	7	7	7	8	8	8	9	
대운 女	1	1	1	露	10	10	9	9	9	8	8	8	7	7	7	6	6	6	5	5	5	4	4	4	3	3	3	2	2	2	

5月 (1일 六白 -) **己亥 (五黃)** 절기: 立冬 (5일 14:07) 小雪 (21일 02:55)

양력	1	2	3	4	5	6	7	8	9	10	11	12	13	14	15	16	17	18	19	20	21	22	23	24	25	26	27	28	29	30	31
요일	火	水	木	金	土	日	月	火	水	木	金	土	日	月	火	水	木	金	土	日	月	火	水	木	金	土	日	月	火	水	木
음력 월	18	19	20	21	22	23	24	25	26	27	28	29	四	2	3	4	5	6	7	8	9	10	11	12	13	14	15	16	17	18	19
일진	乙酉	丙戌	丁亥	庚子	辛丑	壬寅	癸卯	戊辰	己巳	甲午	乙未	丙申	丁酉	庚戌	辛亥	壬子	癸丑	戊寅	己卯	甲辰	乙巳	丙午	丁未	庚申	辛酉	壬戌	癸亥	戊子	己丑	甲寅	乙卯
대운 男	9	9	10	10	立	1	1	1	1	2	2	2	3	3	3	4	4	4	5	5	5	6	6	6	7	7	7	8	8	8	9
대운 女	1	1	1	1	冬	10	10	9	9	9	8	8	8	7	7	7	6	6	6	5	5	5	4	4	4	3	3	3	2	2	2

6月 (1일 二黑 - 3일 一白 +) **甲子 (六白)** 절기: 大雪 (5일 18:09) 冬至 (21일 10:47)

양력	1	2	3	4	5	6	7	8	9	10	11	12	13	14	15	16	17	18	19	20	21	22	23	24	25	26	27	28	29	30	
요일	金	土	日	月	火	水	木	金	土	日	月	火	水	木	金	土	日	月	火	水	木	金	土	日	月	火	水	木	金	土	
음력 월	20	21	22	23	24	25	26	27	28	29	30	五	2	3	4	5	6	7	8	9	10	11	12	13	14	15	16	17	18	19	
일진	丙辰	丁巳	庚午	辛未	壬申	癸酉	戊戌	己亥	甲子	乙丑	丙寅	丁卯	庚辰	辛巳	壬午	癸未	戊申	己酉	甲戌	乙亥	丙子	丁丑	庚寅	辛卯	壬辰	癸巳	戊午	己未	甲申	乙酉	
대운 男	9	9	10	10	大	1	1	1	1	2	2	2	3	3	3	4	4	4	5	5	5	6	6	6	7	7	7	8	8	8	
대운 女	1	1	1	1	雪	10	10	10	9	9	9	8	8	8	7	7	7	6	6	6	5	5	5	4	4	4	3	3	3	2	

7月 (1일 二黑 +) **乙丑 (七赤)** 절기: 小寒(7일 04:21) 大寒(22일 21:41)

양력	1	2	3	4	5	6	7	8	9	10	11	12	13	14	15	16	17	18	19	20	21	22	23	24	25	26	27	28	29	30	31
요일	日	月	火	水	木	金	土	日	月	火	水	木	金	土	日	月	火	水	木	金	土	日	月	火	水	木	金	土	日	月	火
음력 월	20	21	22	23	24	25	26	27	28	29	30	六	2	3	4	5	6	7	8	9	10	11	12	13	14	15	16	17	18	19	20
일진	丙戌	丁亥	庚子	辛丑	壬寅	癸卯	戊辰	己巳	甲午	乙未	丙申	丁酉	庚戌	辛亥	壬子	癸丑	戊寅	己卯	甲辰	乙巳	丙午	丁未	庚申	辛酉	壬戌	癸亥	戊子	己丑	甲寅	乙卯	丙辰
대운 男	9	9	9	10	10	10	小	1	1	1	1	2	2	2	3	3	3	4	4	4	5	5	5	6	6	6	7	7	7	8	8
대운 女	2	2	1	1	1	1	寒	10	10	9	9	9	8	8	8	7	7	7	6	6	6	5	5	5	4	4	4	3	3	3	2

8月 (1일 六白 +) **丙寅 (八白)** 절기: 立春(7일 14:11) 雨水(23일 04:50)

양력	1	2	3	4	5	6	7	8	9	10	11	12	13	14	15	16	17	18	19	20	21	22	23	24	25	26	27	28	29	30	31
요일	水	木	金	土	日	月	火	水	木	金	土	日	月	火	水	木	金	土	日	月	火	水	木	金	土	日	月	火	水	木	金
음력 월	21	22	23	24	25	26	27	28	29	七	2	3	4	5	6	7	8	9	10	11	12	13	14	15	16	17	18	19	20	21	22
일진	丁巳	庚午	辛未	壬申	癸酉	戊戌	己亥	甲子	乙丑	丙寅	丁卯	庚辰	辛巳	壬午	癸未	戊申	己酉	甲戌	乙亥	丙子	丁丑	庚寅	辛卯	壬辰	癸巳	戊午	己未	甲申	乙酉	丙戌	丁亥
대운 男	8	9	9	9	10	10	立	1	1	1	1	2	2	2	3	3	3	4	4	4	5	5	5	6	6	6	7	7	7	8	8
대운 女	2	2	1	1	1	1	春	10	10	9	9	9	8	8	8	7	7	7	6	6	6	5	5	5	4	4	4	3	3	3	2

9月 (1일 一白 +) **丁卯 (九紫)** 절기: 驚蟄(7일 17:11) 春分 (23일 02:37)

양력	1	2	3	4	5	6	7	8	9	10	11	12	13	14	15	16	17	18	19	20	21	22	23	24	25	26	27	28	29	30	
요일	土	日	月	火	水	木	金	土	日	月	火	水	木	金	土	日	月	火	水	木	金	土	日	月	火	水	木	金	土	日	
음력 월	23	24	25	26	27	28	29	八	2	3	4	5	6	7	8	9	10	11	12	13	14	15	16	17	18	19	20	21	22	23	
일진	庚子	辛丑	壬寅	癸卯	戊辰	己巳	甲午	乙未	丙申	丁酉	庚戌	辛亥	壬子	癸丑	戊寅	己卯	甲辰	乙巳	丙午	丁未	庚申	辛酉	壬戌	癸亥	戊子	己丑	甲寅	乙卯	丙辰	丁巳	
대운 男	8	9	9	9	10	10	驚	1	1	1	1	2	2	2	3	3	3	4	4	4	5	5	5	6	6	6	7	7	7	8	
대운 女	2	2	1	1	1	1	蟄	10	10	9	9	9	8	8	8	7	7	7	6	6	6	5	5	5	4	4	4	3	3	3	

10月 (1일 四綠 +) **庚辰 (一白)** 절기: 清明(8일 08:57) 穀雨(23일 12:07)

양력	1	2	3	4	5	6	7	8	9	10	11	12	13	14	15	16	17	18	19	20	21	22	23	24	25	26	27	28	29	30	31
요일	月	火	水	木	金	土	日	月	火	水	木	金	土	日	月	火	水	木	金	土	日	月	火	水	木	金	土	日	月	火	水
음력 월	24	25	26	27	28	29	30	九	2	3	4	5	6	7	8	9	10	11	12	13	14	15	16	17	18	19	20	21	22	23	24
일진	庚午	辛未	壬申	癸酉	戊戌	己亥	甲子	乙丑	丙寅	丁卯	庚辰	辛巳	壬午	癸未	戊申	己酉	甲戌	乙亥	丙子	丁丑	庚寅	辛卯	壬辰	癸巳	戊午	己未	甲申	乙酉	丙戌	丁亥	庚子
대운 男	8	8	9	9	9	10	10	清	1	1	1	1	2	2	2	3	3	3	4	4	4	5	5	5	6	6	6	7	7	7	8
대운 女	2	2	2	1	1	1	1	明	10	9	9	9	8	8	8	7	7	7	6	6	6	5	5	5	4	4	4	3	3	3	2

11月 (1일 八白 + 30일 九紫 -) **辛巳 (二黑)** 절기: 立夏(7일 12:16) 小滿 (22일 09:48)

양력	1	2	3	4	5	6	7	8	9	10	11	12	13	14	15	16	17	18	19	20	21	22	23	24	25	26	27	28	29	30	
요일	木	金	土	日	月	火	水	木	金	土	日	月	火	水	木	金	土	日	月	火	水	木	金	土	日	月	火	水	木	金	
음력 월	25	26	27	28	29	十	2	3	4	5	6	7	8	9	10	11	12	13	14	15	16	17	18	19	20	21	22	23	24	25	
일진	辛丑	壬寅	癸卯	戊辰	己巳	甲午	乙未	丙申	丁酉	庚戌	辛亥	壬子	癸丑	戊寅	己卯	甲辰	乙巳	丙午	丁未	庚申	辛酉	壬戌	癸亥	戊子	己丑	甲寅	乙卯	丙辰	丁巳	庚午	
대운 男	8	8	9	9	9	10	立	1	1	1	1	2	2	2	3	3	3	4	4	4	5	5	5	6	6	6	7	7	7	8	
대운 女	2	2	1	1	1	1	夏	10	9	9	9	8	8	8	7	7	7	6	6	6	5	5	5	4	4	4	3	3	3	2	

12月 (1일 八白 -) **壬午 (三碧)** 절기: 芒種(7일 05:13) 夏至(21일 23:13)

양력	1	2	3	4	5	6	7	8	9	10	11	12	13	14	15	16	17	18	19	20	21	22	23	24	25	26	27	28	29	30	31
요일	土	日	月	火	水	木	金	土	日	月	火	水	木	金	土	日	月	火	水	木	金	土	日	月	火	水	木	金	土	日	月
음력 월	26	27	28	29	十一	2	3	4	5	6	7	8	9	10	11	12	13	14	15	16	17	18	19	20	21	22	23	24	25	26	27
일진	辛未	壬申	癸酉	戊戌	己亥	甲子	乙丑	丙寅	丁卯	庚辰	辛巳	壬午	癸未	戊申	己酉	甲戌	乙亥	丙子	丁丑	庚寅	辛卯	壬辰	癸巳	戊午	己未	甲申	乙酉	丙戌	丁亥	庚子	辛丑
대운 男	8	8	9	9	9	10	芒	1	1	1	1	2	2	2	3	3	3	4	4	4	5	5	5	6	6	6	7	7	7	8	8
대운 女	2	2	1	1	1	1	種	9	9	9	8	8	8	7	7	7	6	6	6	5	5	5	4	4	4	3	3	3	2	2	2

서기2030년

甲辰年 (四綠木星)

1月 (1일 四綠 -) **癸未 (四綠)** 절기: 小暑 (5일 16:29) 大暑 (20일 09:53)

양력		1	2	3	4	5	6	7	8	9	10	11	12	13	14	15	16	17	18	19	20	21	22	23	24	25	26	27	28	29	30	31
요일		火	水	木	金	土	日	月	火	水	木	金	土	日	月	火	水	木	金	土	日	月	火	水	木	金	土	日	月	火	水	木
음력	월	28	29	30	十二	2	3	4	5	6	7	8	9	10	11	12	13	14	15	16	17	18	19	20	21	22	23	24	25	26	27	28
일진		壬寅	癸卯	戊辰	己巳	甲午	乙未	丙申	丁酉	庚戌	辛亥	壬子	癸丑	戊寅	己卯	甲辰	乙巳	丙午	丁未	庚申	辛酉	壬戌	癸亥	戊子	己丑	甲寅	乙卯	丙辰	丁巳	庚午	辛未	壬申
대운	男	8	9	9	9	小	1	1	1	1	2	2	2	3	3	3	4	4	4	5	5	5	6	6	6	7	7	7	8	8	8	9
	女	1	1	1	1	暑	10	9	9	9	8	8	8	7	7	7	6	6	6	5	5	5	4	4	4	3	3	3	2	2	2	1

2月 (1일 九紫 -) **戊申 (五黃)** 절기: 立秋 (4일 04:07) 處暑 (18일 23:59)

양력		1	2	3	4	5	6	7	8	9	10	11	12	13	14	15	16	17	18	19	20	21	22	23	24	25	26	27	28			
요일		金	土	日	月	火	水	木	金	土	日	月	火	水	木	金	土	日	月	火	水	木	金	土	日	月	火	水	木			
음력	월	29	30	一	2	3	4	5	6	7	8	9	10	11	12	13	14	15	16	17	18	19	20	21	22	23	24	25	26			
일진		癸酉	戊戌	己亥	甲子	乙丑	丙寅	丁卯	庚辰	辛巳	壬午	癸未	戊申	己酉	甲戌	乙亥	丙子	丁丑	庚寅	辛卯	壬辰	癸巳	戊午	己未	甲申	乙酉	丙戌	丁亥	庚子			
대운	男	9	9	10	立	9	9	9	8	8	8	7	7	7	6	6	6	5	5	5	4	4	4	3	3	3	2	2	2			
	女	1	1	1	秋	1	1	1	1	2	2	2	3	3	3	4	4	4	5	5	5	6	6	6	7	7	7	8	8			

3月 (1일 八白 -) **己酉 (六白)** 절기: 白露 (5일 22:02) 秋分 (20일 22:51)

양력		1	2	3	4	5	6	7	8	9	10	11	12	13	14	15	16	17	18	19	20	21	22	23	24	25	26	27	28	29	30	31
요일		金	土	日	月	火	水	木	金	土	日	月	火	水	木	金	土	日	月	火	水	木	金	土	日	月	火	水	木	金	土	日
음력	월	27	28	29	二	2	3	4	5	6	7	8	9	10	11	12	13	14	15	16	17	18	19	20	21	22	23	24	25	26	27	28
일진		辛丑	壬寅	癸卯	戊辰	己巳	甲午	乙未	丙申	丁酉	庚戌	辛亥	壬子	癸丑	戊寅	己卯	甲辰	乙巳	丙午	丁未	庚申	辛酉	壬戌	癸亥	戊子	己丑	甲寅	乙卯	丙辰	丁巳	庚午	辛未
대운	男	1	1	1	1	白	10	10	9	9	9	8	8	8	7	7	7	6	6	6	5	5	5	4	4	4	3	3	3	2	2	2
	女	8	9	9	9	露	1	1	1	1	2	2	2	3	3	3	4	4	4	5	5	5	6	6	6	7	7	7	8	8	8	9

4月 (1일 四綠 -) **甲戌 (七赤)** 절기: 寒露 (5일 02:40) 霜降 (20일 09:42)

양력		1	2	3	4	5	6	7	8	9	10	11	12	13	14	15	16	17	18	19	20	21	22	23	24	25	26	27	28	29	30	
요일		月	火	水	木	金	土	日	月	火	水	木	金	土	日	月	火	水	木	金	土	日	月	火	水	木	金	土	日	月	火	
음력	월	29	30	三	2	3	4	5	6	7	8	9	10	11	12	13	14	15	16	17	18	19	20	21	22	23	24	25	26	27	28	
일진		壬申	癸酉	戊戌	己亥	甲子	乙丑	丙寅	丁卯	庚辰	辛巳	壬午	癸未	戊申	己酉	甲戌	乙亥	丙子	丁丑	庚寅	辛卯	壬辰	癸巳	戊午	己未	甲申	乙酉	丙戌	丁亥	庚子	辛丑	
대운	男	1	1	1	1	寒	10	9	9	9	8	8	8	7	7	7	6	6	6	5	5	5	4	4	4	3	3	3	2	2	2	
	女	9	9	10	10	露	1	1	1	1	2	2	2	3	3	3	4	4	4	5	5	5	6	6	6	7	7	7	8	8	8	

5月 (1일 一白 - 29일 一白 +) **乙亥 (八白)** 절기: 立冬 (5일 19:45) 小雪 (21일 08:40)

양력		1	2	3	4	5	6	7	8	9	10	11	12	13	14	15	16	17	18	19	20	21	22	23	24	25	26	27	28	29	30	31
요일		水	木	金	土	日	月	火	水	木	金	土	日	月	火	水	木	金	土	日	月	火	水	木	金	土	日	月	火	水	木	金
음력	월	29	四	2	3	4	5	6	7	8	9	10	11	12	13	14	15	16	17	18	19	20	21	22	23	24	25	26	27	28	29	30
일진		壬寅	癸卯	戊辰	己巳	甲午	乙未	丙申	丁酉	庚戌	辛亥	壬子	癸丑	戊寅	己卯	甲辰	乙巳	丙午	丁未	庚申	辛酉	壬戌	癸亥	戊子	己丑	甲寅	乙卯	丙辰	丁巳	庚午	辛未	壬申
대운	男	1	1	1	1	立	10	10	9	9	9	8	8	8	7	7	7	6	6	6	5	5	5	4	4	4	3	3	3	2	2	2
	女	9	9	9	10	冬	1	1	1	1	2	2	2	3	3	3	4	4	4	5	5	5	6	6	6	7	7	7	8	8	8	9

6月 (1일 四綠 +) **丙子 (九紫)** 절기: 大雪 (5일 23:43) 冬至 (21일 16:30)

양력		1	2	3	4	5	6	7	8	9	10	11	12	13	14	15	16	17	18	19	20	21	22	23	24	25	26	27	28	29	30	
요일		土	日	月	火	水	木	金	土	日	月	火	水	木	金	土	日	月	火	水	木	金	土	日	月	火	水	木	金	土	日	
음력	월	五	2	3	4	5	6	7	8	9	10	11	12	13	14	15	16	17	18	19	20	21	22	23	24	25	26	27	28	29	30	
일진		癸酉	戊戌	己亥	甲子	乙丑	丙寅	丁卯	庚辰	辛巳	壬午	癸未	戊申	己酉	甲戌	乙亥	丙子	丁丑	庚寅	辛卯	壬辰	癸巳	戊午	己未	甲申	乙酉	丙戌	丁亥	庚子	辛丑	壬寅	
대운	男	1	1	1	1	大	10	10	10	9	9	9	8	8	8	7	7	7	6	6	6	5	5	5	4	4	4	3	3	3	2	
	女	9	9	10	10	雪	1	1	1	1	2	2	2	3	3	3	4	4	4	5	5	5	6	6	6	7	7	7	8	8	8	

7月 (1일 七赤 +)　丁丑 (一白)　절기: 小寒(7일 09:54) 大寒(23일 03:24)

양력	1	2	3	4	5	6	7	8	9	10	11	12	13	14	15	16	17	18	19	20	21	22	23	24	25	26	27	28	29	30	31
요일	月	火	水	木	金	土	日	月	火	水	木	金	土	日	月	火	水	木	金	土	日	月	火	水	木	金	土	日	月	火	水
음력 월	六	2	3	4	5	6	7	8	9	10	11	12	13	14	15	16	17	18	19	20	21	22	23	24	25	26	27	28	29	七	2
일진	癸卯	戊辰	己巳	甲午	乙未	丙申	丁酉	庚戌	辛亥	壬子	癸丑	戊寅	己卯	甲辰	乙巳	丙午	丁未	庚申	辛酉	壬戌	癸亥	戊子	己丑	甲寅	乙卯	丙辰	丁巳	庚午	辛未	壬申	癸酉
대운 男	2	2	1	1	1	1	小	10	10	9	9	9	8	8	8	7	7	7	6	6	6	5	5	5	4	4	4	3	3	3	2
대운 女	9	9	9	10	10	10	寒	1	1	1	1	2	2	2	3	3	3	4	4	4	5	5	5	6	6	6	7	7	7	8	8

8月 (1일 二黑 +)　庚寅 (二黑)　절기: 立春(7일 19:46) 雨水(23일 10:35)

양력	1	2	3	4	5	6	7	8	9	10	11	12	13	14	15	16	17	18	19	20	21	22	23	24	25	26	27	28	29	30	31
요일	木	金	土	日	月	火	水	木	金	土	日	月	火	水	木	金	土	日	月	火	水	木	金	土	日	月	火	水	木	金	土
음력 월	3	4	5	6	7	8	9	10	11	12	13	14	15	16	17	18	19	20	21	22	23	24	25	26	27	28	29	30	八	2	3
일진	戊戌	己亥	甲子	乙丑	丙寅	丁卯	庚辰	辛巳	壬午	癸未	戊申	己酉	甲戌	乙亥	丙子	丁丑	庚寅	辛卯	壬辰	癸巳	戊午	己未	甲申	乙酉	丙戌	丁亥	庚子	辛丑	壬寅	癸卯	戊辰
대운 男	2	2	1	1	1	1	立	10	10	9	9	9	8	8	8	7	7	7	6	6	6	5	5	5	4	4	4	3	3	3	2
대운 女	8	9	9	9	10	10	春	1	1	1	1	2	2	2	3	3	3	4	4	4	5	5	5	6	6	6	7	7	7	8	8

9月 (1일 六白 +)　辛卯 (三碧)　절기: 驚蟄(7일 22:52) 春分 (23일 08:26)

양력	1	2	3	4	5	6	7	8	9	10	11	12	13	14	15	16	17	18	19	20	21	22	23	24	25	26	27	28	29	30	
요일	日	月	火	水	木	金	土	日	月	火	水	木	金	土	日	月	火	水	木	金	土	日	月	火	水	木	金	土	日	月	
음력 월	4	5	6	7	8	9	10	11	12	13	14	15	16	17	18	19	20	21	22	23	24	25	26	27	28	29	九	2	3	4	
일진	己巳	甲午	乙未	丙申	丁酉	庚戌	辛亥	壬子	癸丑	戊寅	己卯	甲辰	乙巳	丙午	丁未	庚申	辛酉	壬戌	癸亥	戊子	己丑	甲寅	乙卯	丙辰	丁巳	庚午	辛未	壬申	癸酉	戊戌	
대운 男	2	2	1	1	1	1	驚	10	10	9	9	9	8	8	8	7	7	7	6	6	6	5	5	5	4	4	4	3	3	3	
대운 女	8	9	9	9	10	10	蟄	1	1	1	1	2	2	2	3	3	3	4	4	4	5	5	5	6	6	6	7	7	7	8	

10月 (1일 九紫 +)　壬辰 (四綠)　절기: 清明(8일 14:44) 穀雨(23일 17:59)

양력	1	2	3	4	5	6	7	8	9	10	11	12	13	14	15	16	17	18	19	20	21	22	23	24	25	26	27	28	29	30	31
요일	火	水	木	金	土	日	月	火	水	木	金	土	日	月	火	水	木	金	土	日	月	火	水	木	金	土	日	月	火	水	木
음력 월	5	6	7	8	9	10	11	12	13	14	15	16	17	18	19	20	21	22	23	24	25	26	27	28	29	30	十	2	3	4	5
일진	己亥	甲子	乙丑	丙寅	丁卯	庚辰	辛巳	壬午	癸未	戊申	己酉	甲戌	乙亥	丙子	丁丑	庚寅	辛卯	壬辰	癸巳	戊午	己未	甲申	乙酉	丙戌	丁亥	庚子	辛丑	壬寅	癸卯	戊辰	己巳
대운 男	2	2	2	1	1	1	1	清	10	9	9	9	8	8	8	7	7	7	6	6	6	5	5	5	4	4	4	3	3	3	2
대운 女	8	8	9	9	9	10	10	明	1	1	1	1	2	2	2	3	3	3	4	4	4	5	5	5	6	6	6	7	7	7	8

11月 (1일 四綠 + 25일 九紫 -)　癸巳 (五黃)　절기: 立夏(7일 18:07) 小滿 (22일 15:43)

양력	1	2	3	4	5	6	7	8	9	10	11	12	13	14	15	16	17	18	19	20	21	22	23	24	25	26	27	28	29	30	
요일	金	土	日	月	火	水	木	金	土	日	月	火	水	木	金	土	日	月	火	水	木	金	土	日	月	火	水	木	金	土	
음력 월	6	7	8	9	10	11	12	13	14	15	16	17	18	19	20	21	22	23	24	25	26	27	28	29	十一	2	3	4	5	6	
일진	甲午	乙未	丙申	丁酉	庚戌	辛亥	壬子	癸丑	戊寅	己卯	甲辰	乙巳	丙午	丁未	庚申	辛酉	壬戌	癸亥	戊子	己丑	甲寅	乙卯	丙辰	丁巳	庚午	辛未	壬申	癸酉	戊戌	己亥	
대운 男	2	2	1	1	1	1	立	10	9	9	9	8	8	8	7	7	7	6	6	6	5	5	5	4	4	4	3	3	3	2	
대운 女	8	8	9	9	9	10	夏	1	1	1	1	2	2	2	3	3	3	4	4	4	5	5	5	6	6	6	7	7	7	8	

12月 (1일 三碧 -)　戊午 (六白)　절기: 芒種(7일 11:06) 夏至(22일 05:08)

양력	1	2	3	4	5	6	7	8	9	10	11	12	13	14	15	16	17	18	19	20	21	22	23	24	25	26	27	28	29	30	31
요일	日	月	火	水	木	金	土	日	月	火	水	木	金	土	日	月	火	水	木	金	土	日	月	火	水	木	金	土	日	月	火
음력 월	7	8	9	10	11	12	13	14	15	16	17	18	19	20	21	22	23	24	25	26	27	28	29	30	十二	2	3	4	5	6	7
일진	甲子	乙丑	丙寅	丁卯	庚辰	辛巳	壬午	癸未	戊申	己酉	甲戌	乙亥	丙子	丁丑	庚寅	辛卯	壬辰	癸巳	戊午	己未	甲申	乙酉	丙戌	丁亥	庚子	辛丑	壬寅	癸卯	戊辰	己巳	甲午
대운 男	2	2	1	1	1	1	芒	9	9	9	8	8	8	7	7	7	6	6	6	5	5	5	4	4	4	3	3	3	2	2	2
대운 女	8	8	9	9	9	10	種	1	1	1	1	2	2	2	3	3	3	4	4	4	5	5	5	6	6	6	7	7	7	8	8

서기2031년

乙巳年 (五黃土星) 閏三月

1月 (1일 八白 -) **己未 (七赤)** 절기: 小暑 (5일 22:22) 大暑 (20일 15:47)

양력		1	2	3	4	5	6	7	8	9	10	11	12	13	14	15	16	17	18	19	20	21	22	23	24	25	26	27	28	29	30	31
요일		水	木	金	土	日	月	火	水	木	金	土	日	月	火	水	木	金	土	日	月	火	水	木	金	土	日	月	火	水	木	金
음력	월	8	9	10	11	12	13	14	15	16	17	18	19	20	21	22	23	24	25	26	27	28	29	一	2	3	4	5	6	7	8	9
일진		乙未	丙申	丁酉	庚戌	辛亥	壬子	癸丑	戊寅	己卯	甲辰	乙巳	丙午	丁未	庚申	辛酉	壬戌	癸亥	戊子	己丑	甲寅	乙卯	丙辰	丁巳	庚午	辛未	壬申	癸酉	戊戌	己亥	甲子	乙丑
대운	男	1	1	1	1	小	10	9	9	9	8	8	8	7	7	7	6	6	6	5	5	5	4	4	4	3	3	3	2	2	2	1
	女	8	9	9	9	暑	1	1	1	1	2	2	2	3	3	3	4	4	4	5	5	5	6	6	6	7	7	7	8	8	8	9

2月 (1일 四綠 -) **甲申 (八白)** 절기: 立秋 (4일 09:57) 處暑 (19일 05:50)

양력		1	2	3	4	5	6	7	8	9	10	11	12	13	14	15	16	17	18	19	20	21	22	23	24	25	26	27	28			
요일		土	日	月	火	水	木	金	土	日	月	火	水	木	金	土	日	月	火	水	木	金	土	日	月	火	水	木	金			
음력	월	10	11	12	13	14	15	16	17	18	19	20	21	22	23	24	25	26	27	28	29	30	二	2	3	4	5	6	7			
일진		丙寅	丁卯	庚辰	辛巳	壬午	癸未	戊申	己酉	甲戌	乙亥	丙子	丁丑	庚寅	辛卯	壬辰	癸巳	戊午	己未	甲申	乙酉	丙戌	丁亥	庚子	辛丑	壬寅	癸卯	戊辰	己巳			
대운	男	1	1	1	立	1	1	1	1	2	2	2	3	3	3	4	4	4	5	5	5	6	6	6	7	7	7	8	8			
	女	9	9	10	秋	10	9	9	9	8	8	8	7	7	7	6	6	6	5	5	5	4	4	4	3	3	3	2	2			

3月 (1일 三碧 -) **乙酉 (九紫)** 절기: 白露 (6일 03:50) 秋分 (21일 04:40)

양력		1	2	3	4	5	6	7	8	9	10	11	12	13	14	15	16	17	18	19	20	21	22	23	24	25	26	27	28	29	30	31
요일		土	日	月	火	水	木	金	土	日	月	火	水	木	金	土	日	月	火	水	木	金	土	日	月	火	水	木	金	土	日	月
음력	월	8	9	10	11	12	13	14	15	16	17	18	19	20	21	22	23	24	25	26	27	28	29	三	2	3	4	5	6	7	8	9
일진		甲午	乙未	丙申	丁酉	庚戌	辛亥	壬子	癸丑	戊寅	己卯	甲辰	乙巳	丙午	丁未	庚申	辛酉	壬戌	癸亥	戊子	己丑	甲寅	乙卯	丙辰	丁巳	庚午	辛未	壬申	癸酉	戊戌	己亥	甲子
대운	男	8	9	9	9	10	白	1	1	1	1	2	2	2	3	3	3	4	4	4	5	5	5	6	6	6	7	7	7	8	8	8
	女	2	1	1	1	1	露	10	9	9	9	8	8	8	7	7	7	6	6	6	5	5	5	4	4	4	3	3	3	2	2	2

4月 (1일 八白 -) **丙戌 (一白)** 절기: 寒露 (5일 08:27) 霜降 (20일 15:30)

양력		1	2	3	4	5	6	7	8	9	10	11	12	13	14	15	16	17	18	19	20	21	22	23	24	25	26	27	28	29	30	
요일		火	水	木	金	土	日	月	火	水	木	金	土	日	月	火	水	木	金	土	日	月	火	水	木	金	土	日	月	火	水	
음력	월	10	11	12	13	14	15	16	17	18	19	20	21	22	23	24	25	26	27	28	29	30	閏三		3	4	5	6	7	8	9	
일진		乙丑	丙寅	丁卯	庚辰	辛巳	壬午	癸未	戊申	己酉	甲戌	乙亥	丙子	丁丑	庚寅	辛卯	壬辰	癸巳	戊午	己未	甲申	乙酉	丙戌	丁亥	庚子	辛丑	壬寅	癸卯	戊辰	己巳	甲午	
대운	男	9	9	9	10	寒	1	1	1	1	2	2	2	3	3	3	4	4	4	5	5	5	6	6	6	7	7	7	8	8	8	
	女	1	1	1	1	露	10	10	9	9	9	8	8	8	7	7	7	6	6	6	5	5	5	4	4	4	3	3	3	2	2	

5月 (1일 五黃 - 24일 九紫 -) **丁亥 (二黑)** 절기: 立冬 (6일 01:34) 小雪 (21일 14:27)

양력		1	2	3	4	5	6	7	8	9	10	11	12	13	14	15	16	17	18	19	20	21	22	23	24	25	26	27	28	29	30	31
요일		木	金	土	日	月	火	水	木	金	土	日	月	火	水	木	金	土	日	月	火	水	木	金	土	日	月	火	水	木	金	土
음력	월	10	11	12	13	14	15	16	17	18	19	20	21	22	23	24	25	26	27	28	29	四	2	3	4	5	6	7	8	9	10	11
일진		乙未	丙申	丁酉	庚戌	辛亥	壬子	癸丑	戊寅	己卯	甲辰	乙巳	丙午	丁未	庚申	辛酉	壬戌	癸亥	戊子	己丑	甲寅	乙卯	丙辰	丁巳	庚午	辛未	壬申	癸酉	戊戌	己亥	甲子	乙丑
대운	男	9	9	9	10	10	立	1	1	1	1	2	2	2	3	3	3	4	4	4	5	5	5	6	6	6	7	7	7	8	8	8
	女	2	1	1	1	1	冬	10	10	9	9	9	8	8	8	7	7	7	6	6	6	5	5	5	4	4	4	3	3	3	2	2

6月 (1일 一白 - 26일 一白 +) **庚子 (三碧)** 절기: 大雪 (6일 05:34) 冬至 (21일 22:16)

양력		1	2	3	4	5	6	7	8	9	10	11	12	13	14	15	16	17	18	19	20	21	22	23	24	25	26	27	28	29	30	
요일		日	月	火	水	木	金	土	日	月	火	水	木	金	土	日	月	火	水	木	金	土	日	月	火	水	木	金	土	日	月	
음력	월	12	13	14	15	16	17	18	19	20	21	22	23	24	25	26	27	28	29	30	五	2	3	4	5	6	7	8	9	10	11	
일진		丙寅	丁卯	庚辰	辛巳	壬午	癸未	戊申	己酉	甲戌	乙亥	丙子	丁丑	庚寅	辛卯	壬辰	癸巳	戊午	己未	甲申	乙酉	丙戌	丁亥	庚子	辛丑	壬寅	癸卯	戊辰	己巳	甲午	乙未	
대운	男	9	9	9	10	10	大	1	1	1	1	2	2	2	3	3	3	4	4	4	5	5	5	6	6	6	7	7	7	8	8	
	女	2	1	1	1	1	雪	10	10	9	9	9	8	8	8	7	7	7	6	6	6	5	5	5	4	4	4	3	3	3	2	

7月 (1일 六白 + 23일 一白 +) **辛丑 (四綠)** 절기: 小寒(7일 15:48) 大寒(23일 09:09)

양력	1	2	3	4	5	6	7	8	9	10	11	12	13	14	15	16	17	18	19	20	21	22	23	24	25	26	27	28	29	30	31
요일	火	水	木	金	土	日	月	火	水	木	金	土	日	月	火	水	木	金	土	日	月	火	水	木	金	土	日	月	火	水	木
음력 월	12	13	14	15	16	17	18	19	20	21	22	23	24	25	26	27	28	29	六	2	3	4	5	6	7	8	9	10	11	12	13
일진	丙申	丁酉	庚戌	辛亥	壬子	癸丑	戊寅	己卯	甲辰	乙巳	丙午	丁未	庚申	辛酉	壬戌	癸亥	戊子	己丑	甲寅	乙卯	丙辰	丁巳	庚午	辛未	壬申	癸酉	戊戌	己亥	甲子	乙丑	丙寅
대운 男	8	9	9	9	10	10	小	1	1	1	1	2	2	2	3	3	3	4	4	4	5	5	5	6	6	6	7	7	7	8	8
대운 女	2	2	1	1	1	1	寒	10	10	10	9	9	9	8	8	8	7	7	7	6	6	6	5	5	5	4	4	4	3	3	3

8月 (1일 一白 +) **壬寅 (五黃)** 절기: 立春(8일 01:42) 雨水(23일 16:22)

양력	1	2	3	4	5	6	7	8	9	10	11	12	13	14	15	16	17	18	19	20	21	22	23	24	25	26	27	28	29	30	31
요일	金	土	日	月	火	水	木	金	土	日	月	火	水	木	金	土	日	月	火	水	木	金	土	日	月	火	水	木	金	土	日
음력 월	14	15	16	17	18	19	20	21	22	23	24	25	26	27	28	29	30	七	2	3	4	5	6	7	8	9	10	11	12	13	14
일진	丁卯	庚辰	辛巳	壬午	癸未	戊申	己酉	甲戌	乙亥	丙子	丁丑	庚寅	辛卯	壬辰	癸巳	戊午	己未	甲申	乙酉	丙戌	丁亥	庚子	辛丑	壬寅	癸卯	戊辰	己巳	甲午	乙未	丙申	丁酉
대운 男	8	9	9	9	10	10	10	立	1	1	1	1	2	2	2	3	3	3	4	4	4	5	5	5	6	6	6	7	7	7	8
대운 女	2	2	2	1	1	1	1	春	10	10	9	9	9	8	8	8	7	7	7	6	6	6	5	5	5	4	4	4	3	3	3

9月 (1일 五黃 +) **癸卯 (六白)** 절기: 驚蟄(8일 04:49) 春分 (23일 14:14)

양력	1	2	3	4	5	6	7	8	9	10	11	12	13	14	15	16	17	18	19	20	21	22	23	24	25	26	27	28	29	30	
요일	月	火	水	木	金	土	日	月	火	水	木	金	土	日	月	火	水	木	金	土	日	月	火	水	木	金	土	日	月	火	
음력 월	15	16	17	18	19	20	21	22	23	24	25	26	27	28	29	30	八	2	3	4	5	6	7	8	9	10	11	12	13	14	
일진	庚戌	辛亥	壬子	癸丑	戊寅	己卯	甲辰	乙巳	丙午	丁未	庚申	辛酉	壬戌	癸亥	戊子	己丑	甲寅	乙卯	丙辰	丁巳	庚午	辛未	壬申	癸酉	戊戌	己亥	甲子	乙丑	丙寅	丁卯	
대운 男	8	8	9	9	9	10	10	驚	1	1	1	1	2	2	2	3	3	3	4	4	4	5	5	5	6	6	6	7	7	7	
대운 女	2	2	2	1	1	1	1	蟄	10	9	9	9	8	8	8	7	7	7	6	6	6	5	5	5	4	4	4	3	3	3	

10月 (1일 八白 +) **戊辰 (七赤)** 절기: 淸明(8일 20:42) 穀雨(23일 23:48)

양력	1	2	3	4	5	6	7	8	9	10	11	12	13	14	15	16	17	18	19	20	21	22	23	24	25	26	27	28	29	30	31
요일	水	木	金	土	日	月	火	水	木	金	土	日	月	火	水	木	金	土	日	月	火	水	木	金	土	日	月	火	水	木	金
음력 월	15	16	17	18	19	20	21	22	23	24	25	26	27	28	29	九	2	3	4	5	6	7	8	9	10	11	12	13	14	15	16
일진	庚辰	辛巳	壬午	癸未	戊申	己酉	甲戌	乙亥	丙子	丁丑	庚寅	辛卯	壬辰	癸巳	戊午	己未	甲申	乙酉	丙戌	丁亥	庚子	辛丑	壬寅	癸卯	戊辰	己巳	甲午	乙未	丙申	丁酉	庚戌
대운 男	8	8	8	9	9	9	10	淸	1	1	1	1	2	2	2	3	3	3	4	4	4	5	5	5	6	6	6	7	7	7	8
대운 女	2	2	2	1	1	1	1	明	10	10	9	9	9	8	8	8	7	7	7	6	6	6	5	5	5	4	4	4	3	3	3

11月 (1일 三碧 +) **己巳 (八白)** 절기: 立夏(8일 00:04) 小滿 (22일 21:31)

양력	1	2	3	4	5	6	7	8	9	10	11	12	13	14	15	16	17	18	19	20	21	22	23	24	25	26	27	28	29	30	
요일	土	日	月	火	水	木	金	土	日	月	火	水	木	金	土	日	月	火	水	木	金	土	日	月	火	水	木	金	土	日	
음력 월	17	18	19	20	21	22	23	24	25	26	27	28	29	30	十	2	3	4	5	6	7	8	9	10	11	12	13	14	15	16	
일진	辛亥	壬子	癸丑	戊寅	己卯	甲辰	乙巳	丙午	丁未	庚申	辛酉	壬戌	癸亥	戊子	己丑	甲寅	乙卯	丙辰	丁巳	庚午	辛未	壬申	癸酉	戊戌	己亥	甲子	乙丑	丙寅	丁卯	庚辰	
대운 男	8	8	9	9	9	10	10	立	1	1	1	1	2	2	2	3	3	3	4	4	4	5	5	5	6	6	6	7	7	7	
대운 女	2	2	2	1	1	1	1	夏	9	9	9	8	8	8	7	7	7	6	6	6	5	5	5	4	4	4	3	3	3	2	

12月 (1일 六白 +) **甲午 (九紫)** 절기: 芒種(7일 17:02) 夏至(22일 10:54)

양력	1	2	3	4	5	6	7	8	9	10	11	12	13	14	15	16	17	18	19	20	21	22	23	24	25	26	27	28	29	30	31
요일	月	火	水	木	金	土	日	月	火	水	木	金	土	日	月	火	水	木	金	土	日	月	火	水	木	金	土	日	月	火	水
음력 월	17	18	19	20	21	22	23	24	25	26	27	28	29	十一	2	3	4	5	6	7	8	9	10	11	12	13	14	15	16	17	18
일진	辛巳	壬午	癸未	戊申	己酉	甲戌	乙亥	丙子	丁丑	庚寅	辛卯	壬辰	癸巳	戊午	己未	甲申	乙酉	丙戌	丁亥	庚子	辛丑	壬寅	癸卯	戊辰	己巳	甲午	乙未	丙申	丁酉	庚戌	辛亥
대운 男	8	8	8	9	9	9	芒	1	1	1	1	2	2	2	3	3	3	4	4	4	5	5	5	6	6	6	7	7	7	8	8
대운 女	2	2	1	1	1	1	種	10	9	9	9	8	8	8	7	7	7	6	6	6	5	5	5	4	4	4	3	3	3	2	2

丙午年 (六白金星)

1月 (1일 一白 + 19일 九紫 -) **乙未 (一白)** 절기: 小暑 (6일 04:15) 大暑 (20일 21:30)

양력		1	2	3	4	5	6	7	8	9	10	11	12	13	14	15	16	17	18	19	20	21	22	23	24	25	26	27	28	29	30	31
요일		木	金	土	日	月	火	水	木	金	土	日	月	火	水	木	金	土	日	月	火	水	木	金	土	日	月	火	水	木	金	土
음력	월	19	20	21	22	23	24	25	26	27	28	29	30	十二	2	3	4	5	6	7	8	9	10	11	12	13	14	15	16	17	18	19
일진		壬子	癸丑	戊寅	己卯	甲辰	乙巳	丙午	丁未	庚申	辛酉	壬戌	癸亥	戊子	己丑	甲寅	乙卯	丙辰	丁巳	庚午	辛未	壬申	癸酉	戊戌	己亥	甲子	乙丑	丙寅	丁卯	庚辰	辛巳	壬午
대운	男	8	9	9	9	10	小	1	1	1	1	2	2	2	3	3	3	4	4	4	5	5	5	6	6	6	7	7	7	8	8	8
	女	2	1	1	1	1	暑	9	9	9	8	8	8	7	7	7	6	6	6	5	5	5	4	4	4	3	3	3	2	2	2	1

2月 閏 (1일 五黃 -) **丙申 (二黑)** 절기: 立秋 (4일 15:48) 處暑 (19일 11:31)

양력		1	2	3	4	5	6	7	8	9	10	11	12	13	14	15	16	17	18	19	20	21	22	23	24	25	26	27	28	29		
요일		日	月	火	水	木	金	土	日	月	火	水	木	金	土	日	月	火	水	木	金	土	日	月	火	水	木	金	土	日		
음력	월	20	21	22	23	24	25	26	27	28	29	一	2	3	4	5	6	7	8	9	10	11	12	13	14	15	16	17	18	19		
일진		癸未	戊申	己酉	甲戌	乙亥	丙子	丁丑	庚寅	辛卯	壬辰	癸巳	戊午	己未	甲申	乙酉	丙戌	丁亥	庚子	辛丑	壬寅	癸卯	戊辰	己巳	甲午	乙未	丙申	丁酉	庚戌	辛亥		
대운	男	9	9	9	立	10	9	9	9	8	8	8	7	7	7	6	6	6	5	5	5	4	4	4	3	3	3	2	2	2		
	女	1	1	1	秋	1	1	1	1	2	2	2	3	3	3	4	4	4	5	5	5	6	6	6	7	7	7	8	8	8		

3月 (1일 三碧 -) **丁酉 (三碧)** 절기: 白露 (5일 09:39) 秋分 (20일 10:21)

양력		1	2	3	4	5	6	7	8	9	10	11	12	13	14	15	16	17	18	19	20	21	22	23	24	25	26	27	28	29	30	31
요일		月	火	水	木	金	土	日	月	火	水	木	金	土	日	月	火	水	木	金	土	日	月	火	水	木	金	土	日	月	火	水
음력	월	20	21	22	23	24	25	26	27	28	29	30	二	2	3	4	5	6	7	8	9	10	11	12	13	14	15	16	17	18	19	20
일진		壬子	癸丑	戊寅	己卯	甲辰	乙巳	丙午	丁未	庚申	辛酉	壬戌	癸亥	戊子	己丑	甲寅	乙卯	丙辰	丁巳	庚午	辛未	壬申	癸酉	戊戌	己亥	甲子	乙丑	丙寅	丁卯	庚辰	辛巳	壬午
대운	男	1	1	1	1	白	10	9	9	9	8	8	8	7	7	7	6	6	6	5	5	5	4	4	4	3	3	3	2	2	2	1
	女	9	9	9	10	露	1	1	1	1	2	2	2	3	3	3	4	4	4	5	5	5	6	6	6	7	7	7	8	8	8	9

4月 (1일 八白 -) **庚戌 (四綠)** 절기: 寒露 (4일 14:16) 霜降 (19일 21:13)

양력		1	2	3	4	5	6	7	8	9	10	11	12	13	14	15	16	17	18	19	20	21	22	23	24	25	26	27	28	29	30	
요일		木	金	土	日	月	火	水	木	金	土	日	月	火	水	木	金	土	日	月	火	水	木	金	土	日	月	火	水	木	金	
음력	월	21	22	23	24	25	26	27	28	29	三	2	3	4	5	6	7	8	9	10	11	12	13	14	15	16	17	18	19	20	21	
일진		癸未	戊申	己酉	甲戌	乙亥	丙子	丁丑	庚寅	辛卯	壬辰	癸巳	戊午	己未	甲申	乙酉	丙戌	丁亥	庚子	辛丑	壬寅	癸卯	戊辰	己巳	甲午	乙未	丙申	丁酉	庚戌	辛亥	壬子	
대운	男	1	1	1	寒	10	10	9	9	9	8	8	8	7	7	7	6	6	6	5	5	5	4	4	4	3	3	3	2	2	2	
	女	9	9	10	露	1	1	1	1	2	2	2	3	3	3	4	4	4	5	5	5	6	6	6	7	7	7	8	8	8	9	

5月 (1일 五黃 -) **辛亥 (五黃)** 절기: 立冬 (5일 07:25) 小雪 (20일 20:14)

양력		1	2	3	4	5	6	7	8	9	10	11	12	13	14	15	16	17	18	19	20	21	22	23	24	25	26	27	28	29	30	31
요일		土	日	月	火	水	木	金	土	日	月	火	水	木	金	土	日	月	火	水	木	金	土	日	月	火	水	木	金	土	日	月
음력	월	22	23	24	25	26	27	28	29	四	2	3	4	5	6	7	8	9	10	11	12	13	14	15	16	17	18	19	20	21	22	23
일진		癸丑	戊寅	己卯	甲辰	乙巳	丙午	丁未	庚申	辛酉	壬戌	癸亥	戊子	己丑	甲寅	乙卯	丙辰	丁巳	庚午	辛未	壬申	癸酉	戊戌	己亥	甲子	乙丑	丙寅	丁卯	庚辰	辛巳	壬午	癸未
대운	男	1	1	1	1	立	10	10	9	9	9	8	8	8	7	7	7	6	6	6	5	5	5	4	4	4	3	3	3	2	2	2
	女	9	9	10	10	冬	1	1	1	1	2	2	2	3	3	3	4	4	4	5	5	5	6	6	6	7	7	7	8	8	8	9

6月 (1일 一白 -) **壬子 (六白)** 절기: 大雪 (5일 11:27) 冬至 (21일 04:07)

양력		1	2	3	4	5	6	7	8	9	10	11	12	13	14	15	16	17	18	19	20	21	22	23	24	25	26	27	28	29	30	
요일		火	水	木	金	土	日	月	火	水	木	金	土	日	月	火	水	木	金	土	日	月	火	水	木	金	土	日	月	火	水	
음력	월	24	25	26	27	28	29	30	五	2	3	4	5	6	7	8	9	10	11	12	13	14	15	16	17	18	19	20	21	22	23	
일진		戊申	己酉	甲戌	乙亥	丙子	丁丑	庚寅	辛卯	壬辰	癸巳	戊午	己未	甲申	乙酉	丙戌	丁亥	庚子	辛丑	壬寅	癸卯	戊辰	己巳	甲午	乙未	丙申	丁酉	庚戌	辛亥	壬子	癸丑	
대운	男	1	1	1	1	大	10	10	9	9	9	8	8	8	7	7	7	6	6	6	5	5	5	4	4	4	3	3	3	2	2	
	女	9	9	10	10	雪	1	1	1	1	2	2	2	3	3	3	4	4	4	5	5	5	6	6	6	7	7	7	8	8	8	

7月 (1일 七赤 - 17일 一白 +)　　**癸丑 (七赤)**　　절기: 小寒(6일 21:40) 大寒(22일 15:03)

양력		1	2	3	4	5	6	7	8	9	10	11	12	13	14	15	16	17	18	19	20	21	22	23	24	25	26	27	28	29	30	31
요일		木	金	土	日	月	火	水	木	金	土	日	月	火	水	木	金	土	日	月	火	水	木	金	土	日	月	火	水	木	金	土
음력	월	24	25	26	27	28	29	六	2	3	4	5	6	7	8	9	10	11	12	13	14	15	16	17	18	19	20	21	22	23	24	25
일진		戊寅	己卯	甲辰	乙巳	丙午	丁未	庚申	辛酉	壬戌	癸亥	戊子	己丑	甲寅	乙卯	丙辰	丁巳	庚午	辛未	壬申	癸酉	戊戌	己亥	甲子	乙丑	丙寅	丁卯	庚辰	辛巳	壬午	癸未	戊申
대운	男	2	1	1	1	1	小	10	10	10	9	9	9	8	8	8	7	7	7	6	6	6	5	5	5	4	4	4	3	3	3	2
	女	9	9	9	10	10	寒	1	1	1	1	2	2	2	3	3	3	4	4	4	5	5	5	6	6	6	7	7	7	8	8	8

8月 (1일 七赤 +)　　**戊寅 (八白)**　　절기: 立春(7일 07:31) 雨水(22일 22:17)

양력		1	2	3	4	5	6	7	8	9	10	11	12	13	14	15	16	17	18	19	20	21	22	23	24	25	26	27	28	29	30	31
요일		日	月	火	水	木	金	土	日	月	火	水	木	金	土	日	月	火	水	木	金	土	日	月	火	水	木	金	土	日	月	火
음력	월	26	27	28	29	30	七	2	3	4	5	6	7	8	9	10	11	12	13	14	15	16	17	18	19	20	21	22	23	24	25	26
일진		己酉	甲戌	乙亥	丙子	丁丑	庚寅	辛卯	壬辰	癸巳	戊午	己未	甲申	乙酉	丙戌	丁亥	庚子	辛丑	壬寅	癸卯	戊辰	己巳	甲午	乙未	丙申	丁酉	庚戌	辛亥	壬子	癸丑	戊寅	己卯
대운	男	2	2	1	1	1	1	立	10	10	9	9	9	8	8	8	7	7	7	6	6	6	5	5	5	4	4	4	3	3	3	2
	女	9	9	9	10	10	10	春	1	1	1	1	2	2	2	3	3	3	4	4	4	5	5	5	6	6	6	7	7	7	8	8

9月 (1일 二黑 +)　　**己卯 (九紫)**　　절기: 驚蟄(7일 10:37) 春分 (22일 20:10)

양력		1	2	3	4	5	6	7	8	9	10	11	12	13	14	15	16	17	18	19	20	21	22	23	24	25	26	27	28	29	30	
요일		水	木	金	土	日	月	火	水	木	金	土	日	月	火	水	木	金	土	日	月	火	水	木	金	土	日	月	火	水	木	
음력	월	27	28	29	30	八	2	3	4	5	6	7	8	9	10	11	12	13	14	15	16	17	18	19	20	21	22	23	24	25	26	
일진		甲辰	乙巳	丙午	丁未	庚申	辛酉	壬戌	癸亥	戊子	己丑	甲寅	乙卯	丙辰	丁巳	庚午	辛未	壬申	癸酉	戊戌	己亥	甲子	乙丑	丙寅	丁卯	庚辰	辛巳	壬午	癸未	戊申	己酉	
대운	男	2	2	1	1	1	1	驚	10	10	9	9	9	8	8	8	7	7	7	6	6	6	5	5	5	4	4	4	3	3	3	
	女	8	9	9	9	10	10	蟄	1	1	1	1	2	2	2	3	3	3	4	4	4	5	5	5	6	6	6	7	7	7	8	

10月 (1일 五黃 +)　　**甲辰 (一白)**　　절기: 清明(8일 02:29) 穀雨(23일 05:45)

양력		1	2	3	4	5	6	7	8	9	10	11	12	13	14	15	16	17	18	19	20	21	22	23	24	25	26	27	28	29	30	31
요일		金	土	日	月	火	水	木	金	土	日	月	火	水	木	金	土	日	月	火	水	木	金	土	日	月	火	水	木	金	土	日
음력	월	27	28	29	九	2	3	4	5	6	7	8	9	10	11	12	13	14	15	16	17	18	19	20	21	22	23	24	25	26	27	28
일진		甲戌	乙亥	丙子	丁丑	庚寅	辛卯	壬辰	癸巳	戊午	己未	甲申	乙酉	丙戌	丁亥	庚子	辛丑	壬寅	癸卯	戊辰	己巳	甲午	乙未	丙申	丁酉	庚戌	辛亥	壬子	癸丑	戊寅	己卯	甲辰
대운	男	2	2	2	1	1	1	1	清	10	9	9	9	8	8	8	7	7	7	6	6	6	5	5	5	4	4	4	3	3	3	2
	女	8	8	9	9	9	10	10	明	1	1	1	1	2	2	2	3	3	3	4	4	4	5	5	5	6	6	6	7	7	7	8

11月 (1일 九紫 +)　　**乙巳 (二黑)**　　절기: 立夏(7일 05:53) 小滿 (22일 03:30)

양력		1	2	3	4	5	6	7	8	9	10	11	12	13	14	15	16	17	18	19	20	21	22	23	24	25	26	27	28	29	30	
요일		月	火	水	木	金	土	日	月	火	水	木	金	土	日	月	火	水	木	金	土	日	月	火	水	木	金	土	日	月	火	
음력	월	29	30	十	2	3	4	5	6	7	8	9	10	11	12	13	14	15	16	17	18	19	20	21	22	23	24	25	26	27	28	
일진		乙巳	丙午	丁未	庚申	辛酉	壬戌	癸亥	戊子	己丑	甲寅	乙卯	丙辰	丁巳	庚午	辛未	壬申	癸酉	戊戌	己亥	甲子	乙丑	丙寅	丁卯	庚辰	辛巳	壬午	癸未	戊申	己酉	甲戌	
대운	男	2	2	1	1	1	1	立	9	9	9	8	8	8	7	7	7	6	6	6	5	5	5	4	4	4	3	3	3	2	2	
	女	8	8	9	9	9	10	夏	1	1	1	1	2	2	2	3	3	3	4	4	4	5	5	5	6	6	6	7	7	7	8	

12月 (1일 三碧 +)　　**丙午 (三碧)**　　절기: 芒種(6일 22:52) 夏至(21일 16:55)

양력		1	2	3	4	5	6	7	8	9	10	11	12	13	14	15	16	17	18	19	20	21	22	23	24	25	26	27	28	29	30	31
요일		水	木	金	土	日	月	火	水	木	金	土	日	月	火	水	木	金	土	日	月	火	水	木	金	土	日	月	火	水	木	金
음력	월	29	30	十一	2	3	4	5	6	7	8	9	10	11	12	13	14	15	16	17	18	19	20	21	22	23	24	25	26	27	28	29
일진		乙亥	丙子	丁丑	庚寅	辛卯	壬辰	癸巳	戊午	己未	甲申	乙酉	丙戌	丁亥	庚子	辛丑	壬寅	癸卯	戊辰	己巳	甲午	乙未	丙申	丁酉	庚戌	辛亥	壬子	癸丑	戊寅	己卯	甲辰	乙巳
대운	男	2	1	1	1	1	芒	10	9	9	9	8	8	8	7	7	7	6	6	6	5	5	5	4	4	4	3	3	3	2	2	2
	女	8	8	9	9	9	種	1	1	1	1	2	2	2	3	3	3	4	4	4	5	5	5	6	6	6	7	7	7	8	8	8

丁未年 (七赤金星) 閏十一月

1月 (1일 七赤 + 13일 九紫 -) 丁未 (四綠) 절기: 小暑 (5일 10:07) 大暑 (20일 03:31)

양력		1	2	3	4	5	6	7	8	9	10	11	12	13	14	15	16	17	18	19	20	21	22	23	24	25	26	27	28	29	30	31
요일		土	日	月	火	水	木	金	土	日	月	火	水	木	金	土	日	月	火	水	木	金	土	日	月	火	水	木	金	土	日	月
음력	월	十二	2	3	4	5	6	7	8	9	10	11	12	13	14	15	16	17	18	19	20	21	22	23	24	25	26	27	28	29	30	一
일진		丙午	丁未	庚申	辛酉	壬戌	癸亥	戊子	己丑	甲寅	乙卯	丙辰	丁巳	庚午	辛未	壬申	癸酉	戊戌	己亥	甲子	乙丑	丙寅	丁卯	庚辰	辛巳	壬午	癸未	戊申	己酉	甲戌	乙亥	丙子
대운	男	1	1	1	1	小	9	9	9	8	8	8	7	7	7	6	6	6	5	5	5	4	4	4	3	3	3	2	2	2	1	1
	女	9	9	9	10	暑	1	1	1	1	2	2	2	3	3	3	4	4	4	5	5	5	6	6	6	7	7	7	8	8	8	9

2月 (1일 八白 -) 庚申 (五黃) 절기: 立秋 (3일 21:40) 處暑 (18일 17:32)

양력		1	2	3	4	5	6	7	8	9	10	11	12	13	14	15	16	17	18	19	20	21	22	23	24	25	26	27	28			
요일		火	水	木	金	土	日	月	火	水	木	金	土	日	月	火	水	木	金	土	日	月	火	水	木	金	土	日	月			
음력	월	2	3	4	5	6	7	8	9	10	11	12	13	14	15	16	17	18	19	20	21	22	23	24	25	26	27	28	29			
일진		丁丑	庚寅	辛卯	壬辰	癸巳	戊午	己未	甲申	乙酉	丙戌	丁亥	庚子	辛丑	壬寅	癸卯	戊辰	己巳	甲午	乙未	丙申	丁酉	庚戌	辛亥	壬子	癸丑	戊寅	己卯	甲辰			
대운	男	1	1	立	1	1	1	1	2	2	2	3	3	3	4	4	4	5	5	5	6	6	6	7	7	7	8	8	8			
	女	9	9	秋	10	9	9	9	8	8	8	7	7	7	6	6	6	5	5	5	4	4	4	3	3	3	2	2	2			

3月 (1일 七赤 -) 辛酉 (六白) 절기: 白露 (5일 15:31) 秋分 (20일 16:21)

양력		1	2	3	4	5	6	7	8	9	10	11	12	13	14	15	16	17	18	19	20	21	22	23	24	25	26	27	28	29	30	31
요일		火	水	木	金	土	日	月	火	水	木	金	土	日	月	火	水	木	金	土	日	月	火	水	木	金	土	日	月	火	水	木
음력	월	二	2	3	4	5	6	7	8	9	10	11	12	13	14	15	16	17	18	19	20	21	22	23	24	25	26	27	28	29	30	三
일진		乙巳	丙午	丁未	庚申	辛酉	壬戌	癸亥	戊子	己丑	甲寅	乙卯	丙辰	丁巳	庚午	辛未	壬申	癸酉	戊戌	己亥	甲子	乙丑	丙寅	丁卯	庚辰	辛巳	壬午	癸未	戊申	己酉	甲戌	乙亥
대운	男	9	9	9	10	白	1	1	1	1	2	2	2	3	3	3	4	4	4	5	5	5	6	6	6	7	7	7	8	8	8	9
	女	1	1	1	1	露	10	9	9	9	8	8	8	7	7	7	6	6	6	5	5	5	4	4	4	3	3	3	2	2	2	1

4月 (1일 三碧 -) 壬戌 (七赤) 절기: 寒露 (4일 20:07) 霜降 (20일 03:12)

양력		1	2	3	4	5	6	7	8	9	10	11	12	13	14	15	16	17	18	19	20	21	22	23	24	25	26	27	28	29	30	
요일		金	土	日	月	火	水	木	金	土	日	月	火	水	木	金	土	日	月	火	水	木	金	土	日	月	火	水	木	金	土	
음력	월	2	3	4	5	6	7	8	9	10	11	12	13	14	15	16	17	18	19	20	21	22	23	24	25	26	27	28	29	四	2	
일진		丙子	丁丑	庚寅	辛卯	壬辰	癸巳	戊午	己未	甲申	乙酉	丙戌	丁亥	庚子	辛丑	壬寅	癸卯	戊辰	己巳	甲午	乙未	丙申	丁酉	庚戌	辛亥	壬子	癸丑	戊寅	己卯	甲辰	乙巳	
대운	男	9	9	10	寒	1	1	1	1	2	2	2	3	3	3	4	4	4	5	5	5	6	6	6	7	7	7	8	8	8	9	
	女	1	1	1	露	10	10	9	9	9	8	8	8	7	7	7	6	6	6	5	5	5	4	4	4	3	3	3	2	2	2	

5月 (1일 九紫 -) 癸亥 (八白) 절기: 立冬 (5일 13:12) 小雪 (21일 02:10)

양력		1	2	3	4	5	6	7	8	9	10	11	12	13	14	15	16	17	18	19	20	21	22	23	24	25	26	27	28	29	30	31
요일		日	月	火	水	木	金	土	日	月	火	水	木	金	土	日	月	火	水	木	金	土	日	月	火	水	木	金	土	日	月	火
음력	월	3	4	5	6	7	8	9	10	11	12	13	14	15	16	17	18	19	20	21	22	23	24	25	26	27	28	29	五	2	3	4
일진		丙午	丁未	庚申	辛酉	壬戌	癸亥	戊子	己丑	甲寅	乙卯	丙辰	丁巳	庚午	辛未	壬申	癸酉	戊戌	己亥	甲子	乙丑	丙寅	丁卯	庚辰	辛巳	壬午	癸未	戊申	己酉	甲戌	乙亥	丙子
대운	男	9	9	10	10	立	1	1	1	1	2	2	2	3	3	3	4	4	4	5	5	5	6	6	6	7	7	7	8	8	8	9
	女	1	1	1	1	冬	10	10	9	9	9	8	8	8	7	7	7	6	6	6	5	5	5	4	4	4	3	3	3	2	2	2

6月 (1일 五黃 -) 戊子 (九紫) 절기: 大雪 (5일 17:12) 冬至 (21일 10:00)

양력		1	2	3	4	5	6	7	8	9	10	11	12	13	14	15	16	17	18	19	20	21	22	23	24	25	26	27	28	29	30	
요일		水	木	金	土	日	月	火	水	木	金	土	日	月	火	水	木	金	土	日	月	火	水	木	金	土	日	月	火	水	木	
음력	월	5	6	7	8	9	10	11	12	13	14	15	16	17	18	19	20	21	22	23	24	25	26	27	28	29	30	六	2	3	4	
일진		丁丑	庚寅	辛卯	壬辰	癸巳	戊午	己未	甲申	乙酉	丙戌	丁亥	庚子	辛丑	壬寅	癸卯	戊辰	己巳	甲午	乙未	丙申	丁酉	庚戌	辛亥	壬子	癸丑	戊寅	己卯	甲辰	乙巳	丙午	
대운	男	9	9	10	10	大	1	1	1	1	2	2	2	3	3	3	4	4	4	5	5	5	6	6	6	7	7	7	8	8	8	
	女	1	1	1	1	雪	10	10	10	9	9	9	8	8	8	7	7	7	6	6	6	5	5	5	4	4	4	3	3	3	2	

7月 (1일 二黑 - 12일 一白 +) **己丑 (一白)** 절기: 小寒(7일 03:24) 大寒(22일 20:51)

양력		1	2	3	4	5	6	7	8	9	10	11	12	13	14	15	16	17	18	19	20	21	22	23	24	25	26	27	28	29	30	31
요일		金	土	日	月	火	水	木	金	土	日	月	火	水	木	金	土	日	月	火	水	木	金	土	日	月	火	水	木	金	土	日
음력	월	5	6	7	8	9	10	11	12	13	14	15	16	17	18	19	20	21	22	23	24	25	26	27	28	29	七	2	3	4	5	6
일진		丁未	庚申	辛酉	壬戌	癸亥	戊子	己丑	甲寅	乙卯	丙辰	丁巳	庚午	辛未	壬申	癸酉	戊戌	己亥	甲子	乙丑	丙寅	丁卯	庚辰	辛巳	壬午	癸未	戊申	己酉	甲戌	乙亥	丙子	丁丑
대운	男	9	9	9	10	10	10	小	1	1	1	1	2	2	2	3	3	3	4	4	4	5	5	5	6	6	6	7	7	7	8	8
	女	2	2	1	1	1	1	寒	10	10	9	9	9	8	8	8	7	7	7	6	6	6	5	5	5	4	4	4	3	3	3	2

8月 (1일 三碧 +) **甲寅 (二黑)** 절기: 立春(7일 13:14) 雨水(23일 04:01)

양력		1	2	3	4	5	6	7	8	9	10	11	12	13	14	15	16	17	18	19	20	21	22	23	24	25	26	27	28	29	30	31
요일		月	火	水	木	金	土	日	月	火	水	木	金	土	日	月	火	水	木	金	土	日	月	火	水	木	金	土	日	月	火	水
음력	월	7	8	9	10	11	12	13	14	15	16	17	18	19	20	21	22	23	24	25	26	27	28	29	30	八	2	3	4	5	6	7
일진		庚寅	辛卯	壬辰	癸巳	戊午	己未	甲申	乙酉	丙戌	丁亥	庚子	辛丑	壬寅	癸卯	戊辰	己巳	甲午	乙未	丙申	丁酉	庚戌	辛亥	壬子	癸丑	戊寅	己卯	甲辰	乙巳	丙午	丁未	庚申
대운	男	8	9	9	9	10	10	立	1	1	1	1	2	2	2	3	3	3	4	4	4	5	5	5	6	6	6	7	7	7	8	8
	女	2	2	1	1	1	1	春	10	10	9	9	9	8	8	8	7	7	7	6	6	6	5	5	5	4	4	4	3	3	3	2

9月 (1일 七赤 +) **乙卯 (三碧)** 절기: 驚蟄(7일 16:19) 春分 (23일 01:50)

양력		1	2	3	4	5	6	7	8	9	10	11	12	13	14	15	16	17	18	19	20	21	22	23	24	25	26	27	28	29	30	
요일		木	金	土	日	月	火	水	木	金	土	日	月	火	水	木	金	土	日	月	火	水	木	金	土	日	月	火	水	木	金	
음력	월	8	9	10	11	12	13	14	15	16	17	18	19	20	21	22	23	24	25	26	27	28	29	八	2	3	4	5	6	7	8	
일진		辛酉	壬戌	癸亥	戊子	己丑	甲寅	乙卯	丙辰	丁巳	庚午	辛未	壬申	癸酉	戊戌	己亥	甲子	乙丑	丙寅	丁卯	庚辰	辛巳	壬午	癸未	戊申	己酉	甲戌	乙亥	丙子	丁丑	庚寅	
대운	男	8	9	9	9	10	10	驚	1	1	1	1	2	2	2	3	3	3	4	4	4	5	5	5	6	6	6	7	7	7	8	
	女	2	2	1	1	1	1	蟄	10	10	9	9	9	8	8	8	7	7	7	6	6	6	5	5	5	4	4	4	3	3	3	

10月 (1일 一白 +) **丙辰 (四綠)** 절기: 清明(8일 08:13) 穀雨(23일 11:26)

양력		1	2	3	4	5	6	7	8	9	10	11	12	13	14	15	16	17	18	19	20	21	22	23	24	25	26	27	28	29	30	31
요일		土	日	月	火	水	木	金	土	日	月	火	水	木	金	土	日	月	火	水	木	金	土	日	月	火	水	木	金	土	日	月
음력	월	9	10	11	12	13	14	15	16	17	18	19	20	21	22	23	24	25	26	27	28	29	30	十	2	3	4	5	6	7	8	9
일진		辛卯	壬辰	癸巳	戊午	己未	甲申	乙酉	丙戌	丁亥	庚子	辛丑	壬寅	癸卯	戊辰	己巳	甲午	乙未	丙申	丁酉	庚戌	辛亥	壬子	癸丑	戊寅	己卯	甲辰	乙巳	丙午	丁未	庚申	辛酉
대운	男	8	8	9	9	9	10	10	清	1	1	1	1	2	2	2	3	3	3	4	4	4	5	5	5	6	6	6	7	7	7	8
	女	2	2	2	1	1	1	1	明	10	9	9	9	8	8	8	7	7	7	6	6	6	5	5	5	4	4	4	3	3	3	2

11月 (1일 五黃 +) **丁巳 (五黃)** 절기: 立夏(7일 11:40) 小滿 (22일 09:15)

양력		1	2	3	4	5	6	7	8	9	10	11	12	13	14	15	16	17	18	19	20	21	22	23	24	25	26	27	28	29	30	
요일		火	水	木	金	土	日	月	火	水	木	金	土	日	月	火	水	木	金	土	日	月	火	水	木	金	土	日	月	火	水	
음력	월	10	11	12	13	14	15	16	17	18	19	20	21	22	23	24	25	26	27	28	29	30	十一	2	3	4	5	6	7	8	9	
일진		壬戌	癸亥	戊子	己丑	甲寅	乙卯	丙辰	丁巳	庚午	辛未	壬申	癸酉	戊戌	己亥	甲子	乙丑	丙寅	丁卯	庚辰	辛巳	壬午	癸未	戊申	己酉	甲戌	乙亥	丙子	丁丑	庚寅	辛卯	
대운	男	8	8	9	9	9	10	立	1	1	1	1	2	2	2	3	3	3	4	4	4	5	5	5	6	6	6	7	7	7	8	
	女	2	2	1	1	1	1	夏	10	9	9	9	8	8	8	7	7	7	6	6	6	5	5	5	4	4	4	3	3	3	2	

12月 (1일 八白 +) **庚午 (六白)** 절기: 芒種(7일 04:44) 夏至(21일 22:45)

양력		1	2	3	4	5	6	7	8	9	10	11	12	13	14	15	16	17	18	19	20	21	22	23	24	25	26	27	28	29	30	31
요일		木	金	土	日	月	火	水	木	金	土	日	月	火	水	木	金	土	日	月	火	水	木	金	土	日	月	火	水	木	金	土
음력	월	10	11	12	13	14	15	16	17	18	19	20	21	22	23	24	25	26	27	28	29	30	閏十一		3	4	5	6	7	8	9	10
일진		壬辰	癸巳	戊午	己未	甲申	乙酉	丙戌	丁亥	庚子	辛丑	壬寅	癸卯	戊辰	己巳	甲午	乙未	丙申	丁酉	庚戌	辛亥	壬子	癸丑	戊寅	己卯	甲辰	乙巳	丙午	丁未	庚申	辛酉	壬戌
대운	男	8	8	9	9	9	10	芒	1	1	1	1	2	2	2	3	3	3	4	4	4	5	5	5	6	6	6	7	7	7	8	8
	女	2	2	1	1	1	1	種	9	9	9	8	8	8	7	7	7	6	6	6	5	5	5	4	4	4	3	3	3	2	2	2

서기2034년

庚申年 (八白土星)

1月 (1일 三碧 + 8일 九紫 -) **辛未 (七赤)** 절기: 小暑 (5일 16:03) 大暑 (20일 09:26)

양력		1	2	3	4	5	6	7	8	9	10	11	12	13	14	15	16	17	18	19	20	21	22	23	24	25	26	27	28	29	30	31
요일		日	月	火	水	木	金	土	日	月	火	水	木	金	土	日	月	火	水	木	金	土	日	月	火	水	木	金	土	日	月	火
음력	월	11	12	13	14	15	16	17	18	19	20	21	22	23	24	25	26	27	28	29	十二	2	3	4	5	6	7	8	9	10	11	12
일진		癸亥	戊子	己丑	甲寅	乙卯	丙辰	丁巳	庚午	辛未	壬申	癸酉	戊戌	己亥	甲子	乙丑	丙寅	丁卯	庚辰	辛巳	壬午	癸未	戊申	己酉	甲戌	乙亥	丙子	丁丑	庚寅	辛卯	壬辰	癸巳
대운	男	8	9	9	9	小	1	1	1	1	2	2	2	3	3	3	4	4	4	5	5	5	6	6	6	7	7	7	8	8	8	9
	女	1	1	1	1	暑	10	9	9	9	8	8	8	7	7	7	6	6	6	5	5	5	4	4	4	3	3	3	2	2	2	1

2月 (1일 三碧 -) **壬申 (八白)** 절기: 立秋 (4일 03:40) 處暑 (18일 23:29)

양력		1	2	3	4	5	6	7	8	9	10	11	12	13	14	15	16	17	18	19	20	21	22	23	24	25	26	27	28			
요일		水	木	金	土	日	月	火	水	木	金	土	日	月	火	水	木	金	土	日	月	火	水	木	金	土	日	月	火			
음력	월	13	14	15	16	17	18	19	20	21	22	23	24	25	26	27	28	29	30	一	2	3	4	5	6	7	8	9	10			
일진		戊午	己未	甲申	乙酉	丙戌	丁亥	庚子	辛丑	壬寅	癸卯	戊辰	己巳	甲午	乙未	丙申	丁酉	庚戌	辛亥	壬子	癸丑	戊寅	己卯	甲辰	乙巳	丙午	丁未	庚申	辛酉			
대운	男	9	9	10	立	9	9	9	8	8	8	7	7	7	6	6	6	5	5	5	4	4	4	3	3	3	2	2	2			
	女	1	1	1	秋	1	1	1	1	2	2	2	3	3	3	4	4	4	5	5	5	6	6	6	7	7	7	8	8			

3月 (1일 二黑 -) **癸酉 (九紫)** 절기: 白露 (5일 21:31) 秋分 (20일 22:16)

양력		1	2	3	4	5	6	7	8	9	10	11	12	13	14	15	16	17	18	19	20	21	22	23	24	25	26	27	28	29	30	31
요일		水	木	金	土	日	月	火	水	木	金	土	日	月	火	水	木	金	土	日	月	火	水	木	金	土	日	月	火	水	木	金
음력	월	11	12	13	14	15	16	17	18	19	20	21	22	23	24	25	26	27	28	29	二	2	3	4	5	6	7	8	9	10	11	12
일진		壬戌	癸亥	戊子	己丑	甲寅	乙卯	丙辰	丁巳	庚午	辛未	壬申	癸酉	戊戌	己亥	甲子	乙丑	丙寅	丁卯	庚辰	辛巳	壬午	癸未	戊申	己酉	甲戌	乙亥	丙子	丁丑	庚寅	辛卯	壬辰
대운	男	1	1	1	1	白	10	10	9	9	9	8	8	8	7	7	7	6	6	6	5	5	5	4	4	4	3	3	3	2	2	2
	女	8	9	9	9	露	1	1	1	1	2	2	2	3	3	3	4	4	4	5	5	5	6	6	6	7	7	7	8	8	8	9

4月 (1일 七赤 -) **戊戌 (一白)** 절기: 寒露 (5일 02:05) 霜降 (20일 09:02)

양력		1	2	3	4	5	6	7	8	9	10	11	12	13	14	15	16	17	18	19	20	21	22	23	24	25	26	27	28	29	30	
요일		土	日	月	火	水	木	金	土	日	月	火	水	木	金	土	日	月	火	水	木	金	土	日	月	火	水	木	金	土	日	
음력	월	13	14	15	16	17	18	19	20	21	22	23	24	25	26	27	28	29	30	三	2	3	4	5	6	7	8	9	10	11	12	
일진		癸巳	戊午	己未	甲申	乙酉	丙戌	丁亥	庚子	辛丑	壬寅	癸卯	戊辰	己巳	甲午	乙未	丙申	丁酉	庚戌	辛亥	壬子	癸丑	戊寅	己卯	甲辰	乙巳	丙午	丁未	庚申	辛酉	壬戌	
대운	男	1	1	1	1	寒	10	9	9	9	8	8	8	7	7	7	6	6	6	5	5	5	4	4	4	3	3	3	2	2	2	
	女	9	9	10	10	露	1	1	1	1	2	2	2	3	3	3	4	4	4	5	5	5	6	6	6	7	7	7	8	8	8	

5月 (1일 四綠 -) **己亥 (二黑)** 절기: 立冬 (5일 19:08) 小雪 (21일 07:56)

양력		1	2	3	4	5	6	7	8	9	10	11	12	13	14	15	16	17	18	19	20	21	22	23	24	25	26	27	28	29	30	31
요일		月	火	水	木	金	土	日	月	火	水	木	金	土	日	月	火	水	木	金	土	日	月	火	水	木	金	土	日	月	火	水
음력	월	13	14	15	16	17	18	19	20	21	22	23	24	25	26	27	28	29	四	2	3	4	5	6	7	8	9	10	11	12	13	14
일진		癸亥	戊子	己丑	甲寅	乙卯	丙辰	丁巳	庚午	辛未	壬申	癸酉	戊戌	己亥	甲子	乙丑	丙寅	丁卯	庚辰	辛巳	壬午	癸未	戊申	己酉	甲戌	乙亥	丙子	丁丑	庚寅	辛卯	壬辰	癸巳
대운	男	1	1	1	1	立	10	10	9	9	9	8	8	8	7	7	7	6	6	6	5	5	5	4	4	4	3	3	3	2	2	2
	女	9	9	9	10	冬	1	1	1	1	2	2	2	3	3	3	4	4	4	5	5	5	6	6	6	7	7	7	8	8	8	9

6月 (1일 九紫 -) **甲子 (三碧)** 절기: 大雪 (5일 23:05) 冬至 (21일 15:43)

양력		1	2	3	4	5	6	7	8	9	10	11	12	13	14	15	16	17	18	19	20	21	22	23	24	25	26	27	28	29	30	
요일		木	金	土	日	月	火	水	木	金	土	日	月	火	水	木	金	土	日	月	火	水	木	金	土	日	月	火	水	木	金	
음력	월	15	16	17	18	19	20	21	22	23	24	25	26	27	28	29	五	2	3	4	5	6	7	8	9	10	11	12	13	14	15	

7月 (1일 六白 - 7일 一白 +) **乙丑 (四綠)** 절기: 小寒(7일 09:16) 大寒(23일 02:35)

		1	2	3	4	5	6	7	8	9	10	11	12	13	14	15	16	17	18	19	20	21	22	23	24	25	26	27	28	29	30	31
양력		1	2	3	4	5	6	7	8	9	10	11	12	13	14	15	16	17	18	19	20	21	22	23	24	25	26	27	28	29	30	31
요일		土	日	月	火	水	木	金	土	日	月	火	水	木	金	土	日	月	火	水	木	金	土	日	月	火	水	木	金	土	日	月
음력	월	16	17	18	19	20	21	22	23	24	25	26	27	28	29	30	六	2	3	4	5	6	7	8	9	10	11	12	13	14	15	16
일진		戊子	己丑	甲寅	乙卯	丙辰	丁巳	庚午	辛未	壬申	癸酉	戊戌	己亥	甲子	乙丑	丙寅	丁卯	庚辰	辛巳	壬午	癸未	戊申	己酉	甲戌	乙亥	丙子	丁丑	庚寅	辛卯	壬辰	癸巳	戊午
대운	男	2	2	1	1	1	1	小	10	10	9	9	9	8	8	8	7	7	7	6	6	6	5	5	5	4	4	4	3	3	3	2
	女	9	9	9	10	10	10	寒	1	1	1	1	2	2	2	3	3	3	4	4	4	5	5	5	6	6	6	7	7	7	8	8

8月 (1일 八白 +) **丙寅 (五黃)** 절기: 立春(7일 19:08) 雨水(23일 09:46)

		1	2	3	4	5	6	7	8	9	10	11	12	13	14	15	16	17	18	19	20	21	22	23	24	25	26	27	28	29	30	31
양력		1	2	3	4	5	6	7	8	9	10	11	12	13	14	15	16	17	18	19	20	21	22	23	24	25	26	27	28	29	30	31
요일		火	水	木	金	土	日	月	火	水	木	金	土	日	月	火	水	木	金	土	日	月	火	水	木	金	土	日	月	火	水	木
음력	월	17	18	19	20	21	22	23	24	25	26	27	28	29	七	2	3	4	5	6	7	8	9	10	11	12	13	14	15	16	17	18
일진		己未	甲申	乙酉	丙戌	丁亥	庚子	辛丑	壬寅	癸卯	戊辰	己巳	甲午	乙未	丙申	丁酉	庚戌	辛亥	壬子	癸丑	戊寅	己卯	甲辰	乙巳	丙午	丁未	庚申	辛酉	壬戌	癸亥	戊子	己丑
대운	男	2	2	1	1	1	1	立	10	10	9	9	9	8	8	8	7	7	7	6	6	6	5	5	5	4	4	4	3	3	3	2
	女	8	9	9	9	10	10	春	1	1	1	1	2	2	2	3	3	3	4	4	4	5	5	5	6	6	6	7	7	7	8	8

9月 (1일 三碧 +) **丁卯 (六白)** 절기: 驚蟄(7일 22:13) 春分 (23일 07:38)

		1	2	3	4	5	6	7	8	9	10	11	12	13	14	15	16	17	18	19	20	21	22	23	24	25	26	27	28	29	30	
양력		1	2	3	4	5	6	7	8	9	10	11	12	13	14	15	16	17	18	19	20	21	22	23	24	25	26	27	28	29	30	
요일		金	土	日	月	火	水	木	金	土	日	月	火	水	木	金	土	日	月	火	水	木	金	土	日	月	火	水	木	金	土	
음력	월	19	20	21	22	23	24	25	26	27	28	29	30	八	2	3	4	5	6	7	8	9	10	11	12	13	14	15	16	17	18	
일진		甲寅	乙卯	丙辰	丁巳	庚午	辛未	壬申	癸酉	戊戌	己亥	甲子	乙丑	丙寅	丁卯	庚辰	辛巳	壬午	癸未	戊申	己酉	甲戌	乙亥	丙子	丁丑	庚寅	辛卯	壬辰	癸巳	戊午	己未	
대운	男	2	2	1	1	1	1	驚	10	10	9	9	9	8	8	8	7	7	7	6	6	6	5	5	5	4	4	4	3	3	3	
	女	8	9	9	9	10	10	蟄	1	1	1	1	2	2	2	3	3	3	4	4	4	5	5	5	6	6	6	7	7	7	8	

10月 (1일 六白 +) **庚辰 (七赤)** 절기: 清明(8일 14:06) 穀雨(23일 17:15)

		1	2	3	4	5	6	7	8	9	10	11	12	13	14	15	16	17	18	19	20	21	22	23	24	25	26	27	28	29	30	31
양력		1	2	3	4	5	6	7	8	9	10	11	12	13	14	15	16	17	18	19	20	21	22	23	24	25	26	27	28	29	30	31
요일		日	月	火	水	木	金	土	日	月	火	水	木	金	土	日	月	火	水	木	金	土	日	月	火	水	木	金	土	日	月	火
음력	월	19	20	21	22	23	24	25	26	27	28	29	九	2	3	4	5	6	7	8	9	10	11	12	13	14	15	16	17	18	19	20
일진		甲申	乙酉	丙戌	丁亥	庚子	辛丑	壬寅	癸卯	戊辰	己巳	甲午	乙未	丙申	丁酉	庚戌	辛亥	壬子	癸丑	戊寅	己卯	甲辰	乙巳	丙午	丁未	庚申	辛酉	壬戌	癸亥	戊子	己丑	甲寅
대운	男	2	2	2	1	1	1	1	清	10	9	9	9	8	8	8	7	7	7	6	6	6	5	5	5	4	4	4	3	3	3	2
	女	8	8	9	9	9	10	10	明	1	1	1	1	2	2	2	3	3	3	4	4	4	5	5	5	6	6	6	7	7	7	8

11月 (1일 一白 +) **辛巳 (八白)** 절기: 立夏(7일 17:32) 小滿 (22일 15:04)

		1	2	3	4	5	6	7	8	9	10	11	12	13	14	15	16	17	18	19	20	21	22	23	24	25	26	27	28	29	30	
양력		1	2	3	4	5	6	7	8	9	10	11	12	13	14	15	16	17	18	19	20	21	22	23	24	25	26	27	28	29	30	
요일		水	木	金	土	日	月	火	水	木	金	土	日	月	火	水	木	金	土	日	月	火	水	木	金	土	日	月	火	水	木	
음력	월	21	22	23	24	25	26	27	28	29	30	十	2	3	4	5	6	7	8	9	10	11	12	13	14	15	16	17	18	19	20	
일진		乙卯	丙辰	丁巳	庚午	辛未	壬申	癸酉	戊戌	己亥	甲子	乙丑	丙寅	丁卯	庚辰	辛巳	壬午	癸未	戊申	己酉	甲戌	乙亥	丙子	丁丑	庚寅	辛卯	壬辰	癸巳	戊午	己未	甲申	
대운	男	2	2	1	1	1	1	立	10	9	9	9	8	8	8	7	7	7	6	6	6	5	5	5	4	4	4	3	3	3	2	
	女	8	8	9	9	9	10	夏	1	1	1	1	2	2	2	3	3	3	4	4	4	5	5	5	6	6	6	7	7	7	8	

12月 (1일 四綠 +) **壬午 (九紫)** 절기: 芒種(7일 10:35) 夏至(22일 04:33)

		1	2	3	4	5	6	7	8	9	10	11	12	13	14	15	16	17	18	19	20	21	22	23	24	25	26	27	28	29	30	31
양력		1	2	3	4	5	6	7	8	9	10	11	12	13	14	15	16	17	18	19	20	21	22	23	24	25	26	27	28	29	30	31
요일		金	土	日	月	火	水	木	金	土	日	月	火	水	木	金	土	日	月	火	水	木	金	土	日	月	火	水	木	金	土	日
음력	월	21	22	23	24	25	26	27	28	29	30	十一	2	3	4	5	6	7	8	9	10	11	12	13	14	15	16	17	18	19	20	21

서기2035년

辛酉年 (九紫火星)

1月 (1일 八白 + 3일 九紫 -) 癸未 (一白) 절기: 小暑 (5일 21:54) 大暑 (20일 15:13)

양력	1	2	3	4	5	6	7	8	9	10	11	12	13	14	15	16	17	18	19	20	21	22	23	24	25	26	27	28	29	30	31
요일	月	火	水	木	金	土	日	月	火	水	木	金	土	日	月	火	水	木	金	土	日	月	火	水	木	金	土	日	月	火	水
음력 월	22	23	24	25	26	27	28	29	30	十二	2	3	4	5	6	7	8	9	10	11	12	13	14	15	16	17	18	19	20	21	22
일진	丙辰	丁巳	庚午	辛未	壬申	癸酉	戊戌	己亥	甲子	乙丑	丙寅	丁卯	庚辰	辛巳	壬午	癸未	戊申	己酉	甲戌	乙亥	丙子	丁丑	庚寅	辛卯	壬辰	癸巳	戊午	己未	甲申	乙酉	丙戌
대운 男	1	1	1	1	小	10	9	9	9	8	8	8	7	7	7	6	6	6	5	5	5	4	4	4	3	3	3	2	2	2	1
대운 女	8	9	9	9	暑	1	1	1	1	2	2	2	3	3	3	4	4	4	5	5	5	6	6	6	7	7	7	8	8	8	9

2月 (1일 七赤 -) 戊申 (二黑) 절기: 立秋 (4일 09:30) 處暑 (19일 05:15)

양력	1	2	3	4	5	6	7	8	9	10	11	12	13	14	15	16	17	18	19	20	21	22	23	24	25	26	27	28			
요일	木	金	土	日	月	火	水	木	金	土	日	月	火	水	木	金	土	日	月	火	水	木	金	土	日	月	火	水			
음력 월	23	24	25	26	27	28	29	一	2	3	4	5	6	7	8	9	10	11	12	13	14	15	16	17	18	19	20	21			
일진	丁亥	庚子	辛丑	壬寅	癸卯	戊辰	己巳	甲午	乙未	丙申	丁酉	庚戌	辛亥	壬子	癸丑	戊寅	己卯	甲辰	乙巳	丙午	丁未	庚申	辛酉	壬戌	癸亥	戊子	己丑	甲寅			
대운 男	1	1	1	立	1	1	1	1	2	2	2	3	3	3	4	4	4	5	5	5	6	6	6	7	7	7	8	8			
대운 女	9	9	10	秋	10	9	9	9	8	8	8	7	7	7	6	6	6	5	5	5	4	4	4	3	3	3	2	2			

3月 (1일 六白 -) 己酉 (三碧) 절기: 白露 (6일 03:20) 秋分 (21일 04:01)

양력	1	2	3	4	5	6	7	8	9	10	11	12	13	14	15	16	17	18	19	20	21	22	23	24	25	26	27	28	29	30	31
요일	木	金	土	日	月	火	水	木	金	土	日	月	火	水	木	金	土	日	月	火	水	木	金	土	日	月	火	水	木	金	土
음력 월	22	23	24	25	26	27	28	29	30	二	2	3	4	5	6	7	8	9	10	11	12	13	14	15	16	17	18	19	20	21	22
일진	乙卯	丙辰	丁巳	庚午	辛未	壬申	癸酉	戊戌	己亥	甲子	乙丑	丙寅	丁卯	庚辰	辛巳	壬午	癸未	戊申	己酉	甲戌	乙亥	丙子	丁丑	庚寅	辛卯	壬辰	癸巳	戊午	己未	甲申	乙酉
대운 男	8	9	9	9	10	白	1	1	1	1	2	2	2	3	3	3	4	4	4	5	5	5	6	6	6	7	7	7	8	8	8
대운 女	2	1	1	1	1	露	10	9	9	9	8	8	8	7	7	7	6	6	6	5	5	5	4	4	4	3	3	3	2	2	2

4月 (1일 二黑 -) 甲戌 (四綠) 절기: 寒露 (5일 07:52) 霜降 (20일 14:48)

양력	1	2	3	4	5	6	7	8	9	10	11	12	13	14	15	16	17	18	19	20	21	22	23	24	25	26	27	28	29	30	
요일	日	月	火	水	木	金	土	日	月	火	水	木	金	土	日	月	火	水	木	金	土	日	月	火	水	木	金	土	日	月	
음력 월	23	24	25	26	27	28	29	三	2	3	4	5	6	7	8	9	10	11	12	13	14	15	16	17	18	19	20	21	22	23	
일진	丙戌	丁亥	庚子	辛丑	壬寅	癸卯	戊辰	己巳	甲午	乙未	丙申	丁酉	庚戌	辛亥	壬子	癸丑	戊寅	己卯	甲辰	乙巳	丙午	丁未	庚申	辛酉	壬戌	癸亥	戊子	己丑	甲寅	乙卯	
대운 男	9	9	9	10	寒	1	1	1	1	2	2	2	3	3	3	4	4	4	5	5	5	6	6	6	7	7	7	8	8	8	
대운 女	1	1	1	1	露	10	10	9	9	9	8	8	8	7	7	7	6	6	6	5	5	5	4	4	4	3	3	3	2	2	

5月 (1일 八白 -) 乙亥 (五黃) 절기: 立冬 (6일 00:54) 小雪 (21일 13:42)

양력	1	2	3	4	5	6	7	8	9	10	11	12	13	14	15	16	17	18	19	20	21	22	23	24	25	26	27	28	29	30	31
요일	火	水	木	金	土	日	月	火	水	木	金	土	日	月	火	水	木	金	土	日	月	火	水	木	金	土	日	月	火	水	木
음력 월	24	25	26	27	28	29	30	四	2	3	4	5	6	7	8	9	10	11	12	13	14	15	16	17	18	19	20	21	22	23	24
일진	丙辰	丁巳	庚午	辛未	壬申	癸酉	戊戌	己亥	甲子	乙丑	丙寅	丁卯	庚辰	辛巳	壬午	癸未	戊申	己酉	甲戌	乙亥	丙子	丁丑	庚寅	辛卯	壬辰	癸巳	戊午	己未	甲申	乙酉	丙戌
대운 男	9	9	9	10	10	立	1	1	1	1	2	2	2	3	3	3	4	4	4	5	5	5	6	6	6	7	7	7	8	8	8
대운 女	2	1	1	1	1	冬	10	10	9	9	9	8	8	8	7	7	7	6	6	6	5	5	5	4	4	4	3	3	3	2	2

6月 (1일 四綠 -) 丙子 (六白) 절기: 大雪 (6일 04:49) 冬至 (21일 21:32)

양력	1	2	3	4	5	6	7	8	9	10	11	12	13	14	15	16	17	18	19	20	21	22	23	24	25	26	27	28	29	30	
요일	金	土	日	月	火	水	木	金	土	日	月	火	水	木	金	土	日	月	火	水	木	金	土	日	月	火	水	木	金	土	
음력 월	25	26	27	28	29	五	2	3	4	5	6	7	8	9	10	11	12	13	14	15	16	17	18	19	20	21	22	23	24	25	
일진	丁亥	庚子	辛丑	壬寅	癸卯	戊辰	己巳	甲午	乙未	丙申	丁酉	庚戌	辛亥	壬子	癸丑	戊寅	己卯	甲辰	乙巳	丙午	丁未	庚申	辛酉	壬戌	癸亥	戊子	己丑	甲寅	乙卯	丙辰	
대운 男	9	9	9	10	10	大	1	1	1	1	2	2	2	3	3	3	4	4	4	5	5	5	6	6	6	7	7	7	8	8	
대운 女	2	1	1	1	1	雪	10	10	9	9	9	8	8	8	7	7	7	6	6	6	5	5	5	4	4	4	3	3	3	2	

7月 (1일 一白 - 2일 一白 +) **丁丑 (七赤)** 절기: 小寒(7일 15:00) 大寒(23일 08:27)

양력		1	2	3	4	5	6	7	8	9	10	11	12	13	14	15	16	17	18	19	20	21	22	23	24	25	26	27	28	29	30	31
요일		日	月	火	水	木	金	土	日	月	火	水	木	金	土	日	月	火	水	木	金	土	日	月	火	水	木	金	土	日	月	火
음력	월	26	27	28	29	六	2	3	4	5	6	7	8	9	10	11	12	13	14	15	16	17	18	19	20	21	22	23	24	25	26	27
일진		丁巳	庚午	辛未	壬申	癸酉	戊戌	己亥	甲子	乙丑	丙寅	丁卯	庚辰	辛巳	壬午	癸未	戊申	己酉	甲戌	乙亥	丙子	丁丑	庚寅	辛卯	壬辰	癸巳	戊午	己未	甲申	乙酉	丙戌	丁亥
대운	男	8	9	9	9	10	10	小	1	1	1	1	2	2	2	3	3	3	4	4	4	5	5	5	6	6	6	7	7	7	8	8
	女	2	2	1	1	1	1	寒	10	10	10	9	9	9	8	8	8	7	7	7	6	6	6	5	5	5	4	4	4	3	3	3

8月 (1일 四綠 +) **庚寅 (八白)** 절기: 立春(8일 00:53) 雨水(23일 15:43)

양력		1	2	3	4	5	6	7	8	9	10	11	12	13	14	15	16	17	18	19	20	21	22	23	24	25	26	27	28	29	30	31
요일		水	木	金	土	日	月	火	水	木	金	土	日	月	火	水	木	金	土	日	月	火	水	木	金	土	日	月	火	水	木	金
음력	월	28	29	30	七	2	3	4	5	6	7	8	9	10	11	12	13	14	15	16	17	18	19	20	21	22	23	24	25	26	27	28
일진		庚子	辛丑	壬寅	癸卯	戊辰	己巳	甲午	乙未	丙申	丁酉	庚戌	辛亥	壬子	癸丑	戊寅	己卯	甲辰	乙巳	丙午	丁未	庚申	辛酉	壬戌	癸亥	戊子	己丑	甲寅	乙卯	丙辰	丁巳	庚午
대운	男	8	9	9	9	10	10	10	立	1	1	1	1	2	2	2	3	3	3	4	4	4	5	5	5	6	6	6	7	7	7	8
	女	2	2	2	1	1	1	1	春	10	10	9	9	9	8	8	8	7	7	7	6	6	6	5	5	5	4	4	4	3	3	3

9月 (1일 八白 +) **辛卯 (九紫)** 절기: 驚蟄(8일 04:01) 春分 (23일 13:38)

양력		1	2	3	4	5	6	7	8	9	10	11	12	13	14	15	16	17	18	19	20	21	22	23	24	25	26	27	28	29	30	
요일		土	日	月	火	水	木	金	土	日	月	火	水	木	金	土	日	月	火	水	木	金	土	日	月	火	水	木	金	土	日	
음력	월	29	八	2	3	4	5	6	7	8	9	10	11	12	13	14	15	16	17	18	19	20	21	22	23	24	25	26	27	28	29	
일진		辛未	壬申	癸酉	戊戌	己亥	甲子	乙丑	丙寅	丁卯	庚辰	辛巳	壬午	癸未	戊申	己酉	甲戌	乙亥	丙子	丁丑	庚寅	辛卯	壬辰	癸巳	戊午	己未	甲申	乙酉	丙戌	丁亥	庚子	
대운	男	8	8	9	9	9	10	10	驚	1	1	1	1	2	2	2	3	3	3	4	4	4	5	5	5	6	6	6	7	7	7	
	女	2	2	2	1	1	1	1	蟄	10	9	9	9	8	8	8	7	7	7	6	6	6	5	5	5	4	4	4	3	3	3	

10月 (1일 二黑 +) **壬辰 (一白)** 절기: 清明(8일 19:56) 穀雨(23일 23:15)

양력		1	2	3	4	5	6	7	8	9	10	11	12	13	14	15	16	17	18	19	20	21	22	23	24	25	26	27	28	29	30	31
요일		月	火	水	木	金	土	日	月	火	水	木	金	土	日	月	火	水	木	金	土	日	月	火	水	木	金	土	日	月	火	水
음력	월	九	2	3	4	5	6	7	8	9	10	11	12	13	14	15	16	17	18	19	20	21	22	23	24	25	26	27	28	29	30	十
일진		辛丑	壬寅	癸卯	戊辰	己巳	甲午	乙未	丙申	丁酉	庚戌	辛亥	壬子	癸丑	戊寅	己卯	甲辰	乙巳	丙午	丁未	庚申	辛酉	壬戌	癸亥	戊子	己丑	甲寅	乙卯	丙辰	丁巳	庚午	辛未
대운	男	8	8	8	9	9	9	10	清	1	1	1	1	2	2	2	3	3	3	4	4	4	5	5	5	6	6	6	7	7	7	8
	女	2	2	2	1	1	1	1	明	10	9	9	9	8	8	8	7	7	7	6	6	6	5	5	5	4	4	4	3	3	3	2

11月 (1일 六白 +) **癸巳 (二黑)** 절기: 立夏(7일 23:22) 小滿 (22일 21:02)

양력		1	2	3	4	5	6	7	8	9	10	11	12	13	14	15	16	17	18	19	20	21	22	23	24	25	26	27	28	29	30	
요일		木	金	土	日	月	火	水	木	金	土	日	月	火	水	木	金	土	日	月	火	水	木	金	土	日	月	火	水	木	金	
음력	월	2	3	4	5	6	7	8	9	10	11	12	13	14	15	16	17	18	19	20	21	22	23	24	25	26	27	28	29	30	十一	
일진		壬申	癸酉	戊戌	己亥	甲子	乙丑	丙寅	丁卯	庚辰	辛巳	壬午	癸未	戊申	己酉	甲戌	乙亥	丙子	丁丑	庚寅	辛卯	壬辰	癸巳	戊午	己未	甲申	乙酉	丙戌	丁亥	庚子	辛丑	
대운	男	8	8	8	9	9	9	立	1	1	1	1	2	2	2	3	3	3	4	4	4	5	5	5	6	6	6	7	7	7	8	
	女	2	2	1	1	1	1	夏	10	9	9	9	8	8	8	7	7	7	6	6	6	5	5	5	4	4	4	3	3	3	2	

12月 (1일 九紫 + 29일 九紫 -) **戊午 (三碧)** 절기: 芒種(7일 16:24) 夏至(22일 10:30)

양력		1	2	3	4	5	6	7	8	9	10	11	12	13	14	15	16	17	18	19	20	21	22	23	24	25	26	27	28	29	30	31
요일		土	日	月	火	水	木	金	土	日	月	火	水	木	金	土	日	月	火	水	木	金	土	日	月	火	水	木	金	土	日	月
음력	월	2	3	4	5	6	7	8	9	10	11	12	13	14	15	16	17	18	19	20	21	22	23	24	25	26	27	28	29	十二	2	3
일진		壬寅	癸卯	戊辰	己巳	甲午	乙未	丙申	丁酉	庚戌	辛亥	壬子	癸丑	戊寅	己卯	甲辰	乙巳	丙午	丁未	庚申	辛酉	壬戌	癸亥	戊子	己丑	甲寅	乙卯	丙辰	丁巳	庚午	辛未	壬申
대운	男	8	8	9	9	9	10	芒	1	1	1	1	2	2	2	3	3	3	4	4	4	5	5	5	6	6	6	7	7	7	8	8
	女	2	2	1	1	1	1	種	10	9	9	9	8	8	8	7	7	7	6	6	6	5	5	5	4	4	4	3	3	3	2	2

서기2036년

壬戌年 (一白水星) 閏六月

1月 (1일 六白 -) **己未 (四綠)** 절기: 小暑 (6일 03:42) 大暑 (20일 21:10)

		1	2	3	4	5	6	7	8	9	10	11	12	13	14	15	16	17	18	19	20	21	22	23	24	25	26	27	28	29	30	31
양력		1	2	3	4	5	6	7	8	9	10	11	12	13	14	15	16	17	18	19	20	21	22	23	24	25	26	27	28	29	30	31
요일		火	水	木	金	土	日	月	火	水	木	金	土	日	月	火	水	木	金	土	日	月	火	水	木	金	土	日	月	火	水	木
음력	월	4	5	6	7	8	9	10	11	12	13	14	15	16	17	18	19	20	21	22	23	24	25	26	27	28	29	30	一	2	3	4
일진		癸酉	戊戌	己亥	甲子	乙丑	丙寅	丁卯	庚辰	辛巳	壬午	癸未	戊申	己酉	甲戌	乙亥	丙子	丁丑	庚寅	辛卯	壬辰	癸巳	戊午	己未	甲申	乙酉	丙戌	丁亥	庚子	辛丑	壬寅	癸卯
대운	男	8	9	9	9	10	小	1	1	1	1	2	2	2	3	3	3	4	4	4	5	5	5	6	6	6	7	7	7	8	8	8
	女	2	1	1	1	1	暑	9	9	9	8	8	8	7	7	7	6	6	6	5	5	5	4	4	4	3	3	3	2	2	2	1

2月 閏 (1일 二黑 -) **甲申 (五黃)** 절기: 立秋 (4일 15:19) 處暑 (19일 11:13)

		1	2	3	4	5	6	7	8	9	10	11	12	13	14	15	16	17	18	19	20	21	22	23	24	25	26	27	28	29	30	31
양력		1	2	3	4	5	6	7	8	9	10	11	12	13	14	15	16	17	18	19	20	21	22	23	24	25	26	27	28	29		
요일		金	土	日	月	火	水	木	金	土	日	月	火	水	木	金	土	日	月	火	水	木	金	土	日	月	火	水	木	金		
음력	월	5	6	7	8	9	10	11	12	13	14	15	16	17	18	19	20	21	22	23	24	25	26	27	28	29	30	二	2	3		
일진		戊辰	己巳	甲午	乙未	丙申	丁酉	庚戌	辛亥	壬子	癸丑	戊寅	己卯	甲辰	乙巳	丙午	丁未	庚申	辛酉	壬戌	癸亥	戊子	己丑	甲寅	乙卯	丙辰	丁巳	庚午	辛未	壬申		
대운	男	9	9	9	立	10	9	9	9	8	8	8	7	7	7	6	6	6	5	5	5	4	4	4	3	3	3	2	2	2		
	女	1	1	1	秋	1	1	1	1	2	2	2	3	3	3	4	4	4	5	5	5	6	6	6	7	7	7	8	8	8		

3月 (1일 九紫 -) **乙酉 (六白)** 절기: 白露 (5일 09:10) 秋分 (20일 10:01)

		1	2	3	4	5	6	7	8	9	10	11	12	13	14	15	16	17	18	19	20	21	22	23	24	25	26	27	28	29	30	31
양력		1	2	3	4	5	6	7	8	9	10	11	12	13	14	15	16	17	18	19	20	21	22	23	24	25	26	27	28	29	30	31
요일		土	日	月	火	水	木	金	土	日	月	火	水	木	金	土	日	月	火	水	木	金	土	日	月	火	水	木	金	土	日	月
음력	월	4	5	6	7	8	9	10	11	12	13	14	15	16	17	18	19	20	21	22	23	24	25	26	27	28	29	30	三	2	3	4
일진		癸酉	戊戌	己亥	甲子	乙丑	丙寅	丁卯	庚辰	辛巳	壬午	癸未	戊申	己酉	甲戌	乙亥	丙子	丁丑	庚寅	辛卯	壬辰	癸巳	戊午	己未	甲申	乙酉	丙戌	丁亥	庚子	辛丑	壬寅	癸卯
대운	男	1	1	1	1	白	10	9	9	9	8	8	8	7	7	7	6	6	6	5	5	5	4	4	4	3	3	3	2	2	2	1
	女	9	9	9	10	露	1	1	1	1	2	2	2	3	3	3	4	4	4	5	5	5	6	6	6	7	7	7	8	8	8	9

4月 (1일 五黃 -) **丙戌 (七赤)** 절기: 寒露 (4일 13:45) 霜降 (19일 20:49)

		1	2	3	4	5	6	7	8	9	10	11	12	13	14	15	16	17	18	19	20	21	22	23	24	25	26	27	28	29	30	31
양력		1	2	3	4	5	6	7	8	9	10	11	12	13	14	15	16	17	18	19	20	21	22	23	24	25	26	27	28	29	30	
요일		火	水	木	金	土	日	月	火	水	木	金	土	日	月	火	水	木	金	土	日	月	火	水	木	金	土	日	月	火	水	
음력	월	5	6	7	8	9	10	11	12	13	14	15	16	17	18	19	20	21	22	23	24	25	26	27	28	29	四	2	3	4	5	
일진		戊辰	己巳	甲午	乙未	丙申	丁酉	庚戌	辛亥	壬子	癸丑	戊寅	己卯	甲辰	乙巳	丙午	丁未	庚申	辛酉	壬戌	癸亥	戊子	己丑	甲寅	乙卯	丙辰	丁巳	庚午	辛未	壬申	癸酉	
대운	男	1	1	1	寒	10	10	9	9	9	8	8	8	7	7	7	6	6	6	5	5	5	4	4	4	3	3	3	2	2	2	
	女	9	9	10	露	1	1	1	1	2	2	2	3	3	3	4	4	4	5	5	5	6	6	6	7	7	7	8	8	8	9	

5月 (1일 二黑 -) **丁亥 (八白)** 절기: 立冬 (5일 06:48) 小雪 (20일 19:43)

		1	2	3	4	5	6	7	8	9	10	11	12	13	14	15	16	17	18	19	20	21	22	23	24	25	26	27	28	29	30	31
양력		1	2	3	4	5	6	7	8	9	10	11	12	13	14	15	16	17	18	19	20	21	22	23	24	25	26	27	28	29	30	31
요일		木	金	土	日	月	火	水	木	金	土	日	月	火	水	木	金	土	日	月	火	水	木	金	土	日	月	火	水	木	金	土
음력	월	6	7	8	9	10	11	12	13	14	15	16	17	18	19	20	21	22	23	24	25	26	27	28	29	30	五	2	3	4	5	6
일진		戊戌	己亥	甲子	乙丑	丙寅	丁卯	庚辰	辛巳	壬午	癸未	戊申	己酉	甲戌	乙亥	丙子	丁丑	庚寅	辛卯	壬辰	癸巳	戊午	己未	甲申	乙酉	丙戌	丁亥	庚子	辛丑	壬寅	癸卯	戊辰
대운	男	1	1	1	1	立	10	10	10	9	9	9	8	8	8	7	7	7	6	6	6	5	5	5	4	4	4	3	3	3	2	2
	女	9	9	10	10	冬	1	1	1	1	2	2	2	3	3	3	4	4	4	5	5	5	6	6	6	7	7	7	8	8	8	9

6月 (1일 七赤 - 26일 一白 +) **庚子 (九紫)** 절기: 大雪 (5일 10:46) 冬至 (21일 03:31)

		1	2	3	4	5	6	7	8	9	10	11	12	13	14	15	16	17	18	19	20	21	22	23	24	25	26	27	28	29	30	31
양력		1	2	3	4	5	6	7	8	9	10	11	12	13	14	15	16	17	18	19	20	21	22	23	24	25	26	27	28	29	30	
요일		日	月	火	水	木	金	土	日	月	火	水	木	金	土	日	月	火	水	木	金	土	日	月	火	水	木	金	土	日	月	
음력	월	7	8	9	10	11	12	13	14	15	16	17	18	19	20	21	22	23	24	25	26	27	28	29	六	2	3	4	5	6	7	
일진		己巳	甲午	乙未	丙申	丁酉	庚戌	辛亥	壬子	癸丑	戊寅	己卯	甲辰	乙巳	丙午	丁未	庚申	辛酉	壬戌	癸亥	戊子	己丑	甲寅	乙卯	丙辰	丁巳	庚午	辛未	壬申	癸酉	戊戌	
대운	男	2	1	1	1	1	大	10	9	9	9	8	8	8	7	7	7	6	6	6	5	5	5	4	4	4	3	3	3	2	2	
	女	9	9	10	10	10	雪	1	1	1	1	2	2	2	3	3	3	4	4	4	5	5	5	6	6	6	7	7	7	8	8	

7月 (1일 六白 +) 辛丑 (一白) 절기: 小寒(6일 20:56) 大寒(22일 14:21)

양력	1	2	3	4	5	6	7	8	9	10	11	12	13	14	15	16	17	18	19	20	21	22	23	24	25	26	27	28	29	30	31
요일	火	水	木	金	土	日	月	火	水	木	金	土	日	月	火	水	木	金	土	日	月	火	水	木	金	土	日	月	火	水	木
음력 월	8	9	10	11	12	13	14	15	16	17	18	19	20	21	22	23	24	25	26	27	28	29	閏六		3	4	5	6	7	8	9
일진	己亥	甲子	乙丑	丙寅	丁卯	庚辰	辛巳	壬午	癸未	戊申	己酉	甲戌	乙亥	丙子	丁丑	庚寅	辛卯	壬辰	癸巳	戊午	己未	甲申	乙酉	丙戌	丁亥	庚子	辛丑	壬寅	癸卯	戊辰	己巳
대운 男	2	1	1	1	1	小	10	10	9	9	9	8	8	8	7	7	7	6	6	6	5	5	5	4	4	4	3	3	3	2	2
대운 女	8	9	9	9	10	寒	1	1	1	1	2	2	2	3	3	3	4	4	4	5	5	5	6	6	6	7	7	7	8	8	8

8月 (1일 一白 +) 壬寅 (二黑) 절기: 立春(7일 06:48) 雨水(22일 21:31)

양력	1	2	3	4	5	6	7	8	9	10	11	12	13	14	15	16	17	18	19	20	21	22	23	24	25	26	27	28	29	30	31
요일	金	土	日	月	火	水	木	金	土	日	月	火	水	木	金	土	日	月	火	水	木	金	土	日	月	火	水	木	金	土	日
음력 월	10	11	12	13	14	15	16	17	18	19	20	21	22	23	24	25	26	27	28	29	30	七	2	3	4	5	6	7	8	9	10
일진	甲午	乙未	丙申	丁酉	庚戌	辛亥	壬子	癸丑	戊寅	己卯	甲辰	乙巳	丙午	丁未	庚申	辛酉	壬戌	癸亥	戊子	己丑	甲寅	乙卯	丙辰	丁巳	庚午	辛未	壬申	癸酉	戊戌	己亥	甲子
대운 男	2	2	1	1	1	1	立	10	10	9	9	9	8	8	8	7	7	7	6	6	6	5	5	5	4	4	4	3	3	3	2
대운 女	9	9	9	10	10	10	春	1	1	1	1	2	2	2	3	3	3	4	4	4	5	5	5	6	6	6	7	7	7	8	8

9月 (1일 五黃 +) 癸卯 (三碧) 절기: 驚蟄(7일 09:54) 春分 (22일 19:22)

양력	1	2	3	4	5	6	7	8	9	10	11	12	13	14	15	16	17	18	19	20	21	22	23	24	25	26	27	28	29	30	
요일	月	火	水	木	金	土	日	月	火	水	木	金	土	日	月	火	水	木	金	土	日	月	火	水	木	金	土	日	月	火	
음력 월	11	12	13	14	15	16	17	18	19	20	21	22	23	24	25	26	27	28	29	八	2	3	4	5	6	7	8	9	10	11	
일진	乙丑	丙寅	丁卯	庚辰	辛巳	壬午	癸未	戊申	己酉	甲戌	乙亥	丙子	丁丑	庚寅	辛卯	壬辰	癸巳	戊午	己未	甲申	乙酉	丙戌	丁亥	庚子	辛丑	壬寅	癸卯	戊辰	己巳	甲午	
대운 男	2	2	1	1	1	1	驚	10	10	9	9	9	8	8	8	7	7	7	6	6	6	5	5	5	4	4	4	3	3	3	
대운 女	8	9	9	9	10	10	蟄	1	1	1	1	2	2	2	3	3	3	4	4	4	5	5	5	6	6	6	7	7	7	8	

10月 (1일 八白 +) 戊辰 (四綠) 절기: 清明(8일 01:48) 穀雨 (23일 04:57)

양력	1	2	3	4	5	6	7	8	9	10	11	12	13	14	15	16	17	18	19	20	21	22	23	24	25	26	27	28	29	30	31
요일	水	木	金	土	日	月	火	水	木	金	土	日	月	火	水	木	金	土	日	月	火	水	木	金	土	日	月	火	水	木	金
음력 월	12	13	14	15	16	17	18	19	20	21	22	23	24	25	26	27	28	29	九	2	3	4	5	6	7	8	9	10	11	12	13
일진	乙未	丙申	丁酉	庚戌	辛亥	壬子	癸丑	戊寅	己卯	甲辰	乙巳	丙午	丁未	庚申	辛酉	壬戌	癸亥	戊子	己丑	甲寅	乙卯	丙辰	丁巳	庚午	辛未	壬申	癸酉	戊戌	己亥	甲子	乙丑
대운 男	2	2	2	1	1	1	1	清	10	9	9	9	8	8	8	7	7	7	6	6	6	5	5	5	4	4	4	3	3	3	2
대운 女	8	8	9	9	9	10	10	明	1	1	1	1	2	2	2	3	3	3	4	4	4	5	5	5	6	6	6	7	7	7	8

11月 (1일 三碧 +) 己巳 (五黃) 절기: 立夏(7일 05:13) 小滿 (22일 02:44)

양력	1	2	3	4	5	6	7	8	9	10	11	12	13	14	15	16	17	18	19	20	21	22	23	24	25	26	27	28	29	30	
요일	土	日	月	火	水	木	金	土	日	月	火	水	木	金	土	日	月	火	水	木	金	土	日	月	火	水	木	金	土	日	
음력 월	14	15	16	17	18	19	20	21	22	23	24	25	26	27	28	29	30	十	2	3	4	5	6	7	8	9	10	11	12	13	
일진	丙寅	丁卯	庚辰	辛巳	壬午	癸未	戊申	己酉	甲戌	乙亥	丙子	丁丑	庚寅	辛卯	壬辰	癸巳	戊午	己未	甲申	乙酉	丙戌	丁亥	庚子	辛丑	壬寅	癸卯	戊辰	己巳	甲午	乙未	
대운 男	2	2	1	1	1	1	立	9	9	9	8	8	8	7	7	7	6	6	6	5	5	5	4	4	4	3	3	3	2	2	
대운 女	8	8	9	9	9	10	夏	1	1	1	1	2	2	2	3	3	3	4	4	4	5	5	5	6	6	6	7	7	7	8	

12月 (1일 六白 + 23일 九紫 -) 甲午 (六白) 절기: 芒種(6일 22:15) 夏至(21일 16:11)

양력	1	2	3	4	5	6	7	8	9	10	11	12	13	14	15	16	17	18	19	20	21	22	23	24	25	26	27	28	29	30	31
요일	月	火	水	木	金	土	日	月	火	水	木	金	土	日	月	火	水	木	金	土	日	月	火	水	木	金	土	日	月	火	水
음력 월	14	15	16	17	18	19	20	21	22	23	24	25	26	27	28	29	十一	2	3	4	5	6	7	8	9	10	11	12	13	14	15
일진	丙申	丁酉	庚戌	辛亥	壬子	癸丑	戊寅	己卯	甲辰	乙巳	丙午	丁未	庚申	辛酉	壬戌	癸亥	戊子	己丑	甲寅	乙卯	丙辰	丁巳	庚午	辛未	壬申	癸酉	戊戌	己亥	甲子	乙丑	丙寅
대운 男	2	1	1	1	1	芒	10	9	9	9	8	8	8	7	7	7	6	6	6	5	5	5	4	4	4	3	3	3	2	2	2
대운 女	8	8	9	9	9	種	1	1	1	1	2	2	2	3	3	3	4	4	4	5	5	5	6	6	6	7	7	7	8	8	8

서기**2037**년

癸亥年 (二黑土星)

1月 (1일 九紫 -) **乙未 (七赤)** 절기: 小暑 (5일 09:33) 大暑 (20일 02:52)

양력		1	2	3	4	5	6	7	8	9	10	11	12	13	14	15	16	17	18	19	20	21	22	23	24	25	26	27	28	29	30	31
요일		木	金	土	日	月	火	水	木	金	土	日	月	火	水	木	金	土	日	月	火	水	木	金	土	日	月	火	水	木	金	土
음력	월	16	17	18	19	20	21	22	23	24	25	26	27	28	29	30	十二	2	3	4	5	6	7	8	9	10	11	12	13	14	15	16
일진		丁卯	庚辰	辛巳	壬午	癸未	戊申	己酉	甲戌	乙亥	丙子	丁丑	庚寅	辛卯	壬辰	癸巳	戊午	己未	甲申	乙酉	丙戌	丁亥	庚子	辛丑	壬寅	癸卯	戊辰	己巳	甲午	乙未	丙申	丁酉
대운	男	1	1	1	1	小	9	9	9	8	8	8	7	7	7	6	6	6	5	5	5	4	4	4	3	3	3	2	2	2	1	1
	女	9	9	9	10	暑	1	1	1	1	2	2	2	3	3	3	4	4	4	5	5	5	6	6	6	7	7	7	8	8	8	9

2月 (1일 五黃 -) **丙申 (八白)** 절기: 立秋 (3일 21:10) 處暑 (18일 16:57)

양력		1	2	3	4	5	6	7	8	9	10	11	12	13	14	15	16	17	18	19	20	21	22	23	24	25	26	27	28			
요일		日	月	火	水	木	金	土	日	月	火	水	木	金	土	日	月	火	水	木	金	土	日	月	火	水	木	金	土			
음력	월	17	18	19	20	21	22	23	24	25	26	27	28	29	30	一	2	3	4	5	6	7	8	9	10	11	12	13	14			
일진		庚戌	辛亥	壬子	癸丑	戊寅	己卯	甲辰	乙巳	丙午	丁未	庚申	辛酉	壬戌	癸亥	戊子	己丑	甲寅	乙卯	丙辰	丁巳	庚午	辛未	壬申	癸酉	戊戌	己亥	甲子	乙丑			
대운	男	1	1	立	1	1	1	1	2	2	2	3	3	3	4	4	4	5	5	5	6	6	6	7	7	7	8	8	8			
	女	9	9	秋	10	9	9	9	8	8	8	7	7	7	6	6	6	5	5	5	4	4	4	3	3	3	2	2	2			

3月 (1일 四綠 -) **丁酉 (九紫)** 절기: 白露 (5일 15:05) 秋分 (20일 15:49)

양력		1	2	3	4	5	6	7	8	9	10	11	12	13	14	15	16	17	18	19	20	21	22	23	24	25	26	27	28	29	30	31
요일		日	月	火	水	木	金	土	日	月	火	水	木	金	土	日	月	火	水	木	金	土	日	月	火	水	木	金	土	日	月	火
음력	월	15	16	17	18	19	20	21	22	23	24	25	26	27	28	29	30	二	2	3	4	5	6	7	8	9	10	11	12	13	14	15
일진		丙寅	丁卯	庚辰	辛巳	壬午	癸未	戊申	己酉	甲戌	乙亥	丙子	丁丑	庚寅	辛卯	壬辰	癸巳	戊午	己未	甲申	乙酉	丙戌	丁亥	庚子	辛丑	壬寅	癸卯	戊辰	己巳	甲午	乙未	丙申
대운	男	9	9	9	10	白	1	1	1	1	2	2	2	3	3	3	4	4	4	5	5	5	6	6	6	7	7	7	8	8	8	9
	女	1	1	1	1	露	10	9	9	9	8	8	8	7	7	7	6	6	6	5	5	5	4	4	4	3	3	3	2	2	2	1

4月 (1일 九紫 -) **庚戌 (一白)** 절기: 寒露 (4일 19:43) 霜降 (20일 02:39)

양력		1	2	3	4	5	6	7	8	9	10	11	12	13	14	15	16	17	18	19	20	21	22	23	24	25	26	27	28	29	30	
요일		水	木	金	土	日	月	火	水	木	金	土	日	月	火	水	木	金	土	日	月	火	水	木	金	土	日	月	火	水	木	
음력	월	16	17	18	19	20	21	22	23	24	25	26	27	28	29	30	三	2	3	4	5	6	7	8	9	10	11	12	13	14	15	
일진		丁酉	庚戌	辛亥	壬子	癸丑	戊寅	己卯	甲辰	乙巳	丙午	丁未	庚申	辛酉	壬戌	癸亥	戊子	己丑	甲寅	乙卯	丙辰	丁巳	庚午	辛未	壬申	癸酉	戊戌	己亥	甲子	乙丑	丙寅	
대운	男	9	9	10	寒	1	1	1	1	2	2	2	3	3	3	4	4	4	5	5	5	6	6	6	7	7	7	8	8	8	9	
	女	1	1	1	露	10	10	9	9	9	8	8	8	7	7	7	6	6	6	5	5	5	4	4	4	3	3	3	2	2	2	

5月 (1일 六白 -) **辛亥 (二黑)** 절기: 立冬 (5일 12:48) 小雪 (21일 01:34)

양력		1	2	3	4	5	6	7	8	9	10	11	12	13	14	15	16	17	18	19	20	21	22	23	24	25	26	27	28	29	30	31
요일		金	土	日	月	火	水	木	金	土	日	月	火	水	木	金	土	日	月	火	水	木	金	土	日	月	火	水	木	金	土	日
음력	월	16	17	18	19	20	21	22	23	24	25	26	27	28	29	四	2	3	4	5	6	7	8	9	10	11	12	13	14	15	16	17
일진		丁卯	庚辰	辛巳	壬午	癸未	戊申	己酉	甲戌	乙亥	丙子	丁丑	庚寅	辛卯	壬辰	癸巳	戊午	己未	甲申	乙酉	丙戌	丁亥	庚子	辛丑	壬寅	癸卯	戊辰	己巳	甲午	乙未	丙申	丁酉
대운	男	9	9	10	10	立	1	1	1	1	2	2	2	3	3	3	4	4	4	5	5	5	6	6	6	7	7	7	8	8	8	9
	女	1	1	1	1	冬	10	10	9	9	9	8	8	8	7	7	7	6	6	6	5	5	5	4	4	4	3	3	3	2	2	2

6月 (1일 二黑 - 21일 一白 +) **壬子 (三碧)** 절기: 大雪 (5일 16:45) 冬至 (21일 09:21)

양력		1	2	3	4	5	6	7	8	9	10	11	12	13	14	15	16	17	18	19	20	21	22	23	24	25	26	27	28	29	30	
요일		月	火	水	木	金	土	日	月	火	水	木	金	土	日	月	火	水	木	金	土	日	月	火	水	木	金	土	日	月	火	
음력	월	18	19	20	21	22	23	24	25	26	27	28	29	30	五	2	3	4	5	6	7	8	9	10	11	12	13	14	15	16	17	
일진		庚戌	辛亥	壬子	癸丑	戊寅	己卯	甲辰	乙巳	丙午	丁未	庚申	辛酉	壬戌	癸亥	戊子	己丑	甲寅	乙卯	丙辰	丁巳	庚午	辛未	壬申	癸酉	戊戌	己亥	甲子	乙丑	丙寅	丁卯	
대운	男	9	9	10	10	大	1	1	1	1	2	2	2	3	3	3	4	4	4	5	5	5	6	6	6	7	7	7	8	8	8	
	女	1	1	1	1	雪	10	10	10	9	9	9	8	8	8	7	7	7	6	6	6	5	5	5	4	4	4	3	3	3	2	

7月 (1일 二黑 +) **癸丑 (四綠)** 절기: 小寒(7일 02:54) 大寒(22일 20:11)

양력		1	2	3	4	5	6	7	8	9	10	11	12	13	14	15	16	17	18	19	20	21	22	23	24	25	26	27	28	29	30	31
요일		水	木	金	土	日	月	火	水	木	金	土	日	月	火	水	木	金	土	日	月	火	水	木	金	土	日	月	火	水	木	金
음력	월	18	19	20	21	22	23	24	25	26	27	28	29	六	2	3	4	5	6	7	8	9	10	11	12	13	14	15	16	17	18	19
일진		庚辰	辛巳	壬午	癸未	戊申	己酉	甲戌	乙亥	丙子	丁丑	庚寅	辛卯	壬辰	癸巳	戊午	己未	甲申	乙酉	丙戌	丁亥	庚子	辛丑	壬寅	癸卯	戊辰	己巳	甲午	乙未	丙申	丁酉	庚戌
대운	男	9	9	9	10	10	10	小	1	1	1	1	2	2	2	3	3	3	4	4	4	5	5	5	6	6	6	7	7	7	8	8
	女	2	2	1	1	1	1	寒	10	10	9	9	9	8	8	8	7	7	7	6	6	6	5	5	5	4	4	4	3	3	3	2

8月 (1일 六白 +) **戊寅 (五黃)** 절기: 立春(7일 12:42) 雨水(23일 03:21)

양력		1	2	3	4	5	6	7	8	9	10	11	12	13	14	15	16	17	18	19	20	21	22	23	24	25	26	27	28	29	30	31
요일		土	日	月	火	水	木	金	土	日	月	火	水	木	金	土	日	月	火	水	木	金	土	日	月	火	水	木	金	土	日	月
음력	월	20	21	22	23	24	25	26	27	28	29	七	2	3	4	5	6	7	8	9	10	11	12	13	14	15	16	17	18	19	20	21
일진		辛亥	壬子	癸丑	戊寅	己卯	甲辰	乙巳	丙午	丁未	庚申	辛酉	壬戌	癸亥	戊子	己丑	甲寅	乙卯	丙辰	丁巳	庚午	辛未	壬申	癸酉	戊戌	己亥	甲子	乙丑	丙寅	丁卯	庚辰	辛巳
대운	男	8	9	9	9	10	10	立	1	1	1	1	2	2	2	3	3	3	4	4	4	5	5	5	6	6	6	7	7	7	8	8
	女	2	2	1	1	1	1	春	10	10	9	9	9	8	8	8	7	7	7	6	6	6	5	5	5	4	4	4	3	3	3	2

9月 (1일 一白 +) **己卯 (六白)** 절기: 驚蟄(7일 15:44) 春分 (23일 01:12)

양력		1	2	3	4	5	6	7	8	9	10	11	12	13	14	15	16	17	18	19	20	21	22	23	24	25	26	27	28	29	30	
요일		火	水	木	金	土	日	月	火	水	木	金	土	日	月	火	水	木	金	土	日	月	火	水	木	金	土	日	月	火	水	
음력	월	22	23	24	25	26	27	28	29	30	八	2	3	4	5	6	7	8	9	10	11	12	13	14	15	16	17	18	19	20	21	
일진		壬午	癸未	戊申	己酉	甲戌	乙亥	丙子	丁丑	庚寅	辛卯	壬辰	癸巳	戊午	己未	甲申	乙酉	丙戌	丁亥	庚子	辛丑	壬寅	癸卯	戊辰	己巳	甲午	乙未	丙申	丁酉	庚戌	辛亥	
대운	男	8	9	9	9	10	10	驚	1	1	1	1	2	2	2	3	3	3	4	4	4	5	5	5	6	6	6	7	7	7	8	
	女	2	2	1	1	1	1	蟄	10	10	9	9	9	8	8	8	7	7	7	6	6	6	5	5	5	4	4	4	3	3	3	

10月 (1일 四綠 +) **甲辰 (七赤)** 절기: 淸明(8일 07:36) 穀雨(23일 10:48)

양력		1	2	3	4	5	6	7	8	9	10	11	12	13	14	15	16	17	18	19	20	21	22	23	24	25	26	27	28	29	30	31
요일		木	金	土	日	月	火	水	木	金	土	日	月	火	水	木	金	土	日	月	火	水	木	金	土	日	月	火	水	木	金	土
음력	월	22	23	24	25	26	27	28	29	九	2	3	4	5	6	7	8	9	10	11	12	13	14	15	16	17	18	19	20	21	22	23
일진		壬子	癸丑	戊寅	己卯	甲辰	乙巳	丙午	丁未	庚申	辛酉	壬戌	癸亥	戊子	己丑	甲寅	乙卯	丙辰	丁巳	庚午	辛未	壬申	癸酉	戊戌	己亥	甲子	乙丑	丙寅	丁卯	庚辰	辛巳	壬午
대운	男	8	8	9	9	9	10	10	淸	1	1	1	1	2	2	2	3	3	3	4	4	4	5	5	5	6	6	6	7	7	7	8
	女	2	2	2	1	1	1	1	明	10	9	9	9	8	8	8	7	7	7	6	6	6	5	5	5	4	4	4	3	3	3	2

11月 (1일 八白 +) **乙巳 (八白)** 절기: 立夏(7일 11:03) 小滿 (22일 08:37)

양력		1	2	3	4	5	6	7	8	9	10	11	12	13	14	15	16	17	18	19	20	21	22	23	24	25	26	27	28	29	30	
요일		日	月	火	水	木	金	土	日	月	火	水	木	金	土	日	月	火	水	木	金	土	日	月	火	水	木	金	土	日	月	
음력	월	24	25	26	27	28	29	十	2	3	4	5	6	7	8	9	10	11	12	13	14	15	16	17	18	19	20	21	22	23	24	
일진		癸未	戊申	己酉	甲戌	乙亥	丙子	丁丑	庚寅	辛卯	壬辰	癸巳	戊午	己未	甲申	乙酉	丙戌	丁亥	庚子	辛丑	壬寅	癸卯	戊辰	己巳	甲午	乙未	丙申	丁酉	庚戌	辛亥	壬子	
대운	男	8	8	9	9	9	10	立	1	1	1	1	2	2	2	3	3	3	4	4	4	5	5	5	6	6	6	7	7	7	8	
	女	2	2	1	1	1	1	夏	10	9	9	9	8	8	8	7	7	7	6	6	6	5	5	5	4	4	4	3	3	3	2	

12月 (1일 二黑 + 18일 九紫 -) **丙午 (九紫)** 절기: 芒種(7일 04:06) 夏至(21일 22:06)

양력		1	2	3	4	5	6	7	8	9	10	11	12	13	14	15	16	17	18	19	20	21	22	23	24	25	26	27	28	29	30	31
요일		火	水	木	金	土	日	月	火	水	木	金	土	日	月	火	水	木	金	土	日	月	火	水	木	金	土	日	月	火	水	木
음력	월	25	26	27	28	29	30	十一	2	3	4	5	6	7	8	9	10	11	12	13	14	15	16	17	18	19	20	21	22	23	24	25
일진		癸丑	戊寅	己卯	甲辰	乙巳	丙午	丁未	庚申	辛酉	壬戌	癸亥	戊子	己丑	甲寅	乙卯	丙辰	丁巳	庚午	辛未	壬申	癸酉	戊戌	己亥	甲子	乙丑	丙寅	丁卯	庚辰	辛巳	壬午	癸未
대운	男	8	8	9	9	9	10	芒	1	1	1	1	2	2	2	3	3	3	4	4	4	5	5	5	6	6	6	7	7	7	8	8
	女	2	2	1	1	1	1	種	9	9	9	8	8	8	7	7	7	6	6	6	5	5	5	4	4	4	3	3	3	2	2	2

戊子年 (三碧木星)

1月 (1일 四綠 -) 丁未 (一白) 절기: 小暑 (5일 15:25) 大暑 (20일 08:47)

양력		1	2	3	4	5	6	7	8	9	10	11	12	13	14	15	16	17	18	19	20	21	22	23	24	25	26	27	28	29	30	31
요일		金	土	日	月	火	水	木	金	土	日	月	火	水	木	金	土	日	月	火	水	木	金	土	日	月	火	水	木	金	土	日
음력	월	26	27	28	29	十二	2	3	4	5	6	7	8	9	10	11	12	13	14	15	16	17	18	19	20	21	22	23	24	25	26	27
일진		戊申	己酉	甲戌	乙亥	丙子	丁丑	庚寅	辛卯	壬辰	癸巳	戊午	己未	甲申	乙酉	丙戌	丁亥	庚子	辛丑	壬寅	癸卯	戊辰	己巳	甲午	乙未	丙申	丁酉	庚戌	辛亥	壬子	癸丑	戊寅
대운	男	8	9	9	9	小	1	1	1	1	2	2	2	3	3	3	4	4	4	5	5	5	6	6	6	7	7	7	8	8	8	9
	女	1	1	1	1	暑	10	9	9	9	8	8	8	7	7	7	6	6	6	5	5	5	4	4	4	3	3	3	2	2	2	1

2月 (1일 九紫 -) 庚申 (二黑) 절기: 立秋 (4일 03:02) 處暑 (18일 22:51)

양력		1	2	3	4	5	6	7	8	9	10	11	12	13	14	15	16	17	18	19	20	21	22	23	24	25	26	27	28			
요일		月	火	水	木	金	土	日	月	火	水	木	金	土	日	月	火	水	木	金	土	日	月	火	水	木	金	土	日			
음력	월	28	29	30	一	2	3	4	5	6	7	8	9	10	11	12	13	14	15	16	17	18	19	20	21	22	23	24	25			
일진		己卯	甲辰	乙巳	丙午	丁未	庚申	辛酉	壬戌	癸亥	戊子	己丑	甲寅	乙卯	丙辰	丁巳	庚午	辛未	壬申	癸酉	戊戌	己亥	甲子	乙丑	丙寅	丁卯	庚辰	辛巳	壬午			
대운	男	9	9	10	立	9	9	9	8	8	8	7	7	7	6	6	6	5	5	5	4	4	4	3	3	3	2	2	2			
	女	1	1	1	秋	1	1	1	1	2	2	2	3	3	3	4	4	4	5	5	5	6	6	6	7	7	7	8	8			

3月 (1일 八白 -) 辛酉 (三碧) 절기: 白露 (5일 20:54) 秋分 (20일 21:39)

양력		1	2	3	4	5	6	7	8	9	10	11	12	13	14	15	16	17	18	19	20	21	22	23	24	25	26	27	28	29	30	31
요일		月	火	水	木	金	土	日	月	火	水	木	金	土	日	月	火	水	木	金	土	日	月	火	水	木	金	土	日	月	火	水
음력	월	26	27	28	29	30	二	2	3	4	5	6	7	8	9	10	11	12	13	14	15	16	17	18	19	20	21	22	23	24	25	26
일진		癸未	戊申	己酉	甲戌	乙亥	丙子	丁丑	庚寅	辛卯	壬辰	癸巳	戊午	己未	甲申	乙酉	丙戌	丁亥	庚子	辛丑	壬寅	癸卯	戊辰	己巳	甲午	乙未	丙申	丁酉	庚戌	辛亥	壬子	癸丑
대운	男	1	1	1	1	白	10	10	9	9	9	8	8	8	7	7	7	6	6	6	5	5	5	4	4	4	3	3	3	2	2	2
	女	8	9	9	9	露	1	1	1	1	2	2	2	3	3	3	4	4	4	5	5	5	6	6	6	7	7	7	8	8	8	9

4月 (1일 四綠 -) 壬戌 (四綠) 절기: 寒露 (5일 01:28) 霜降 (20일 08:27)

양력		1	2	3	4	5	6	7	8	9	10	11	12	13	14	15	16	17	18	19	20	21	22	23	24	25	26	27	28	29	30	
요일		木	金	土	日	月	火	水	木	金	土	日	月	火	水	木	金	土	日	月	火	水	木	金	土	日	月	火	水	木	金	
음력	월	27	28	29	30	三	2	3	4	5	6	7	8	9	10	11	12	13	14	15	16	17	18	19	20	21	22	23	24	25	26	
일진		戊寅	己卯	甲辰	乙巳	丙午	丁未	庚申	辛酉	壬戌	癸亥	戊子	己丑	甲寅	乙卯	丙辰	丁巳	庚午	辛未	壬申	癸酉	戊戌	己亥	甲子	乙丑	丙寅	丁卯	庚辰	辛巳	壬午	癸未	
대운	男	1	1	1	1	寒	10	9	9	9	8	8	8	7	7	7	6	6	6	5	5	5	4	4	4	3	3	3	2	2	2	
	女	9	9	10	10	露	1	1	1	1	2	2	2	3	3	3	4	4	4	5	5	5	6	6	6	7	7	7	8	8	8	

5月 (1일 一白 -) 癸亥 (五黃) 절기: 立冬 (5일 18:30) 小雪 (21일 07:21)

양력		1	2	3	4	5	6	7	8	9	10	11	12	13	14	15	16	17	18	19	20	21	22	23	24	25	26	27	28	29	30	31
요일		土	日	月	火	水	木	金	土	日	月	火	水	木	金	土	日	月	火	水	木	金	土	日	月	火	水	木	金	土	日	月
음력	월	27	28	29	四	2	3	4	5	6	7	8	9	10	11	12	13	14	15	16	17	18	19	20	21	22	23	24	25	26	27	28
일진		戊申	己酉	甲戌	乙亥	丙子	丁丑	庚寅	辛卯	壬辰	癸巳	戊午	己未	甲申	乙酉	丙戌	丁亥	庚子	辛丑	壬寅	癸卯	戊辰	己巳	甲午	乙未	丙申	丁酉	庚戌	辛亥	壬子	癸丑	戊寅
대운	男	1	1	1	1	立	10	10	9	9	9	8	8	8	7	7	7	6	6	6	5	5	5	4	4	4	3	3	3	2	2	2
	女	9	9	9	10	冬	1	1	1	1	2	2	2	3	3	3	4	4	4	5	5	5	6	6	6	7	7	7	8	8	8	9

6月 (1일 六白 - 16일 一白 +) 戊子 (六白) 절기: 大雪 (5일 22:24) 冬至 (21일 15:08)

양력		1	2	3	4	5	6	7	8	9	10	11	12	13	14	15	16	17	18	19	20	21	22	23	24	25	26	27	28	29	30	
요일		火	水	木	金	土	日	月	火	水	木	金	土	日	月	火	水	木	金	土	日	月	火	水	木	金	土	日	月	火	水	
음력	월	29	30	五	2	3	4	5	6	7	8	9	10	11	12	13	14	15	16	17	18	19	20	21	22	23	24	25	26	27	28	
일진		己卯	甲辰	乙巳	丙午	丁未	庚申	辛酉	壬戌	癸亥	戊子	己丑	甲寅	乙卯	丙辰	丁巳	庚午	辛未	壬申	癸酉	戊戌	己亥	甲子	乙丑	丙寅	丁卯	庚辰	辛巳	壬午	癸未	戊申	
대운	男	1	1	1	1	大	10	10	10	9	9	9	8	8	8	7	7	7	6	6	6	5	5	5	4	4	4	3	3	3	2	
	女	9	9	10	10	雪	1	1	1	1	2	2	2	3	3	3	4	4	4	5	5	5	6	6	6	7	7	7	8	8	8	

7月 (1일 七赤 +) **己丑 (七赤)** 절기: 小寒(7일 08:31) 大寒(23일 01:58)

양력		1	2	3	4	5	6	7	8	9	10	11	12	13	14	15	16	17	18	19	20	21	22	23	24	25	26	27	28	29	30	31
요일		木	金	土	日	月	火	水	木	金	土	日	月	火	水	木	金	土	日	月	火	水	木	金	土	日	月	火	水	木	金	土
음력	월	29	六	2	3	4	5	6	7	8	9	10	11	12	13	14	15	16	17	18	19	20	21	22	23	24	25	26	27	28	29	30
일진		己酉	甲戌	乙亥	丙子	丁丑	庚寅	辛卯	壬辰	癸巳	戊午	己未	甲申	乙酉	丙戌	丁亥	庚子	辛丑	壬寅	癸卯	戊辰	己巳	甲午	乙未	丙申	丁酉	庚戌	辛亥	壬子	癸丑	戊寅	己卯
대운	男	2	2	1	1	1	1	小	10	10	9	9	9	8	8	8	7	7	7	6	6	6	5	5	5	4	4	4	3	3	3	2
	女	9	9	9	10	10	10	寒	1	1	1	1	2	2	2	3	3	3	4	4	4	5	5	5	6	6	6	7	7	7	8	8

8月 (1일 二黑 +) **甲寅 (八白)** 절기: 立春(7일 18:20) 雨水(23일 09:09)

양력		1	2	3	4	5	6	7	8	9	10	11	12	13	14	15	16	17	18	19	20	21	22	23	24	25	26	27	28	29	30	31
요일		日	月	火	水	木	金	土	日	月	火	水	木	金	土	日	月	火	水	木	金	土	日	月	火	水	木	金	土	日	月	火
음력	월	七	2	3	4	5	6	7	8	9	10	11	12	13	14	15	16	17	18	19	20	21	22	23	24	25	26	27	28	29	八	2
일진		甲辰	乙巳	丙午	丁未	庚申	辛酉	壬戌	癸亥	戊子	己丑	甲寅	乙卯	丙辰	丁巳	庚午	辛未	壬申	癸酉	戊戌	己亥	甲子	乙丑	丙寅	丁卯	庚辰	辛巳	壬午	癸未	戊申	己酉	甲戌
대운	男	2	2	1	1	1	1	立	10	10	9	9	9	8	8	8	7	7	7	6	6	6	5	5	5	4	4	4	3	3	3	2
	女	8	9	9	9	10	10	春	1	1	1	1	2	2	2	3	3	3	4	4	4	5	5	5	6	6	6	7	7	7	8	8

9月 (1일 六白 +) **乙卯 (九紫)** 절기: 驚蟄(7일 21:25) 春分 (23일 07:01)

양력		1	2	3	4	5	6	7	8	9	10	11	12	13	14	15	16	17	18	19	20	21	22	23	24	25	26	27	28	29	30	
요일		水	木	金	土	日	月	火	水	木	金	土	日	月	火	水	木	金	土	日	月	火	水	木	金	土	日	月	火	水	木	
음력	월	2	3	4	5	6	7	8	9	10	11	12	13	14	15	16	17	18	19	20	21	22	23	24	25	26	27	28	29	九	2	
일진		乙亥	丙子	丁丑	庚寅	辛卯	壬辰	癸巳	戊午	己未	甲申	乙酉	丙戌	丁亥	庚子	辛丑	壬寅	癸卯	戊辰	己巳	甲午	乙未	丙申	丁酉	庚戌	辛亥	壬子	癸丑	戊寅	己卯	甲辰	
대운	男	2	2	1	1	1	1	驚	10	10	9	9	9	8	8	8	7	7	7	6	6	6	5	5	5	4	4	4	3	3	3	
	女	8	9	9	9	10	10	蟄	1	1	1	1	2	2	2	3	3	3	4	4	4	5	5	5	6	6	6	7	7	7	8	

10月 (1일 九紫 +) **丙辰 (一白)** 절기: 清明(8일 13:20) 穀雨(23일 16:39)

양력		1	2	3	4	5	6	7	8	9	10	11	12	13	14	15	16	17	18	19	20	21	22	23	24	25	26	27	28	29	30	31
요일		金	土	日	月	火	水	木	金	土	日	月	火	水	木	金	土	日	月	火	水	木	金	土	日	月	火	水	木	金	土	日
음력	월	3	4	5	6	7	8	9	10	11	12	13	14	15	16	17	18	19	20	21	22	23	24	25	26	27	28	29	十	2	3	4
일진		乙巳	丙午	丁未	庚申	辛酉	壬戌	癸亥	戊子	己丑	甲寅	乙卯	丙辰	丁巳	庚午	辛未	壬申	癸酉	戊戌	己亥	甲子	乙丑	丙寅	丁卯	庚辰	辛巳	壬午	癸未	戊申	己酉	甲戌	乙亥
대운	男	2	2	2	1	1	1	1	清	10	9	9	9	8	8	8	7	7	7	6	6	6	5	5	5	4	4	4	3	3	3	2
	女	8	8	9	9	9	10	10	明	1	1	1	1	2	2	2	3	3	3	4	4	4	5	5	5	6	6	6	7	7	7	8

11月 (1일 四綠 +) **丁巳 (二黑)** 절기: 立夏(7일 16:49) 小滿 (22일 14:30)

양력		1	2	3	4	5	6	7	8	9	10	11	12	13	14	15	16	17	18	19	20	21	22	23	24	25	26	27	28	29	30	
요일		月	火	水	木	金	土	日	月	火	水	木	金	土	日	月	火	水	木	金	土	日	月	火	水	木	金	土	日	月	火	
음력	월	5	6	7	8	9	10	11	12	13	14	15	16	17	18	19	20	21	22	23	24	25	26	27	28	29	十一	2	3	4	5	
일진		丙子	丁丑	庚寅	辛卯	壬辰	癸巳	戊午	己未	甲申	乙酉	丙戌	丁亥	庚子	辛丑	壬寅	癸卯	戊辰	己巳	甲午	乙未	丙申	丁酉	庚戌	辛亥	壬子	癸丑	戊寅	己卯	甲辰	乙巳	
대운	男	2	2	1	1	1	1	立	10	9	9	9	8	8	8	7	7	7	6	6	6	5	5	5	4	4	4	3	3	3	2	
	女	8	8	9	9	9	10	夏	1	1	1	1	2	2	2	3	3	3	4	4	4	5	5	5	6	6	6	7	7	7	8	

12月 (1일 七赤 + 13일 九紫 -) **庚午 (三碧)** 절기: 芒種(7일 09:55) 夏至(22일 04:01)

양력		1	2	3	4	5	6	7	8	9	10	11	12	13	14	15	16	17	18	19	20	21	22	23	24	25	26	27	28	29	30	31
요일		水	木	金	土	日	月	火	水	木	金	土	日	月	火	水	木	金	土	日	月	火	水	木	金	土	日	月	火	水	木	金
음력	월	6	7	8	9	10	11	12	13	14	15	16	17	18	19	20	21	22	23	24	25	26	27	28	29	30	十二	2	3	4	5	6
일진		丙午	丁未	庚申	辛酉	壬戌	癸亥	戊子	己丑	甲寅	乙卯	丙辰	丁巳	庚午	辛未	壬申	癸酉	戊戌	己亥	甲子	乙丑	丙寅	丁卯	庚辰	辛巳	壬午	癸未	戊申	己酉	甲戌	乙亥	丙子
대운	男	2	2	1	1	1	1	芒	9	9	9	8	8	8	7	7	7	6	6	6	5	5	5	4	4	4	3	3	3	2	2	2
	女	8	8	9	9	9	10	種	1	1	1	1	2	2	2	3	3	3	4	4	4	5	5	5	6	6	6	7	7	7	8	8

己丑年 (四綠土聖) 閏五月

1月 (1일 八白 -) **辛未 (四綠)** 절기: 小暑 (5일 21:15) 大暑 (20일 14:42)

양력		1	2	3	4	5	6	7	8	9	10	11	12	13	14	15	16	17	18	19	20	21	22	23	24	25	26	27	28	29	30	31
요일		土	日	月	火	水	木	金	土	日	月	火	水	木	金	土	日	月	火	水	木	金	土	日	月	火	水	木	金	土	日	月
음력	월	7	8	9	10	11	12	13	14	15	16	17	18	19	20	21	22	23	24	25	26	27	28	29	一	2	3	4	5	6	7	8
일진		丁丑	庚寅	辛卯	壬辰	癸巳	戊午	己未	甲申	乙酉	丙戌	丁亥	庚子	辛丑	壬寅	癸卯	戊辰	己巳	甲午	乙未	丙申	丁酉	庚戌	辛亥	壬子	癸丑	戊寅	己卯	甲辰	乙巳	丙午	丁未
대운	男	1	1	1	1	小	10	9	9	9	8	8	8	7	7	7	6	6	6	5	5	5	4	4	4	3	3	3	2	2	2	1
	女	8	9	9	9	暑	1	1	1	1	2	2	2	3	3	3	4	4	4	5	5	5	6	6	6	7	7	7	8	8	8	9

2月 (1일 四綠 -) **壬申 (五黃)** 절기: 立秋 (4일 08:51) 處暑 (19일 04:44)

양력		1	2	3	4	5	6	7	8	9	10	11	12	13	14	15	16	17	18	19	20	21	22	23	24	25	26	27	28			
요일		火	水	木	金	土	日	月	火	水	木	金	土	日	月	火	水	木	金	土	日	月	火	水	木	金	土	日	月			
음력	월	9	10	11	12	13	14	15	16	17	18	19	20	21	22	23	24	25	26	27	28	29	30	二	2	3	4	5	6			
일진		庚申	辛酉	壬戌	癸亥	戊子	己丑	甲寅	乙卯	丙辰	丁巳	庚午	辛未	壬申	癸酉	戊戌	己亥	甲子	乙丑	丙寅	丁卯	庚辰	辛巳	壬午	癸未	戊申	己酉	甲戌	乙亥			
대운	男	1	1	1	立	1	1	1	1	2	2	2	3	3	3	4	4	4	5	5	5	6	6	6	7	7	7	8	8			
	女	9	9	10	秋	10	9	9	9	8	8	8	7	7	7	6	6	6	5	5	5	4	4	4	3	3	3	2	2			

3月 (1일 三碧 -) **癸酉 (六白)** 절기: 白露 (6일 02:42) 秋分 (21일 03:31)

양력		1	2	3	4	5	6	7	8	9	10	11	12	13	14	15	16	17	18	19	20	21	22	23	24	25	26	27	28	29	30	31
요일		火	水	木	金	土	日	月	火	水	木	金	土	日	月	火	水	木	金	土	日	月	火	水	木	金	土	日	月	火	水	木
음력	월	7	8	9	10	11	12	13	14	15	16	17	18	19	20	21	22	23	24	25	26	27	28	29	30	三	2	3	4	5	6	7
일진		丙子	丁丑	庚寅	辛卯	壬辰	癸巳	戊午	己未	甲申	乙酉	丙戌	丁亥	庚子	辛丑	壬寅	癸卯	戊辰	己巳	甲午	乙未	丙申	丁酉	庚戌	辛亥	壬子	癸丑	戊寅	己卯	甲辰	乙巳	丙午
대운	男	8	9	9	9	10	白	1	1	1	1	2	2	2	3	3	3	4	4	4	5	5	5	6	6	6	7	7	7	8	8	8
	女	2	1	1	1	1	露	10	9	9	9	8	8	8	7	7	7	6	6	6	5	5	5	4	4	4	3	3	3	2	2	2

4月 (1일 八白 -) **戊戌 (七赤)** 절기: 寒露 (5일 07:14) 霜降 (20일 14:16)

양력		1	2	3	4	5	6	7	8	9	10	11	12	13	14	15	16	17	18	19	20	21	22	23	24	25	26	27	28	29	30	
요일		金	土	日	月	火	水	木	金	土	日	月	火	水	木	金	土	日	月	火	水	木	金	土	日	月	火	水	木	金	土	
음력	월	8	9	10	11	12	13	14	15	16	17	18	19	20	21	22	23	24	25	26	27	28	29	四	2	3	4	5	6	7	8	
일진		丁未	庚申	辛酉	壬戌	癸亥	戊子	己丑	甲寅	乙卯	丙辰	丁巳	庚午	辛未	壬申	癸酉	戊戌	己亥	甲子	乙丑	丙寅	丁卯	庚辰	辛巳	壬午	癸未	戊申	己酉	甲戌	乙亥	丙子	
대운	男	9	9	10	10	寒	1	1	1	1	2	2	2	3	3	3	4	4	4	5	5	5	6	6	6	7	7	7	8	8	8	
	女	1	1	1	1	露	10	9	9	9	8	8	8	7	7	7	6	6	6	5	5	5	4	4	4	3	3	3	2	2	2	

5月 (1일 五黃 -) **己亥 (八白)** 절기: 立冬 (6일 00:17) 小雪 (21일 13:09)

양력		1	2	3	4	5	6	7	8	9	10	11	12	13	14	15	16	17	18	19	20	21	22	23	24	25	26	27	28	29	30	31
요일		日	月	火	水	木	金	土	日	月	火	水	木	金	土	日	月	火	水	木	金	土	日	月	火	水	木	金	土	日	月	火
음력	월	9	10	11	12	13	14	15	16	17	18	19	20	21	22	23	24	25	26	27	28	29	30	五	2	3	4	5	6	7	8	9
일진		丁丑	庚寅	辛卯	壬辰	癸巳	戊午	己未	甲申	乙酉	丙戌	丁亥	庚子	辛丑	壬寅	癸卯	戊辰	己巳	甲午	乙未	丙申	丁酉	庚戌	辛亥	壬子	癸丑	戊寅	己卯	甲辰	乙巳	丙午	丁未
대운	男	9	9	9	10	立	1	1	1	1	2	2	2	3	3	3	4	4	4	5	5	5	6	6	6	7	7	7	8	8	8	9
	女	1	1	1	1	冬	10	10	10	9	9	9	8	8	8	7	7	7	6	6	6	5	5	5	4	4	4	3	3	3	2	2

6月 (1일 一白 - 11일 一白 +) **甲子 (九紫)** 절기: 大雪 (6일 04:14) 冬至 (21일 20:56)

양력		1	2	3	4	5	6	7	8	9	10	11	12	13	14	15	16	17	18	19	20	21	22	23	24	25	26	27	28	29	30	
요일		水	木	金	土	日	月	火	水	木	金	土	日	月	火	水	木	金	土	日	月	火	水	木	金	土	日	月	火	水	木	
음력	월	10	11	12	13	14	15	16	17	18	19	20	21	22	23	24	25	26	27	28	29	30	閏五		3	4	5	6	7	8	9	
일진		庚申	辛酉	壬戌	癸亥	戊子	己丑	甲寅	乙卯	丙辰	丁巳	庚午	辛未	壬申	癸酉	戊戌	己亥	甲子	乙丑	丙寅	丁卯	庚辰	辛巳	壬午	癸未	戊申	己酉	甲戌	乙亥	丙子	丁丑	
대운	男	9	9	10	10	10	大	1	1	1	1	2	2	2	3	3	3	4	4	4	5	5	5	6	6	6	7	7	7	8	8	
	女	2	1	1	1	1	雪	10	10	9	9	9	8	8	8	7	7	7	6	6	6	5	5	5	4	4	4	3	3	3	2	

7月 (1일 三碧 +) **乙丑 (一白)** 절기: 小寒(7일 14:25) 大寒(23일 07:47)

양력	1	2	3	4	5	6	7	8	9	10	11	12	13	14	15	16	17	18	19	20	21	22	23	24	25	26	27	28	29	30	31
요일	金	土	日	月	火	水	木	金	土	日	月	火	水	木	金	土	日	月	火	水	木	金	土	日	月	火	水	木	金	土	日
음력 월	10	11	12	13	14	15	16	17	18	19	20	21	22	23	24	25	26	27	28	29	六	2	3	4	5	6	7	8	9	10	11
일진	庚寅	辛卯	壬辰	癸巳	戊午	己未	甲申	乙酉	丙戌	丁亥	庚子	辛丑	壬寅	癸卯	戊辰	己巳	甲午	乙未	丙申	丁酉	庚戌	辛亥	壬子	癸丑	戊寅	己卯	甲辰	乙巳	丙午	丁未	庚申
대운 男	8	9	9	9	10	10	小	1	1	1	1	2	2	2	3	3	3	4	4	4	5	5	5	6	6	6	7	7	7	8	8
대운 女	2	2	1	1	1	1	寒	10	10	10	9	9	9	8	8	8	7	7	7	6	6	6	5	5	5	4	4	4	3	3	3

8月 (1일 七赤 +) **丙寅 (二黑)** 절기: 立春(8일 00:17) 雨水(23일 14:57)

양력	1	2	3	4	5	6	7	8	9	10	11	12	13	14	15	16	17	18	19	20	21	22	23	24	25	26	27	28	29	30	31
요일	月	火	水	木	金	土	日	月	火	水	木	金	土	日	月	火	水	木	金	土	日	月	火	水	木	金	土	日	月	火	水
음력 월	12	13	14	15	16	17	18	19	20	21	22	23	24	25	26	27	28	29	30	七	2	3	4	5	6	7	8	9	10	11	12
일진	辛酉	壬戌	癸亥	戊子	己丑	甲寅	乙卯	丙辰	丁巳	庚午	辛未	壬申	癸酉	戊戌	己亥	甲子	乙丑	丙寅	丁卯	庚辰	辛巳	壬午	癸未	戊申	己酉	甲戌	乙亥	丙子	丁丑	庚寅	辛卯
대운 男	8	9	9	9	10	10	10	立	1	1	1	1	2	2	2	3	3	3	4	4	4	5	5	5	6	6	6	7	7	7	8
대운 女	2	2	2	1	1	1	1	春	10	10	9	9	9	8	8	8	7	7	7	6	6	6	5	5	5	4	4	4	3	3	3

9月 (1일 二黑 +) **丁卯 (三碧)** 절기: 驚蟄(8일 03:23) 春分 (23일 12:48)

양력	1	2	3	4	5	6	7	8	9	10	11	12	13	14	15	16	17	18	19	20	21	22	23	24	25	26	27	28	29	30	
요일	木	金	土	日	月	火	水	木	金	土	日	月	火	水	木	金	土	日	月	火	水	木	金	土	日	月	火	水	木	金	
음력 월	13	14	15	16	17	18	19	20	21	22	23	24	25	26	27	28	29	八	2	3	4	5	6	7	8	9	10	11	12	13	
일진	壬辰	癸巳	戊午	己未	甲申	乙酉	丙戌	丁亥	庚子	辛丑	壬寅	癸卯	戊辰	己巳	甲午	乙未	丙申	丁酉	庚戌	辛亥	壬子	癸丑	戊寅	己卯	甲辰	乙巳	丙午	丁未	庚申	辛酉	
대운 男	8	8	9	9	9	10	10	驚	1	1	1	1	2	2	2	3	3	3	4	4	4	5	5	5	6	6	6	7	7	7	
대운 女	2	2	2	1	1	1	1	蟄	10	9	9	9	8	8	8	7	7	7	6	6	6	5	5	5	4	4	4	3	3	3	

10月 (1일 五黃 +) **庚辰 (四綠)** 절기: 淸明(8일 19:16) 穀雨(23일 22:24)

양력	1	2	3	4	5	6	7	8	9	10	11	12	13	14	15	16	17	18	19	20	21	22	23	24	25	26	27	28	29	30	31
요일	土	日	月	火	水	木	金	土	日	月	火	水	木	金	土	日	月	火	水	木	金	土	日	月	火	水	木	金	土	日	月
음력 월	14	15	16	17	18	19	20	21	22	23	24	25	26	27	28	29	30	九	2	3	4	5	6	7	8	9	10	11	12	13	14
일진	壬戌	癸亥	戊子	己丑	甲寅	乙卯	丙辰	丁巳	庚午	辛未	壬申	癸酉	戊戌	己亥	甲子	乙丑	丙寅	丁卯	庚辰	辛巳	壬午	癸未	戊申	己酉	甲戌	乙亥	丙子	丁丑	庚寅	辛卯	壬辰
대운 男	8	8	8	9	9	9	10	淸	1	1	1	1	2	2	2	3	3	3	4	4	4	5	5	5	6	6	6	7	7	7	8
대운 女	2	2	2	1	1	1	1	明	10	9	9	9	8	8	8	7	7	7	6	6	6	5	5	5	4	4	4	3	3	3	2

11月 (1일 九紫 +) **辛巳 (五黃)** 절기: 立夏(7일 22:41) 小滿 (22일 20:11)

양력	1	2	3	4	5	6	7	8	9	10	11	12	13	14	15	16	17	18	19	20	21	22	23	24	25	26	27	28	29	30	
요일	火	水	木	金	土	日	月	火	水	木	金	土	日	月	火	水	木	金	土	日	月	火	水	木	金	土	日	月	火	水	
음력 월	15	16	17	18	19	20	21	22	23	24	25	26	27	28	29	十	2	3	4	5	6	7	8	9	10	11	12	13	14	15	
일진	癸巳	戊午	己未	甲申	乙酉	丙戌	丁亥	庚子	辛丑	壬寅	癸卯	戊辰	己巳	甲午	乙未	丙申	丁酉	庚戌	辛亥	壬子	癸丑	戊寅	己卯	甲辰	乙巳	丙午	丁未	庚申	辛酉	壬戌	
대운 男	8	8	9	9	9	10	立	1	1	1	1	2	2	2	3	3	3	4	4	4	5	5	5	6	6	6	7	7	7	8	
대운 女	2	2	1	1	1	1	夏	10	9	9	9	8	8	8	7	7	7	6	6	6	5	5	5	4	4	4	3	3	3	2	

12月 (1일 三碧 + 8일 九紫 -) **壬午 (六白)** 절기: 芒種(7일 15:44) 夏至(22일 09:39)

양력	1	2	3	4	5	6	7	8	9	10	11	12	13	14	15	16	17	18	19	20	21	22	23	24	25	26	27	28	29	30	31
요일	木	金	土	日	月	火	水	木	金	土	日	月	火	水	木	金	土	日	月	火	水	木	金	土	日	月	火	水	木	金	土
음력 월	16	17	18	19	20	21	22	23	24	25	26	27	28	29	30	十一	2	3	4	5	6	7	8	9	10	11	12	13	14	15	16
일진	癸亥	戊子	己丑	甲寅	乙卯	丙辰	丁巳	庚午	辛未	壬申	癸酉	戊戌	己亥	甲子	乙丑	丙寅	丁卯	庚辰	辛巳	壬午	癸未	戊申	己酉	甲戌	乙亥	丙子	丁丑	庚寅	辛卯	壬辰	癸巳
대운 男	8	8	9	9	9	10	芒	1	1	1	1	2	2	2	3	3	3	4	4	4	5	5	5	6	6	6	7	7	7	8	8
대운 女	2	2	1	1	1	1	種	10	9	9	9	8	8	8	7	7	7	6	6	6	5	5	5	4	4	4	3	3	3	2	2

서기2040년

甲寅年 (五黃土星)

1月 (1일 三碧 -) **癸未 (七赤)** 절기: 小暑 (6일 03:02) 大暑 (20일 20:20)

양력		1	2	3	4	5	6	7	8	9	10	11	12	13	14	15	16	17	18	19	20	21	22	23	24	25	26	27	28	29	30	31
요일		日	月	火	水	木	金	土	日	月	火	水	木	金	土	日	月	火	水	木	金	土	日	月	火	水	木	金	土	日	月	火
음력	월	17	18	19	20	21	22	23	24	25	26	27	28	29	十二	2	3	4	5	6	7	8	9	10	11	12	13	14	15	16	17	18
일진		戊午	己未	甲申	乙酉	丙戌	丁亥	庚子	辛丑	壬寅	癸卯	戊辰	己巳	甲午	乙未	丙申	丁酉	庚戌	辛亥	壬子	癸丑	戊寅	己卯	甲辰	乙巳	丙午	丁未	庚申	辛酉	壬戌	癸亥	戊子
대운	男	8	9	9	9	10	小	1	1	1	1	2	2	2	3	3	3	4	4	4	5	5	5	6	6	6	7	7	7	8	8	8
	女	2	1	1	1	1	暑	9	9	9	8	8	8	7	7	7	6	6	6	5	5	5	4	4	4	3	3	3	2	2	2	1

2月 閏 (1일 八白 -) **戊申 (八白)** 절기: 立秋 (4일 14:38) 處暑 (19일 10:22)

양력		1	2	3	4	5	6	7	8	9	10	11	12	13	14	15	16	17	18	19	20	21	22	23	24	25	26	27	28	29		
요일		水	木	金	土	日	月	火	水	木	金	土	日	月	火	水	木	金	土	日	月	火	水	木	金	土	日	月	火	水		
음력	월	19	20	21	22	23	24	25	26	27	28	29	一	2	3	4	5	6	7	8	9	10	11	12	13	14	15	16	17	18		
일진		己丑	甲寅	乙卯	丙辰	丁巳	庚午	辛未	壬申	癸酉	戊戌	己亥	甲子	乙丑	丙寅	丁卯	庚辰	辛巳	壬午	癸未	戊申	己酉	甲戌	乙亥	丙子	丁丑	庚寅	辛卯	壬辰	癸巳		
대운	男	9	9	9	立	10	9	9	9	8	8	8	7	7	7	6	6	6	5	5	5	4	4	4	3	3	3	2	2	2		
	女	1	1	1	秋	1	1	1	1	2	2	2	3	3	3	4	4	4	5	5	5	6	6	6	7	7	7	8	8	8		

3月 (1일 六白 -) **己酉 (九紫)** 절기: 白露 (5일 08:30) 秋分 (20일 09:10)

양력		1	2	3	4	5	6	7	8	9	10	11	12	13	14	15	16	17	18	19	20	21	22	23	24	25	26	27	28	29	30	31
요일		木	金	土	日	月	火	水	木	金	土	日	月	火	水	木	金	土	日	月	火	水	木	金	土	日	月	火	水	木	金	土
음력	월	19	20	21	22	23	24	25	26	27	28	29	30	二	2	3	4	5	6	7	8	9	10	11	12	13	14	15	16	17	18	19
일진		戊午	己未	甲申	乙酉	丙戌	丁亥	庚子	辛丑	壬寅	癸卯	戊辰	己巳	甲午	乙未	丙申	丁酉	庚戌	辛亥	壬子	癸丑	戊寅	己卯	甲辰	乙巳	丙午	丁未	庚申	辛酉	壬戌	癸亥	戊子
대운	男	1	1	1	1	白	10	9	9	9	8	8	8	7	7	7	6	6	6	5	5	5	4	4	4	3	3	3	2	2	2	1
	女	9	9	9	10	露	1	1	1	1	2	2	2	3	3	3	4	4	4	5	5	5	6	6	6	7	7	7	8	8	8	9

4月 (1일 二黑 -) **甲戌 (一白)** 절기: 寒露 (4일 13:04) 霜降 (19일 19:58)

양력		1	2	3	4	5	6	7	8	9	10	11	12	13	14	15	16	17	18	19	20	21	22	23	24	25	26	27	28	29	30	
요일		日	月	火	水	木	金	土	日	月	火	水	木	金	土	日	月	火	水	木	金	土	日	月	火	水	木	金	土	日	月	
음력	월	20	21	22	23	24	25	26	27	28	29	三	2	3	4	5	6	7	8	9	10	11	12	13	14	15	16	17	18	19	20	
일진		己丑	甲寅	乙卯	丙辰	丁巳	庚午	辛未	壬申	癸酉	戊戌	己亥	甲子	乙丑	丙寅	丁卯	庚辰	辛巳	壬午	癸未	戊申	己酉	甲戌	乙亥	丙子	丁丑	庚寅	辛卯	壬辰	癸巳	戊午	
대운	男	1	1	1	寒	10	10	9	9	9	8	8	8	7	7	7	6	6	6	5	5	5	4	4	4	3	3	3	2	2	2	
	女	9	9	10	露	1	1	1	1	2	2	2	3	3	3	4	4	4	5	5	5	6	6	6	7	7	7	8	8	8	9	

5月 (1일 八白 -) **乙亥 (二黑)** 절기: 立冬 (5일 06:08) 小雪 (20일 18:54)

양력		1	2	3	4	5	6	7	8	9	10	11	12	13	14	15	16	17	18	19	20	21	22	23	24	25	26	27	28	29	30	31
요일		火	水	木	金	土	日	月	火	水	木	金	土	日	月	火	水	木	金	土	日	月	火	水	木	金	土	日	月	火	水	木
음력	월	21	22	23	24	25	26	27	28	29	30	四	2	3	4	5	6	7	8	9	10	11	12	13	14	15	16	17	18	19	20	21
일진		己未	甲申	乙酉	丙戌	丁亥	庚子	辛丑	壬寅	癸卯	戊辰	己巳	甲午	乙未	丙申	丁酉	庚戌	辛亥	壬子	癸丑	戊寅	己卯	甲辰	乙巳	丙午	丁未	庚申	辛酉	壬戌	癸亥	戊子	己丑
대운	男	1	1	1	1	立	10	10	9	9	9	8	8	8	7	7	7	6	6	6	5	5	5	4	4	4	3	3	3	2	2	2
	女	9	9	10	10	冬	1	1	1	1	2	2	2	3	3	3	4	4	4	5	5	5	6	6	6	7	7	7	8	8	8	9

6月 (1일 四綠 - 5일 一白 +) **丙子 (三碧)** 절기: 大雪 (5일 10:07) 冬至 (21일 02:45)

양력		1	2	3	4	5	6	7	8	9	10	11	12	13	14	15	16	17	18	19	20	21	22	23	24	25	26	27	28	29	30	
요일		金	土	日	月	火	水	木	金	土	日	月	火	水	木	金	土	日	月	火	水	木	金	土	日	月	火	水	木	金	土	
음력	월	22	23	24	25	26	27	28	29	30	五	2	3	4	5	6	7	8	9	10	11	12	13	14	15	16	17	18	19	20	21	
일진		甲寅	乙卯	丙辰	丁巳	庚午	辛未	壬申	癸酉	戊戌	己亥	甲子	乙丑	丙寅	丁卯	庚辰	辛巳	壬午	癸未	戊申	己酉	甲戌	乙亥	丙子	丁丑	庚寅	辛卯	壬辰	癸巳	戊午	己未	
대운	男	1	1	1	1	大	10	10	9	9	9	8	8	8	7	7	7	6	6	6	5	5	5	4	4	4	3	3	3	2	2	
	女	9	9	10	10	雪	1	1	1	1	2	2	2	3	3	3	4	4	4	5	5	5	6	6	6	7	7	7	8	8	8	

7月 (1일 九紫 +) **丁丑 (四綠)** 절기: 小寒(6일 20:18) 大寒(22일 13:39)

양력		1	2	3	4	5	6	7	8	9	10	11	12	13	14	15	16	17	18	19	20	21	22	23	24	25	26	27	28	29	30	31
요일		日	月	火	水	木	金	土	日	月	火	水	木	金	土	日	月	火	水	木	金	土	日	月	火	水	木	金	土	日	月	火
음력	월	22	23	24	25	26	27	28	29	六	2	3	4	5	6	7	8	9	10	11	12	13	14	15	16	17	18	19	20	21	22	23
일진		甲申	乙酉	丙戌	丁亥	庚子	辛丑	壬寅	癸卯	戊辰	己巳	甲午	乙未	丙申	丁酉	庚戌	辛亥	壬子	癸丑	戊寅	己卯	甲辰	乙巳	丙午	丁未	庚申	辛酉	壬戌	癸亥	戊子	己丑	甲寅
대운	男	2	1	1	1	1	小	10	10	10	9	9	9	8	8	8	7	7	7	6	6	6	5	5	5	4	4	4	3	3	3	2
	女	9	9	9	10	10	寒	1	1	1	1	2	2	2	3	3	3	4	4	4	5	5	5	6	6	6	7	7	7	8	8	8

8月 (1일 四綠 +) **庚寅 (五黃)** 절기: 立春(7일 06:09) 雨水(22일 20:52)

양력		1	2	3	4	5	6	7	8	9	10	11	12	13	14	15	16	17	18	19	20	21	22	23	24	25	26	27	28	29	30	31
요일		水	木	金	土	日	月	火	水	木	金	土	日	月	火	水	木	金	土	日	月	火	水	木	金	土	日	月	火	水	木	金
음력	월	24	25	26	27	28	29	30	七	2	3	4	5	6	7	8	9	10	11	12	13	14	15	16	17	18	19	20	21	22	23	24
일진		乙卯	丙辰	丁巳	庚午	辛未	壬申	癸酉	戊戌	己亥	甲子	乙丑	丙寅	丁卯	庚辰	辛巳	壬午	癸未	戊申	己酉	甲戌	乙亥	丙子	丁丑	庚寅	辛卯	壬辰	癸巳	戊午	己未	甲申	乙酉
대운	男	2	2	1	1	1	1	立	10	10	9	9	9	8	8	8	7	7	7	6	6	6	5	5	5	4	4	4	3	3	3	2
	女	9	9	9	10	10	10	春	1	1	1	1	2	2	2	3	3	3	4	4	4	5	5	5	6	6	6	7	7	7	8	8

9月 (1일 八白 +) **辛卯 (六白)** 절기: 驚蟄(7일 09:13) 春分 (22일 18:43)

양력		1	2	3	4	5	6	7	8	9	10	11	12	13	14	15	16	17	18	19	20	21	22	23	24	25	26	27	28	29	30	
요일		土	日	月	火	水	木	金	土	日	月	火	水	木	金	土	日	月	火	水	木	金	土	日	月	火	水	木	金	土	日	
음력	월	25	26	27	28	29	30	八	2	3	4	5	6	7	8	9	10	11	12	13	14	15	16	17	18	19	20	21	22	23	24	
일진		丙戌	丁亥	庚子	辛丑	壬寅	癸卯	戊辰	己巳	甲午	乙未	丙申	丁酉	庚戌	辛亥	壬子	癸丑	戊寅	己卯	甲辰	乙巳	丙午	丁未	庚申	辛酉	壬戌	癸亥	戊子	己丑	甲寅	乙卯	
대운	男	2	2	1	1	1	1	驚	10	10	9	9	9	8	8	8	7	7	7	6	6	6	5	5	5	4	4	4	3	3	3	
	女	8	9	9	9	10	10	蟄	1	1	1	1	2	2	2	3	3	3	4	4	4	5	5	5	6	6	6	7	7	7	8	

10月 (1일 二黑 +) **壬辰 (七赤)** 절기: 淸明(8일 01:04) 穀雨(23일 04:18)

양력		1	2	3	4	5	6	7	8	9	10	11	12	13	14	15	16	17	18	19	20	21	22	23	24	25	26	27	28	29	30	31
요일		月	火	水	木	金	土	日	月	火	水	木	金	土	日	月	火	水	木	金	土	日	月	火	水	木	金	土	日	月	火	水
음력	월	25	26	27	28	29	九	2	3	4	5	6	7	8	9	10	11	12	13	14	15	16	17	18	19	20	21	22	23	24	25	26
일진		丙辰	丁巳	庚午	辛未	壬申	癸酉	戊戌	己亥	甲子	乙丑	丙寅	丁卯	庚辰	辛巳	壬午	癸未	戊申	己酉	甲戌	乙亥	丙子	丁丑	庚寅	辛卯	壬辰	癸巳	戊午	己未	甲申	乙酉	丙戌
대운	男	2	2	2	1	1	1	1	淸	10	9	9	9	8	8	8	7	7	7	6	6	6	5	5	5	4	4	4	3	3	3	2
	女	8	8	9	9	9	10	10	明	1	1	1	1	2	2	2	3	3	3	4	4	4	5	5	5	6	6	6	7	7	7	8

11月 (1일 六白 +) **癸巳 (八白)** 절기: 立夏(7일 04:28) 小滿 (22일 02:04)

양력		1	2	3	4	5	6	7	8	9	10	11	12	13	14	15	16	17	18	19	20	21	22	23	24	25	26	27	28	29	30	
요일		木	金	土	日	月	火	水	木	金	土	日	月	火	水	木	金	土	日	月	火	水	木	金	土	日	月	火	水	木	金	
음력	월	27	28	29	30	十	2	3	4	5	6	7	8	9	10	11	12	13	14	15	16	17	18	19	20	21	22	23	24	25	26	
일진		丁亥	庚子	辛丑	壬寅	癸卯	戊辰	己巳	甲午	乙未	丙申	丁酉	庚戌	辛亥	壬子	癸丑	戊寅	己卯	甲辰	乙巳	丙午	丁未	庚申	辛酉	壬戌	癸亥	戊子	己丑	甲寅	乙卯	丙辰	
대운	男	2	2	1	1	1	1	立	9	9	9	8	8	8	7	7	7	6	6	6	5	5	5	4	4	4	3	3	3	2	2	
	女	8	8	9	9	9	10	夏	1	1	1	1	2	2	2	3	3	3	4	4	4	5	5	5	6	6	6	7	7	7	8	

12月 (1일 九紫 + 2일 九紫 -) **戊午 (九紫)** 절기: 芒種(6일 21:29) 夏至(21일 15:31)

양력		1	2	3	4	5	6	7	8	9	10	11	12	13	14	15	16	17	18	19	20	21	22	23	24	25	26	27	28	29	30	31
요일		土	日	月	火	水	木	金	土	日	月	火	水	木	金	土	日	月	火	水	木	金	土	日	月	火	水	木	金	土	日	月
음력	월	27	28	29	十一	2	3	4	5	6	7	8	9	10	11	12	13	14	15	16	17	18	19	20	21	22	23	24	25	26	27	28
일진		丁巳	庚午	辛未	壬申	癸酉	戊戌	己亥	甲子	乙丑	丙寅	丁卯	庚辰	辛巳	壬午	癸未	戊申	己酉	甲戌	乙亥	丙子	丁丑	庚寅	辛卯	壬辰	癸巳	戊午	己未	甲申	乙酉	丙戌	丁亥
대운	男	2	1	1	1	1	芒	10	9	9	9	8	8	8	7	7	7	6	6	6	5	5	5	4	4	4	3	3	3	2	2	2
	女	8	8	9	9	9	種	1	1	1	1	2	2	2	3	3	3	4	4	4	5	5	5	6	6	6	7	7	7	8	8	8

서기2041년

乙卯年 (六白金星)

1月 (1일 六白 -) **己未 (一白)** 절기: 小暑 (5일 08:47) 大暑 (20일 02:12)

양력		1	2	3	4	5	6	7	8	9	10	11	12	13	14	15	16	17	18	19	20	21	22	23	24	25	26	27	28	29	30	31
요일		火	水	木	金	土	日	月	火	水	木	金	土	日	月	火	水	木	金	土	日	月	火	水	木	金	土	日	月	火	水	木
음력	월	29	30	十二	2	3	4	5	6	7	8	9	10	11	12	13	14	15	16	17	18	19	20	21	22	23	24	25	26	27	28	29
일진		庚子	辛丑	壬寅	癸卯	戊辰	己巳	甲午	乙未	丙申	丁酉	庚戌	辛亥	壬子	癸丑	戊寅	己卯	甲辰	乙巳	丙午	丁未	庚申	辛酉	壬戌	癸亥	戊子	己丑	甲寅	乙卯	丙辰	丁巳	庚午
대운	男	1	1	1	1	小	9	9	9	8	8	8	7	7	7	6	6	6	5	5	5	4	4	4	3	3	3	2	2	2	1	1
	女	9	9	9	10	暑	1	1	1	1	2	2	2	3	3	3	4	4	4	5	5	5	6	6	6	7	7	7	8	8	8	9

2月 (1일 二黑 -) **甲申 (二黑)** 절기: 立秋 (3일 20:24) 處暑 (18일 16:16)

양력		1	2	3	4	5	6	7	8	9	10	11	12	13	14	15	16	17	18	19	20	21	22	23	24	25	26	27	28			
요일		金	土	日	月	火	水	木	金	土	日	月	火	水	木	金	土	日	月	火	水	木	金	土	日	月	火	水	木			
음력	월	一	2	3	4	5	6	7	8	9	10	11	12	13	14	15	16	17	18	19	20	21	22	23	24	25	26	27	28			
일진		辛未	壬申	癸酉	戊戌	己亥	甲子	乙丑	丙寅	丁卯	庚辰	辛巳	壬午	癸未	戊申	己酉	甲戌	乙亥	丙子	丁丑	庚寅	辛卯	壬辰	癸巳	戊午	己未	甲申	乙酉	丙戌			
대운	男	1	1	立	1	1	1	1	2	2	2	3	3	3	4	4	4	5	5	5	6	6	6	7	7	7	8	8	8			
	女	9	9	秋	10	9	9	9	8	8	8	7	7	7	6	6	6	5	5	5	4	4	4	3	3	3	2	2	2			

3月 (1일 一白 -) **乙酉 (三碧)** 절기: 白露 (5일 14:16) 秋分 (20일 15:05)

양력		1	2	3	4	5	6	7	8	9	10	11	12	13	14	15	16	17	18	19	20	21	22	23	24	25	26	27	28	29	30	31
요일		金	土	日	月	火	水	木	金	土	日	月	火	水	木	金	土	日	月	火	水	木	金	土	日	月	火	水	木	金	土	日
음력	월	29	30	二	2	3	4	5	6	7	8	9	10	11	12	13	14	15	16	17	18	19	20	21	22	23	24	25	26	27	28	29
일진		丁亥	庚子	辛丑	壬寅	癸卯	戊辰	己巳	甲午	乙未	丙申	丁酉	庚戌	辛亥	壬子	癸丑	戊寅	己卯	甲辰	乙巳	丙午	丁未	庚申	辛酉	壬戌	癸亥	戊子	己丑	甲寅	乙卯	丙辰	丁巳
대운	男	9	9	9	10	白	1	1	1	1	2	2	2	3	3	3	4	4	4	5	5	5	6	6	6	7	7	7	8	8	8	9
	女	1	1	1	1	露	10	9	9	9	8	8	8	7	7	7	6	6	6	5	5	5	4	4	4	3	3	3	2	2	2	1

4月 (1일 六白 -) **丙戌 (四綠)** 절기: 寒露 (4일 18:51) 霜降 (20일 01:53)

양력		1	2	3	4	5	6	7	8	9	10	11	12	13	14	15	16	17	18	19	20	21	22	23	24	25	26	27	28	29	30	
요일		月	火	水	木	金	土	日	月	火	水	木	金	土	日	月	火	水	木	金	土	日	月	火	水	木	金	土	日	月	火	
음력	월	三	2	3	4	5	6	7	8	9	10	11	12	13	14	15	16	17	18	19	20	21	22	23	24	25	26	27	28	29	四	
일진		庚午	辛未	壬申	癸酉	戊戌	己亥	甲子	乙丑	丙寅	丁卯	庚辰	辛巳	壬午	癸未	戊申	己酉	甲戌	乙亥	丙子	丁丑	庚寅	辛卯	壬辰	癸巳	戊午	己未	甲申	乙酉	丙戌	丁亥	
대운	男	9	9	10	寒	1	1	1	1	2	2	2	3	3	3	4	4	4	5	5	5	6	6	6	7	7	7	8	8	8	9	
	女	1	1	1	露	10	10	9	9	9	8	8	8	7	7	7	6	6	6	5	5	5	4	4	4	3	3	3	2	2	2	

5月 (1일 三碧 - 31일 一白 +) **丁亥 (五黃)** 절기: 立冬 (5일 11:53) 小雪 (21일 00:47)

양력		1	2	3	4	5	6	7	8	9	10	11	12	13	14	15	16	17	18	19	20	21	22	23	24	25	26	27	28	29	30	31
요일		水	木	金	土	日	月	火	水	木	金	土	日	月	火	水	木	金	土	日	月	火	水	木	金	土	日	月	火	水	木	金
음력	월	2	3	4	5	6	7	8	9	10	11	12	13	14	15	16	17	18	19	20	21	22	23	24	25	26	27	28	29	30	五	2
일진		庚子	辛丑	壬寅	癸卯	戊辰	己巳	甲午	乙未	丙申	丁酉	庚戌	辛亥	壬子	癸丑	戊寅	己卯	甲辰	乙巳	丙午	丁未	庚申	辛酉	壬戌	癸亥	戊子	己丑	甲寅	乙卯	丙辰	丁巳	庚午
대운	男	9	9	10	10	立	1	1	1	1	2	2	2	3	3	3	4	4	4	5	5	5	6	6	6	7	7	7	8	8	8	9
	女	1	1	1	1	冬	10	10	9	9	9	8	8	8	7	7	7	6	6	6	5	5	5	4	4	4	3	3	3	2	2	2

6月 (1일 二黑 +) **庚子 (六白)** 절기: 大雪 (5일 15:48) 冬至 (21일 08:34)

양력		1	2	3	4	5	6	7	8	9	10	11	12	13	14	15	16	17	18	19	20	21	22	23	24	25	26	27	28	29	30	
요일		土	日	月	火	水	木	金	土	日	月	火	水	木	金	土	日	月	火	水	木	金	土	日	月	火	水	木	金	土	日	
음력	월	3	4	5	6	7	8	9	10	11	12	13	14	15	16	17	18	19	20	21	22	23	24	25	26	27	28	29	六	2	3	
일진		辛未	壬申	癸酉	戊戌	己亥	甲子	乙丑	丙寅	丁卯	庚辰	辛巳	壬午	癸未	戊申	己酉	甲戌	乙亥	丙子	丁丑	庚寅	辛卯	壬辰	癸巳	戊午	己未	甲申	乙酉	丙戌	丁亥	庚子	
대운	男	9	9	10	10	大	1	1	1	1	2	2	2	3	3	3	4	4	4	5	5	5	6	6	6	7	7	7	8	8	8	
	女	1	1	1	1	雪	10	10	10	9	9	9	8	8	8	7	7	7	6	6	6	5	5	5	4	4	4	3	3	3	2	

7月 (1일 五黃 +) **辛丑 (七赤)** 절기: 小寒(7일 01:57) 大寒(22일 19:25)

양력		1	2	3	4	5	6	7	8	9	10	11	12	13	14	15	16	17	18	19	20	21	22	23	24	25	26	27	28	29	30	31
요일		月	火	水	木	金	土	日	月	火	水	木	金	土	日	月	火	水	木	金	土	日	月	火	水	木	金	土	日	月	火	水
음력	월	4	5	6	7	8	9	10	11	12	13	14	15	16	17	18	19	20	21	22	23	24	25	26	27	28	29	30	七	2	3	4
일진		辛丑	壬寅	癸卯	戊辰	己巳	甲午	乙未	丙申	丁酉	庚戌	辛亥	壬子	癸丑	戊寅	己卯	甲辰	乙巳	丙午	丁未	庚申	辛酉	壬戌	癸亥	戊子	己丑	甲寅	乙卯	丙辰	丁巳	庚午	辛未
대운	男	9	9	9	10	10	10	小	1	1	1	1	2	2	2	3	3	3	4	4	4	5	5	5	6	6	6	7	7	7	8	8
	女	2	2	1	1	1	1	寒	10	10	9	9	9	8	8	8	7	7	7	6	6	6	5	5	5	4	4	4	3	3	3	2

8月 (1일 九紫 +) **壬寅 (八白)** 절기: 立春(7일 11:47) 雨水(23일 02:35)

양력		1	2	3	4	5	6	7	8	9	10	11	12	13	14	15	16	17	18	19	20	21	22	23	24	25	26	27	28	29	30	31
요일		木	金	土	日	月	火	水	木	金	土	日	月	火	水	木	金	土	日	月	火	水	木	金	土	日	月	火	水	木	金	土
음력	월	5	6	7	8	9	10	11	12	13	14	15	16	17	18	19	20	21	22	23	24	25	26	27	28	29	30	八	2	3	4	5
일진		壬申	癸酉	戊戌	己亥	甲子	乙丑	丙寅	丁卯	庚辰	辛巳	壬午	癸未	戊申	己酉	甲戌	乙亥	丙子	丁丑	庚寅	辛卯	壬辰	癸巳	戊午	己未	甲申	乙酉	丙戌	丁亥	庚子	辛丑	壬寅
대운	男	8	9	9	9	10	10	立	1	1	1	1	2	2	2	3	3	3	4	4	4	5	5	5	6	6	6	7	7	7	8	8
	女	2	2	1	1	1	1	春	10	10	9	9	9	8	8	8	7	7	7	6	6	6	5	5	5	4	4	4	3	3	3	2

9月 (1일 四綠 +) **癸卯 (九紫)** 절기: 驚蟄(7일 14:52) 春分 (23일 00:25)

양력		1	2	3	4	5	6	7	8	9	10	11	12	13	14	15	16	17	18	19	20	21	22	23	24	25	26	27	28	29	30	
요일		日	月	火	水	木	金	土	日	月	火	水	木	金	土	日	月	火	水	木	金	土	日	月	火	水	木	金	土	日	月	
음력	월	6	7	8	9	10	11	12	13	14	15	16	17	18	19	20	21	22	23	24	25	26	27	28	29	九	2	3	4	5	6	
일진		癸卯	戊辰	己巳	甲午	乙未	丙申	丁酉	庚戌	辛亥	壬子	癸丑	戊寅	己卯	甲辰	乙巳	丙午	丁未	庚申	辛酉	壬戌	癸亥	戊子	己丑	甲寅	乙卯	丙辰	丁巳	庚午	辛未	壬申	
대운	男	8	9	9	9	10	10	驚	1	1	1	1	2	2	2	3	3	3	4	4	4	5	5	5	6	6	6	7	7	7	8	
	女	2	2	1	1	1	1	蟄	10	10	9	9	9	8	8	8	7	7	7	6	6	6	5	5	5	4	4	4	3	3	3	

10月 (1일 七赤 +) **戊辰 (一白)** 절기: 清明(8일 06:45) 穀雨(23일 10:00)

양력		1	2	3	4	5	6	7	8	9	10	11	12	13	14	15	16	17	18	19	20	21	22	23	24	25	26	27	28	29	30	31
요일		火	水	木	金	土	日	月	火	水	木	金	土	日	月	火	水	木	金	土	日	月	火	水	木	金	土	日	月	火	水	木
음력	월	7	8	9	10	11	12	13	14	15	16	17	18	19	20	21	22	23	24	25	26	27	28	29	30	十	2	3	4	5	6	7
일진		癸酉	戊戌	己亥	甲子	乙丑	丙寅	丁卯	庚辰	辛巳	壬午	癸未	戊申	己酉	甲戌	乙亥	丙子	丁丑	庚寅	辛卯	壬辰	癸巳	戊午	己未	甲申	乙酉	丙戌	丁亥	庚子	辛丑	壬寅	癸卯
대운	男	8	8	9	9	9	10	10	清	1	1	1	1	2	2	2	3	3	3	4	4	4	5	5	5	6	6	6	7	7	7	8
	女	2	2	2	1	1	1	1	明	10	9	9	9	8	8	8	7	7	7	6	6	6	5	5	5	4	4	4	3	3	3	2

11月 (1일 二黑 + 27일 九紫 -) **己巳 (二黑)** 절기: 立夏(7일 10:12) 小滿 (22일 07:48)

양력		1	2	3	4	5	6	7	8	9	10	11	12	13	14	15	16	17	18	19	20	21	22	23	24	25	26	27	28	29	30	
요일		金	土	日	月	火	水	木	金	土	日	月	火	水	木	金	土	日	月	火	水	木	金	土	日	月	火	水	木	金	土	
음력	월	8	9	10	11	12	13	14	15	16	17	18	19	20	21	22	23	24	25	26	27	28	29	30	十一	2	3	4	5	6	7	
일진		戊辰	己巳	甲午	乙未	丙申	丁酉	庚戌	辛亥	壬子	癸丑	戊寅	己卯	甲辰	乙巳	丙午	丁未	庚申	辛酉	壬戌	癸亥	戊子	己丑	甲寅	乙卯	丙辰	丁巳	庚午	辛未	壬申	癸酉	
대운	男	8	8	9	9	9	10	立	1	1	1	1	2	2	2	3	3	3	4	4	4	5	5	5	6	6	6	7	7	7	8	
	女	2	2	1	1	1	1	夏	10	9	9	9	8	8	8	7	7	7	6	6	6	5	5	5	4	4	4	3	3	3	2	

12月 (1일 五黃 -) **甲午 (三碧)** 절기: 芒種(7일 03:14) 夏至(21일 21:17)

양력		1	2	3	4	5	6	7	8	9	10	11	12	13	14	15	16	17	18	19	20	21	22	23	24	25	26	27	28	29	30	31
요일		日	月	火	水	木	金	土	日	月	火	水	木	金	土	日	月	火	水	木	金	土	日	月	火	水	木	金	土	日	月	火
음력	월	8	9	10	11	12	13	14	15	16	17	18	19	20	21	22	23	24	25	26	27	28	29	十二	2	3	4	5	6	7	8	9
일진		戊戌	己亥	甲子	乙丑	丙寅	丁卯	庚辰	辛巳	壬午	癸未	戊申	己酉	甲戌	乙亥	丙子	丁丑	庚寅	辛卯	壬辰	癸巳	戊午	己未	甲申	乙酉	丙戌	丁亥	庚子	辛丑	壬寅	癸卯	戊辰
대운	男	8	8	9	9	9	10	芒	1	1	1	1	2	2	2	3	3	3	4	4	4	5	5	5	6	6	6	7	7	7	8	8
	女	2	2	1	1	1	1	種	9	9	9	8	8	8	7	7	7	6	6	6	5	5	5	4	4	4	3	3	3	2	2	2

서기2042년

丙辰年 (七赤金星) 閏二月

1月 (1일 一白 -) 乙未 (四綠) 절기: 小暑 (5일 14:34) 大暑 (20일 07:59)

양력		1	2	3	4	5	6	7	8	9	10	11	12	13	14	15	16	17	18	19	20	21	22	23	24	25	26	27	28	29	30	31
요일		水	木	金	土	日	月	火	水	木	金	土	日	月	火	水	木	金	土	日	月	火	水	木	金	土	日	月	火	水	木	金
음력	월	10	11	12	13	14	15	16	17	18	19	20	21	22	23	24	25	26	27	28	29	30	一	2	3	4	5	6	7	8	9	10
일진		己巳	甲午	乙未	丙申	丁酉	庚戌	辛亥	壬子	癸丑	戊寅	己卯	甲辰	乙巳	丙午	丁未	庚申	辛酉	壬戌	癸亥	戊子	己丑	甲寅	乙卯	丙辰	丁巳	庚午	辛未	壬申	癸酉	戊戌	己亥
대운	男	8	9	9	9	小	1	1	1	1	2	2	2	3	3	3	4	4	4	5	5	5	6	6	6	7	7	7	8	8	8	9
	女	1	1	1	1	暑	10	9	9	9	8	8	8	7	7	7	6	6	6	5	5	5	4	4	4	3	3	3	2	2	2	1

2月 (1일 六白 -) 丙申 (五黃) 절기: 立秋 (4일 02:11) 處暑 (18일 22:03)

양력		1	2	3	4	5	6	7	8	9	10	11	12	13	14	15	16	17	18	19	20	21	22	23	24	25	26	27	28			
요일		土	日	月	火	水	木	金	土	日	月	火	水	木	金	土	日	月	火	水	木	金	土	日	月	火	水	木	金			
음력	월	11	12	13	14	15	16	17	18	19	20	21	22	23	24	25	26	27	28	29	二	2	3	4	5	6	7	8	9			
일진		甲子	乙丑	丙寅	丁卯	庚辰	辛巳	壬午	癸未	戊申	己酉	甲戌	乙亥	丙子	丁丑	庚寅	辛卯	壬辰	癸巳	戊午	己未	甲申	乙酉	丙戌	丁亥	庚子	辛丑	壬寅	癸卯			
대운	男	9	9	10	立	9	9	9	8	8	8	7	7	7	6	6	6	5	5	5	4	4	4	3	3	3	2	2	2			
	女	1	1	1	秋	1	1	1	1	2	2	2	3	3	3	4	4	4	5	5	5	6	6	6	7	7	7	8	8			

3月 (1일 五黃 -) 丁酉 (六白) 절기: 白露 (5일 20:04) 秋分 (20일 20:52)

양력		1	2	3	4	5	6	7	8	9	10	11	12	13	14	15	16	17	18	19	20	21	22	23	24	25	26	27	28	29	30	31
요일		土	日	月	火	水	木	金	土	日	月	火	水	木	金	土	日	月	火	水	木	金	土	日	月	火	水	木	金	土	日	月
음력	월	10	11	12	13	14	15	16	17	18	19	20	21	22	23	24	25	26	27	28	29	30	閏二		3	4	5	6	7	8	9	10
일진		戊辰	己巳	甲午	乙未	丙申	丁酉	庚戌	辛亥	壬子	癸丑	戊寅	己卯	甲辰	乙巳	丙午	丁未	庚申	辛酉	壬戌	癸亥	戊子	己丑	甲寅	乙卯	丙辰	丁巳	庚午	辛未	壬申	癸酉	戊戌
대운	男	1	1	1	1	白	10	10	9	9	9	8	8	8	7	7	7	6	6	6	5	5	5	4	4	4	3	3	3	2	2	2
	女	8	9	9	9	露	1	1	1	1	2	2	2	3	3	3	4	4	4	5	5	5	6	6	6	7	7	7	8	8	8	9

4月 (1일 一白 -) 庚戌 (七赤) 절기: 寒露 (5일 00:39) 霜降 (20일 07:38)

양력		1	2	3	4	5	6	7	8	9	10	11	12	13	14	15	16	17	18	19	20	21	22	23	24	25	26	27	28	29	30	
요일		火	水	木	金	土	日	月	火	水	木	金	土	日	月	火	水	木	金	土	日	月	火	水	木	金	土	日	月	火	水	
음력	월	11	12	13	14	15	16	17	18	19	20	21	22	23	24	25	26	27	28	29	三	2	3	4	5	6	7	8	9	10	11	
일진		己亥	甲子	乙丑	丙寅	丁卯	庚辰	辛巳	壬午	癸未	戊申	己酉	甲戌	乙亥	丙子	丁丑	庚寅	辛卯	壬辰	癸巳	戊午	己未	甲申	乙酉	丙戌	丁亥	庚子	辛丑	壬寅	癸卯	戊辰	
대운	男	1	1	1	1	寒	10	9	9	9	8	8	8	7	7	7	6	6	6	5	5	5	4	4	4	3	3	3	2	2	2	
	女	9	9	10	10	露	1	1	1	1	2	2	2	3	3	3	4	4	4	5	5	5	6	6	6	7	7	7	8	8	8	

5月 (1일 七赤 - 26일 一白 +) 辛亥 (八白) 절기: 立冬 (5일 17:41) 小雪 (21일 06:30)

양력		1	2	3	4	5	6	7	8	9	10	11	12	13	14	15	16	17	18	19	20	21	22	23	24	25	26	27	28	29	30	31
요일		木	金	土	日	月	火	水	木	金	土	日	月	火	水	木	金	土	日	月	火	水	木	金	土	日	月	火	水	木	金	土
음력	월	12	13	14	15	16	17	18	19	20	21	22	23	24	25	26	27	28	29	四	2	3	4	5	6	7	8	9	10	11	12	13
일진		己巳	甲午	乙未	丙申	丁酉	庚戌	辛亥	壬子	癸丑	戊寅	己卯	甲辰	乙巳	丙午	丁未	庚申	辛酉	壬戌	癸亥	戊子	己丑	甲寅	乙卯	丙辰	丁巳	庚午	辛未	壬申	癸酉	戊戌	己亥
대운	男	1	1	1	1	立	10	10	9	9	9	8	8	8	7	7	7	6	6	6	5	5	5	4	4	4	3	3	3	2	2	2
	女	9	9	9	10	冬	1	1	1	1	2	2	2	3	3	3	4	4	4	5	5	5	6	6	6	7	7	7	8	8	8	9

6月 (1일 七赤 +) 壬子 (九紫) 절기: 大雪 (5일 21:37) 冬至 (21일 14:14)

양력		1	2	3	4	5	6	7	8	9	10	11	12	13	14	15	16	17	18	19	20	21	22	23	24	25	26	27	28	29	30	
요일		日	月	火	水	木	金	土	日	月	火	水	木	金	土	日	月	火	水	木	金	土	日	月	火	水	木	金	土	日	月	
음력	월	14	15	16	17	18	19	20	21	22	23	24	25	26	27	28	29	30	五	2	3	4	5	6	7	8	9	10	11	12	13	
일진		甲子	乙丑	丙寅	丁卯	庚辰	辛巳	壬午	癸未	戊申	己酉	甲戌	乙亥	丙子	丁丑	庚寅	辛卯	壬辰	癸巳	戊午	己未	甲申	乙酉	丙戌	丁亥	庚子	辛丑	壬寅	癸卯	戊辰	己巳	
대운	男	1	1	1	1	大	10	10	10	9	9	9	8	8	8	7	7	7	6	6	6	5	5	5	4	4	4	3	3	3	2	
	女	9	9	10	10	雪	1	1	1	1	2	2	2	3	3	3	4	4	4	5	5	5	6	6	6	7	7	7	8	8	8	

7月 (1일 一白 +) **癸丑 (一白)** 절기: 小寒(7일 07:46) 大寒(23일 01:05)

양력		1	2	3	4	5	6	7	8	9	10	11	12	13	14	15	16	17	18	19	20	21	22	23	24	25	26	27	28	29	30	31
요일		火	水	木	金	土	日	月	火	水	木	金	土	日	月	火	水	木	金	土	日	月	火	水	木	金	土	日	月	火	水	木
음력	월	14	15	16	17	18	19	20	21	22	23	24	25	26	27	28	29	六	2	3	4	5	6	7	8	9	10	11	12	13	14	15
일진		甲午	乙未	丙申	丁酉	庚戌	辛亥	壬子	癸丑	戊寅	己卯	甲辰	乙巳	丙午	丁未	庚申	辛酉	壬戌	癸亥	戊子	己丑	甲寅	乙卯	丙辰	丁巳	庚午	辛未	壬申	癸酉	戊戌	己亥	甲子
대운	男	2	2	1	1	1	1	小	10	10	9	9	9	8	8	8	7	7	7	6	6	6	5	5	5	4	4	4	3	3	3	2
	女	9	9	9	10	10	10	寒	1	1	1	1	2	2	2	3	3	3	4	4	4	5	5	5	6	6	6	7	7	7	8	8

8月 (1일 五黃 +) **戊寅 (二黑)** 절기: 立春(7일 17:37) 雨水(23일 08:17)

양력		1	2	3	4	5	6	7	8	9	10	11	12	13	14	15	16	17	18	19	20	21	22	23	24	25	26	27	28	29	30	31
요일		金	土	日	月	火	水	木	金	土	日	月	火	水	木	金	土	日	月	火	水	木	金	土	日	月	火	水	木	金	土	日
음력	월	16	17	18	19	20	21	22	23	24	25	26	27	28	29	30	七	2	3	4	5	6	7	8	9	10	11	12	13	14	15	16
일진		乙丑	丙寅	丁卯	庚辰	辛巳	壬午	癸未	戊申	己酉	甲戌	乙亥	丙子	丁丑	庚寅	辛卯	壬辰	癸巳	戊午	己未	甲申	乙酉	丙戌	丁亥	庚子	辛丑	壬寅	癸卯	戊辰	己巳	甲午	乙未
대운	男	2	2	1	1	1	1	立	10	10	9	9	9	8	8	8	7	7	7	6	6	6	5	5	5	4	4	4	3	3	3	2
	女	8	9	9	9	10	10	春	1	1	1	1	2	2	2	3	3	3	4	4	4	5	5	5	6	6	6	7	7	7	8	8

9月 (1일 九紫 +) **己卯 (三碧)** 절기: 驚蟄(7일 20:44) 春分 (23일 06:10)

양력		1	2	3	4	5	6	7	8	9	10	11	12	13	14	15	16	17	18	19	20	21	22	23	24	25	26	27	28	29	30	
요일		月	火	水	木	金	土	日	月	火	水	木	金	土	日	月	火	水	木	金	土	日	月	火	水	木	金	土	日	月	火	
음력	월	17	18	19	20	21	22	23	24	25	26	27	28	29	八	2	3	4	5	6	7	8	9	10	11	12	13	14	15	16	17	
일진		丙申	丁酉	庚戌	辛亥	壬子	癸丑	戊寅	己卯	甲辰	乙巳	丙午	丁未	庚申	辛酉	壬戌	癸亥	戊子	己丑	甲寅	乙卯	丙辰	丁巳	庚午	辛未	壬申	癸酉	戊戌	己亥	甲子	乙丑	
대운	男	2	2	1	1	1	1	驚	10	10	9	9	9	8	8	8	7	7	7	6	6	6	5	5	5	4	4	4	3	3	3	
	女	8	9	9	9	10	10	蟄	1	1	1	1	2	2	2	3	3	3	4	4	4	5	5	5	6	6	6	7	7	7	8	

10月 (1일 三碧 +) **甲辰 (四綠)** 절기: 清明(8일 12:39) 穀雨(23일 15:48)

양력		1	2	3	4	5	6	7	8	9	10	11	12	13	14	15	16	17	18	19	20	21	22	23	24	25	26	27	28	29	30	31
요일		水	木	金	土	日	月	火	水	木	金	土	日	月	火	水	木	金	土	日	月	火	水	木	金	土	日	月	火	水	木	金
음력	월	18	19	20	21	22	23	24	25	26	27	28	29	30	九	2	3	4	5	6	7	8	9	10	11	12	13	14	15	16	17	18
일진		丙寅	丁卯	庚辰	辛巳	壬午	癸未	戊申	己酉	甲戌	乙亥	丙子	丁丑	庚寅	辛卯	壬辰	癸巳	戊午	己未	甲申	乙酉	丙戌	丁亥	庚子	辛丑	壬寅	癸卯	戊辰	己巳	甲午	乙未	丙申
대운	男	2	2	2	1	1	1	1	清	10	9	9	9	8	8	8	7	7	7	6	6	6	5	5	5	4	4	4	3	3	3	2
	女	8	8	9	9	9	10	10	明	1	1	1	1	2	2	2	3	3	3	4	4	4	5	5	5	6	6	6	7	7	7	8

11月 (1일 七赤 +) **乙巳 (五黃)** 절기: 立夏(7일 16:06) 小滿 (22일 13:36)

양력		1	2	3	4	5	6	7	8	9	10	11	12	13	14	15	16	17	18	19	20	21	22	23	24	25	26	27	28	29	30	
요일		土	日	月	火	水	木	金	土	日	月	火	水	木	金	土	日	月	火	水	木	金	土	日	月	火	水	木	金	土	日	
음력	월	19	20	21	22	23	24	25	26	27	28	29	30	十	2	3	4	5	6	7	8	9	10	11	12	13	14	15	16	17	18	
일진		丁酉	庚戌	辛亥	壬子	癸丑	戊寅	己卯	甲辰	乙巳	丙午	丁未	庚申	辛酉	壬戌	癸亥	戊子	己丑	甲寅	乙卯	丙辰	丁巳	庚午	辛未	壬申	癸酉	戊戌	己亥	甲子	乙丑	丙寅	
대운	男	2	2	1	1	1	1	立	10	9	9	9	8	8	8	7	7	7	6	6	6	5	5	5	4	4	4	3	3	3	2	
	女	8	8	9	9	9	10	夏	1	1	1	1	2	2	2	3	3	3	4	4	4	5	5	5	6	6	6	7	7	7	8	

12月 (1일 一白 + 25일 九紫 -) **丙午 (六白)** 절기: 芒種(7일 09:08) 夏至(22일 03:03)

양력		1	2	3	4	5	6	7	8	9	10	11	12	13	14	15	16	17	18	19	20	21	22	23	24	25	26	27	28	29	30	31
요일		月	火	水	木	金	土	日	月	火	水	木	金	土	日	月	火	水	木	金	土	日	月	火	水	木	金	土	日	月	火	水
음력	월	19	20	21	22	23	24	25	26	27	28	29	30	十一	2	3	4	5	6	7	8	9	10	11	12	13	14	15	16	17	18	19
일진		丁卯	庚辰	辛巳	壬午	癸未	戊申	己酉	甲戌	乙亥	丙子	丁丑	庚寅	辛卯	壬辰	癸巳	戊午	己未	甲申	乙酉	丙戌	丁亥	庚子	辛丑	壬寅	癸卯	戊辰	己巳	甲午	乙未	丙申	丁酉
대운	男	2	2	1	1	1	1	芒	9	9	9	8	8	8	7	7	7	6	6	6	5	5	5	4	4	4	3	3	3	2	2	2
	女	8	8	9	9	9	10	種	1	1	1	1	2	2	2	3	3	3	4	4	4	5	5	5	6	6	6	7	7	7	8	8

서기2043년

丁巳年 (八白土星)

1月 (1일 二黑 -) **丁未 (七赤)** 절기: 小暑 (5일 20:24) 大暑 (20일 13:40)

양력		1	2	3	4	5	6	7	8	9	10	11	12	13	14	15	16	17	18	19	20	21	22	23	24	25	26	27	28	29	30	31
요일		木	金	土	日	月	火	水	木	金	土	日	月	火	水	木	金	土	日	月	火	水	木	金	土	日	月	火	水	木	金	土
음력	월	20	21	22	23	24	25	26	27	28	29	十二	2	3	4	5	6	7	8	9	10	11	12	13	14	15	16	17	18	19	20	21
일진		庚戌	辛亥	壬子	癸丑	戊寅	己卯	甲辰	乙巳	丙午	丁未	庚申	辛酉	壬戌	癸亥	戊子	己丑	甲寅	乙卯	丙辰	丁巳	庚午	辛未	壬申	癸酉	戊戌	己亥	甲子	乙丑	丙寅	丁卯	庚辰
대운	男	1	1	1	1	小	10	9	9	9	8	8	8	7	7	7	6	6	6	5	5	5	4	4	4	3	3	3	2	2	2	1
	女	8	9	9	9	暑	1	1	1	1	2	2	2	3	3	3	4	4	4	5	5	5	6	6	6	7	7	7	8	8	8	9

2月 (1일 七赤 -) **庚申 (八白)** 절기: 立秋 (4일 07:57) 處暑 (19일 03:40)

양력		1	2	3	4	5	6	7	8	9	10	11	12	13	14	15	16	17	18	19	20	21	22	23	24	25	26	27	28			
요일		日	月	火	水	木	金	土	日	月	火	水	木	金	土	日	月	火	水	木	金	土	日	月	火	水	木	金	土			
음력	월	22	23	24	25	26	27	28	29	30	一	2	3	4	5	6	7	8	9	10	11	12	13	14	15	16	17	18	19			
일진		辛巳	壬午	癸未	戊申	己酉	甲戌	乙亥	丙子	丁丑	庚寅	辛卯	壬辰	癸巳	戊午	己未	甲申	乙酉	丙戌	丁亥	庚子	辛丑	壬寅	癸卯	戊辰	己巳	甲午	乙未	丙申			
대운	男	1	1	1	立	1	1	1	1	2	2	2	3	3	3	4	4	4	5	5	5	6	6	6	7	7	7	8	8			
	女	9	9	10	秋	10	9	9	9	8	8	8	7	7	7	6	6	6	5	5	5	4	4	4	3	3	3	2	2			

3月 (1일 六白 -) **辛酉 (九紫)** 절기: 白露 (6일 01:46) 秋分 (21일 02:26)

양력		1	2	3	4	5	6	7	8	9	10	11	12	13	14	15	16	17	18	19	20	21	22	23	24	25	26	27	28	29	30	31
요일		日	月	火	水	木	金	土	日	月	火	水	木	金	土	日	月	火	水	木	金	土	日	月	火	水	木	金	土	日	月	火
음력	월	20	21	22	23	24	25	26	27	28	29	二	2	3	4	5	6	7	8	9	10	11	12	13	14	15	16	17	18	19	20	21
일진		丁酉	庚戌	辛亥	壬子	癸丑	戊寅	己卯	甲辰	乙巳	丙午	丁未	庚申	辛酉	壬戌	癸亥	戊子	己丑	甲寅	乙卯	丙辰	丁巳	庚午	辛未	壬申	癸酉	戊戌	己亥	甲子	乙丑	丙寅	丁卯
대운	男	8	9	9	9	10	白	1	1	1	1	2	2	2	3	3	3	4	4	4	5	5	5	6	6	6	7	7	7	8	8	8
	女	2	1	1	1	1	露	10	9	9	9	8	8	8	7	7	7	6	6	6	5	5	5	4	4	4	3	3	3	2	2	2

4月 (1일 二黑 -) **壬戌 (一白)** 절기: 寒露 (5일 06:19) 霜降 (20일 13:13)

양력		1	2	3	4	5	6	7	8	9	10	11	12	13	14	15	16	17	18	19	20	21	22	23	24	25	26	27	28	29	30	
요일		水	木	金	土	日	月	火	水	木	金	土	日	月	火	水	木	金	土	日	月	火	水	木	金	土	日	月	火	水	木	
음력	월	22	23	24	25	26	27	28	29	30	三	2	3	4	5	6	7	8	9	10	11	12	13	14	15	16	17	18	19	20	21	
일진		庚辰	辛巳	壬午	癸未	戊申	己酉	甲戌	乙亥	丙子	丁丑	庚寅	辛卯	壬辰	癸巳	戊午	己未	甲申	乙酉	丙戌	丁亥	庚子	辛丑	壬寅	癸卯	戊辰	己巳	甲午	乙未	丙申	丁酉	
대운	男	9	9	9	10	寒	1	1	1	1	2	2	2	3	3	3	4	4	4	5	5	5	6	6	6	7	7	7	8	8	8	
	女	1	1	1	1	露	10	9	9	9	8	8	8	7	7	7	6	6	6	5	5	5	4	4	4	3	3	3	2	2	2	

5月 (1일 八白 -) **癸亥 (二黑)** 절기: 立冬 (5일 23:21) 小雪 (21일 12:08)

양력		1	2	3	4	5	6	7	8	9	10	11	12	13	14	15	16	17	18	19	20	21	22	23	24	25	26	27	28	29	30	31
요일		金	土	日	月	火	水	木	金	土	日	月	火	水	木	金	土	日	月	火	水	木	金	十	日	月	火	水	木	金	土	日
음력	월	22	23	24	25	26	27	28	29	四	2	3	4	5	6	7	8	9	10	11	12	13	14	15	16	17	18	19	20	21	22	23
일진		庚戌	辛亥	壬子	癸丑	戊寅	己卯	甲辰	乙巳	丙午	丁未	庚申	辛酉	壬戌	癸亥	戊子	己丑	甲寅	乙卯	丙辰	丁巳	庚午	辛未	壬申	癸酉	戊戌	己亥	甲子	乙丑	丙寅	丁卯	庚辰
대운	男	9	9	9	10	立	1	1	1	1	2	2	2	3	3	3	4	4	4	5	5	5	6	6	6	7	7	7	8	8	8	9
	女	1	1	1	1	冬	10	10	10	9	9	9	8	8	8	7	7	7	6	6	6	5	5	5	4	4	4	3	3	3	2	2

6月 (1일 四綠 +) **戊子 (三碧)** 절기: 大雪 (6일 03:17) 冬至 (21일 19:57)

양력		1	2	3	4	5	6	7	8	9	10	11	12	13	14	15	16	17	18	19	20	21	22	23	24	25	26	27	28	29	30	
요일		月	火	水	木	金	土	日	月	火	水	木	金	土	日	月	火	水	木	金	土	日	月	火	水	木	金	土	日	月	火	
음력	월	24	25	26	27	28	29	五	2	3	4	5	6	7	8	9	10	11	12	13	14	15	16	17	18	19	20	21	22	23	24	
일진		辛巳	壬午	癸未	戊申	己酉	甲戌	乙亥	丙子	丁丑	庚寅	辛卯	壬辰	癸巳	戊午	己未	甲申	乙酉	丙戌	丁亥	庚子	辛丑	壬寅	癸卯	戊辰	己巳	甲午	乙未	丙申	丁酉	庚戌	
대운	男	9	9	10	10	10	大	1	1	1	1	2	2	2	3	3	3	4	4	4	5	5	5	6	6	6	7	7	7	8	8	
	女	2	1	1	1	1	雪	10	10	9	9	9	8	8	8	7	7	7	6	6	6	5	5	5	4	4	4	3	3	3	2	

7月 (1일 一白 - 20일 一白 +) **己丑 (四綠)** 절기: 小寒(7일 13:26) 大寒(23일 06:52)

양력		1	2	3	4	5	6	7	8	9	10	11	12	13	14	15	16	17	18	19	20	21	22	23	24	25	26	27	28	29	30	31
요일		水	木	金	土	日	月	火	水	木	金	土	日	月	火	水	木	金	土	日	月	火	水	木	金	土	日	月	火	水	木	金
음력	월	25	26	27	28	29	30	六	2	3	4	5	6	7	8	9	10	11	12	13	14	15	16	17	18	19	20	21	22	23	24	25
일진		辛亥	壬子	癸丑	戊寅	己卯	甲辰	乙巳	丙午	丁未	庚申	辛酉	壬戌	癸亥	戊子	己丑	甲寅	乙卯	丙辰	丁巳	庚午	辛未	壬申	癸酉	戊戌	己亥	甲子	乙丑	丙寅	丁卯	庚辰	辛巳
대운	男	8	9	9	9	10	10	小	1	1	1	1	2	2	2	3	3	3	4	4	4	5	5	5	6	6	6	7	7	7	8	8
	女	2	2	1	1	1	1	寒	10	10	9	9	9	8	8	8	7	7	7	6	6	6	5	5	5	4	4	4	3	3	3	2

8月 (1일 四綠 +) **甲寅 (五黃)** 절기: 立春(7일 23:19) 雨水(23일 14:08)

양력		1	2	3	4	5	6	7	8	9	10	11	12	13	14	15	16	17	18	19	20	21	22	23	24	25	26	27	28	29	30	31
요일		土	日	月	火	水	木	金	土	日	月	火	水	木	金	土	日	月	火	水	木	金	土	日	月	火	水	木	金	土	日	月
음력	월	26	27	28	29	七	2	3	4	5	6	7	8	9	10	11	12	13	14	15	16	17	18	19	20	21	22	23	24	25	26	27
일진		壬午	癸未	戊申	己酉	甲戌	乙亥	丙子	丁丑	庚寅	辛卯	壬辰	癸巳	戊午	己未	甲申	乙酉	丙戌	丁亥	庚子	辛丑	壬寅	癸卯	戊辰	己巳	甲午	乙未	丙申	丁酉	庚戌	辛亥	壬子
대운	男	8	9	9	9	10	10	立	1	1	1	1	2	2	2	3	3	3	4	4	4	5	5	5	6	6	6	7	7	7	8	8
	女	2	2	1	1	1	1	春	10	10	10	9	9	9	8	8	8	7	7	7	6	6	6	5	5	5	4	4	4	3	3	3

9月 (1일 八白 +) **乙卯 (六白)** 절기: 驚蟄(8일 02:29) 春分 (23일 12:05)

양력		1	2	3	4	5	6	7	8	9	10	11	12	13	14	15	16	17	18	19	20	21	22	23	24	25	26	27	28	29	30	
요일		火	水	木	金	土	日	月	火	水	木	金	土	日	月	火	水	木	金	土	日	月	火	水	木	金	土	日	月	火	水	
음력	월	28	29	八	2	3	4	5	6	7	8	9	10	11	12	13	14	15	16	17	18	19	20	21	22	23	24	25	26	27	28	
일진		癸丑	戊寅	己卯	甲辰	乙巳	丙午	丁未	庚申	辛酉	壬戌	癸亥	戊子	己丑	甲寅	乙卯	丙辰	丁巳	庚午	辛未	壬申	癸酉	戊戌	己亥	甲子	乙丑	丙寅	丁卯	庚辰	辛巳	壬午	
대운	男	8	9	9	9	10	10	10	驚	1	1	1	1	2	2	2	3	3	3	4	4	4	5	5	5	6	6	6	7	7	7	
	女	2	2	2	1	1	1	1	蟄	10	9	9	9	8	8	8	7	7	7	6	6	6	5	5	5	4	4	4	3	3	3	

10月 (1일 二黑 +) **丙辰 (七赤)** 절기: 清明(8일 18:26) 穀雨(21일 21:45)

양력		1	2	3	4	5	6	7	8	9	10	11	12	13	14	15	16	17	18	19	20	21	22	23	24	25	26	27	28	29	30	31
요일		木	金	土	日	月	火	水	木	金	土	日	月	火	水	木	金	土	日	月	火	水	木	金	土	日	月	火	水	木	金	土
음력	월	29	30	九	2	3	4	5	6	7	8	9	10	11	12	13	14	15	16	17	18	19	20	21	22	23	24	25	26	27	28	29
일진		癸未	戊申	己酉	甲戌	乙亥	丙子	丁丑	庚寅	辛卯	壬辰	癸巳	戊午	己未	甲申	乙酉	丙戌	丁亥	庚子	辛丑	壬寅	癸卯	戊辰	己巳	甲午	乙未	丙申	丁酉	庚戌	辛亥	壬子	癸丑
대운	男	8	8	8	9	9	9	10	清	1	1	1	1	2	2	2	3	3	3	4	4	4	5	5	5	6	6	6	7	7	7	8
	女	2	2	2	1	1	1	1	明	10	9	9	9	8	8	8	7	7	7	6	6	6	5	5	5	4	4	4	3	3	3	2

11月 (1일 六白 +) **丁巳 (八白)** 절기: 立夏(7일 21:54) 小滿 (22일 19:34)

양력		1	2	3	4	5	6	7	8	9	10	11	12	13	14	15	16	17	18	19	20	21	22	23	24	25	26	27	28	29	30	
요일		日	月	火	水	木	金	土	日	月	火	水	木	金	土	日	月	火	水	木	金	土	日	月	火	水	木	金	土	日	月	
음력	월	30	十	2	3	4	5	6	7	8	9	10	11	12	13	14	15	16	17	18	19	20	21	22	23	24	25	26	27	28	29	
일진		戊寅	己卯	甲辰	乙巳	丙午	丁未	庚申	辛酉	壬戌	癸亥	戊子	己丑	甲寅	乙卯	丙辰	丁巳	庚午	辛未	壬申	癸酉	戊戌	己亥	甲子	乙丑	丙寅	丁卯	庚辰	辛巳	壬午	癸未	
대운	男	8	8	9	9	9	10	立	1	1	1	1	2	2	2	3	3	3	4	4	4	5	5	5	6	6	6	7	7	7	8	
	女	2	2	1	1	1	1	夏	10	9	9	9	8	8	8	7	7	7	6	6	6	5	5	5	4	4	4	3	3	3	2	

12月 (1일 九紫 +) **庚午 (九紫)** 절기: 芒種(7일 14:56) 夏至(22일 09:00)

양력		1	2	3	4	5	6	7	8	9	10	11	12	13	14	15	16	17	18	19	20	21	22	23	24	25	26	27	28	29	30	31
요일		火	水	木	金	土	日	月	火	水	木	金	土	日	月	火	水	木	金	土	日	月	火	水	木	金	土	日	月	火	水	木
음력	월	十一	2	3	4	5	6	7	8	9	10	11	12	13	14	15	16	17	18	19	20	21	22	23	24	25	26	27	28	29	30	十二
일진		戊申	己酉	甲戌	乙亥	丙子	丁丑	庚寅	辛卯	壬辰	癸巳	戊午	己未	甲申	乙酉	丙戌	丁亥	庚子	辛丑	壬寅	癸卯	戊辰	己巳	甲午	乙未	丙申	丁酉	庚戌	辛亥	壬子	癸丑	戊寅
대운	男	8	8	9	9	9	10	芒	1	1	1	1	2	2	2	3	3	3	4	4	4	5	5	5	6	6	6	7	7	7	8	8
	女	2	2	1	1	1	1	種	10	9	9	9	8	8	8	7	7	7	6	6	6	5	5	5	4	4	4	3	3	3	2	2

서기2044년

庚午年 (九紫火星) 閏七月

1月 (1일 四綠 + 16일 九紫 -) **辛未 (一白)** 절기: 小暑 (6일 02:11) 大暑 (20일 19:36)

양력		1	2	3	4	5	6	7	8	9	10	11	12	13	14	15	16	17	18	19	20	21	22	23	24	25	26	27	28	29	30	31
요일		金	土	日	月	火	水	木	金	土	日	月	火	水	木	金	土	日	月	火	水	木	金	土	日	月	火	水	木	金	土	日
음력	월	2	3	4	5	6	7	8	9	10	11	12	13	14	15	16	17	18	19	20	21	22	23	24	25	26	27	28	29	30	一	2
일진		己卯	甲辰	乙巳	丙午	丁未	庚申	辛酉	壬戌	癸亥	戊子	己丑	甲寅	乙卯	丙辰	丁巳	庚午	辛未	壬申	癸酉	戊戌	己亥	甲子	乙丑	丙寅	丁卯	庚辰	辛巳	壬午	癸未	戊申	己酉
대운	男	8	9	9	9	10	小	1	1	1	1	2	2	2	3	3	3	4	4	4	5	5	5	6	6	6	7	7	7	8	8	8
	女	2	1	1	1	1	暑	9	9	9	8	8	8	7	7	7	6	6	6	5	5	5	4	4	4	3	3	3	2	2	2	1

2月 閏 (1일 二黑 -) **壬申 (二黑)** 절기: 立秋 (4일 13:43) 處暑 (19일 09:34)

양력		1	2	3	4	5	6	7	8	9	10	11	12	13	14	15	16	17	18	19	20	21	22	23	24	25	26	27	28	29		
요일		月	火	水	木	金	土	日	月	火	水	木	金	土	日	月	火	水	木	金	土	日	月	火	水	木	金	土	日	月		
음력	월	3	4	5	6	7	8	9	10	11	12	13	14	15	16	17	18	19	20	21	22	23	24	25	26	27	28	29	30	二		
일진		甲戌	乙亥	丙子	丁丑	庚寅	辛卯	壬辰	癸巳	戊午	己未	甲申	乙酉	丙戌	丁亥	庚子	辛丑	壬寅	癸卯	戊辰	己巳	甲午	乙未	丙申	丁酉	庚戌	辛亥	壬子	癸丑	戊寅		
대운	男	9	9	9	立	10	9	9	9	8	8	8	7	7	7	6	6	6	5	5	5	4	4	4	3	3	3	2	2	2		
	女	1	1	1	秋	1	1	1	1	2	2	2	3	3	3	4	4	4	5	5	5	6	6	6	7	7	7	8	8	8		

3月 (1일 九紫 -) **癸酉 (三碧)** 절기: 白露 (5일 07:30) 秋分 (20일 08:19)

양력		1	2	3	4	5	6	7	8	9	10	11	12	13	14	15	16	17	18	19	20	21	22	23	24	25	26	27	28	29	30	31
요일		火	水	木	金	土	日	月	火	水	木	金	土	日	月	火	水	木	金	土	日	月	火	水	木	金	土	日	月	火	水	木
음력	월	2	3	4	5	6	7	8	9	10	11	12	13	14	15	16	17	18	19	20	21	22	23	24	25	26	27	28	29	三	2	3
일진		己卯	甲辰	乙巳	丙午	丁未	庚申	辛酉	壬戌	癸亥	戊子	己丑	甲寅	乙卯	丙辰	丁巳	庚午	辛未	壬申	癸酉	戊戌	己亥	甲子	乙丑	丙寅	丁卯	庚辰	辛巳	壬午	癸未	戊申	己酉
대운	男	1	1	1	1	白	10	9	9	9	8	8	8	7	7	7	6	6	6	5	5	5	4	4	4	3	3	3	2	2	2	1
	女	9	9	9	10	露	1	1	1	1	2	2	2	3	3	3	4	4	4	5	5	5	6	6	6	7	7	7	8	8	8	9

4月 (1일 五黃 -) **戊戌 (四綠)** 절기: 寒露 (4일 12:02) 霜降 (19일 19:05)

양력		1	2	3	4	5	6	7	8	9	10	11	12	13	14	15	16	17	18	19	20	21	22	23	24	25	26	27	28	29	30	
요일		金	土	日	月	火	水	木	金	土	日	月	火	水	木	金	土	日	月	火	水	木	金	土	日	月	火	水	木	金	土	
음력	월	4	5	6	7	8	9	10	11	12	13	14	15	16	17	18	19	20	21	22	23	24	25	26	27	28	29	30	四	2	3	
일진		甲戌	乙亥	丙子	丁丑	庚寅	辛卯	壬辰	癸巳	戊午	己未	甲申	乙酉	丙戌	丁亥	庚子	辛丑	壬寅	癸卯	戊辰	己巳	甲午	乙未	丙申	丁酉	庚戌	辛亥	壬子	癸丑	戊寅	己卯	
대운	男	1	1	1	寒	10	10	9	9	9	8	8	8	7	7	7	6	6	6	5	5	5	4	4	4	3	3	3	2	2	2	
	女	9	9	10	露	1	1	1	1	2	2	2	3	3	3	4	4	4	5	5	5	6	6	6	7	7	7	8	8	8	9	

5月 (1일 二黑 -) **己亥 (五黃)** 절기: 立冬 (5일 05:04) 小雪 (20일 18:00)

양력		1	2	3	4	5	6	7	8	9	10	11	12	13	14	15	16	17	18	19	20	21	22	23	24	25	26	27	28	29	30	31
요일		日	月	火	水	木	金	土	日	月	火	水	木	金	土	日	月	火	水	木	金	土	日	月	火	水	木	金	土	日	月	火
음력	월	4	5	6	7	8	9	10	11	12	13	14	15	16	17	18	19	20	21	22	23	24	25	26	27	28	29	五	2	3	4	5
일진		甲辰	乙巳	丙午	丁未	庚申	辛酉	壬戌	癸亥	戊子	己丑	甲寅	乙卯	丙辰	丁巳	庚午	辛未	壬申	癸酉	戊戌	己亥	甲子	乙丑	丙寅	丁卯	庚辰	辛巳	壬午	癸未	戊申	己酉	甲戌
대운	男	1	1	1	1	立	10	10	9	9	9	8	8	8	7	7	7	6	6	6	5	5	5	4	4	4	3	3	3	2	2	2
	女	9	9	10	10	冬	1	1	1	1	2	2	2	3	3	3	4	4	4	5	5	5	6	6	6	7	7	7	8	8	8	9

6月 (1일 七赤 -) **甲子 (六白)** 절기: 大雪 (5일 09:02) 冬至 (21일 01:50)

양력		1	2	3	4	5	6	7	8	9	10	11	12	13	14	15	16	17	18	19	20	21	22	23	24	25	26	27	28	29	30	
요일		水	木	金	土	日	月	火	水	木	金	土	日	月	火	水	木	金	土	日	月	火	水	木	金	土	日	月	火	水	木	
음력	월	6	7	8	9	10	11	12	13	14	15	16	17	18	19	20	21	22	23	24	25	26	27	28	29	六	2	3	4	5	6	
일진		乙亥	丙子	丁丑	庚寅	辛卯	壬辰	癸巳	戊午	己未	甲申	乙酉	丙戌	丁亥	庚子	辛丑	壬寅	癸卯	戊辰	己巳	甲午	乙未	丙申	丁酉	庚戌	辛亥	壬子	癸丑	戊寅	己卯	甲辰	
대운	男	1	1	1	1	大	10	10	9	9	9	8	8	8	7	7	7	6	6	6	5	5	5	4	4	4	3	3	3	2	2	
	女	9	9	10	10	雪	1	1	1	1	2	2	2	3	3	3	4	4	4	5	5	5	6	6	6	7	7	7	8	8	8	

7月 (1일 四綠 - 14일 一白 +) **乙丑 (七赤)** 절기: 小寒(6일 19:14) 大寒(22일 12:42)

	1	2	3	4	5	6	7	8	9	10	11	12	13	14	15	16	17	18	19	20	21	22	23	24	25	26	27	28	29	30	31
요일	金	土	日	月	火	水	木	金	土	日	月	火	水	木	金	土	日	月	火	水	木	金	土	日	月	火	水	木	金	土	日
음력 월	7	8	9	10	11	12	13	14	15	16	17	18	19	20	21	22	23	24	25	26	27	28	29	30	七	2	3	4	5	6	7
일진	乙巳	丙午	丁未	庚申	辛酉	壬戌	癸亥	戊子	己丑	甲寅	乙卯	丙辰	丁巳	庚午	辛未	壬申	癸酉	戊戌	己亥	甲子	乙丑	丙寅	丁卯	庚辰	辛巳	壬午	癸未	戊申	己酉	甲戌	乙亥
대운 男	2	1	1	1	1	小	10	10	10	9	9	9	8	8	8	7	7	7	6	6	6	5	5	5	4	4	4	3	3	3	2
대운 女	9	9	9	10	10	寒	1	1	1	1	2	2	2	3	3	3	4	4	4	5	5	5	6	6	6	7	7	7	8	8	8

8月 (1일 一白 +) **丙寅 (八白)** 절기: 立春(7일 05:07) 雨水(22일 19:53)

	1	2	3	4	5	6	7	8	9	10	11	12	13	14	15	16	17	18	19	20	21	22	23	24	25	26	27	28	29	30	31
요일	月	火	水	木	金	土	日	月	火	水	木	金	土	日	月	火	水	木	金	土	日	月	火	水	木	金	土	日	月	火	水
음력 월	8	9	10	11	12	13	14	15	16	17	18	19	20	21	22	23	24	25	26	27	28	29	閏七		3	4	5	6	7	8	9
일진	丙子	丁丑	庚寅	辛卯	壬辰	癸巳	戊午	己未	甲申	乙酉	丙戌	丁亥	庚子	辛丑	壬寅	癸卯	戊辰	己巳	甲午	乙未	丙申	丁酉	庚戌	辛亥	壬子	癸丑	戊寅	己卯	甲辰	乙巳	丙午
대운 男	2	2	1	1	1	1	立	10	10	9	9	9	8	8	8	7	7	7	6	6	6	5	5	5	4	4	4	3	3	3	2
대운 女	9	9	9	10	10	10	春	1	1	1	1	2	2	2	3	3	3	4	4	4	5	5	5	6	6	6	7	7	7	8	8

9月 (1일 五黃 +) **丁卯 (九紫)** 절기: 驚蟄(7일 08:15) 春分 (22일 17:46)

	1	2	3	4	5	6	7	8	9	10	11	12	13	14	15	16	17	18	19	20	21	22	23	24	25	26	27	28	29	30	
요일	木	金	土	日	月	火	水	木	金	土	日	月	火	水	木	金	土	日	月	火	水	木	金	土	日	月	火	水	木	金	
음력 월	10	11	12	13	14	15	16	17	18	19	20	21	22	23	24	25	26	27	28	29	八	2	3	4	5	6	7	8	9	10	
일진	丁未	庚申	辛酉	壬戌	癸亥	戊子	己丑	甲寅	乙卯	丙辰	丁巳	庚午	辛未	壬申	癸酉	戊戌	己亥	甲子	乙丑	丙寅	丁卯	庚辰	辛巳	壬午	癸未	戊申	己酉	甲戌	乙亥	丙子	
대운 男	2	2	1	1	1	1	驚	10	10	9	9	9	8	8	8	7	7	7	6	6	6	5	5	5	4	4	4	3	3	3	
대운 女	8	9	9	9	10	10	蟄	1	1	1	1	2	2	2	3	3	3	4	4	4	5	5	5	6	6	6	7	7	7	8	

10月 (1일 八白 +) **庚辰 (一白)** 절기: 清明(8일 00:12) 穀雨(23일 03:25)

	1	2	3	4	5	6	7	8	9	10	11	12	13	14	15	16	17	18	19	20	21	22	23	24	25	26	27	28	29	30	31
요일	土	日	月	火	水	木	金	土	日	月	火	水	木	金	土	日	月	火	水	木	金	土	日	月	火	水	木	金	土	日	月
음력 월	11	12	13	14	15	16	17	18	19	20	21	22	23	24	25	26	27	28	29	30	九	2	3	4	5	6	7	8	9	10	11
일진	丁丑	庚寅	辛卯	壬辰	癸巳	戊午	己未	甲申	乙酉	丙戌	丁亥	庚子	辛丑	壬寅	癸卯	戊辰	己巳	甲午	乙未	丙申	丁酉	庚戌	辛亥	壬子	癸丑	戊寅	己卯	甲辰	乙巳	丙午	丁未
대운 男	2	2	2	1	1	1	1	清	10	9	9	9	8	8	8	7	7	7	6	6	6	5	5	5	4	4	4	3	3	3	2
대운 女	8	8	9	9	9	10	10	明	1	1	1	1	2	2	2	3	3	3	4	4	4	5	5	5	6	6	6	7	7	7	8

11月 (1일 三碧 +) **辛巳 (二黑)** 절기: 立夏(7일 03:40) 小滿 (22일 01:14)

	1	2	3	4	5	6	7	8	9	10	11	12	13	14	15	16	17	18	19	20	21	22	23	24	25	26	27	28	29	30	
요일	火	水	木	金	土	日	月	火	水	木	金	土	日	月	火	水	木	金	土	日	月	火	水	木	金	土	日	月	火	水	
음력 월	12	13	14	15	16	17	18	19	20	21	22	23	24	25	26	27	28	29	十	2	3	4	5	6	7	8	9	10	11	12	
일진	庚申	辛酉	壬戌	癸亥	戊子	己丑	甲寅	乙卯	丙辰	丁巳	庚午	辛未	壬申	癸酉	戊戌	己亥	甲子	乙丑	丙寅	丁卯	庚辰	辛巳	壬午	癸未	戊申	己酉	甲戌	乙亥	丙子	丁丑	
대운 男	2	2	1	1	1	1	立	9	9	9	8	8	8	7	7	7	6	6	6	5	5	5	4	4	4	3	3	3	2	2	
대운 女	8	8	9	9	9	10	夏	1	1	1	1	2	2	2	3	3	3	4	4	4	5	5	5	6	6	6	7	7	7	8	

12月 (1일 六白 +) **壬午 (三碧)** 절기: 芒種(6일 20:44) 夏至(21일 14:42)

	1	2	3	4	5	6	7	8	9	10	11	12	13	14	15	16	17	18	19	20	21	22	23	24	25	26	27	28	29	30	31
요일	木	金	土	日	月	火	水	木	金	土	日	月	火	水	木	金	土	日	月	火	水	木	金	土	日	月	火	水	木	金	土
음력 월	13	14	15	16	17	18	19	20	21	22	23	24	25	26	27	28	29	30	十一	2	3	4	5	6	7	8	9	10	11	12	13
일진	庚寅	辛卯	壬辰	癸巳	戊午	己未	甲申	乙酉	丙戌	丁亥	庚子	辛丑	壬寅	癸卯	戊辰	己巳	甲午	乙未	丙申	丁酉	庚戌	辛亥	壬子	癸丑	戊寅	己卯	甲辰	乙巳	丙午	丁未	庚申
대운 男	2	1	1	1	1	芒	10	9	9	9	8	8	8	7	7	7	6	6	6	5	5	5	4	4	4	3	3	3	2	2	2
대운 女	8	8	9	9	9	種	1	1	1	1	2	2	2	3	3	3	4	4	4	5	5	5	6	6	6	7	7	7	8	8	8

서기2045년

辛未年 (一白水星)

1月 (1일 一白 + 10일 九紫 -) **癸未 (四綠)** 절기: 小暑 (5일 08:01) 大暑 (20일 01:21)

양력		1	2	3	4	5	6	7	8	9	10	11	12	13	14	15	16	17	18	19	20	21	22	23	24	25	26	27	28	29	30	31
요일		日	月	火	水	木	金	土	日	月	火	水	木	金	土	日	月	火	水	木	金	土	日	月	火	水	木	金	土	日	月	火
음력	월	14	15	16	17	18	19	20	21	22	23	24	25	26	27	28	29	30	十二	2	3	4	5	6	7	8	9	10	11	12	13	14
일진		辛酉	壬戌	癸亥	戊子	己丑	甲寅	乙卯	丙辰	丁巳	庚午	辛未	壬申	癸酉	戊戌	己亥	甲子	乙丑	丙寅	丁卯	庚辰	辛巳	壬午	癸未	戊申	己酉	甲戌	乙亥	丙子	丁丑	庚寅	辛卯
대운	男	1	1	1	1	小	9	9	9	8	8	8	7	7	7	6	6	6	5	5	5	4	4	4	3	3	3	2	2	2	1	1
	女	9	9	9	10	暑	1	1	1	1	2	2	2	3	3	3	4	4	4	5	5	5	6	6	6	7	7	7	8	8	8	9

2月 (1일 五黃 -) **戊申 (五黃)** 절기: 立秋 (3일 19:35) 處暑 (18일 15:21)

양력		1	2	3	4	5	6	7	8	9	10	11	12	13	14	15	16	17	18	19	20	21	22	23	24	25	26	27	28			
요일		水	木	金	土	日	月	火	水	木	金	土	日	月	火	水	木	金	土	日	月	火	水	木	金	土	日	月	火			
음력	월	15	16	17	18	19	20	21	22	23	24	25	26	27	28	29	30	一	2	3	4	5	6	7	8	9	10	11	12			
일진		壬辰	癸巳	戊午	己未	甲申	乙酉	丙戌	丁亥	庚子	辛丑	壬寅	癸卯	戊辰	己巳	甲午	乙未	丙申	丁酉	庚戌	辛亥	壬子	癸丑	戊寅	己卯	甲辰	乙巳	丙午	丁未			
대운	男	1	1	立	1	1	1	1	2	2	2	3	3	3	4	4	4	5	5	5	6	6	6	7	7	7	8	8	8			
	女	9	9	秋	10	9	9	9	8	8	8	7	7	7	6	6	6	5	5	5	4	4	4	3	3	3	2	2	2			

3月 (1일 四綠 -) **己酉 (六白)** 절기: 白露 (5일 13:23) 秋分 (20일 14:06)

양력		1	2	3	4	5	6	7	8	9	10	11	12	13	14	15	16	17	18	19	20	21	22	23	24	25	26	27	28	29	30	31
요일		水	木	金	土	日	月	火	水	木	金	土	日	月	火	水	木	金	土	日	月	火	水	木	金	土	日	月	火	水	木	金
음력	월	13	14	15	16	17	18	19	20	21	22	23	24	25	26	27	28	29	30	二	2	3	4	5	6	7	8	9	10	11	12	13
일진		庚申	辛酉	壬戌	癸亥	戊子	己丑	甲寅	乙卯	丙辰	丁巳	庚午	辛未	壬申	癸酉	戊戌	己亥	甲子	乙丑	丙寅	丁卯	庚辰	辛巳	壬午	癸未	戊申	己酉	甲戌	乙亥	丙子	丁丑	庚寅
대운	男	9	9	9	10	白	1	1	1	1	2	2	2	3	3	3	4	4	4	5	5	5	6	6	6	7	7	7	8	8	8	9
	女	1	1	1	1	露	10	9	9	9	8	8	8	7	7	7	6	6	6	5	5	5	4	4	4	3	3	3	2	2	2	1

4月 (1일 九紫 -) **甲戌 (七赤)** 절기: 寒露 (4일 17:56) 霜降 (20일 00:51)

양력		1	2	3	4	5	6	7	8	9	10	11	12	13	14	15	16	17	18	19	20	21	22	23	24	25	26	27	28	29	30	
요일		土	日	月	火	水	木	金	土	日	月	火	水	木	金	土	日	月	火	水	木	金	土	日	月	火	水	木	金	土	日	
음력	월	14	15	16	17	18	19	20	21	22	23	24	25	26	27	28	29	三	2	3	4	5	6	7	8	9	10	11	12	13	14	
일진		辛卯	壬辰	癸巳	戊午	己未	甲申	乙酉	丙戌	丁亥	庚子	辛丑	壬寅	癸卯	戊辰	己巳	甲午	乙未	丙申	丁酉	庚戌	辛亥	壬子	癸丑	戊寅	己卯	甲辰	乙巳	丙午	丁未	庚申	
대운	男	9	9	10	寒	1	1	1	1	2	2	2	3	3	3	4	4	4	5	5	5	6	6	6	7	7	7	8	8	8	9	
	女	1	1	1	露	10	10	9	9	9	8	8	8	7	7	7	6	6	6	5	5	5	4	4	4	3	3	3	2	2	2	

5月 (1일 六白 -) **乙亥 (八白)** 절기: 立冬 (5일 10:58) 小雪 (20일 23:44)

양력		1	2	3	4	5	6	7	8	9	10	11	12	13	14	15	16	17	18	19	20	21	22	23	24	25	26	27	28	29	30	31
요일		月	火	水	木	金	土	日	月	火	水	木	金	土	日	月	火	水	木	金	土	日	月	火	水	木	金	十	日	月	火	水
음력	월	15	16	17	18	19	20	21	22	23	24	25	26	27	28	29	30	四	2	3	4	5	6	7	8	9	10	11	12	13	14	15
일진		辛酉	壬戌	癸亥	戊子	己丑	甲寅	乙卯	丙辰	丁巳	庚午	辛未	壬申	癸酉	戊戌	己亥	甲子	乙丑	丙寅	丁卯	庚辰	辛巳	壬午	癸未	戊申	己酉	甲戌	乙亥	丙子	丁丑	庚寅	辛卯
대운	男	9	9	10	10	立	1	1	1	1	2	2	2	3	3	3	4	4	4	5	5	5	6	6	6	7	7	7	8	8	8	9
	女	1	1	1	1	冬	10	10	9	9	9	8	8	8	7	7	7	6	6	6	5	5	5	4	4	4	3	3	3	2	2	2

6月 (1일 二黑 -) **丙子 (九紫)** 절기: 大雪 (5일 14:55) 冬至 (21일 07:32)

양력		1	2	3	4	5	6	7	8	9	10	11	12	13	14	15	16	17	18	19	20	21	22	23	24	25	26	27	28	29	30	
요일		木	金	土	日	月	火	水	木	金	土	日	月	火	水	木	金	土	日	月	火	水	木	金	土	日	月	火	水	木	金	
음력	월	16	17	18	19	20	21	22	23	24	25	26	27	28	29	五	2	3	4	5	6	7	8	9	10	11	12	13	14	15	16	
일진		壬辰	癸巳	戊午	己未	甲申	乙酉	丙戌	丁亥	庚子	辛丑	壬寅	癸卯	戊辰	己巳	甲午	乙未	丙申	丁酉	庚戌	辛亥	壬子	癸丑	戊寅	己卯	甲辰	乙巳	丙午	丁未	庚申	辛酉	
대운	男	9	9	10	10	大	1	1	1	1	2	2	2	3	3	3	4	4	4	5	5	5	6	6	6	7	7	7	8	8	8	
	女	1	1	1	1	雪	10	10	10	9	9	9	8	8	8	7	7	7	6	6	6	5	5	5	4	4	4	3	3	3	2	

7月 (1일 八白 - 9일 一白 +) 丁丑 (一白) 절기: 小寒(7일 01:07) 大寒(22일 18:25)

양력		1	2	3	4	5	6	7	8	9	10	11	12	13	14	15	16	17	18	19	20	21	22	23	24	25	26	27	28	29	30	31
요일		土	日	月	火	水	木	金	土	日	月	火	水	木	金	土	日	月	火	水	木	金	土	日	月	火	水	木	金	土	日	月
음력	월	17	18	19	20	21	22	23	24	25	26	27	28	29	六	2	3	4	5	6	7	8	9	10	11	12	13	14	15	16	17	18
일진		壬戌	癸亥	戊子	己丑	甲寅	乙卯	丙辰	丁巳	庚午	辛未	壬申	癸酉	戊戌	己亥	甲子	乙丑	丙寅	丁卯	庚辰	辛巳	壬午	癸未	戊申	己酉	甲戌	乙亥	丙子	丁丑	庚寅	辛卯	壬辰
대운	男	9	9	9	10	10	10	小	1	1	1	1	2	2	2	3	3	3	4	4	4	5	5	5	6	6	6	7	7	7	8	8
	女	2	2	1	1	1	1	寒	10	10	9	9	9	8	8	8	7	7	7	6	6	6	5	5	5	4	4	4	3	3	3	2

8月 (1일 六白 +) 庚寅 (二黑) 절기: 立春(7일 10:58) 雨水(23일 01:38)

양력		1	2	3	4	5	6	7	8	9	10	11	12	13	14	15	16	17	18	19	20	21	22	23	24	25	26	27	28	29	30	31
요일		火	水	木	金	土	日	月	火	水	木	金	土	日	月	火	水	木	金	土	日	月	火	水	木	金	土	日	月	火	水	木
음력	월	19	20	21	22	23	24	25	26	27	28	29	30	七	2	3	4	5	6	7	8	9	10	11	12	13	14	15	16	17	18	19
일진		癸巳	戊午	己未	甲申	乙酉	丙戌	丁亥	庚子	辛丑	壬寅	癸卯	戊辰	己巳	甲午	乙未	丙申	丁酉	庚戌	辛亥	壬子	癸丑	戊寅	己卯	甲辰	乙巳	丙午	丁未	庚申	辛酉	壬戌	癸亥
대운	男	8	9	9	9	10	10	立	1	1	1	1	2	2	3	3	3	4	4	4	5	5	5	6	6	6	7	7	7	8	8	8
	女	2	2	1	1	1	1	春	10	10	9	9	9	8	8	8	7	7	7	6	6	6	5	5	5	4	4	4	3	3	3	2

9月 (1일 一白 +) 辛卯 (三碧) 절기: 驚蟄(7일 14:04) 春分 (22일 23:31)

양력		1	2	3	4	5	6	7	8	9	10	11	12	13	14	15	16	17	18	19	20	21	22	23	24	25	26	27	28	29	30	
요일		金	土	日	月	火	水	木	金	土	日	月	火	水	木	金	土	日	月	火	水	木	金	土	日	月	火	水	木	金	土	
음력	월	20	21	22	23	24	25	26	27	28	29	八	2	3	4	5	6	7	8	9	10	11	12	13	14	15	16	17	18	19	20	
일진		戊子	己丑	甲寅	乙卯	丙辰	丁巳	庚午	辛未	壬申	癸酉	戊戌	己亥	甲子	乙丑	丙寅	丁卯	庚辰	辛巳	壬午	癸未	戊申	己酉	甲戌	乙亥	丙子	丁丑	庚寅	辛卯	壬辰	癸巳	
대운	男	8	9	9	9	10	10	驚	1	1	1	1	2	2	2	3	3	3	4	4	4	5	5	5	6	6	6	7	7	7	8	
	女	2	2	1	1	1	1	蟄	10	10	9	9	9	8	8	8	7	7	7	6	6	6	5	5	5	4	4	4	3	3	3	

10月 (1일 四綠 +) 壬辰 (四綠) 절기: 清明(8일 05:59) 穀雨(23일 09:11)

양력		1	2	3	4	5	6	7	8	9	10	11	12	13	14	15	16	17	18	19	20	21	22	23	24	25	26	27	28	29	30	31
요일		日	月	火	水	木	金	土	日	月	火	水	木	金	土	日	月	火	水	木	金	土	日	月	火	水	木	金	土	日	月	火
음력	월	21	22	23	24	25	26	27	28	29	九	2	3	4	5	6	7	8	9	10	11	12	13	14	15	16	17	18	19	20	21	22
일진		戊午	己未	甲申	乙酉	丙戌	丁亥	庚子	辛丑	壬寅	癸卯	戊辰	己巳	甲午	乙未	丙申	丁酉	庚戌	辛亥	壬子	癸丑	戊寅	己卯	甲辰	乙巳	丙午	丁未	庚申	辛酉	壬戌	癸亥	戊子
대운	男	8	8	9	9	9	10	10	清	1	1	1	1	2	2	2	3	3	3	4	4	4	5	5	5	6	6	6	7	7	7	8
	女	2	2	2	1	1	1	1	明	10	9	9	9	8	8	8	7	7	7	6	6	6	5	5	5	4	4	4	3	3	3	2

11月 (1일 八白 +) 癸巳 (五黃) 절기: 立夏(7일 09:28) 小滿 (22일 07:02)

양력		1	2	3	4	5	6	7	8	9	10	11	12	13	14	15	16	17	18	19	20	21	22	23	24	25	26	27	28	29	30	
요일		水	木	金	土	日	月	火	水	木	金	土	日	月	火	水	木	金	土	日	月	火	水	木	金	土	日	月	火	水	木	
음력	월	23	24	25	26	27	28	29	30	°十	2	3	4	5	6	7	8	9	10	11	12	13	14	15	16	17	18	19	20	21	22	
일진		己丑	甲寅	乙卯	丙辰	丁巳	庚午	辛未	壬申	癸酉	戊戌	己亥	甲子	乙丑	丙寅	丁卯	庚辰	辛巳	壬午	癸未	戊申	己酉	甲戌	乙亥	丙子	丁丑	庚寅	辛卯	壬辰	癸巳	戊午	
대운	男	8	8	9	9	9	10	立	1	1	1	1	2	2	2	3	3	3	4	4	4	5	5	5	6	6	6	7	7	7	8	
	女	2	2	1	1	1	1	夏	10	9	9	9	8	8	8	7	7	7	6	6	6	5	5	5	4	4	4	3	3	3	2	

12月 (1일 二黑 +) 戊午 (六白) 절기: 芒種(7일 02:34) 夏至(21일 20:34)

양력		1	2	3	4	5	6	7	8	9	10	11	12	13	14	15	16	17	18	19	20	21	22	23	24	25	26	27	28	29	30	31
요일		金	土	日	月	火	水	木	金	土	日	月	火	水	木	金	土	日	月	火	水	木	金	土	日	月	火	水	木	金	土	日
음력	월	23	24	25	26	27	28	29	十一	2	3	4	5	6	7	8	9	10	11	12	13	14	15	16	17	18	19	20	21	22	23	24
일진		己未	甲申	乙酉	丙戌	丁亥	庚子	辛丑	壬寅	癸卯	戊辰	己巳	甲午	乙未	丙申	丁酉	庚戌	辛亥	壬子	癸丑	戊寅	己卯	甲辰	乙巳	丙午	丁未	庚申	辛酉	壬戌	癸亥	戊子	己丑
대운	男	8	8	9	9	9	10	芒	1	1	1	1	2	2	2	3	3	3	4	4	4	5	5	5	6	6	6	7	7	7	8	8
	女	2	2	1	1	1	1	種	9	9	9	8	8	8	7	7	7	6	6	6	5	5	5	4	4	4	3	3	3	2	2	2

서기2046년

壬申年 (二黑土星)

1月 (1일 六白 + 5일 九紫 -) **己未 (七赤)** 절기: 小暑 (5일 13:54) 大暑 (20일 07:14)

양력		1	2	3	4	5	6	7	8	9	10	11	12	13	14	15	16	17	18	19	20	21	22	23	24	25	26	27	28	29	30	31
요일		月	火	水	木	金	土	日	月	火	水	木	金	土	日	月	火	水	木	金	土	日	月	火	水	木	金	土	日	月	火	水
음력	월	25	26	27	28	29	30	十二	2	3	4	5	6	7	8	9	10	11	12	13	14	15	16	17	18	19	20	21	22	23	24	25
일진		甲寅	乙卯	丙辰	丁巳	庚午	辛未	壬申	癸酉	戊戌	己亥	甲子	乙丑	丙寅	丁卯	庚辰	辛巳	壬午	癸未	戊申	己酉	甲戌	乙亥	丙子	丁丑	庚寅	辛卯	壬辰	癸巳	戊午	己未	甲申
대운	男	8	9	9	9	小	1	1	1	1	2	2	2	3	3	3	4	4	4	5	5	5	6	6	6	7	7	7	8	8	8	9
	女	1	1	1	1	暑	10	9	9	9	8	8	8	7	7	7	6	6	6	5	5	5	4	4	4	3	3	3	2	2	2	1

2月 (1일 九紫 -) **甲申 (八白)** 절기: 立秋 (4일 01:30) 處暑 (18일 21:14)

양력		1	2	3	4	5	6	7	8	9	10	11	12	13	14	15	16	17	18	19	20	21	22	23	24	25	26	27	28			
요일		木	金	土	日	月	火	水	木	金	土	日	月	火	水	木	金	土	日	月	火	水	木	金	土	日	月	火	水			
음력	월	26	27	28	29	30	一	2	3	4	5	6	7	8	9	10	11	12	13	14	15	16	17	18	19	20	21	22	23			
일진		乙酉	丙戌	丁亥	庚子	辛丑	壬寅	癸卯	戊辰	己巳	甲午	乙未	丙申	丁酉	庚戌	辛亥	壬子	癸丑	戊寅	己卯	甲辰	乙巳	丙午	丁未	庚申	辛酉	壬戌	癸亥	戊子			
대운	男	9	9	10	立	9	9	9	8	8	8	7	7	7	6	6	6	5	5	5	4	4	4	3	3	3	2	2	2			
	女	1	1	1	秋	1	1	1	1	2	2	2	3	3	3	4	4	4	5	5	5	6	6	6	7	7	7	8	8			

3月 (1일 八白 -) **乙酉 (九紫)** 절기: 白露 (5일 19:16) 秋分 (20일 19:56)

양력		1	2	3	4	5	6	7	8	9	10	11	12	13	14	15	16	17	18	19	20	21	22	23	24	25	26	27	28	29	30	31
요일		木	金	土	日	月	火	水	木	金	土	日	月	火	水	木	金	土	日	月	火	水	木	金	土	日	月	火	水	木	金	土
음력	월	24	25	26	27	28	29	30	二	2	3	4	5	6	7	8	9	10	11	12	13	14	15	16	17	18	19	20	21	22	23	24
일진		己丑	甲寅	乙卯	丙辰	丁巳	庚午	辛未	壬申	癸酉	戊戌	己亥	甲子	乙丑	丙寅	丁卯	庚辰	辛巳	壬午	癸未	戊申	己酉	甲戌	乙亥	丙子	丁丑	庚寅	辛卯	壬辰	癸巳	戊午	己未
대운	男	1	1	1	1	白	10	9	9	9	8	8	8	7	7	7	6	6	6	5	5	5	4	4	4	3	3	3	2	2	2	1
	女	8	9	9	9	露	1	1	1	1	2	2	2	3	3	3	4	4	4	5	5	5	6	6	6	7	7	7	8	8	8	9

4月 (1일 四綠 -) **丙戌 (一白)** 절기: 寒露 (4일 23:43) 霜降 (20일 06:37)

양력		1	2	3	4	5	6	7	8	9	10	11	12	13	14	15	16	17	18	19	20	21	22	23	24	25	26	27	28	29	30	
요일		日	月	火	水	木	金	土	日	月	火	水	木	金	土	日	月	火	水	木	金	土	日	月	火	水	木	金	土	日	月	
음력	월	25	26	27	28	29	三	2	3	4	5	6	7	8	9	10	11	12	13	14	15	16	17	18	19	20	21	22	23	24	25	
일진		甲申	乙酉	丙戌	丁亥	庚子	辛丑	壬寅	癸卯	戊辰	己巳	甲午	乙未	丙申	丁酉	庚戌	辛亥	壬子	癸丑	戊寅	己卯	甲辰	乙巳	丙午	丁未	庚申	辛酉	壬戌	癸亥	戊子	己丑	
대운	男	1	1	1	寒	10	10	9	9	9	8	8	8	7	7	7	6	6	6	5	5	5	4	4	4	3	3	3	2	2	2	
	女	9	9	10	露	1	1	1	1	2	2	2	3	3	3	4	4	4	5	5	5	6	6	6	7	7	7	8	8	8	9	

5月 (1일 一白 -) **丁亥 (二黑)** 절기: 立冬 (5일 16:39) 小雪 (21일 05:27)

양력		1	2	3	4	5	6	7	8	9	10	11	12	13	14	15	16	17	18	19	20	21	22	23	24	25	26	27	28	29	30	31
요일		火	水	木	金	土	日	月	火	水	木	金	土	日	月	火	水	木	金	土	日	月	火	水	木	金	土	日	月	火	水	木
음력	월	26	27	28	29	30	四	2	3	4	5	6	7	8	9	10	11	12	13	14	15	16	17	18	19	20	21	22	23	24	25	26
일진		甲寅	乙卯	丙辰	丁巳	庚午	辛未	壬申	癸酉	戊戌	己亥	甲子	乙丑	丙寅	丁卯	庚辰	辛巳	壬午	癸未	戊申	己酉	甲戌	乙亥	丙子	丁丑	庚寅	辛卯	壬辰	癸巳	戊午	己未	甲申
대운	男	1	1	1	1	立	10	10	9	9	9	8	8	8	7	7	7	6	6	6	5	5	5	4	4	4	3	3	3	2	2	2
	女	9	9	10	10	冬	1	1	1	1	2	2	2	3	3	3	4	4	4	5	5	5	6	6	6	7	7	7	8	8	8	9

6月 (1일 六白 -) **庚子 (三碧)** 절기: 大雪 (5일 20:31) 冬至 (21일 13:13)

양력		1	2	3	4	5	6	7	8	9	10	11	12	13	14	15	16	17	18	19	20	21	22	23	24	25	26	27	28	29	30	
요일		金	土	日	月	火	水	木	金	土	日	月	火	水	木	金	土	日	月	火	水	木	金	土	日	月	火	水	木	金	土	
음력	월	27	28	29	30	五	2	3	4	5	6	7	8	9	10	11	12	13	14	15	16	17	18	19	20	21	22	23	24	25	26	
일진		乙酉	丙戌	丁亥	庚子	辛丑	壬寅	癸卯	戊辰	己巳	甲午	乙未	丙申	丁酉	庚戌	辛亥	壬子	癸丑	戊寅	己卯	甲辰	乙巳	丙午	丁未	庚申	辛酉	壬戌	癸亥	戊子	己丑	甲寅	
대운	男	1	1	1	1	大	10	10	10	9	9	9	8	8	8	7	7	7	6	6	6	5	5	5	4	4	4	3	3	3	2	
	女	9	9	10	10	雪	1	1	1	1	2	2	2	3	3	3	4	4	4	5	5	5	6	6	6	7	7	7	8	8	8	

7月 (1일 三碧 - 4일 一白 +) **辛丑 (四綠)** 절기: 小寒(7일 06:39) 大寒(23일 00:07)

양력		1	2	3	4	5	6	7	8	9	10	11	12	13	14	15	16	17	18	19	20	21	22	23	24	25	26	27	28	29	30	31
요일		日	月	火	水	木	金	土	日	月	火	水	木	金	土	日	月	火	水	木	金	土	日	月	火	水	木	金	土	日	月	火
음력	월	27	28	29	六	2	3	4	5	6	7	8	9	10	11	12	13	14	15	16	17	18	19	20	21	22	23	24	25	26	27	28
일진		乙卯	丙辰	丁巳	庚午	辛未	壬申	癸酉	戊戌	己亥	甲子	乙丑	丙寅	丁卯	庚辰	辛巳	壬午	癸未	戊申	己酉	甲戌	乙亥	丙子	丁丑	庚寅	辛卯	壬辰	癸巳	戊午	己未	甲申	乙酉
대운	男	2	2	1	1	1	1	小	10	10	9	9	9	8	8	8	7	7	7	6	6	6	5	5	5	4	4	4	3	3	3	2
	女	9	9	9	10	10	10	寒	1	1	1	1	2	2	2	3	3	3	4	4	4	5	5	5	6	6	6	7	7	7	8	8

8月 (1일 二黑 +) **壬寅 (五黃)** 절기: 立春(7일 16:32) 雨水(23일 07:23)

양력		1	2	3	4	5	6	7	8	9	10	11	12	13	14	15	16	17	18	19	20	21	22	23	24	25	26	27	28	29	30	31
요일		水	木	金	土	日	月	火	水	木	金	土	日	月	火	水	木	金	土	日	月	火	水	木	金	土	日	月	火	水	木	金
음력	월	29	七	2	3	4	5	6	7	8	9	10	11	12	13	14	15	16	17	18	19	20	21	22	23	24	25	26	27	28	29	30
일진		丙戌	丁亥	庚子	辛丑	壬寅	癸卯	戊辰	己巳	甲午	乙未	丙申	丁酉	庚戌	辛亥	壬子	癸丑	戊寅	己卯	甲辰	乙巳	丙午	丁未	庚申	辛酉	壬戌	癸亥	戊子	己丑	甲寅	乙卯	丙辰
대운	男	2	2	1	1	1	1	立	10	10	9	9	9	8	8	8	7	7	7	6	6	6	5	5	5	4	4	4	3	3	3	2
	女	8	9	9	9	10	10	春	1	1	1	1	2	2	2	3	3	3	4	4	4	5	5	5	6	6	6	7	7	7	8	8

9月 (1일 六白 +) **癸卯 (六白)** 절기: 驚蟄(7일 19:42) 春分 (23일 05:20)

양력		1	2	3	4	5	6	7	8	9	10	11	12	13	14	15	16	17	18	19	20	21	22	23	24	25	26	27	28	29	30	
요일		土	日	月	火	水	木	金	土	日	月	火	水	木	金	土	日	月	火	水	木	金	土	日	月	火	水	木	金	土	日	
음력	월	八	2	3	4	5	6	7	8	9	10	11	12	13	14	15	16	17	18	19	20	21	22	23	24	25	26	27	28	29	九	
일진		丁巳	庚午	辛未	壬申	癸酉	戊戌	己亥	甲子	乙丑	丙寅	丁卯	庚辰	辛巳	壬午	癸未	戊申	己酉	甲戌	乙亥	丙子	丁丑	庚寅	辛卯	壬辰	癸巳	戊午	己未	甲申	乙酉	丙戌	
대운	男	2	2	1	1	1	1	驚	10	10	9	9	9	8	8	8	7	7	7	6	6	6	5	5	5	4	4	4	3	3	3	
	女	8	9	9	9	10	10	蟄	1	1	1	1	2	2	2	3	3	3	4	4	4	5	5	5	6	6	6	7	7	7	8	

10月 (1일 九紫 +) **戊辰 (七赤)** 절기: 清明(8일 11:41) 穀雨(23일 15:02)

양력		1	2	3	4	5	6	7	8	9	10	11	12	13	14	15	16	17	18	19	20	21	22	23	24	25	26	27	28	29	30	31
요일		月	火	水	木	金	土	日	月	火	水	木	金	土	日	月	火	水	木	金	土	日	月	火	水	木	金	土	日	月	火	水
음력	월	2	3	4	5	6	7	8	9	10	11	12	13	14	15	16	17	18	19	20	21	22	23	24	25	26	27	28	29	十	2	3
일진		丁亥	庚子	辛丑	壬寅	癸卯	戊辰	己巳	甲午	乙未	丙申	丁酉	庚戌	辛亥	壬子	癸丑	戊寅	己卯	甲辰	乙巳	丙午	丁未	庚申	辛酉	壬戌	癸亥	戊子	己丑	甲寅	乙卯	丙辰	丁巳
대운	男	2	2	2	1	1	1	1	清	10	9	9	9	8	8	8	7	7	7	6	6	6	5	5	5	4	4	4	3	3	3	2
	女	8	8	8	9	9	9	10	明	1	1	1	1	2	2	2	3	3	3	4	4	4	5	5	5	6	6	6	7	7	7	8

11月 (1일 四綠 +) **己巳 (八白)** 절기: 立夏(7일 15:13) 小滿 (22일 12:55)

양력		1	2	3	4	5	6	7	8	9	10	11	12	13	14	15	16	17	18	19	20	21	22	23	24	25	26	27	28	29	30	
요일		木	金	土	日	月	火	水	木	金	土	日	月	火	水	木	金	土	日	月	火	水	木	金	土	日	月	火	水	木	金	
음력	월	4	5	6	7	8	9	10	11	12	13	14	15	16	17	18	19	20	21	22	23	24	25	26	27	28	29	30	十一	2	3	
일진		庚午	辛未	壬申	癸酉	戊戌	己亥	甲子	乙丑	丙寅	丁卯	庚辰	辛巳	壬午	癸未	戊申	己酉	甲戌	乙亥	丙子	丁丑	庚寅	辛卯	壬辰	癸巳	戊午	己未	甲申	乙酉	丙戌	丁亥	
대운	男	2	2	1	1	1	1	立	10	9	9	9	8	8	8	7	7	7	6	6	6	5	5	5	4	4	4	3	3	3	2	
	女	8	8	9	9	9	10	夏	1	1	1	1	2	2	2	3	3	3	4	4	4	5	5	5	6	6	6	7	7	7	8	

12月 (1일 七赤 + 31일 九紫 -) **甲午 (九紫)** 절기: 芒種(7일 08:20) 夏至(22일 02:27)

양력		1	2	3	4	5	6	7	8	9	10	11	12	13	14	15	16	17	18	19	20	21	22	23	24	25	26	27	28	29	30	31
요일		土	日	月	火	水	木	金	土	日	月	火	水	木	金	土	日	月	火	水	木	金	土	日	月	火	水	木	金	土	日	月
음력	월	4	5	6	7	8	9	10	11	12	13	14	15	16	17	18	19	20	21	22	23	24	25	26	27	28	29	十二	2	3	4	5
일진		庚子	辛丑	壬寅	癸卯	戊辰	己巳	甲午	乙未	丙申	丁酉	庚戌	辛亥	壬子	癸丑	戊寅	己卯	甲辰	乙巳	丙午	丁未	庚申	辛酉	壬戌	癸亥	戊子	己丑	甲寅	乙卯	丙辰	丁巳	庚午
대운	男	2	2	1	1	1	1	芒	9	9	9	8	8	8	7	7	7	6	6	6	5	5	5	4	4	4	3	3	3	2	2	2
	女	8	8	9	9	9	10	種	1	1	1	1	2	2	2	3	3	3	4	4	4	5	5	5	6	6	6	7	7	7	8	8

서기2047년

癸酉年 (三碧木星) 閏五月

1月 (1일 八白 -) **乙未 (一白)** 절기: 小暑 (5일 19:41) 大暑 (20일 13:08)

양력	1	2	3	4	5	6	7	8	9	10	11	12	13	14	15	16	17	18	19	20	21	22	23	24	25	26	27	28	29	30	31
요일	火	水	木	金	土	日	月	火	水	木	金	土	日	月	火	水	木	金	土	日	月	火	水	木	金	土	日	月	火	水	木
음력 월	6	7	8	9	10	11	12	13	14	15	16	17	18	19	20	21	22	23	24	25	26	27	28	29	30	一	2	3	4	5	6
일진	辛未	壬申	癸酉	戊戌	己亥	甲子	乙丑	丙寅	丁卯	庚辰	辛巳	壬午	癸未	戊申	己酉	甲戌	乙亥	丙子	丁丑	庚寅	辛卯	壬辰	癸巳	戊午	己未	甲申	乙酉	丙戌	丁亥	庚子	辛丑
대운 男	1	1	1	1	小	10	9	9	9	8	8	8	7	7	7	6	6	6	5	5	5	4	4	4	3	3	3	2	2	2	1
대운 女	8	9	9	9	暑	1	1	1	1	2	2	2	3	3	3	4	4	4	5	5	5	6	6	6	7	7	7	8	8	8	9

2月 (1일 四綠 -) **丙申 (二黑)** 절기: 立秋 (4일 07:16) 處暑 (19일 03:09)

양력	1	2	3	4	5	6	7	8	9	10	11	12	13	14	15	16	17	18	19	20	21	22	23	24	25	26	27	28			
요일	金	土	日	月	火	水	木	金	土	日	月	火	水	木	金	土	日	月	火	水	木	金	土	日	月	火	水	木			
음력 월	7	8	9	10	11	12	13	14	15	16	17	18	19	20	21	22	23	24	25	26	27	28	29	30	二	2	3	4			
일진	壬寅	癸卯	戊辰	己巳	甲午	乙未	丙申	丁酉	庚戌	辛亥	壬子	癸丑	戊寅	己卯	甲辰	乙巳	丙午	丁未	庚申	辛酉	壬戌	癸亥	戊子	己丑	甲寅	乙卯	丙辰	丁巳			
대운 男	1	1	1	立	1	1	1	1	2	2	2	3	3	3	4	4	4	5	5	5	6	6	6	7	7	7	8	8			
대운 女	9	9	10	秋	10	9	9	9	8	8	8	7	7	7	6	6	6	5	5	5	4	4	4	3	3	3	2	2			

3月 (1일 三碧 -) **丁酉 (三碧)** 절기: 白露 (6일 01:04) 秋分 (21일 01:51)

양력	1	2	3	4	5	6	7	8	9	10	11	12	13	14	15	16	17	18	19	20	21	22	23	24	25	26	27	28	29	30	31
요일	金	土	日	月	火	水	木	金	土	日	月	火	水	木	金	土	日	月	火	水	木	金	土	日	月	火	水	木	金	土	日
음력 월	5	6	7	8	9	10	11	12	13	14	15	16	17	18	19	20	21	22	23	24	25	26	27	28	29	三	2	3	4	5	6
일진	庚午	辛未	壬申	癸酉	戊戌	己亥	甲子	乙丑	丙寅	丁卯	庚辰	辛巳	壬午	癸未	戊申	己酉	甲戌	乙亥	丙子	丁丑	庚寅	辛卯	壬辰	癸巳	戊午	己未	甲申	乙酉	丙戌	丁亥	庚子
대운 男	8	9	9	9	10	白	1	1	1	1	2	2	2	3	3	3	4	4	4	5	5	5	6	6	6	7	7	7	8	8	8
대운 女	2	1	1	1	1	露	10	9	9	9	8	8	8	7	7	7	6	6	6	5	5	5	4	4	4	3	3	3	2	2	2

4月 (1일 八白 -) **庚戌 (四綠)** 절기: 寒露 (5일 05:31) 霜降 (20일 12:31)

양력	1	2	3	4	5	6	7	8	9	10	11	12	13	14	15	16	17	18	19	20	21	22	23	24	25	26	27	28	29	30	
요일	月	火	水	木	金	土	日	月	火	水	木	金	土	日	月	火	水	木	金	土	日	月	火	水	木	金	土	日	月	火	
음력 월	7	8	9	10	11	12	13	14	15	16	17	18	19	20	21	22	23	24	25	26	27	28	29	30	四	2	3	4	5	6	
일진	辛丑	壬寅	癸卯	戊辰	己巳	甲午	乙未	丙申	丁酉	庚戌	辛亥	壬子	癸丑	戊寅	己卯	甲辰	乙巳	丙午	丁未	庚申	辛酉	壬戌	癸亥	戊子	己丑	甲寅	乙卯	丙辰	丁巳	庚午	
대운 男	9	9	9	10	寒	1	1	1	1	2	2	2	3	3	3	4	4	4	5	5	5	6	6	6	7	7	7	8	8	8	
대운 女	1	1	1	1	露	10	9	9	9	8	8	8	7	7	7	6	6	6	5	5	5	4	4	4	3	3	3	2	2	2	

5月 (1일 五黃 -) **辛亥 (五黃)** 절기: 立冬 (5일 22:27) 小雪 (21일 11:18)

양력	1	2	3	4	5	6	7	8	9	10	11	12	13	14	15	16	17	18	19	20	21	22	23	24	25	26	27	28	29	30	31
요일	水	木	金	土	日	月	火	水	木	金	土	日	月	火	水	木	金	土	日	月	火	水	木	金	土	日	月	火	水	木	金
음력 월	7	8	9	10	11	12	13	14	15	16	17	18	19	20	21	22	23	24	25	26	27	28	29	30	五	2	3	4	5	6	7
일진	辛未	壬申	癸酉	戊戌	己亥	甲子	乙丑	丙寅	丁卯	庚辰	辛巳	壬午	癸未	戊申	己酉	甲戌	乙亥	丙子	丁丑	庚寅	辛卯	壬辰	癸巳	戊午	己未	甲申	乙酉	丙戌	丁亥	庚子	辛丑
대운 男	9	9	9	10	立	1	1	1	1	2	2	2	3	3	3	4	4	4	5	5	5	6	6	6	7	7	7	8	8	8	9
대운 女	1	1	1	1	冬	10	10	10	9	9	9	8	8	8	7	7	7	6	6	6	5	5	5	4	4	4	3	3	3	2	2

6月 (1일 一白 - 29일 一白 +) **壬子 (六白)** 절기: 大雪 (6일 02:19) 冬至 (21일 19:02)

양력	1	2	3	4	5	6	7	8	9	10	11	12	13	14	15	16	17	18	19	20	21	22	23	24	25	26	27	28	29	30	
요일	土	日	月	火	水	木	金	土	日	月	火	水	木	金	土	日	月	火	水	木	金	土	日	月	火	水	木	金	土	日	
음력 월	8	9	10	11	12	13	14	15	16	17	18	19	20	21	22	23	24	25	26	27	28	29	閏五		3	4	5	6	7	8	
일진	壬寅	癸卯	戊辰	己巳	甲午	乙未	丙申	丁酉	庚戌	辛亥	壬子	癸丑	戊寅	己卯	甲辰	乙巳	丙午	丁未	庚申	辛酉	壬戌	癸亥	戊子	己丑	甲寅	乙卯	丙辰	丁巳	庚午	辛未	
대운 男	9	9	10	10	10	大	1	1	1	1	2	2	2	3	3	3	4	4	4	5	5	5	6	6	6	7	7	7	8	8	
대운 女	2	1	1	1	1	雪	10	10	9	9	9	8	8	8	7	7	7	6	6	6	5	5	5	4	4	4	3	3	3	2	

7月 (1일 三碧 +) **癸丑 (七赤)** 절기: 小寒(7일 12:29) 大寒(23일 05:54)

양력		1	2	3	4	5	6	7	8	9	10	11	12	13	14	15	16	17	18	19	20	21	22	23	24	25	26	27	28	29	30	31
요일		月	火	水	木	金	土	日	月	火	水	木	金	土	日	月	火	水	木	金	土	日	月	火	水	木	金	土	日	月	火	水
음력	월	9	10	11	12	13	14	15	16	17	18	19	20	21	22	23	24	25	26	27	28	29	30	六	2	3	4	5	6	7	8	9
일진		壬申	癸酉	戊戌	己亥	甲子	乙丑	丙寅	丁卯	庚辰	辛巳	壬午	癸未	戊申	己酉	甲戌	乙亥	丙子	丁丑	庚寅	辛卯	壬辰	癸巳	戊午	己未	甲申	乙酉	丙戌	丁亥	庚子	辛丑	壬寅
대운	男	8	9	9	9	10	10	小	1	1	1	1	2	2	2	3	3	3	4	4	4	5	5	5	6	6	6	7	7	7	8	8
	女	2	2	1	1	1	1	寒	10	10	9	9	9	8	8	8	7	7	7	6	6	6	5	5	5	4	4	4	3	3	3	2

8月 (1일 七赤 +) **戊寅 (八白)** 절기: 立春(7일 22:24) 雨水(23일 13:09)

양력		1	2	3	4	5	6	7	8	9	10	11	12	13	14	15	16	17	18	19	20	21	22	23	24	25	26	27	28	29	30	31
요일		木	金	土	日	月	火	水	木	金	土	日	月	火	水	木	金	土	日	月	火	水	木	金	土	日	月	火	水	木	金	土
음력	월	10	11	12	13	14	15	16	17	18	19	20	21	22	23	24	25	26	27	28	29	七	2	3	4	5	6	7	8	9	10	11
일진		癸卯	戊辰	己巳	甲午	乙未	丙申	丁酉	庚戌	辛亥	壬子	癸丑	戊寅	己卯	甲辰	乙巳	丙午	丁未	庚申	辛酉	壬戌	癸亥	戊子	己丑	甲寅	乙卯	丙辰	丁巳	庚午	辛未	壬申	癸酉
대운	男	8	9	9	9	10	10	立	1	1	1	1	2	2	2	3	3	3	4	4	4	5	5	5	6	6	6	7	7	7	8	8
	女	2	2	1	1	1	1	春	10	10	10	9	9	9	8	8	8	7	7	7	6	6	6	5	5	5	4	4	4	3	3	3

9月 (1일 二黑 +) **己卯 (九紫)** 절기: 驚蟄(8일 01:37) 春分 (23일 11:07)

양력		1	2	3	4	5	6	7	8	9	10	11	12	13	14	15	16	17	18	19	20	21	22	23	24	25	26	27	28	29	30	
요일		日	月	火	水	木	金	土	日	月	火	水	木	金	土	日	月	火	水	木	金	土	日	月	火	水	木	金	土	日	月	
음력	월	12	13	14	15	16	17	18	19	20	21	22	23	24	25	26	27	28	29	30	八	2	3	4	5	6	7	8	9	10	11	
일진		戊戌	己亥	甲子	乙丑	丙寅	丁卯	庚辰	辛巳	壬午	癸未	戊申	己酉	甲戌	乙亥	丙子	丁丑	庚寅	辛卯	壬辰	癸巳	戊午	己未	甲申	乙酉	丙戌	丁亥	庚子	辛丑	壬寅	癸卯	
대운	男	8	9	9	9	10	10	10	驚	1	1	1	1	2	2	2	3	3	3	4	4	4	5	5	5	6	6	6	7	7	7	
	女	2	2	2	1	1	1	1	蟄	10	9	9	9	8	8	8	7	7	7	6	6	6	5	5	5	4	4	4	3	3	3	

10月 (1일 五黃 +) **甲辰 (一白)** 절기: 清明(8일 17:36) 穀雨(23일 20:47)

양력		1	2	3	4	5	6	7	8	9	10	11	12	13	14	15	16	17	18	19	20	21	22	23	24	25	26	27	28	29	30	31
요일		火	水	木	金	土	日	月	火	水	木	金	土	日	月	火	水	木	金	土	日	月	火	水	木	金	土	日	月	火	水	木
음력	월	12	13	14	15	16	17	18	19	20	21	22	23	24	25	26	27	28	29	九	2	3	4	5	6	7	8	9	10	11	12	13
일진		戊辰	己巳	甲午	乙未	丙申	丁酉	庚戌	辛亥	壬子	癸丑	戊寅	己卯	甲辰	乙巳	丙午	丁未	庚申	辛酉	壬戌	癸亥	戊子	己丑	甲寅	乙卯	丙辰	丁巳	庚午	辛未	壬申	癸酉	戊戌
대운	男	8	8	8	9	9	9	10	清	1	1	1	1	2	2	2	3	3	3	4	4	4	5	5	5	6	6	6	7	7	7	8
	女	2	2	2	1	1	1	1	明	10	9	9	9	8	8	8	7	7	7	6	6	6	5	5	5	4	4	4	3	3	3	2

11月 (1일 九紫 +) **乙巳 (二黑)** 절기: 立夏(7일 21:06) 小滿 (22일 18:37)

양력		1	2	3	4	5	6	7	8	9	10	11	12	13	14	15	16	17	18	19	20	21	22	23	24	25	26	27	28	29	30	
요일		金	土	日	月	火	水	木	金	土	日	月	火	水	木	金	土	日	月	火	水	木	金	土	日	月	火	水	木	金	土	
음력	월	14	15	16	17	18	19	20	21	22	23	24	25	26	27	28	29	十	2	3	4	5	6	7	8	9	10	11	12	13	14	
일진		己亥	甲子	乙丑	丙寅	丁卯	庚辰	辛巳	壬午	癸未	戊申	己酉	甲戌	乙亥	丙子	丁丑	庚寅	辛卯	壬辰	癸巳	戊午	己未	甲申	乙酉	丙戌	丁亥	庚子	辛丑	壬寅	癸卯	戊辰	
대운	男	8	8	9	9	9	10	立	1	1	1	1	2	2	2	3	3	3	4	4	4	5	5	5	6	6	6	7	7	7	8	
	女	2	2	1	1	1	1	夏	10	9	9	9	8	8	8	7	7	7	6	6	6	5	5	5	4	4	4	3	3	3	2	

12月 (1일 三碧 + 26일 九紫 -) **丙午 (三碧)** 절기: 芒種(7일 14:09) 夏至(22일 08:06)

양력		1	2	3	4	5	6	7	8	9	10	11	12	13	14	15	16	17	18	19	20	21	22	23	24	25	26	27	28	29	30	31
요일		日	月	火	水	木	金	土	日	月	火	水	木	金	土	日	月	火	水	木	金	土	日	月	火	水	木	金	土	日	月	火
음력	월	15	16	17	18	19	20	21	22	23	24	25	26	27	28	29	30	十一	2	3	4	5	6	7	8	9	10	11	12	13	14	15
일진		己巳	甲午	乙未	丙申	丁酉	庚戌	辛亥	壬子	癸丑	戊寅	己卯	甲辰	乙巳	丙午	丁未	庚申	辛酉	壬戌	癸亥	戊子	己丑	甲寅	乙卯	丙辰	丁巳	庚午	辛未	壬申	癸酉	戊戌	己亥
대운	男	8	8	9	9	9	10	芒	1	1	1	1	2	2	2	3	3	3	4	4	4	5	5	5	6	6	6	7	7	7	8	8
	女	2	2	1	1	1	1	種	10	9	9	9	8	8	8	7	7	7	6	6	6	5	5	5	4	4	4	3	3	3	2	2

서기2048년

戊戌年 (四綠木星)

1月 (1일 三碧 -) **丁未 (四綠)** 절기: 小暑 (6일 01:28) 大暑 (20일 18:46)

양력		1	2	3	4	5	6	7	8	9	10	11	12	13	14	15	16	17	18	19	20	21	22	23	24	25	26	27	28	29	30	31
요일		水	木	金	土	日	月	火	水	木	金	土	日	月	火	水	木	金	土	日	月	火	水	木	金	土	日	月	火	水	木	金
음력	월	16	17	18	19	20	21	22	23	24	25	26	27	28	29	十二	2	3	4	5	6	7	8	9	10	11	12	13	14	15	16	17
일진		甲子	乙丑	丙寅	丁卯	庚辰	辛巳	壬午	癸未	戊申	己酉	甲戌	乙亥	丙子	丁丑	庚寅	辛卯	壬辰	癸巳	戊午	己未	甲申	乙酉	丙戌	丁亥	庚子	辛丑	壬寅	癸卯	戊辰	己巳	甲午
대운	男	8	9	9	9	10	小	1	1	1	1	2	2	2	3	3	3	4	4	4	5	5	5	6	6	6	7	7	7	8	8	8
	女	2	1	1	1	1	暑	9	9	9	8	8	8	7	7	7	6	6	6	5	5	5	4	4	4	3	3	3	2	2	2	1

2月 閏 (1일 八白 -) **庚申 (五黃)** 절기: 立秋 (4일 13:03) 處暑 (19일 08:47)

양력		1	2	3	4	5	6	7	8	9	10	11	12	13	14	15	16	17	18	19	20	21	22	23	24	25	26	27	28	29		
요일		土	日	月	火	水	木	金	土	日	月	火	水	木	金	土	日	月	火	水	木	金	土	日	月	火	水	木	金	土		
음력	월	18	19	20	21	22	23	24	25	26	27	28	29	30	一	2	3	4	5	6	7	8	9	10	11	12	13	14	15	16		
일진		乙未	丙申	丁酉	庚戌	辛亥	壬子	癸丑	戊寅	己卯	甲辰	乙巳	丙午	丁未	庚申	辛酉	壬戌	癸亥	戊子	己丑	甲寅	乙卯	丙辰	丁巳	庚午	辛未	壬申	癸酉	戊戌	己亥		
대운	男	9	9	9	立	10	9	9	9	8	8	8	7	7	7	6	6	6	5	5	5	4	4	4	3	3	3	2	2	2		
	女	1	1	1	秋	1	1	1	1	2	2	2	3	3	3	4	4	4	5	5	5	6	6	6	7	7	7	8	8	8		

3月 (1일 六白 -) **辛酉 (六白)** 절기: 白露 (5일 06:53) 秋分 (20일 08:47)

양력		1	2	3	4	5	6	7	8	9	10	11	12	13	14	15	16	17	18	19	20	21	22	23	24	25	26	27	28	29	30	31
요일		日	月	火	水	木	金	土	日	月	火	水	木	金	土	日	月	火	水	木	金	土	日	月	火	水	木	金	土	日	月	火
음력	월	17	18	19	20	21	22	23	24	25	26	27	28	29	二	2	3	4	5	6	7	8	9	10	11	12	13	14	15	16	17	18
일진		甲子	乙丑	丙寅	丁卯	庚辰	辛巳	壬午	癸未	戊申	己酉	甲戌	乙亥	丙子	丁丑	庚寅	辛卯	壬辰	癸巳	戊午	己未	甲申	乙酉	丙戌	丁亥	庚子	辛丑	壬寅	癸卯	戊辰	己巳	甲午
대운	男	1	1	1	1	白	10	9	9	9	8	8	8	7	7	7	6	6	6	5	5	5	4	4	4	3	3	3	2	2	2	1
	女	9	9	9	10	露	1	1	1	1	2	2	2	3	3	3	4	4	4	5	5	5	6	6	6	7	7	7	8	8	8	9

4月 (1일 二黑 -) **壬戌 (七赤)** 절기: 寒露 (4일 11:24) 霜降 (19일 18:16)

양력		1	2	3	4	5	6	7	8	9	10	11	12	13	14	15	16	17	18	19	20	21	22	23	24	25	26	27	28	29	30	
요일		水	木	金	土	日	月	火	水	木	金	土	日	月	火	水	木	金	土	日	月	火	水	木	金	土	日	月	火	水	木	
음력	월	19	20	21	22	23	24	25	26	27	28	29	30	三	2	3	4	5	6	7	8	9	10	11	12	13	14	15	16	17	18	
일진		乙未	丙申	丁酉	庚戌	辛亥	壬子	癸丑	戊寅	己卯	甲辰	乙巳	丙午	丁未	庚申	辛酉	壬戌	癸亥	戊子	己丑	甲寅	乙卯	丙辰	丁巳	庚午	辛未	壬申	癸酉	戊戌	己亥	甲子	
대운	男	1	1	1	寒	10	10	9	9	9	8	8	8	7	7	7	6	6	6	5	5	5	4	4	4	3	3	3	2	2	2	
	女	9	9	10	露	1	1	1	1	2	2	2	3	3	3	4	4	4	5	5	5	6	6	6	7	7	7	8	8	8	9	

5月 (1일 八白 -) **癸亥 (八白)** 절기: 立冬 (5일 04:23) 小雪 (20일 17:06)

양력		1	2	3	4	5	6	7	8	9	10	11	12	13	14	15	16	17	18	19	20	21	22	23	24	25	26	27	28	29	30	31
요일		金	土	日	月	火	水	木	金	土	日	月	火	水	木	金	土	日	月	火	水	木	金	土	日	月	火	水	木	金	土	日
음력	월	19	20	21	22	23	24	25	26	27	28	29	30	四	2	3	4	5	6	7	8	9	10	11	12	13	14	15	16	17	18	19
일진		乙丑	丙寅	丁卯	庚辰	辛巳	壬午	癸未	戊申	己酉	甲戌	乙亥	丙子	丁丑	庚寅	辛卯	壬辰	癸巳	戊午	己未	甲申	乙酉	丙戌	丁亥	庚子	辛丑	壬寅	癸卯	戊辰	己巳	甲午	乙未
대운	男	1	1	1	1	立	10	10	9	9	9	8	8	8	7	7	7	6	6	6	5	5	5	4	4	4	3	3	3	2	2	2
	女	9	9	10	10	冬	1	1	1	1	2	2	2	3	3	3	4	4	4	5	5	5	6	6	6	7	7	7	8	8	8	9

6月 (1일 四綠 - 23일 一白 +) **戊子 (九紫)** 절기: 大雪 (5일 08:17) 冬至 (21일 00:52)

양력		1	2	3	4	5	6	7	8	9	10	11	12	13	14	15	16	17	18	19	20	21	22	23	24	25	26	27	28	29	30	
요일		月	火	水	木	金	土	日	月	火	水	木	金	土	日	月	火	水	木	金	土	日	月	火	水	木	金	土	日	月	火	
음력	월	20	21	22	23	24	25	26	27	28	29	五	2	3	4	5	6	7	8	9	10	11	12	13	14	15	16	17	18	19	20	
일진		丙申	丁酉	庚戌	辛亥	壬子	癸丑	戊寅	己卯	甲辰	乙巳	丙午	丁未	庚申	辛酉	壬戌	癸亥	戊子	己丑	甲寅	乙卯	丙辰	丁巳	庚午	辛未	壬申	癸酉	戊戌	己亥	甲子	乙丑	
대운	男	1	1	1	1	大	10	10	9	9	9	8	8	8	7	7	7	6	6	6	5	5	5	4	4	4	3	3	3	2	2	
	女	9	9	10	10	雪	1	1	1	1	2	2	2	3	3	3	4	4	4	5	5	5	6	6	6	7	7	7	8	8	8	

7月 (1일 九紫 +) **己丑 (一白)** 절기: 小寒(6일 18:25) 大寒(22일 11:45)

양력		1	2	3	4	5	6	7	8	9	10	11	12	13	14	15	16	17	18	19	20	21	22	23	24	25	26	27	28	29	30	31
요일		水	木	金	土	日	月	火	水	木	金	土	日	月	火	水	木	金	土	日	月	火	水	木	金	土	日	月	火	水	木	金
음력	월	21	22	23	24	25	26	27	28	29	30	六	2	3	4	5	6	7	8	9	10	11	12	13	14	15	16	17	18	19	20	21
일진		丙寅	丁卯	庚辰	辛巳	壬午	癸未	戊申	己酉	甲戌	乙亥	丙子	丁丑	庚寅	辛卯	壬辰	癸巳	戊午	己未	甲申	乙酉	丙戌	丁亥	庚子	辛丑	壬寅	癸卯	戊辰	己巳	甲午	乙未	丙申
대운	男	2	1	1	1	1	小	10	10	10	9	9	9	8	8	8	7	7	7	6	6	6	5	5	5	4	4	4	3	3	3	2
	女	9	9	9	10	10	寒	1	1	1	1	2	2	2	3	3	3	4	4	4	5	5	5	6	6	6	7	7	7	8	8	8

8月 (1일 四綠 +) **甲寅 (二黑)** 절기: 立春(7일 04:17) 雨水(22일 19:01)

양력		1	2	3	4	5	6	7	8	9	10	11	12	13	14	15	16	17	18	19	20	21	22	23	24	25	26	27	28	29	30	31
요일		土	日	月	火	水	木	金	土	日	月	火	水	木	金	土	日	月	火	水	木	金	土	日	月	火	水	木	金	土	日	月
음력	월	22	23	24	25	26	27	28	29	30	七	2	3	4	5	6	7	8	9	10	11	12	13	14	15	16	17	18	19	20	21	22
일진		丁酉	庚戌	辛亥	壬子	癸丑	戊寅	己卯	甲辰	乙巳	丙午	丁未	庚申	辛酉	壬戌	癸亥	戊子	己丑	甲寅	乙卯	丙辰	丁巳	庚午	辛未	壬申	癸酉	戊戌	己亥	甲子	乙丑	丙寅	丁卯
대운	男	2	2	1	1	1	1	立	10	10	9	9	9	8	8	8	7	7	7	6	6	6	5	5	5	4	4	4	3	3	3	2
	女	9	9	9	10	10	10	春	1	1	1	1	2	2	2	3	3	3	4	4	4	5	5	5	6	6	6	7	7	7	8	8

9月 (1일 八白 +) **乙卯 (三碧)** 절기: 驚蟄(7일 07:26) 春分 (22일 16:59)

양력		1	2	3	4	5	6	7	8	9	10	11	12	13	14	15	16	17	18	19	20	21	22	23	24	25	26	27	28	29	30	
요일		火	水	木	金	土	日	月	火	水	木	金	土	日	月	火	水	木	金	土	日	月	火	水	木	金	土	日	月	火	水	
음력	월	23	24	25	26	27	28	29	八	2	3	4	5	6	7	8	9	10	11	12	13	14	15	16	17	18	19	20	21	22	23	
일진		庚辰	辛巳	壬午	癸未	戊申	己酉	甲戌	乙亥	丙子	丁丑	庚寅	辛卯	壬辰	癸巳	戊午	己未	甲申	乙酉	丙戌	丁亥	庚子	辛丑	壬寅	癸卯	戊辰	己巳	甲午	乙未	丙申	丁酉	
대운	男	2	2	1	1	1	1	驚	10	9	9	9	8	8	8	7	7	7	6	6	6	5	5	5	4	4	4	3	3	3	2	
	女	8	9	9	9	10	10	蟄	1	1	1	1	2	2	2	3	3	3	4	4	4	5	5	5	6	6	6	7	7	7	8	

10月 (1일 二黑 +) **丙辰 (四綠)** 절기: 清明(7일 23:25) 穀雨(23일 02:41)

양력		1	2	3	4	5	6	7	8	9	10	11	12	13	14	15	16	17	18	19	20	21	22	23	24	25	26	27	28	29	30	31
요일		木	金	土	日	月	火	水	木	金	土	日	月	火	水	木	金	土	日	月	火	水	木	金	土	日	月	火	水	木	金	土
음력	월	24	25	26	27	28	29	30	九	2	3	4	5	6	7	8	9	10	11	12	13	14	15	16	17	18	19	20	21	22	23	24
일진		庚戌	辛亥	壬子	癸丑	戊寅	己卯	甲辰	乙巳	丙午	丁未	庚申	辛酉	壬戌	癸亥	戊子	己丑	甲寅	乙卯	丙辰	丁巳	庚午	辛未	壬申	癸酉	戊戌	己亥	甲子	乙丑	丙寅	丁卯	庚辰
대운	男	2	2	1	1	1	1	清	10	10	9	9	9	8	8	8	7	7	7	6	6	6	5	5	5	4	4	4	3	3	3	2
	女	8	8	9	9	9	10	明	1	1	1	1	2	2	2	3	3	3	4	4	4	5	5	5	6	6	6	7	7	7	8	8

11月 (1일 六白 +) **丁巳 (五黃)** 절기: 立夏(7일 02:55) 小滿 (22일 00:32)

양력		1	2	3	4	5	6	7	8	9	10	11	12	13	14	15	16	17	18	19	20	21	22	23	24	25	26	27	28	29	30	
요일		日	月	火	水	木	金	土	日	月	火	水	木	金	土	日	月	火	水	木	金	土	日	月	火	水	木	金	土	日	月	
음력	월	25	26	27	28	29	十	2	3	4	5	6	7	8	9	10	11	12	13	14	15	16	17	18	19	20	21	22	23	24	25	
일진		辛巳	壬午	癸未	戊申	己酉	甲戌	乙亥	丙子	丁丑	庚寅	辛卯	壬辰	癸巳	戊午	己未	甲申	乙酉	丙戌	丁亥	庚子	辛丑	壬寅	癸卯	戊辰	己巳	甲午	乙未	丙申	丁酉	庚戌	
대운	男	2	2	1	1	1	1	立	9	9	9	8	8	8	7	7	7	6	6	6	5	5	5	4	4	4	3	3	3	2	2	
	女	8	9	9	9	10	10	夏	1	1	1	1	2	2	2	3	3	3	4	4	4	5	5	5	6	6	6	7	7	7	8	

12月 (1일 九紫 + 20일 九紫 -) **庚午 (六白)** 절기: 芒種(6일 19:59) 夏至(21일 14:01)

양력		1	2	3	4	5	6	7	8	9	10	11	12	13	14	15	16	17	18	19	20	21	22	23	24	25	26	27	28	29	30	31
요일		火	水	木	金	土	日	月	火	水	木	金	土	日	月	火	水	木	金	土	日	月	火	水	木	金	土	日	月	火	水	木
음력	월	26	27	28	29	30	十一	2	3	4	5	6	7	8	9	10	11	12	13	14	15	16	17	18	19	20	21	22	23	24	25	26
일진		辛亥	壬子	癸丑	戊寅	己卯	甲辰	乙巳	丙午	丁未	庚申	辛酉	壬戌	癸亥	戊子	己丑	甲寅	乙卯	丙辰	丁巳	庚午	辛未	壬申	癸酉	戊戌	己亥	甲子	乙丑	丙寅	丁卯	庚辰	辛巳
대운	男	2	1	1	1	1	芒	10	9	9	9	8	8	8	7	7	7	6	6	6	5	5	5	4	4	4	3	3	3	2	2	2
	女	8	8	9	9	9	種	1	1	1	1	2	2	2	3	3	3	4	4	4	5	5	5	6	6	6	7	7	7	8	8	8

서기2049년

己亥年 (五黃土星)

1月 (1일 六白 -) **辛未 (七赤)** 절기: 小暑 (5일 07:17) 大暑 (20일 00:40)

양력		1	2	3	4	5	6	7	8	9	10	11	12	13	14	15	16	17	18	19	20	21	22	23	24	25	26	27	28	29	30	31
요일		金	土	日	月	火	水	木	金	土	日	月	火	水	木	金	土	日	月	火	水	木	金	土	日	月	火	水	木	金	土	日
음력	월	27	28	29	十二	2	3	4	5	6	7	8	9	10	11	12	13	14	15	16	17	18	19	20	21	22	23	24	25	26	27	28
일진		壬午	癸未	戊申	己酉	甲戌	乙亥	丙子	丁丑	庚寅	辛卯	壬辰	癸巳	戊午	己未	甲申	乙酉	丙戌	丁亥	庚子	辛丑	壬寅	癸卯	戊辰	己巳	甲午	乙未	丙申	丁酉	庚戌	辛亥	壬子
대운	男	1	1	1	1	小	9	9	9	8	8	8	7	7	7	6	6	6	5	5	5	4	4	4	3	3	3	2	2	2	1	1
	女	9	9	9	10	暑	1	1	1	1	2	2	2	3	3	3	4	4	4	5	5	5	6	6	6	7	7	7	8	8	8	9

2月 (1일 二黑 -) **壬申 (八白)** 절기: 立秋 (3일 18:52) 處暑 (18일 14:41)

양력		1	2	3	4	5	6	7	8	9	10	11	12	13	14	15	16	17	18	19	20	21	22	23	24	25	26	27	28			
요일		月	火	水	木	金	土	日	月	火	水	木	金	土	日	月	火	水	木	金	土	日	月	火	水	木	金	土	日			
음력	월	29	一	2	3	4	5	6	7	8	9	10	11	12	13	14	15	16	17	18	19	20	21	22	23	24	25	26	27			
일진		癸丑	戊寅	己卯	甲辰	乙巳	丙午	丁未	庚申	辛酉	壬戌	癸亥	戊子	己丑	甲寅	乙卯	丙辰	丁巳	庚午	辛未	壬申	癸酉	戊戌	己亥	甲子	乙丑	丙寅	丁卯	庚辰			
대운	男	1	1	立	1	1	1	1	2	2	2	3	3	3	4	4	4	5	5	5	6	6	6	7	7	7	8	8	8			
	女	9	9	秋	10	9	9	9	8	8	8	7	7	7	6	6	6	5	5	5	4	4	4	3	3	3	2	2	2			

3月 (1일 一白 -) **癸酉 (九紫)** 절기: 白露 (5일 12:41) 秋分 (20일 13:27)

양력		1	2	3	4	5	6	7	8	9	10	11	12	13	14	15	16	17	18	19	20	21	22	23	24	25	26	27	28	29	30	31
요일		月	火	水	木	金	土	日	月	火	水	木	金	土	日	月	火	水	木	金	土	日	月	火	水	木	金	土	日	月	火	水
음력	월	28	29	30	二	2	3	4	5	6	7	8	9	10	11	12	13	14	15	16	17	18	19	20	21	22	23	24	25	26	27	28
일진		辛巳	壬午	癸未	戊申	己酉	甲戌	乙亥	丙子	丁丑	庚寅	辛卯	壬辰	癸巳	戊午	己未	甲申	乙酉	丙戌	丁亥	庚子	辛丑	壬寅	癸卯	戊辰	己巳	甲午	乙未	丙申	丁酉	庚戌	辛亥
대운	男	9	9	9	10	白	1	1	1	1	2	2	2	3	3	3	4	4	4	5	5	5	6	6	6	7	7	7	8	8	8	9
	女	1	1	1	1	露	10	9	9	9	8	8	8	7	7	7	6	6	6	5	5	5	4	4	4	3	3	3	2	2	2	1

4月 (1일 六白 -) **戊戌 (一白)** 절기: 寒露 (4일 17:13) 霜降 (20일 00:12)

양력		1	2	3	4	5	6	7	8	9	10	11	12	13	14	15	16	17	18	19	20	21	22	23	24	25	26	27	28	29	30	
요일		木	金	土	日	月	火	水	木	金	土	日	月	火	水	木	金	土	日	月	火	水	木	金	土	日	月	火	水	木	金	
음력	월	29	三	2	3	4	5	6	7	8	9	10	11	12	13	14	15	16	17	18	19	20	21	22	23	24	25	26	27	28	29	
일진		壬子	癸丑	戊寅	己卯	甲辰	乙巳	丙午	丁未	庚申	辛酉	壬戌	癸亥	戊子	己丑	甲寅	乙卯	丙辰	丁巳	庚午	辛未	壬申	癸酉	戊戌	己亥	甲子	乙丑	丙寅	丁卯	庚辰	辛巳	
대운	男	9	9	10	寒	1	1	1	1	2	2	2	3	3	3	4	4	4	5	5	5	6	6	6	7	7	7	8	8	8	9	
	女	1	1	1	露	10	10	9	9	9	8	8	8	7	7	7	6	6	6	5	5	5	4	4	4	3	3	3	2	2	2	

5月 (1일 三碧 -) **己亥 (二黑)** 절기: 立冬 (5일 10:11) 小雪 (20일 23:02)

양력		1	2	3	4	5	6	7	8	9	10	11	12	13	14	15	16	17	18	19	20	21	22	23	24	25	26	27	28	29	30	31
요일		土	日	月	火	水	木	金	土	日	月	火	水	木	金	土	日	月	火	水	木	金	土	日	月	火	水	木	金	土	日	月
음력	월	30	四	2	3	4	5	6	7	8	9	10	11	12	13	14	15	16	17	18	19	20	21	22	23	24	25	26	27	28	29	五
일진		壬午	癸未	戊申	己酉	甲戌	乙亥	丙子	丁丑	庚寅	辛卯	壬辰	癸巳	戊午	己未	甲申	乙酉	丙戌	丁亥	庚子	辛丑	壬寅	癸卯	戊辰	己巳	甲午	乙未	丙申	丁酉	庚戌	辛亥	壬子
대운	男	9	9	10	10	立	1	1	1	1	2	2	2	3	3	3	4	4	4	5	5	5	6	6	6	7	7	7	8	8	8	9
	女	1	1	1	1	冬	10	10	9	9	9	8	8	8	7	7	7	6	6	6	5	5	5	4	4	4	3	3	3	2	2	2

6月 (1일 八白 - 18일 一白 +) **甲子 (三碧)** 절기: 大雪 (5일 14:02) 冬至 (21일 06:46)

양력		1	2	3	4	5	6	7	8	9	10	11	12	13	14	15	16	17	18	19	20	21	22	23	24	25	26	27	28	29	30	
요일		火	水	木	金	土	日	月	火	水	木	金	土	日	月	火	水	木	金	土	日	月	火	水	木	金	土	日	月	火	水	
음력	월	2	3	4	5	6	7	8	9	10	11	12	13	14	15	16	17	18	19	20	21	22	23	24	25	26	27	28	29	30	六	
일진		癸丑	戊寅	己卯	甲辰	乙巳	丙午	丁未	庚申	辛酉	壬戌	癸亥	戊子	己丑	甲寅	乙卯	丙辰	丁巳	庚午	辛未	壬申	癸酉	戊戌	己亥	甲子	乙丑	丙寅	丁卯	庚辰	辛巳	壬午	
대운	男	9	9	9	10	大	1	1	1	1	2	2	2	3	3	3	4	4	4	5	5	5	6	6	6	7	7	7	8	8	8	
	女	1	1	1	1	雪	10	10	10	9	9	9	8	8	8	7	7	7	6	6	6	5	5	5	4	4	4	3	3	3	2	

7月 (1일 五黃 +) **乙丑 (四綠)** 절기: 小寒(7일 00:07) 大寒(22일 17:35)

양력		1	2	3	4	5	6	7	8	9	10	11	12	13	14	15	16	17	18	19	20	21	22	23	24	25	26	27	28	29	30	31
요일		木	金	土	日	月	火	水	木	金	土	日	月	火	水	木	金	土	日	月	火	水	木	金	土	日	月	火	水	木	金	土
음력	월	2	3	4	5	6	7	8	9	10	11	12	13	14	15	16	17	18	19	20	21	22	23	24	25	26	27	28	29	30	七	2
일진		癸未	戊申	己酉	甲戌	乙亥	丙子	丁丑	庚寅	辛卯	壬辰	癸巳	戊午	己未	甲申	乙酉	丙戌	丁亥	庚子	辛丑	壬寅	癸卯	戊辰	己巳	甲午	乙未	丙申	丁酉	庚戌	辛亥	壬子	癸丑
대운	男	9	9	9	10	10	10	小	1	1	1	1	2	2	2	3	3	3	4	4	4	5	5	5	6	6	6	7	7	7	8	8
	女	2	2	1	1	1	1	寒	10	10	9	9	9	8	8	8	7	7	7	6	6	6	5	5	5	4	4	4	3	3	3	2

8月 (1일 九紫 +) **丙寅 (五黃)** 절기: 立春(7일 09:56) 雨水(23일 00:46)

양력		1	2	3	4	5	6	7	8	9	10	11	12	13	14	15	16	17	18	19	20	21	22	23	24	25	26	27	28	29	30	31
요일		日	月	火	水	木	金	土	日	月	火	水	木	金	土	日	月	火	水	木	金	土	日	月	火	水	木	金	土	日	月	火
음력	월	3	4	5	6	7	8	9	10	11	12	13	14	15	16	17	18	19	20	21	22	23	24	25	26	27	28	29	八	2	3	4
일진		戊寅	己卯	甲辰	乙巳	丙午	丁未	庚申	辛酉	壬戌	癸亥	戊子	己丑	甲寅	乙卯	丙辰	丁巳	庚午	辛未	壬申	癸酉	戊戌	己亥	甲子	乙丑	丙寅	丁卯	庚辰	辛巳	壬午	癸未	戊申
대운	男	8	9	9	9	10	10	立	1	1	1	1	2	2	2	3	3	3	4	4	4	5	5	5	6	6	6	7	7	7	8	8
	女	2	2	1	1	1	1	春	10	10	9	9	9	8	8	8	7	7	7	6	6	6	5	5	5	4	4	4	3	3	3	2

9月 (1일 四綠 +) **丁卯 (六白)** 절기: 驚蟄(7일 13:04) 春分 (22일 22:41)

양력		1	2	3	4	5	6	7	8	9	10	11	12	13	14	15	16	17	18	19	20	21	22	23	24	25	26	27	28	29	30	
요일		水	木	金	土	日	月	火	水	木	金	土	日	月	火	水	木	金	土	日	月	火	水	木	金	土	日	月	火	水	木	
음력	월	5	6	7	8	9	10	11	12	13	14	15	16	17	18	19	20	21	22	23	24	25	26	27	28	29	30	九	2	3	4	
일진		己酉	甲戌	乙亥	丙子	丁丑	庚寅	辛卯	壬辰	癸巳	戊午	己未	甲申	乙酉	丙戌	丁亥	庚子	辛丑	壬寅	癸卯	戊辰	己巳	甲午	乙未	丙申	丁酉	庚戌	辛亥	壬子	癸丑	戊寅	
대운	男	8	9	9	9	10	10	驚	1	1	1	1	2	2	2	3	3	3	4	4	4	5	5	5	6	6	6	7	7	7	8	
	女	2	2	1	1	1	1	蟄	10	10	9	9	9	8	8	8	7	7	7	6	6	6	5	5	5	4	4	4	3	3	3	

10月 (1일 七赤 +) **庚辰 (七赤)** 절기: 淸明(8일 05:03) 穀雨(23일 08:24)

양력		1	2	3	4	5	6	7	8	9	10	11	12	13	14	15	16	17	18	19	20	21	22	23	24	25	26	27	28	29	30	31
요일		金	土	日	月	火	水	木	金	土	日	月	火	水	木	金	土	日	月	火	水	木	金	土	日	月	火	水	木	金	土	日
음력	월	5	6	7	8	9	10	11	12	13	14	15	16	17	18	19	20	21	22	23	24	25	26	27	28	29	30	十	2	3	4	5
일진		己卯	甲辰	乙巳	丙午	丁未	庚申	辛酉	壬戌	癸亥	戊子	己丑	甲寅	乙卯	丙辰	丁巳	庚午	辛未	壬申	癸酉	戊戌	己亥	甲子	乙丑	丙寅	丁卯	庚辰	辛巳	壬午	癸未	戊申	己酉
대운	男	8	8	9	9	9	10	10	淸	1	1	1	1	2	2	2	3	3	3	4	4	4	5	5	5	6	6	6	7	7	7	8
	女	2	2	2	1	1	1	1	明	10	9	9	9	8	8	8	7	7	7	6	6	6	5	5	5	4	4	4	3	3	3	2

11月 (1일 二黑 +) **辛巳 (八白)** 절기: 立夏(7일 08:37) 小滿 (22일 06:18)

양력		1	2	3	4	5	6	7	8	9	10	11	12	13	14	15	16	17	18	19	20	21	22	23	24	25	26	27	28	29	30	
요일		月	火	水	木	金	土	日	月	火	水	木	金	土	日	月	火	水	木	金	土	日	月	火	水	木	金	土	日	月	火	
음력	월	6	7	8	9	10	11	12	13	14	15	16	17	18	19	20	21	22	23	24	25	26	27	28	29	十一	2	3	4	5	6	
일진		甲戌	乙亥	丙子	丁丑	庚寅	辛卯	壬辰	癸巳	戊午	己未	甲申	乙酉	丙戌	丁亥	庚子	辛丑	壬寅	癸卯	戊辰	己巳	甲午	乙未	丙申	丁酉	庚戌	辛亥	壬子	癸丑	戊寅	己卯	
대운	男	8	8	9	9	9	10	立	1	1	1	1	2	2	2	3	3	3	4	4	4	5	5	5	6	6	6	7	7	7	8	
	女	2	2	1	1	1	1	夏	10	9	9	9	8	8	8	7	7	7	6	6	6	5	5	5	4	4	4	3	3	3	2	

12月 (1일 五黃 + 15일 九紫 -) **壬午 (九紫)** 절기: 芒種(7일 01:45) 夏至(21일 19:51)

양력		1	2	3	4	5	6	7	8	9	10	11	12	13	14	15	16	17	18	19	20	21	22	23	24	25	26	27	28	29	30	31
요일		水	木	金	土	日	月	火	水	木	金	土	日	月	火	水	木	金	土	日	月	火	水	木	金	土	日	月	火	水	木	金
음력	월	7	8	9	10	11	12	13	14	15	16	17	18	19	20	21	22	23	24	25	26	27	28	29	30	十二	2	3	4	5	6	7
일진		甲辰	乙巳	丙午	丁未	庚申	辛酉	壬戌	癸亥	戊子	己丑	甲寅	乙卯	丙辰	丁巳	庚午	辛未	壬申	癸酉	戊戌	己亥	甲子	乙丑	丙寅	丁卯	庚辰	辛巳	壬午	癸未	戊申	己酉	甲戌
대운	男	8	8	9	9	9	10	芒	1	1	1	1	2	2	2	3	3	3	4	4	4	5	5	5	6	6	6	7	7	7	8	8
	女	2	2	1	1	1	1	種	9	9	9	8	8	8	7	7	7	6	6	6	5	5	5	4	4	4	3	3	3	2	2	2

서기2050년

甲子年 (六白金星) 閏三月

1月 (1일 一白 -) **癸未 (一白)** 절기: 小暑 (5일 13:06) 大暑 (20일 06:32)

양력		1	2	3	4	5	6	7	8	9	10	11	12	13	14	15	16	17	18	19	20	21	22	23	24	25	26	27	28	29	30	31
요일		土	日	月	火	水	木	金	土	日	月	火	水	木	金	土	日	月	火	水	木	金	土	日	月	火	水	木	金	土	日	月
음력	월	8	9	10	11	12	13	14	15	16	17	18	19	20	21	22	23	24	25	26	27	28	29	一	2	3	4	5	6	7	8	9
일진		乙亥	丙子	丁丑	庚寅	辛卯	壬辰	癸巳	戊午	己未	甲申	乙酉	丙戌	丁亥	庚子	辛丑	壬寅	癸卯	戊辰	己巳	甲午	乙未	丙申	丁酉	庚戌	辛亥	壬子	癸丑	戊寅	己卯	甲辰	乙巳
대운	男	8	9	9	9	小	1	1	1	1	2	2	2	3	3	3	4	4	4	5	5	5	6	6	6	7	7	7	8	8	8	9
	女	1	1	1	1	暑	10	9	9	9	8	8	8	7	7	7	6	6	6	5	5	5	4	4	4	3	3	3	2	2	2	1

2月 (1일 六白 -) **戊申 (二黑)** 절기: 立秋 (4일 00:42) 處暑 (18일 20:34)

양력		1	2	3	4	5	6	7	8	9	10	11	12	13	14	15	16	17	18	19	20	21	22	23	24	25	26	27	28			
요일		火	水	木	金	土	日	月	火	水	木	金	土	日	月	火	水	木	金	土	日	月	火	水	木	金	土	日	月			
음력	월	10	11	12	13	14	15	16	17	18	19	20	21	22	23	24	25	26	27	28	29	30	二	2	3	4	5	6	7			
일진		丙午	丁未	庚申	辛酉	壬戌	癸亥	戊子	己丑	甲寅	乙卯	丙辰	丁巳	庚午	辛未	壬申	癸酉	戊戌	己亥	甲子	乙丑	丙寅	丁卯	庚辰	辛巳	壬午	癸未	戊申	己酉			
대운	男	9	9	10	立	9	9	9	8	8	8	7	7	7	6	6	6	5	5	5	4	4	4	3	3	3	2	2	2			
	女	1	1	1	秋	1	1	1	1	2	2	2	3	3	3	4	4	4	5	5	5	6	6	6	7	7	7	8	8			

3月 (1일 五黃 -) **己酉 (三碧)** 절기: 白露 (5일 18:31) 秋分 (20일 19:18)

양력		1	2	3	4	5	6	7	8	9	10	11	12	13	14	15	16	17	18	19	20	21	22	23	24	25	26	27	28	29	30	31
요일		火	水	木	金	土	日	月	火	水	木	金	土	日	月	火	水	木	金	土	日	月	火	水	木	金	土	日	月	火	水	木
음력	월	8	9	10	11	12	13	14	15	16	17	18	19	20	21	22	23	24	25	26	27	28	29	三	2	3	4	5	6	7	8	9
일진		甲戌	乙亥	丙子	丁丑	庚寅	辛卯	壬辰	癸巳	戊午	己未	甲申	乙酉	丙戌	丁亥	庚子	辛丑	壬寅	癸卯	戊辰	己巳	甲午	乙未	丙申	丁酉	庚戌	辛亥	壬子	癸丑	戊寅	己卯	甲辰
대운	男	1	1	1	1	白	10	9	9	9	8	8	8	7	7	7	6	6	6	5	5	5	4	4	4	3	3	3	2	2	2	1
	女	8	9	9	9	露	1	1	1	1	2	2	2	3	3	3	4	4	4	5	5	5	6	6	6	7	7	7	8	8	8	9

4月 (1일 一白 -) **甲戌 (四綠)** 절기: 寒露 (4일 23:02) 霜降 (20일 06:01)

양력		1	2	3	4	5	6	7	8	9	10	11	12	13	14	15	16	17	18	19	20	21	22	23	24	25	26	27	28	29	30	
요일		金	土	日	月	火	水	木	金	土	日	月	火	水	木	金	土	日	月	火	水	木	金	土	日	月	火	水	木	金	土	
음력	월	10	11	12	13	14	15	16	17	18	19	20	21	22	23	24	25	26	27	28	29	閏三		3	4	5	6	7	8	9	10	
일진		乙巳	丙午	丁未	庚申	辛酉	壬戌	癸亥	戊子	己丑	甲寅	乙卯	丙辰	丁巳	庚午	辛未	壬申	癸酉	戊戌	己亥	甲子	乙丑	丙寅	丁卯	庚辰	辛巳	壬午	癸未	戊申	己酉	甲戌	
대운	男	1	1	1	寒	10	10	9	9	9	8	8	8	7	7	7	6	6	6	5	5	5	4	4	4	3	3	3	2	2	2	
	女	9	9	10	露	1	1	1	1	2	2	2	3	3	3	4	4	4	5	5	5	6	6	6	7	7	7	8	8	8	9	

5月 (1일 七赤 -) **乙亥 (五黃)** 절기: 立冬 (5일 16:00) 小雪 (21일 04:49)

양력		1	2	3	4	5	6	7	8	9	10	11	12	13	14	15	16	17	18	19	20	21	22	23	24	25	26	27	28	29	30	31
요일		日	月	火	水	木	金	土	日	月	火	水	木	金	土	日	月	火	水	木	金	土	日	月	火	水	木	金	土	日	月	火
음력	월	11	12	13	14	15	16	17	18	19	20	21	22	23	24	25	26	27	28	29	30	四	2	3	4	5	6	7	8	9	10	11
일진		乙亥	丙子	丁丑	庚寅	辛卯	壬辰	癸巳	戊午	己未	甲申	乙酉	丙戌	丁亥	庚子	辛丑	壬寅	癸卯	戊辰	己巳	甲午	乙未	丙申	丁酉	庚戌	辛亥	壬子	癸丑	戊寅	己卯	甲辰	乙巳
대운	男	1	1	1	1	立	10	10	9	9	9	8	8	8	7	7	7	6	6	6	5	5	5	4	4	4	3	3	3	2	2	2
	女	9	9	10	10	冬	1	1	1	1	2	2	2	3	3	3	4	4	4	5	5	5	6	6	6	7	7	7	8	8	8	9

6月 (1일 七白 - 13일 一白 +) **丙子 (六白)** 절기: 大雪 (5일 19:53) 冬至 (21일 12:31)

양력		1	2	3	4	5	6	7	8	9	10	11	12	13	14	15	16	17	18	19	20	21	22	23	24	25	26	27	28	29	30	
요일		水	木	金	土	日	月	火	水	木	金	土	日	月	火	水	木	金	土	日	月	火	水	木	金	土	日	月	火	水	木	
음력	월	12	13	14	15	16	17	18	19	20	21	22	23	24	25	26	27	28	29	五	2	3	4	5	6	7	8	9	10	11	12	
일진		丙午	丁未	庚申	辛酉	壬戌	癸亥	戊子	己丑	甲寅	乙卯	丙辰	丁巳	庚午	辛未	壬申	癸酉	戊戌	己亥	甲子	乙丑	丙寅	丁卯	庚辰	辛巳	壬午	癸未	戊申	己酉	甲戌	乙亥	
대운	男	1	1	1	1	大	10	10	10	9	9	9	8	8	8	7	7	7	6	6	6	5	5	5	4	4	4	3	3	3	2	
	女	9	9	10	10	雪	1	1	1	1	2	2	2	3	3	3	4	4	4	5	5	5	6	6	6	7	7	7	8	8	8	

7月 (1일 一白 +) **丁丑 (七赤)** 절기: 小寒(7일 06:00) 大寒(22일 23:20)

양력		1	2	3	4	5	6	7	8	9	10	11	12	13	14	15	16	17	18	19	20	21	22	23	24	25	26	27	28	29	30	31
요일		金	土	日	月	火	水	木	金	土	日	月	火	水	木	金	土	日	月	火	水	木	金	土	日	月	火	水	木	金	土	日
음력	월	13	14	15	16	17	18	19	20	21	22	23	24	25	26	27	28	29	30	六	2	3	4	5	6	7	8	9	10	11	12	13
일진		丙子	丁丑	庚寅	辛卯	壬辰	癸巳	戊午	己未	甲申	乙酉	丙戌	丁亥	庚子	辛丑	壬寅	癸卯	戊辰	己巳	甲午	乙未	丙申	丁酉	庚戌	辛亥	壬子	癸丑	戊寅	己卯	甲辰	乙巳	丙午
대운	男	2	2	1	1	1	1	小	10	10	9	9	9	8	8	8	7	7	7	6	6	6	5	5	5	4	4	4	3	3	3	2
	女	9	9	9	10	10	10	寒	1	1	1	1	2	2	2	3	3	3	4	4	4	5	5	5	6	6	6	7	7	7	8	8

8月 (1일 五黃 +) **庚寅 (八白)** 절기: 立春(7일 15:51) 雨水(23일 06:31)

양력		1	2	3	4	5	6	7	8	9	10	11	12	13	14	15	16	17	18	19	20	21	22	23	24	25	26	27	28	29	30	31
요일		月	火	水	木	金	土	日	月	火	水	木	金	土	日	月	火	水	木	金	土	日	月	火	水	木	金	土	日	月	火	水
음력	월	14	15	16	17	18	19	20	21	22	23	24	25	26	27	28	29	七	2	3	4	5	6	7	8	9	10	11	12	13	14	15
일진		丁未	庚申	辛酉	壬戌	癸亥	戊子	己丑	甲寅	乙卯	丙辰	丁巳	庚午	辛未	壬申	癸酉	戊戌	己亥	甲子	乙丑	丙寅	丁卯	庚辰	辛巳	壬午	癸未	戊申	己酉	甲戌	乙亥	丙子	丁丑
대운	男	2	2	1	1	1	1	立	10	10	9	9	9	8	8	8	7	7	7	6	6	6	5	5	5	4	4	4	3	3	3	2
	女	8	9	9	9	10	10	春	1	1	1	1	2	2	2	3	3	3	4	4	4	5	5	5	6	6	6	7	7	7	8	8

9月 (1일 九紫 +) **辛卯 (九紫)** 절기: 驚蟄(7일 18:59) 春分 (23일 04:27)

양력		1	2	3	4	5	6	7	8	9	10	11	12	13	14	15	16	17	18	19	20	21	22	23	24	25	26	27	28	29	30	
요일		木	金	土	日	月	火	水	木	金	土	日	月	火	水	木	金	土	日	月	火	水	木	金	土	日	月	火	水	木	金	
음력	월	16	17	18	19	20	21	22	23	24	25	26	27	28	29	30	八	2	3	4	5	6	7	8	9	10	11	12	13	14	15	
일진		庚寅	辛卯	壬辰	癸巳	戊午	己未	甲申	乙酉	丙戌	丁亥	庚子	辛丑	壬寅	癸卯	戊辰	己巳	甲午	乙未	丙申	丁酉	庚戌	辛亥	壬子	癸丑	戊寅	己卯	甲辰	乙巳	丙午	丁未	
대운	男	2	2	1	1	1	1	驚	10	10	9	9	9	8	8	8	7	7	7	6	6	6	5	5	5	4	4	4	3	3	3	
	女	8	9	9	9	10	10	蟄	1	1	1	1	2	2	2	3	3	3	4	4	4	5	5	5	6	6	6	7	7	7	8	

10月 (1일 三碧 +) **壬辰 (一白)** 절기: 清明(8일 10:59) 穀雨(23일 14:10)

양력		1	2	3	4	5	6	7	8	9	10	11	12	13	14	15	16	17	18	19	20	21	22	23	24	25	26	27	28	29	30	31
요일		土	日	月	火	水	木	金	土	日	月	火	水	木	金	土	日	月	火	水	木	金	土	日	月	火	水	木	金	土	日	月
음력	월	16	17	18	19	20	21	22	23	24	25	26	27	28	29	30	九	2	3	4	5	6	7	8	9	10	11	12	13	14	15	16
일진		庚申	辛酉	壬戌	癸亥	戊子	己丑	甲寅	乙卯	丙辰	丁巳	庚午	辛未	壬申	癸酉	戊戌	己亥	甲子	乙丑	丙寅	丁卯	庚辰	辛巳	壬午	癸未	戊申	己酉	甲戌	乙亥	丙子	丁丑	庚寅
대운	男	2	2	2	1	1	1	1	清	10	9	9	9	8	8	8	7	7	7	6	6	6	5	5	5	4	4	4	3	3	3	2
	女	8	8	9	9	9	10	10	明	1	1	1	1	2	2	2	3	3	3	4	4	4	5	5	5	6	6	6	7	7	7	8

11月 (1일 七赤 +) **癸巳 (二黑)** 절기: 立夏(7일 14:32) 小滿 (22일 12:05)

양력		1	2	3	4	5	6	7	8	9	10	11	12	13	14	15	16	17	18	19	20	21	22	23	24	25	26	27	28	29	30	
요일		火	水	木	金	土	日	月	火	水	木	金	土	日	月	火	水	木	金	土	日	月	火	水	木	金	土	日	月	火	水	
음력	월	17	18	19	20	21	22	23	24	25	26	27	28	29	十	2	3	4	5	6	7	8	9	10	11	12	13	14	15	16	17	
일진		辛卯	壬辰	癸巳	戊午	己未	甲申	乙酉	丙戌	丁亥	庚子	辛丑	壬寅	癸卯	戊辰	己巳	甲午	乙未	丙申	丁酉	庚戌	辛亥	壬子	癸丑	戊寅	己卯	甲辰	乙巳	丙午	丁未	庚申	
대운	男	2	2	1	1	1	1	立	10	9	9	9	8	8	8	7	7	7	6	6	6	5	5	5	4	4	4	3	3	3	2	
	女	8	8	9	9	9	10	夏	1	1	1	1	2	2	2	3	3	3	4	4	4	5	5	5	6	6	6	7	7	7	8	

12月 (1일 一白 + 10일 九紫 -) **戊午 (三碧)** 절기: 芒種(7일 07:40) 夏至(22일 01:37)

양력		1	2	3	4	5	6	7	8	9	10	11	12	13	14	15	16	17	18	19	20	21	22	23	24	25	26	27	28	29	30	31
요일		木	金	土	日	月	火	水	木	金	土	日	月	火	水	木	金	土	日	月	火	水	木	金	土	日	月	火	水	木	金	土
음력	월	18	19	20	21	22	23	24	25	26	27	28	29	30	十一	2	3	4	5	6	7	8	9	10	11	12	13	14	15	16	17	18
일진		辛酉	壬戌	癸亥	戊子	己丑	甲寅	乙卯	丙辰	丁巳	庚午	辛未	壬申	癸酉	戊戌	己亥	甲子	乙丑	丙寅	丁卯	庚辰	辛巳	壬午	癸未	戊申	己酉	甲戌	乙亥	丙子	丁丑	庚寅	辛卯
대운	男	2	2	1	1	1	1	芒	10	9	9	9	8	8	8	7	7	7	6	6	6	5	5	5	4	4	4	3	3	3	2	2
	女	8	8	9	9	9	10	種	1	1	1	1	2	2	2	3	3	3	4	4	4	5	5	5	6	6	6	7	7	7	8	8

부 록

戊·己土에 대한 小考

4行이라 할 수 있는 4계절(木·火·金·水)의 진행순서는 북반구와 남반구가 반대의 출발점에서 순행된다. 즉, 북반구가 봄이면 남반구는 가을이며, 여름이면 겨울인 것처럼 북반구의 계절이 봄부터 시작하여 여름, 가을, 겨울로 순행될 때 남반구는 가을부터 겨울, 봄, 여름의 순으로 순행된다. 그런데 5行(木·火·土·金·水)의 진행순서는 土의 위치로 인해 북반구와 남반구가 사뭇 달라지 게 된다.

土는 陽의 영역인 木·火와 陰의 영역인 金·水 사이에서 조절자 역할을 함으로서 陽과 陰이 극한으로 치닫는 것을 저지해 주는 역할을 한다. 즉, 북반구에서는 火(丙·丁)가 우주공간으로 한없이 발산되는 것을 억제해서 水로 수렴 될 수 있는 바탕을 마련해주며(土; 하늘), 남반구에서는 水(壬·癸)가 끝없이 응축되는 것을 저지하여 火로 발산될 수 있는 기반을 마련해주는 역할을 하는 것이다(土; 땅). 따라서 북반구에서 土가 陽의 영역 끝자락에 위치한다면 남반구에서는 반대로 陰의 영역 끝자락에 자리해야 타당하다.

따라서 五行과 10천간의 진행 순서가 북반구에서는 木→火→土→金→水와 甲→乙→丙→丁→戊→己→庚→辛→壬→癸의 순서로, 남반구에서는 金→水→土→木→火와 庚→辛→壬→癸→戊→己→甲→乙→丙→丁의 순서로 순행되게 된다. 이로써 天干과 地支의 相生相剋, 六親관계가 달라지며, 天干의 合 그리고 戊·己土의 12運星 또한 달라지 게 되어 다음과 같은 결과를 가져오게 된다.

첫째, 天干과 地支의 相生·相剋관계에 있어서 북반구에서는 木生火, 火生土, 土生金, 金生水, 水生木으로 相生되며, 木剋土, 土剋水, 水剋火, 火剋金, 金剋木으로 相剋되는데 반하여 남반구에서는 木生火, 火生金, 金生水, 水生土, 土生木으로 相生되고, 木剋金, 火剋水, 金剋土, 水剋木, 土剋火으로 相剋 된다. 따라서 六親관계에 있어서도 위 相生·相剋의 원리에 의해 북반구와 남반구가 달라지 게 된다.

둘째, 天干合의 경우 북반구에서는 甲己合 土, 乙庚合 金, 丙辛合 水, 丁壬合 木, 戊癸合 火인데 반하여 남반구에서는 庚己合 土, 辛甲合 木, 壬乙合 火, 癸丙合 金,

戊丁合 水로 된다.

셋째, 戊·己土의 12運星이 북반구와 남반구가 다르다. 북반구에서는 戊·己土가 陽의 영역에 속하여 丙·丁火와 함께 통용되는데 반하여 남반구에서는 戊·己土가 陰의 영역에 속하여 壬·癸水와 같이 통용되기 때문이다. 따라서 북반구에서는 戊土가 丙火와 같이 寅에서 長生하여 酉에서 死하며, 己土가 酉에서 長生하여 寅에서 死하는 반면, 남반구에서는 戊土가 壬水와 같이 申에서 長生하여 卯에서 死하고, 己土가 卯에서 長生하여 申에서 死한다.

넷째, 天干과 地支의 沖 그리고 地支의 合은 북반구와 남반구가 서로 같다. 그것은 天干의 경우 土에는 沖이 존재하지 않기 때문이며, 地支의 경우 土의 위치가 북반구와 남반구가 서로 같기 때문이다.

天開於子 地闢於丑 人生於寅(皇極經世書 中)이라 했다. 즉, 하늘은 子에서 열리고, 땅은 丑에서 열리며, 사람은 寅에서 태어난다. 여기서 子·丑·寅은 時와 氣를 의미하는 것으로서 12地支 중 水와 木 사이에 위치하는 丑土에서 땅이 열린다 했다. 그런데 10天干의 경우 土(戊·己)의 위치가 남반구에서는 水와 木 사이에 위치하지만, 북반구에서는 火와 金 사이에 존재한다. 결국, 북반구의 戊·己土는 12地支 중 未와 통하고 남반구의 戊·己土는 丑과 통하여, 未는 火의 끝인 하늘의 土를 의미하게 되고, 丑은 水의 끝인 땅의 土를 의미하게 된다. 그렇다면 이를 어떻게 해석할 것인가.

土는 만물을 생장수장(生長收藏) 시킨다고 했다. 즉, 土는 만물을 생장도 시키지만 수장도 시킨다는 것이다. 그렇다면 지구의 모든 생명체(木)를 生長시킨다는 의미로서의 土는 丑土로서 天干으로는 남반구의 戊·己土에 해당하고, 모든 생명체를 收藏시킨다는 의미로서의 土는 未土로서 天干으로는 북반구의 戊·己土에 해당한다 할 수 있겠다. 그러면 남반구의 戊·己土는 항상 生氣만을 불어넣는 土이고, 북반구의 戊·己土는 死氣만을 불어넣는 土라 해야 할 것인가? 그래서 남반구의 땅은 이승의 땅이고 북반구의 땅은 저승의 땅이라는 말인가?

물론 그렇지 않다. 天干의 戊·己土는 이 우주 속에서 항상 하늘과 땅, 그리고 천체의 축으로 존재하면서 마치 호흡의 들숨과 날숨을 연결해주는 다리와 같은 역할을 한다. 다시 말하면 天干의 戊 · 己土는 항상 生과 死의 극단에 서서 生生不息의 임무를 수행하는 조절자 역할을 한다는 것이다. 뿐만 아니라 戊 · 己土는 나머지 天干 木 · 火 · 金 · 水와 함께 지상에서 펼쳐지는 12地支의 순환에 맞추어 한 치의 오차도 없이, 한 시도 쉬지 않고 그때그때 필요한 5行의 기운들을 뿌려주는 우주의 주재자(主宰者)이기도 하다. 따라서 土가 生氣를 불어넣든 死氣를 불어넣든, 이 모든 것은 만물을 살리고 또 살려서 영원히 죽지 않게 하려는 주재자의 大役事인 것이다. 生의 측면에서 보면 死가 死이고, 死의 측면에서 보면 生이 死이다. 그러므로 生과 死는 삶과 죽음이 아니라 삶과 또 다른 형태의 삶이라 해석해야 할 것이다.

물론, 북반구와 남반구의 戊 · 己土도 순환하면서 그 역할을 달리할 것이라는 확신은 든다. 우주가 횡으로만 회전한다고 볼 수는 없을 것이기 때문이다. 아직은 이론적 탐구에 불과하지만, 4차원과 5차원의 시각에서 보면, 4차원세계에 펼쳐진 모든 은하계를 거느리고 있는 북극성 자체도 4차원과 5차원 사이의 어떤 축을 중심으로 공전을 한다고 볼 수 있는데, 이때 자신이 거느리고 있는 모든 은하계들과 함께 황도와 수직방향, 즉 북극성의 자오선과 수평방향으로 공전한다는 것이다. 이렇게 되면 북극성 양극(兩極)의 음양이 순환하며 바뀌게 되고, 이에 따라 지구 남극점과 북극점의 음양이 바뀌면서 남반구와 북반구의 戊 · 己土의 성격 또한 바뀌게 된다. 즉, 水 · 木과 火 · 金사이의 戊 · 己土 위치가 바뀌면서 생장과 수장이라는 戊 · 己土의 역할 또한 바뀌게 된다는 것이다.

어떻든 모든 생명체는 生(生長)이 있으면 死(收藏)가 있고, 死가 있어야 生이 있을 수 있는 것인데, 사실은 生도 死도 존재의 양식만 다를 뿐 큰 틀로 보면 모두가 生의 한 노정(路程)에 있는 것이다. 봄 속에서 가을이 자라고 가을 속에서 봄이 자라듯, 여름 속에서는 겨울이 자라고 겨울 속에서는 여름이 자라는 것이다. 봄이 왔다고 가을이 죽고, 여름이 왔다고 겨울이 죽은 것은 아니라는 것이다.

~ 著者 ~

표1. 오행 상생 · 상극도(五行 相生 · 相剋圖) _남반구

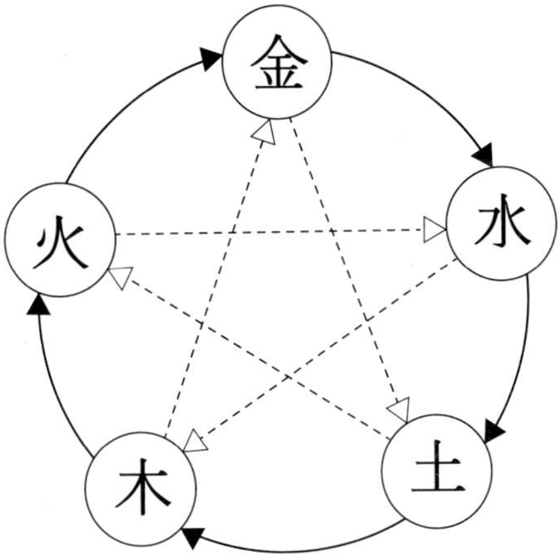

- 금생수(金生水)
- 수생토(水生土)
- 토생목(土生木)
- 목생화(木生火)
- 화생금(火生金)

- 금극토(金剋土)
- 토극화(土剋火)
- 화극수(火剋水)
- 수극목(水剋木)
- 목극금(木剋金)

표1-1. 오행 상생 · 상극도(五行 相生 · 相剋圖) _북반구

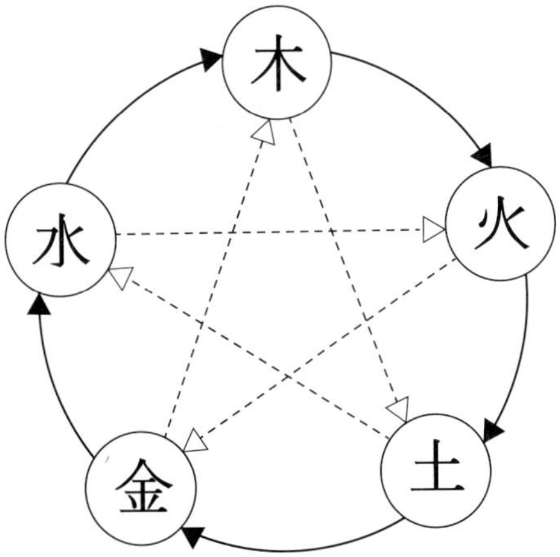

- 목생화(木生火)
- 화생토(火生土)
- 토생금(土生金)
- 금생수(金生水)
- 수생목(水生木)

- 목극토(木剋土)
- 토극수(土剋水)
- 수극화(水剋火)
- 화극금(火剋金)
- 금극목(金剋木)

표2. 10천간(天干) 순행도 _남반구

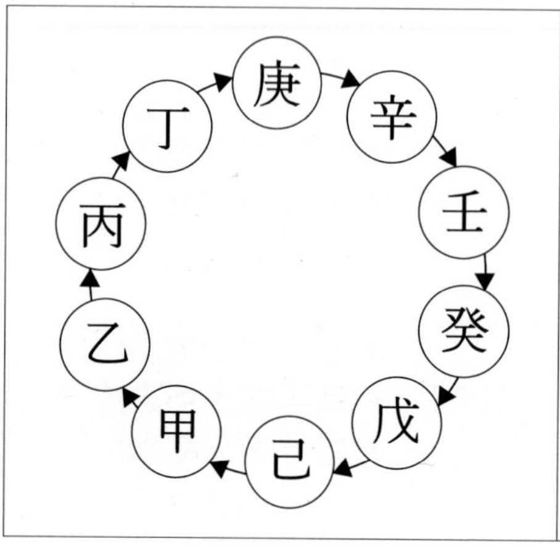

표2-1. 10천간(天干) 순행도 _북반구

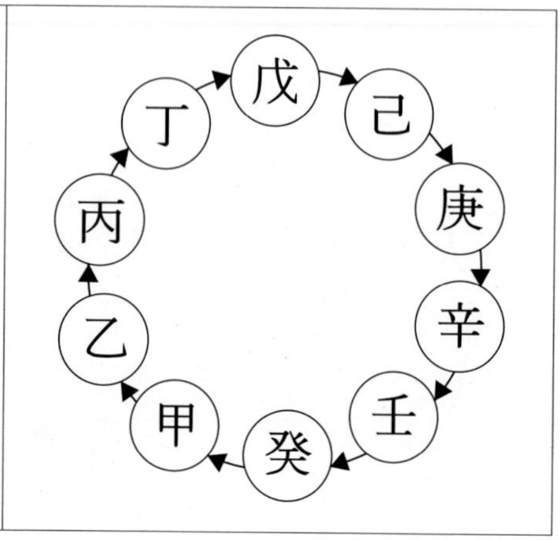

표3. 천간합(天干合) _남반구

庚己 合→土	辛甲 合→木	壬乙 合→火	癸丙 合→金	戊丁 合→水

표3-1. 천간합(天干合) _북반구

甲己 合→土	乙庚 合→金	丙辛 合→水	丁壬 合→木	戊癸 合→火

표4. 육친도(六親圖) _남반구

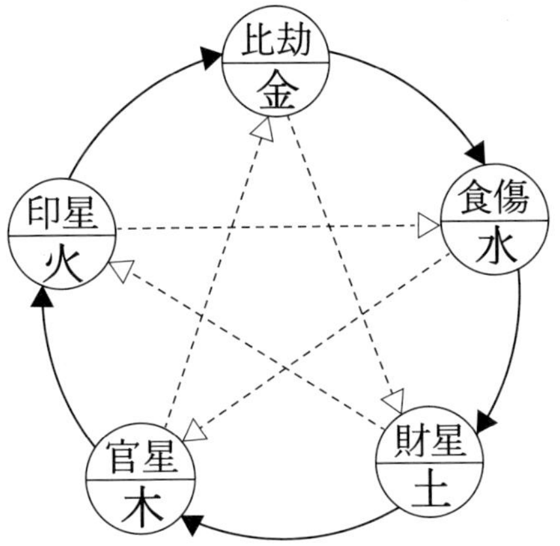

- 비아자(比我者) : 비겁(比劫)
- 아생자(我生者) : 식상(食傷)
- 아극자(我剋者) : 재성(財星)
- 극아자(剋我者) : 관성(官星)
- 생아자(生我者) : 인성(印星)

상생(相生) ──▶ 상극(相剋) ------▷

표4-1. 육친도(六親圖) _북반구

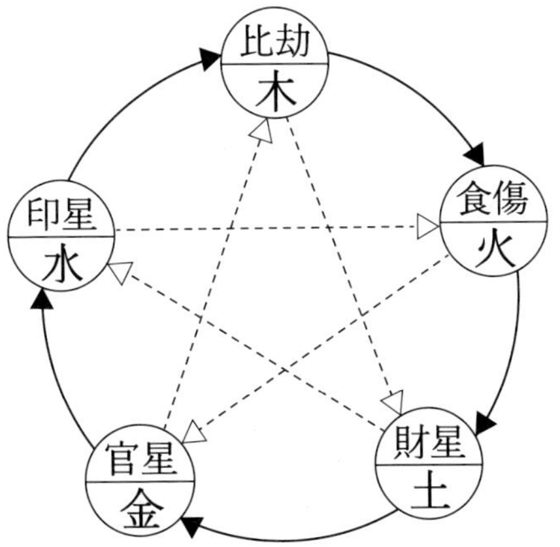

- 비아자(比我者) : 비겁(比劫)
- 아생자(我生者) : 식상(食傷)
- 아극자(我剋者) : 재성(財星)
- 극아자(剋我者) : 관성(官星)
- 생아자(生我者) : 인성(印星)

상생(相生) ──▶ 상극(相剋) ------▷

표5. 십이운성(十二運星) 도표 _남반구

日干 / 運星	庚	辛	壬	癸	戊	己	甲	乙	丙	丁
長生	巳	子	申	卯	申	卯	亥	午	寅	酉
沐浴	午	亥	酉	寅	酉	寅	子	巳	卯	申
冠帶	未	戌	戌	丑	戌	丑	丑	辰	辰	未
建祿	申	酉	亥	子	亥	子	寅	卯	巳	午
帝旺	酉	申	子	亥	子	亥	卯	寅	午	巳
衰	戌	未	丑	戌	丑	戌	辰	丑	未	辰
病	亥	午	寅	酉	寅	酉	巳	子	申	卯
死	子	巳	卯	申	卯	申	午	亥	酉	寅
墓	丑	辰	辰	未	辰	未	未	戌	戌	丑
絶	寅	卯	巳	午	巳	午	申	酉	亥	子
胎	卯	寅	午	巳	午	巳	酉	申	子	亥
養	辰	丑	未	辰	未	辰	戌	未	丑	戌

표5-1. 십이운성(十二運星) 도표 _북반구

日干 / 運星	甲	乙	丙	丁	戊	己	庚	辛	壬	癸
長生	亥	午	寅	酉	寅	酉	巳	子	申	卯
沐浴	子	巳	卯	申	卯	申	午	亥	酉	寅
冠帶	丑	辰	辰	未	辰	未	未	戌	戌	丑
建祿	寅	卯	巳	午	巳	午	申	西	亥	子
帝旺	卯	寅	午	巳	午	巳	酉	申	子	亥
衰	辰	丑	未	辰	未	辰	戌	未	丑	戌
病	巳	子	申	卯	申	卯	亥	午	寅	酉
死	午	亥	酉	寅	酉	寅	子	巳	卯	申
墓	未	戌	戌	丑	戌	丑	丑	辰	辰	未
絶	申	酉	亥	子	亥	子	寅	卯	巳	午
胎	酉	申	子	亥	子	亥	卯	寅	午	巳
養	戌	未	丑	戌	丑	戌	辰	丑	未	辰

표6. 십이신살(十二神殺) 도표

年·日支 / 神殺	寅午戌	亥卯未	申子辰	巳酉丑
劫殺	亥	申	巳	寅
災殺	子	酉	午	卯
天殺	丑	戌	未	辰
地殺	寅	亥	申	巳
年殺	卯	子	酉	午
月殺	辰	丑	戌	未
亡身	巳	寅	亥	申
將星	午	卯	子	酉
攀鞍	未	辰	丑	戌
驛馬	申	巳	寅	亥
六害	酉	午	卯	子
華蓋	戌	未	辰	丑

표7. 지지장간 월률분야(地支藏干 月律分野) 도표

地支 / 時期	子	丑	寅	卯	辰	巳	午	未	申	酉	戌	亥
餘氣	壬 10日	癸 9日	戊 7日	甲 10日	乙 9日	戊 7日	丙 10日	丁 9日	戊 7日	庚 10日	辛 9日	戊 7日
中氣	*	辛 3日	丙 7日	*	癸 3日	庚 7日	己 10日	乙 3日	壬 7日	*	丁 3日	甲 7日
正氣	癸 20日	己 18日	甲 16日	乙 20日	戊 18日	丙 16日	丁 10日	己 18日	庚 16日	辛 20日	戊 18日	壬 16日

표8. 육십간지 납음오행(六十干支 納音五行) _남반구

旬	六十干支 納音五行										旬空	納音空亡
一旬	庚午	辛未	壬申	癸酉	戊戌	己亥	甲子	乙丑	丙寅	丁卯	辰巳	水
	路傍土 노방토		劍鋒金 검봉금		平地木 평지목		海中金 해중금		爐中火 노중화			
二旬	庚戌	辛亥	壬子	癸丑	戊寅	己卯	甲辰	乙巳	丙午	丁未	寅卯	無
	白蠟金 백랍금		陽柳木 양류목		大驛土 대역토		山頭火 산두화		澗下水 간하수			
三旬	庚申	辛酉	壬戌	癸亥	戊子	己丑	甲寅	乙卯	丙辰	丁巳	子丑	金
	松柏木 송백목		長流水 장류수		天上火 천상화		泉中水 천중수		屋上土 옥상토			
四旬	庚午	辛未	壬申	癸酉	戊戌	己亥	甲子	乙丑	丙寅	丁卯	戌亥	水
	壁上土 벽상토		金箔金 금박금		大林木 대림목		砂中金 사중금		山下火 산하화			
五旬	庚辰	辛巳	壬午	癸未	戊申	己酉	甲戌	乙亥	丙子	丁丑	申酉	無
	釵釧金 차천금		桑柘木 상자목		城頭土 성두토		覆燈火 복등화		天河水 천하수			
六旬	庚寅	辛卯	壬辰	癸巳	戊午	己未	甲申	乙酉	丙戌	丁亥	午未	金
	石柳木 석류목		大海水 대해수		霹靂火 벽력화		大溪水 대계수		沙中土 사중토			

표8-1. 육십간지 납음오행(六十干支 納音五行) _북반구

旬	六十干支 納音五行										旬空	納音空亡
一旬	甲 子	乙 丑	丙 寅	丁 卯	戊 辰	己 巳	庚 午	辛 未	壬 申	癸 酉	戌 亥	水
	海中金 해중금		爐中火 노중화		大林木 대림목		路傍土 노방토		劍鋒金 검봉금			
二旬	甲 戌	乙 亥	丙 子	丁 丑	戊 寅	己 卯	庚 辰	辛 巳	壬 午	癸 未	申 酉	無
	山頭火 산두화		澗下水 간하수		城頭土 성두토		白臘金 백랍금		陽柳木 양류목			
三旬	甲 申	乙 酉	丙 戌	丁 亥	戊 子	己 丑	庚 寅	辛 卯	壬 辰	癸 巳	午 未	金
	泉中水 천중수		屋上土 옥상토		霹靂火 벽력화		松柏木 송백목		長流水 장류수			
四旬	甲 午	乙 未	丙 申	丁 酉	戊 戌	己 亥	庚 子	辛 丑	壬 寅	癸 卯	辰 巳	水
	沙中金 사중금		山下火 산하화		平地木 평지목		壁上土 벽상토		金箔金 금박금			
五旬	甲 辰	乙 巳	丙 午	丁 未	戊 申	己 酉	庚 戌	辛 亥	壬 子	癸 丑	寅 卯	無
	覆燈火 복등화		天河水 천하수		大驛土 대역토		釵釧金 차천금		桑柘木 상자목			
六旬	甲 寅	乙 卯	丙 辰	丁 巳	戊 午	己 未	庚 申	辛 酉	壬 戌	癸 亥	子 丑	金
	大溪水 대계수		沙中土 사중토		天上火 천상화		石柳木 석류목		大海水 대해수			

표9. 육십갑자(六十甲子) 도표 _남반구

旬	六十甲子										空亡
一旬	庚午	辛未	壬申	癸酉	戊戌	己亥	甲子	乙丑	丙寅	丁卯	辰巳
二旬	庚辰	辛巳	壬午	癸未	戊申	己酉	甲戌	乙亥	丙子	丁丑	寅卯
三旬	庚寅	辛卯	壬辰	癸巳	戊午	己未	甲申	乙酉	丙戌	丁亥	子丑
四旬	庚子	辛丑	壬寅	癸卯	戊辰	己巳	甲午	乙未	丙申	丁酉	戌亥
五旬	庚戌	辛亥	壬子	癸丑	戊寅	己卯	甲辰	乙巳	丙午	丁未	申酉
六旬	庚申	辛酉	壬戌	癸亥	戊子	己丑	甲寅	乙卯	丙辰	丁巳	午未

표9-1. 육십갑자(六十甲子) 도표 _북반구

旬	六十甲子										空亡
一旬	甲子	乙丑	丙寅	丁卯	戊辰	己巳	庚午	辛未	壬申	癸酉	戌亥
二旬	甲戌	乙亥	丙子	丁丑	戊寅	己卯	庚辰	辛巳	壬午	癸未	申酉
三旬	甲申	乙酉	丙戌	丁亥	戊子	己丑	庚寅	辛卯	壬辰	癸巳	午未
四旬	甲午	乙未	丙申	丁酉	戊戌	己亥	庚子	辛丑	壬寅	癸卯	辰巳
五旬	甲辰	乙巳	丙午	丁未	戊申	己酉	庚戌	辛亥	壬子	癸丑	寅卯
六旬	甲寅	乙卯	丙辰	丁巳	戊午	己未	庚申	辛酉	壬戌	癸亥	子丑

표10. 명궁(命宮) 도표

月支 / 時支	寅	卯	辰	巳	午	未	申	酉	戌	亥	子	丑
子	卯	寅	丑	子	亥	戌	酉	申	未	午	巳	辰
丑	寅	丑	子	亥	戌	酉	申	未	午	巳	辰	卯
寅	丑	子	亥	戌	酉	申	未	午	巳	辰	卯	寅
卯	子	亥	戌	酉	申	未	午	巳	辰	卯	寅	丑
辰	亥	戌	酉	申	未	午	巳	辰	卯	寅	丑	子
巳	戌	酉	申	未	午	巳	辰	卯	寅	丑	子	亥
午	酉	申	未	午	巳	辰	卯	寅	丑	子	亥	戌
未	申	未	午	巳	辰	卯	寅	丑	子	亥	戌	酉
申	未	午	巳	辰	卯	寅	丑	子	亥	戌	酉	申
酉	午	巳	辰	卯	寅	丑	子	亥	戌	酉	申	未
戌	巳	辰	卯	寅	丑	子	亥	戌	酉	申	未	午
亥	辰	卯	寅	丑	子	亥	戌	酉	申	未	午	巳

표10-1. 명궁(命宮) 간지(干支) 조견표 _남반구

年干	命宮 干支											
庚·己	壬申	癸酉	戊戌	己亥	甲子	乙丑	丙寅	丁卯	庚辰	辛巳	壬午	癸未
辛·甲	戊申	己酉	甲戌	乙亥	丙子	丁丑	庚寅	辛卯	壬辰	癸巳	戊午	己未
壬·乙	甲申	乙酉	丙戌	丁亥	庚子	辛丑	壬寅	癸卯	戊辰	己巳	甲午	乙未
癸·丙	丙申	丁酉	庚戌	辛亥	壬子	癸丑	戊寅	己卯	甲辰	乙巳	丙午	丁未
戊·丁	庚申	辛酉	壬戌	癸亥	戊子	己丑	甲寅	乙卯	丙辰	丁巳	庚午	辛未

표10-2. 명궁(命宮) 간지(干支) 조견표 _북반구

年干	命宮 干支											
甲·己	丙寅	丁卯	庚辰	辛巳	壬午	癸未	戊申	己酉	甲戌	乙亥	丙子	丁丑
乙·庚	戊寅	己卯	甲辰	乙巳	丙午	丁未	庚申	辛酉	壬戌	癸亥	戊子	己丑
丙·辛	庚寅	辛卯	壬辰	癸巳	戊午	己未	甲申	乙酉	丙戌	丁亥	庚子	辛丑
丁·壬	壬寅	癸卯	戊辰	己巳	甲午	乙未	丙申	丁酉	庚戌	辛亥	壬子	癸丑
戊·癸	甲寅	乙卯	丙辰	丁巳	庚午	辛未	壬申	癸酉	戊戌	己亥	甲子	乙丑

표11. 24절기(節氣)의 의미와 시기 및 일출 · 일몰 시각

계절	24절기와 의미	시기(양력)		일출	일몰
春	입춘(立春): 봄이 시작된다.	2月 (寅月)	3~5일경	07:33	17:58
	우수(雨水): 봄비가 내리기 시작한다.		18~20일경	07:17	18:15
	경칩(驚蟄): 동면하던 동물들이 깨어난다.	3月 (卯月)	5~7일경	06:57	18:30
	춘분(春分): 밤과 낮의 길이가 같다.		20~22일경	06:35	18:44
	청명(淸明): 청명한 봄날씨가 시작된다.	4月 (辰月)	4~6일경	06:13	18:58
	곡우(穀雨): 봄비가 내리기 시작한다.		19~21일경	05:51	19:11
夏	입하(立夏): 여름이 시작된다.	5月 (巳月)	5~7일경	05:32	19:26
	소만(小滿): 보리알이 굵어지기 시작한다.		20~22일경	05:19	19:39
	망종(芒種): 모를 심기 시작한다.	6月 (午月)	5~7일경	05:11	19:50
	하지(夏至): 낮과 밤이 가장 길고 짧다.		21~24일경	05:11	19:56
	소서(小暑): 더위가 시작된다.	7月 (未月)	6~8일경	05:17	19:56
	대서(大暑): 큰 더위가 시작된다.		22~24일경	05:28	19:48
秋	입추(立秋): 가을이 시작된다.	8月 (申月)	7~9일경	05:41	19:33
	처서(處暑): 더위가 가시기 시작한다.		23~24일경	05:44	19:55
	백로(白露): 흰 이슬이 내리기 시작한다.	9月 (酉月)	7~9일경	06:07	18:52
	추분(秋分): 밤과 낮의 길이가 같다.		22~24일경	06:20	18:29
	한로(寒露): 찬 이슬이 내린다.	10月 (戌月)	8~9일경	06:33	18:06
	상강(霜降): 서리가 내린다.		23~25일경	06:48	17:44
冬	입동(立冬): 겨울이 시작된다.	11月 (亥月)	7~8일경	07:03	17:27
	소설(小雪): 눈이 내리기 시작한다.		22~23일경	07:18	17:17
	대설(大雪): 큰 눈이 내리기 시작한다.	12月 (子月)	6~8일경	07:33	17:13
	동지(冬至): 밤과 낮이 가장 길고 짧다.		20~21일경	07:43	17:17
	소한(小寒): 추위가 시작된다.	1月 (丑月)	5~7일경	07:47	17:28
	대한(大寒): 큰 추위가 시작된다.		20~21일경	07:44	17:42

표12. 각 지역의 실제시와 동경135도 표준시(標準時)와의 시차

지 역	경 도	시 차
백령도	124도 53분	+40분 26초
목 포	126도 23분	+34분 26초
제 주	126도 32분	+33분 52초
인 천	126도 42분	+33분 32초
군 산	126도 43분	+33분 28초
광 주	126도 55분	+32분 17초
서 울	126도 59분	+32분 05초
수 원	127도 02분	+31분 53초
전 주	127도 09분	+31분 24초
대 전	127도 25분	+30분 19초
청 주	127도 29분	+30분 03초
춘 천	127도 44분	+29분 04초
원 주	127도 57분	+28분 12초
상 주	128도 10분	+26분 56초
마 산	128도 34분	+25분 44초
대 구	128도 37분	+25분 32초
안 동	128도 44분	+25분 04초
강 릉	128도 54분	+24분 23초
부 산	129도 02분	+23분 48초
경 주	129도 13분	+23분 07초
포 항	129도 22분	+22분 33초
울릉도	130도 54분	+16분 25초

* 경도순서대로 기록했으며 경도는 초 단위는 반올림하여 분 단위까지 표기함.

표13. 한국의 표준시(標準時) 변경

동경127도30분 표준시	자	1908. 4. 29.	18:30을 18:00으로
	지	1912. 1. 1.	11:30까지
동경135도 표준시	자	1912. 1. 1.	11:30을 12:00으로
	지	1954. 3. 21.	00:30까지
동경127도30분 표준시	자	1954. 3. 21.	00:30을 00:00으로
	지	1961. 8. 9.	24:00까지
동경135도 표준시	자	1961. 8. 10.	00:00을 00:30으로
	현재 사용 중		

* 해당 날짜 신문기사를 참조하였다.

표14. 우리나라의 서머타임(Summer Time) 실시 현황

1948년	자	5월 31일	23:00을 24:00으로	동경135도 표준시
	지	9월 12일	24:00을 23:00으로	
1949년	자	4월 2일	23:00을 24:00으로	동경135도 표준시
	지	9월 10일	24:00을 23:00으로	
1950년	자	3월 31일	23:00을 24:00으로	동경135도 표준시
	지	9월 9일	24:00을 23:00으로	
1951년	자	5월 6일	23:00을 24:00으로	동경135도 표준시
	지	9월 8일	24:00을 23:00으로	
1955년	자	5월 5일	00:00을 01:00으로	동경127도30분 표준시
	지	9월 9일	01:00을 00:00으로	
1956년	자	5월 20일	00:00을 01:00으로	동경127도30분 표준시
	지	9월 30일	01:00을 00:00으로	
1957년	자	5월 5일	00:00을 01:00으로	동경127도30분 표준시
	지	9월 22일	01:00을 00:00으로	
1958년	자	5월 4일	00:00을 01:00으로	동경127도30분 표준시
	지	9월 21일	01:00을 00:00으로	
1959년	자	5월 3일	00:00을 01:00으로	동경127도30분 표준시
	지	9월 20일	01:00을 00:00으로	
1960년	자	5월 1일	00:00을 01:00으로	동경127도30분 표준시
	지	9월 18일	01:00을 00:00으로	
1987년	자	5월 10일	02:00을 03:00으로	동경135도 표준시
	지	10월 11일	03:00을 02:00으로	
1988년	자	5월 8일	02:00을 03:00으로	동경135도 표준시
	지	10월 9일	03:00을 02:00으로	

* 해당 날짜 신문기사를 참조하였다.

표15. 시간지(時干支) 조견표 _남반구

日干 / 時支	庚·己	辛·甲	壬·乙	癸·丙	戊·丁
子	庚子	壬子	戊子	甲子	丙子
丑	辛丑	癸丑	己丑	乙丑	丁丑
寅	壬寅	戊寅	甲寅	丙寅	庚寅
卯	癸卯	己卯	乙卯	丁卯	辛卯
辰	戊辰	甲辰	丙辰	庚辰	壬辰
巳	己巳	乙巳	丁巳	辛巳	癸巳
午	甲午	丙午	庚午	壬午	戊午
未	乙未	丁未	辛未	癸未	己未
申	丙申	庚申	壬申	戊申	甲申
酉	丁酉	辛酉	癸酉	己酉	乙酉
戌	庚戌	壬戌	戊戌	甲戌	丙戌
亥	辛亥	癸亥	己亥	乙亥	丁亥

* 時支는 북반구와 남반구가 동일하다.

표15-1. 시간지(時干支) 조견표 _북반구

日干 / 時支	甲·己	乙·庚	丙·辛	丁·壬	戊·癸
子	甲子	丙子	戊子	庚子	壬子
丑	乙丑	丁丑	己丑	辛丑	癸丑
寅	丙寅	戊寅	庚寅	壬寅	甲寅
卯	丁卯	己卯	辛卯	癸卯	乙卯
辰	戊辰	庚辰	壬辰	甲辰	丙辰
巳	己巳	辛巳	癸巳	乙巳	丁巳
午	庚午	壬午	甲午	丙午	戊午
未	辛未	癸未	乙未	丁未	己未
申	壬申	甲申	丙申	戊申	庚申
酉	癸酉	乙酉	丁酉	己酉	辛酉
戌	甲戌	丙戌	戊戌	庚戌	壬戌
亥	乙亥	丁亥	己亥	辛亥	癸亥

* 時支는 북반구와 남반구가 동일하다.

표16. 월간지(月干支) 조견표 _남반구

年干 / 月支	庚 · 己	辛 · 甲	壬 · 乙	癸 · 丙	戊 · 丁
申(2月)	壬申	戊申	甲申	丙申	庚申
酉(3月)	癸酉	己酉	乙酉	丁酉	辛酉
戌(4月)	戊戌	甲戌	丙戌	庚戌	壬戌
亥(5月)	己亥	乙亥	丁亥	辛亥	癸亥
子(6月)	甲子	丙子	庚子	壬子	戊子
丑(7月)	乙丑	丁丑	辛丑	癸丑	己丑
寅(8月)	丙寅	庚寅	壬寅	戊寅	甲寅
卯(9月)	丁卯	辛卯	癸卯	己卯	乙卯
辰(10月)	庚辰	壬辰	戊辰	甲辰	丙辰
巳(11月)	辛巳	癸巳	己巳	乙巳	丁巳
午(12月)	壬午	戊午	甲午	丙午	庚午
未(1月)	癸未	己未	乙未	丁未	辛未

* 月支의 月은 양력이다.

표16-1 월간지(月干支) 조견표 _북반구

年干 / 月支	甲 · 己	乙 · 庚	丙 · 辛	丁 · 壬	戊 · 癸
寅(2月)	丙寅	戊寅	庚寅	壬寅	甲寅
卯(3月)	丁卯	己卯	辛卯	癸卯	乙卯
辰(4月)	戊辰	庚辰	壬辰	甲辰	丙辰
巳(5月)	己巳	辛巳	癸巳	乙巳	丁巳
午(6月)	庚午	壬午	甲午	丙午	戊午
未(7月)	辛未	癸未	乙未	丁未	己未
申(8月)	壬申	甲申	丙申	戊申	庚申
酉(9月)	癸酉	乙酉	丁酉	己酉	辛酉
戌(10月)	甲戌	丙戌	戊戌	庚戌	壬戌
亥(11月)	乙亥	丁亥	己亥	辛亥	癸亥
子(12月)	丙子	戊子	庚子	壬子	甲子
丑(1月)	丁丑	己丑	辛丑	癸丑	乙丑

* 月支의 月은 양력이다.

박 경 호 약력

- 전남 해남 출생(1955)
- 전남대학교 농업경제학과 졸업(1982)
- 고려대학교 대학원 경제학과 졸업(1985)
- 동방대학원대학교 미래예측학과 박사 수료(2009)

현 동방문화대학원대학교 문화교육원 교수
현 동아일보(스포츠동아)
「박경호의 운수좋은 날」 연재 중
현 월간CARLIFE 「띠별로 보는 이달의운세」 연재 중
현 「도원학당」 원장

논문 「주역의 패러다임에 의한 합리적 경영원리에 관한 연구」
저서 「북반구 만세력」

남반구 만세력

초판인쇄 2015년 4월 27일
초판발행 2015년 6월 17일

원저자 : 박경호
발행인 : 박경호

발행처 : 도서출판 도원학당
출판등록 : 제 2015 - 000011호
주소 : 경기도 광명시 철산로 13-12, 쌍마한신상가 3층 305호
전화 : (02) 812-1201~2
팩스 : (02) 823-9942
이메일 : cj8384@hanmail.net

ISBN 979-11-955222-2-4

가격 18,000원